# BARUN LAW
## 법무법인(유한) 바른

고객을 위해 '바른' 변호사가
모인 법무법인(유한) 바른!

WWW.BARUNLAW.COM

KB162300

# 바른 '조세팀' 구성원

바른 길을 가는 든든한 파트너!

| 이원일 | 하종대 | 손삼락 | 정재희 | 이강호 | 박재순 |
|---|---|---|---|---|---|
| 대표 변호사 | 파트너 변호사 | 파트너 변호사 | 팀장 변호사 | 파트너 변호사 | 파트너 변호사 |
| 조세쟁송/자문 | 조세쟁송/자문 | 조세쟁송/자문 | 조세쟁송/자문 | 조세쟁송/자문 | 조세쟁송/자문 |

| 조현관 | 김기복 | 김기목 | 김현석 | 추교진 | 김지은 |
|---|---|---|---|---|---|
| 상임고문 | 고문 | 세무사 | 세무사 | 파트너 변호사 | 파트너 변호사 |
| 세무조사/자문 | 세무조사/자문 | 세무조사/불복 | 세무조사/불복 | 조세쟁송/자문 | 조세쟁송/자문 |

## 구성원 소개

| 최주영 | 파트너변호사 | 조세쟁송/자문 | 김준호 | 변호사 | 조세쟁송/자문 | 손주영 | 변호사 | 조세쟁송/자문 |
|---|---|---|---|---|---|---|---|---|
| 이정호 | 파트너변호사 | 조세쟁송/자문 | 유상화 | 변호사 | 조세쟁송/자문 | 민경찬 | 변호사 | 조세쟁송/자문 |
| 박성호 | 파트너변호사 | 조세쟁송/자문 | 이찬웅 | 변호사 | 조세쟁송/자문 | 심현아 | 변호사 | 조세쟁송/자문 |
| 백종덕 | 파트너변호사 | 조세쟁송/자문 | 서장철 | 변호사 | 조세쟁송/자문 | 문다인 | 변호사 | 조세쟁송/자문 |
| | | | | | | 이지민 | 변호사 | 조세쟁송/자문 |

Barun Law
Capabilities

법무법인(유한) 바른
서울 강남구 테헤란로 92길 7 바른빌딩 (리셉션: 5층, 12층)
TEL 02-3476-5599   FAX 02-3476-5995   CONTACT@BARUNLAW.COM

01

# 목차

| | | |
|---|---|---|
| ■ **한국공인회계사회** | | **10** |
| ■ **회계법인(가나다順)** | | |
| BDO성현회계법인 | | 11 |
| EY한영 | | 12 |
| 딜로이트 안진 | | 13 |
| 미래회계법인 | | 14 |
| 삼덕회계법인 | | 15 |
| 삼일회계법인 | | 16~17 |
| 삼정KPMG | | 18~20 |
| 서현회계법인 | | 6~7 |
| 신승회계법인 | | 21 |
| 예일회계법인 | | 22 |
| 우리회계법인 | | 23 |
| 이촌회계법인 | | 24 |
| 재정회계법인 | | 25 |
| 태일회계법인 | | 26 |
| 한울회계법인 | | 27 |
| 현대회계법인 | | 28 |
| ■ **한국세무사고시회** | | **30** |
| ■ **세무대학세무사회** | | **31** |
| ■ **서울지방세무사회** | | **32** |
| ■ **인천지방세무사회** | | **33** |
| ■ **세무법인(가나다順)** | | |
| BnH세무법인 | | 34 |
| 가현택스 임채수세무사 | 142, 153, 207 | |
| 대원세무법인 | 155, 159 | |
| 세림세무법인 | | 169 |
| 세무법인 다솔 | | 35 |
| 세무법인 더택스 | | 36 |
| 세무법인 삼륭 | | 37 |
| 세무법인 택스홈앤아웃 | 38, 239 | |
| 세무법인 하나 | | 39 |
| 예일세무법인 | 40, 189, 207 | |
| 이안세무법인 | | 41 |
| 이현세무법인 | | 6~7 |
| ■ **한국관세사회** | | **42** |
| ■ **관세법인(가나다順)** | | |
| 세인관세법인 | | 43 |
| 신한관세법인 | 44, 483 | |
| ■ **로펌(가나다順)** | | |
| 김앤장 법률사무소 | | 46~47 |
| 법무법인 광장 | | 48~49 |
| 법무법인 대륜 | | 45 |
| 법무법인 바른 | | 1 |
| 법무법인 세종 | | 50 |
| 법무법인 지평 | | 51 |
| 법무법인 태평양 | | 52 |
| ■ **국회기획재정위원회** | | **55** |
| ■ **국회법제사법위원회** | | **57** |
| ■ **국회정무위원회** | | **59** |
| ■ **감사원** | | **61** |

**DL** E&C

| | | |
|---|---|---|
| ■ 기획재정부 | | 65 |
| 세제실 | | 68 |
| 기획조정실 | | 70 |
| 예산실 | | 71 |
| ■ 금융위원회 | | 85 |
| ■ 금융감독원 | | 89 |
| ■ 중소기업중앙회 | | 102 |
| ■ 국세청 | | 105 |
| 본　　청 국·실 | | 106 |
| 주류면허지원센터 | | 126 |
| 국세상담센터 | | 128 |
| 국세공무원교육원 | | 130 |
| ■ 서울지방국세청 | | 133 |
| 지방국세청 국·과 | | 134 |
| 강　　남 세무서 | | 158 |
| 강　　동 세무서 | | 160 |
| 강　　서 세무서 | | 162 |
| 관　　악 세무서 | | 164 |
| 구　　로 세무서 | | 166 |
| 금　　천 세무서 | | 168 |
| 남 대 문 세무서 | | 170 |
| 노　　원 세무서 | | 172 |
| 도　　봉 세무서 | | 174 |
| 동 대 문 세무서 | | 176 |
| 동　　작 세무서 | | 178 |
| 마　　포 세무서 | | 180 |
| 반　　포 세무서 | | 182 |
| 삼　　성 세무서 | | 184 |
| 서 대 문 세무서 | | 186 |

| | | |
|---|---|---|
| 서　　초 세무서 | | 188 |
| 성　　동 세무서 | | 190 |
| 성　　북 세무서 | | 192 |
| 송　　파 세무서 | | 194 |
| 양　　천 세무서 | | 196 |
| 역　　삼 세무서 | | 198 |
| 영 등 포 세무서 | | 200 |
| 용　　산 세무서 | | 202 |
| 은　　평 세무서 | | 204 |
| 잠　　실 세무서 | | 206 |
| 종　　로 세무서 | | 208 |
| 중　　랑 세무서 | | 210 |
| 중　　부 세무서 | | 212 |
| ■ 중부지방국세청 | | 215 |
| 지방국세청 국·과 | | 216 |
| [경기] 구　　리 세무서 | | 226 |
| 기　　흥 세무서 | | 228 |
| 남 양 주 세무서 | | 230 |
| 동 수 원 세무서 | | 232 |
| 동 안 양 세무서 | | 234 |
| 분　　당 세무서 | | 236 |
| 성　　남 세무서 | | 238 |
| 수　　원 세무서 | | 240 |
| 시　　흥 세무서 | | 242 |
| 경기광주 세무서(하남지서) | | 244 |
| 안　　산 세무서 | | 246 |
| 동 안 산 세무서 | | 248 |
| 안　　양 세무서 | | 250 |
| 용　　인 세무서 | | 252 |

# 목차

| | | |
|---|---|---|
| 이 천 세무서 | 254 | |
| 평 택 세무서(안성지서) | 256 | |
| 동 화 성 세무서 | 258 | |
| 화 성 세무서 | 260 | |
| **[강원]** 강 릉 세무서 | 262 | |
| 삼 척 세무서(태백지서) | 264 | |
| 속 초 세무서 | 266 | |
| 영 월 세무서 | 268 | |
| 원 주 세무서 | 270 | |
| 춘 천 세무서 | 272 | |
| 홍 천 세무서 | 274 | |

| **■ 인천지방국세청** | **277** |
|---|---|
| 지방국세청 국·과 | 278 |
| 남 동 세무서 | 286 |
| 서 인 천 세무서 | 288 |
| 인 천 세무서 | 290 |
| 계 양 세무서 | 292 |
| 고 양 세무서 | 294 |
| 광 명 세무서 | 296 |
| 김 포 세무서 | 298 |
| 동 고 양 세무서 | 300 |
| 남 부 천 세무서 | 302 |
| 부 천 세무서 | 304 |
| 부 평 세무서 | 306 |
| 연 수 세무서 | 308 |
| 의 정 부 세무서 | 310 |
| 파 주 세무서 | 312 |
| 포 천 세무서(동두천지서) | 314 |

| **■ 대전지방국세청** | **317** |
|---|---|
| 지방국세청 국·과 | 318 |
| **[대전]** 대 전 세무서 | 324 |
| 북 대 전 세무서 | 326 |
| 서 대 전 세무서 | 328 |
| **[충남]** 공 주 세무서 | 330 |
| 논 산 세무서 | 332 |
| 보 령 세무서 | 334 |
| 서 산 세무서 | 336 |
| 세 종 세무서 | 338 |
| 아 산 세무서 | 340 |
| 예 산 세무서(당진지서) | 342 |
| 천 안 세무서 | 344 |
| 홍 성 세무서 | 346 |
| **[충북]** 동 청 주 세무서 | 348 |
| 영 동 세무서 | 350 |
| 제 천 세무서 | 352 |
| 청 주 세무서 | 354 |
| 충 주 세무서(충북혁신지서) | 356 |

| **■ 광주지방국세청** | **359** |
|---|---|
| 지방국세청 국·과 | 360 |
| **[광주]** 광 산 세무서 | 366 |
| 광 주 세무서 | 368 |
| 북 광 주 세무서 | 370 |
| 서 광 주 세무서 | 372 |
| **[전남]** 나 주 세무서 | 374 |
| 목 포 세무서 | 376 |
| 순 천 세무서(벌교지서,광양지서) | 378 |

| | | |
|---|---|---|
| 여　수 세무서 | 380 | |
| 해　남 세무서(강진지서) | 382 | |
| **[전북]** 군　산 세무서 | 384 | |
| 남　원 세무서 | 386 | |
| 북 전 주 세무서(진안지서) | 388 | |
| 익　산 세무서(김제지서) | 390 | |
| 전　주 세무서 | 392 | |
| 정　읍 세무서 | 394 | |
| **■ 대구지방국세청** | **397** | |
| 지방국세청 국·과 | 398 | |
| **[대구]** 남 대 구 세무서(달성지서) | 404 | |
| 동 대 구 세무서 | 406 | |
| 북 대 구 세무서 | 408 | |
| 서 대 구 세무서 | 410 | |
| 수　성 세무서 | 412 | |
| **[경북]** 경　산 세무서 | 414 | |
| 경　주 세무서(영천지서) | 416 | |
| 구　미 세무서 | 418 | |
| 김　천 세무서 | 420 | |
| 상　주 세무서 | 422 | |
| 안　동 세무서(의성지서) | 424 | |
| 영　덕 세무서(울진지서) | 426 | |
| 영　주 세무서 | 428 | |
| 포　항 세무서(울릉지서) | 430 | |
| **■ 부산지방국세청** | **433** | |
| 지방국세청 국·과 | 434 | |
| **[부산]** 금　정 세무서 | 442 | |
| 동　래 세무서 | 444 | |
| 부 산 진 세무서 | 446 | |

| | | |
|---|---|---|
| 부산강서 세무서 | 448 | |
| 북 부 산 세무서 | 450 | |
| 서 부 산 세무서 | 452 | |
| 수　영 세무서 | 454 | |
| 중 부 산 세무서 | 456 | |
| 해 운 대 세무서 | 458 | |
| **[울산]** 동 울 산 세무서(울주지서) | 460 | |
| 울　산 세무서 | 462 | |
| **[경남]** 거　창 세무서 | 464 | |
| 김　해 세무서(밀양지서) | 466 | |
| 마　산 세무서 | 468 | |
| 양　산 세무서 | 470 | |
| 진　주 세무서(하동지서,사천지서) | 472 | |
| 창　원 세무서 | 474 | |
| 통　영 세무서(거제지서) | 476 | |
| **[제주]** 제　주 세무서(서귀포지서) | 478 | |
| **■ 관세청** | **481** | |
| 본　청 국·과 | 482 | |
| 서울본부세관 | 485 | |
| 인천본부세관 | 489 | |
| 인천공항본부세관 | 491 | |
| 부산본부세관 | 495 | |
| 대구본부세관 | 499 | |
| 광주본부세관 | 501 | |
| **■ 행정안전부 지방재정경제실** | **504** | |
| **■ 국무총리실 조세심판원** | **506** | |
| **■ 한국조세재정연구원** | **508** | |
| **■ 전국세무관서 주소록** | **512** | |
| **■ 색인** | **516** | |

## ▌ 서현파트너스 - 경영진

| 성 명 | 직 책 | 주요 경력 |
|---|---|---|
| 안만식 | 서현파트너스회장 | |
| 배홍기 | 서현회계법인 대표이사 | 산동 KPMG · 삼정회계법인 · 기재부 공공기관운영위원회 위원 |
| 마숙룡 | 이현세무법인 대표 | 서울청 · 중부청 조사국 · 중부청 국세심사위원 |
| 김수경 | 법무법인두현 대표변호사 | 사시 51회 · 기재부 예규심의위원 · 국세청고문변호사 · 부산청납보관 · 삼일회계법인 |
| 김진태 | 감사1본부 본부장 | 삼정회계법인 |
| 최상권 | 감사2본부 본부장 | 안진회계법인 |
| 박주일 | 세무본부 본부장 | 국세청 국조 · 서울청 조사국 · 중부청 조사국 |
| 김병환 | 재무자문본부 본부장 | 한영회계법인 |

## ▌ 서현파트너스 - 분야별 전문가

| 업무 분야 | | 성 명 | 직 책 | 주요 경력 |
|---|---|---|---|---|
| 조세분야 | 법인세 및 세무조사 지원 | 마숙룡 | 대표 | 서울청 · 중부청 조사국 · 중부청 국세심사위원 |
| | | 전갑종 | 대표 | 산동KPMG · 국세청 심사위원 · 공인회계사회 세무감리위원 |
| | | 이명진 | 파트너 | 국세청 조사국 · 서울청 조사4국 |
| | | 한성일 | 파트너 | 서울청 조사국 |
| | | 정시영 | 파트너 | 삼일회계법인 · 한영회계법인 |
| | | 임원섭 / 조용관 | 파트너 | 삼일회계법인 / 한영회계법인 |
| | | 강민하 / 송영석 | 파트너 | 이현세무법인 / 삼정회계법인 |
| | 조세불복 전담 | 김수경 | 대표변호사 | 사시 51회 · 국세청고문변호사 · 부산청 납보관 · 삼일회계법인 |
| | | 박지용 | 파트너변호사 | 사시 50회 · 정부법무공단 |
| | | 이영준 | 변호사 | 안진회계법인 · 대전지방국세청 납세자보호담당관 |
| | | 김서영 | 전문위원 | 국세청 법규과 · 서울청 법인세과 |
| | 국제조세 전담 | 박주일 | 본부장 | 국세청 국제조세국 · 서울청 조사국 · 중부청 조사국 |
| | | 정인엽 | 대표 | 국세청 국제조세국 |
| | 재산제세 및 가업승계 전담 | 박종민 | 파트너 | 서울청 조사국 |
| | | 왕한길 | 상무 | 서울청 조사국 · 삼성생명 · 패밀리오피스PB전담 |
| | | 신지훈 | 파트너 | 삼정회계법인 |
| 회계자문 | 회계감사 · 재무실사 | 공영칠 / 김두봉 / 김대식 | 파트너 | 삼정회계법인 / 한영회계법인 / 삼일회계법인 |
| | | 이관호 / 김하연 / 이기원 | 파트너 | 삼일회계법인 / 안진회계법인 / 안진회계법인 |
| | | 현명기 / 구양훈 / 신호석 | 파트너 | 대주회계법인 / 한영회계법인 / 삼정회계법인 |
| | | 이종인 / 이창근 / 김민찬 | 파트너 | 서일회계법인 / 한영회계법인 / 한영회계법인 |
| | | 최보람 / 박영아 | 파트너 | 한영회계법인 / 삼일회계법인 · 삼성증권 |
| | 내부회계관리제도 | 신호석 / 구양훈 | 파트너 | 삼정회계법인 / 한영회계법인 |
| | 재무제표 작성지원 (PA) | 현명기 / 김민찬 | 파트너 | 대주회계법인 / 한영회계법인 |
| | 사업구조 Re-Design 및 Value Up | 최상권 | 본부장 | 안진회계법인 |
| | ERM, Audit Analytics | 김진태 | 대표 | 삼정회계법인 |
| | 내부감사 · 내부통제 | 오영주 | 이사 | 안진회계법인 · 삼성SDS |
| | 기업지배구조 · 윤리 · 준법경영 | 한주호 | 이사 | 삼정회계법인 |
| 재무자문 | 상장유지 자문 | 김두봉 | 파트너 | 한영회계법인 |
| | 기업회생 · 구조조정 | 김형남 | 이사 | 안진회계법인 |
| | R&D 관련 사업비 정산 | 박희주 / 신용선 | 파트너 | 하나은행 · 서일회계법인 / 삼일회계법인 · 삼정회계법인 |
| | Deal Advisory | 오창걸 | 파트너 | 삼일회계법인 |
| | Valuation, 실사 | 김병환 / 이현석 / 이순원 | 파트너 | 한영회계법인 / 삼일회계법인 · RG자산운용 / 삼일회계법인 |
| | 경영컨설팅 | 안상춘 | 파트너 | 삼일회계법인 |
| 특화서비스 | 일본계기업종합서비스 | 도헌수 | 파트너 | 삼일회계법인 |
| | 방산원가 자문 | 정명균 | 전문위원 | 방위사업청 |
| | 금융기관 특화 | 이기원 | 파트너 | 안진회계법인 |
| | 부동산 개발 Plan 및 타당성 분석 | 권상우 | 파트너 | 한영회계법인 |

※ 제휴법인 임원 포함

**PKF 서현** Alliance
*Logos & WISE*

**서현파트너스**
서현회계법인
이현세무법인
법무법인 두현
서현학술재단

서울시 강남구 테헤란로 440 포스코센터 서관 3층
**Tel : 02-3011-1100 ┃ 02-3218-8000**
www.pkfkorea.com ┃ www.ehyuntax.com

# 회계가 바로 서야
# 경제가 바로 섭니다

투명 회계 선순환의 법칙을 아십니까?
기업의 회계가 투명해지면 기업가치가 높아지고,
국가의 회계가 투명해지면 경제성장률이 올라가 일자리가 많아지고,
생활 속 회계가 투명해지면 아파트 관리비가 절감되어
가계의 실질 소득이 늘어나고!
회계가 투명해지면 어제보다 살기 좋은 대한민국이 만들어집니다.

투명한 회계로 바로 서는 한국 경제!
경제 전문가 공인회계사가 함께하겠습니다

**KICPA** 한국공인회계사회
THE KOREAN INSTITUTE OF
CERTIFIED PUBLIC ACCOUNTANTS

# BDO 성현회계법인
## 세계 5위 회계법인 네트워크 BDO 인터내셔널의 회원사로
## 전직원 320명, 매출액 580억원 규모의 지속적인 성장을 거듭하고 있습니다.

### 성현회계법인 주요 구성원

| | | | |
|---|---|---|---|
| 대표이사 | 윤길배 | 02-517-8333 | kilbae.yoon@bdo.kr |
| 품질관리실장 | 박재영 | 02-513-0288 | jaeyoung.park@bdo.kr |

### 서울본사 (02)517-8333

| 이름 | 이메일 | 전문분야 |
|---|---|---|
| 감정훈 | junghun.kam@bdo.kr | 세무조정 \| 세무자문 |
| 고승균 | seungkyun.koh@bdo.kr | 회계감사 \| 회계자문서비스 |
| 김기철 | kichul.kim@bdo.kr | 회계감사 \| 내부회계구축 |
| 김도형 | dohyung.kim@bdo.kr | 회계감사 \| 회계자문서비스 |
| 김명희 | myunghee.kim@bdo.kr | M&A 자문 \| 기업구조개선 |
| 김세언 | se-eon.kim@bdo.kr | M&A 자문 \| 내부회계관리제도 자문 |
| 김우식 | woosik.kim@bdo.kr | 회계감사 \| 회계자문서비스 |
| 김지현 | jihyun.kim@bdo.kr | 회계감사 \| 내부회계관리제도 자문 |
| 김학연 | harkyeon.kim@bdo.kr | 회계감사 \| 내부회계관리제도 자문 |
| 김효영 | hyoyoung.kim@bdo.kr | 법인세 \| 재산제세 |
| 박영아 | youngah.park@bdo.kr | 국제조세 컨설팅 \| 아웃소싱 |
| 박일영 | ilyoung.park@bdo.kr | 회계감사 \| 세무자문 |
| 박주훈 | joohoon.park@bdo.kr | 회계감사 \| 세무자문 |
| 박 철 | chul.park@bdo.kr | 국제조세 컨설팅 \| 아웃소싱 |
| 백승교 | seungkyo.baek@bdo.kr | 회계감사 \| 회계자문서비스 |
| 서동건 | dongkun.seo@bdo.kr | 회계감사 \| 내부회계관리제도 자문 |
| 송광혁 | kwanghyuk.song@bdo.kr | 전산감사 \| 데이터분석 \| XBRL |

| 이름 | 이메일 | 전문분야 |
|---|---|---|
| 신재준 | jaejun.shin@bdo.kr | 포렌직 \| 분쟁조정 |
| 신형욱 | hyungwook.shin@bdo.kr | 세무조정 \| 세무조사대행 |
| 오송민 | songmin.oh@bdo.kr | 국내조세자문 \| 조세불복 |
| 오유진 | yujin.oh@bdo.kr | 회계감사 \| 회계자문서비스 |
| 윤동춘 | dongchun.yoon@bdo.kr | 회계감사 \| 내부회계관리제도 자문 |
| 이경철 | kyungchul.lee@bdo.kr | 회계감사 \| 세무자문 |
| 이근엽 | geunyeop.yi@bdo.kr | 세무조정 및 세무자문 \| 세무조사대행 |
| 이민재 | minjae.lee@bdo.kr | 외투기업 인센티브 \| 국제조세 |
| 이현승 | hyunseung.lee@bdo.kr | 외투기업 회계감사 및 재무자문 \| 재무실사 |
| 이현진 | hyunjin.lee@bdo.kr | 내부회계(내부감사) \| 외국계 아웃소싱 |
| 임영욱 | youngug.im@bdo.kr | 회계감사 \| 세무자문 |
| 전명환 | myeonghwan.jeon@bdo.kr | Funding \| M&A 자문 |
| 전상원 | sangwon.jeon@bdo.kr | 회계감사 \| 회계자문서비스 |
| 조인현 | inhyun.cho@bdo.kr | 회계감사 \| IPO지원업무 |
| 조홍식 | hongsik.cho@bdo.kr | 회계감사 \| 기업금융자문 |
| 최원경 | wonkyung.choi@bdo.kr | 품질관리 |
| 한용주 | yongjoo.han@bdo.kr | 금융보험업 회계감사 \| 결산지원 및 내부회계관리제도 자문 |

### 부산 (051) 463-7222

| 이름 | 이메일 | 전문분야 |
|---|---|---|
| 임철준 | chuljun.lim@bdo.kr | 기업구조정자문 \| M&A 자문 |
| 나상원 | sangwon.na@bdo.kr | 회계감사 \| 내부회계관리제도 자문 |
| 예상우 | sangwoo.ye@bdo.kr | 회계감사 \| 세무자문 |
| 유민수 | minsoo.yoo@bdo.kr | 세무조정 \| 세무자문 |
| 이상린 | sanglin.lee@bdo.kr | 회계감사 \| IPO지원업무 |

### 창원 (055) 266-5511

| 이름 | 이메일 | 전문분야 |
|---|---|---|
| 권순도 | soondo.kwon@bdo.kr | 회계감사 \| 세무자문 \| 가업승계 |

### 대구 (053) 754-6100

| 이름 | 이메일 | 전문분야 |
|---|---|---|
| 이동운 | dongwoon.lee@bdo.kr | 회계감사 \| 세무자문 |

서울시 강남구 테헤란로 508 해성2빌딩 12층 BDO 성현회계법인 06178
T. 02-517-8333  F. 02-517-8399  E. info@bdo.kr

www.bdo.kr

# EY 한영

**Building a better working world**

| | | |
|---|---|---|
| 세무부문대표 | 고경태 | kyung-tae.ko@kr.ey.com |
| 기업세무 | 우승엽 | seung-yeop.woo@kr.ey.com |
| | 유정훈 | jeong-hun.you@kr.ey.com |
| | 신장규 | jang-kyu.shin@kr.ey.com |
| | 권성은 | sung-eun.kwon@kr.ey.com |
| | 서석준 | sukjoon.seo@kr.ey.com |
| | 양기석 | ki-seok.yang@kr.ey.com |
| | 양지호 | jiho.yang@kr.ey.com |
| | 이정기 | jungkee.lee@kr.ey.com |
| | 임효선 | hyosun.lim@kr.ey.com |
| | 박기형 | ki-hyung.park@kr.ey.com |
| | 심석인 | sug-in.shim@kr.ey.com |
| | 이지희 | jeehee.lee@kr.ey.com |
| M&A자문 및 국제조세 | 장남운 | nam-wun.jang@kr.ey.com |
| | 염현경 | hyun-kyung.yum@kr.ey.com |
| | 정일영 | ilyoung.chung@kr.ey.com |
| | 박병용 | byungyong.park@kr.ey.com |
| | 장소연 | so-yeon.jang@kr.ey.com |
| | 조석일 | shuck-il.cho@kr.ey.com |
| | 김영훈 | yung-hun.kim@kr.ey.com |
| 이전가격 자문 | 정인식 | in-sik.jeong@kr.ey.com |
| | 남용훈 | yong-hun.nam@kr.ey.com |
| | 하동훈 | dong-hoon.ha@kr.ey.com |
| 인적자원 관련 서비스 | 정지영 | jee-young.chung@kr.ey.com |
| 금융세무 | 이덕재 | deok-jae.lee@kr.ey.com |
| | 김동성 | dong-sung.kim@kr.ey.com |
| | 김스텔라 | stella.kim@kr.ey.com |
| | 김창국 | chang-kook.kim@kr.ey.com |
| 상속증여자문 | 이나래 | na-rae.lee@kr.ey.com |
| 지방세자문 | 이정기 | jungkee.lee@kr.ey.com |
| 관세 | 박동오 | dongo.park@kr.ey.com |

서울특별시 영등포구 여의공원로 111
02-3787-6600
www.ey.com/kr

## ■ 세무자문부문 (리더 및 파트너 그룹)

부문대표 : 권지원 02-6676-2416

| 전문분야 | 성명 | 전화번호 | 전문분야 | 성명 | 전화번호 | 전문분야 | 성명 | 전화번호 |
|---|---|---|---|---|---|---|---|---|
| 법인조세 / 국제조세 | 김지현 | 02-6676-2434 | 법인조세 / 국제조세 | 이종원 | 02-6676-2584 | Tax Controversy | 정영석 | 02-6676-1507 |
| | 임홍남 | 02-6676-2336 | | 조성문 | 02-6676-2018 | | 조규범 | 02-6676-2889 |
| | 최승웅 | 02-6676-2517 | | 조원영 | 02-6099-4445 | | 김재신 | 02-6676-3145 |
| | 이신호 | 02-6676-2375 | | 한홍석 | 02-6676-2585 | | 김점동 | 02-6676-2332 |
| | Scott Oleson | 02-6676-2012 | M&A 세무 | 우승수 | 02-6676-2452 | | 김태경 | 02-6676-2873 |
| | 고대권 | 02-6676-2349 | | Scott Oleson | 02-6676-2012 | | 이호석 | 02-6676-2527 |
| | 권기태 | 02-6676-2415 | | 김영필 | 02-6676-2432 | | 정환국 | 02-6099-4301 |
| | 김석진 | 02-6138-6248 | | 송호창 | 02-6676-2004 | | 정광석 | 02-6676-1086 |
| | 곽민환 | 02-6676-2488 | | 유경선 | 02-6676-2345 | | 최경원 | 02-6676-1920 |
| | 김선중 | 02-6676-2518 | | 이석규 | 02-6676-2464 | | 최재석 | 02-6676-2509 |
| | 김원동 | 02-6676-1259 | | 이호진 | 02-6099-4472 | | 홍장희 | 02-6676-2832 |
| | 김중래 | 02-6676-2419 | 일본세무 | 이성재 | 02-6676-1837 | | 현희성 | 02-6676-1434 |
| | 김한기 | 02-6138-6167 | | 김명규 | 02-6676-1331 | Business Process Solutions | 박성한 | 02-6676-2521 |
| | 도강현 | 02-6676-2461 | 금융조세 | 김철 | 02-6676-2931 | | 이용현 | 02-6676-2355 |
| | 민윤기 | 02-6676-2504 | | 신창환 | 02-6099-4583 | | 정재필 | 02-6676-2593 |
| | 박동환 | 02-6676-3362 | | 이정연 | 02-6676-2166 | 해외주재원 세무서비스 | 서민수 | 02-6676-2590 |
| | 박준용 | 02-6676-2363 | | 임지훈 | 02-6676-1785 | | 권혁기 | 02-6676-2840 |
| | 신기력 | 02-6676-2519 | | 최국주 | 02-6676-2439 | 개인제세 / 재산제세 | 김중래 | 02-6676-2419 |
| | 신창환 | 02-6099-4583 | 이전가격 | 이용찬 | 02-6676-2828 | | 김원동 | 02-6676-1259 |
| | 안병욱 | 02-6676-1164 | | 김태기 | 02-6676-3822 | 관세 | 유정곤 | 02-6676-2561 |
| | 오종화 | 02-6676-2598 | | 류풍년 | 02-6676-2820 | | 정인영 | 02-6676-2804 |
| | 윤선중 | 02-6676-2455 | | 송성권 | 02-6676-2507 | 부동산세제 | 장상록 | 02-6138-6904 |
| | 이재우 | 02-6676-2536 | | 인영수 | 02-6676-2448 | | 조원영 | 02-6099-4445 |
| | 이재훈 | 02-6676-1461 | | 최은진 | 02-6676-2361 | Tax R&D | 김경조 | 02-6099-4279 |
| | | | | | | Tax Technology Consulting | 구현모 | 02-6676-2126 |

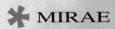

# 미래회계법인을 만나면
# "Class" 가 달라집니다.

다수의 전문가들이 제공하는 통합경영컨설팅 서비스는
미래회계법인이 제공하는 핵심 고객가치 입니다.

**경영컨설팅 서비스**

창업 컨설팅
투자 유치 자문
코스닥 등 IPO 자문
M&A Consulting

기업 회계감사
기업가치 평가
정책자금 감사
아파트 회계감사

**회계감사 및 회계자문**

기업가치의 극대화

효율적인
조세전략

회계투명성
경영효율성
증대

**세무서비스**

양도·상속·증여세
세무 자문
조세 전략 입안
조세 불복

미래회계법인은 회계감사 및 회계자문, 세무전략 그리고 경영컨설팅 분야에서 고도의 전문지식과 풍부한 실무경험을 바탕으로 50여명의 공인 회계사, 세무사, 회계 전문가 등 전문가와 실무자들이 고객 사업 특성에 맞는 다양한 전문서비스를 제공합니다.

✳ MIRAE 미래회계법인 accounting corporation

경기도 수원시 영통구 광교로 105, 6층 611호(이의동, 경기R&DB센터) T 031-888-5900 F 031-888-5911

14

| | | | www.samdukcpa.co.kr | |
|---|---|---|---|---|
| 삼덕회계법인 | | 본사 | 서울시 종로구 우정국로 48 S&S빌딩 12층 | |
| Tel : 02-397-6700 | Fax : 02-730-9559 | | E-mail : samdukcpa@nexiasamduk.kr | |

## 삼덕회계법인 주요구성원

| 법인본부 | 이름 | 전화번호 | E-mail |
|---|---|---|---|
| 대표이사 | 김덕수 | 02-397-6724 | kimdeogsu@nexiasamduk.kr |
| 경영본부장 | 김현수 | 02-397-6852 | hsk2849@nexiasamduk.kr |
| 품질관리실장 | 손호근 | 02-397-6788 | shonhk@nexiasamduk.kr |
| 준법감시인 | 안종정 | 02-397-6743 | cpahn1569@nexiasamduk.kr |
| 감사 | 안영수 | 02-397-5107 | ys@nexiasamduk.kr |
| 감사 | 심형섭 | 02-397-6855 | san6949@nexiasamduk.kr |
| 국제부장 | 권영창 | 02-397-6654 | youngchang.kwon@nexiasamduk.kr |

| 감사본부 | | 본부장 | 전화번호 | E-mail |
|---|---|---|---|---|
| 본사 | 감사1본부 | 금우철 | 02-397-6848 | wch1126@nexiasamduk.kr |
| | 감사2본부 | 김용하 | 02-397-8337 | yhakim@nexiasamduk.kr |
| | 감사3본부 | 신종철 | 02-2076-5527 | jongcheol.shin@nexiasamduk.kr |
| | 감사4본부 | 한일도 | 02-2076-5501 | hanildocpa@nexiasamduk.kr |
| | 감사5본부 | 이녹영 | 02-2076-5521 | nylee@nexiasamduk.kr |
| | 감사6본부 | 성종훈 | 02-739-8543 | jhcpa@nexiasamduk.kr |
| | 감사7본부 | 이병기 | 02-397-6856 | bklee4285@nexiasamduk.kr |
| | 감사8본부 | 권현수 | 02-397-6748 | hskwon@nexiasamduk.kr |
| | 감사9본부 | 김진수 | 02-2076-5468 | kjssac@nexiasamduk.kr |
| | 감사10본부 | 조석훈 | 02-397-6739 | mirage@nexiasamduk.kr |
| | 감사11본부 | 조성훈 | 02-2076-5507 | sunchocpa@nexiasamduk.kr |
| 본사&분사무소 | 감사12본부 | 김도형 | 02-3412-6812 | dhkim@nexiasamduk.kr |

**삼일회계법인**

삼일회계법인은 4,200여 명의 전문가들이 글로벌 경영을 펼치는 고객 기업의 산업적 특성에 맞는 다양한 전문 서비스를 제공하고 있습니다.

## 세무자문 전문가

### Tax Leader

| 이중현 | 709-0598 |
|---|---|

### 국내조세 그룹

| 이영신 | 709-4756 | 오연관 | 709-0342 | 정민수 | 709-0638 | 정복석 | 709-0914 |
|---|---|---|---|---|---|---|---|
| 정선흥 | 709-0937 | 나승도 | 709-4068 | 최유철 | 3781-9202 | 선병오 | 3781-9002 |
| 박기운 | 3781-9187 | 최재표 | 709-0774 | 오혜정 | 3781-9347 | 김윤섭 | 3781-9280 |
| 신윤섭 | 709-0906 | 허윤제 | 709-0686 | 하성훈 | 3781-9328 | 서연정 | 3781-9957 |
| 신정희 | 709-3337 | 나현수 | 709-7042 | 한지용 | 709-8529 | 조영기 | 3781-9521 |
| 이 용 | 3781-9025 | 홍창기 | 3781-9489 | 남형석 | 709-0382 | 전진우 | 3781-2396 |
| 한성근 | 709-8156 | 성창석 | 3781-9011 | 금창훈 | 3781-0125 | 이혜민 | 3781-1732 |
| 김광수 | 709-4055 | 장현준 | 709-4004 | 김성영 | 709-4752 | 남우석 | 3781-9175 |
| 전형진 | 709-7016 | 전종성 | 3781-3185 | 최윤수 | 709-8773 | 조성욱 | 709-8184 |
| 이동복 | 709-4768 | 박종우 | 3781-0181 | 류성무 | 709-4761 | 이민지 | 3781-9200 |
| 오남교 | 709-4754 | 정종만 | 709-4767 | 김원찬 | 709-0348 | 이현종 | 709-6459 |
| 조한철 | 3781-2577 | 정재훈 | 709-0296 | 김태훈 | 3781-2348 | 천승환 | 709-8986 |
| 곽경진 | 709-0799 | 김동명 | 709-8098 | 서승원 | 709-8302 | 이계현 | 3781-3063 |
| 안성민 | 3781-0086 | 조준수 | 3781-2364 | 김대성 | 3781-9285 | | |

#### 지방세

| 조영재 | 709-0932 | 양인병 | 3781-3265 | 윤예원 | 3781-9201 | | |
|---|---|---|---|---|---|---|---|

### 국제조세 그룹

#### 구미계

| 이상도 | 709-0288 | 차일규 | 3781-3173 | 조창호 | 3781-3264 | 양윤정 | 3781-9278 |
|---|---|---|---|---|---|---|---|
| 서백영 | 709-0905 | 김영옥 | 709-7902 | 한규영 | 3781-3105 | 브로웰로버트 | 709-8896 |
| 유정은 | 709-8911 | 이승렬 | 3781-2335 | 윤지영 | 3781-9958 | 이홍석 | 3781-3270 |
| 박승정 | 3781-2576 | | | | | | |

#### 일본계

| 노영석 | 709-0877 | 진병국 | 709-4077 | 이남선 | 3781-3189 | 이응전 | 3781-2309 |
|---|---|---|---|---|---|---|---|
| 이경택 | 709-0726 | 이진행 | 3781-2581 | | | | |

삼일회계법인

## 이전가격 및 국제통상 서비스

| | | | | | | | |
|---|---|---|---|---|---|---|---|
| 전원엽 | 3781-2599 | 조정환 | 709-8895 | 김영주 | 709-4098 | 김찬규 | 709-6145 |
| 이경민 | 3781-1550 | 이윤석 | 3781-2374 | 김준호 | 709-0791 | 박준환 | 709-8991 |
| Henry An | 3781-2594 | 소주현 | 709-8248 | | | | |

### 해외진출세무자문 서비스

| | | | | | | | |
|---|---|---|---|---|---|---|---|
| 김주덕 | 709-0707 | 이동열 | 3781-9812 | 김홍현 | 709-3320 | 박광진 | 709-8829 |
| 박인대 | 3781-3268 | 성시준 | 709-0284 | | | | |

## FS& 그룹

### 금융계

| | | | | | | | |
|---|---|---|---|---|---|---|---|
| 박수연 | 709-4088 | 김종욱 | 3781-9091 | 박주원 | 709-8706 | 정 훈 | 709-3383 |

### 자산운영·사모펀드투자 세무자문 서비스

| | | | | | | | |
|---|---|---|---|---|---|---|---|
| 탁정수 | 3781-1481 | 김경호 | 709-7975 | 이종형 | 709-8185 | 이철민 | 709-8863 |
| 오지환 | 709-0286 | 여주희 | 3781-9074 | 박태진 | 709-8833 | | |

### 고액자산가 – 소득세 / 고액자산가 – 상증세

| | | | | | |
|---|---|---|---|---|---|
| 박주희 | 3781-2387 | 김운규 | 3781-9304 | 이경행 | 709-7052 |

## 산업별 감사 전문가

| 산업 구분 | 이름 | 전화번호 | 산업 구분 | 이름 | 전화번호 |
|---|---|---|---|---|---|
| B2C (Retail) | 이승환 | 3781-9863 | Shipbuilding | 주대현 | 3781-9601 |
| Bio & Healthcare | 서용범 | 3781-9110 | Technology | 정재국 | 709-0980 |
| Food & Beverage | 이승훈 | 709-8729 | Platform, Media & Entertainment | 한종엽 | 3781-9598 |
| K-Beauty | 김영순 | 709-8756 | Telecommunication | 한호성 | 709-8956 |
| Luxury & Fashion | 홍승환 | 709-8822 | E-Commerce | 김기록 | 709-7974 |
| Transportation & Aviation | 원치형 | 3781-9529 | Game | 이재혁 | 709-8882 |
| Chemicals | 김승훈 | 3781-9973 | Banking, Card | 진선근 | 3781-9754 |
| Energy & Utilities | 최성우 | 709-4743 | Insurance | 진봉재 | 709-0349 |
| EV Battery | 정구진 | 3781-9223 | Securities, Savings Bank, Capital, Asset Management | 정수연 | 3781-0154 |
| Metals | 이효진 | 709-0931 | Government & Public Service | 선민규 | 709-3348 |
| Automotive | 전용욱 | 709-7982 | SOC & Non Profit Corpo | 변영선 | 3781-9684 |
| Engineering & Construction | 한재상 | 3781-0102 | | | |

서울특별시 용산구 한강대로 100 (04386) I T: 02-3781-3131

| 리더 | 직위 | 성명 | 사내번호 |
|---|---|---|---|
| CEO | 회장 | 김교태 | 02-2112-0401 |
| COO | 부대표 | 이호준 | 02-2112-0098 |
| 감사부문 | 대표 | 변영훈 | 02-2112-0479 |
| 세무부문 | 대표 | 윤학섭 | 02-2112-0441 |
| 재무자문부문 | 대표 | 김이동 | 02-2112-7676 |
| 컨설팅부문 | 대표 | 박상원 | 02-2112-7501 |

## 세무부문(Tax)

| 부서명 | 직위 | 성명 | 사내번호 |
|---|---|---|---|
| 기업세무 | 부대표 | 한원식 | 02-2112-0931 |
| | 부대표 | 이관범 | 02-2112-0911 |
| | 부대표 | 이성태 | 02-2112-0921 |
| | 전무 | 박근우 | 02-2112-0960 |
| | 전무 | 김학주 | 02-2112-0911 |
| | 전무 | 이상길 | 02-2112-0931 |
| | 전무 | 나석환 | 02-2112-0931 |
| | 전무 | 류용현 | 02-2112-0908 |
| | 전무 | 홍승모 | 02-2112-0911 |
| | 전무 | 이상무 | 02-2112-0269 |
| | 상무 | 이현규 | 02-2112-0960 |
| | 상무 | 오종현 | 02-2112-0908 |
| | 상무 | 최형훈 | 02-2112-0908 |
| | 상무 | 안성기 | 02-2112-7401 |
| | 상무 | 설인수 | 02-2112-0931 |
| | 상무 | 유정호 | 02-2112-0960 |
| | 상무 | 장지훈 | 02-2112-0960 |
| | 상무 | 김병국 | 02-2112-0931 |
| | 상무 | 홍하진 | 02-2112-0960 |
| | 상무 | 김세환 | 02-2112-0960 |
| | 상무 | 이근우 | 02-2112-0908 |
| | 상무 | 최은영 | 02-2112-0911 |
| | 상무 | 김형곤 | 02-2112-0908 |
| | 상무 | 김진현 | 02-2112-0921 |
| | 상무 | 홍태선 | 02-2112-0908 |
| | 상무 | 최세훈 | 02-2112-0921 |
| | 상무 | 정연우 | 02-2112-7919 |

| 상속·증여 및 경영권승계 | 부대표 | 한원식 | 02-2112-0931 |
|---|---|---|---|
| | 전무 | 이상길 | 02-2112-0931 |
| | 상무 | 김병국 | 02-2112-0931 |
| 국제조세 | 부대표 | 오상범 | 02-2112-0951 |
| | 전무 | 김동훈 | 02-2112-2882 |
| | 전무 | 이성욱 | 02-2112-2882 |
| | 전무 | 조상현 | 02-2112-0951 |
| | 상무 | 민우기 | 02-2112-2882 |
| | 상무 | 박상훈 | 02-2112-2882 |
| | 상무 | 서유진 | 02-2112-0951 |
| | 상무 | 이진욱 | 02-2112-2882 |
| | 상무 | 이창훈 | 02-2112-0269 |
| | 상무 | 강성원 | 02-2112-0951 |
| | 상무 | 류수석 | 02-2112-6787 |
| 국제조세(일본기업세무) | 전무 | 김정은 | 02-2112-0269 |
| | 전무 | 이상무 | 02-2112-0269 |
| | 상무 | 백천욱 | 02-2112-0269 |
| M&A/PEF 세무 | 부대표 | 오상범 | 02-2112-0951 |
| | 전무 | 이성욱 | 02-2112-2882 |
| | 상무 | 서유진 | 02-2112-0951 |
| | 상무 | 송형우 | 02-2112-0269 |
| | 상무 | 강성원 | 02-2112-0951 |
| | 상무 | 민우기 | 02-2112-2882 |
| | 상무 | 이창훈 | 02-2112-0269 |
| 이전가격&관세 | 부대표 | 강길원 | 02-2112-7953 |
| | 전무 | 백승목 | 02-2112-6676 |
| | 전무 | 김상훈 | 02-2112-6676 |
| | 전무 | 김태주 | 02-2112-0595 |
| | 상무 | 오영빈 | 02-2112-0595 |
| | 상무 | 윤용준 | 02-2112-7953 |
| | 상무 | 이영호 | 02-2112-6763 |

| | | | |
|---|---|---|---|
| 금융조세 | 전무 | 계봉성 | 02-2112-0921 |
| | 전무 | 김성현 | 02-2112-7401 |
| | 상무 | 박정민 | 02-2112-7401 |
| | 상무 | 최영우 | 02-2112-7401 |
| | 상무 | 김지선 | 02-2112-7401 |
| | 상무 | 이동화 | 02-2112-6726 |
| Accounting & Tax Outsourcing | 부대표 | 김경미 | 02-2112-0471 |
| | 전무 | 백승현 | 02-2112-7911 |
| | 상무 | 홍영준 | 02-2112-7911 |
| | 상무 | 홍민정 | 02-2112-0471 |
| | 상무 | 허재영 | 02-2112-7692 |
| Global Mobility Service (주재원, 해외파견 등) | 상무 | 정소현 | 02-2112-7911 |
| | 상무 | 홍민정 | 02-2112-0471 |
| 지방세 | 부대표 | 이성태 | 02-2112-0921 |
| | 전무 | 홍승모 | 02-2112-0911 |

## □ 임원 소개

### 김충국 대표세무사

| | |
|---|---|
| 고려대학교 정책대학원 세정학과 | 국세청 심사2담당관 |
| 중앙대학교 경영학과 | 국세청 국제세원관리담당관 |
| 중부지방국세청 조사3국장 | 서울지방국세청 국제거래조사국 팀장 |
| 서울지방국세청 감사관 | 조세심판원 근무 |

**신승회계법인**은 회계사 60명, 세무사 10명 등 200여명의 전문인력이 상근하여
전문지식과 다양한 경험을 바탕으로 고객에 맞춤형 세무 서비스를 제공하는 조직입니다.

## □ 주요업무소개

조세불복, 세무조사대응
**과세전적부심사 / 불복업무 / 조세소송지원**

상속 증여 컨설팅
**상속 증여 신고 대행 / 절세방안 자문**

병의원 세무
**개원 행정절차 / 병과별 병의원 세무 / 교육**

Outsourcing
**기장대행 / 급여아웃소싱 / 경리아웃소싱**

세무 신고 대행
**소득세 / 부가세 / 법인세 등 신고서 작성 및 검토**

기타 세무 서비스
**비상장주식평가 / 기업승계 / 법인청산업무**

서울특별시 강남구 삼성로85길 32
(대치동, 동보빌딩 5층)

T. 02-566-8401

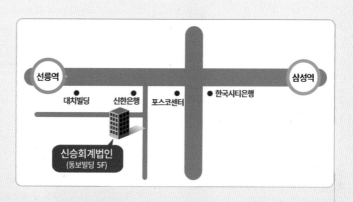

# 예일회계법인 주요구성원

| 구 분 | 성 명 | 자 격 | 전문 분야 |
|---|---|---|---|
| 서울<br>본사 | 윤 현 철 | 한국공인회계사 | 회장 |
| | 박 성 용 | 미국공인회계사 | 부회장 |
| | 김 재 율 | 한국공인회계사 | 대표이사 |
| | 문 상 철 | 한국공인회계사 | 회계감사 / 컨설팅 |
| | 이 수 현 | 한국공인회계사 | 회계감사 / 품질관리 |
| | 윤 태 영 | 한국공인회계사 | 회계감사 / NPL |
| | 김 현 수 | 한국공인회계사 | 회계감사 / 회계자문 |
| | 송 윤 화 | 한국공인회계사 | 회계감사 / 기업구조조정 |
| | 이 승 재 | 한국공인회계사 | 회계감사 / 실사 및 평가 |
| | 이 태 경 | 한국공인회계사 | 회계감사 / 국내외 인프라 투자자문 |
| | 이 재 민 | 미국공인회계사 | M&A / 부동산 투자자문 |
| | 주 상 철 | 한국공인회계사/한국변호사 | 정산감사 / 조세쟁송 |
| | 함 예 원 | 한국공인회계사 | 세무조정 / 세무자문 / 세무조사 |
| | 김 현 일 | 세무사 | 세무조사 / 조세심판 |
| 부산 본부 | 강 대 영 | 한국공인회계사 | 회계감사 / 세무자문 / 컨설팅 |
| | 하 태 훈 | 한국공인회계사 | 회계감사 / 세무자문 / 컨설팅 |
| Indonesia<br>Jakarta | 정 동 진 | 한국공인회계사 | 회계감사 / 세무자문 |
| Yale America<br>LA | 정 창 우 | 미국공인회계사 | 회계감사 / 세무자문 |
| Yale America<br>Atlanta | 채 현 지 | 한국공인회계사 | 회계감사 / 세무자문 |
| Yale America<br>NY | 이 재 영 | 한국공인회계사 | 미국 법인 총괄 |

 **YALE Accounting Corp.** Accounting & Tax Law

**예일회계법인**
우) 06737 서울시 서초구 효령로 해창빌딩 3~6층
T 02-2037-9290  F 02-2037-9280  E shyi@yaleac.co.kr  H www.yaleac.co.kr

# 우리회계법인

Now,
for tomorrow

대표전화 : 02-565-1631     www.bakertilly-woori.co.kr
본사 : 서울 강남구 영동대로86길 17 (대치동, 육인빌딩)
분사무소 : 서울 영등포구 양산로53 (월드메르디앙비즈센터)

우리회계법인은 260여명의 회계사를 포함한 410여명의 전문가가 고객이 필요로 하는 실무적이고 다양한 전문서비스를 제공하고 있습니다.

우리는 고객의 발전이
우리의 발전임을 명심한다.

**Best Solution**

**Best Value**

**Best Practice**

우리는 기업 발전에
이바지한다는 사명감을
가지고 일한다.

우리는 주어진 일을 할 때
항상 최선을 다하여
끊임없이 노력한다.

## 주요업무

**Audit & Assurance**
법정감사, 특수목적감사, 펀드감사, 기타
임의감사 및 검토 업무

**Taxation Service**
세무자문 관련 서비스, 국제조세 관련
서비스, 세무조정 및 신고 관련 서비스,
조세불복 및 세무조사 관련 서비스

**Corporate Finance Service**
M&A, Due Diligence, Financing(상장자문),
Valuation 업무

**Public Sector Service**
공공부문 회계제도 도입 및 회계감사,
공공기관 사업비 위탁정산 업무

**IFRS Service**
Accounting & Reporting, Business Advisory,
System & Process

**Consulting Service**
FTA 자문 서비스, SOC 민간투자사업 및
PF사업 자문 서비스, K-SOX 구축 및 고도화,
ESG(환경 사회 지배구조) 자문 업무

**Business Recovery Service**
회생(법정관리)기업에 대한 회생 Process지원,
법원 위촉에 따른 조사위원 업무, 구조조정 자문 업무

**Outsourcing Service**
세무 및 Payroll Outsourcing 서비스,
외국기업 및 외투기업 One-stop 서비스

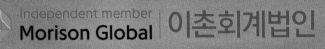

Independent member
**Morison Global** | 이촌회계법인

" 이촌회계법인은 고객과 함께 성장하고,
고객의 가치증대를 최우선으로 합니다. "

## 주요구성원 (Partner)

**대표이사 이한선**　　02-761-1056

| **본점** | 서울특별시 영등포구 여의나루로 60, 16 ~ 18층 (여의도동) |

| **이영미** | 02-3775-0065 | **김칠규** | 02-783-3404 | **최종혁** | 02-783-3697 |
| **김명진** | 070-7660-0683 | **정석용** | 02-761-6426 | **신동진** | 070-7660-1483 |
| **신해수** | 02-761-6259 | **공익준** | 02-6671-7213 | **이용석** | 02-780-0888 |
| **노재현** | 02-6671-7221 | **임현수** | 070-8656-1220 | | |

| **대전지점** | 대전 서구 대덕대로 176번길 51 대전상공회의소 7층 | **부산지점** | 부산 해운대구 센텀중앙로 48, 10층 (우동) |

**정선호**　　042-472-2124　　　　　**이재홍**　　051-715-0100

www.e-chon.co.kr

나 철 호 공인회계사·경영학박사

재정회계법인 대표이사
한국세무학회 부회장
한국회계학회 부회장
한국공인회계사회 선출부회장·감사 (전)

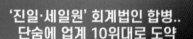
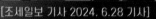

# Crowe 한울회계법인

**대표이사 신성섭**

공인회계사 / 세무사 (ssscpa@hanulac.co.kr)
한국공인회계사회 윤리조사심의위원회 위원 (전)
한울회계법인 대표이사 (현)
중견회계법인 협의회 회장 (현)

| 성명 | 전문분야 | 이메일 |
|---|---|---|
| 강건호 | 회계감사, 가치평가 | kh.kang@hanulac.co.kr |
| 강신우 | 회계감사, 세무업무 | sw.kang@hanulac.co.kr |
| 권상돈 | 회계감사, 컨설팅 | sd.kwon@hanulac.co.kr |
| 김동현 | 회계감사, 가치평가 | dh.kim1@hanulac.co.kr |
| 김상열 | 회계감사, 컨설팅 | kimsy@hanulac.co.kr |
| 김석진 | 회계감사, 재무실사 | ywbs@hanulac.co.kr |
| 김세영 | 회계감사, 컨설팅 | seyoungkim@hanulac.co.kr |
| 김희태 | 회계감사, 세무업무 | htkim@hanulac.co.kr |
| 노정훈 | 회계감사, 가치평가 | jh.noh@hanulac.co.kr |
| 라현주 | 회계감사, 경영컨설팅 | hj.ra@hanulac.co.kr |
| 문영배 | 회계감사, 컨설팅 | ybmoon@hanulac.co.kr |
| 문일신 | 감사세무가치평가 | is.moon@hanulac.co.kr |
| 문재식 | M&A,상속세무, 회계감사 | jsmoon@hanulac.co.kr |
| 문학기 | 회계감사, 컨설팅 | hk.moon@hanulac.co.kr |
| 민정홍 | 감사, 컨설팅, 회생 | jh.min@hanulac.co.kr |
| 박규욱 | 국제조세 및 BPO | gw.park@hanulac.co.kr |
| 박상현 | 회계감사, 컨설팅 | sh.park@hanulac.co.kr |
| 박성하 | 회계감사, 컨설팅 | sh.park3@hanulac.co.kr |
| 박재우 | 회계감사, 세무자문 | jw.park@hanulac.co.kr |
| 박중엽 | 회계감사, 컨설팅 | jy.park@hanulac.co.kr |
| 박효진 | 회계감사 | hjparka@hanulac.co.kr |
| 서기원 | XBRL, 내부회계 | kw.suh@hanulac.co.kr |
| 성상용 | 회계자문, 가치평가 | sy.sung@hanulac.co.kr |
| 성영수 | 공공/금융기관 | yssung@hanulac.co.kr |
| 성준수 | 건설업/M&A | jssung@hanulac.co.kr |

| 성명 | 전문분야 | 이메일 |
|---|---|---|
| 송종면 | 회계감사, 컨설팅 | jm.song@hanulac.co.kr |
| 신용항 | 회계감사, 가치평가 | yh.shin@hanulac.co.kr |
| 심낙순 | 회계감사, 컨설팅 | ns.shim@hanulac.co.kr |
| 안정화 | 회계감사, IPO/M&A 자문 | jh.ahn@hanulac.co.kr |
| 양정섭 | 회계감사, 가치평가 | jseob.yang@hanulac.co.kr |
| 오성진 | 대규모연결, 지분법 | sg.oh@hanulac.co.kr |
| 윤승철 | 부동산, 회생, 세무 | scyoon@hanulac.co.kr |
| 윤현조 | 감사, PA, 컨설팅 | hj.yoon@hanulac.co.kr |
| 위상영 | 회계감사, 재무실사 | sy.whi@hanulac.co.kr |
| 이상호 | 회계감사, 컨설팅 | sh.lee4@hanulac.co.kr |
| 이준우 | 지자체지방공기업 | jwlee@hanulac.co.kr |
| 이찬호 | SOC, 발전, 부동산 | chlee@hanulac.co.kr |
| 이희윤 | 회계감사, 가치평가 | hygen21@hanulac.co.kr |
| 장지성 | 회계감사, 가치평가 | js.jang@hanulac.co.kr |
| 전은 | 회계감사, 민자사업 | ejun@hanulac.co.kr |
| 정대홍 | 회계감사, 세무업무 | dhjung@hanulac.co.kr |
| 정창용 | 회계감사, 컨설팅 | cy.jeong@hanulac.co.kr |
| 조영득 | 회계감사, 세무업무 | cpacyd@hanulac.co.kr |
| 조용환 | 회계감사, 경영자문 | yh.jo@hanulac.co.kr |
| 조전수 | 회계감사, 세무 | js.cho@hanulac.co.kr |
| 하신평 | 회계감사, 컨설팅 | sp.ha@hanulac.co.kr |
| 한경수 | 국제조세, BPO | ks.han2@hanulac.co.kr |
| 홍경택 | 회계감사, 컨설팅 | kt.hong@hanulac.co.kr |
| 홍상범 | 데이터감사, 에너지기업 가치평가 | sbhong@hanulac.co.kr |
| 황인제 | 회계감사, 컨설팅 | ej.hwang@hanulac.co.kr |
| 홍진표 | 회계감사, 내부회계 | jp.hong@hanulac.co.kr |

[서울본사] 서울특별시 강남구 테헤란로88길 14, 신도빌딩 3~8층, 10층   Tel : 02-2009-5700   Fax : 02-554-1373
[대전지점] 대전광역시 대덕구 한밭대로 1027 운암빌딩 4층 (오정동)   Tel : 042-628-6120   Fax : 042-628-6129
[광주지점] 광주광역시 북구 무등로 239 한국씨엔티빌딩 12층 (중흥동)   Tel : 062-385-5252   Fax : 062-382-6622
[부산지점] 부산광역시 부산진구 동천로 116, 721호(전포동)   Tel : 051-811-2245   Fax : 051-811-2246
[창원지점] 경상남도 창원시 성산구 중앙대로227번길 16   Tel : 055-210-0907   Fax : 055-275-0150
        교원단체연합회 별관 3층 (용호동)

# 현대회계법인

전화 : 02-554-0382 / 팩스 : 02-554-0384

주소 : 서울시 강남구 역삼로 542, 5층 (대치동,신사에스앤지)

## 본점

| 이 름 | 직급 | 핸드폰 | 이메일 |
|---|---|---|---|
| 곽규백 | 대표이사 | 010-3704-9716 | gbaek2000@hdcpa.co.kr |
| 김익표 | 이사 | 010-3744-8217 | tax4u@hdcpa.co.kr |
| 함윤 | 이사 | 010-6249-8165 | yoonhahm@hdcpa.co.kr |
| 유창우 | 이사 | 010-2692-7284 | changwoo@hdcpa.co.kr |
| 장안우 | 이사 | 010-7289-6007 | caw529@hdcpa.co.kr |
| 박해의 | 공인회계사 | 010-5395-9093 | hipark@hdcpa.co.kr |
| 박삼재 | 공인회계사 | 010-9035-7913 | psj@hdcpa.co.kr |
| 유병연 | 공인회계사 | 010-9269-3071 | by_yoo@hdcpa.co.kr |
| 김지동 | 공인회계사 | 010-2888-7380 | jidongkim@hdcpa.co.kr |
| 서경국 | 이사 | 010-5418-3055 | skk3055@hdcpa.co.kr |
| 윤석재 | 이사 | 010-6255-1466 | sjyoon326@hdcpa.co.kr |
| 최종현 | 이사 | 010-8722-9498 | jonghchoi@hdcpa.co.kr |
| 김재한 | 이사 | 010-5086-0197 | jhkim@hdcpa.co.kr |
| 문형석 | 공인회계사 | 010-4277-4078 | hsmoon@hdcpa.co.kr |
| 이준영 | 이사 | 010-4721-3436 | junylee67@hdcpa.co.kr |
| 원영재 | 이사 | 010-9917-1175 | yjwon@hdcpa.co.kr |
| 문은주 | 이사 | 010-8882-4208 | ejmoon@hdcpa.co.kr |
| 류형근 | 공인회계사 | 010-3396-9306 | hg_ryu@hdcpa.co.kr |
| 김창영 | 이사 | 010-7378-9577 | cy_kim@hdcpa.co.kr |
| 강병수 | 이사 | 010-8751-2104 | bskang@hdcpa.co.kr |
| 엄기호 | 이사 | 010-9072-2928 | tomatina1974@hdcpa.co.kr |
| 손정환 | 이사 | 010-5261-0576 | jwhan@hdcpa.co.kr |
| 정성학 | 공인회계사 | 010-9274-4343 | sunghakjung@hdcpa.co.kr |
| 박진영 | 이사 | 010-6777-1473 | jyp@hdcpa.co.kr |
| 정유석 | 공인회계사 | 010-3797-7223 | ysjeong@hdcpa.co.kr |
| 이선 | 이사 | 010-8773-6701 | sunlee@hdcpa.co.kr |
| 이지헌1 | 공인회계사 | 010-3896-7531 | jihyunlee@hdcpa.co.kr |
| 권혁중 | 공인회계사 | 010-7137-2420 | hjkwon@hdcpa.co.kr |
| 장호남 | 공인회계사 | 010-5051-7578 | honam.jang@hdcpa.co.kr |
| 이상엽1 | 공인회계사 | 010-8593-9744 | sangyeuplee@hdcpa.co.kr |
| 이민진 | 공인회계사 | 010-9483-4467 | minjinlee@hdcpa.co.kr |
| 김민우 | 이사 | 010-3090-6969 | minwookim@hdcpa.co.kr |
| 이학성 | 이사 | 010-4533-9508 | haksunglee@hdcpa.co.kr |
| 박천수 | 공인회계사 | 010-5207-5363 | cspark@hdcpa.co.kr |
| 신형철 | 공인회계사 | 010-4521-0381 | hshin@hdcpa.co.kr |
| 김경화 | 이사 | 010-4917-7630 | KyongKim72@hdcpa.co.kr |
| 유인근 | 이사 | 010-2373-8154 | cpaikyoo@hdcpa.co.kr |
| 권상형 | 이사 | 010-8596-9141 | shkwon@hdcpa.co.kr |
| 서영주 | 이사 | 010-4994-6891 | yoseo@hdcpa.co.kr |
| 홍종철 | 이사 | 010-4940-1104 | jchong@hdcpa.co.kr |
| 이승련1 | 이사 | 010-3261-3896 | bear7506@hdcpa.co.kr |
| 박재한 | 이사 | 010-9928-0556 | jhanpark@hdcpa.co.kr |
| 이창훈 | 이사 | 010-7186-8896 | changhoonlee@hdcpa.co.kr |
| 배지훈 | 이사 | 010-2667-0420 | soma3117@hdcpa.co.kr |
| 김영택 | 공인회계사 | 010-2867-9885 | ytkim98@hdcpa.co.kr |
| 한승화 | 공인회계사 | 010-4754-2244 | seuhan@hdcpa.co.kr |
| 권혁규 | 공인회계사 | 010-9650-0809 | hkwon@hdcpa.co.kr |
| 채우병 | 공인회계사 | 010-5098-1265 | wchae@hdcpa.co.kr |
| 김상희 | 이사 | 010-6734-2981 | sangheekim@hdcpa.co.kr |
| 이범기 | 공인회계사 | 010-9920-4588 | bumgilee@hdcpa.co.kr |
| 임범석 | 공인회계사 | 010-7498-1018 | bslim@hdcpa.co.kr |
| 김대환 | 이사 | 010-2631-6539 | kdh@hdcpa.co.kr |
| 이상엽2 | 공인회계사 | 010-9484-5220 | lsy@hdcpa.co.kr |
| 고인준 | 공인회계사 | 010-6644-8385 | injko@hdcpa.co.kr |
| 성용훈 | 공인회계사 | 010-7565-7757 | hoon-6604@hdcpa.co.kr |
| 정정호 | 이사 | 010-5211-8111 | jjcpa@hdcpa.co.kr |
| 임문현 | 공인회계사 | 010-5762-0682 | woeil1010@hdcpa.co.kr |
| 김영철 | 이사 | 010-3503-9214 | yckim@hdcpa.co.kr |
| 김정호 | 공인회계사 | 010-6721-0411 | junghokim@hdcpa.co.kr |
| 김영근 | 공인회계사 | 010-9113-0414 | ygkim@hdcpa.co.kr |
| 정영균 | 공인회계사 | 010-7103-6545 | ykjeong00@hdcpa.co.kr |
| 강태훈 | 공인회계사 | 010-2229-3447 | tykang@hdcpa.co.kr |
| 김상기 | 공인회계사 | 010-5332-5174 | skkim@hdcpa.co.kr |
| 오민수 | 공인회계사 | 010-6313-6532 | msoh@hdcpa.co.kr |
| 유수진 | 공인회계사 | 010-4846-0275 | sjyoo@hdcpa.co.kr |
| 노경환 | 공인회계사 | 010-9421-6046 | khnoh@hdcpa.co.kr |
| 김인기 | 공인회계사 | 010-6638-3717 | cpakik@hdcpa.co.kr |
| 김동현 | 공인회계사 | 010-3161-4070 | dhkim@hdcpa.co.kr |
| 이정현 | 공인회계사 | 010-7723-6128 | jh.lee@hdcpa.co.kr |
| 이호성 | 공인회계사 | 010-8921-9951 | hosung@hdcpa.co.kr |
| 송주현 | 공인회계사 | 010-7444-8496 | jhsong@hdcpa.co.kr |
| 박지명 | 이사 | 010-8954-4748 | jimyungpark@hdcpa.co.kr |
| 윤성준 | 이사 | 010-2553-8936 | sjyoun@hdcpa.co.kr |
| 김관우 | 이사 | 010-9801-1714 | kwkim2010@hdcpa.co.kr |
| 김정관 | 이사 | 010-2797-4998 | jkkim@hdcpa.co.kr |
| 이가람 | 이사 | 010-3403-7514 | kallee@hdcpa.co.kr |
| 김강재 | 이사 | 010-2539-6522 | kjkim@hdcpa.co.kr |
| 고현진 | 공인회계사 | 010-8889-7585 | hjko@hdcpa.co.kr |
| 최대현 | 공인회계사 | 010-8345-3541 | jianbba@hdcpa.co.kr |
| 이성 | 공인회계사 | 010-2715-1770 | sung2@hdcpa.co.kr |
| 김아름 | 공인회계사 | 010-9130-7028 | arkim@hdcpa.co.kr |
| 박수영 | 공인회계사 | 010-2679-0124 | sooyoung1242@hdcpa.co.kr |
| 김현기 | 공인회계사 | 010-5765-1505 | photo1505@hdcpa.co.kr |
| 박상우 | 공인회계사 | 010-2415-3620 | arbitrage444@hdcpa.co.kr |
| 이창열 | 공인회계사 | 010-7761-9674 | lcy9789@hdcpa.co.kr |
| 이병찬 | 공인회계사 | 010-9355-3652 | cpa.lbc@hdcpa.co.kr |
| 김남운 | 이사 | 010-8745-1586 | cpa.knu@hdcpa.co.kr |
| 이정환 | 공인회계사 | 010-9848-7579 | leejh@hdcpa.co.kr |
| 김대영 | 공인회계사 | 010-5506-9089 | dykim@hdcpa.co.kr |
| 고석환 | 공인회계사 | 010-2886-0327 | shko@hdcpa.co.kr |
| 허석구 | 이사 | 010-2167-5428 | hsg@hdcpa.co.kr |
| 서만규 | 이사 | 010-3762-3486 | amkseo@hdcpa.co.kr |
| 오석 | 이사 | 010-9396-2271 | ohseok00@hdcpa.co.kr |
| 김윤정 | 공인회계사 | 010-3308-8455 | yunjeongkim@hdcpa.co.kr |
| 전수아 | 공인회계사 | 010-5657-0044 | sajeon0044@hdcpa.co.kr |
| 박재혁 | 공인회계사 | 010-5218-8311 | jhyeokpark@hdcpa.co.kr |
| 전종호 | 공인회계사 | 010-9044-0658 | jhjeon@hdcpa.co.kr |
| 최아영 | 공인회계사 | 010-4659-4163 | ahyeong.choi@hdcpa.co.kr |
| 최종범 | 이사 | 010-9472-9674 | jongbeomchoi@hdcpa.co.kr |
| 권영우 | 공인회계사 | 010-4453-8864 | yw.kwon@hdcpa.co.kr |
| 유기석 | 사원 | 010-5261-0708 | kyou@hdcpa.co.kr |
| 윤현택 | 공인회계사 | 010-8359-3413 | hyuntaekyoo@hdcpa.co.kr |
| 박용주 | 이사 | 010-9910-1617 | cpapyj@hdcpa.co.kr |
| 구민재 | 이사 | 010-9342-3801 | mjku@hdcpa.co.kr |
| 김은용 | 이사 | 010-6555-4154 | eykim@hdcpa.co.kr |
| 조영호 | 공인회계사 | 010-4855-4858 | cho2324@hdcpa.co.kr |
| 정서울 | 공인회계사 | 010-2031-0275 | seouljung@hdcpa.co.kr |
| 백승우 | 공인회계사 | 010-9727-5089 | swoobaek@hdcpa.co.kr |
| 김순환 | 공인회계사 | 010-9556-9557 | shwankim@hdcpa.co.kr |
| 김정원 | 공인회계사 | 010-9686-1179 | jeongwon.kim@hdcpa.co.kr |
| 권준모 | 이사 | 010-3201-3564 | joonmokwon@hdcpa.co.kr |
| 조재성 | 이사 | 010-8822-2161 | joshuacpa@hdcpa.co.kr |
| 서형준 | 공인회계사 | 010-6299-1101 | excelwordppt@hdcpa.co.kr |
| 민용기 | 이사 | 010-8904-2676 | wkmin@hdcpa.co.kr |
| 이재강 | 공인회계사 | 010-6624-2061 | ljk@hdcpa.co.kr |
| 김병훈 | 이사 | 010-9946-1945 | byunghkim@hdcpa.co.kr |
| 김용필 | 이사 | 010-8769-1875 | yongphil_kim@hdcpa.co.kr |
| 김재우 | 이사 | 010-9989-5089 | jaewookim@hdcpa.co.kr |
| 김준기 | 공인회계사 | 010-4694-7894 | junekim@hdcpa.co.kr |
| 김학현 | 이사 | 010-7744-3562 | hhkim@hdcpa.co.kr |
| 장지원 | 공인회계사 | 010-8192-7142 | jjang7142@hdcpa.co.kr |
| 전도영 | 이사 | 010-9402-6194 | dyjeon@hdcpa.co.kr |
| 정제윤 | 공인회계사 | 010-5248-5945 | cpajeyoon@hdcpa.co.kr |
| 양재연 | 공인회계사 | 010-5442-9869 | jyyang.cpa@hdcpa.co.kr |
| 김남훈 | 이사 | 010-2032-3036 | tappower25840@hdcpa.co.kr |
| 백윤오 | 공인회계사 | 010-5669-3548 | ybackh@hdcpa.co.kr |
| 윤성용 | 이사 | 010-8891-4668 | syyun8304@hdcpa.co.kr |
| 이지훈 | 이사 | 010-8934-6997 | jhlee@hdcpa.co.kr |
| 석정훈 | 공인회계사 | 010-4311-7655 | jseok@hdcpa.co.kr |
| 김은이 | 공인회계사 | 010-3014-2010 | eekim@hdcpa.co.kr |
| 권철우 | 공인회계사 | 010-2751-5664 | cw.kwon@hdcpa.co.kr |
| 이영석 | 이사 | 010-2523-1919 | youngslee@hdcpa.co.kr |
| 박노경 | 공인회계사 | 010-4655-8798 | nkpark@hdcpa.co.kr |
| 김승훈 | 공인회계사 | 010-9275-5674 | kimcpa91@hdcpa.co.kr |
| 박우명 | 이사 | 010-5633-2193 | wmpark@hdcpa.co.kr |
| 임동준 | 이사 | 010-8881-7764 | djlim@hdcpa.co.kr |
| 심주희 | 공인회계사 | 010-8804-2975 | jhshim@hdcpa.co.kr |
| 이혜선 | 공인회계사 | 010-4788-4573 | hyesun.lee@hdcpa.co.kr |
| 서애경 | 공인회계사 | 010-3559-2750 | akseo@hdcpa.co.kr |
| 진미주 | 공인회계사 | 010-3392-8979 | mj.jin@hdcpa.co.kr |
| 허승경 | 공인회계사 | 010-8606-7741 | seukheo@hdcpa.co.kr |
| 박아름 | 공인회계사 | 010-9317-7140 | arp@hdcpa.co.kr |
| 조경아 | 공인회계사 | 010-6340-0975 | jka@hdcpa.co.kr |
| 강준혁 | 공인회계사 | 010-9861-4300 | jhk@hdcpa.co.kr |
| 강경진 | 공인회계사 | 010-7121-4575 | kj.kang@hdcpa.co.kr |
| 허범수 | 공인회계사 | 010-3676-7592 | bsh@hdcpa.co.kr |
| 김민주 | 공인회계사 | 010-8985-0214 | kmj@hdcpa.co.kr |
| 현경훈 | 공인회계사 | 010-7676-1462 | hkh@hdcpa.co.kr |
| 오충헌 | 이사 | 010-9004-1365 | choh9031@hdcpa.co.kr |
| 김정희 | 공인회계사 | 010-8650-0927 | jhee.kim@hdcpa.co.kr |
| 권영환 | 이사 | 010-5330-9209 | 44team@hdcpa.co.kr |
| 최봉락 | 이사 | 010-8381-0527 | brchoi@hdcpa.co.kr |
| 김용휘 | 이사 | 010-6628-7040 | yhweekim@hdcpa.co.kr |
| 최창욱 | 이사 | 010-3379-8982 | changwookchoi@hdcpa.co.kr |

## 대전

대전광역시 서구 유등로 641 타이어뱅크 5층

| 이 름 | 직급 | 핸드폰 | 이메일 |
|---|---|---|---|
| 송종호 | 이사 | 010-8915-2746 | sjh7705@hdcpa.co.kr |
| 박종권 | 공인회계사 | 010-5383-7588 | 99pjk@hdcpa.co.kr |
| 최다경 | 공인회계사 | 010-2326-0138 | dakchoi@hdcpa.co.kr |
| 최준영 | 공인회계사 | 010-5413-1351 | wnsdud430@hdcpa.co.kr |
| 안병준 | 이사 | 010-2782-0889 | byungjun_an@hdcpa.co.kr |
| 장숙영 | 공인회계사 | 010-3099-6977 | sukyoung_jang@hdcpa.co.kr |

## 부산

부산광역시 해운대구 센텀북대로 60, 센텀IS타워 1206호

| 이 름 | 직급 | 핸드폰 | 이메일 |
|---|---|---|---|
| 김성완 | 이사 | 010-9686-8640 | swkim@hdcpa.co.kr |
| 이민석 | 공인회계사 | 010-5100-8491 | mslee@hdcpa.co.kr |
| 최혜진 | 공인회계사 | 010-9314-2174 | hjchoi@hdcpa.co.kr |
| 염후람 | 공인회계사 | 010-9231-0938 | hryeom@hdcpa.co.kr |

재무인의 가치를 높이는 변화

# 조세일보

# 정회원

| 온라인 재무인명부 | 수시 업데이트되는 국세청, 정·관계 인사의 프로필, 국세청, 지방국세청, 전국 세무서, 관세청, 공정위, 금감원 등 인력배치 현황 |
|---|---|
| 예규·판례 | 행정법원 판례를 포함한 20만 건 이상의 최신 예규, 판례 제공 |
| 구인정보 | 조세일보 일평균 10만 온라인 독자에게 채용 홍보 |
| 업무용 서식 | 세무·회계 및 업무용 필수서식 3,000여 개 제공 |
| 세무계산기 | 4대보험, 갑근세, 이용자 갑근세, 퇴직소득세, 취득/등록세 등 간편 세금계산까지! |

| 묶음 상품 | ● 정회원 기본형 = 15만원 / 연 | ● 정회원 통합형 | 개별 상품 | 온라인 재무인명부 = 10만원 / 연 |
|---|---|---|---|---|
| | 유료기사 + 문자서비스 + 온라인 재무인명부 + 구인정보 | = 30만원 / 연<br>● 정회원 기본형 + 예규·판례 | | 구인정보 = 10만원 / 연 |

※ 자세한 조세일보 정회원 서비스 안내 http://www.joseilbo.com/members/info/

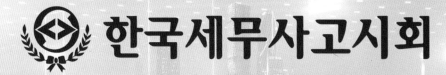

# 한국세무사고시회

"한국세무사고시회는 회원 중심으로 행동하는 고시회가 되겠습니다."

## ◈ 회원 중심의 고시회

- 분야별 전문세무사 추천제도를 통한 회원의 경쟁력 향상
- 회원사무소 통계조사 및 발표를 통한 회원사무소 경영여건 개선
- 회원들의 의사소통을 위한 소셜미디어 창구 활성화
- 고용불안 해소를 위한 고시회 홈페이지 구인구직란 확대개편
- 청년세무사를 위한 교육 운영체제 및 지원서비스 강화
- 세무사회의 건전한 발전을 위한 고시회의 정체성 정립 및 성실한 옴부즈맨 역할 이행

## ◈ 행동하는 고시회

- 실무 위주 저자직강을 통한 현장감 넘치는 연수교육 실시
- 업무 수행 시 활용 가능한 세무실무편람 및 핵심세무시리즈 지속적 발간
- 소통과 화합을 통해 지방고시회와의 유대감 강화
- 각종 이슈 및 조세소송대리권 확보를 위한 정책토론회 개최
- 국제교류의 활성화를 위한 친선교류 확대 및 국제토론회 개최
- 개정세법에 대한 적시성 있는 논평과 세무이슈 정보제공 및 개선방안 공유

## 제26대 한국세무사고시회 집행부

|  |  |  |  |  |  |  |  |  |
|---|---|---|---|---|---|---|---|---|
| 회장 이석정 | 감사 이강오 | 감사 안성희 | 부산고시회장 강동우 | 광주고시회장 고영동 | 대구고시회장 이광욱 | 대전고시회장 이현지 | 총무부회장 장보원 / 기획부회장 강현삼 | 연수부회장 김희철 / 연구부회장 박풍우 |

 사업·대외협력부회장 조상호
 지방·청년부회장 황선웅
 재무·전산전략부회장 김현배 / 조직부회장 박유리
 홍보부회장 하동순
 국제부회장 조인정
 총무상임이사 김은실
 기획상임이사 박수빈 / 연수상임이사 차주황
 연구상임이사 김순화 / 사업·대외협력상임이사 김용규

 지방·청년상임이사 김종후
 재무·전산전략상임이사 최현의 / 조직상임이사 심재용
 홍보상임이사 강현수
 국제상임이사 김정윤
 연수청년이사 박혜원
 연구청년이사 이경수
 지방·청년청년이사 김형태 / 재무·전산전략청년이사 김순기
 조직청년이사 문상익
 홍보청년이사 한지우

 기획지원센터장 배미영
 회원연수센터장 강상원 / 세제지원센터장 지병근
 사업지원센터장 박동국
 청년회원지원센터장 윤수정
 홍보지원센터장 한상희
 국제협력센터장 한대희
 사무국장 김범석

서울시 강남구 봉은사로 516, 307호(삼성동, 미켈란147)
Tel. 02-581-6700 | Fax. 02-581-6800 | E-mail. gosihoi@hanmail.net
www.gosihoi.or.kr | 유튜브 「세무사고시회TV」 | 인스타그램 「kactae_official」

세무대학 세무사회

稅巾

1983

국립 세무대학 출신 세무사 모두는
납세자의 권익보호를 위해
최선을 다하겠습니다.

제 11대 이삼문 회장
국립 세무대학 세무사 일동

29

# 회원과 함께!
# 회원의 권익을 지키는!
# 서울지방세무사회를
# 만들어가겠습니다!

회 장
**이 종 탁**

부회장
**최 인 순**

부회장
**김 형 태**

총무이사
**이 경 수**

회원이사
**오 존**

연수이사
**윤 정 기**

연구이사
**김 영 우**

업무이사
**윤 수 정**

홍보이사
**정 지 혜**

국제이사
**조 인 정**

업무정화조사위원장
**강 신 형**

자문위원장
**박 차 석**

연수교육위원장
**양 경 섭**

조세제도연구위원장
**김 순 화**

홍보위원장
**송 혁 진**

국제협력위원장
**김 종 구**

감리위원장
**안 혜 정**

청년세무사위원장
**김 순 기**

서울지방세무사회
Seoul Association of Certified Public Tax Accountants

서울특별시 서초구 서초동 명달로 105    전화 : 02-598-3216    팩스 : 02-522-0939

# 인천지방세무사회

"상생과 화합으로
회원 권익신장에 앞장서는
모범적인 인천지방세무사회를 만들겠습니다."

**김명진** 회장

## ■ 부회장, 상임이사, 이사, 위원장

| | | | | | | | |
|---|---|---|---|---|---|---|---|
|  |  |  |  |  |  |  |  |
| **최병곤**<br>부회장 | **오형철**<br>부회장 | **김성주**<br>총무이사 | **송재원**<br>연수이사 | **이은선**<br>연구이사 | **구현근**<br>업무이사 | **박종렬**<br>홍보이사 | **강갑영**<br>국제이사 |
|  |  |  |  |  |  |  |  |
| **이기진**<br>업무정화조사위원장 | **김석동**<br>이 사 | **이명주**<br>이 사 | **김규헌**<br>이 사 | **허덕무**<br>이 사 | **조영문**<br>이 사 | **권오항**<br>이 사 | **김용익**<br>이 사 |
|  |  |  |  |  |  |  | |
| **배성효**<br>자문위원장 | **이경희**<br>연수교육위원장 | **김우영**<br>청년세무사위원장 | **김정륜**<br>조세제도연구위원장 | **이윤환**<br>홍보상담위원장 | **채지원**<br>국제협력위원장 | **홍석일**<br>세무조정감리위원장 | |

## ■ 지역세무사회장

| | | | | | | | |
|---|---|---|---|---|---|---|---|
|  |  |  |  |  |  |  |  |
| **김선홍**<br>인 천 | **공현택**<br>부 평 | **이현섭**<br>계 양 | **김한수**<br>서인천 | **심광흠**<br>남 동 | **주영진**<br>연 수 | **지종상**<br>김 포 | **이삼남**<br>부 천 |
|  |  |  |  |  |  |  | |
| **이재순**<br>남부천 | **장진기**<br>의정부 | **김주영**<br>포 천 | **공순권**<br>고 양 | **장창민**<br>동고양 | **김성주**<br>파 주 | **노기원**<br>광 명 | |

인천지방세무사회  인천 계양구 경명대로1017번길 7  /  전화 (032)225-0490  팩스 (032)225-0491

**BnH** | **Beyond Expectation**
**Highest Satisfaction**

**BnH** | 세무
법인     **BnH** | 회계
법인

서울시 중구 을지로 5길 26, Mirae Asset Center 1 서관 9-10층
T : 02·6030·8520  |  02·6260·2860

www.bnhtax.com | www.bnhacs.c

# PROFESSIONALS

# LIKE THE TAX

노정석 前 부산지방국세청창 , 남동국 前 대구지방국세청장, 김종봉 대표세무사 등 세무법인 더택스 일동

카카오톡 채널을 추가하여 세무법인 더택스에 대하여 더 알아보세요.

**LIKE THE TAX**
**더택스 다움 · 좋은 더택스**

# 세무법인 삼룽

> 최고의 조세전문가 그룹 「삼룡」은 프로정신으로 기업경영에 보다 창의적이고 효율적인 세무서비스를 제공하도록 최선을 다하겠습니다.

## ☐ 주요업무

세무조사 대리 | 조세관련 불복대리 | 세무신고 대리 | 기업경영 컨설팅

## ☐ 구성원

**서국환** 회장/대표세무사

광주지방국세청장
서울청 조사2국장
서울청 조사4국 3과장
중부청 조사 1국 3과장
국세청 조사·심사·소득 과장
익산·안산세무서장 등 30년 경력

**이정섭**
본사·수원지사 대표세무사

중부청 조사 1국
목포·평택·수원세무서 등 16년 경력
전주대학교 관광경영학 박사

**정인성**
서초지사 대표세무사

서울청·용산·영등포세무서 등 23년 경력
세무사 실무 경력 20년

**최상원**
영통지사 대표세무사

중부지방국세청 법무과
중부지방국세청 특별조사국
영남대학교 졸업

**김대진**
서수원지사 대표세무사

세무사 48회
서울시립대학교 졸업

**정회수**
안양지사 대표세무사

중부·서인천·나주 세무서장
서울청·중부청 조사3국 조사과장
조세심판원 근무
성균관대학교 졸업

**국승훈** 세무사

세무사 55회
명지대학교 경영학과 졸업

**최재석** 세무사

세무사 57회
한양대학교 경영학부 졸업
세무법인 삼룡 영통지사 근무

**강병엽** 세무사

세무사 60회
상명대학교 경제금융학부 졸업

**정 솔** 세무사

세무사 60회
한국체육대학교 졸업

 稅務法人 三隆

| | | | |
|---|---|---|---|
| **본　　사** | 서울시 강남구 강남대로 84길 23, 1603호 (역삼동, 한라클래식) | Tel. 02-3453-7591 | Fax. 02-3453-7594 |
| **수원지사** | 경기도 수원시 영통구 영통로 169, 3층 (망포동 297-8) | Tel. 031-273-2304 | Fax. 031-206-7304 |
| **서초지사** | 서울시 서초구 사임당로 174, 603호 (서초동, 강남미래타워) | Tel. 02-567-6300 | Fax. 02-569-9974 |
| **안양지사** | 경기도 안양시 동안구 시민대로 230, B동 6층 610, 611호 (관양동, 평촌아크로타워) | Tel. 031-423-2900 | Fax. 031-423-2166 |
| **영통지사** | 경기도 수원시 영통구 영통동 998-6 아셈 프라자 401호 (동수원세무서 옆) | Tel. 031-273-7077 | Fax. 031-273-7177 |
| **서수원지사** | 수원시 권선구 매송고색로 636-8, 302호 (고색동) | Tel. 031-292-6631 | Fax. 031-292-6632 |

편안한 세금

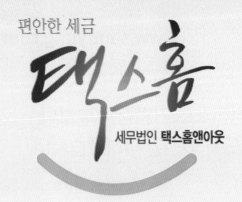

세무법인 택스홈앤아웃

# Vision

세무서비스의 경계를 허물고
다양한 서비스를 포괄하는 플랫폼(Platform, 場)을 통해,
고객의 일생(一生)을 넘어 후대에 이르기까지
최고의 가치를 제공하는 Only One인 세무법인이 된다.

## " 택스홈앤아웃은 약속을 지키는 전문가그룹입니다. "

### 신웅식 대표이사

성남, 송파, 반포, 제주세무서장
국세청 재산세과장, 부동산거래관리과장
부산지방국세청 조사2국장
서울지방국세청 조사4국 4과장
국세청 심사1과, 납세자보호과, 징세과 계장

### 김문환 부회장

국세청, 지방청 및 세무서 근무
중부지방국세청조사1국장 (전)
사단법인대한주류공업협회장 (전)
국세청총무과장, 조사2과장 (전)
녹조근정훈장 (1994)
홍조근정훈장 (1995)

| | | | | | | | |
|---|---|---|---|---|---|---|---|
| 강남지점대표/세무사 | 김형운 | 이사/세무사 | 이종권 | 세무사 | 최원우 | 세무사 | 김한준 |
| 부대표/세무사 | 박상혁 | 이사/세무사 | 이만형 | 세무사 | 김상돈 | 세무사 | 박민주 |
| 부대표/세무사 | 박상언 | 이사/세무사 | 조아로미 | 세무사 | 김원대 | 세무사 | 장지연 |
| 전무이사/세무사 | 이성우 | 이사/세무사 | 허 재 | 세무사 | 류지화 | 세무사 | 백현우 |
| 상무이사/세무사 | 전유호 | 이사/세무사 | 유창현 | 세무사 | 강용한 | 세무사 | 신은하 |
| 상무이사/세무사 | 박상호 | 세무사 | 최하늘 | 세무사 | 이대규 | 세무사 | 이민우 |
| 상무이사/세무사 | 양재림 | 세무사 | 남장현 | 세무사 | 박초은 | 세무사 | 김하영 |
| 상무이사/세무사 | 최규균 | 세무사 | 지민정 | 세무사 | 이선영 | 세무사 | 박재홍 |
| 이사/세무사 | 김현진 | 세무사 | 김지혜 | 세무사 | 박경연 | 세무사 | 이승렬 |
| 이사/세무사 | 안정진 | 세무사 | 최보선 | 세무사 | 박요한 | | |
| 이사/세무사 | 엄수빈 | 세무사 | 김미정 | 세무사 | 민지윤 | | |
| 이사/세무사 | 고상원 | 세무사 | 이헌수 | 세무사 | 최유리 | | |
| 이사/세무사 | 임인규 | 세무사 | 김소현 | 세무사 | 맹지언 | | |

## 지점안내

- **본 점** : 서울 강남구 언주로148길 19 청호빌딩 2층, 7층    T. 02-6910-3000
- **송파 지점** : 서울 송파구 양재대로 932 가락몰 업무동 616호    T. 02-6910-3999
- **위너스 지점** : 서울 서초구 강남대로99길 45 엠빌딩 202호    T. 02-6910-3090
- **에스에스 지점** : 서울 성동구 성수일로 89 메타모르포빌딩 702호    T. 02-6288-3230
- **마포 지점** : 서울 마포구 양화로 7길 44, 2층    T. 02-6288-3200
- **역삼 지점** : 서울 강남구 테헤란로14길 5 삼흥역삼빌딩 6층    T. 02-6910-3111
- **영등포 지점** : 서울 영등포구 경인로 775 에이스하이테크시티 제1층 3-102호    T. 02-6910-3160
- **광진 지점** : 서울 광진구 용마산로 18 신성빌딩 2층    T. 02-467-4122
- **강서 지점** : 서울특별시 강서구 마곡동 799-11 파인스퀘어 제3층 제에이 301~303호    T. 02-6910-3114

# 예일세무법인
## ALL THE ANSWERS ABOUT TAXES
www.yeiltax.co.kr

예일세무법인은 기업들이 어려운 경제환경속에서 경영에만 전념할 수 있도록 최고의 전문가 집단이 최상의 세무서비스를 제공하도록 최선을 다하겠습니다.

■ 주요구성원 소개

**김 창 섭** 대표세무사
주요경력
- 국세공무원교육원장
- 대전지방국세청장
- 국세청 법무심사국장
- 서울청 조사4국장
- 중부청 조사국장
- 서울청 국제거래조사국장

**임 승 환** 대표세무사
주요경력
- 중부지방국세청 조사국
- 중부지방국세청
- 비상장주식평가1 심의위원
- 국세청 심사위원
- 한국거래소 불공정공시심의위원
- 국립세무대학 1회

**천 영 익** 대표세무사
주요경력
- 국세청 감찰담당관
- 국세청 전자세원과장
- 서울지방국세청 조사3국 1과장
- 제주세무서장
- 서울지방국세청 인사 감사팀장
- 기획재정부 세제실, 국세청 법인세과

**권 오 철** 대표세무사
주요경력
- 남대문·북인천·공주·속초세무서 서장
- 서울지방국세청 조사3국 1과장
- 국세청 조사국
- 국세청 청·차장실

**김 상 진** 대표세무사
주요경력
- 종로·강남·성북·홍천·삼척 세무서장
- 서울지방국세청 조사4국 3과장, 징세과장
- 국세청 재산세과장
- 서울지방국세청 조사4국 사무관
- 중부지방국세청 조사3국 사무관
- 한양대 행정대학원 (세무학석사)

**류 득 현** 대표세무사
주요경력
- 서초·홍천세무서장
- 서울지방국세청 조사1국 2과장
- 서울청 조사1국 1과장
- 중부청 조사3국 조사관리1팀장
- 중부청 납세자보호 심사계장
- 남대문·용산·수원·북인천 평택세무서

**이 인 기** 대표세무사
주요경력
- 잠실세무서장
- 마포세무서장
- 국세청 해자금심판과장
- 기획부 세제실 조세법령계획팀장
- 서울지방국세청 기획예산과
- 국립세무대학 1회

**최 성 일** 대표세무사
주요경력
- 서초, 여수세무서장
- 국세청 심사1·조정2관·지본거래관리과장
- 서울지방국세청 조사국국 조사1과장
- 국세공무원교육원 교수과(부)
- 국세청 상속증여세과(11세)
- 국립세무대학 2회

**서 재 익** 대표세무사
주요경력
- 남대문세무서장
- 종로세무서장
- 영등포세무서장
- 서울지방국세청 조사1국 3과장
- 광주지방국세청 징세법인국장
- 용산세무서 법인세무과

**양 정 필** 대표세무사
주요경력
- 영등포 남대문 북부안양 산세무서장
- 서울지방국세청 조사국 조사2과장
- 국세청 조사국 (세무과)
- 조세심판원 파견 (사무관)
- 부산지방국세청 조사국
- 국립세무대학

**장 태 복** 대표세무사
주요경력
- 국립세무대학 1기
- 마포·동안양·구리춘천세무서장
- 서울청 조사1국 조사과장
- 전주세무서 운영지원과장
- 국세청 세원관리2과(법인)과장
- 국립세무대학

**유 인 경** 대표세무사
주요경력
- 평택세무서 납세자보호담당관
- 동수원세무서 소득세과장
- 용인세무서 부가세과장
- 성남 이천세무서 운영지원과장
- 강남대학교 세무학석사

**우 영 철** 역삼중앙지점
대표세무사
주요경력
- 역삼세무서장
- 서울지방국세청 조사1국 3과장
- 서울청 예산관리과장
- 서울지방국세청 조사국 17년 근무
- 국세청 3개국 근무
- 국립세무대학 2회

**김 남 영** 수원지점
대표세무사
주요경력
- 국세청 40년 근무
- 화성, 용인 세무서장
- 중부지방국세청 조사국 1,2,과장
- 중부지방국세청 조사1국 과장
- 중부지방국세청 조사국국 세무관

**김 성 수** 수원지점
대표세무사
주요경력
- 익산세무서장
- 중부지방국세청 1,2,3,4국 근무
- 국세공무원교육원 교수
- 중부지방국세청 감사관실 근무
- 수원, 동수원 세무서
- 법인세 및 조사과장

**김 승 현** 수원지점
대표세무사
주요경력
- 광명, 동울산세무서장
- 중부지방국세청 납보2담당관
- 중부지방국세청 조사1국 조사팀장
- 평택세무서 조사과장
- 국세청 부가가치세과 사무관
- 국립세무대학 1회

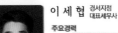
**조 병 호** 수원지점
대표세무사
주요경력
- 경영학박사
- 동수원세무서 재산세과장
- 중부지방국세청 송무과 법인팀장
- 경기과천세무서 운영지원과장
- 중부지방국세청 조사국
- 국세청, 이천세무서, 용인세무서

**오 용 규** 수원지점
대표세무사
주요경력
- 서울지방국세청 조사국 등
  국세청 20년 경력
- 국립세무대학 6회

**고 광 남** 경인지점
대표세무사
주요경력
- 시흥·동수원·홍성 세무서장
- 중부지방국세청 조사1국2과장
  운영지원과장·조사1국2과팀장
- 수원세무서 조사과장
- 안산세무서 세원관리과장
- 원주세무서 징세과장
- 재정경제원 근무

**이 진** 중부지점
대표세무사
주요경력
- 중부산, 시흥세무서장
- 중부지방국세청 조사1국 2과장
- 중부지방국세청 조사1과1과팀장
- 중부지방국세청 조사4국 3과장
- 부천남인천,남동국세청 36년 근무
- 국립세무대학 3회

**김 철 호** 광주지점
대표세무사
주요경력
- 국세청 국제조세관리실
- 서울지방국세청 조사4국
- 광주지방국세청 조사4국, 간세국
- 국세청 25년 경력
- 국립세무대학6회

**신 윤 철** 가산지점
대표세무사
주요경력
- 서울지방국세청 조사1국(팀)
- 심의원자산세무서,남대문세무서,조사팀
- 종로세무서 재산관리과 조사팀장,팀)과
- 국세청 25년 근무
- 국립세무대학 15회

**이 세 협** 경서지점
대표세무사
주요경력
- 국립세무대학(6기)
- 시흥 안산세무서 남부세무서장
- 중부지방국세청 성남남세무국
- 중부지방국세청 조사 2.3.4국
- 재정경제원 세제실

**김 용 천** 고문
주요경력
- 감사원 25년 재직(국세청 감사, 심사청구)
- 삼일회계법인 고문(TAX본부) 10년 근무
- (주)쇼박스 사외이사

**김 훈 중** 총괄부대표
주요경력
- 국세청 심사국과
- 서울지방국세청 조사국2,2국
- 중부지방국세청 특별조사과실
- 국세청 22년 경력
- 국립세무대학 4회

**이 상 수** 전무
세무본부장
주요경력
- 국세청 기획조정관실
- 서초, 수원, 확정세무서 동
- 국세청 24년 경력
- 국립세무대학 3회

**한 승 욱** 상무
주요경력
- 역삼세무서 법인세과 조사과
- 국세청 법인세정책국 부가법인담당
- 서울지방국세청 조사1국 과
- 남대문세무서 조사과 팀장
- 서울지방국세청 송무국

**김 하 영** 회계사
주요경력
- 운성회계법인
- IMM인베스트먼트 관리본부
- 삼일회계법인 감사 및 세무팀
- 공인회계사(2004년)
- 연세대학교 경영학과 졸업

**정 두 식** 수원지점
전무
주요경력
- 국세청 23년 근무
- 중부지방국세청 조사2국
  (상속,증여,양도세,주식변동조사담당)
- 중부지방국세청 조사2국
- 성남,동수원,부천인천세무서

**김 진 수** 수원지점
상무
주요경력
- 국세청 총근무경력 14년
- 중부지방국세청 조사국 근무
- 중부지방 국세청
  관세무서 10년 근무
- 국립세무대학 17회

**성 시 현** 수원지점
상무
주요경력
- 제44회 세무사
- 중부지방국세청 재산세과(가)심의위원
- 중부지방국세청 세무조정 및
  성실신고 관리위원
- 동수원세무서 납세지원위원
- 법인세,종합별률,전실험,세무서비스전문

**서 봉 수** 경인지점
상무
주요경력
- 국세청 근무경력 12년
- 중부지방국세청 조사국
- 수원 안양 성남세무서 근무

# 이안세무법인
## IAN TAX FIRM

고객의 가치 창출을 위해
이안(耳眼) 세무법인은
귀 기울여 듣고, 더 크게 보겠습니다

**이 경 열 고문**

(전) 대전지방국세청장
(전) 중부지방국세청 조사1국장
(전) 서울지방국세청 송무국장
(전) 부산지방국세청 성실납세지원국장
(전) 국세청 감사담당관, 법무과장
(전) 정읍세무서장
(전) 기획재정부 환경에너지세제과장

**장 호 강 고문**

(전) 영등포세무서장
(전) 중부청 조사1국 조사1과장
(전) 포항세무서장
(전) 서울청 조사 1국·2국 서기관

**윤 문 구 대표세무사**

국립세무대학(2기) 졸
경영학박사 / 세무학박사
(현) 서울고검 국가송무상소심의위원
(전) 서울시 지방세 심사위원
(전) 국세청 국세심사위원
(전) 국세청 납세자보호위원
(전) 서울청 조세범칙심의위원

**이 동 선 전무**

(전) 서울청 조사1국·2국
(전) 강남·삼성·역삼·서초·
　　영등포세무서

**이 경 근 상무**

국립세무대학(13기) 졸
(전) 서울청 조사1국
(전) 국세청 국세상담센터
　　상속세 및 증여세법 상담관

**문 수 영 상무**

국립세무대학(18기) 졸
(전) 조세심판원
(전) 서울청 조사1국
(전) 국세청 국세상담센터
　　부가가치세법/기타세법 상담관

**최 은 경 이사**

서울시립대학교
행정학과 졸

**백 승 원 세무사**

중국 인민대학교
금융학과 졸
(현) 서대문세무서
　　나눔세무사

**이 종 태 세무사**

단국대학교
경영학과 졸
(전) 세무법인
　　혜움 근무

## 이안세무법인
### IAN TAX FIRM

서울시 서초구 서초대로 40길 41 2층 (서초동, 대호IR빌딩)
**TEL 02.2051.6800　FAX 02.2051.6006**
www.iantax.co.kr

회장
정재열
02-547-8854

상근부회장
성태곤
02-547-8854

상근이사
정호창
02-547-8854

부회장
김성봉
051-988-2222

부회장
박중석
070-4880-0946

부회장
오석영
02-516-6700

[감사]

[지회(부)장]

감사
김원식
032-744-0088

감사
신민경
051-977-2580

서울
신민호
02-540-7867

구로
최성식
02-2672-7272

안양
유연혁
031-346-0066

대전충남
이종호
041-575-2171

충북
권용현
043-266-8311

인천공항
백현주
032-742-8443

부산
정영화
051-988-0011

경남
김성준
055-293-7604

창원
최성태
055-284-3457

인천
이염휘
032-888-0202

부평
박동기
070-4164-3783

수원
이범재
031-280-8210

안산
황주영
031-484-5272

대구
이종석
053-746-5900

구미
홍순필
054-462-6611

울산
이재석
052-273-2217

광주
장희석
061-795-5208

전북
백창현
063-212-0020

평택
구섭본
031-658-1473

한국관세사회

서울시 강남구 연주로 129길 20(논현동) (우)06104

 법무법인(유한) 대륜
DAERYUN LAW FIRM LLC.

기업금융·조세 전 분야 완벽 대응,

'회계처리 검토부터 세무조사, 민·형사/행정소송까지'
정당한 이익 보호를 위해 광범위한 분쟁해결 서비스를 제공합니다.

조세쟁송·자문  세무조사  국제조세  관세·국제통상

## 기업법무 · 조세행정그룹 소속 주요 구성원

**기업법무그룹장**
**원형일** 최고총괄변호사
- (前) 포스코홀딩스 법무실 상무, 법무실장
- (前) 포스코퓨처엠 법무실장 전무

**조세행정그룹장**
**곽내원** 최고총괄변호사
- 대한변협 공인 행정전문변호사
- 광역시장·세무서장 상대 행정소송 다수

**김인원** 최고총괄변호사
- 행정소송·금융조사 전담부 검사 출신

**김국일** 최고총괄변호사
- 기업 법률자문, 세무조사 대응 전문

**이일권** 최고총괄변호사
- (前) 예금보험공사 부실채무기업특별조사 2국장

**김진원** 최고총괄변호사
- 조세형사 사건 다수 수행
- 조세포탈의 구성요건에 관한 연구

**현병희** 최고총괄변호사
- 공정위 공정거래분쟁조정협 제1·2기 위원
- 조세무효확인소송의 소의 이익 저서

**이광우** 최고총괄변호사
- 조세·유사수신 전담부 검사 출신

**김광덕** 최고총괄변호사
- (前) 세무서 국세심사위원
- (前) 고용노동부 법무행정팀

**최한식** 최고총괄변호사
- (前) 대기업 법무팀장·전무

**정인호** 총괄변호사
조세쟁송·자문 전문

**김대수** 총괄변호사
조세불복·소송 전문

**김원상** 수석변호사
조세불복·소송 전문

**김유정** 책임변호사
국세청·대기업 소송대리 다수

**신효상** 선임변호사
조세불복·송무 전문

**박성아** 회계사
기업회계·회생·매각 자문

**박수진** 회계사
세무조사·조세불복 절차 수행

**유정연** 회계사
기업회계·회생·매각 자문

# KIM & CHANG

**Top**

"Band 1" rankings in 18 practice areas in Chambers Asia-Pacific 2024

**Only**

The only Korean law firm in ALM Global 100

**Innovative**

Recognized as the "Jurisdictional Firm of the Year: South Korea" in IFLR Asia-Pacific Awards 2024

**1973**

50 years of history in tandem with Korea's economic development

**All**

"Tier 1" rankings in 17 practice areas in The Legal 500 Asia Pacific 2024

kimchang.com

광고책임변호사: 황광연

46

다양한 조세 전문가들의 시너지를 통한 최적 솔루션 제시

# 김·장 법률사무소 조세 그룹

조세 분야 Top Tier Rankings 선정

*Chambers Asia-Pacific 2024*
*The Legal 500 Asia Pacific 2024*
*asialaw 2023/24*
*World Tax 2024, World Transfer Pricing 2024*
*Benchmark Litigation Asia-Pacific 2024*

## 조세 일반

| | | | | |
|---|---|---|---|---|
| **한만수** 변호사<br>02-3703-1806 | **백우현** 공인회계사<br>02-3703-1047 | **이종국** 외국회계사<br>02-3703-1016 | **조용호** 공인회계사<br>02-3703-1116 | **최임정** 공인회계사<br>02-3703-1143 |
| **권은민** 변호사<br>02-3703-1252 | **이지수** 변호사<br>02-3703-1123 | **양규원** 공인회계사<br>02-3703-1298 | **김요대** 공인회계사<br>02-3703-1436 | **최효성** 공인회계사<br>02-3703-1281 |
| **임송대** 공인회계사<br>02-3703-1088 | **정광진** 변호사<br>02-3703-4898 | **Paul Stephen Manning** 외국변호사<br>02-3703-5796 | **심윤상** 외국변호사<br>02-3703-1221 | **Sean Kahng** 외국변호사<br>02-3703-1694 |
| **곽장운** 외국변호사<br>02-3703-1708 | **박소연** 외국변호사<br>02-3703-8471 | **서봉규** 공인회계사<br>02-3703-1015 | **류재영** 공인회계사<br>02-3703-1529 | **이인수** 공인회계사<br>02-3703-8140 |
| **임양록** 공인회계사<br>02-3703-4543 | **황찬연** 공인회계사<br>02-3703-1807 | **전한준** 외국회계사<br>02-3703-1770 | **민경서** 변호사<br>02-3703-1277 | **이종명** 변호사<br>02-3703-1915 |
| **이준엽** 변호사<br>02-3703-5827 | **유경란** 변호사<br>02-3703-4583 | **김동욱** 변호사<br>02-3703-4683 | **윤여정** 변호사<br>02-3703-4690 | **김용희** 공인회계사<br>02-3703-1544 |
| **오광석** 변호사<br>02-3703-4784 | | | | |

## 이전가격

| | | | | |
|---|---|---|---|---|
| **여동준** 공인회계사<br>02-3703-1061 | **남태연** 공인회계사<br>02-3703-1028 | **한상익** 공인회계사<br>02-3703-1127 | **이제연** 공인회계사<br>02-3703-1079 | **이규호** 공인회계사<br>02-3703-1169 |
| **Christopher Sung** 외국변호사<br>02-3703-1115 | **이상욱** 공인회계사<br>02-3703-1278 | **박재석** 공인회계사<br>02-3703-1160 | **최동진** 공인회계사<br>02-3703-1319 | **김학주** 공인회계사<br>02-3703-1299 |
| **서덕원** 공인회계사<br>02-3703-1940 | **백완수** 외국회계사<br>02-3703-1461 | **성경곤** 외국회계사<br>02-3703-4645 | | |

## 금융조세

| | | | | |
|---|---|---|---|---|
| **김동소** 공인회계사<br>02-3703-1013 | **임용택** 공인회계사<br>02-3703-1089 | **박정일** 공인회계사<br>02-3703-1040 | **백원기** 공인회계사<br>02-3703-1659 | **권영신** 공인회계사<br>02-3703-5782 |
| **임동구** 공인회계사<br>02-3703-1646 | **박종현** 공인회계사<br>02-3703-1817 | **박지영** 공인회계사<br>02-3703-4953 | **오명환** 공인회계사<br>02-3703-1364 | |

## 세무조사 및 조세쟁송

| | | | | |
|---|---|---|---|---|
| **정병문** 변호사<br>02-3703-1576 | **김의환** 변호사<br>02-3703-4601 | **조성권** 변호사<br>02-3703-1968 | **하상혁** 변호사<br>02-3703-4893 | **하태흥** 변호사<br>02-3703-4979 |
| **김희철** 변호사<br>02-3703-5863 | **이상우** 변호사<br>02-3703-1571 | **양승종** 변호사<br>02-3703-1416 | **박필종** 변호사<br>02-3703-4976 | **전환진** 변호사<br>02-3703-1210 |
| **박재찬** 변호사<br>02-3703-1808 | **이종광** 공인회계사<br>02-3703-1056 | **진승환** 공인회계사<br>02-3703-1267 | **박재홍** 공인회계사<br>02-3703-1440 | **기상도** 공인회계사<br>02-3703-1330 |
| **서재훈** 공인회계사<br>02-3703-1845 | **서창우** 공인회계사<br>02-3703-1846 | **정재훈** 공인회계사<br>02-3703-8049 | **김형태** 공인회계사<br>02-3703-1507 | **안재혁** 변호사<br>02-3703-1953 |
| **이은총** 변호사<br>02-3703-4588 | **구종환** 변호사<br>02-3703-4681 | **김정현** 변호사<br>02-3703-4685 | **김현환** 변호사<br>02-3703-4847 | **박병현** 변호사<br>02-3703-4787 |

**법무법인(유) 광장**

## 정도(正道)를 지키며 신뢰받는 로펌,
## 법무법인(유) 광장(LEE & KO)입니다.

## 주요구성원

### 조세쟁송 및 자문

**이상기 변호사**
기획재정부 고문변호사
한국조세협회 부이사장
Tel: 02-2191-3005

**이인형 변호사**
서울행정법원 부장판사
수원지방법원 평택지원장
Tel: 02-772-5990

**손병준 변호사**
대법원 조세전담 재판연구관
대전지방법원 부장판사
Tel: 02-772-4420

**마옥현 변호사**
대법원 조세전담 재판연구관
광주지방법원 부장판사
Tel: 02-6386-6280

**김성환 변호사**
대법원 조세전담 재판연구관(총괄)
춘천지방법원 부장판사
Tel: 02-6386-7900

**김경태 변호사**
대전지방법원 판사
한국세무학회 부학회장
Tel: 02-772-4414

**박영욱 변호사**
국세청 과세품질혁신위원회 위원
변호사시험(조세법) 출제위원
Tel: 02-772-4422

**김상훈 변호사**
한국지방세연구원 지방세구제업무 자문위원
중부세무서 국세심사위원회 위원
Tel: 02-772-4425

**임수혁 변호사**
중부세무서 납세자보호위원
미국 UC Berkeley School of Law 법학석사(LLM)
Tel: 02-772-4973

**이건훈 변호사**
서울대학교 법과대학 석사과정(조세법 전공)
미국 UCLA School of Law 법학석사(LLM)
Tel: 02-6386-6211

**유정호 변호사**
국세청 정기연수과정 강사 (금융조세)
Allianz Global Investors 펀드매니저
Tel: 02-2191-3208

**이정아 변호사**
삼정KPMG
Tel: 02-772-5975

**임한솔 변호사**
서울대학교 법학과 박사과정
(세법전공)
서울대학교 법학과 석사(세법전공)
Tel: 02-6386-6367

**박주현 변호사**
NYU International
Tax LLM
Tel: 02-6386-6224

**김민구 변호사**
한국국제조세협회 산하 YIN 부회장
국세청 법무과 법무관
Tel: 02-772-5922

**장연호 회계사**
국세청 금융업 실무과정 강사
삼일회계법인 금융/보험조세팀 근무
(한국·미국 등록 회계사)
Tel: 02-772-5942

**김한준 회계사**
삼일회계법인 국제조세본부
삼일회계법인 감사본부
Tel: 02-6386-6687

**오진훈 회계사**
삼일회계법인
미국 Michigan State University
Finance 석사과정
Tel: 02-6386-6262

**곽동훈 회계사**
삼일회계법인
Tel: 02-6386-6642

**이진영 회계사**
Tax Counsel at Continental
Deloitte Anjin LLC
Tel: 02-772-5933

**박정우 회계사**
삼일회계법인 국제조세본부
PWC US San Jose Office
Tel: 02-6386-6276

**김태환 회계사**
국세청 국선대리인
삼일회계법인, EY한영회계법인
Tel: 02-6386-0863

### 조세예규 및 행정심판

**강지현 변호사**
국무총리 소속 조세심판원 사무관
기획재정부 세제실 사무관(조세특례제도과)
Tel: 02-772-4975

**김병준 세무사**
조세심판원 조정팀장
국세청 심사과
Tel: 02-6386-6376

### 이전가격

**박성한 미국회계사**
EY한영회계법인
삼일회계법인
Tel: 02-6386-7952

**김민후 미국변호사**
Deloitte Anjin LLC
Ernst & Young Korea
Tel: 02-6386-6271

### 고문

**원정희 고문**
부산지방국세청장
국세청 조사국장
Tel: 02-6386-6229

**김재웅 고문**
서울지방국세청장
중부지방국세청장
Tel: 02-6386-7890

**유재철 고문**
국세청 법인납세국장
중부지방국세청장
Tel: 02-6386-1907

**윤영선 고문**
제24대 관세청장
기획재정부 세제실장
Tel: 02-6386-6640

**"각 분야 최고의 전문가들이 한자리에 모였습니다"**

조세소송 및 불복, Tax Planning and Consulting, 세무조사, 국제조세, 이전가격 등 한 분의 고객을 위해
변호사, 회계사, 세무사, 고문, 전문위원 등 조세 각 분야 최고 전문가들이 힘을 합치는 로펌, 그곳은 광장(Lee & Ko) 입니다.

**"조세분야 최고 등급(Top Tier)의 로펌입니다"**

국제적으로 유명한 평가기관인 Legal 500, Tax Directors Handbook 등에서 최고 등급 평가를 받아온 로펌,
그곳은 광장(Lee & Ko) 입니다.

**"존경받는 로펌, 신뢰받는 로펌이 되겠습니다"**

고객이 신뢰하고 고객에게 존경받는 로펌, 가장 기분좋은 수식어입니다. 대외적으로 인정받고 신뢰받는 로펌,
그곳은 광장(Lee & Ko) 입니다.

초심을 잃지 않고 자만하지 않으며 먼 미래를 내다보며 준비하겠습니다.
항상 고민하고 새로운 도약을 준비하는 로펌,

**'법무법인(유) 광장(Lee & Ko)' 입니다.**

## 국제조세

**권오혁 미국변호사**
Deloitte Anjin LLC
Deloitte Tax LLP
Tel: 02-6386-6627

**김정홍 미국변호사**
기획재정부 국제조세제도과장
대법원 재판연구관(조세조)
Tel: 02-6386-0773

**심재진 미국변호사**
AmCham Tax Committee Co-Chiar
PwC Moscow and Price Waterhouse, New York
Tel: 02-2191-3235

**류성현 변호사**
한국지방세연구원 지방세구제업무 자문위원
중부세무서 국세심사위원회 위원
Tel: 02-772-4425

**이환구 변호사**
중부세무서 납세자보호위원
UCLA Law School LLM(Tax track)
Tel: 02-772-4307

**오혁 미국변호사**
미국 Deloitte Tax LLP, Washington National Tax
미국 RSM International Inc., International Tax
Tel: 02-772-4349

**이용지 미국변호사**
Handong International Law
School – J.D.
Tel: 02-772-4392

**김태경 회계사**
한국국제조세협회 이사
한국조세연구포럼 이사
Tel: 02-2191-3246

## 관세

**박영기 변호사**
관세청 통관지원국 사무관
서울본부세관 고문변호사
Tel: 02-2191-3052

**조재웅 변호사**
관세청 법률고문
관세평가분류원 관세평가협의회 위원
Tel: 02-6386-6617

**신승학 전문위원**
딜로이트 관세법인
서울본부세관 특수조사과
Tel: 02-6386-0761

**김창희 전문위원**
관세법인 한주
관세평가분류원 품목분류협의회 위원
Tel: 02-6386-6645

**김태훈 전문위원**
EY관세법인
Tel: 02-6386-0757

## 세무조사 지원

**조태복 세무사**
성동, 중부산 세무서장
국세청 법인세과, 법령해석과
Tel: 02-6386-6572

**장순남 세무사**
서울지방국세청 조사4국 서기관
국세청 조사국 사무관
Tel: 02-772-5928

**유종환 세무사**
서울지방국세청 조사1국 팀장
서울지방국세청 조사4국
Tel: 02-6386-6587

**이호태 세무사**
중부지방국세청
국세청
Tel: 02-6386-6602

**배인수 세무사**
서울지방국세청 조사4국
서울지방국세청 조사1국
Tel: 02-772-5986

**이병하 세무사**
서울지방국세청 국제거래조사국
국세청 국제조사과
Tel: 02-772-5987

**권태영 세무사**
국세청 자산과세국
서울지방국세청 조사4국
Tel: 02-6386-6583

**이창곤 세무사**
서울지방국세청 조사1국
서울지방국세청 조사3국
Tel: 02-6386-6574

**김태우 세무사**
서울지방국세청 조사1국
종로, 중부 조사과
Tel: 02-6386-6578

**최진구 세무사**
중부지방국세청 운영지원과장
서울지방국세청 조사국 조사팀장
Tel: 02-6386-6577

## 지방세

**김해철 전문위원**
행정안전부 지방세특례제도과
한국지방세연구원 지방세 전문상담위원
Tel: 02-772-4354

## 형사

**장영섭 변호사**
서울중앙지방검찰청 금융조세조사1부장검사
법무부 법무과장
Tel: 02-772-4845

**전준철 변호사**
서울중앙지방검찰청 반부패 수사부장
수원지방검찰청 특수부장
Tel: 02-6386-0810

## 감사원

**김정하 고문**
감사원 사무총장
감사원 조세심사청구 심사심의관
Tel: 02-6386-6253

**SHIN & KIM**
법무법인(유) 세종

## 법무법인(유) 세종 조세전문그룹 대표 구성원

**백 제 흠**
대표변호사
법학박사 / 서울지법 판사
김·장 법률사무소
한국국제조세협회 이사장
서울지방변호사회 조세연수원장

**변 희 찬**
고문변호사
대법원 재판연구관(조세조)
사법연수원교수(조세법 강의)
서울중앙지방법원 부장판사
국세청, 중부지방국세청
조세법률고문

**조 춘**
파트너변호사
법학박사 / 서울남부지방검찰청 등 검사
사법연수원 교수
서울지방국세청 등 고문변호사
(사)한국세법학회 부회장 등

**정 영 민**
선임공인회계사
감사원(국세청 담당 외)
안진회계법인
김·장 법률사무소
한국경제 상속플랜 강사

**김 선 영**
선임외국변호사
서울대학교 법학박사
Deloitte NY, Deloitte Korea
기획재정부 BEPS 운영위원회 고문

**도 훈 태**
파트너변호사
대법원 재판연구관(조세조 총괄연구관,
부장판사)
대전지법 천안지원, 울산지법 부장판사
한국국제조세협회 이사
한국법학원 저스티스 편집위원

**윤 진 규**
파트너변호사
대법원 재판연구관(조세조, 부장판사)
서울행정법원 조세전담부 판사
세법석사(국제조세)
서울지방국세청 조세법률고문
한국세법학회 등 이사

**김 현 진**
파트너변호사
공인회계사
금융위원회 회계제도심의위원회 위원
한국세법학회, 한국세무학회 등 이사
중부지방국세청 조세법률고문
코스닥거래소 기업심사위원회 위원

**우 도 훈**
파트너변호사
공인회계사
삼일회계법인
International Tax LLM
한국세법학회 정보이사

**김 창 호**
선임공인회계사
삼일회계법인
한국국제조세협회 이사

**고 연 기**
선임외국회계사
세무사
EY한영회계법인 파트너
한국세법학회 이사

**이 남 주**
선임공인회계사
삼일회계법인 세무본부
한국지방세학회 이사

**이 효 원**
외국변호사
미국 국세청 본청 법무실, 워싱턴 D.C.
Eversheds Sutherland, 워싱턴 D.C.
Linklaters, 워싱턴 D.C.

**박 기 범**
파트너변호사
공인회계사(삼일회계법인)
NYU LL.M. in Taxation
사법시험, 변호사시험 조세법 검토위원
로앤비 온주 조세법 집필위원

**황 태 상**
파트너변호사
공인회계사(삼일회계법인)
로앤비 온주 집필위원(지방세법 등)
농림수산식품교육문화정보원 감사

**홍 현 주**
파트너변호사
공인회계사(삼일회계법인)
NYU LL.M.
로앤비 온주 집필위원(상증세법 등)

**강 건**
파트너변호사
인천세관
서울지방국세청 송무국

**이 한 나**
세무사
Deloitte안진회계법인 파트너
한국국제조세협회 이사

**송 광 조**
고문·세무사
서울지방국세청장
부산지방국세청장
국세청 조사국장

**박 성 만**
고문·세무사
감사원 부이사관
국세청 담당 감사관, 심사2담당관
관세청, 공정위, 과기부 담당 과장

**전 영 래**
세무사
남대문 세무서장
서울지방국세청 국제조사1과장

**김 병 호**
세무사
조세심판원 사무관
기재부 국제조세과, 재산세제과
서울지방국세청 법인납세과

**김 기 명**
전문위원
행정안전부 부동산세제과, 지방세정책과
대법원 조세조사관
한국지방세연구원 지방세 상담위원

**강 동 윤**
관세사
서울·인천·광주세관 등
관세법인 에이원

**정 진 용**
관세사
IBK기업은행 외환사업부
PwC관세법인, KPMG관세법인
주한에스토니아기업청 통상정책자문위원

---

**세종 미래상속세연구소 | 세종 국제조세연구소**

# 법무법인(유) 지평
# 조세팀

지평은 조세자문, 행정심판, 행정소송, 위헌소송 등
조세 관련 분야에 탁월한 전문성을 가진 로펌입니다.

지평 조세팀은 법인 내 유관 전문서비스팀과
유기적인 결합으로 원스톱 고객서비스를 제공하고 있습니다.

| | |
|---|---|
| 조세쟁송 | 세무 진단 및 세무조사 대응 |
| 조세자문 | 회계규제 |
| 조세형사 | 관세 및 국제통상 |

## 법무법인(유) 지평 조세팀 **주요 구성원**

**최현민** 고문
부산지방국세청장

조세자문 일반
02-6200-1953

**엄상섭** 변호사·공인회계사
대법원 재판연구관(조세조)

조세소송
02-6200-1667

**박영주** 변호사
관세청 고문변호사

조세소송
02-6200-1728

**강원일** 변호사
상속세 및 증여세, 부동산 세법
성년후견업무(자산관리)

조세소송
02-6200-1951

**김강산** 변호사
광주지방법원 부장판사
서울행정법원 조세 전담부

조세형사
02-6200-1903

**박성철** 변호사
서울시
행정심판위원회 위원

조세위헌소송
02-6200-1777

**김태형** 변호사
관세청 정기 자문업무 수행

조세소송
02-6200-1767

**김형우** 변호사·공인회계사
삼일회계법인
금융자문본부

금융조세
02-6200-1839

**고세훈** 변호사
Texas Instruments
제조사업부(원가담당)

조세자문/해외투자
02-6200-1849

**김선국** 변호사
서울고등법원 재판연구원

조세형사
02-6200-1780

**이종헌** 변호사
서울대 박사과정수료(행정법)
UC Berkeley School of Law (LL.M.)

조세소송
02-6200-1825

**구상수** 공인회계사
법학박사(조세)

조세자문 일반
02-6200-1738

**지명수** 세무사
국세청 조사국

조세자문 일반
02-6200-1623

# 법무법인(유한) 태평양

## 조세업무에 대한 풍부한 경험과 전문성

세무조사 대응 | 조세형사 | 국제조세 | 조세쟁송 | 관세/국제통상 | 일반 조세자문

## 주요 구성원 소개

**조 일 영**
변호사
조세자문/조세쟁송
02.3404.0545

**유 철 형**
변호사
조세자문/조세쟁송
02.3404.0154

**강 석 규**
변호사
조세자문/조세쟁송
02.3404.0653

**김 승 호**
변호사
조세자문/조세쟁송
02.3404.0659

**심 규 찬**
변호사
조세자문/조세쟁송
02.3404.0679

**조 무 연**
변호사
조세자문/조세쟁송
02.3404.0459

**장 승 연**
외국변호사(미국 Ohio주)
국제조세/관세 및 통상
02.3404.7589

**김 동 현**
공인회계사
조세자문/조세쟁송
02.3404.0572

**김 태 균**
공인회계사
금융조세/국제조세
02.3404.0574

**최 찬 오**
세무사
조세자문/세무조사
02.3404.7578

**곽 영 국**
전문위원
조세자문/세무조사
02.3404.7595

**김 규 석**
전문위원
관세
02.3404.0579

**한 위 수**
변호사
조세자문/조세쟁송
02.3404.0541

**주 성 준**
변호사
조세쟁송/관세
02.3404.6517

**장 성 두**
변호사
조세자문/조세쟁송
02.3404.6585

**박 재 영**
변호사
조세자문/조세쟁송
02.3404.7548

**이 진 우**
변호사
조세자문/조세쟁송
02.3404.6579

**서 승 원**
변호사
조세자문/조세쟁송
02.3404.0964

**박 창 수**
변호사
조세자문/조세쟁송
02.3404.7659

**채 승 완**
공인회계사
국제조세/투자자문
02.3404.0577

**양 성 현**
공인회계사
조세자문/조세심판
02.3404.0586

**조 학 래**
공인회계사
조세자문/조세심판
02.3404.0580

**곽 시 명**
공인회계사
조세자문/관세 및 통상
02.3404.0581

**이 은 홍**
공인회계사
조세자문/조세심판
02.3404.0575

**권 용 진**
공인회계사
조세자문/조세심판
02.3404.0585

**김 용 관**
세무사
조세자문/조세심판
02.3404.7528

**김 용 수**
전문위원
조세자문/세무조사
02.3404.7573

**박 영 성**
세무사
조세자문/세무조사
02.3404.0584

**홍 수 용**
세무사
조세자문/세무조사
02.3404.7531

**임 대 승**
전문위원
관세
02.3404.7572

**이 종 현**
전문위원
관세
02.3404.7568

**최 광 백**
전문위원
조세심판
02.3404.7567

**오 정 의**
전문위원
지방세
02.3404.7353

**이 주 윤**
전문위원
유권해석/법령개정
02.3404.1083

**김 종 우**
외국변호사(미국 California주)
국제조세/투자자문
02.3404.6991

조세 자료실 | 경정청구(조세환급) TF | 유권해석&법령개정 TF | 지방세 TF

**bkl** 법무법인(유한)태평양

# 재무인명부

세무법인 | 회계법인 | 관세법인 | 로펌

국회기획재정위원회 | 감사원 | 기획재정부 | 금융위 | 금감원

중소기업중앙회 | 국세청 | 지방재정경제실 | 조세심판원 | 한국조세재정연구원

## 2024.8.23.현재

1등 조세회계 경제전문

조세일보

# 기관

| | | |
|---|---|---|
| ■ 국회기획재정위원회 | 55 | |
| ■ 국회법제사법위원회 | 57 | |
| ■ 국회정무위원회 | 59 | |
| ■ 감사원 | 61 | |
| ■ 기획재정부 | 65 | |
| 세제실 | 68 | |
| 기획조정실 | 70 | |
| 예산실 | 71 | |
| ■ 금융위원회 | 85 | |
| ■ 금융감독원 | 89 | |
| ■ 중소기업중앙회 | 102 | |

# 국회기획재정위원회

| 주소 | 서울시 영등포구 의사당대로 1(여의도동) (우) 07233 |
|------|-----------------------------------------------|
| 대표전화 | 02-6788-2114 |
| 사이트 | finance.na.go.kr |

## 위원장　　　　　송언석

(D) 02-6788-6651

| 위원회 조직 | 전화 |
|-------------|------|
| 송주아 수석전문위원 (차관보급) | 02-6788-5141 |
| 이정은 전문위원 (2급) | 02-6788-5142 |
| 김현중 재정정책조사관 (3급) | 02-6788-5148 |
| 주규준 조세정책조사관 (3급) | 02-6788-5157 |
| 이상홍 행정실장 (4급) | 02-6788-5143 |
| 임윤섭 조세정책조사관 (4급) | 02-6788-5149 |
| 권혁만 조세정책조사관 (4급) | 02-6788-5155 |
| 문유선 조세정책조사관 (5급) | 02-6788-5160 |
| 노현정 재정정책조사관 (5급) | 02-6788-5151 |
| 김태경 조세정책조사관 (5급) | 02-6788-5161 |
| 김정엽 조세정책조사관 (5급) | 02-6788-5154 |
| 최동완 조세정책조사관 (5급) | 02-6788-5147 |
| 이덕형 조세정책조사관 (5급) | 02-6788-5150 |
| 김승균 재정정책조사관 (5급) | 02-6788-5156 |
| 이건화 재정정책조사관 (6급) | 02-6788-5156 |
| 황용준 재정정책조사관 (6급) | 02-6788-5153 |
| 김정혜 주무관 (6급) | 02-6788-5144 |
| 이인희 주무관 (6급) | 02-6788-5141 |
| 송경희 주무관 (6급) | 02-6788-5142 |
| 장우석 행정관 (7급) | 02-6788-5145 |
| 오승희 주무관 (7급) | 02-6788-5146 |

# 국회기획재정위원회

DID: 02-6788-OOOO

위원장: **송 언 석**
DID: 02-6788-6651

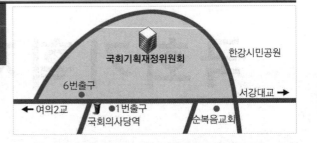

국회기획재정위원회
한강시민공원
6번출구
서강대교 →
← 여의2교  ●1번출구
국회의사당역  순복음교회

| 주소 | 서울특별시 영등포구 의사당대로 1 (여의도동) (우) 07233 |
|---|---|
| 홈페이지 | finance.na.go.kr |

| 구성 | 간사 | | 위원 | | | |
|---|---|---|---|---|---|---|
| 위원명 | 정태호 | 박수영 | 김영진 | 김영환 | 김태년 | 박홍근 |
| 소속 | 더불어민주당 | 국민의힘 | 더불어민주당 | 더불어민주당 | 더불어민주당 | 더불어민주당 |
| 보좌관 | 김준하, 최기원 | 양일국, 장상택 | 김유현 | 류종철, 민현석 | 강경훈, 이한돌 | 나바다, 장석원 |
| 전화 | 7246 | 6486 | 6256 | 6691 | 6336 | 6541 |

| 구성 | 위원 | | | | | |
|---|---|---|---|---|---|---|
| 위원명 | 신영대 | 안도걸 | 오기형 | 윤호중 | 임광현 | 정성호 |
| 소속 | 더불어민주당 | 더불어민주당 | 더불어민주당 | 더불어민주당 | 더불어민주당 | 더불어민주당 |
| 보좌관 | 선학수, 심권택 | 김현호, 여경훈 | 권태준, 송아량 | 박석윤, 이강일 | 강성민, 김길전 | 서준섭, 정원철 |
| 전화 | 6676 | 7046 | 6761 | 6896 | 6896 | 7201 |

| 구성 | 위원 | | | | | |
|---|---|---|---|---|---|---|
| 위원명 | 정일영 | 진성준 | 최기상 | 황명선 | 구자근 | 박대출 |
| 소속 | 더불어민주당 | 더불어민주당 | 더불어민주당 | 더불어민주당 | 국민의힘 | 국민의힘 |
| 보좌관 | 김희철, 손우정 | 김승현, 오정훈 | 최호권, 홍기돈 | 김민주, 전문학 | 정준용, 허대윤 | 배시열, 최두식 |
| 전화 | 7211 | 7331 | 7346 | 6111 | 6071 | 6446 |

| 구성 | 위원 | | | | | |
|---|---|---|---|---|---|---|
| 위원명 | 박성훈 | 박수민 | 이인선 | 이종욱 | 최은석 | 차규근 | 천하람 |
| 소속 | 국민의힘 | 국민의힘 | 국민의힘 | 국민의힘 | 국민의힘 | 조국혁신당 | 개혁신당 |
| 보좌관 | 우성필, 임원식 | 기훈종, 윤나영 | 임효권, 조병수 | 임효권, 조병수 | 남완우, 손정갑 | 김진욱, 최우규 | 강은규, 강지은 |
| 전화 | 6886 | 7381 | 7481 | 6681 | 6526 | 6036 | 6436 |

# 국회법제사법위원회

| 주소 | 서울시 영등포구 의사당대로 1(여의도동) (우) 07233 |
|---|---|
| 대표전화 | 02-6788-2114 |
| 사이트 | legislation.na.go.kr |

## 위원장　　정청래

(D) 02-6788-7236

| 위원회 조직 | 전화 | 위원회 조직 | 전화 |
|---|---|---|---|
| 정환철 수석전문위원 (차관보급) | 02-6788-5041 | 김태현 법제사법정책조사관 (5급) | 02-6788-5073 |
| 김성완 전문위원 (2급) | 02-6788-5044 | 박은정 법제사법정책조사관 (5급) | 02-6788-5059 |
| 박동찬 전문위원 (2급) | 02-6788-5043 | 최한슬 법제사법정책조사관 (5급) | 02-6788-5053 |
| 이화실 전문위원 (2급) | 02-6788-5042 | 박진영 법제사법정책조사관 (5급) | 02-6788-5070 |
| 김세현 법제사법정책조사관 (3급) | 02-6788-5061 | 이상민 법제사법정책조사관 (5급) | 02-6788-5065 |
| 박지영 법제사법정책조사관 (3급) | 02-6788-5055 | 김홍규 법제사법정책조사관 (5급) | 02-6788-5075 |
| 모주영 법제사법정책조사관 (4급) | 02-6788-5054 | 이강욱 법제사법정책조사관 (6급) | 02-6788-5064 |
| 유항재 법제사법정책조사관 (4급) | 02-6788-5054 | 김민옥 주무관 (6급) | 02-6788-5067 |
| 정진욱 행정실장 (4급) | 02-6788-5049 | 김민옥 주무관 (6급) | 02-6788-5050 |
| 이정미 법제사법정책조사관 (4급) | 02-6788-5052 | 박옥서 주무관 (6급) | 02-6788-5050 |
| 서홍석 법제사법정책조사관 (4급) | 02-6788-5056 | 김수자 주무관 (6급) | 02-6788-5069 |
| 정수정 법제사법정책조사관 (4급) | 02-6788-5057 | 이미숙 주무관 (6급) | 02-6788-5066 |
| 최준호 법제사법정책조사관 (4급) | 02-6788-5052 | 임현숙 주무관 (6급) | 02-6788-5074 |
| 이혜미 법제사법정책조사관 (4급) | 02-6788-5058 | 이지영 주무관 (6급) | 02-6788-5041 |
| 문정호 법제사법정책조사관 (4급) | 02-6788-5060 | 임채현 행정관 (7급) | 02-6788-5068 |
| 소만경 법제사법정책조사관 (5급) | 02-6788-5063 | 김기연 행정관 (7급) | 02-6788-5072 |
| 박효민 법제사법정책조사관 (5급) | 02-6788-5051 | | |

# 국회법제사법위원회

DID: 02-6788-OOOO

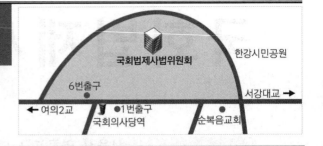

국회법제사법위원회
한강시민공원
6번출구
서강대교 →
← 여의2교
●1번출구
국회의사당역
순복음교회

위원장: **정 청 래**
DID: 02-6788-7236

| 주소 | 서울특별시 영등포구 의사당대로 1 (여의도동) (우) 07233 |
|---|---|
| 홈페이지 | legislation.na.go.kr |

| 구성 | 간사 | | 위원 | | | |
|---|---|---|---|---|---|---|
| 위원명 | 김승원 | 김승원 | 김용민 | 박균택 | 박지원 | 서영교 |
| 소속 | 더불어민주당 | 국민의힘 | 더불어민주당 | 더불어민주당 | 더불어민주당 | 더불어민주당 |
| 보좌관 | 이윤정, 장진산 | 김원호, 최영수 | 박준수, 윤여길 | 이승환, 한호 | 임채송, 장환석 | 문경희, 안재형 |
| 전화 | 6236 | 6811 | 6271 | 6321 | 6361 | 6596 |

| 구성 | 위원 | | | | | |
|---|---|---|---|---|---|---|
| 위원명 | 이건태 | 이성윤 | 장경태 | 전현희 | 곽규택 | 박준태 |
| 소속 | 더불어민주당 | 더불어민주당 | 더불어민주당 | 더불어민주당 | 국민의힘 | 국민의힘 |
| 보좌관 | 정상운, 한희석 | 최현 | 김상혁, 박지만 | 김흥수, 이인화 | 기남형, 한수근 | 김고은, 박상조 |
| 전화 | 7466 | 6781 | 7141 | 6696 | 6711 | 6176 |

| 구성 | 위원 | | | | |
|---|---|---|---|---|---|
| 위원명 | 송석준 | 장동혁 | 조배숙 | 주진우 | 박은정 |
| 소속 | 국민의힘 | 국민의힘 | 국민의힘 | 국민의힘 | 조국혁신당 |
| 보좌관 | 류명현, 박범영 | 이영수, 한상필 | 국혁, 김용진 | 이시우, 정성철 | 김순이, 오승훈 |
| 전화 | 6646 | 6996 | 6946 | 7271 | 6551 |

# 국회정무위원회

| 주소 | 서울시 영등포구 의사당대로 1 (여의도동)<br>(우) 07233 |
|------|------|
| 대표전화 | 02-6788-2114 |
| 사이트 | policy.na.go.kr |

위원장            윤한홍

(D) 02-6788-6891

| 위원회 조직 | 전화 |
|------|------|
| 최병권 수석전문위원 (차관보급) | 02-6788-5101 |
| 황승기 전문위원 (2급) | 02-6788-5103 |
| 최기도 전문위원 (2급) | 02-6788-5102 |
| 이지연 금융정책조사관 (3급) | 02-6788-5104 |
| 박민호 행정실장 (4급) | 02-6788-5105 |
| 이종민 보훈정책조사관 (4급) | 02-6788-5110 |
| 윤동한 금융정책조사관 (4급) | 02-6788-5111 |
| 이중석 금융정책조사관 (4급) | 02-6788-5106 |
| 이명자 금융정책조사관 (4급) | 02-6788-5113 |
| 이문범 공정거래정책조사관 (4급) | 02-6788-5109 |
| 나혜빈 금융정책조사관 (5급) | 02-6788-5108 |
| 한경석 보훈정책조사관 (5급) | 02-6788-5112 |
| 정지연 보훈정책조사관 (5급) | 02-6788-5107 |
| 이지연 입법조사관 (5급) | 02-6788-5114 |
| 강민경 공정거래정책조사관 (6급) | 02-6788-5115 |
| 김유준 행정관 (7급) | 02-6788-5117 |
| 송명례 행정관 (6급) | 02-6788-5116 |
| 윤애심 주무관 (6급) | 02-6788-5101 |
| 손지화 주무관 (7급) | 02-6788-5103 |
| 염혜윤 주무관 (6급) | 02-6788-5102 |

# 국회정무위원회

DID: 02-6788-OOOO

위원장: **윤 한 홍**
DID: 02-6788-6891

| 주소 | 서울특별시 영등포구 의사당대로 1 (여의도동) (우) 07233 |
|---|---|
| 홈페이지 | policy.na.go.kr |

| 구성 | 간사 | | 위원 | | | |
|---|---|---|---|---|---|---|
| 위원명 | **강준현** | **강민국** | **강훈식** | **김남근** | **김병기** | **김용만** |
| 소속 | 더불어민주당 | 국민의힘 | 더불어민주당 | 더불어민주당 | 더불어민주당 | 더불어민주당 |
| 보좌관 | 박남문 | 강민승, 정경섭 | 정의일, 한승민 | 오영진, 황종섭 | 김정겸, 이용명 | 김동현, 한웅희 |
| 전화 | 6041 | 6016 | 6046 | 6251 | 6166 | 6461 |

| 구성 | 위원 | | | | | |
|---|---|---|---|---|---|---|
| 위원명 | **김현정** | **민병덕** | **박상혁** | **유동수** | **이강일** | **이인영** |
| 소속 | 더불어민주당 | 더불어민주당 | 더불어민주당 | 더불어민주당 | 더불어민주당 | 더불어민주당 |
| 보좌관 | 김홍일, 홍태식 | 김대경, 김병섭 | 김수철, 김철환 | 김기석, 손민호 | 김예식, 신지혜 | 노창식, 유병문 |
| 전화 | 6671 | 6421 | 6466 | 6806 | 6821 | 7041 |

| 구성 | 위원 | | | | | |
|---|---|---|---|---|---|---|
| 위원명 | **이정문** | **조승래** | **천준호** | **강명구** | **권성동** | **김상훈** |
| 소속 | 더불어민주당 | 더불어민주당 | 더불어민주당 | 국민의힘 | 국민의힘 | 국민의힘 |
| 보좌관 | 이영구, 조기호 | 임병국, 진명구 | 성세운, 이백균 | 김현경, 신중호 | 나연준, 최영철 | 서태은, 최병용 |
| 전화 | 7056 | 6371 | 7336 | 7411 | 6081 | 6186 |

| 구성 | 위원 | | | | |
|---|---|---|---|---|---|
| 위원명 | **김재섭** | **유영하** | **이헌승** | **신장식** | **한창민** |
| 소속 | 국민의힘 | 국민의힘 | 국민의힘 | 조국혁신당 | 사회민주당 |
| 보좌관 | 강신형, 박소연 | 김시광, 김지훈 | 김병하, 김창수 | 김종민, 박선민 | 김상균, 윤호숙 |
| 전화 | 7146 | 7321 | 7106 | 6171 | 6736 |

# 감 사 원

| 주소 | 서울특별시 종로구 북촌로 112 (삼청동 25-23) (우) 03050 |
|---|---|
| 대표전화 | 02-2011-2114 |
| 사이트 | www.bai.go.kr |

원장 **최재해**

(D) 02-2011-2000 (FAX) 02-2011-2009

비서실장　　　　김태우

| 감사위원실 |
|---|
| 조은석 감사위원 |
| 김인회 감사위원 |
| 이미현 감사위원 |
| 이남구 감사위원 |
| 김영신 감사위원 |
| 유병호 감사위원 |

| | |
|---|---|
| 사무총장 | **최달영** |
| 제1사무차장 | **현완교** |
| 제2사무차장 | **김영관** |
| 공직감찰본부장 | **신치환** |
| 국민감사본부장 | **최정운** |
| 기획조정실장 | **황해식** |
| 감사교육원장 | **김순식** |
| 감사연구원장 | |

# 감사원

대표전화 : 02-2011-2114 / DID : 02-2011-OOOO

원장: **최 재 해**
DID: 02-2011-2000

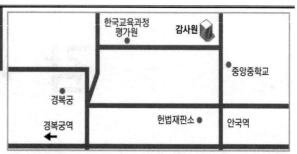

| 주소 | 서울특별시 종로구 북촌로 112 (삼청동 25-23) (우) 03050 |
|------|------|
| 홈페이지 | www.bai.go.kr |

| 실 | 비서실 | 원 | 감사교육원 | | | 감사연구원 | | | | | |
|----|--------|----|----------|--|--|----------|--|--|--|--|--|
| 실장 | 김태우 | 원장 | 김순식 | | | | | | | | |
| 과 | | 부장 | 이영직 | | | | | | | | |
| 과장 | | 과 | 교육지원 | 교육운영1 | 교육운영2 | 연구지원과 | 경제감사연구 | 사회감사연구 | 행정감사연구 | 디지털감사연구 | 인사혁신 | 운영지원 |
| | | 과장 | 서동원 8810 | 김지현 8831 | 심수경 8822 | 최인수 3040 | 김찬수 3010 | 이상혁 3020 | 신상훈 3030 | 차경엽 3041 | 김대현 2581 | 정영교 2576 |

| 국 | 감찰관 | 대변인 | 재정경제감사국 | | | | 산업금융감사국 | | | |
|----|--------|--------|--------------|--|--|--|--------------|--|--|--|
| 국장 | 김현철 | 이주형 | 박진원 | | | | 홍성모 | | | |
| 과 | 감찰담당 | 홍보담당 | 재정경제1 | 재정경제2 | 재정경제3 | 재정경제4 | 산업금융1 | 산업금융2 | 산업금융3 | 산업금융4 |
| 과장 | 김도형 2676 | 이용익 2491 | 배준환 2111 | 박건율 2121 | 박성대 2131 | 김탁현 2141 | 구민 2211 | 임봉근 2221 | 유영 2231 | 김태성 2241 |

| 국 | 국토환경감사국 | | | | | 공공기관감사국 | | | | 공공재정회계감시국 | | |
|----|--------------|--|--|--|--|--------------|--|--|--|------------------|--|--|
| 국장 | 이윤재 | | | | | 김종운 | | | | | | |
| 과 | 국토환경1 | 국토환경2 | 국토환경3 | 국토환경4 | 국토환경5 | 공공기관1 | 공공기관2 | 공공기관3 | 공공기관4 | 재정회계1 | 재정회계2 | 재정회계3 |
| 과장 | 임경훈 2311 | 김경덕 2321 | 권진웅 2331 | 이칠성 2341 | 이용택 2343 | 홍정상 2351 | 전형철 2361 | 정광연 2371 | 홍윤석 2381 | 김동진 2601 | 채정관 2602 | 유오현 2603 |

| 국 | 사회복지감사국 | | | | | 행정안전감사국 | | | | 외교국방감사국 | | |
|----|--------------|--|--|--|--|--------------|--|--|--|--------------|--|--|
| 국장 | 이용출 | | | | | 최재혁 | | | | 윤승기 | | |
| 과 | 사회복지1 | 사회복지2 | 사회복지3 | 사회복지4 | 사회복지5 | 행정안전1 | 행정안전2 | 행정안전3 | 행정안전4 | 외교국방1 | 외교국방2 | 외교국방3 | 국제기구감사 |
| 과장 | 권태경 2411 | 전용진 2421 | 정진수 2431 | 김영호 2441 | 임보영 2451 | 손동신 2511 | 정경주 2521 | 김진경 2531 | 홍운기 2541 | 유동욱 2501 | 신현승 2502 | 임승주 2503 | 조양찬 2646 |

| 국 | 미래전략감시국 | | | 특별조사국 | | | | | 지방행정감사1국 | | |
|---|---|---|---|---|---|---|---|---|---|---|---|
| 국장 | 강민호 | | | 김숙동 | | | | | 박준홍 | | |
| 과 | 미래전략감사1 | 미래전략감사2 | 미래전략감사3 | 특별조사1 | 특별조사2 | 특별조사3 | 특별조사4 | 특별조사5 | 지방행정1국1 | 지방행정1국2 | 지방행정1국3 |
| 과장 | 최현준 3060 | 임상혁 3070 | 권기영 3080 | 최규섭 2701 | 박준욱 2711 | 오갑주 2721 | 조윤나 2731 | 홍현식 2741 | 박용준 2611 | 전우승 2621 | 조성익 2631 |

| 국 | 지방행정감사1국 | | 지방행정감사2국 | | | | | 디지털감사국 | | | |
|---|---|---|---|---|---|---|---|---|---|---|---|
| 국장 | 박준홍 | | 박완기 | | | | | 김성진 | | | |
| 과 | 지방행정1국4 | 지방행정1국5 | 지방행정2국1 | 지방행정2국2 | 지방행정2국3 | 지방행정2국4 | 지방행정2국지방건설안전감사 | 디지털감사1 | 디지털감사2 | 디지털감사3 | 정보시스템운영 |
| 과장 | 임명효 2641 | 윤희연 2642 | 이중호 042-481-8050 | 조석훈 062-717-5920 | 임정혁 051-718-2300 | 강재구 053-759-4260 | 박병호 2648 | 안광용 2401 | 김현표 2402 | 박정철 2403 | 김태익 2420 |

| 국 | 국민제안감사1국 | | | | | 국민제안감사2국 | | | 심사관리관 | |
|---|---|---|---|---|---|---|---|---|---|---|
| 국장 | 장난주 | | | | | 구경렬 | | | 남우점 | |
| 과 | 국민제안1국1 | 국민제안1국2 | 국민제안1국3 | 국민제안1국4 | 국민제안1국5 | 국민제안2국1 | 국민제안2국2 | 국민제안2국3 | 1담당관 | 2담당관 |
| 과장 | 정연상 2751 | 김종동 2752 | 김남진 2753 | 안광훈 2754 | 김혁 2755 | 강승원 2191 | 김규용 2772 | 박득서 042-481-6731 | 안호선 2291 | 정철 2296 |

| 국 | 기획조정실 | | | 심의실 | | | | 적극행정공공감사지원관 | | | |
|---|---|---|---|---|---|---|---|---|---|---|---|
| 국장 | 황해식 | | | 이수연 | | | | 심재곤 | | | |
| 과 | 기획 | 감사전략 | 국제협력 | 법무 | 심의지원 | 감사품질 | 재심의 | 적극행정총괄담당관 | 사전컨설팅담당관 | 공공감사혁신담당관 | 공공감사운영심사담당관 |
| 과장 | 이지웅 2171 | 박환대 2172 | 김종관 2186 | 전종희 2281 | 김유홍 2285 | 배재일, 이상준, 조강호 2261 | 이제국 2746 | 여태승 2736 | 이경재 2103 | 권기대 2101 | 안광승 2201 |

# 기획재정부

| ■ 기획재정부 | 65 |
| 세제실 | 68 |
| 기획조정실 | 70 |
| 예산실 | 71 |

# 기 획 재 정 부

| 주소 | 세종 도움6로 42 정부세종청사 기획재정부 (우) 30112 |
|---|---|
| 대표전화 | **044-215-2114** |
| 팩스 | **044-215-8033** |
| 계좌번호 | **011769** |
| e-mail | **forumnet@mosf.go.kr** |

## 부총리　　　최상목

(D) 044-215-2114

| 자 문 관 | 황순구 | |
|---|---|---|
| 비 서 실 장 | 천재호 | (D) 044-215-2114 |
| 비 서 관 | 이희곤 | (D) 044-215-2114 |
| 사 무 관 | 김수현 | (D) 044-215-2114 |
| 사 무 관 | 안영훈 | (D) 044-215-2114 |
| 주 무 관 | 김태완 | (D) 044-215-2114 |
| 사 무 원 | 유지혜 | (D) 044-215-2114 |

| 차관 | 전화 |
|---|---|
| 김범석 제1차관 | (D) 044-215-2001 |
| 김윤상 제2차관 | (D) 044-215-2002 |

# 기획재정부

DID: 044-215-OOOO

 부총리 겸 장관: **최 상 목**
DID: 044-215-2114

| 주소 | 세종특별자치시 도움6로 42 정부세종청사 기획재정부 (어진동 572) (우) 30112 |
| --- | --- |
| 홈페이지 | www.moef.go.kr |

| 실 | 대변인 | | | | 제1차관 | |
| --- | --- | --- | --- | --- | --- | --- |
| 실장 | 강영규 2400 | | | | 김범석 2001 | |
| 관 | 홍보담당관 | 장관정책보좌관 | 감사관 | 감사담당관 | 차관보 | 국제경제관리관 |
| 관장 | 한재용 2401 | 유병희 8860<br>이한수 2040<br>조상현 2041 | 박홍기 2200 | 박찬호 2210 | 윤인대 2003 | 최지영 2004 |
| 팀장 | 김준호 2560<br>박은결 2430<br>이정윤 2760<br>차현종 4585 | | | 김원대 2211 | | |
| 서기관 | 김영돈 2414 | | | | | |
| 사무관 | 조영삼 2431 김대훈 2418<br>이현지 2562 박영식 2569<br>심우진 2433 윤영준 2412<br>박지혜 2762 전광철 2419<br>강병구 2411 허영락 2764<br>안준영 2413 김지석 2416 | | | 이경숙 2212<br>박종석 2217<br>강민기 2219<br>황명희 2218<br>임주현 2215<br>김동석 2216 | | |
| 주무관 | 박현우 2564<br>오연승 2422<br>황은주 2437<br>강혜숙 2434<br>이훈용<br>최성욱 2435<br>연영민 2417<br>최성민 2561<br>이희지 2423<br>박진영 2415 | | | 권동한 7436<br>문지연 2208<br>채지웅 2207 | | 이영숙 2034<br>김양언 8906 |
| 직원 | 권기태 2568 김수민 2432<br>최은영 7982 유희정 2763<br>이미라 2422 서혜원 2761<br>김준범 2420 신동균<br>유리나 2421 02-731-1533<br>전성민 2439 | 김종덕 2081<br>이세비 2082<br>박예나 2042 | 문재희 2201 | | 이지현 2033 | |
| FAX | 044-215-8033 | | | | | |

| 실 | 제1차관 | | | | | 제2차관 |
|---|---|---|---|---|---|---|
| 실장 | 김범석 2001 | | | | | 김윤상 2002 |
| 관 | | | | 경제공급망기획관 | | 재정관리관 |
| 관장 | | | | 이형렬 7860 | | 김언성 2009 |
| 과 | 인사과 | 운영지원과 | | 공급망정책담당관 | 공급망대응담당관 | |
| 과장 | 최영전 2230 | 이준성 2310 | | 도종록 7870 | 김도익 7880 | |
| 팀장 | 태원창 2250<br>김태연 2290 | 박해정 2330<br>이상섭 2350 | | 손정혁 7885 | | |
| 서기관 | 박효은 2270 | | | | | |
| 사무관 | 윤진 2251<br>이재환 2292 | 박종훈 2370<br>이재우 2351 | | 김민진 7871<br>김낙현 7872<br>이경달 7877<br>신정미 7874<br>오서정 7871<br>이상민 7873 | 고상덕 7881<br>신미란 7882 | |
| 주무관 | 문명선 2259<br>최경남 2252<br>이승연 2257<br>정의론 2253<br>김도훈 2254<br>하미령 2255<br>유예지 2271<br>한규택 2258<br>김세은 2294<br>박선영 2299<br>이기민 2296<br>변은진 2297<br>기예원 2295 | 차연호 2335<br>이소영 2371<br>한선화 2374<br>안윤정 2372<br>신용순 2334<br>배태랑 2376<br>유미경 2369<br>임은란 2354<br>추여미 2355<br>박선영 2352<br>신기환 2353<br>이나금 2356 | 김영대 8911<br>이광훈 8909<br>신현구 8905 | 황보철 7879<br>윤현미 7876 | 김대현 7883 | 권영옥 2005 |
| 직원 | 김나영 2239 | 이기영 2000<br>김종욱 2373<br>이혜정 2357<br>서석제 2333 | 김상태 8908<br>장차휘 2346 | | 김윤래 7884<br>심효섭 7878 | 박수환 |
| FAX | 044-215-8033 | | | | | |

**DID : 044-215-OOOO**

| 실 | 세제실 | | | | | | | | |
|---|---|---|---|---|---|---|---|---|---|
| 실장 | 정정훈 2006 | | | | | | | | |
| 관 | 조세총괄정책관 | | | 소득법인세정책관 | | | 재산소비세정책관 | | |
| 관장 | 박금철 4100 | | | 조만희 4200 | | | 이용주 4300 | | |
| 과 | 조세정책과 | 조세특례제도과 | 조세분석과 | 소득세제과 | 법인세제과 | 금융세제과 | 재산세제과 | 부가가치세제과 | 환경에너지세제과 |
| 과장 | 양순필 4110 | 김문건 4130 | 윤수현 4120 | 이영주 4210 | 정형 4220 | 조용래 4230 | 박지훈 4310 | 최진규 4320 | 김정주 4330 |
| 팀장 | 김대연 4160<br>김완수 4150 | 이제봉 4190 | | | | | | | |
| 서기관 | 배현중 4111 | | | | | | | | |
| 사무관 | 오다은 4112<br>권은영 4113<br>김진홍 4114<br>이종성 4116<br>백지은 4163<br>박인원 4162<br>백지은 4163<br>전동표 4151<br>이수연 4152 | 김만기 4131<br>김태경 4132<br>주해인 4133<br>송석하 4142 | 서은혜 4121<br>이종혁 4122<br>김태경 4123 | 권순배 4211<br>이수지 4212<br>김종석 4213<br>우지완 4215 | 이금석 4221<br>남원우 4222<br>김도경 4223 | 강효석 4231<br>김정진 4233<br>유이슬 4232 | 이원준 4311<br>현원석 4312<br>권유림 4313<br>오지윤 4314 | 정호진 4321<br>박병선 4322<br>기태경 4323 | 이정아 4331<br>최관수 4333 |
| 주무관 | 양경모 4117<br>오미영 4118<br>임동호 4154 | 민다연 4136<br>안소현 4195 | 이희범 4126<br>유태건 4124 | 신진욱 4216<br>유석모 4217<br>이경화 4218 | 남지형 4226<br>송재희 4224 | 이건위 4236 | 김지원 4308<br>전해일 4316<br>김진아 4317 | 송유민 4326 | 강희중 4336 |
| 직원 | 조재일 4194 | | 전지영 4125 | | | | 황예슬 4318 | | |
| FAX | 044-215-8033 | | | | | | | | |

| 실 | 세제실 | | | | | |
|---|---|---|---|---|---|---|
| 실장 | 정정훈 2006 | | | | | |
| 관 | 국제조세정책관 | | 관세정책관 | | | |
| 관장 | 정병식 4600 | | 이형철 4350 | | | |
| 과 | 국제조세제도과 | 신국제조세규범과 | 관세제도과 | 산업관세과 | 관세협력과 | 자유무역협정관세이행과 |
| 과장 | 박경찬 4650 | 조문균 4660 | 김영현 4410 | 최지훈 4430 | 권기중 4450 | 이종수 4470 |
| 팀장 | 김성수 4670 | | | | 방우리 4460 | |
| 서기관 | | | | | | |
| 사무관 | 고대현 4651<br>박해용 4653<br>장준영 4671<br>박현애 4675<br>박상현 4672 | 윤민정 4661<br>강동근 4663<br>황승화 4662 | 정지운 4411<br>김동현 4412<br>유은빈 4413<br>권병학 4417 | 이재원 4431<br>남한샘 4432<br>양영미 4433 | 임도성 4451<br>김은득 4454<br>최윤희 4453<br>이광태 4462<br>박지현 4461 | 손민호 4471<br>위우주 4472 |
| 주무관 | 공동준 4656<br>이유진 4657 | 양서영 4664<br>이영선 4666 | 김선화 4416<br>이유림 4418 | 김세리 4436<br>박정은 4435<br>변정은 4434 | 강원식 4452<br>유채정 4456 | 이정미 4476<br>원선혜 4473 |
| 직원 | 정다정 4655<br>서윤정 4678<br>박춘목 4677 | 오지연 4665 | | | 김소영 4467<br>이진선 4457 | 이어루 4474 |
| FAX | 044-215-8033 | | | | | |

| 실 | 기획조정실 | | | | |
|---|---|---|---|---|---|
| 실장 | 김진명 2009 | | | | |
| 관 | 정책기획관 | | | | 비상안전기획관 |
| 관장 | 정향우 2500 | | | | 윤정열 2670 |
| 과 | 기획재정담당관 | 혁신정책담당관 | 정보화담당관 | 규제개혁법무담당관 | 비상안전기획팀 |
| 과장 | 이준범 2510 | 박언영 2530 | 안영성 2610 | 김동규 2570 | |
| 팀장 | | 주영 2990<br>박상운 2550<br>백누리 2590<br>박선영 2932<br>박준백 2091 | 김진홍 2640 | 차한원 2650 | 조민규 2680 |
| 서기관 | | | 이채영 2611 | | |
| 사무관 | 이기웅 2511<br>황신현<br>이미숙 2513<br>최대선 2514<br>장유석 2516<br>정민종 2524<br>강민서 2522<br>황영길 2529<br>소재찬 2512 | 심지애 2991<br>홍지영 2992<br>송일남 2994<br>김형은 2533<br>이재중 2534<br>전부선 2541<br>박종운 2544<br>조선형 2551<br>성진아 2555<br>김유경 2554<br>조성아 2591 | 김기동 2612<br>유경숙 2619<br>방춘식 2613<br>정재성 2615<br>권성철 2641<br>이철영 2642<br>전준고 2643 | 주윤호 2572<br>방희수 2575<br>정명수 2574<br>조용감 2651<br>차승철 7183<br>정하석 2652 | 윤석규 2681<br>강현정 2685 |
| 주무관 | 류은선 2520<br>박수현 2515<br>김혜린 2517<br>임진호 2521<br>전익수 2518<br>이지환 2527 | 권민정 2993<br>이진경 2545<br>장재용 2532<br>홍현아 2543<br>이선영 2553<br>남기범 2592<br>최다영 2594 | 엄승욱 2614<br>구교성 2648<br>김유진 2647<br>전준고 2643<br>이진주 2644 | 공숙영 2576<br>강성준 2577<br>정회재 2573<br>권혁찬 2654<br>전효진 2655 | |
| 직원 | 김대원 2523 | 김선정 2542<br>조연호 2593 | 김희중 2618<br>김영자 2616 | 이주연 2658 | 한상덕 2683<br>김성학 2682 |
| FAX | 044-215-8033 | | | | |

| 실 | 예산실 | | | | | | |
|---|---|---|---|---|---|---|---|
| 실장 | 김동일 2007 | | | | | | |
| 관 | 예산총괄심의관 | | | | | 사회예산심의관 | |
| 관장 | 유병서 7100 | | | | | 조용범 7200 | |
| 과 | 예산총괄과 | 예산정책과 | 예산기준과 | 기금운용계획과 | 예산관리과 | 고용예산과 | 교육예산과 |
| 과장 | 계강훈 7110 | 김경국 7130 | 황희정 7150 | 이근우 7170 | 박환조 7190 | 김정애 7230 | 권재관 7250 |
| 팀장 | | | | | | | |
| 서기관 | 원선재 7111 | | | | | | |
| 사무관 | 이한결 7114<br>허정태 7120<br>송준식 7115<br>손장식 7117<br>곽정환 7113<br>이태왕 7116 | 신경아 7131<br>하치승 7132<br>이상헌 7133<br>유다빈 7134<br>남동현 7135 | 최창선 7151<br>김재영 7152<br>이재학 7158<br>권민상 7154 | 박재현 7171<br>옥지연 7177<br>김준성 7172<br>이도희 7174 | 김병철 7191<br>임유민 7192<br>정희진 7194 | 이정혁 7231<br>김범석 7232<br>심정민 7233<br>문정민 7235 | 권혁순 7251<br>남기인 7252<br>이정훈 7253<br>이진영 7255 |
| 주무관 | 이영임 7122<br>홍주연 7123<br>허장범 7113<br>김상우 7118<br>김동현 7119 | 윤동형 7137<br>김현아 7136 | 최향 7155<br>권혁제 7156 | 조상우 7175<br>이원종 7176 | 최인선 7193 | 진선홍 7234<br>현민섭 7239 | 배희정 7254<br>김현록 7256 |
| 직원 | 김종임 7121 | 이은화 7139 | | 마재희 7173<br>박한힘 7182 | 나채린 7196 | 김태형<br>양현석 | 이민주<br>이성원 |
| FAX | 044-215-8033 | | | | | | |

DID : 044-215-OOOO

| 실 | 예산실 | | | | | | | |
|---|---|---|---|---|---|---|---|---|
| 실장 | 김동일 2007 | | | | | | | |
| 관 | 사회예산심의관 | | | 경제예산심의관 | | | | |
| 관장 | 조용범 7200 | | | 강윤진 7300 | | | | |
| 과 | 문화예산과 | 기후환경예산과 | 총사업비관리과 | 산업중소벤처예산과 | 국토교통예산과 | 농림해양예산과 | 연구개발예산과 | 정보통신예산과 |
| 과장 | 문상호 7270 | 이민호 7260 | 이철규 7210 | 박정민 7310 | 강준모 7330 | 조규산 5210 | 이혜림 7370 | 김혜영 7390 |
| 팀장 | | | | | | | | |
| 서기관 | | | | 구정대 7311 | | | | |
| 사무관 | 안재영 7271<br>박진영 7272<br>서지연 7273<br>한연지 7274 | 강준이 7261<br>이동각 7264<br>엄지원 7262 | 안성희 7211<br>김형욱 7215<br>김미선 7214 | 김기문 7312<br>신지호 7313<br>김유현 7316 | 김지수 7331<br>박근형 7332<br>강도영 7342<br>김윤희 7336 | 이홍섭 7351<br>고영록 7353<br>황지은 7354<br>심민준 7352<br>최규원 7353 | 이상후 7371<br>박준영 7373<br>이승민 7374<br>조승호 7372 | 노영래 7391<br>김영수 7392<br>하승원 7393<br>김도희 7395 |
| 주무관 | 최진경 7275<br>김소연 7276 | 이혜인 7266<br>이진승 7265 | 윤한나 7212<br>한상학 7213 | 조래혁 7314<br>임종찬 7315 | 최나은 7338<br>고동성 7337 | 이재현 7356<br>최성호 7355 | 김혜진 7375<br>김승하 7376 | 이정학 7398<br>조효숙 7396 |
| 직원 | 김민욱<br>김은우<br>정원민 | 박건우<br>전철현<br>김규동 | 강은영 7216<br>민홍기<br>안병선<br>연지웅 | 주혜진 7318<br>김재현<br>박건우<br>오대환<br>전준형 | 김효진<br>오미석<br>김경현 7334 | 김남원<br>윤석한<br>이정규<br>조경일 | 김민희 7378<br>김원형<br>오건웅 7377<br>홍성호 | 신명섭<br>양대헌<br>최한나 |
| FAX | 044-215-8033 | | | | | | | |

| 국 | 예산실 | | | | | | | |
|---|---|---|---|---|---|---|---|---|
| **국장** | 김동일 2007 | | | | | | | |
| **관** | 복지안전예산심의관 | | | | 행정국방예산심의관 | | | |
| **관장** | 오상우 7500 | | | | 정덕영 7400 | | | |
| **과** | 복지예산과 | 연금보건예산과 | 안전예산과 | 지역예산과 | 법사예산과 | 행정예산과 | 방위사업예산과 | 국방예산과 |
| **과장** | 강경표 7510 | 강미자 7530 | 정원 7430 | 노판열 7550 | 최용호 7470 | 범진완 7410 | 임대한 7460 | 권기정 |
| **팀장** | | | | | | 신명석 7490 | | |
| **서기관** | | 박민정 7531 | | | | | | |
| **사무관** | 정민철 7511<br>김연태 2551<br>고광민 7512<br>송옥현 7513 | 이홍석 7532<br>유동석 7534 | 주병욱 7431<br>박준수 7434<br>이영광 7432 | 오성태 7551<br>손우성 7552<br>권준수 7554 | 이국희 7471<br>김성용 7474<br>안승현 7476 | 이재철 7411<br>이정은 7412<br>배준혜 7413<br>김시형 7416<br>오병훈 7491 | 김재오 7461<br>이주찬 7463<br>최현규 7465 | 유동훈 7451<br>정채환 7457<br>한현철 7455<br>최동혁 7454 |
| **주무관** | 정성구 7515<br>신반야 7516 | 김현후 7536<br>정성원 7538 | 유석찬 7433 | 장일영 7557 | 김동훈 7475<br>강민우 7473<br>노은실 7477 | 윤성경 7415<br>공귀환 7418<br>박병국 7495 | 김광일 7462 | 최재영 7459 |
| **직원** | 이원민 5538<br>지정훈 | 김세현 7537<br>박진희 7533 | 정봉진 | | 강진호 7472<br>나채원 | 김종준 7417<br>유동훈 7414 | 박종건 7463 | |
| **FAX** | 044-215-8033 | | | | | | | |

DID : 044-215-OOOO

| 국 | 경제정책국 | | | | | | 정책조정국 | |
|---|---|---|---|---|---|---|---|---|
| 국장 | 김재훈 2700 | | | | | | 강기룡 4500 | |
| 관 | 민생경제정책관 | | | | | | 정책조정기획관 | |
| 관장 | 강태수 2701 | | | | | | 신재식 4501 | |
| 과 | 종합정책과 | 경제분석과 | 자금시장과 | 물가정책과 | 정책기획과 | 거시정책과 | 정책조정총괄과 | 산업경제과 |
| 과장 | 이승한 2710 | 김귀범 2750 | 정일 2750 | 황경임 2770 | 민경신 2810 | | 김승태 4510 | 장보현 4530 |
| 팀장 | | 김준하 2850 | | 박상우 2931 | | | | |
| 서기관 | | | | | | 임홍기 2931 | | |
| 사무관 | 최문성 2711<br>가순봉 2712<br>박진훈 2714<br>원종혁 2715<br>이영훈 2814<br>이준혁 2718<br>김경래 2722 | 김형선 2751<br>김영진 2734<br>박철희 2732<br>성지현 2735<br>유형세 2851<br>함진우 2856<br>정동현 2852<br>임영현 2853 | 최봉석 2751<br>이은우 2753<br>정현엽 2755<br>안미진 2755 | 연정은 2713<br>이동석 2772<br>김지현 2774<br>양유진 2775<br>신승헌 2939 | 김지민 2811<br>김문수 2812<br>최규철 2813 | 이동훈 2831<br>김선익 2832<br>오성진 2833 | 최연 4511<br>신미경 4512<br>김정아 4513<br>박가영 4514<br>홍권일 4515<br>최현주 4516 | 전성준 4531<br>김지영 4532<br>황현 4533<br>허혁 4534 |
| 주무관 | 정승환 2724<br>유선희 2719 | 정유정 2737<br>장영 2739<br>김송희 2954 | 이윤선 2756<br>조수지 2759 | 박은심 2789<br>박새롬 2781<br>김준영 2933 | 이승연 2815<br>서신자 2816 | 정재희 2835 | 김주원 4529<br>송동준 4528 | 이민섭 4536<br>강희진 4539 |
| 직원 | | 석지원 2854<br>최민교 2724 | 김재동 2754 | 박동현 2855<br>노현주 2935<br>김병기 2936<br>조혜정 2937 | 김서연 2814 | 정지영 2839 | | |
| FAX | 044-215-8033 | | | | | | | |

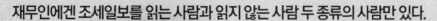
| 국 | 정책조정국 | | | | 경제구조개혁국 | | |
|---|---|---|---|---|---|---|---|
| **국장** | 강기룡 4500 | | | | 주환욱 8500 | | |
| **관** | 정책조정기획관 | | | | | | |
| **관장** | 신재식 4501 | | | | | | |
| **과** | 신성장정책과 | 서비스경제과 | 지역경제정책과 | 기업환경과 | 경제구조개혁총괄과 | 인력정책과 | 노동시장경제과 |
| **과장** | 박전호 2850 | 임혜영 4610 | 안순헌 4570<br>배준형 4511 | 구자영 4630 | 김시동 8510 | 조성중 8530 | 배병관 8550 |
| **팀장** | | | | 최시영 4581 | | | |
| **서기관** | | | | | 김요균 8511 | | |
| **사무관** | 박홍희 4551<br>박재홍 4552<br>김동연 4553<br>양지연 4554 | 임동현 4611<br>황인환 4612<br>하형철 4613<br>홍혁준 4614 | 박준석 4571<br>황철환 4572<br>안영신 4574<br>박성우 4573 | 김한필 4632<br>박은수 4634<br>정우성 4584 | 심승미 8512<br>권영현 8513<br>이시우 8514 | 박성준 8531<br>송동원 8532<br>김종완 8533<br>이찬 8536 | 서준익 8551<br>이병준 8554<br>김재이 8553 |
| **주무관** | 양혜선 4555 | 유소영 4615 | 이희경 4576 | 박순용 4635<br>한연옥 4639<br>이해인 4587 | 박상준 8516<br>이정연 8517 | 장진관 8537 | 임영주 8557<br>이유진 8552 |
| **직원** | | 서혜영 4617 | | | | | |
| **FAX** | 044-215-8033 | | | | | | |

**DID : 044-215-OOOO**

| 국 | 경제구조개혁국 | | | 미래전략국 | | | |
|---|---|---|---|---|---|---|---|
| 국장 | 주환욱 8500 | | | 유수영 4900 | | | |
| 관 | | | | | | | |
| 관장 | | | | | | | |
| 과 | 복지경제과 | 연금보건경제과 | 청년정책과 | 미래전략과 | 인구경제과 | 지속가능경제과 | 기후대응전략과 |
| 과장 | 오현경 8570 | 배성현 8590 | 박은영 8580 | 김봉준 7630 | 나윤정 5910 | 최상운 5930 | 서영환 4940 |
| 팀장 | | | | 전보람 4970 | | 김동원 5970 | |
| 서기관 | | | | 문희영 4911 | | | |
| 사무관 | 김정희 8571<br>양지희 8572<br>현소형 8573 | 송상목 8591<br>조찬우 8592<br>조윤철 8594<br>김진 8593 | 송기선 8581 | 심지혜 4920<br>김가람 4912<br>이재웅 4913<br>김유경 4971<br>오상혁 4972 | 김현영 5911<br>어지환 5913<br>박성훈 5912<br>임원호 5915 | 이상윤 5931<br>양성철 5933<br>이지영 5971<br>김영옥 5972 | 김효진 5515<br>서민아 4942<br>이재헌 4941<br>박혁 4947<br>윤동욱 4944 |
| 주무관 | 장혜선 8576 | 이규승 8595 | 문성준 8582<br>김령아 8584 | 정은주 4976<br>박소현 4917<br>이연선 4876 | 김태영 5916 | 김동환 5973 | 김미라 4945 |
| 직원 | | | | 박범웅 4975 | 박경수 5917 | 유다영 5937<br>강민지 5936 | 오성환 4946 |
| FAX | 044-215-8033 | | | | | | |

# 1등 조세회계 경제신문 조세일보

| 국 | 국제금융국 | | | | | 대외경제국 | | |
|---|---|---|---|---|---|---|---|---|
| 국장 | 김재환 4700 | | | | | 민경설 7600 | | |
| 관 | 국제금융심의관 | | | | | | | |
| 관장 | | | | | | | | |
| 과 | 국제금융과 | 외화자금과 | 외환제도과 | 금융협력과 | 다자금융과 | 대외경제총괄과 | 국제경제과 | 통상정책과 |
| 부이사관 | | | | | | 심현우 7610 | | |
| 과장 | 유창연 4730 | 김희재 4730 | 정여진 4750 | 곽소희 4830 | 강희민 4810 | 이재완 7610 | 강병중 7630 | 심승현 7670 |
| 팀장 | 배경화 4860 | | | | 고영욱 4840 | | 김지은 7710 | |
| 서기관 | 홍승균 4711 | | | | | | | |
| 사무관 | 윤현곤 4712<br>김용준 4713<br>김주민 4714<br>신정원 4715 | 김민주 4731<br>이태윤 4733<br>김지영 4734<br>변재만 4736<br>이창선 4861 | 이용준 4751<br>안근옥 4752<br>안건희 4753<br>김지영 4754 | 김재원 4831<br>박재은 4833<br>권용준 4832<br>권혁률 4834<br>김태호 4835 | 박세웅 4811<br>김하린 4813<br>하다애 4812<br>전홍규 4814<br>류성열 4841 | 김미진 7611<br>하정현 7612<br>이동휘 7613<br>정찬구 7614<br>권기민 7615 | 채원혁 7631<br>김태중 7635<br>황예진 7632<br>이동수 7636<br>조선희 7712 | 김상형 7671<br>홍가람 7672<br>남궁향 7673<br>최재원 7674 |
| 주무관 | 이성국 4717<br>김재집 4718<br>강진명 4719<br>김태영 4716<br>홍은표 4863 | 민주영 4737<br>김순옥 4739<br>김시현 4735 | 오미화 4756<br>이승준 4758<br>김옥동 4759 | 송하은 4836<br>신명숙 4839 | | 박재영 7623<br>안주환 7625<br>문예지 7629 | 김경로 7633<br>심경자 7634<br>백지연 7716 | 이송하 7676 |
| 직원 | 권순성<br>박선경 4728 | | | 석민 4838<br>곽지혜 4838 | 임정숙 4815<br>김지현 4842<br>서정욱 4819<br>김샛별 4816 | 안정원 7612 | 강상협 7637 | |
| FAX | 044-215-8033 | | | | | | | |

| 국 | 대외경제국 | | | 개발금융국 | | | | |
|---|---|---|---|---|---|---|---|---|
| 국장 | 민경설 7600 | | | 문지성 8700 | | | | |
| 관 | | | | | | | | |
| 관장 | | | | | | | | |
| 과 | 통상조정과 | 경제협력기획과 | 남북경제과 | 개발금융총괄과 | 국제기구과 | 개발전략과 | 개발사업과 | 녹색기후기획과 |
| 부이사관 | | | | 이상규 8710 | | | | |
| 과장 | 최동일 | 김동진 7740 | 김윤정 7750 | 장의순 8710 | 박정현 8770 | 최지영 8770 | 신희선 8740 | 김태훈 8750 |
| 팀장 | | | 김택수 7730 | | 박준영 8730 | | | |
| 서기관 | | | | 류소윤 8711 | | | 김영수 8742 | |
| 사무관 | 박영우 7652<br>정현오 7653<br>윤휘연 7654 | 서병관 7741<br>정완준 7742<br>권미경 7744<br>임지혜 7743 | 이해인 7731<br>김양희 7752<br>김기홍 7331 | 전종현 8712<br>안광선 8713<br>김요한 8714<br>김정도 8715 | 이상홍 8721<br>장주영 8744<br>유경화 8722<br>이보영 8724<br>장효은 8723 | 김지현 8771<br>박현석 8772<br>한예린 8778 | 신태섭 8741<br>강정훈 8743 | 이수호 8751<br>이우리 8754<br>연혜정 8753 |
| 주무관 | 정사랑 7657 | 홍희경 7746 | 이동근 7756 | 김재홍 8718<br>오한영 8717<br>이세미 8716 | 최은영 8725<br>노예순 8726 | 김희태 8775<br>권문연 8777 | 지영미 8748 | 김경애 8756 |
| 직원 | 이재원 7658<br>한지현 7659 | 오해용 7748<br>이경수 7745 | | 홍에스더 8719 | 추연재 8728<br>주현우 8734<br>이승준 8718<br>성아름 8727 | 최동건 8776 | | 김보영 8757<br>최서연 8758 |
| FAX | 044-215-8033 | | | | | | | |

| 국 | 재정정책국 | | | | | | 국고국 | |
|---|---|---|---|---|---|---|---|---|
| 국장 | 임형철 5700 | | | | | | 황순관 5100 | |
| 관 | 재정건정성심의관 | | | | | | 국유재산심의관 | |
| 관장 | 박준호 5703 | | | | | | 윤석호 5101 | |
| 과 | 재정정책총괄과 | 재정건전성과 | 재정분석과 | 재정제도과 | 재정정책협력과 | 재정정보과 | 국고과 | 국유재산정책과 |
| 과장 | 박재형 5720 | 한주희 5940 | 김완수 7900 | 김건민 5490 | 장용희 5480 | 이원경 5770 | 류중재 5110 | 하승완 5150 |
| 팀장 | | | | | | 윤영수 8787 | | |
| 서기관 | 성인영 5721 | | | | | | | |
| 사무관 | 김진영 5725<br>김진수 5723<br>문현완 5727 | 정윤홍 5741<br>박수진 5744<br>박원준 5742 | 송하늘 7904<br>최덕희 7903<br>김나현 7901 | 김민호 5743<br>염승화 5494<br>김태이 5493<br>박소정 5492 | 이성한 5481<br>이대권 5489<br>조우영 5482<br>유은경 5483 | 안창모 5771<br>장현중 5772<br>정호석 5356 | 이재홍 5111<br>전형용 5112<br>김진수 5113<br>이성민 5114<br>윤성욱 5116 | 이찬호 5151<br>오승상 5153<br>강석훈 5154<br>정원철 5155 |
| 주무관 | 김현민 5357<br>이수택 5728 | 김동혁 5745 | 정은주 7906 | 김서현 5496 | 이효림 5486 | 이경희<br>02-6908-8729 | 홍단기 5121<br>심유정 5123<br>조성현 5124<br>김효경 5129 | 황운정 5157<br>이지환 5156 |
| 직원 | 천지연 5728 | | 손다혜 7905<br>김크리스틴 7902 | | | | | 정원석 5158<br>최모세 5159 |
| FAX | 044-215-8033 | | | | | | | |

DID : 044-215-OOOO

| 국 | 국고국 | | | | | | 재정관리국 | |
|---|---|---|---|---|---|---|---|---|
| 국장 | 황순관 5100 | | | | | | 안상열 5300 | |
| 관 | 국유재산심의관 | | | | | | 재정성과심의관 | |
| 관장 | 윤석호 5101 | | | | | | 김명중 5301 | |
| 과 | 계약정책과 | 국채과 | 국유재산조정과 | 출자관리과 | 공공조달정책과 | 국유재산협력과 | 재정관리총괄과 | 재정성과평가과 |
| 과장 | 정동영 5210 | 곽상현 2410 | 김장훈 5250 | 마용재 5170 | 임재정 5230 | 이우형 5160 | 육현수 5310 | 이지원 5370 |
| 팀장 | | | | | 박주언 5214 | | 이고은 8781<br>이기훈 5470 | |
| 서기관 | | | | | | | 윤범식 5311 | |
| 사무관 | 강보형 5211<br>송성일 5212<br>김성훈 5213<br>이범용 5214 | 박재홍 5131<br>박정상 5132<br>김청윤 5133<br>전효선 5134 | 민희경 5252<br>최지원 5254<br>윤홍기 5253 | 석상훈 5171<br>김연수 5172<br>주세훈 5173 | 이민정 5643<br>류남욱 5231<br>송재경 5233<br>전찬익 5232<br>유승은 5236 | 강중호 5161<br>이돈구 5162 | 김영민 5311<br>소병화 5317<br>이성택 5354<br>김진수 5352<br>김철홍 5355<br>김이현 8782<br>정길채 8784<br>김종희 8783<br>한정연 5472<br>이우태 5473 | 김연대 5374<br>이상협 5373<br>김정 5376<br>김선영 5372<br>박수진 5375 |
| 주무관 | 유진목 5218<br>김민지 5217<br>장환욱 5219 | 정민기 5135<br>박수영 5139 | 김명옥 5259<br>김유림 5255 | 김도연 5177<br>이재혁 5176 | 이정휘 5641<br>정혜진 5642<br>김윤경 5235 | 심우성 5163<br>박시연 5164 | 주상희 5322<br>박형민 5312<br>김유정 5318<br>고유진 5316<br>김유빈 8785<br>이하늘 5471 | 권미라 5378<br>이훈우 5377 |
| 직원 | | 최승아 5136<br>이혜정 5137 | 최영락 5256<br>이주혁 5257<br>이다혜 5258 | 이연주 5179 | | 박민호 5165 | | |
| FAX | 044-215-8033 | | | | | | | |

# 1등 조세회계 경제신문 조세일보

| 국 | 재정관리국 | | | | 공공정책국 | | | |
|---|---|---|---|---|---|---|---|---|
| 국장 | 안상열 5300 | | | | | | | |
| 관 | 재정성과심의관 | | | | 공공혁신심의관 | | | |
| 관장 | 김명중 5301 | | | | 장문선 2500 | | | |
| 과 | 타당성심사과 | 민간투자정책과 | 회계결산과 | 재정지출관리과 | 공공정책총괄과 | 공공제도기획과 | 재무경영과 | 평가분석과 |
| 부이사관 | | | | | 정유리 5530 | | | |
| 과장 | 강경구 5410 | 오지훈 5450 | 정석철 5430 | 신대원 5330 | 김유정 5530 | 김준철 5530 | 김수영 5630 | 오정윤 5550 |
| 팀장 | | | 김숙진 5360 | | | | | |
| 서기관 | | | | | 성기웅 5516 | | | |
| 사무관 | 김희준 5418<br>한재수 5417<br>이세환 5416<br>김정수 5414<br>전예지 5415 | 조문경 5451<br>신재원 5457<br>신수용 5455<br>이창준 5453<br>최우리 5454 | 안형자 5431<br>이지혜 5432<br>정효경 5435<br>강인주 5433<br>이동훈 5361<br>어우주 5362 | 송현정 5331<br>민혜수 5333<br>구본균 5336<br>손정준 5332<br>배민우 5338<br>정재우 5334 | 이희한 5511<br>권기환 5514<br>박주현 5513<br>박지훈 5515 | 이상용 5531<br>전유석 5532<br>황성호 5534<br>김유찬 5536 | 이윤정 5631<br>변지영 5632<br>이하준 5634<br>서혜경 5633 | 안기용 5551<br>김재현 5552<br>임강빈 5553 |
| 주무관 | 유승우 5413<br>황성희 5419 | 정명지 5458<br>함영준 5452<br>문영희 5459 | 조태희 5434<br>심경희 5437<br>송현전 5436<br>이하나 5438 | 신희섭 5339 | 김윤수 5517<br>전광호 5518<br>원지영 5529 | 김민주 5533 | 장윤정 5635 | 김예슬 5558<br>김보현 5569 |
| 직원 | | | | 고정희 5337 | 공명진 5528 | 이소라 5535 | 한승규 5649 | |
| FAX | 044-215-8033 | | | | | | | |

DID : 044-215-OOOO

| 국 | 공공정책국 | | | | 공공정책국 | | |
|---|---|---|---|---|---|---|---|
| 국장 | | | | | | | |
| 관 | 공공혁신심의관 | | | | 신성장전략기획추진단 | | |
| 관장 | 장문선 2500 | | | | 김건영 8860 | | |
| 과 | 인재경영과 | 공공윤리정책과 | 공공혁신기획과 | 경영관리과 | 전략기획팀 | 디지털전환팀 | 미래산업팀 |
| 부이사관 | | | | | 유형선 8870 | | |
| 과장 | 김도영 5570 | 김한준 5620 | 조영욱 5610 | 양재영 5650 | | | |
| 팀장 | | | | | 장도환 8770 | 권오민 8890 | 김정두 8880 |
| 서기관 | | | | | 박미정 8874 | | |
| 사무관 | 정효상 5581<br>박중민 5573<br>정현미 5576<br>이경아 5574 | 김정수 5621<br>이숙경 5622<br>김근호 5624<br>이현주 5625 | 이주호 5611<br>최성진 5612<br>남수경 5617<br>김세웅 5616 | 신동호 5651<br>김동욱 5652<br>김희운 5654<br>박윤우 5671<br>유정미 5655 | 백윤정 7831<br>양성미 8875<br>백창현 8871 | 김홍석 8891<br>박영호 8892<br>김정훈 8893 | 도화선 8882<br>박유준<br>044-850-2342<br>윤재웅 8883 |
| 주무관 | 윤종현 5575<br>이수빈 5579 | 김우성 5626<br>윤애진 5627 | 구동원 5613<br>이지은 5615 | 김선주 5656<br>김재인 5657 | 정하영 8872 | | |
| 직원 | 성준혁 5578 | | 김형준 5618 | | 주혜지 8876 | | |
| FAX | 044-215-8033 | | | | | | |

| 관 | 조세개혁추진단 | | 원스톱수출수주지원단<br>(02-6000-**OOOO**) | | | |
|---|---|---|---|---|---|---|
| 관장 | 김병철 4350 | | 김동준 044-215-7720 | | | |
| 과 | 상속세개편팀 | 보유세개편팀 | 수출총괄팀 | 금융재정지원팀 | 수주인프라지원팀 | 서비스수출지원팀 |
| 과장 | | | | | | |
| 팀장 | 문경호 4360 | 류병욱 4370 | | 최성영 5785 | 김현진 5784 | |
| 서기관 | | | 임경섭 5783 | | | |
| 사무관 | 김명환 4361<br>이지훈 4364<br>김서현 4363 | 김정훈 4373<br>주현오 4372<br>황혜정 4371 | 이장석 5778<br>박미란 5776<br>이주환 5792 | 한유빈 5780<br>김지수 5775<br>임동욱 5782 | 김호열 5774<br>이종근 5794 | |
| 주무관 | 소보윤 4366 | | 정수진 5777 | | | 김영순 5788 |
| 직원 | 이효진 4365 | | | | | |
| FAX | 044-215-8033 | | | | | |

| 관 | 국제투자협력단 | 민생안정지원단 | 복권위원회사무처 | | | 국고보조금부정수급관리단 |
|---|---|---|---|---|---|---|
| 관장 | 최지영 7720 | 이주섭 2860 | 이장로 7800 | | | 임영진 5720 |
| 과 | | | 복권총괄과 | 발행관리과 | 기금사업과 | |
| 부이사관 | | | 정남희 7810 | | | |
| 과장 | | | 조현진 7810 | 강준희 7830 | 김정훈 7850 | |
| 팀장 | | 강창기 2861 | | | | |
| 서기관 | 최정빈 7721 | 정재웅 2869<br>신태환 2868<br>우창훈 2866<br>한대건 2867 | 김동진 7817 | | | |
| 사무관 | 박기오 7722<br>조자현 7724 | 정재현 2862<br>신채용 2863<br>박준영 2872<br>김태영 2870<br>이상영 2871<br>우승하 2864 | 이범한 7832<br>김지은 7812<br>장효순 7815<br>김숙 7816<br>이원재 7812<br>윤동건 7813 | 문성희 7831<br>유정아 7834<br>박미경 7839 | 박준하 7853<br>나원주 7854<br>이원재 7855<br>안수민 7851<br>박철호 7858 | 송혜영 5391<br>이영호 5394<br>민선미 5396<br>최동호 5393<br>공주영 5395 |
| 주무관 | 이건희 7726 | 박승연 2865 | 배미현 7819<br>구본옥 7818 | 고광남 7838<br>박양규 7833 | 양고운 7856<br>강재은 7857 | 임동옥 5397 |
| 직원 | | | | | 윤남숙 7852 | 이진주 5398<br>민홍기 5399 |
| FAX | 044-215-8033 | | | | | |

# 금융위원회

| 주소 | 서울특별시 종로구 세종대로 209 금융위원회 (우) 03171 |
|---|---|
| 대표전화 | **02-2100-2500** |
| 사이트 | **www.fsc.go.kr** |

## 위원장 　　　　김병환

(D) 02-2100-2700 FAX : 02-2100-2715

| 부위원장 | **김소영** | (D) 02-2100-2800 |
|---|---|---|
| 상임위원(금융위) | **이형주** | (D) 02-2100-2701 |
| 비상임위원(금융위) | **김용진** | |
| 비상임위원(금융위) | **허범** | |
| 상임위원(증선위) | **이윤수** | |
| 비상임위원(증선위) | **송창영** | |
| 비상임위원(증선위) | **박종성** | |
| 비상임위원(증선위) | **이동욱** | |
| 사무처장 | **권대영** | (D) 02-2100-2900 |

# 금융위원회

대표전화: 02-2100-2500/ DID: 02-2100-OOOO

위원장: **김 병 환**

DID: 02-2100-2700

| 주소 | 서울특별시 종로구 세종대로 209 정부서울청사 (우) 03171 |
|---|---|
| 홈페이지 | www.fsc.go.kr |

| 국실 | 대변인 | | 금융정보분석원 | |
|---|---|---|---|---|
| 국장 | 손주형 2550 | | 박광 1701 | |
| 과 | | 행정인사과 | 제도운영기획관 | 심사분석심의회 |
| 과장 | | 박재훈 2756, 2765, 2767 | 김기한 1801 | 이차웅 1881 |
| FAX | | | 1738 | |

| 국실 | 금융정보분석원 | | | | | | |
|---|---|---|---|---|---|---|---|
| | 박광 1701 | | | | | | |
| 과 | 기획행정실 | 제도운영과 | 가상자산검사과 | 심사분석실 | 심사분석1과 | 심사분석2과 | 심사분석3과 |
| 과장 | 남동우 1733 | 김미정 1835 | 박정원 1717 | 송명섭 1821 | 임경환 1859 | 임주연 1875 | 길우근 1894 |
| FAX | 1738 | 1838 | 1707 | 1823 | 1863 | 1882 | 1898 |

| 국실 | 기획조정관 | | | | 금융소비자국 | | | |
|---|---|---|---|---|---|---|---|---|
| 국장 | 유영준 2770 | | | | 김진홍 2980 | | | |
| 과 | 혁신기획재정담당관 | 규제개혁법무담당관 | 감사담당관 | 의사운영정보팀 | 금융소비자정책과 | 서민금융과 | 가계금융과 | 청년정책과 |
| 과장 | 권주성 2788, 2789, 2772 | 홍수정 2808 | 김동현 2796 | | 김수호 2633, 2635 | 김광일 2617 | 전수한 2512, 2527 | 황기정 1688 |
| FAX | 2778 | 2777 | 2799 | | 2999 | 2629 | 2639 | |

| 국실 | 금융정책국 | | | |
|---|---|---|---|---|
| 국장 | 신진창 2820, 2822 | | | |
| 과 | 금융정책과 | 금융시장분석과 | 산업금융과 | 글로벌금융과 |
| 과장 | 강영수 2825, 2874, 2839 | 김성준 2856, 2857 | 권유이 2873, 2867, 2868 | 윤현철 2885, 2888, 2894 |
| FAX | 2849 | 2829 | 2879 | 2939 |

| 국실 | 금융산업국 | | | | 자본시장국 | | | | | |
|---|---|---|---|---|---|---|---|---|---|---|
| 국장 | 안창국 2940, 2941 | | | | 박민우 2640, 2641 | | | | | |
| 관 | 은행과 | 보험과 | 중소금융과 | 상호금융과 | 자본시장과 | 자산운용과 | 공정시장과 | 회계제도팀 | 자본시장조사총괄과 | 자본시장조사과 |
| 관장 | 이진수 2955, 2956, 2957 | 고영호 2965, 2966, 2968 | 신장수 2998, 2627 | 최상아 2627 | 고상범 2657, 2658 | 정선인 2665, 2666 | 최치연 2685, 2686 | 류성재 2692 | 이석란 2607 | 정현직 2540 |
| FAX | 2948 | 2947 | 2933 | | 2648 | 2679 | 2678 | 2678 | | |

| 국실 | 구조개선정책관 | | 디지털금융정책관 | | | | |
|---|---|---|---|---|---|---|---|
| 국장 | 김동환 2901, 2902 | | 전요섭 2580 | | | | |
| 과 | 구조개선정책과 | 기업구조개선과 | 디지털금융총괄과 | 금융데이터정책과 | 금융공공데이터팀 | 금융안전과 | 가상자산과 |
| 과장 | 주홍민 2917, 2918, 2915 | 정종식 2924, 2926 | 신상훈 2538, 2757 | 신상록 2624 | 김석환 2674, 2675 | 이진호 2976, 2978 | 김성진 2575 |
| FAX | 2919 | 2929 | 2548 | 2548 | | 2946 | |

# 세금신고
# 가이드

법 인 세
종합소득세
부가가치세
원 천 징 수

국 민 연 금
건강보험료
고용보험료
산재보험료

지 방 세
재 산 세
자동차세
세 무 일 지

연 말 정 산
양도소득세
상속증여세
증권거래세

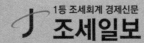

1등 조세회계 경제신문
조세일보

# 금융감독원

| 주소 | 서울특별시 영등포구 여의대로 38<br>(우) 07321 |
|------|------|
| 대표전화 | **02-3145-5114** |
| 사이트 | **www.fss.or.kr** |

원장       **이복현**

(D) 02-3145-5001, 5002 (FAX) 785-3475

비　서　　유환숙　　　　　(D)02-3145-5315

| 감사 | 감사 | **김기영** | (D)02-3145-6001 |
|------|------|------|------|
| 기획·보험 | 수석부원장 | **이세훈** | (D)02-3145-5003 |
| 은행·중소서민금융 | 부원장 | **이준수** | (D)02-3145-5005 |
| 자본시장·회계 | 부원장 | **함용일** | (D)02-3145-5007 |
| 금융소비자보호처 | 부원장 | **김미영** | (D)02-3145-5009 |
| 기획·경영 | 부원장보 | **김영주** | (D)02-3145-5037 |
| 전략감독 | 부원장보 | **김병칠** | (D)02-3145-5027 |
| 보험 | 부원장보 | **차수환** | (D)02-3145-5023 |
| 은행 | 부원장보 | **박충현** | (D)02-3145-5021 |
| 중소금융 | 부원장보 | **박상원** | (D)02-3145-5029 |
| 금융투자 | 부원장보 | **황선오** | (D)02-3145-5035 |
| 공시조사 | 부원장보 | **김정태** | (D)02-3145-5033 |
| 소비자보호 | 부원장보 | **김범준** | (D)02-3145-5025 |
| 민생금융 | 부원장보 | **김준환** | (D)02-3145-5031 |
| 회계 | 전문심의위원 | **윤정숙** | (D)02-3145-5039 |
| 금융자문관 | 자문관 | **이규복** | (D)02-3145-5056 |
| 법률자문관 | 자문관 | **전영우** | (D)02-3145-5095 |

# 금융감독원

대표전화: 02-3145-5114/ DID: 02-3145-OOOO

원장: **이 복 현**

DID : 02-3145-5311

| 주소 | 서울특별시 영등포구 여의대로 38 금융감독원 (여의도동 27) (우) 07321 |
|---|---|
| 홈페이지 | http://www.fss.or.kr |

| 본부 | 기획·보험 | | | | | | | | | |
|---|---|---|---|---|---|---|---|---|---|---|
| 부원장 | 이세훈 5003, 5004 | | | | | | | | | |
| 본부 | 기획·경영 | | | | | | | | | |
| 부원장보 | 김영주 5037, 5038 | | | | | | | | | |
| 국실 | 기획조정국 | | | | 인사연수국 | | | 총무국 | | |
| 국장 | 김성욱 5900, 5901 | | | | 박지선 5470, 5471 | | | 최강석 5250, 5251 | | |
| 팀 | 전략기획 | 조직예산 | 디지털전환혁신 | 대외협력 | 인사기획 | 인사운영 | 연수 | 급여복지 | 재무회계 | 운영지원 |
| 팀장 | 박상만 5940 | 김경률 5898 | 채영현 5890 | 윤동진 5930 | 장영심 5472 | 류지웅 5480 | 김도희 6360 | 조영석 5300 | 이훈아 5270 | 송명준 5280 |

| 국실 | 공보실 | | | 국제업무국(금융중심지지원센터) | | | |
|---|---|---|---|---|---|---|---|
| 국장 | 이행정 5780 | | | 박시문 7890, 7891 | | | |
| 팀 | 공보기획 | 공보운영 | 홍보 | 국제협력 | 금융중심지지원 | 은행업무 | 금융투자보험업무 |
| 팀장 | 권순표 5784 | 최동협 5785 | 류한은 5803 | 박은혜 7892 | 유명신 7901 | 전혜영 7915 | 이동혁 7170 |

| 국실 | 정보화전략국 | | | | | | 법무실 | | | | 비서실 | 비상계획실 |
|---|---|---|---|---|---|---|---|---|---|---|---|---|
| 국장 | 위충기 5370, 5371 | | | | | | 정은정 5910, 5911 | | | | 노영후 5090 | 백승필 5350, 5351 |
| 팀 | 정보화기획 | 정보화운영 | 감독정보시스템1 | 감독정보시스템2 | 경영정보시스템 | 정보보안 | 은행 | 금융투자 | 보험·소비자보호 | IT·중소금융 | | |
| 팀장 | 김송범 5460 | 이정운 5380 | 장길호 5410 | 안성원 5430 | 박용운 5420 | 노경록 5431 | 서현재 5912 | 김인식 5920 | 서창영 5915 | 나세준 5918 | | |

# 1등 조세회계 경제신문 조세일보

| 본부 | 전략·감독 | | | | | | | | |
|---|---|---|---|---|---|---|---|---|---|
| 부원장보 | 김병칠 5027, 5028 | | | | | | | | |

| 국실 | 감독총괄국 | | | | | 금융시장안정국 | | | | |
|---|---|---|---|---|---|---|---|---|---|---|
| 국장 | 김형원 8300, 8301 | | | | | 이진 8170, 8171 | | | | |
| 팀 | 감독총괄 | 감독혁신조정 | 검사총괄 | 감독정보 | 금융상황분석 | 금융시장총괄 | 거시금융 | 금융시장 | ESG시스템리스크분석 | 미래금융연구 |
| 팀장 | 변재은 8001 | 조영범 8310 | 김익남 8010 | 박귀욱 8290 | 이석주 7005 | 김정훈 8180 | 이세용 8172 | 서기철 8185 | 김정일 8190 | 최현필 8590 |

| 국실 | 제재심의국 | | | | | | 금융그룹감독실 | | 가상자산감독국 | | |
|---|---|---|---|---|---|---|---|---|---|---|---|
| 국장 | 김욱배 7800, 7801 | | | | | | 김국년 8200, 8201 | | 이현덕 8160, 8161 | | |
| 팀 | 제제심의총괄 | 은행 | 중소서민금융 | 보험 | 금융투자 | 조사감리 | 금융그룹감독 | 금융그룹검사 | 가상자산감독총괄 | 가상자산시장감시 | 가상자산검사 |
| 팀장 | 최동우 7821 | 최우석 7802 | 오관수 7804 | 유환 7811 | 고상범 7810 | 임인수 7820 | 장항필 8210 | 윤석우 8203 | 안병남 8162 | 서강훈 8314 | 조강훈 8323 |

| 국실 | 가상자산조사국 | | | 금융IT안전국 | | | |
|---|---|---|---|---|---|---|---|
| 국장 | 문정호 7100, 7101 | | | 백규정 7120, 7121 | | | |
| 팀 | 가상자산조사기획 | 가상자산조사분석 | 가상자산조사 | 금융IT총괄 | 금융IT안전운영 | 전자금융감독 | 전자금융검사 |
| 팀장 | 진세동 7102 | 이재훈 7107 | 도영석 7192 | 이성욱 7125 | 안태승 7130 | 최범전 7135 | 문상석 7140 |

| 국실 | 디지털혁신실 | | | | IT검사국 | | | | | |
|---|---|---|---|---|---|---|---|---|---|---|
| 국장 | 곽범준 7160 | | | | 진태종 7420, 7421 | | | | | |
| 팀 | 디지털혁신총괄 | 디지털혁신감독 | 검사1 | 검사2 | 검사기획 | 상시감시 | 은행검사 | 중소금융검사 | 보험검사 | 금융투자검사 |
| 팀장 | 심은섭 7162 | 이수인 7180 | 황정훈 7150 | 지행호 7155 | 유희준 7415 | 김현돈 7425 | 박근태 7330 | 이우람 7340 | 최영석 7350 | 이영기 7345 |

**DID : 02-3145-OOOO**

| 본부 | 보험 | | | | |
|---|---|---|---|---|---|
| 부원장보 | 차수환 5023, 5024 | | | | |
| 국실 | 보험감독국 | | | | |
| 국장 | 서영일 7460, 7461 | | | | |
| 팀 | 보험총괄 | 건전경영 | 보험제도 | 특수보험 | 보험상품제도 |
| 팀장 | 이권홍 7450 | 곽정민 7455 | 황기현 7474 | 이재민 7471 | 김현중 7466 |

| 국실 | 보험리스크관리국 | | | | 보험검사1 | | | | | |
|---|---|---|---|---|---|---|---|---|---|---|
| 국장 | 이태기 7240, 7241 | | | | 홍영호 7790, 7791 | | | | | |
| 팀 | 보험리스크총괄 | 보험상품감리 | 보험지급여력제도 | 보험계리 | 검사기획 | 경영정보분석 | 검사1 | 검사2 | 검사3 | 검사4 |
| 팀장 | 박수홍 7242 | 김규리 7652 | 박정현 7244 | 정승원 7245 | 정영락 7770 | 이상진 7780 | 권영수 7795 | 김동훈 7789 | 김성환 7950 | 이동재 7955 |

| 국실 | 보험검사2 | | | | | | 보험검사3 | | | |
|---|---|---|---|---|---|---|---|---|---|---|
| 국장 | 김경수 7680 | | | | | | 권재순 7270, 7271 | | | |
| 팀 | 검사기획 | 시장감시대응 | 검사1 | 검사2 | 검사3 | 검사4 | 검사기획상시 | 검사1 | 검사2 | 검사3 |
| 팀장 | 최성호 7510 | 최은실 7660 | 최은희 7670 | 김시원 7689 | 김연상 7527 | 조민희 7675 | 김태훈 7260 | 홍성하 7265 | 우정민 7275 | 변승무 7285 |

| 본부 | 은행·중소서민금융 | | | | | | | | | | | |
|---|---|---|---|---|---|---|---|---|---|---|---|---|
| 부원장 | 이준수 | | | | | | | | | | | |
| 본부 | 은행 | | | | | | | | | | | |
| 부원장보 | 박충현 5021, 5022 | | | | | | | | | | | |
| 국실 | 은행감독국 | | | | | 은행검사1국 | | | | | | |
| 국장 | 정우현 8020, 8021 | | | | | 김형순 7050, 7051 | | | | | | |
| 팀 | 은행총괄 | 건전경영 | 은행제도 | 가계신용분석 | 은행리스크감독 | 검사기획 | 경영개선평가 | 자체정상화계획평가 | 검사1 | 검사2 | 검사3 | 검사4 |
| 팀장 | 김지웅 8022 | 양유형 8050 | 김은성 8030 | 안신원 8040 | 명기영 8060 | 박진호 7060 | 김태욱 7065 | 김현정 7090 | 김석훈 7070 | 임연하 7075 | 이종진 7080 | 이진태 7085 |

| 국실 | 은행검사2국 | | | | | | 은행검사3국 | | | | |
|---|---|---|---|---|---|---|---|---|---|---|---|
| 국장 | 한구 7200, 7201 | | | | | | 김시일 8350, 8351 | | | | |
| 팀 | 검사기획 | 경영실태평가 | 검사1 | 검사2 | 검사3 | 검사4 | 검사기획 | 은행리스크검사 | 인터넷전문은행검사 | 외국계은행검사1 | 외국계은행검사2 |
| 팀장 | 김재갑 7205 | 이진아 7210 | 양지영 7215 | 김경진 7225 | 이범승 7222 | 김기홍 7220 | 김상현 8330 | 조익제 8340 | 박병일 8345 | 조수경 8355 | 차영돈 8360 |

| 국실 | 금융안정지원국 | | | | | 외환감독국 | | | | |
|---|---|---|---|---|---|---|---|---|---|---|
| 국장 | 김충진 8370, 8371 | | | | | 임종건 7920, 7921 | | | | |
| 팀 | 금융안정지원총괄 | 금융안정지원1 | 금융안정지원2 | 금융안정지원3 | 상생금융 | 외환총괄 | 외환건전성감독 | 외환검사기획 | 외환검사1 | 외환검사2 |
| 팀장 | 김범준 8380 | 이완 8385 | 하도훈 8390 | 신경섭 8395 | 유상범 8400 | 이민규 7922 | 곽원섭 7928 | 손성기 7938 | 정현호 7945 | 이청진 7933 |

DID : 02-3145-OOOO

| 본부 | 중소서민금융 | | | | | | |
|------|------|------|------|------|------|------|------|
| 부원장보 | 박상원 5029, 5030 | | | | | | |
| 국실 | 중소금융감독국 | | | | 여신금융감독국 | | |
| 국장 | 이종오 6770, 6771 | | | | 김은순 7550 | | |
| 팀 | 중소금융총괄 | 건전경영 | 중소금융제도 | 중소금융시스템감독 | 여신금융총괄 | 건전경영 | 여신금융제도 |
| 팀장 | 문선기 6772 | 이희성 6773 | 오수진 6775 | 이윤선 6774 | 강병재 7447 | 최영주 7552 | 이성복 7440 |

| 국실 | 중소금융검사1 | | | | | 중소금융검사2 | | | | |
|------|------|------|------|------|------|------|------|------|------|------|
| 국장 | 이현석 7410, 7411 | | | | | 이호진 8070, 8071 | | | | |
| 팀 | 검사기획 | 상시검사 | 검사1 | 검사2 | 검사3 | 검사기획조정 | 검사1 | 검사2 | 검사3 | 검사4 |
| 팀장 | 이건필 7370 | 이정만 7380 | 김대영 7385 | 이진우 7392 | 신동우 7400 | 이성희 8072 | 김성수 8080 | 김태근 8085 | 김시형 8760 | 이장희 8765 |

| 국실 | 중소금융검사3 | | | | |
|------|------|------|------|------|------|
| 국장 | 허진철 8810, 8811 | | | | |
| 팀 | 검사기획조정 | 검사1 | 검사2 | 검사3 | 검사4 |
| 팀장 | 이동원 8805 | 문주환 8816 | 석재승 8830 | 홍진섭 8822 | 김석원 8800 |

| 본부 | 자본시장·회계 | | | | | | | | | | |
|---|---|---|---|---|---|---|---|---|---|---|---|
| 부원장 | 함용일 5007, 5008 | | | | | | | | | | |

| 본부 | 금융투자 | | | | | | | | | | |
|---|---|---|---|---|---|---|---|---|---|---|---|
| 부원장보 | 황선오 5035, 5036 | | | | | | | | | | |

| 국실 | 자본시장감독국 | | | | | 자산운용감독국 | | | | | |
|---|---|---|---|---|---|---|---|---|---|---|---|
| 국장 | 서재완 7580, 7581 | | | | | 임권순 6700, 6701 | | | | | |
| 팀 | 자본시장총괄 | 건전경영 | 증권거래감독 | 자본시장제도 | 파생상품시장 | 자산운용총괄 | 자산운용인허가 | 자산운용제도 | 펀드심사1 | 펀드심사2 | 자문·신탁감독 |
| 팀장 | 이동규 7570 | 안태훈 7595 | 박재영 7590 | 임잔디 7587 | 박성영 7600 | 최지혜 6702 | 김세환 6710 | 김보성 6717 | 심여희 6724 | 소은석 6752 | 황준웅 6540 |

| 국실 | 금융투자검사1국 | | | | | | 금융투자검사2국 | | | | |
|---|---|---|---|---|---|---|---|---|---|---|---|
| 국장 | 김재형 7010, 7011 | | | | | | 권영발 7690, 7691 | | | | |
| 팀 | 증권기획조정 | 검사정보분석 | 검사1 | 검사2 | 검사3 | 검사4 | 검사5 | 자산운용기획조정 | 검사1 | 검사2 | 검사3 | 검사4 | 검사5 |
| 팀장 | 이상민 7012 | 이원홍 7020 | 오동균 7025 | 김기복 7040 | 고승홍 7035 | 김용진 7030 | 박영준 7110 | 유석호 7620 | 이장훈 7645 | 허승환 7631 | 김민수 7641 | 최태민 7621 | 김영중 7651 |

| 국실 | 금융투자검사3국 | | | | |
|---|---|---|---|---|---|
| 국장 | 김남태 7830, 7831 | | | | |
| 팀 | 검사기획 | 검사1 | 검사2 | 검사3 | 검사4 |
| 팀장 | 장재훈 7832 | 이동영 7836 | 오창화 7837 | 장환생 7833 | 박진영 7834 |

| 본부 | 공시·조사 | | | | | | | | |
|---|---|---|---|---|---|---|---|---|---|
| 부원장보 | 김정태 5033, 5034 | | | | | | | | |
| 국실 | 공매도특별조사단 | 자본시장특별사법경찰 | | 기업공시국 | | | | | |
| 국장 | 김희영 5630, 5631 | 김진석 5600, 5601 | | 오상완 8100, 8101 | | | | | |
| 팀 | 조사기획 | 수사1 | 수사2 | 기업공시총괄 | 증권발행제도 | 전자공시 | 지본공시1 | 지분공시2 | 구조화증권 |
| 팀장 | 심재호 5636 | 강성곤 5605 | 신익재 5602 | 김준호 8475 | 이주영 8482 | 박민혁 8610 | 김대일 8486 | 한성남 8479 | 송현철 8090 |

| 국실 | 공시심사실 | | | | | | 조사1국 | | | |
|---|---|---|---|---|---|---|---|---|---|---|
| 국장 | 조치형 8420 | | | | | | 이승우 5550, 5551 | | | |
| 팀 | 공시심사기획 | 특별심사 | 공시심사1 | 공시심사2 | 공시심사3 | 공시조사 | 조사총괄 | 시장정보분석 | 조사1 | 조사2 | 조사3 |
| 팀장 | 이윤길 8422 | 봉진영 8431 | 김종환 8450 | 조현철 8456 | 신용제 8463 | 홍동균 8470 | 장정훈 5582 | 형남대 5560 | 고병완 5540 | 이정은 5563 | 정진원 5579 |

| 국실 | 조사2국 | | | | 조사3국 | | | | |
|---|---|---|---|---|---|---|---|---|---|
| 국장 | 장창호 5650, 5651 | | | | 최상두 5100, 5101 | | | | |
| 팀 | 조사1 | 조사2 | 조사3 | 조사4 | 조사1 | 조사2 | 조사3 | 조사4 | 특별조사 |
| 팀장 | 이장준 5653 | 정용석 5635 | 이방우 5656 | 김구연 5658 | 장경필 5106 | 박철웅 5105 | 김진영 5107 | 한도요 5102 | 황찬홍 5103 |

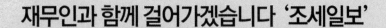

# 재무인과 함께 걸어가겠습니다 '조세일보'

재무인에겐 조세일보를 읽는 사람과 읽지 않는 사람 두 종류의 사람만 있다.

1등 조세회계 경제신문 조세일보

| 본부 | 회계 | | | | | | | | | | |
|---|---|---|---|---|---|---|---|---|---|---|---|
| 부원장보 | 윤정숙 5039, 5040 | | | | | | | | | | |
| 국실 | 회계감독국 | | | | | 회계감리1국 | | | | | |
| 국장 | 이석 7750, 7751 | | | | | 신규종 7700, 7701 | | | | | |
| 팀 | 회계감독총괄 | 감사제도운영 | 금융회계 | 국제회계기준 | 공인회계사시험관리 | 회계감리총괄 | 디지털감리 | 회계감리1 | 회계감리2 | 회계감리3 | 회계감리4 |
| 팀장 | 이재훈 7752 | 손기숙 7977 | 정주은 7970 | 손희원 7980 | 남주호 7753 | 유형주 7702 | 강대민 7725 | 윤지혜 7720 | 차도식 7730 | 이성진 7710 | 이두형 7731 |

| 국실 | 회계감리2국 | | | | | 감사인감리실 | | | |
|---|---|---|---|---|---|---|---|---|---|
| 국장 | 류태열 7290 | | | | | 권영준 7860, 7861 | | | |
| 팀 | 기획감리 | 회계감리1 | 회계감리2 | 회계감리3 | 회계감리4 | 감사인감리총괄 | 감사인감리1 | 감사인감리2 | 감사인감리3 |
| 팀장 | 최창중 7292 | 정승미 7301 | 박기현 7306 | 임재동 7311 | 양대성 7316 | 오세천 7862 | 이은영 7863 | 이성호 7864 | 최진혁 7878 |

| 본부 | 감사 | | | |
|---|---|---|---|---|
| 위원장 | 김기영 6001, 6002 | | | |
| 국실 | 감사실 | | 감찰실 | |
| 국장 | 고영집 6060, 6061 | | 이영로 5500, 5501 | |
| 팀 | 감사1 | 감사2 | 감찰총괄 | 직무감찰 |
| 팀장 | 박항신 6070 | 김준욱 6062 | 허수정 5503 | 김재홍 5502 |

DID : 02-3145-OOOO

| 본부 | 금융소비자보호처 | | | | | | | |
|---|---|---|---|---|---|---|---|---|
| 부원장 | 김미영 5009, 5010 | | | | | | | |
| 본부 | 소비자보호 | | | | | | | |
| 부원장보 | 김범준 5025, 5026 | | | | | | | |
| 국실 | 금융소비자보호총괄국 | | | | 상품심사판매분석국 | | | |
| 국장 | 이길성 5700, 5701 | | | | 이준교 8220, 8221 | | | |
| 팀 | 소비자보호총괄 | 소비자보호제도 | 공정금융 | 소비자보호점검 | 금융상품총괄 | 예금·대출상품 | 투자상품 | 보장상품 |
| 팀장 | 박성주 5680 | 이승훈 5685 | 이승 5689 | 남영민 5693 | 김정운 8228 | 이상돈 8223 | 심서연 8236 | 송상욱 8242 |

| 국실 | 금융민원국 | | | | | | 분쟁조정1국 | | | |
|---|---|---|---|---|---|---|---|---|---|---|
| 국장 | 문형진 5530, 5531 | | | | | | 원희정 5210, 5211 | | | |
| 팀 | 금융민원기획 | 원스톱서비스 | 은행·금융투자인원 | 중소서민민원 | 생명보험민원 | 손해보험민원 | 분쟁조정기획 | 보험분쟁1 | 보험분쟁2 | 보험분쟁3 |
| 팀장 | 박관우 5510 | 김우택 8520 | 이민호 5762 | 성용준 5768 | 윤선화 5772 | 최영덕 5775 | 김동하 5212 | 김영대 5200 | 박민정 5221 | 신창현 5214 |

| 국실 | 분쟁조정2국 | | | | 분쟁조정3국 | | | | |
|---|---|---|---|---|---|---|---|---|---|
| 국장 | 박상규 5750, 5751 | | | | 박현섭 5720, 5721 | | | | |
| 팀 | 분쟁조정기획 | 제3보험1 | 제3보험2 | 제3보험3 | 분쟁조정기획 | 은행 | 중소서민금융 | 금융투자 | 사모펀드 |
| 팀장 | 주요한 5239 | 김철영 5240 | 김영광 5752 | 조문수 5745 | 최정환 5712 | 라성하 5722 | 이희중 5736 | 박종호 5741 | 김세훈 5729 |

| 본부 | 민생금융 | | | | | | | | |
|---|---|---|---|---|---|---|---|---|---|
| 부원장보 | 김준환 5031, 5032 | | | | | | | | |
| 국실 | 민생침해대응총괄국 | | | | | | 금융사기대응단 | | |
| 국장 | 홍석린 8270, 8271 | | | | | | 임정환 8150, 8151 | | |
| 팀 | 민생침해대응총괄 | 불법사금융대응1 | 불법사금융대응2 | 대부업감독 | 대부업검사1 | 대부업검사2 | 금융사기대응총괄 | 금융사기대응1 | 금융사기대응2 |
| 팀장 | 김세모 8266 | 최승록 8129 | 정윤미 8285 | 류영호 8288 | 박운규 8272 | 강형구 8280 | 정재승 8130 | 장종현 8140 | 이환권 8521 |

| 국실 | 보험사기대응단 | | | 자금세탁방지실 | | |
|---|---|---|---|---|---|---|
| 국장 | 정제용 8730, 8731 | | | 박상현 7500, 7501 | | |
| 팀 | 조사기획 | 보험조사 | 특별조사 | 자금세탁방지기획 | 자금세탁방지검사1 | 자금세탁방지검사2 |
| 팀장 | 현은하 8888 | 김미선 8726 | 김종호 8880 | 손인호 7502 | 김혜선 7490 | 박수정 7495 |

| 국실 | 금융교육국 | | | 연금감독실 | |
|---|---|---|---|---|---|
| 국장 | 김필환 5970, 5971 | | | 김도희 5180, 5181 | |
| 팀 | 금융교육기획 | 일반금융교육 | 학교금융교육 | 연금감독 | 연금검사 |
| 팀장 | 신동호 5972 | 최환 5956 | 이인규 5964 | 이상탁 5190 | 김용민 5199 |

| 지원 | 부산울산지원 | | 대구경북지원 | | 광주전남지원 | | 대전세종충남지원 | | 인천지원 |
|---|---|---|---|---|---|---|---|---|---|
| 지원장 | 서정보<br>051-606-1710 | | 김철호<br>053-760-4085 | | 황인협<br>062-606-1610 | | 안승근<br>042-479-5101 | | 구본경<br>032-715-4801 |
| 주소 | 부산광역시 연제구<br>중앙대로 1000<br>국민연금부산회관<br>12층 | | 대구광역시 수성구<br>달구벌대로 2424<br>삼성증권빌딩 7F, 8F | | 광주광역시 동구<br>제봉로 225 (광주은행<br>본점 10층) | | 대전광역시 서구<br>한밭대로 797<br>(캐피탈타워 15층) | | 인천광역시 남동구<br>인주대로 585<br>한국씨티은행빌딩<br>19층 |
| 전화<br>FAX | TEL :(051)606-1700~1<br>FAX :(051)606-1755 | | TEL :(053)760-4000<br>FAX :(053)764-8367 | | TEL :(062)606-1600<br>FAX :(062)606-1630,<br>1632 | | TEL :(042)479-5151~4<br>FAX :(042)479-5130-1 | | TEL :(032)715-4890<br>FAX :(032)715-4810 |
| 팀 | 검사 | 소비자보호 | 검사 | 소비자보호 | 검사 | 소비자보호 | 검사 | 소비자보호 | 소비자보호 |
| 팀장 | 장재익<br>1730 | 김규진<br>1720 | 송용직<br>4003 | 박종훈<br>4004 | 구차성<br>1611 | 백성구<br>1613 | 임성빈<br>5104 | 오우철<br>5103 | 김경수 4802 |

| 지원 | 경남지원 | 제주지원 | 전북지원 | 강원지원 | 충북지원 | 강릉지원 |
|---|---|---|---|---|---|---|
| 지원장 | 윤영준<br>055-716-2324 | 박동원<br>064-746-4205 | 이훈<br>063-250-5001 | 홍장희<br>033-250-2801 | 류길상<br>043-857-9101 | 최길성<br>033-642-1901 |
| 주소 | 경상남도 창원시<br>성산구 중앙대로<br>110<br>케이비증권빌딩<br>4층 | 제주특별자치도<br>제주시 은남길 8<br>(삼성화재빌딩<br>10층) | 전라북도 전주시<br>완산구 서원로 77<br>(전북지방중소벤처<br>기업청 4층) | 강원도 춘천시<br>금강로 81<br>(신한은행<br>강원본부 5층) | 충청북도 충주시<br>번영대로 242,<br>충북원예농협<br>경제사업장 2층 | 강원도 강릉시<br>율곡로 2806<br>한화생명 5층 |
| 전화<br>FAX | TEL<br>:(055)716-2330<br>FAX<br>:(055)287-2340 | TEL<br>:(064)746-4200<br>FAX<br>:(064)749-4700 | TEL<br>:(063)250-5000<br>FAX<br>:(063)250-5050 | TEL<br>:(033)250-2800<br>FAX:<br>(033)257-7722 | TEL<br>:(043)857-9104<br>FAX<br>:(043)857-9177 | TEL<br>:(033)642-1902<br>FAX<br>:(033)642-1332 |
| 팀 | 소비자보호 | 소비자보호 | 소비자보호 | 소비자보호 | 소비자보호 | 소비자보호 |
| 팀장 | 최진영 2325 | 김경환 4204 | 조동연 5003 | 이승원 2805 | 이용상 9102 | 박상준 1902 |

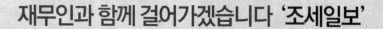

# 재무인과 함께 걸어가겠습니다 '조세일보'

재무인에겐 조세일보를 읽는 사람과 읽지 않는 사람 두 종류의 사람만 있다.

1등 조세회계 경제신문 조세일보

| 해외사무소 | |
|---|---|
| 뉴욕 | Address : 780 Third Avenue(14th floor) NewYork, N. Y. 10017 U.S.A.<br>Tel : 1-212-350-9388<br>Fax : 1-212-350-9392 |
| 런던 | Address : 4th Floor, Aldermary House, 10-15 Queen Street, London EC4N 1TX, U.K.<br>Tel : 44-20-7397-3990~3<br>Fax : 44-20-7248-0880 |
| 프랑크푸르트 | Address : Feuerbachstr.31,60325 Frankfurt am Main, Germany<br>Tel : 49-69-2724-5893/5898<br>Fax : 49-69-7953-9920 |
| 동경 | Address : Yurakucho Denki Bldg. South Kan 1051,7-1, Yurakucho 1- Chome, Chiyoda-Ku, Tokyo, Japan<br>Tel : 81-3-5224-3737<br>Fax : 81-3-5224-3739 |
| 하노이 | Address : #13B04. 13th Floor Lotte Business Center. 54 Lieu Giai Street. Ba Dinh District, Hanoi, Vietnam<br>Tel : 84-24-3244-4494<br>Fax : 84-24-3771-4751 |
| 북경 | Address : Rm. C700D, Office Bidg, Kempinski Hotel Beijing Lufthansa Center, No.50, Liangmaqiao Rd, Chaoyang District, Beijing, 100125 P.R.China<br>Tel : 86-10-6465-4524<br>Fax : 86-10-6465-4504 |

# 중소기업중앙회

대표전화: 02-2124-3114 / DID: 02-2124-OOOO

회장: **김 기 문**

DID: 02-2124-3001

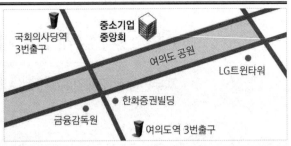

국회의사당역
3번출구

중소기업
중앙회

여의도 공원

LG트윈타워

한화증권빌딩

금융감독원

여의도역 3번출구

| 주소 | 서울특별시 영등포구 은행로 30 (여의도동) 중소기업중앙회 (우) 07242 |
|---|---|
| 홈페이지 | www.kbiz.or.kr |

| 상근부회장 | 비서실 | 감사실 | 리스크관리실 | 준법지원실 | 편집국 | 홍보실 | 전무이사 |
|---|---|---|---|---|---|---|---|
| 정윤모 3006 | 조준호 3003 | 이창희 3370 | 안준연 3100 | 서정헌 4010 | 김희중 3190 | 성기동 3060 | |

| 본부 | 경영기획본부 | | | | |
|---|---|---|---|---|---|
| 본부장 | 강형덕 3019 | | | | |
| 부 | 기획조정실 | 인사실 | 총무회계실 | 정보시스템실 | 사회공헌실 |
| 실장 | 백동욱 3030 | 박경미 3040 | 김종하 3050 | 김근호 3070 | 문철홍 3090 |

| 사업단 | 공제사업단(공제전무) |
|---|---|
| 단장 | 곽범국 3018 |

| 본부 | 공제운영본부 | | | | | 자산운용본부 | | | |
|---|---|---|---|---|---|---|---|---|---|
| 본부장 | 이창호 3016 | | | | | 서원철 3017 | | | |
| 부 | 공제기획실 | 공제운영실 | 공제마케팅실 | 공제서비스실 | PL손해공제실 | 투자전략실 | 금융투자실 | 실물투자실 | 기업투자실 |
| 실장 | 황보훈 4320 | 김기수 3350 | 김병수 4080 | 전혜숙 3310 | 홍정호 4350 | 정부교 3340 | 이응석 3320 | 김태완 3322 | 이경용 3200 |

# 1등 조세회계 경제신문 조세일보

| 본부 | 협동조합본부 | | | |
|------|------|------|------|------|
| 본부장 | 조진형 3012 | | | |
| 부 | 조합정책실 | 협업사업실 | 회원지원실 | 중소기업협동조합연구소 |
| 실장 | 고수진 3210 | 현준 3220 | 임승종 3180 | 윤위상 4060 |

| 본부 | 경제정책본부 | | | | |
|------|------|------|------|------|------|
| 본부장 | 추문갑 3013 | | | | |
| 부 | 정책총괄실 | 소상공인정책실 | 기업성장실 | 통상정책실 | 조사통계실 |
| 실장 | 이민경 3110 | 손성원 3170 | 박화선 3145 | 김철우 3160 | 성기창 3150 |

| 본부 | 혁신성장본부 | | | |
|------|------|------|------|------|
| 본부장 | 양찬회 3014 | | | |
| 부 | 제조혁신실 | 스마트산업실 | 상생협력실 | 판로지원실 |
| 실장 | 김기훈 3120 | 전의준 4310 | 양옥석 3130 | 유진호 3240 |

| 본부 | 인력정책본부 | | |
|------|------|------|------|
| 본부장 | 이명로 3015 | | |
| 부 | 인력정책실 | 외국인력지원실 | 교육지원실 |
| 실장 | 정민호 3270 | 이기중 3280 | 정인과 3300 |

# 국세청
# 소속기관

■ 국세청     105

본청 국·실     106

주류면허지원센터     126

국세상담센터     128

국세공무원교육원     130

# 국세청

| | |
|---|---|
| 주소 | 세종특별자치시 국세청로 8-14 국세청<br>(정부세종2청사 국세청동) (우) 30128 |
| 대표전화 | **044-204-2200** |
| 팩스 | **02-732-0908, 732-6864** |
| 계좌번호 | **011769** |
| e-mail | **service@nts.go.kr** |

## 청장　　**강민수**

(직) 720-2811 (D) 044-204-2201 (행) 222-0730

정책보좌관　이임동 (D) 044-204-2202

국세조사관

## 차장　　**최재봉**

(직) 720-2813 (D) 044-204-2211 (행) 222-0731

# 국세청

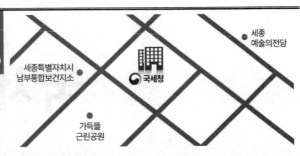

대표전화: 044-204-2200 / DID: 044-204-OOOO

청장: **강 민 수**
DID: 044-204-2201

| 주소 | 세종특별자치시 국세청로 8-14 국세청 (정부세종2청사 국세청동) (우) 30128 | | | | | | | | |
|---|---|---|---|---|---|---|---|---|---|
| 코드번호 | 100 | | **계좌번호** | 011769 | | **이메일** | | service@nts.go.kr | |

| 과 | 대변인 | | | 운영지원과 | | | | 인사기획과 | | |
|---|---|---|---|---|---|---|---|---|---|---|
| 과장 | 김휘영 2221 | | | 김상범 2260 | | | | 이태훈 2240 | | |
| 팀 | 공보1 | 공보2 | 공보3 | 행정지원 | 경리복지 | 청사기획 | 노무안전 | 인사1 | 인사2 | 인사3 |
| 팀장 | 채진우 2222 | 송은주 2232 | 정진혁 2237 | 정성훈 2262 | 김주식 2272 | 허선 2282 | 박수영 2292 | 이동현 2242 | 정종룡 2252 | 채정훈 2192 |
| 국세조사관 | 조현승 2223 | 김상우 2233 | 이은실 2238 | 윤은지 2263 오재경 2264 | 성유진 2273 김대진 2274 | 김병홍 2283 조성훈 2284 김영한 2285 최성호 2286 | 문지만 2293 | 이준석 2243 김정호 2244 문동배 2246 | 정성진 2253 김종욱 2254 | 김수진 2193 이영수 2194 |
| 국세조사관 | 차수빈 2224 | 유남렬 2234 | | 배석 2265 김창근 2266 이인혁 2267 | 배명우 2275 이아름 2276 주우성 2277 | 김도희 2287 이충구 2288 이민훈 2289 | 진솔민 2294 | 박지영 2245 손동우 2247 | 고은별 2255 박경희 2256 차정우 2257 | 윤상동 2195 신동주 2196 |
| 국세조사관 | 최성미 2235 | | | 윤정민 2268 | 한종문 2278 | | | | 조미란 2248 | 박보경 2258 | 노주아 2197 |
| 국세조사관 | | | | | | 정현 2290 | | | | |
| 공무직 | 김태운 (전문경력관, 나급) 2190 조래현 (공보보조) 2191 | | | | | | | | | |
| FAX | | | | | | | | | | |

106

| 국 | 기획조정관 | | | | | | | |
|---|---|---|---|---|---|---|---|---|
| 국장 | 김재웅 2300 | | | | | | | |
| 과 | 혁신정책담당관 | | | | 기획재정담당관 | | | |
| 과장 | 윤순상 2301 | | | | 김범구 2331 | | | |
| 팀 | 총괄 | 혁신 | 조직 | 평가 | 기획1 | 기획2 | 예산1 | 예산2 |
| 팀장 | 김현승 2302 | 박상기 2307 | 이우진 2312 | 안형민 2317 | 송찬규 2332 | 조민성 2337 | 박찬웅 2342 | 최원현 2347 |
| 국세조사관 | 김남훈 2303 | 김영민 2308 정미란 2309 | 심준보 2313 고일명 2314 | 백은혜 2318 | 이수현 2333 이태훈 2334 | 홍성민 2338 | 김동훈 2343 | 최영철 2348 |
| | 원대로 2304 | 남혜윤 2310 박상기 2321 | 최진영 2315 | 서정규 2319 이기돈 2320 | 이형배 2335 | 이재만 2339 | 김성민 2344 | 김재환 2349 |
| | 민병려 2305 | | | | 배지원 2336 | | | |
| | | | | | | | | |
| 공무직 | 김진(국장실) 2311 | | | | | | | |
| FAX | 216-6053 | | | | | | | |

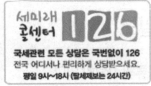

DID : 044-204-OOOO

| 국 | 기획조정관 | | | | | | 정보화관리관 | | | |
|---|---|---|---|---|---|---|---|---|---|---|
| 국장 | 김재웅 2300 | | | | | | 이성진 2400 | | | |
| 과 | 국세데이터담당관 | | | | | 비상안전담당관 | 정보화기획담당관 | | | |
| 과장 | 오미순 2361 | | | | | 박향기 2391 | 전지현 2401 | | | |
| 팀 | 국세데이터1 | 국세데이터2 | 국세데이터3 | 통계센터1 | 통계센터2 | 비상 | 총괄 | 예산 | 표준 | 사업관리 |
| 팀장 | 이준학 2362 | 김미나 2367 | 김도영 2372 | 유혜경(통계) 2377 | 나민수 2382 | 손성규 2392 | 김범철 2402 | 김광래 2412 | 강지원 2422 | 박미숙 2432 |
| 국세조사관 | 유은주 2363 | 김부일 2368 | 고덕상 2373 조진용(전산) 2374 | | 김경록(통계) 2383 | | 염준호 2403 권진혁 2404 이강현 2405 김지호 2406 | 강대식 2413 조대연 2414 현주호 2415 | 김경아 2423 정명숙 2424 최상만 2425 | 정지양 2433 |
| | | 황미화 2369 | | 박선영(통계) 2379 | | 황규현 2393 | 김지원 2407 심민기 2408 | 성주경 2416 | 김지민 2426 박세창 2427 김용극 2428 | 김경만 2434 정용국 2435 조상미 2436 |
| | 문영규 2364 | | | | | 장한울 2394 | 김동우 2409 | | 서준석 2429 | |
| | | | | | | | | | | |
| 공무직 | | | | | | | 김정희 2410 김미선 2411 | 김정남 2417 | | |
| FAX | 216-6053 | | | | | | 216-6105 | | | |

# 10년간 쌓아온 재무인의 역사를 돌려드립니다 '온라인 재무인명부'

수시 업데이트 되는 국세청, 정·관계 인사의 프로필과 국세청, 지방청, 전국세무서, 관세청,
유관기관 등의 인력배치 현황을 볼 수 있는 온라인 재무인명부

1등 조세회계 경제신문 조세일보

| 국 | 정보화관리관 | | | | | | | | | | |
|---|---|---|---|---|---|---|---|---|---|---|---|
| 국장 | 이성진 2400 | | | | | | | | | | |
| 과 | 빅데이터센터 | | | | | | | | 정보화운영담당관 | | |
| 과장 | 이준목 4501 | | | | | | | | 윤현구 2451 | | |
| 팀 | 빅데이터총괄 | 개인분석 | 법인분석 | 자산분석 | 조사분석1 | 조사분석2 | 징세복지분석 | 기술지원 | 엔티스총괄 | 인프라관리 | 엔티스포털 |
| 팀장 | 윤소영 4502 | 박창오 4512 | 오흥수 4522 | 배인순 4532 | 주재현 4542 | 서용석 4552 | 김동윤 4562 | | 장원식 2452 | 임동욱 2462 | 이영미 2472 |
| 국세조사관 | 김태형 4503 박진우 4504 김요한 4505 | 손석임 4513 김용태 4514 | 김현하 4523 정은정 4524 | 임상민 4533 김은희 4534 | 염주선 4543 서영삼 4544 김승국 4545 | 하세일 4553 김은기 4554 김수용 4555 | 최은숙 4563 이효진 4564 | 송윤호 4573 | 이현진 2453 임화춘 2454 | 김재현 2463 | 한미영 2473 |
| | 오상훈 4506 홍근화 4507 | 김선애 4515 이영신 4516 오문탁 4517 이효정 4518 서미연 4519 | 최은영 4525 이정주 4526 | 공주희 4535 김동직 4536 송지원 4537 | 박미진 4546 | 임수현 4556 김진영 4557 하현주 4558 | 이현호 4565 박민국 4566 | 김경민 4574 임동엽 4575 | 백유림 2455 | | 김우성 2474 정혜영 2475 |
| | 정지영 4508 우지혜 4509 | 이승한 4520 | 김푸른솔 4527 전일권 4528 | 윤태현 4538 | 손민정 4547 | | 송원호 4567 | | 이지헌 2456 임여경 2457 김지영 2458 | 이현우 2464 장경호 2465 정태영 2466 | 고대훈 2476 |
| | | | | | | | | 이동준 4576 | | 강태양 2467 | |
| 공무직 | | | | | | | | | | | |
| FAX | 216-6110 | | | | | | | | 216-6106 | | |

**DID : 044-204-OOOO**

| 국 | 정보화관리관 | | | | | | | | | | | |
|---|---|---|---|---|---|---|---|---|---|---|---|---|
| 국장 | 이성진 2400 | | | | | | | | | | | |
| 과 | 정보화운영담당관 | | | 홈택스1담당관 | | | | | | 홈택스2담당관 | | |
| 과장 | 윤현구 2451 | | | 이주연 2501 | | | | | | 손유승 2551 | | |
| 팀 | 납보민원정보화 | 고지체납정보화 | 수납환급정보화 | 홈택스총괄 | 부가정보화 | 전자세원정보화 | 양도종부정보화 | 상속증여정보화 | 자본거래정보화 | 소득정보화 | 법인정보화 | 소비공익법인정보화 |
| 팀장 | 정기숙 2482 | 임기향 2492 | | | 지승환 2512 | | 장창렬 2532 | 권승민 2542 | 이정선 4592 | 이정화 2552 | 김미경 2562 | 조성희 4582 |
| 국세조사관 | 이서구 2483 이수연 2484 | 김진영 2493 | 송유진 4963 | 김세라 2503 | 나승운 2513 | 김병식 2523 안승우 2524 | 강태욱 2533 김민경 2534 안도형 2535 | 임채준 2543 | 문숙자 4593 | 서지영 2553 이시화 2554 | 임근재 2563 | 최은성 4583 박숙정 4584 |
| | | 장이삭 2494 박정남 2495 | 염문환 4964 김동수 4965 조한솔 4699 임종호 4967 | 김아름 2504 | 남성호 2514 라원선 2515 주유미 2517 강보미 2516 | 정현주 2525 | | 이무훈 2544 | 오은정 4594 유수정 4595 | 김건우 2555 정성균 2556 안태명 2557 민경은 2558 | 김윤정 2564 | 김현진 4585 전동길 4586 |
| | 유예림 2485 하유정 2486 | 홍지연 2496 박용병 2497 김세린 2498 | 하상욱 4968 박지민 4969 | 이원일 2505 김태원 2507 | 김수명 2518 | 김유리 2526 김종인 2527 윤성민 2528 김진수 2529 | 이철원 2536 장은석 2537 문찬우 2538 | 이소원 2545 박성은 2546 | 조성욱 4596 김혜진 4597 | 박우정 2559 유명선 2560 | 손효현 2565 안일근 2566 | 강민수 4587 김상미 4588 |
| | | 이민지 2499 | | 박주영 2506 | 이창화 2519 | 김홍기 2530 | 남다영 2539 | 이정택 2547 | | | 장한별 2567 | |
| 공무직 | | | | | | | | | | | | |
| FAX | 216-6106 | | | 216-6107 | | | | | | 216-6108 | | |

| 국 | 정보화관리관 | | | | | | | 감사관 | | | |
|---|---|---|---|---|---|---|---|---|---|---|---|
| **국장** | 이성진 2400 | | | | | | | 김지훈 2600 | | | |
| **과** | 홈택스2담당관 | | | 정보보호담당관 | | | | 감사담당관 | | | |
| **과장** | 손유승 2551 | | | | | | | 류충선 2601 | | | |
| **팀** | 원천정보화 | 장려세제정보화 | 소득자료학자금정보화 | 정보보호총괄 | 정보보안감사 | 보안네트워크 | 개인정보보호 | 감사1 | 감사2 | 감사3 | 감사4 |
| **팀장** | 임지아 2572 | 임미정 2582 | 권현옥 2592 | 전태영 4922 | 황정만 4932 | 정기환 4942 | 최만석 4952 | 육규한 2602 | 권우태 2612 | 조일성 2622 | 오세정 2632 |
| **국세조사관** | 안혜은 2573 | 김계희 2583 | 정기원 2593 강명수 2594 | 김은진 4923 | 남현희 4933 김덕규 4934 | | 최근호 4953 | 김종일 2603 조현준 2604 | 박창열 2613 이철민 2614 | 이기주 2623 황성훈 2624 | 김봉조 2633 백민웅 2634 |
| | 이세나 2576 이창인 2577 김지선 2578 | 윤기찬 2584 이원준 2585 강소연 2586 | 권혜연 2597 박대희 2596 | 서승민 4924 한세영 4925 | 김성주 4935 정태경 4936 | 하창경 4943 박서진 4944 최창훈 4945 | 최영우 4954 김도훈 4955 | 김동현 2605 김서안 2606 | 노우정 2615 김신우 2616 | 김태석 2625 류문환 2626 | 김임년 2635 김문성 2607 |
| | 서성현 2579 구세윤 2580 | 김시백 2587 김육곤 2588 | 정정민 2598 김영호 2599 남세라 2591 | 김태완 4926 | 문용원 4937 | | | | | | |
| | 김하연 2581 유민경 2575 | 김수현 2589 김서연 2590 | 이소연 2595 | | | | | 윤성미 2611 | | | |
| **공무직** | | | | | | | | | | | |
| **FAX** | 216-6108 | | | 216-6109 | | | | 216-6060 | | | |

**국세관련 모든 상담은 국번없이 126**
전국 어디서나 편리하게 상담받으세요.
평일 9시~18시 (탈세제보는 24시간)

**DID : 044-204-OOOO**

| 국 | 감사관 | | | | | 납세자보호관 | | | |
|---|---|---|---|---|---|---|---|---|---|
| **국장** | 김지훈 2600 | | | | | 변혜정 2700 | | | |
| **과** | 감찰담당관 | | | | | 납세자보호담당관 | | | |
| **과장** | 이법진 2651 | | | | | 전애진 2701 | | | |
| **팀** | 감찰1 | 감찰2 | 감찰3 | 감찰4 | 윤리 | 납보1 | 납보2 | 납보3 | 민원 |
| **팀장** | 손창호 2652 | 최승일 2662 | 이정민 2672 | 김민석 2682 | 박종성 2692 | 장성기 2702 | 김효진 2712 | 김용우 2717 | 김지우 2722 |
| **국세 조사관** | 이형원 2653 정훈 2654 | 이태욱 2663 김요왕 2664 | 안지영 2673 이주용 2674 | 김진홍 2683 김대환 2684 | 이영정 2693 김대현 2694 | 최봉수 2703 이미경 2704 | 나명균 2713 김지영 2714 | 원두진 2718 김양규 2719 | 김해옥 2723 |
| | 김민정 2655 남창환 2656 | 박종현 2665 박노훈 2666 | 김지웅 2675 황규봉 2676 | 이수진 2685 이은정 2686 | 박정화 2695 고정은 2696 | 정효숙 2705 | | 박태훈 2720 조혜진 2721 | 남도욱 2724 |
| | | 황지아 2667 | | | | 김주엽 2706 | 오종민 2715 | | |
| | | | | | | | | | |
| | | | | | | | | | |
| **공무직** | | | | | | | | | |
| **FAX** | 216-6061 | | | | 216-6062 | 216-6063 | | | |

112

| 국 | 납세자보호관 | | | | | | | | | | | | |
|---|---|---|---|---|---|---|---|---|---|---|---|---|---|
| 국장 | 변혜정 2700 | | | | | | | | | | | | |
| 과 | 심사1담당관 | | | | | | | 심사2담당관 | | | | | |
| 과장 | 이상걸 2741 | | | | | | | 이상원 2771 | | | | | |
| 팀 | 심사1 | 심사2 | 심사3 | 심사4 | 심사5 | 심사6 | 심사7 | 심사1 | 심사2 | 심사3 | 심사4 | 심사5 | 심사6 |
| 팀장 | 조병주 2742 | 변영희 2752 | 이강욱 2762 | 최찬배 2763 | 김태영 2764 | 이지연 2765 | 유진 2766 | 박준배 2772 | 김제석 2782 | 조혜정 2783 | 전강식 2784 | 고주석 2785 | 김명도 2786 |
| 국세 조사관 | 구문주 2743 이수진 2753 | 조영혁 2754 | | | | | | 전태훈 2789 | 김혜미 2790 | | | | |
| | 강형규 2744 | | 신미영 2755 | | | | | 김숙기 2773 | | | | | |
| | 우한솔 2745 | | | | | | | 진재경 2774 | | | | | |
| | | | | | | | | | | | | | |
| 공무직 | | | | | | | | | | | | | |
| FAX | 216-6064 | | | | | | | 216-6065 | | | | | |

## 서울청 사무실 8100-2014~6(국,과,팀장)

| 국 | 국제조세관리관 | | | | | | | | | | |
|---|---|---|---|---|---|---|---|---|---|---|---|
| **국장** | 강성팔 2800 | | | | | | | | | | |
| **과** | 국제조세담당관 | | | | 역외정보담당관 | | | | | | |
| **과장** | 장우정 2801 | | | | 김준우 2901 | | | | | | |
| **팀** | 1 | 2 | 3 | 4 | 1 | 2 | 3 | 4 | 5 | 6 | 7 |
| **팀장** | 류승중 2802 | 김현지 2812 | 류호균 2817 | 이경한 2822 | 이준호 2902 | 허인영 2912 | 임성애 8100-5272 | | 문서영 2942 | 조준구 8100-5282 | 8100-5282 |
| **국세조사관** | 신종훈 2803 | 신중현 2813 | 문지혜 2818 | 이정민 2823 신서연 2824 | | | | | | | |
| | 윤동규 2804 | 우형래 2814 성현진 2815 | 김지윤 2819 유원형 2820 | 박재철 2825 | | | | | | | |
| | 김보미 2806 | | | | | | | | | | |
| | | | | | | | | | | | |
| **공무직** | 최경진 (사무) 2805 최진희 (계약) 2811 | | | | | | | | | | |
| **FAX** | 216-6067 | | | | 216-6068 | | | | | | |

114

# 1등 조세회계 경제신문 조세일보

| 국 | 국제조세관리관 | | | | | | | | | | |
|---|---|---|---|---|---|---|---|---|---|---|---|
| 국장 | 강성팔 2800 | | | | | | | | | | |
| 과 | 국제협력담당관 | | | | | 상호합의담당관 | | | | | |
| 과장 | 이선주 2861 | | | | | 손채령 2961 | | | | | |
| 팀 | 1 | 2 | 3 | 4 | SGATAR TF | 1 | 2 | 3 | 4 | 5 | 6 |
| 팀장 | 최정현 2862 | 박진우 2872 | 고명수 2877 | 노주현 2882 | 김내리 2892 | 강민성 2962 | 최수빈 2972 | 손혜림 2977 | 안광원 2982 | 김성민 2977 | 강서호 2992 |
| 국세 조사관 | 박철수 2863 | 이승환 2873 | 정다겸 2878 | 진윤영 2883 | | 김민영 2963 | 고선하 2973 | 장성하 2978 | 성아영 2983 | 이태희 2988 | 윤명준 2993 |
| | 안수연 2864 | 박재욱 2875 | 김진동 2879 | 김진석 2884 | 이규웅 2893 | 신헌철 2964 노현지 2966 | 한상원 2864 김나영 2974 | 주보은 2979 | 박형배 2984 | 신미라 2989 | 이미연 2994 |
| | 정진호 2865 | | | | 강다현 2895 | 하은혜 2965 | | | | | |
| | | | | | 임인재 2896 | | | | | | |
| 공무직 | | | | | | | | | | | |
| FAX | 216-6066 | | | | | 216-6069 | | | | | |

**DID : 044-204-OOOO**

| 국 | 국제조세관리관 | | | 징세법무국 | | | | | |
|---|---|---|---|---|---|---|---|---|---|
| 국장 | 강성팔 2800 | | | 안덕수 3000 | | | | | |
| 과 | 신국제조세대응반 | | | 징세과 | | | | | |
| 과장 | 김문희 2831 | | | 안민규 3001 | | | | | |
| 팀 | 1 | 2 | 3 | 징세1 | 징세2 | 징세3 | 징세4 | 고지체납정보화 | 수납환급정보화 |
| 팀장 | 국우진 2832 | 박영건 2837 | 여성훈 2842 | 윤상봉 3002 | 장은수 3012 | 박성준 3017 | 성기원 3027 | 임기향(전) 2492 | 홍덕표 4962 |
| 국세조사관 | 구영진 2833 | | 백연하 2843 | 우제선 3003 김태수(계) 3004 | 정년숙 3013 | 류제성 3018 안재진 3019 | 황대림 3028 이현영 3029 | 김진영(전) 2493 | 송유진(전) 4963 |
| | 임보라 2834 | 이수정 2838 | 한소연 2844 | 이태상 3005 | 홍준영 3014 백종민 3015 노동균 3016 | 한아름 3020 김민주 3021 | 박보경 3031 이동경 3030 성준범 3032 | 장이삭(전) 2494 박정남(전) 2495 | 염문환(전) 4964 김동수(전) 4965 조한솔(전) 4966 임종호(전) 4967 |
| | | | | 이환희 3006 | | | | 홍지연(전) 2496 박용병(전) 2497 김세린(전) 2498 | 하상욱(전) 4968 박지민(전) 4969 |
| | | | | | | | | 이민지(전) 2499 | |
| 공무직 | | | | 윤미라 (비서) 3011 | | | | | |
| FAX | 216-6133 | | | 216-6070 | | | | | |

| 국 | 징세법무국 | | | | | | | | | | | |
|---|---|---|---|---|---|---|---|---|---|---|---|---|
| 국장 | 안덕수 3000 | | | | | | | | | | | |
| 과 | 법무과 | | | | | 법규과 | | | | | | |
| 과장 | 최지은 3071 | | | | | 신상모 3101 | | | | | | |
| 팀 | 법무1 | 법무2 | 법무3 | 법무4 | 법무5 | 총괄조정 | 국조기본 | 부가 | 소득 | 법인 | 재산1 | 재산2 |
| 팀장 | 이재은 3072 | 김형태 3077 | 김수현 3082 | 안혜정 3087 | 권영훈 3092 | 전준희 3102 | 방선아 3112 | 노영인 3117 | 최은경 3122 | 이광의 3127 | 최영훈 3137 | 한정미 3142 |
| 국세조사관 | 강수민 3073 | 김민수 3078 박윤지 3079 | 김태훈 3083 | 정수경 3088 | 김경태 3093 | 정영선 3103 이혜영 3104 | 전유리 3113 | 송선용 3118 | 박선희 3123 | 김성호 3128 전대웅 3129 최수진 3130 | 김남구 3138 김혜정 3139 | 정진학 3143 하구식 3144 |
| | 최선미 3074 | | 손한준 3084 | | | | 김현석 3114 | 김한근 3119 | 고성희 3124 | | 김효동 3140 | 곽영경 3145 |
| | 최경락 3075 | | 유예림 (전) 2477 | | | 이동욱 3105 | | | | | | |
| | | | | | | | | | | | | |
| 공무직 | | | | | | | | | | | | |
| FAX | 216-6071 | | | | | 216-6072, 6073 | | | | | | |

**국세관련 모든 상담은 국번없이 126**
전국 어디서나 편리하게 상담받으세요.
평일 9시~18시 (탈세제보는 24시간)

**DID : 044-204-OOOO**

| 국 | 개인납세국 | | | | | | | | | | | |
|---|---|---|---|---|---|---|---|---|---|---|---|---|
| **국장** | 이승수 3200 | | | | | | | | | | | |
| **과** | 부가가치세과 | | | | | 소득세과 | | | | 세정홍보과 | | |
| **과장** | 김용재 3201 | | | | | 최원봉 3241 | | | | 오규용 3281 | | |
| **팀** | 부가1 | 부가2 | 부가3 | 부가4 | 부가5 | 소득1 | 소득2 | 소득3 | 소득4 | 홍보기획 | 홍보운영 | 디지털소통 |
| **팀장** | 김성민 3202 | 최치환 3212 | 최홍신 3217 | 신범하 3222 | 강신웅 3227 | 차지훈 3242 | 이한솔 3252 | 안경민 3257 | 박시후 3262 | 이동규 3282 | | 이일생 3292 |
| **국세조사관** | 이지영 3203 | 박범진 3213 | 정승오 3218 | 최근수 3223 설미현 3224 | 김수한 3228 박희자 3229 | 김영란 3243 | 양미선 3253 유지희 3254 | 홍준영 3258 이옥녕 3259 | 김창희 3263 박경희 3264 | 박진수 3283 | 오주해 3288 김성진 3289 | 전민정 3293 현상필 3294 |
| | 동소연 3204 | 추명운 3214 임정진 3215 | 정현주 3219 류지호 3220 | 김미영 3225 한수은 3226 | 김정효 3230 | 김강훈 3244 | 신동연 3255 | | 이진주 3265 | 허수범 3284 | 윤혜민 3290 | 신희범 3296 |
| | 이정아 3205 | | 노재희 3221 | | | 채희주 3245 | | | | 강임현 3285 | | |
| | | | | | | | | | | | | |
| **공무직** | 박송은 3211 | | | | | | | | | 김현지 3286 | 김소리 4646 류계영 4647 | |
| **FAX** | 216-6075 | | | | | 216-6076 | | | | 216-6074 | | |

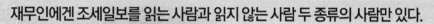

# 재무인과 함께 걸어가겠습니다 '조세일보'

재무인에겐 조세일보를 읽는 사람과 읽지 않는 사람 두 종류의 사람만 있다.

| 국 | 법인납세국 | | | | | | | | | |
|---|---|---|---|---|---|---|---|---|---|---|
| 국장 | 이동운 3300 | | | | | | | | | |
| 과 | 법인세과 | | | | | 공익중소법인지원팀 | | | | |
| 과장 | 박인호 3301 | | | | | 황남욱 3901 | | | | |
| 팀 | 법인1 | 법인2 | 법인3 | 법인4 | 법인정보화 | 지원1 | 지원2 | 지원3 | 지원4 | 소비공익법인정보화 |
| 팀장 | 임경수 3302 | 유민희 3312 | 정승태 3317 | 황진하 3322 | 김미경(전) 2562 | 박운영 3902 | 이희범 3912 | 김선영 3917 | 김영동 3922 | 조성희(전) 4582 |
| 국세조사관 | 도영수 3303 강성헌 3304 | 김상배 3313 신연주 3314 | 김지연 3318 이두원 3319 | 정지선 3323 전현혜 3324 | 임근재(전) 2563 | 이경숙 3903 김보석 3904 | 정진원 3913 이승훈 3914 | 류진 3918 | 권은경 3923 강관호 3926 이진숙 3927 남민기 3928 박경록 3929 김재천 3931 이경환 3932 강경화 3925 최희원 3933 | |
| | 김건영 3305 | 김현섭 3315 | | 이교환 3325 | 김윤정(전) 2564 | 김경민 3905 | 고경수 3915 정세영 3916 | 김준호 3919 | | 전동길(전) 4586 |
| | | | 이호준 3320 | | 손효현(전) 2565 안일근(전) 2566 | | | 박장미 3924 | | 김상미(전) 4588 |
| | | | | | 장한별(전) 2567 | | | | | |
| 공무직 | | | | | | | | | | |
| FAX | 216-6078 | | | | | 216-6135 | | | | |

DID : 044-204-0000

| 국 | 법인납세국 | | | | | | | | 자산과세국 | | |
|---|---|---|---|---|---|---|---|---|---|---|---|
| 국장 | 이동운 3300 | | | | | | | | 김국현 3400 | | |
| 과 | 원천세과 | | | | 소비세과 | | | | 부동산납세과 | | |
| 과장 | 황동수 3341 | | | | 배상록 3371 | | | | 김영상 3401 | | |
| 팀 | 원천세1 | 원천세2 | 원천세3 | 원천정보화 | 주세1 | 주세2 | 소비세 | 소비공익법인 정보화 | 1 | 2 | 3 |
| 팀장 | 전정영 3342 | 홍성훈 3347 | 김진현 3352 | 임지아 (전) 2572 | 이정훈 3372 | 추근식 3382 | 염세영 3392 | | 박현수 3402 | 김준호 3412 | 양창호 3417 |
| 국세 조사관 | 오현정 3343 | 이지연 3348 백신기 3349 | 곽형신 3353 | 안혜은 (전) 2573 | 정진희 3373 | 김기열 3383 | 이만호 3393 정혜원 3394 | 최은성 (전) 4583 박숙정 (전) 4584 | 최우성 3403 | 이은주 3413 임은철 3414 | 심윤성 3418 이창훈 3419 |
| | 심정규 3344 조준영 3345 | | 김지현 3354 | 이세나 (전) 2576 이창인 (전)2577 김지선 (전)2578 | 천혜진 3374 | 김수지 3384 | | 김현진 (전) 4585 | 조요한 3404 | 송주현 3415 | 권윤구 3420 |
| | | | | 서성현 (전) 2579 구세윤 (전) 2580 | | | 정우도 3395 | | 김동희 3405 | | |
| | | | | 김하연 (전) 2581 유민경 (전) 2575 | | | | | | | |
| 공무직 | | | | | | | | | | | |
| FAX | 216-6079 | | | | 216-6080 | | | | 216-6081 | | |

| 국 | 자산과세국 | | | | | | | | | |
|---|---|---|---|---|---|---|---|---|---|---|
| 국장 | 김국현 3400 | | | | | | | | | |
| 과 | 부동산납세과 | | 상속증여세과 | | | | 자본거래관리과 | | | |
| 과장 | 김영상 3401 | | 최성영 3441 | | | | 정희진 3471 | | | |
| 팀 | 4 | 5 | 1 | 2 | 3 | 4 | 1 | 2 | 3 | 4 |
| 팀장 | 허재호 3422 | 박재신 3427 | 이정순 3442 | 조상훈 3452 | 손미숙 3457 | 서범석 3462 | 이원주 3472 | 정은지 3477 | 장경화 3482 | 김은진 3487 |
| 국세조사관 | 조성래 3423 | 곽지은 3428 | 나동일 3443 | 김은정 3453 신현일 3454 | 심재훈 3458 | 이태호 3463 홍소영 3464 | 이정아 3473 | 서지민 3478 | 윤영우 3483 박윤정 3484 | 정주연 3488 진수정 3489 |
| | 신현중 3424 | 김해서 3429 | 강호현 3444 | 박영진 3455 | 김민수 3459 | 장수환 3465 | | 고호석 3479 전승현 3480 | 현정아 3485 이두원 3486 | |
| | | | 박세희 3445 | | 곽주권 3460 | | 이계호 3474 | | | |
| | | | | | | | | | | |
| | | | | | | | | | | |
| 공무직 | | | | | | | | | | |
| FAX | 216-6081 | | 216-6082 | | | | 216-6083 | | | |

국세관련 모든 상담은 국번없이 126
전국 어디서나 편리하게 상담받으세요.
평일 9시~18시 (탈세제보는 24시간)

DID : 044-204-OOOO

| 국 | 조사국 | | | | | | | | | |
|---|---|---|---|---|---|---|---|---|---|---|
| 국장 | 민주원 3500 | | | | | | | | | |
| 과 | 조사기획과 | | | | | 조사1과 | | | | |
| 과장 | 신재봉 3501 | | | | | 이광섭 3551 | | | | |
| 팀 | 1 | 2 | 3 | 4 | 5 | 1 | 2 | 3 | 4 | 5 |
| 팀장 | 정민기 3502 | 황민호 3512 | 박승규 3517 | 정성한 3522 | 강재원 3527 | 양영진 3552 | 이용후 3562 | 김봉기 3572 | | 조현선 3587 |
| 국세 조사관 | 문형진 3503 윤현식 3504 이원형 3505 안태훈 3506 | 박대은 3513 김지영 3514 | 전충선 3518 | 이치원 3523 | 임종순 3528 | 서영준 3553 이우석 3554 | 이지원 3563 김은태 3564 | 이명재 3573 | 남선애 3583 김성주 3584 | 이승호 3588 |
| | 김세환 3507 김수현 3508 | 정유성 3515 | 김가람 3519 오지은 3520 | 박혜진 3524 | 강경영 3529 | 김진희 3555 | 채수민 3565 | 엄정임 3574 한선배 3575 | 오상훈 3585 | 하남우 3589 정성호 3590 |
| | 오서주 3509 | | | | | 오철민 3556 | | | | |
| | | | | | | | | | | |
| 공무직 | | | | | | | | | | |
| FAX | | | | | | | | | | |

| 국 | 조사국 | | | | | | | | | | |
|---|---|---|---|---|---|---|---|---|---|---|---|
| 국장 | 민주원 3500 | | | | | | | | | | |
| 과 | 조사2과 | | | 국제조사과 | | | 세원정보과 | | | | |
| 과장 | 박상준 3601 | | | 이인섭 3651 | | | 남영안 3701 | | | | |
| 팀 | 1 | 2 | 3 | 1 | 2 | 3 | 1 | 2 | 3 | 4 | 5 |
| 팀장 | 이예진 3602 | 문성호 3612 | 박용관 3617 | | 노유경 3662 | 이재철 3672 | 정해동 3702 | 최장원 3712 | 정동재 3722 | 이종철 3727 | 고당훈 3737 |
| 국세조사관 | 이수미 3603 | 유상호 3613<br>배유진 3614 | 박종인 3618 | 진종호 3653<br>강보경 3654<br>허인범 3655<br>김나연 3656 | 남상균 3663<br>문관덕 3664<br>최슬기 3665<br>박성은 3669 | 주민석 3673<br>김일국 3674 | 이상재 3703 | 정진걸 3713<br>조영숙 3714 | 권용훈 3723 | 김지훈 3728<br>김재현 3729 | 윤주호 3738<br>이규환 3739<br>신철원 3740 |
| | 문병국 3604 | 임동섭 3615 | 손영대 3619<br>심지숙 3620 | 강현미 3657<br>신재원 3658 | 천근영 3666<br>나동욱 3667<br>이진희 3668 | 최원준 3675<br>백승희 3676<br>윤성열 3677 | 김현웅 3704<br>정상미 3705<br>오혜성 3706 | 송다은 3715<br>박범진 3716 | | 양현모 3730<br>최선근 3731 | 김창권 3741 |
| | 고정연 3605 | | | 이민희 3659 | | | 구승민 3707 | | | | |
| | | | | | | | | | | | |
| 공무직 | | | | | | | | | | | |
| FAX | | | | | | | | | | | |

국세관련 모든 상담은 국번없이 126
전국 어디서나 편리하게 상담받으세요.
평일 9시~18시 (탈세제보는 24시간)

DID : 044-204-OOOO

| 국 | 조사국 | | | 복지세정관리단 | | | | | |
|---|---|---|---|---|---|---|---|---|---|
| 국장 | 민주원 3500 | | | 박종희 3800 | | | | | |
| 과 | 조사분석과 | | | 장려세제과 | | | | | |
| 과장 | 김동수 3751 | | | 김동현 3801 | | | | | |
| 팀 | 1 | 2 | 3 | 장려세제1 | 장려세제2 | 장려세제3 | 장려세제4 | 장려세제5 | 장려세제6 |
| 팀장 | 주인규 3752 | 양다희 3762 | 남중화 3767 | 윤지환 3802 | 노원철 3812 | 이승철 3817 | 임종절 3822 | 김지윤 3827 | 서문석 3832 |
| 국세 조사관 | 박성우 3753 | | 박정미 3768 | 이보라 3803 손준혁 3804 | 최지영 3813 | 정종철 3818 | 구순옥 3823 | 안혜숙 3828 | 오영석 3833 |
| | 오나현 3754 | 김현종 3764 | 임명규 3769 | 유승헌 3805 | 김유나 3814 | 김은경 3819 | 이석화 3824 | 김현지 3829 | |
| | | | | | | | | | 박용 3834 |
| | | | | | | | | | |
| 공무직 | | | | 조윤정(비서) | | | | | |
| FAX | | | | | | | | | |

124

| 국 | 복지세정관리단 | | | | | | |
|---|---|---|---|---|---|---|---|
| 국장 | 박종희 3800 | | | | | | |
| 과 | 소득자료관리과 | | | | | 학자금상환과 | |
| 과장 | 민회준 3841 | | | | | 신예진 3871 | |
| 팀 | 소득자료1 | 소득자료2 | 소득자료3 | 소득자료4 | 소득자료5 | 상환1 | 상환2 |
| 팀장 | 최명일 3842 | 김상인 3852 | 유종호 3857 | 최영호 3862 | 김말숙 3867 | 진우형 3872 | 최찬규 3882 |
| 국세 조사관 | 김연수 3843 | 임정미 3853<br>차상훈 3854 | 김홍용 3858 | 권옥기 3863 | 박지현 3868 | 백지훈 3873 | 임진아 3883 |
| | 박서현 3844<br>박지호 3845 | 고영철 3855 | 김도현 3859<br>김민정 3860 | 윤미경 3864<br>윤제현 3865 | 최보령 3869 | 박병주 3874 | 강다은 3884 |
| | 김현지 3846 | 조윤정 3856 | | | | | |
| | | | | | | | |
| 공무직 | | | | | | | |
| FAX | | | | | | | |

# 국세청주류면허지원센터

대표전화: 064-7306-200 / DID: 064-7306-OOO

센터장: **박 상 배**
DID: 064-7397-601, 064-7306-201

| 주소 | 제주특별자치도 서귀포시 서호북로 36 (서호동 1514) (우) 63568 |
|---|---|
| 팩스 | 064-730-6211 |

| 과 | 분석감정과 | | 기술지원과 | | 세원관리지원과 | |
|---|---|---|---|---|---|---|
| 과장 | 정지용 240 | | 장영진 260 | | 이은용 280 | |
| 팀 | 업무지원 | 분석감정 | 기술지원1 | 기술지원2 | 세원관리1 | 세원관리2 |
| 팀장 | 배기연 241 | 이충일 251 | 설관수 261 | 박길우 271 | 김시곤 281 | 김종호 291 |
| 국세<br>조사관 | 장영태 242 | 강기원 253<br>박장기 252 | 박찬순 262 | | 김나현 282 | |
| | 서연진 244<br>위민국 243 | 오수연 254 | | 강경하 272 | | 문준웅 292 |
| | | 현준혁 256<br>윤현민 257 | 채명우 263 | | | |
| 공무직 | 홍순준(7) 204<br>최태규(8) 245<br>설혜수(부속) 202 | | | | | |
| FAX | 730-6212 | 730-6213 | 730-6214 | | 730-6215 | |

# 예규 판례 서비스

조세일보 정회원 회원님만이 누릴 수 있는

**차별화된 조세 판례 서비스**

매주 고등법원 및 행정법원 판례 30건 이상을 업데이트하고 있습니다. (1년 2천여 건 이상)

**모바일 기기로 자유롭게 이용**

PC환경과 동일하게 스마트폰, 태블릿 등 모바일기기에서도 검색하고 다운로드할 수 있습니다.

**신규 업데이트 판례 문자 안내 서비스**

매주 업데이트되는 최신 고등법원, 행정법원 등의 판례를 문자로 알림 서비스를 해드립니다.

**판례 원문 PDF 파일 제공**

판례를 원문 PDF로 제공해 다운로드하여 한 눈에 파악할 수 있습니다.

**정회원 통합형 연간 30만원 (VAT 별도)**

추가 이용서비스 : 온라인 재무인명부 + 프로필,
구인정보, 유료기사 등
회원가입 : www.joseilbo.com

1등 조세회계 경제신문
**조세일보**

# 국세상담센터

대표전화: 064-780-6000 / DID: 064-780-6OOO

센터장: **조 윤 석**
DID: 064-730-6001

| 주소 | 제주특별자치도 서귀포시 서호북로 36 (서호동 1514) (우) 63568 |
|---|---|
| 이메일 | callcenter@nts.go.kr |

| 팀 | 업무지원 | 전화상담1 | | 전화상담2 | | 전화상담3 | |
|---|---|---|---|---|---|---|---|
| 팀장 | 김용재 6002 | 윤기철 6020 | | 천선경 6060 | | 김성근 6080 | |
| 구분 | 지원/혁신 | 종소 | 원천 | 부가 | 개별소비세 주세/인지세 교육세/교통세 | 양도 | 상증 |
| 국세 조사관 | 강화동 김종일(전) | 권창호 박양희 박재홍 이영옥 | 하진호 임경욱 전종근 임석현 | 정덕주 김현희 정재임 고은희 장광웅 | 김지연 | 박성희 강소라 이정미 김정실 | 천명일 서민철 신경식 이건준 김은영 한창림 임정훈 |
| | 차호현 권석진 강진아 나용선 김지호 신은우(전) | 강진성 노기숙 심란주 김주현 유훈식 김순아 김민정 고기훈 이정은 유재웅 | 김선인 마준호 정지혜 최수미 유동완 서돈영 송윤정 김시연 최한뫼 | 최윤선 정해연 최은미 정동환 강해영 배정화 노은지 윤정무 조윤미 박경태 박정란 | 이상욱 강호성 강지수 | 임경섭 강복희 하승민 김은호 조춘원 석민구 여주희 장기현 | 문주경 김선정 지장근 이지석 박상용 |
| | 변경옥 김해운 신무성 | 이소진 | 안한솔 | 안현준 안지영 | | 임현석 이지수 서진 | |
| 공무직 | 김은경(사무) 이상진(방호) | | | | | | |
| FAX | 780-6199 | | | | | | |

| 팀 | 전화상담4 | | 인터넷1 | | 인터넷2 | 인터넷3 |
|---|---|---|---|---|---|---|
| 팀장 | 천세훈 6110 | | 이효철 6140 | | 박진홍 6160 | 김석찬 6180 |
| 구분 | 법인 | 국조 | 종소/원천 | 국조/기타 | 부가/법인 | 양도/종부/상증 |
| 국세조사관 | 이명례<br>이래하<br>채경수<br>한민수 | 김준용 | 옥석봉<br>조병철<br>이승찬<br>조남욱 | | 채은정<br>김선정<br>유인숙 | 황성원<br>김연실 |
| | 최영준<br>유종현<br>이주우<br>이희윤 | 설종훈<br>오유빈 | 송대근<br>박혜선<br>오수진<br>고영배<br>소수현 | 김남준 | 이철용<br>김보균<br>김수호<br>안예지<br>김훈구 | 한성민<br>박원준<br>이원경<br>오경훈<br>이선미 |
| | | 한주연 | 손효정 | 우정희 | 백고은 | 변은희<br>조은희 |
| 공무직 | | | | | | |
| FAX | 780-6199 | | | | | |

# 국세공무원교육원

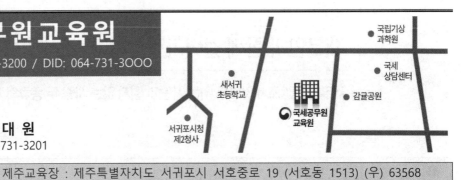

대표전화: 064-731-3200 / DID: 064-731-3000

원장: **김 대 원**
DID: 064-731-3201

| 주소 | 제주교육장 : 제주특별자치도 서귀포시 서호중로 19 (서호동 1513) (우) 63568<br>수원교육장 : 경기도 수원시 장안구 경수대로 1110-17 (파장동 216-1) (우) 16206 | | | |
|---|---|---|---|---|
| 이메일 | taxstudy@nts.go.kr | | | |

| 과 | 교육지원과 | | 교육운영과 | | |
|---|---|---|---|---|---|
| 과장 | 박임선 3210 | | 서승희 3240 | | |
| 팀 | 지원1 | 지원2 | 역량개발 | 인재양성 | 플랫폼운영 |
| 팀장 | 노태천 3211 | 문재창 3231 | 서유미 3241 | 김정원 3251 | 허곤 3261 |
| 국세<br>조사관 | 송규호 3212<br>소종태 3213 | 김호근 3232<br>이동곤 3233 | 이권호 3242<br>현승철 3243 | 곽용은 3252 | 염시웅 3262<br>신효경 3263 |
| | 강택훈 3214<br>현정용 3215<br>정영운 3220 | 정인태 3234 | 권민철 3244<br>박중근 3245 | 김선면 3253<br>양진혁 3254<br>이계봉 3255 | 이창욱 3264<br>이호승 3265 |
| | 박영주 3216<br>신현국 3217<br>이상미 3218<br>정상원 3219<br>김정훈 3321<br>박홍립 3322<br>김반석 3323<br>송권호 3221<br>한은표 3222 | 김은주 3235 | 손윤섭 3246<br>김경환 3247 | 조재완 3256<br>오유석 3257<br>김수민 3258 | |
| | | | | | |
| 공무직 | 박은희 3204<br>이재용<br>정은희<br>김영애<br>오임순<br>정규옥<br>김은실<br>유예희<br>정명숙<br>김정순 | 이미란<br>문삼여<br>허인옥<br>현경자<br>장영자<br>현애자<br>조민<br>양순애<br>진희주<br>윤혜경 | 김미현<br>박현진<br>고경일<br>김석주<br>양종현<br>윤한국<br>김동석<br>강동수<br>김영곤<br>노현우 | 최선우<br>류경남<br>박석영<br>김순동<br>양현주<br>우왕현<br>장인섭<br>변우성<br>이상헌<br>김상익 | 윤태원<br>김지만<br>이상균<br>신정엽<br>박경태<br>신용문<br>심홍근<br>권달후<br>유재훈<br>임진용 |
| FAX | 731-3311 | 731-3312 | 731-3314 | | 731-3313 |

# 1등 조세회계 경제신문 조세일보

| 과 | 교수과 | | | | | | | |
|---|---|---|---|---|---|---|---|---|
| 과장 | 황택순 3270 | | | | | | | |
| 팀 | 교육연구 | 기본 | 징수 | 부가 | 소득 | 법인 | 양도 | 상증 |
| 팀장 | 김현경 3271 | 신동훈 3274 | 김기은 3277 | 성인섭 3280 | 공원택 3284 | 손병양 3288 | 조준영 3292 | 임형걸 3295 |
| 국세<br>조사관 | 김지운 3272 | | 최유원 3278<br>홍시운 3279 | 최미영 3281<br>이규수 3282 | 김한석 3285<br>김동호 3286 | 김희찬 3289<br>김효경 3290 | 한정수 3293<br>임재주 3294 | 이정자 3296<br>윤윤식 3297 |
| | 김은자 3273 | 김태희 3275 | | 박정우 3283 | 박준범 3287 | 정성훈 3291 | | |
| | | | | | | | | |
| | | | | | | | | |
| 공무직 | | | | | | | | |
| FAX | 731-3316 | | | | | | | |

# 서울지방국세청
# 관할세무서

| | |
|---|---|
| ■ **서울지방국세청** | **133** |
| 지방국세청 국·과 | 134 |
| 강 남 세무서 | 158 |
| 강 동 세무서 | 160 |
| 강 서 세무서 | 162 |
| 관 악 세무서 | 164 |
| 구 로 세무서 | 166 |
| 금 천 세무서 | 168 |
| 남대문 세무서 | 170 |
| 노 원 세무서 | 172 |
| 도 봉 세무서 | 174 |
| 동대문 세무서 | 176 |
| 동 작 세무서 | 178 |
| 마 포 세무서 | 180 |
| 반 포 세무서 | 182 |

| | |
|---|---|
| 삼 성 세무서 | 184 |
| 서대문 세무서 | 186 |
| 서 초 세무서 | 188 |
| 성 동 세무서 | 190 |
| 성 북 세무서 | 192 |
| 송 파 세무서 | 194 |
| 양 천 세무서 | 196 |
| 역 삼 세무서 | 198 |
| 영등포 세무서 | 200 |
| 용 산 세무서 | 202 |
| 은 평 세무서 | 204 |
| 잠 실 세무서 | 206 |
| 종 로 세무서 | 208 |
| 중 랑 세무서 | 210 |
| 중 부 세무서 | 212 |

# 서울지방국세청

| 주소 | 서울특별시 종로구 종로5길 86 (수송동)<br>(우) 03151 |
|---|---|
| 대표전화 | **02-2114-2200** |
| 팩스 | **02-722-0528** |
| 계좌번호 | **011895** |
| e-mail | **seoulrto@nts.go.kr** |

## 청장 　　 정재수

(직) 720-2200 (D) 02-2114-2201 (행) 222-0780

| 송무국장 | **김오영** | (D) 02-2114-3100 |
|---|---|---|
| 성실납세지원국장 | **오상훈** | (D) 02-2114-2800 |
| 조사1국장 | **양철호** | (D) 02-2114-3300, 3400 |
| 조사2국장 | **심욱기** | (D) 02-2114-3600 |
| 조사3국장 | **박해영** | (D) 02-2114-4000 |
| 조사4국장 | | (D) 02-2114-4500 |
| 국제거래조사국장 | **한창목** | (D) 02-2114-5100 |

# 서울지방국세청

대표전화: 02-2114-2200 / DID: 02-2114-OOOO

청장: **정 재 수**
DID: 02-2114-2201

| 주소 | 서울특별시 종로구 종로5길 86 서울지방국세청 (수송동) (우) 03151 | | | | |
|---|---|---|---|---|---|
| **코드번호** | 100 | **계좌번호** | 011895 | **이메일** | seoulrto@nts.go.kr |

| 과 | 감사관 | | | | 징세관 | | | | | |
|---|---|---|---|---|---|---|---|---|---|---|
| **과장** | 김학선 2400 | | | | 김승민 2500 | | | | | |
| **팀** | 감사1 | 감사2 | 감찰1 | 감찰2 | 징세 | 체납관리 | 체납추적관리 | 체납추적1 | 체납추적2 | 체납추적3 |
| **팀장** | 박재성 2402 | 이호열 2422 | 김덕은 2442 | 최승민 2462 | 김현호 2502 | 홍정은 2512 | 이응수 2522 | 박재원 2542 | 신현석 2562 | 선연자 2572 |
| **국세조사관** | 이애란 2403<br>심재도 2404<br>김광수 2405<br>이수경 2406<br>이창호 2407 | 이지영 2423<br>김란 2424<br>오지철 2425<br>권오상 2426<br>김용민 2427 | 오태진 2447<br>임종수 2448<br>오대성 2444<br>장재림 2443<br>송기화 2445<br>김세민 2449<br>정원호 2450 | 김병옥 2463<br>곽동대 2464<br>김경훈 2466 | 이일성 2503<br>차미선 2504 | 김소영 2513 | 조동혁 2523<br>장미숙 2524<br>임재상 2533 | 엄일선 2543<br>임창섭 2544<br>한수현 2545<br>이지선 2546 | 이재근 2563<br>김희중 2564<br>이지은 2565<br>김현선 2566 | 권기현 2583<br>백은경 2584<br>송인춘 2585<br>박현정 2586<br>위평복 2587 |
| | 김인겸 2408<br>이미영 2409 | 심재희 2428<br>황태문 2429 | 이영주 2451<br>명거동 2446<br>배종섭 2452<br>김재한 2453<br>최용우 2454 | 문성진 2465<br>송광선 2467<br>신은경 2468<br>최윤호 2469 | 이은경 2505<br>나진희(사무) 2509<br>임기양 2507 | 염성희 2514<br>도창현 2515<br>송정화 2516<br>이미형 2517 | 송종호 2525<br>이효진 2526<br>송지미 2527<br>이상훈 2528 | 한유경 2547<br>강정수 2548<br>최진미 2549<br>김효정 2550<br>전유민 2577 | 김화숙 2567<br>전은수 2571<br>강지은 2568<br>양은정 2569<br>최유진 2570 | 김동훈 2588<br>정난영 2589<br>최하연 2590<br>장정은 2591 |
| | 정영달 2411 | | | | 박광덕 2508 | 김지혜 2518<br>양동혁 2519<br>민호정 2520 | 홍성준 2529<br>한충열 2530<br>조윤정 2531<br>권채윤 2532 | 안성호 2552<br>이류기 2553<br>김고은 2534 | 황순하 2572<br>유주희 2574<br>한창우 2573 | 심지섭 2592<br>이주협 2593<br>김수현 2594<br>김대용 2595 |
| **공무직** | 유달나라 2400 | | 이보람 2456 | | 강문정 2501 | | | | | |
| **FAX** | 736-5945 | | 734-8007 | 780-1586 | 736-5946 | | 2285-2910 | | | |

# 1등 조세회계 경제신문 조세일보

| 과 | 납세자보호담당관 | | | | 과학조사담당관 | |
|---|---|---|---|---|---|---|
| **과장** | 김정주 2600 | | | | 강종훈 2700 | |
| **팀** | 납세자보호1 | 납세자보호2 | 심사1 | 심사2 | 과학조사1 | 과학조사2 |
| **팀장** | 서귀환 2602 | 김미정 2612 | 김종현 2622 | 장미선 2632 | 김태형 2702 | 오성현 2722 |
| **국세 조사관** | 정영희 2603<br>목완수 2604 | 민현순 2613<br>박은화 2614<br>권주희 2615 | 김정숙 2623<br>유진희 2624<br>류동균 2625 | 이윤희 2633<br>양선욱 2634<br>김희숙 2635<br>손혜정 2636 | 김광영 2703<br>박세일 2704<br>정미경 2003 | 김광수 2726<br>임창규 2723<br>원병덕 2744<br>백성종 2732<br>이혜영 2734 |
| | 이진영 2605<br>문순철 2606<br>김재현 2607 | 임거성 2616<br>오승연 2617 | 오배석 2626<br>조혜연 2627<br>이상호 2628 | 유종일 2637<br>오선지 2638<br>박세민 2639 | 손민정 2705<br>이선경 2706<br>이정현 2707 | 김난미 2736<br>김성필 2727<br>공덕환 2729<br>박원준 2738<br>조용석 2740<br>김지연 2742<br>김민진 2724<br>서은철 2733<br>김주헌 2743<br>박유미 2741<br>정연웅 2737<br>임호진 6375 |
| | 배석준 2608 | 김형래 2618 | 김재호 2629 | | 송은지 2708 | 백우현 2745<br>김구름 2735<br>김상혁 2739<br>윤은지 2725<br>김완태 2730 |
| | | | | | | |
| **공무직** | 나가영 2601 | | | | 최지경 2701 | |
| **FAX** | 761-1742 | | | | 549-3413 | |

**DID : 02-2114-OOOO**

| 과 | 과학조사담당관 | | | | 운영지원과 | | | |
|---|---|---|---|---|---|---|---|---|
| **과장** | 강종훈 2700 | | | | 김수현 2240 | | | |
| **팀** | 과학조사3 | 과학조사4 | 과학조사5 | 과학조사6 | 행정 | 인사 | 경리 | 현장소통 |
| **팀장** | 김효진 3052 | 전종상 2752 | 이경선 2712 | 윤나영 2782 | 조인찬 2222 | 유지민 2242 | 정소영 2262 | 박경은 2282 |
| **국세 조사관** | 최남철 3053<br>최익성 3191<br>김성일 3054<br>배미경 3055<br>정보경 3056 | 김상일 2753<br>김현정 2763 | 황광국 2713<br>김연신 2714 | 박안제라 2783<br>정은수 2784 | 정종국 2223<br>김하늘 2224<br>주용호 2225<br>정희섭 2226<br>정용오 2234 | 이섭 2243<br>유성엽 2244<br>류지현 2245<br>전광현 2246 | 주선영 2263 | 이동진 2283<br>이은정 2284 |
| | 김상연 2728<br>윤상욱 3192<br>임안나 3058<br>안유현 3193<br>이재영 6373<br>임다혜 3060<br>윤한슬 6374<br>이지연 3194 | 진희성 2764<br>김두수 2755<br>박지현 2757<br>유수경 2759<br>정창우 2765<br>이정훈 2761<br>강유진 2766<br>정순철 2767 | 이동한 2715<br>안은주 2716<br>오형진 2717<br>유연진 2718<br>김수지 2719 | 장희원 2785<br>오연호 2786<br>김종석 2787<br>이수연 2788 | 유동균 2227<br>조미영 2228<br>정형준 2229<br>도정미(사무) 2235 | 강호종 2249<br>이준배 2247<br>황태연 2248<br>안준수 2250 | 서예림 2264<br>김미영 2265<br>한장혁 2266<br>한소라 2267 | 신동호 2285<br>황규형 2286<br>이선아 2287 |
| | 윤소월 3057<br>안태일 3059<br>유미선 6376<br>이주현 3195<br>한은정 3196 | 김시태 2758<br>이희령 2756<br>이묘진 2760<br>김재윤 2762<br>신용석 2754 | | 김문기 2789 | 김정훈 2230<br>김도연 2231<br>임종훈 2232<br>이재열 2233 | 황유성 2251<br>강이은 2252<br>정지영 2253<br>이찬 2254 | 김효진 2268<br>황하늬 2269<br>윤정은 2270 | 고아영 2288<br>박승호 2289 |
| | | | | | | | | |
| **공무직** | | | | | 정외숙 2236<br>신소라 2241 | | | 김민희 2290 |
| **FAX** | | | 3674-7691 | | 722-0528 | 736-5944 | 736-7234 | 720-6115 |

| 국실 | 성실납세지원국 | | | | | | | | |
|---|---|---|---|---|---|---|---|---|---|
| 국장 | 오상훈 2800 | | | | | | | | |
| 과 | 부가가치세과 | | | | 소득재산세과 | | | | |
| 과장 | 황정욱 2801 | | | | 정상수 2861 | | | | |
| 팀 | 부가1 | 부가2 | 부가3 | 소비 | 소득1 | 소득2 | 재산 | 복지세정1 | 복지세정2 |
| 팀장 | 표삼미 2802 | 김태석 2812 | 박순주 2832 | 채종일 2842 | 김진범 2862 | 김해영 2872 | 황영남 2882 | 박종경 2892 | 정승원 3072 |
| 국세<br>조사관 | 추세웅 2803<br>정현철 2804<br>장혜영 2809 | 정인선 2813<br>주세정 2814<br>박정숙 2815 | 변성욱 2833<br>박선규 2834 | 양태식 2843<br>이지선 2844 | 곽미나 2863<br>허정윤 2864 | 백순복 2873<br>부명현 2874 | 최미리 2883<br>이진영 2884<br>한윤숙 2885 | 허비은 2893<br>조은희 2894 | |
| | 서지영 2807<br>차순조 2805<br>김은미 2806 | 전주현 2816<br>윤동숙 2817<br>이연호 2818 | 박아연 2835<br>이중승 2836 | 문형민 2845<br>이근희 2846<br>이해운 2847<br>최은유 2848 | 정희라 2865<br>김미경 2866<br>권해영 2868 | 진한일 2875<br>정진영 2876 | 최성호 2887<br>김정희 2888<br>김은정 2889<br>정교필 2890 | 김혜숙 2895 | 박세하 3073 |
| | 이명구 2808 | 윤슬기 2819<br>이선민 2820 | 박슬기 2837<br>이주경 2838 | 김나연 2849<br>정혜림 2850<br>김유진 2851 | 장규복 2867 | 정효영 2877 | 신동희 2891<br>오하경 2897 | 강지훈 2896 | |
| | | | | | | | | | |
| 공무직 | 김이라 3000 | | | | | | | | |
| FAX | 736-1503 | | | 3674 -7686 | 736-1501 | | | | |

국세관련 모든 상담은 국번없이 126
전국 어디서나 편리하게 상담받으세요.
평일 9시~18시 (탈세제보는 24시간)

**DID : 02-2114-OOOO**

| 국실 | 성실납세지원국 | | | | | |
|---|---|---|---|---|---|---|
| 국장 | 오상훈 2800 | | | | | |
| 과 | 법인세과 | | | | | |
| 과장 | 송윤정 2901 | | | | | |
| 팀 | 법인1 | 법인2 | 법인3 | 법인4 | 국제조세1 | 국제조세2 |
| 팀장 | 김경필 2902 | 김인아 2922 | 이상길 2942 | 박희도 3032 | 박주원 2952 | 윤명덕 2962 |
| 국세<br>조사관 | 강정모 2903<br>최준 2904<br>김소정 2905<br>김정수 2906 | 박선아 2923<br>송옥연 2924<br>장창환 2925 | 구옥선 2943<br>양옥서 2944 | 우지수 3033<br>위주안 3034<br>나경영 3035 | 홍미라 2953<br>이여울 2954 | 임미라 2963<br>김태현 2964 |
| | 문숙현 2907<br>이은상 2908<br>이규혁 2909<br>김창미 2913 | 강문현 2926<br>최은지 2927<br>김영화 2928<br>이유리 2929 | 권민수 2945<br>장지혜 2946<br>정민기 2947<br>박준홍 2948 | 정진환 3036<br>권오석 3037<br>김보라 3038 | 이정은 2955<br>김순영 2956<br>강은실 2957 | 박은경 2965<br>조유흠 2966 |
| | 김서은 2910<br>조길현 2911 | 조영탁 2931<br>원현수 2930 | 조민성 2950<br>김민주 2951 | 서미리 3039 | 이지민 2958<br>김동환 2959 | 윤준식 2967 |
| | | | | | | |
| 공무직 | | | | | | |
| FAX | 736-1502 | | | | | |

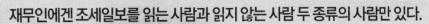

# 재무인과 함께 걸어가겠습니다 '조세일보'

재무인에겐 조세일보를 읽는 사람과 읽지 않는 사람 두 종류의 사람만 있다.

1등 조세회계 경제신문 조세일보

| 국실 | 성실납세지원국 | | | | | |
|---|---|---|---|---|---|---|
| 국장 | 오상훈 2800 | | | | | |
| 과 | 정보화관리팀 | | | | | |
| 과장 | 우연희 2971 | | | | | |
| 팀 | 지원 | 보안감사 | 행정지원 | 정보화센터1 | 정보화센터2 | 정보화센터3 |
| 팀장 | 최윤미 2972 | 하정권 3002 | 윤영순 2992 | 김형태 5302 | | 최진식 5392 |
| 국세<br>조사관 | 강봉선 2973<br>윤지형 2974<br>최연하 2975<br>조지영 2976<br>박은희 2984<br>정현숙 2985 | 김미연 3003 | 김희정 2993 | 정혜영 5309<br>유병임 5310<br>육영란 5312<br>이복희 5316 | 구자율 5354<br>엄명주 5355<br>이은영 5364<br>지점숙 5365<br>김옥연 5367 | 박용태 5402<br>정선재 5406<br>이은주 5403<br>권묘향 5407<br>주성옥 5408<br>배문경 5409 |
| | 박문영 2977<br>권정순 2986 | 김보운 3004<br>임정호 3005 | 정진영 2994 | 유상윤 5311<br>박승희 5303<br>김옥분 5313<br>이미경 5315<br>박애슬 5317<br>추정현 5319<br>김지연 5320<br>김연숙 5321<br>노정애 5322<br>안유희 5323 | 이현이 5366<br>엄영옥 5368<br>김미영 5369<br>주명화 5370<br>이순화 5371<br>박주현 5372<br>이선정 5373 | 김기숙 5393<br>조정희 5410<br>최종미 5411<br>이복자 5412<br>이경분 5413<br>고희경 5414<br>배성연 5415<br>윤인경 5416 |
| | 한민지 2978<br>김경덕 2987 | | 민정대 2995 | | 홍성한 5353 | |
| | | | | | | |
| 공무직 | 우금숙 | | | 간종화<br>이혜정 | | |
| FAX | 738-8783 | | | 6929-3793, 3762, 3753 | | |

**DID : 02-2114-OOOO**

| 국실 | 송무국 | | | | | | | | | | |
|---|---|---|---|---|---|---|---|---|---|---|---|
| 국장 | 김오영 3100 | | | | | | | | | | |
| 과 | 송무1과 | | | | | | | 송무2과 | | | |
| 과장 | 이관노 3101 | | | | | | | 홍철수 3151 | | | |
| 팀 | 총괄 | 심판 | 법인1 | 법인2 | 개인 | 상증1 | 상증2 | 법인1 | 법인2 | 법인3 | 개인1 |
| 팀장 | 한기준 3102 | 하수현 3111 | 박경은 3120 | 문진혁 3125 | 서남이 3130 | 최용근 3133 | 김항범 3136 | 김진희 3152 | 이권형 3156 | 윤소희 3159 | 권충구 3163 |
| 국세 조사관 | 손옥주 3103 송정현 3105 김인숙 3110 | 이대건 3112 | 박희정 3121 김영종 3122 이재욱 3123 | 최은하 3126 길남희 3127 이송하 3129 | 이재욱 3131 | 홍정의 3134 | 김근화 3137 조주경 3138 | 구순옥 3153 김화영 3154 | 이선의 3157 문소웅 3184 | 전민정 3160 김민관 3161 | 이찬 3164 류윤정 3165 |
| | 정진범 3104 장병국 3106 이우석 3107 유준호 3108 최은미 3109 | 고미량 3113 이효정 3114 안중훈 3115 | 한윤숙 3124 | 정보근 3128 | 배순출 3132 | 문재희 3135 | | 이해섭 3155 | 황인아 3158 | 이연지 3162 | 김민주 3166 |
| | | | | | | | | | | | |
| | | | | | | | | | | | |
| 공무직 | 신다솜 3200 | | | | | | | | | | |
| FAX | 780-1589 | | | | | | | 780-4165 | | | |

140

| 국실 | 송무국 | | | | | | | | | | | |
|---|---|---|---|---|---|---|---|---|---|---|---|---|
| 국장 | 김오영 3100 | | | | | | | | | | | |
| 과 | 송무2과 | | | | 송무3과 | | | | | | | |
| 과장 | 홍철수 3151 | | | | 한제희 3201 | | | | | | | |
| 팀 | 개인2 | 상증1 | 상증2 | 민사 | 법인1 | 법인2 | 개인1 | 개인2 | 개인3 | 상증1 | 상증2 | 민사 |
| 팀장 | 최혜진 3167 | 신미순 3171 | 이재식 3175 | 이향규 3179 | 윤설진 3202 | 이진혁 3207 | 추성영 3212 | 이지숙 3215 | 노동렬 3218 | 한청용 3221 | 황연실 3226 | 홍석원 3230 |
| 국세조사관 | 박현영 3168 이문환 3169 박주효 3170 | 이은 3172 | 공진배 3176 이유상 3177 | 한혜영 3180 곽은정 3181 장지혜 3183 | 차진선 3203 | 김호영 3208 정주영 3209 강예진 3211 | 양아열 3213 | 김은진 3217 | 김재하 3220 | 박동수 3222 이유진 3223 양동욱 3232 | 이지연 3227 정은하 3228 | 박세령 3231 김빛나 3233 김윤주 3234 이현근 3235 |
| | | 이인숙 3173 권현서 3174 | 이윤희 3178 | 김규희 3182 | 이해인 3205 강현웅 3204 | 김은아 3210 | 김정한 3214 | 김덕진 3216 | 손지나 3219 | 박영식 3224 | 윤석 3229 | |
| | | | | | | | | | | | | |
| | | | | | | | | | | | | |
| 공무직 | | | | | 장현영 3206 | | | | | | | |
| FAX | 780-4165 | | | | 780-4162 | | | | | | | |

국세관련 모든 상담은 국번없이 126
전국 어디서나 편리하게 상담받으세요.
평일 9시~18시 (탈세제보는 24시간)

DID : 02-2114-OOOO

**가현택스**

**대표세무사 : 임채수** (前잠실세무서장/경영학박사)
서울시 송파구 신천동 11-9 한신코아오피스텔 1016호
전화: 02-3431-1900    팩스: 02-3431-5900
핸드폰: 010-2242-8341    이메일: lcsms57@hanmail.net

| 국실 | 조사1국 | | | | | | | | | |
|---|---|---|---|---|---|---|---|---|---|---|
| 국장 | 양철호 3300, 3400 | | | | | | | | | |
| 과 | 조사1과 | | | | | | | | | |
| 과장 | 박성무 3301 | | | | | | | | | |
| 팀 | 조사1 | 조사2 | 조사3 | 조사4 | 조사5 | 조사6 | 조사7 | 조사8 | 조사9 | 조사10 |
| 팀장 | 권경환 3302 | 김주강 3322 | 박찬주 3332 | 노태순 3342 | 현창훈 3352 | 김이준 3362 | 황지원 3372 | 김은정 3382 | 고재국 3392 | 최형준 3402 |
| 반장 | 강희경 3303 | 이기순 3324 | 정진욱 3333 | 홍지연 3343 | 이충오 3353 | 박수정 3363 | 박준홍 3373 | 오세정 3383 | 이지현 3393 | 김재욱 3403 |
| 국세 조사관 | 이기주 3304 | | 김민주 3334 | 임병수 3344 | | 조소희 3364 | 최영인 3374 | | 강수원 3394 | |
| | 강동휘 3305 손경진 3306 서민수 3307 홍승범 3308 양미덕 3309 | 정미영 3325 | 김주원 3335 제현종 3336 | 황재민 3345 안주영 3346 김일두 3347 | 송환용 3354 김수진 3355 최명현 3357 김동욱 3356 | 김대우 3365 최재규 3366 조원철 3367 | 서지원 3375 송인용 3376 김보미 3377 | 손정아 3384 이재호 3385 박순애 3386 이권승 3387 | 김은정 3396 정용수 3395 이대근 3397 | 심정보 3404 김푸름 3405 전병진 3406 |
| | 김해인 3310 허정희 3311 | 홍선아 3326 | 오유빈 3337 김용준 3338 | 전아라 3348 | 노영배 3358 | 권영주 3368 | 유경원 3378 | 김희애 3388 | 박서연 3398 | 홍나경 3407 |
| | | | | | | | | | | |
| 공무직 | 이한나 3300 | | | | | | | | | |
| FAX | 736-1505 | | | | | | | | | |

| 국실 | 조사1국 | | | | | | | | | |
|---|---|---|---|---|---|---|---|---|---|---|
| 국장 | 양철호 3300, 3400 | | | | | | | | | |
| 과 | 조사2과 | | | | | | | | | |
| 과장 | 한상현 3421 | | | | | | | | | |
| 팀 | 조사1 | 조사2 | 조사3 | 조사4 | 조사5 | 조사6 | 조사7 | 조사8 | 조사9 | 조사10 |
| 팀장 | 강찬호 3422 | 손상현 3432 | 김성웅 3442 | 이병주 3452 | 고준석 3462 | 이정걸 3472 | 윤광현 3482 | 문태형 3492 | 전정은 3502 | 김용곤 3512 |
| 반장 | 강동진 3423 | 강창호 3433 | 강준원 3443 | 김영규 3453 | 변영시 3463 | 신상일 3474 | 김현재 3483 | 박금옥 3493 | 유형대 3503 | 이세민 3513 |
| 국세 조사관 | 남궁민 3424 | | | | 김성우 3464 | | 윤지영 3484 | 이혜진 3494 | | |
| | 고영상 3425 조성용 3426 김영민 3427 | 이광연 3434 임창범 3435 | 김정희 3444 장지윤 3445 | 정의철 3454 신동규 3455 김상은 3456 김민경 3456 | 최은숙 3465 정보람 3466 | 최솔 3475 김은주 3476 | 강석관 3485 이호경 3486 | 박규빈 3495 김동욱 3496 | 이수연 3504 강성은 3505 김혜리 3506 | 배상윤 3514 이유진 3515 민차형 3516 |
| | 박규미 3428 김지원 3429 | 이향주 3436 김미소 3437 | 김복희 3446 백현기 3447 | 최지수 3458 | 김영무 3467 황순호 | 염보희 3477 류현준 3477 | 양기현 3487 | 김보미 3497 | 김민우 3507 | 황성필 3517 |
| | | | | | | | | | | |
| 공무직 | 김꽃말 3430 | | | | | | | | | |
| FAX | 736-1504 | | | | | | | | | |

143

새미래 콜센터 126

국세관련 모든 상담은 국번없이 126
전국 어디서나 편리하게 상담받으세요.
평일 9시~18시 (탈세제보는 24시간)

**DID : 02-2114-OOOO**

| 국실 | 조사1국 | | | | | | | | |
|---|---|---|---|---|---|---|---|---|---|
| 국장 | 양철호 3300, 3400 | | | | | | | | |
| 과 | 조사3과 | | | | | | | | |
| 과장 | 남아주 3521 | | | | | | | | |
| 팀 | 조사1 | 조사2 | 조사3 | 조사4 | 조사5 | 조사6 | 조사7 | 조사8 | 조사9 |
| 팀장 | 이범석 3522 | 박상율 3532 | 조성경 3542 | 이성호 3552 | 김선일 3562 | 김기현 3572 | 김지연 3582 | 김재백 3592 | 김수용 3082 |
| 반장 | 이승훈 3523 | 손영대 3533 | 김민정 3543 | 안형진 3553 | 윤동석 3563 | 김두연 3573 | 김미정 3583 | 이지숙 3593 | 정수진 3083 |
| 국세 조사관 | 이창오 3524 | | | 김완수 3554 | | 김철민 3574 | | 이경헌 3594 | |
| | 안중호 3525 김대우 3526 김명열 3527 김경숙 3528 | 김동욱 3534 김한결 3535 장한별 3536 | 박서정 3544 고상현 3545 이은지 3546 | 이현정 3555 박문수 3556 | 김광현 3564 황혜정 3565 민정은 3566 | 박상봉 3575 서정호 3576 | 배주환 3584 이재용 3585 손승모 3586 | 이재성 3595 안재희 3596 | 조혜원 3084 오화섭 3085 신근모 3086 |
| | 고현준 3529 최봉렬 3530 | 조민석 3537 | 김은호 3547 | 정지예 3557 | 김소라 3567 안인엽 | 곽혜원 3577 | 최인규 3587 | 변지현 3597 | 전유라 3087 |
| | | | | | | | | | |
| 공무직 | | | | | | | | | |
| FAX | 720-1292 | | | | | | | | |

144

| 국실 | 조사2국 | | | | | | | | | |
|---|---|---|---|---|---|---|---|---|---|---|
| 국장 | 심욱기 3600 | | | | | | | | | |
| 과 | 조사관리과 | | | | | | | | | |
| 과장 | 오은정 3601 | | | | | | | | | |
| 팀 | 1 | 2 | 3 | 4 | 5 | 6 | 7 | 8 | 9 | 10 |
| 팀장 | 이인선 3602 | 서형렬 3622 | 김영근 3632 | 박재광 3642 | 조성훈 3652 | 정형주 3662 | 오성택 3672 | 오은경 3682 | 최한근 3692 | 손필영 3702 |
| 반장 | 이찬희 3603 | 이윤주 3623 | 하태상 3633 | 서명진 3643 | 남기훈 3653 | 이선하 3663 | 조은덕 3673 | 유재연 3683 | 유희준 3693 | 윤경희 3703 |
| 국세조사관 | 김진성 3604 김향숙 3611 | 전승환 3624 | 이영석 3634 | 표지선 3644 | | | 박수한 3674 | | 송현주 3694 | 김지연 3704 |
| 국세조사관 | 조재범 3605 송화영 3606 이미라 3607 곽지훈 3608 | 유지희 3625 | 배진근 3635 장지은 3636 여정주 3637 | 김순옥 3645 이태환 3646 최슬기 3647 | 이유정 3654 방은정 3655 소민 3656 | 최홍서 3664 김도윤 3665 황은영 3666 | 박지영 3675 서혁진 3676 김윤정 3677 | 이성민 3684 백연주 3685 | 이지연 3695 | 전용수 3705 한상훈 3706 주경섭 3707 |
| 국세조사관 | 김현민 3609 류승현 3610 | 유소열 3626 | 장현진 3638 | 이현우 3648 | 조현진 3657 | 박주희 3667 | 송종훈 3658 | 윤현미 3686 | 김미림 3696 | 조경민 3708 |
| 국세조사관 | | | | | | | | | | |
| 공무직 | 임경매 3700 | | | | | | | | | |
| FAX | 737-8138 | 3674-7871 | 730-9517 | 732-6475 | 720-6960 | 735-5768 | 736-6824 | 739-9557 | 3674-7920 | 720-5107 |

**국세관련 모든 상담은 국번없이 126**
전국 어디서나 편리하게 상담받으세요.
평일 9시~18시 (탈세제보는 24시간)

**DID : 02-2114-OOOO**

| 국실 | 조사2국 | | | | | | | | | |
|---|---|---|---|---|---|---|---|---|---|---|
| 국장 | 심욱기 3600 | | | | | | | | | |
| 과 | 조사1과 | | | | | | | | | |
| 과장 | 권태윤 3721 | | | | | | | | | |
| 팀 | 조사1 | 조사2 | 조사3 | 조사4 | 조사5 | 조사6 | 조사7 | 조사8 | 조사9 | 조사10 |
| 팀장 | 고광덕 3722 | 김태욱 3732 | 홍명자 3742 | 이주석 3752 | 서영미 3762 | 서철호 3772 | 황태훈 3782 | 권오봉 3792 | 임종수 3802 | 손태빈 3902 |
| 반장 | 김선일 3723 | 이경선 3733 | 장희철 3743 | 김재진 3753 | 이순엽 3763 | 류옥희 3773 | 문근나 3783 | 김미주 3793 | 이권식 3803 | 정주영 3903 |
| 국세조사관 | 도미영 3724 | 박웅 3734 | 강승구 3744 | | | | | | | |
| 국세조사관 | 나덕희 3725 허은석 3726 송혜원 3727 | 허남규 3735 이진화 3736 | 정도희 3745 전인경 3746 | 정미란 3754 조남건 3755 | 김대중 3764 이은선 3766 | 엄준희 3775 임선아 3776 허소미 3774 | 최인영 3784 오정민 3785 박찬호 3786 | 신정아 3794 이인권 3795 | 민근혜 3804 이경 3805 | 홍진국 3904 제갈희진 3905 손정빈 3906 |
| 국세조사관 | 윤지혜 3728 신홍영 3729 | 고혁준 3737 김수현 3738 | 정민국 3747 | 정진주 3756 김진영 3757 | 김아름 3766 왕윤미 3767 | 임경준 3777 | 안병현 3787 | 김진주 3796 이솔 3797 | 차동희 3806 박범석 3807 | 이지헌 3907 |
| 국세조사관 | | | | | | | | | | |
| 공무직 | 신정식 3730 | | | | | | | | | |
| FAX | 720-9031 | 720-7697 | 723-8543 | 730-8588 | 720-6104 | 720-6105 | 725-2782 | 720-6020 | 732-0514 | |

146

# 10년간 쌓아온 재무인의 역사를 돌려드립니다 '온라인 재무인명부'

수시 업데이트 되는 국세청, 정·관계 인사의 프로필과 국세청, 지방청, 전국세무서, 관세청, 유관기관 등의 인력배치 현황을 볼 수 있는 온라인 재무인명부

1등 조세회계 경제신문 조세일보

| 국실 | 조사2국 | | | | | | | | |
|---|---|---|---|---|---|---|---|---|---|
| 국장 | 심욱기 3600 | | | | | | | | |
| 과 | 조사2과 | | | | | | | | |
| 과장 | 권석현 3811 | | | | | | | | |
| 팀 | 조사1 | 조사2 | 조사3 | 조사4 | 조사5 | 조사6 | 조사7 | 조사8 | 조사9 |
| 팀장 | 신용범 3812 | 신세용 3822 | 박성기 3832 | 이종준 3842 | 박승효 3852 | 송재천 3862 | 도예린 3872 | 김민양 3882 | 임한영 3892 |
| 반장 | 김상욱 3813 | 이영진 3823 | 윤영길 3833 | 윤재길 3843 | 김진미 3853 | 이성환 3863 | 유지은 3873 | 김상곤 3883 | 이동희 3893 |
| 국세조사관 | 허진 3814 | 김성욱 3824 | 김동현 3834 | 이은숙 3844 | 박정권 3854 | | | | |
| | 류진규 3815 오창기 3816 | 김유미 3825 한진혁 3826 | 김현진 3835 정예린 3836 | 배은아 3845 구명옥 3846 | 김주홍 3855 이유경 3856 | 김은희 3864 한지원 3865 서민우 3866 | 문승민 3874 이호은 3875 | 황지혜 3884 이주한 3885 | 추현종 3894 김선희 3895 |
| | 김윤 3817 김나리 3818 박혜민 3819 | 김수형 3827 차수빈 3828 | 정혜미 3837 | 신영준 3847 | 김정인 3857 | 이건일 3867 | 강지선 3876 김재현 3877 | 신지우 3886 배성진 3887 | 안영채 3896 백수경 3897 |
| 공무직 | 조선덕 3820 | | | | | | | | |
| FAX | 3674-7823 | 3674-7831 | 3674-7839 | 3674-7847 | 3674-7855 | 3674-7863 | 3673-2783 | 743-8927 | 730-4549 |

**DID : 02-2114-OOOO**

| 국실 | 조사3국 | | | | | | |
|---|---|---|---|---|---|---|---|
| 국장 | 박해영 4000 | | | | | | |
| 과 | 조사관리과 | | | | | | |
| 과장 | 최이환 4001 | | | | | | |
| 팀 | 조사관리1 | 조사관리2 | 조사관리3 | 조사관리4 | 조사관리5 | 조사관리6 | 조사관리7 |
| 팀장 | 전종희 4002 | 장윤하 4022 | 원종호 4032 | 이수빈 4052 | 류오진 4062 | 김태섭 4082 | 이호 4092 |
| 반장 | 박용진 4003 | 김혜정 4023 | 송지은 4033 | 박균득 4053 | 임혜령 4063 | 장서영 4083 | 임현진 4093 |
| 국세조사관 | 이현숙 4004<br>김동빈 4005<br>박정현 4013 | 권현희 4024<br>권희은 4025 | 송선태 4034<br>박은희 4035 | 심아미 4054 | 서민자 4064<br>박종민 4065 | | |
| | 서정우 4006<br>김영찬 4007<br>이승호 4008 | 윤기덕 4026<br>임원주 4027 | 이미영 4036<br>김주현 4037<br>장수현 4038 | 최윤서 4055<br>이형섭 4056 | 전지민 4066<br>양석진 4067<br>배미일 4068<br>박서연 4069 | 김성욱 4084 | 남꽃별 4094<br>손원우 4095 |
| | 변혜정 4009<br>방문용 4010 | | 이승하 4039<br>이슬기 4040 | 이정윤 4057<br>구영민 4058<br>김영재 4059 | 이원영 4070<br>김민아 4071<br>박호일 4072 | 박으뜸 4085 | 정재영 4096 |
| | | | | | | | |
| 공무직 | 안현아 4200 | | | | | | |
| FAX | 738-3666 | 722-2124 | 736-3820 | 736-9398 | 736-9399 | | 734-6686 |

| 국실 | 조사3국 | | | | | |
|---|---|---|---|---|---|---|
| 국장 | 박해영 4000 | | | | | |
| 과 | 조사1과 | | | | | |
| 과장 | 류지용 4121 | | | | | |
| 팀 | 조사1 | 조사2 | 조사3 | 조사4 | 조사5 | 조사6 |
| 팀장 | 염귀남 4122 | 박권조 4132 | 조대현 4142 | 박현수 4152 | 이웅진 4162 | 전왕기 4172 |
| 반장 | 김상이 4123 | 윤솔 4133 | 박미연 4143 | 이창준 4153 | 최선우 4163 | 이난희 4173 |
| 국세<br>조사관 | 최영학 4124 | 박준서 4134 | 김선주 4144 | 임소영 4154 | 최은정 4164 | 강주영 4174 |
| | 박보경 4125<br>임형준 4126<br>김다민 4127<br>전선화 4130 | 여호철 4135<br>손성임 4136 | 이상덕 4145<br>강정구 4146 | 한은주 4155<br>김기홍 4156 | 김세희 4165<br>홍광식 4166 | 성우진 4175<br>최유건 4176 |
| | 원지혜 4128<br>시종원 4129 | 조홍준 4137<br>고재민 4138 | 박정임 4147<br>유성안 4148 | 이여진 4157 | 최세미 4167 | 박정화 4177 |
| | | | | | | |
| 공무직 | | | | | | |
| FAX | 733-2504 | 730-9519 | 736-6822 | 730-9638 | 730-5107 | 743-8927 |

DID : 02-2114-OOOO

| 국실 | 조사3국 | | | | | |
|---|---|---|---|---|---|---|
| 국장 | 박해영 4000 | | | | | |
| 과 | 조사2과 | | | | | |
| 과장 | 이요원 4211 | | | | | |
| 팀 | 조사1 | 조사2 | 조사3 | 조사4 | 조사5 | 조사6 |
| 팀장 | 이상언 4212 | 김일도 4222 | 김영주 4232 | 주성태 4242 | 박종석 4252 | 이승종 4262 |
| 반장 | 황창훈 4213 | 전현정 4223 | 김보연 4233 | 권경란 4243 | 김형석 4253 | 강상현 4263 |
| 국세<br>조사관 | 이규석 4214 | 백동욱 4224 | 이영호 4234 | 이동수 4244 | 이수진 4254 | 박선주 4264 |
| | 정상민 4215<br>이수정 4216<br>임진호 4217 | 김우정 4225<br>이세진 4226 | 안신영 4235<br>윤지원 4236 | 김재완 4245<br>허지원 4246 | 김은영 4255<br>오현식 4256 | 고성헌 4265<br>김기진 4266 |
| | 김희경 4218<br>이윤재 4219 | 장원주 4227<br>이경은 4228<br>허재연 | 조원영 4237<br>이성규 4238 | 이지영 4247 | 정용승 4257 | 유휘곤 4267 |
| | | | | | | |
| 공무직 | 이선영 4220 | | | | | |
| FAX | 929-2180 | 924-5104 | 924-8584 | 929-4835 | 922-3942 | 925-9594 |

150

| 국실 | 조사3국 | | | | | |
|---|---|---|---|---|---|---|
| 국장 | 박해영 4000 | | | | | |
| 과 | 조사3과 | | | | | |
| 과장 | 김성기 4291 | | | | | |
| 팀 | 조사1 | 조사2 | 조사3 | 조사4 | 조사5 | 조사6 |
| 팀장 | 신혜숙 4292 | 김대철 4302 | 임경미 4312 | 정영훈 4322 | 고완병 4332 | 임행완 4342 |
| 반장 | 구본기 4293 | 양인영 4303 | 김태언 4313 | 김종곤 4323 | 조주희 4333 | 김혜미 4343 |
| 국세<br>조사관 | 이지호 4294 | 이성재 4304 | 이래경 4314 | 정소연 4324 | 강승현 4334 | 신성봉 4344 |
| | 윤종현 4295<br>류지혜 4296<br>박수지 4297 | 김대준 4305<br>최도석 4306 | 이보라 4315<br>정대혁 4316 | 이범준 4325<br>이창남 4326 | 백승호 4335<br>이진호 4336 | 김선주 4345<br>김미애 4346 |
| | 나명호 4298<br>장형구 4299 | 박소영 4307<br>신동훈 4308 | 윤우찬 4317<br>김혜빈 4318 | 김미례 4327 | 장서현 4337 | 이진문 4347 |
| | | | | | | |
| 공무직 | 김현주 4300 | | | | | |
| FAX | 922-5205 | 921-6825 | 922-6053 | 925-1522 | 924-5106 | 926-6653 |

| 국실 | 조사4국 | | | | | | | | | | |
|---|---|---|---|---|---|---|---|---|---|---|---|
| 국장 | | | | | | | | | | | |
| 과 | 조사관리과 | | | | | | | | | | |
| 과장 | 손영준 4501 | | | | | | | | | | |
| 팀 | 1 | 2 | 3 | 4 | 5 | 6 | 7 | 8 | 9 | 10 | 11 |
| 팀장 | 임병훈 4502 | 황보영미 4512 | 이용문 4522 | 이원우 4532 | 조주환 4542 | 안수아 4552 | 한세온 4562 | 이윤석 4572 | 정진욱 4582 | 한윤구 4602 | 위찬필 4612 |
| 반장 | 오현정 4503 | 김은선 4513 | 유영희 4523 | 이영옥 4533 | 김현정 4543 | 김윤선 4553 | 조재영 4563 | 백경미 4573 | 이수정 4583 | 이근웅 4603 | 이지선 4613 |
| 국세 조사관 | 김희주 4504 김준 4505 | 한주성 4514 배철숙 4515 | 박규송 4524 | 강은영 4534 | 윤선영 4544 유정희 4545 | | 김지민 4564 | 구재흥 4574 | 조위영 4584 | 김화준 4604 | |
| | 노계연 4506 신복희 4507 김태현 4510 | 이정일 4516 최은영 4517 최윤진 4518 | 석지영 4525 김송연 4527 | 공현주 4535 김윤정 4536 전영무 4537 | 정혜진 4546 손승진 4547 이진규 4548 김수일 4549 | 이동희 4554 장해성 4555 이숙 4556 엄재희 4557 | 이성애 4565 윤세정 4566 김성호 4567 | 송유정 4575 차혜진 4576 조숙연 4577 김가이 4578 | 김대호 4585 한장우 4586 심윤정 4587 | 조인혁 4605 서용현 4606 | 최병우 4614 강미영 4615 |
| | 봉수현 4508 박준영 4509 | | 이수진 4528 안기영 4529 | 유인성 4538 | 박서진 4550 | 박서빈 4558 | 이혜민 4568 | 강현주 4579 안초희 4580 | 홍은기 4588 유현식 4589 하민영 4590 | | 신승연 4616 |
| | | | | | | | | | | | |
| 공무직 | 박선아 4700 | | | | | | | | | | |
| FAX | 722-7119 | 739-9550 | 720-2206 | 736-4249 | 720-0568 | 3675-6784 | | 736-5545 | 736-5546 | 736-0514 | 3674-7795 |

**가현택스**

대표세무사 : 임채수 (前잠실세무서장/경영학박사)
서울시 송파구 신천동 11-9 한신코아오피스텔 1016호
전화: 02-3431-1900    팩스: 02-3431-5900
핸드폰: 010-2242-8341    이메일: lcsms57@hanmail.net

DID : 02-2114-OOOO

| 국실 | 조사4국 | | | | |
|---|---|---|---|---|---|
| 국장 | | | | | |
| 과 | 조사1과 | | | | |
| 과장 | 최영철 4621 | | | | |
| 팀 | 조사1 | 조사2 | 조사3 | 조사4 | 조사5 |
| 팀장 | 김유신 4622 | 고승욱 4632 | 강석구 4642 | 유동민 4652 | 문도연 4672 |
| 반장 | 심수한 4623 | 손진욱 4633 | 문상철 4643 | 박경근 4653 | 이전봉 4673 |
| 국세조사관 | 이응석 4624 | 유경호 4634<br>이강경 4635 | | 부혜숙 4654 | 김노섭 4674 |
| | 김충만 4625<br>김병휘 4626<br>이지혜 4627<br>김경호 4628<br>김민경 4629<br>송청자 4667 | 이지숙 4636<br>안승화 4637<br>곽한민(파견) | 송준승 4644<br>문교현 4645<br>이현수 4646<br>김유정 4647 | 김태인 4655<br>김재관 4656 | 고현호 4675<br>이상헌 4676<br>장아름미 4677 |
| | 최호윤 4630<br>최재형 4631 | 황정미 4638<br>채만식 4639 | 김유진 4648 | 최지현 4657<br>오만석 4658 | 송해영 4678 |
| | | | | | |
| 공무직 | | | | | |
| FAX | 765-1370 | 741-5460 | 743-6827 | 765-6828 | 743-5132 |

국세관련 모든 상담은 국번없이 126
전국 어디서나 편리하게 상담받으세요.
평일 9시~18시 (탈세제보는 24시간)

DID : 02-2114-OOOO

| 국실 | 조사4국 | | | | | | | |
|---|---|---|---|---|---|---|---|---|
| 국장 | | | | | | | | |
| 과 | 조사2과 | | | | 조사3과 | | | |
| 과장 | 조영탁 4721 | | | | 이경순 4791 | | | |
| 팀 | 조사1 | 조사2 | 조사3 | 조사4 | 조사1 | 조사2 | 조사3 | 조사4 |
| 팀장 | 이방원 4722 | 김석모 4732 | 임창빈 4742 | 서주원 4752 | 김형준 4792 | 방종호 4802 | 김유신 4812 | 이건도 4822 |
| 반장 | 박상훈 4723 | 이정은 4733 | 배경직 4743 | 김대현 4753 | 백영일 4793 | 이옥선 4803 | 염세환 4813 | 최동혁 4823 |
| 국세<br>조사관 | 문태정 4724 | | | 이영진 4754 | 김성은 4794<br>이희영 4860 | 강인혜 4804 | | 조미화 4824 |
| | 노남규 4725<br>이세인 4726<br>신지혜 4727<br>이휘승(파견)<br>권민정 4728 | 김재현 4734<br>이재복 4735<br>이희창 4736<br>양동규 4737 | 김형수 4744<br>김용현 4745<br>이선진 4746<br>박선영 4747 | 김현우 4755<br>최미선 4756 | 김희진 4795<br>류광현 4796<br>이지숙 4797<br>이규형(파견) | 한승만 4805<br>강재원 4806<br>홍유종 4807 | 이대식 4814<br>김지선 4815<br>조용석 4816<br>김정담 4817 | 송창녕 4825<br>김명진 4826<br>이수정 4827 |
| | 노수연 4729<br>한미현 4730 | 여효정 4738<br>황현서 4739 | 김형후 4748 | 정유리 4757<br>진선호 4758 | 이지민 4798<br>노종영 4799<br>이채연 4800 | 박혜진 4808 | 임수연 4818 | 박정현 4828 |
| | | | | | | | | |
| 공무직 | 유경선<br>4731 | | | | | | | |
| FAX | 762-6751 | 766-4996 | 3672-3673 | 764-6669 | 763-7857 | 763-9106 | 762-6752 | 741-0784 |

| 국실 | 국제거래조사국 | | | | | | | | |
|---|---|---|---|---|---|---|---|---|---|
| 국장 | 한창목 5100 | | | | | | | | |
| 과 | 국제조사관리과 | | | | | | | | |
| 과장 | 이상훈 5001 | | | | | | | | |
| 팀 | 조사관리1 | 조사관리2 | 조사관리3 | 조사관리4 | 조사관리5 | 조사관리6 | 조사관리7 | 조사관리8 | 조사관리9 |
| 팀장 | 김정미 5002 | 황하나 5012 | 김영정 5022 | 홍창규 5032 | 유인선 5042 | 심은진 5052 | 김기훈 5062 | 정규명 5072 | 정학순 5082 |
| 반장 | 정진영 5003 | 이상묵 5013 | 나진순 5023 | 박찬웅 5033 | 장인영 5043 | 조용수 5053 | 이세연 5063 | 이임순 5073 | 윤여진 5083 |
| 국세 조사관 | 김진희 5009 | 류수연 5014 | | 임강욱 5034 | | 모두열 5054 | 송주현 5064 | | |
| | 이재연 5004 박진습 5005 김영진 5006 | 송진미 5015 이이네 5016 신동배 5017 안정우 5018 | 최은혜 5024 김예린 5025 | 이혜린 5035 이지수 5036 | 이은정 5044 김극돈 5045 박인규 5046 | 기재희 5055 박신애 5056 이애경 5057 | 홍지흔 5065 채정환 5066 | 송진희 5074 조희진 5075 박세진 5076 | 임수진 5084 |
| | 이혜진 5007 장덕윤 5008 | | 김신애 5026 김서현 5027 | 이은비 5037 은하얀 | 석혜조 5047 | 김소나 5058 | 이기숙 5067 소재준 5068 | 명인범 5077 | |
| | | | | | | | | | |
| 공무직 | 문무영 5100 | | | | | | | | |
| FAX | 739-9832 | 725-8287 | 3674-7950 | 3674-7957 | 3674-7964 | 3674-7854 | 3674-7870 | 3674-7862 | |

DID : 02-2114-OOOO

| 국실 | 국제거래조사국 | | | | | | |
|---|---|---|---|---|---|---|---|
| 국장 | 한창목 5100 | | | | | | |
| 과 | 조사1과 | | | | | | |
| 과장 | 주현철 5101 | | | | | | |
| 팀 | 제1조사 | 제2조사 | 제3조사 | 제4조사 | 제5조사 | 제6조사 | 제7조사 |
| 팀장 | 문형민 5102 | 최길만 5112 | 박애자 5122 | 조창우 5132 | 조명완 5142 | 고명효 5152 | 정승환 5162 |
| 반장 | 이한상 5103 | 김혜영 5113 | 이종우 5123 | 이안나 5133 | 권영승 5143 | 이미애 5153 | 김규환 5163 |
| 국세 조사관 | 주현아 5104<br>박은선 5109 | | 오지형 5124 | 박지현 5134 | | 연덕현 5154 | |
| | 도상옥 5105<br>양연화 5106<br>박지숙 5107 | 신희웅 5114<br>한수현 5115<br>정인선 5117 | 이명희 5125 | 오세찬 5135<br>황아름 5136 | 최명준 5144<br>남송이 5145 | 문홍규 5155 | 지성수 5164<br>곽민정 5165<br>서혜란 5166 |
| | 윤석환 5108<br>한덕윤 5110 | 김소희 5118 | 전연주 5126<br>이융건 5127 | 최선주 5137 | 허문정 5146<br>강민정 5147 | 이현주 5156<br>박수진 5157 | 박성애 5167 |
| | | | | | | | |
| 공무직 | | | | | | | |
| FAX | 3674-5520 | 3674-5537 | 723-5541 | 739-9833 | 725-8286 | 3674-7989 | 725-6967 |

| 국실 | 국제거래조사국 | | | | | |
|---|---|---|---|---|---|---|
| 국장 | 한창목 5100 | | | | | |
| 과 | 조사2과 | | | | | |
| 과장 | 김선주 5201 | | | | | |
| 팀 | 제1조사 | 제2조사 | 제3조사 | 제4조사 | 제5조사 | 제6조사 |
| 팀장 | 양영경 5202 | 김정남 5212 | 최오동 5222 | 박형민 5232 | 송지현 5242 | 김택근 5252 |
| 반장 | 형성우 5203 | 이덕화 5213 | 권진록 5223 | 박원균 5233 | 전선영 5243 | 백송희 5253 |
| 국세<br>조사관 | 이윤정 5204 | 이경화 5214 | 윤지영 5224 | 진민정 5234 | 정석규 5244 | |
| | 송병호 5205<br>박진희 5206<br>안미혜 5207<br>정세윤 5210 | 위경환 5215<br>최미란 5216<br>김수진 5217 | 이혜인 5225<br>양희석 5226 | 강다영<br>곽희경 5235<br>최효진 5236 | 강정희 5245<br>왕지은 5246 | 김경미 5254<br>이수연 5255<br>유용근 5256 |
| | 황인화 5208<br>최윤희 5209 | 박미정 5218 | 박종호 5227<br>송지윤 5228 | 김정엽 5237 | 황희상 5247 | 양국현 5257 |
| | | | | | | |
| 공무직 | | | | | | |
| FAX | 3674-7932 | 3674-7940 | 3674-5529 | 3674-7684 | 3674-5596 | 3674-5545 |

# 강남세무서

대표전화: 02-5194-200 / DID: 02-5194-OOO

서울언북 초등학교 청담근린공원 강남세무서 청담역 청담공원앞교차로 강남구청

서장:
DID: 02-5194-201~2

| 주소 | 서울특별시 강남구 학동로 425 (청담동 45번지) (우) 06068 | | | | |
|---|---|---|---|---|---|
| 코드번호 | 211 | 계좌번호 | 180616 | 사업자번호 | 120-83-00025 |
| 관할구역 | 서울특별시 강남구 중 신사동, 논현동, 압구정동, 청담동 | | | 이메일 | gangnam@nts.go.kr |

| 과 | 징세과 | | | 부가가치세과 | | 소득세과 | | 재산세1과 | |
|---|---|---|---|---|---|---|---|---|---|
| 과장 | 김형래 240 | | | 윤경희 280 | | 이명기 360 | | 김종국 480 | |
| 팀 | 운영지원 | 체납추적1 | 체납추적2 | 부가1 | 부가2 | 소득1 | 소득2 | 재산1 | 재산2 |
| 팀장 | 박재홍 241 | 김민선 601 | 백은경 621 | 권부환 281 | 고영수 301 | 지연우 361 | 김일동 381 | 박종렬 481 | 신창훈 501 |
| 국세조사관 | | | 유은숙 262 | 남봉근 282 | 동남일 303 | 문미라 362 | 박승호 382 | 김희정 482 이승훈 이혜은 | 김흥곤 502 최영현 503 |
| | 김주애 243 오정환 242 김준영 244 박민아 247 | 정정희 602 이선영 603 여종엽 604 김유진 605 송경원 606 손기혜 607 | 류순영 622 윤영숙 623 윤미희 624 오경민 625 박정민 626 금진희 263 변수민 264 이서현 627 | 손승희 283 박태호 284 정순삼 285 강금여 286 양순영 | 현지희 304 안성준 305 안혜정 306 | 윤은숙 김주영 363 김민수 364 박지영 377 | 유명옥 383 최재원 384 김민정 | 김민석 484 이은희 485 조희원 495 | 권유미 504 고예지 505 고유경 506 |
| | 이선미 245 박철우 246 안성빈 617 이창훈 618 | 정세인 608 오홍희 609 | 배현주 628 나환웅 629 김채현 630 김비주 631 | 안모세 287 박신해 288 한예슬 289 최정희 | 김광호 307 김혜림 308 김미덕 309 | 송수현 365 | 전선희 385 | 지상근 486 | 이규은 507 |
| | 엄상우 247 지소정 248 | 송경아 610 이지원 611 전희은 612 | 송혜인 632 | 권민지 290 김수빈 291 | 마효민 310 | 유동균 366 | 조성윤 386 정혜정 | 이정웅 487 | |
| FAX | 512-3917 | | | 546-0501 | | 546-3175 | | 546-3178 | |

**대원 세무법인**

세무사 : 조태윤          대표세무사 : 강영중

서울시 강남구 연주로 129길 20, 2층(논현동, 한국관세사회회관2층)

전화 : 02-3016-3800                           팩스 : 02-552-4301

대표세무사 강영중 M. 010-5493-4211    E. yjkang@taxdaewon.co.kr

세무사 조태윤      M. 010-7754-6347    E. taxinne@taxdaewon.co.kr

| 과 | 재산세2과 | | 법인세1과 | | 법인세2과 | | 조사과 | | 납세자보호담당관 | |
|---|---|---|---|---|---|---|---|---|---|---|
| **과장** | 박철완 540 | | 계구봉 400 | | 심재걸 440 | | 김은숙 640 | | 윤만식 210 | |
| **팀** | 재산1 | 재산2 | 법인1 | 법인2 | 법인1 | 법인2 | 정보관리 | 조사 | 납세자보호실 | 민원봉사실 |
| **팀장** | 전용원 541 | 최창수 561 | 정재일 401 | 이재숙 421 | 이지상 441 | 박미정 461 | 손병석 641 | 정태윤 651 | 김성윤 211 | 양희재 221 |
| **국세조사관** | 김광록 542 심연택 543 | 조선희 562 용옥선 563 | 이용광 탁서연 402 | 임세창 422 | 조병민 442 | | | 예정욱 654 김병기 657 윤형석 660 이기덕 663 정재훈 666 홍성일 669 | 유정미 212 유주연 213 김숙자 214 | 노아영 222 |
| | 고태영 544 정지우 545 | 최성규 564 신성근 565 | 정경택 403 이수원 404 신준철 405 이우진 406 | 임혜진 423 이경호 424 최정윤 425 | 하윤경 443 김청일 444 김호경 445 | 이조은 462 장충규 463 이예지 464 | 장원식 692 장수진 642 박미진 693 임선영 643 | 엄정상 672 박은정 674 설재형 652 임신희 658 조희성 670 김태연 667 천일 675 장서영 661 이상근 655 박준용 673 | 류기수 215 이현 216 김진환 217 | 이평호 223 유현 224 장선희 225 권혜미 224 |
| | 문영은 546 허지희 547 김은정 548 | | 김민성 407 | 민혜선 426 | 이미경 446 강지현 447 | 오혜선 465 이현석 466 | 김형묵 644 | 정교민 664 이지연 653 | | 박현규 226 정다영 227 이선영 225 원정윤 229 |
| | | | 이예지 408 | 정준영 427 성명은 428 | 최세진 448 한재영 449 | 윤성훈 467 장수현 468 | 김이쁨 694 | 유로아 656 김진달래 665 우현승 662 김보영 668 이난영 659 정해원 671 | | 임수민 228 |
| **FAX** | 546-3179 | | 546-0505 | | 546-0506 | | 546-0507 | | 546-3181 | |

# 강동세무서

대표전화: 02-22240-200 / DID: 02-22240-OOO

서장: **임 상 진**
DID: 02-22240-201, 202

| 주소 | 서울특별시 강동구 천호대로 1139 (길동, 강동그린타워) (우) 05355 | | | | |
|---|---|---|---|---|---|
| 코드번호 | 212 | 계좌번호 | 180629 | 사업자번호 | 212-83-01681 |
| 관할구역 | 서울특별시 강동구 | | | 이메일 | gangdong@nts.go.kr |

| 과 | 징세과 | | | 부가가치세과 | | 소득세과 | | 법인세과 | |
|---|---|---|---|---|---|---|---|---|---|
| 과장 | 김소연 240 | | | 신성철 280 | | 서영상 360 | | 김헌국 400 | |
| 팀 | 운영지원 | 체납추적1 | 체납추적2 | 부가1 | 부가2 | 소득1 | 소득2 | 법인1 | 법인2 |
| 팀장 | 최영지 241 | 김건웅 601 | 황준성 261 | 김혜정 281 | 이유상 301 | 양나연 361 | | 황은주 401 | 김은정 421 |
| 국세조사관 | | | 김윤정 262 | 전만기 282 | 이지연 302 | 손성탁 362 | 나우영 622 | 김현정 402 | |
| | 윤서진 242<br>김윤경 243 | 이희라 602<br>한수연 603<br>최승혁 604<br>이철호 605 | 강주은 263<br>김미숙 265<br>홍정민 266<br>정재희 267<br>최민지 268 | 이순영 283<br>박유광 284<br>강동효 285 | 박준호 302<br>김계영 303<br>김윤호 304 | 채수향 363<br>윤용 364<br>윤미나 365<br>성봉준 366 | 김수민 623<br>김문길 624<br>홍성희 625 | 박숙희 403<br>전샛별 404<br>송고운 405 | 이경임 422<br>신현호 423 |
| | 김지윤 244<br>최진철 245<br>송은우 667 | 심상희 606<br>김우호 607 | 유혜지 270 | 임영수 286 | 박경란 305<br>이후림 306<br>선지혜 307<br>유영준 308 | 한보름 367<br>박은정 368<br>임혜연 369 | 민기원 626 | 정준채 406 | 정현우 424 |
| | 최예은 246<br>이동욱 666 | 김민진 608<br>조성규 609 | 최수미 264 | 임하경 287<br>이성도 288<br>김희연 289<br>홍예윤 295 | 김수빈 309<br>남도현 310<br>성준희 295 | 김형우 370<br>이주현 371<br>권효준 295 | 박나리 627<br>이윤미 628<br>강수지 629<br>전진아 630<br>최정임 295 | 장동인 407 | 정직한 425 |
| FAX | 2224-0267 | | | 489-3253 | | 489-3255~56 | | 489-4129 | |

# 1등 조세회계 경제신문 조세일보

| 과 | 재산세과 | | | 조사과 | | 납세자보호담당관 | |
|---|---|---|---|---|---|---|---|
| 과장 | 전순호 480 | | | 안병태 640 | | 박금배 210 | |
| 팀 | 재산1 | 재산2 | 재산3 | 정보관리 | 조사 | 납세자보호실 | 민원봉사실 |
| 팀장 | 이해석 481 | 김진경 501 | 진홍탁 520 | 이동주 641 | 김태우 651 | 박구영 211 | 황호민 221 |
| 국세<br>조사관 | 류훈민 482 | 임정은 502 | 전태병 521 | 윤철민 691 | 최보문 653<br>김동욱 654 | 임아름 212 | 주윤숙 222 |
| | 임영신 483<br>송지선 484<br>최수빈 485<br>김태은 486 | 박초아 503<br>박성준 504 | 김태현 522<br>문윤호 523 | 빈수진 692<br>김은희 693 | 강현연 655<br>박정섭 645<br>박용태 658<br>양은영 659<br>이윤경 660<br>이혜란 656<br>김현영 657<br>방형석 654 | 박선은 213 | 원대연 223 |
| | 민성림 487<br>박건웅 487 | 구은주 505<br>황선화 505 | 고아라 524 | | 안가혜 662 | 김선아 214 | 강현주 226<br>표선임 224<br>김영숙 227 |
| | 김도은 550 | 김명수 506<br>김미정 550 | 김현주 525<br>이지원 526 | 박혜정 643 | | | 윤미 225<br>정지연 228 |
| FAX | 489-4166 | | | 489-4167 | | 489-4463 | 470-9577 |

# 강서세무서

대표전화: 02-26304-200 / DID: 02-26304-OOO

서장: **김 동 욱**
DID: 02-26304-201

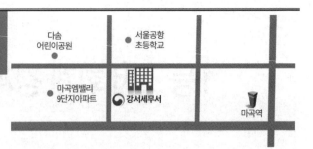

| 주소 | 서울특별시 강서구 마곡서1로 60 (마곡동 745-1) (우) 07799 | | | | |
|---|---|---|---|---|---|
| 코드번호 | 109 | 계좌번호 | 012027 | 사업자번호 | 109-83-02536 |
| 관할구역 | 서울특별시 강서구 | | | 이메일 | gangseo@nts.go.kr |

| 과 | 징세과 | | | 부가가치세과 | | | 소득세과 | | |
|---|---|---|---|---|---|---|---|---|---|
| 과장 | 김성준 240 | | | 전영호 280 | | | 고정선 360 | | |
| 팀 | 운영지원 | 체납추적1 | 체납추적2 | 부가1 | 부가2 | 부가3 | 소득1 | 소득2 | 소득3 |
| 팀장 | 정순욱 241 | 김영수 601 | 임영신 621 | 위승희 281 | 김병만 301 | 장재원 321 | 김한태 361 | 김판준 371 | 전경란 381 |
| 국세조사관 | | 장수안 602 | 유향란 622 | 변성미 282<br>홍종복 283 | 김진아 302 | 윤선희 322 | 심희선 362 | 이성경 372 | 이상헌 382 |
| 국세조사관 | 김정민 242<br>이하섬 243 | 이부창 603<br>김윤영 604<br>유수현 605<br>김예원 606<br>주성재 607 | 이현희 261<br>박순희 623<br>장미혜 624<br>이미정 262<br>김혜정 625 | 유소정 284<br>김은령 285<br>김재성 286<br>박정순 291 | 최효진 303<br>박성준 304<br>김정미 305<br>조미성 306 | 지현배 323<br>강미진 324<br>정미희 325<br>서승혜 327<br>남윤정 582 | 노하진 581<br>현승철 363<br>오재헌 364<br>임길수 365<br>윤지윤 366<br>남기연 367 | 장명숙 373<br>홍수옥 374<br>박희상 375<br>윤수열 376 | 이민재 383<br>손병수 384<br>김도연 385<br>이상훈 581<br>원수영 386 |
| 국세조사관 | 안성민 244<br>이주빈 245 | 김예지 608<br>전지원 609 | 박재홍 626<br>강정규 627<br>이혜인 263<br>이수지 628 | 정인선 287<br>김경업 288 | 이익훈 307<br>이지혜 308 | 고석봉 326<br>김지현 328 | 이도혜 368<br>박지혜 369 | 최정아 377<br>박남규 378 | 이윤주 387 |
| 국세조사관 | 배상철 246<br>이지영 247<br>김규성 594<br>김덕기 594 | 이종관 610<br>홍단비 611 | 원시열 629<br>유규호 630 | 조경태 289<br>강지혜 290 | 이승현 309<br>권진혁 310 | 김소연 329<br>김건식 330 | 박세린 370 | 고현주 379 | 구본하 388<br>이상미 389 |
| FAX | 2679-8777 | | | 2671-5162 | 2068-0448 | | 2679-9655 | 2068-0447 | |

| 과 | 법인세과 | | 재산세과 | | | 조사과 | | 납세자보호담당관 | |
|---|---|---|---|---|---|---|---|---|---|
| 과장 | 이상필 400 | | 이우재 480 | | | 박성민 640 | | 김종두 210 | |
| 팀 | 법인1 | 법인2 | 재산1 | 재산2 | 재산3 | 정보관리 | 조사 | 납세자보호실 | 민원봉사실 |
| 팀장 | 박지양 401 | 황병권 421 | 남기형 481 | 최영실 501 | 강인태 521 | 신만호 641 | 이명욱 651 | 서미영 211 | 전성수 221 |
| 국세조사관 | | 김은숙 422 | 송민수 482 | 최해철 502 | 온상준 522<br>박치원 523 | | 최재철 654<br>백원일 657<br>김태오 660<br>박찬민 663<br>박지혜 666 | 이창현 212<br>김보연 213 | 권혁노 222 |
| | 김종현 402<br>박성찬 403<br>오민석 404<br>김현정 405<br>신향식 412 | 이유영 423<br>안성진 424 | 강지현 483<br>정지현 484<br>손정욱 586<br>이유정 485 | 허태욱 503<br>김세일 504<br>안지혜 505 | 배은율 524<br>박지희 525 | 이동우 642<br>박소연 643<br>박유미 644 | 김영석 655<br>김주혜 661 | 고영숙 214<br>김민정 215 | 기중화 223<br>김원규 224<br>김민지 225 |
| | 황세은 406<br>이동열 407<br>이유빈 408 | 허송이 425<br>박미주 426 | | 박주호 506 | | | 심호정 667<br>왕지선 664<br>임승명 652<br>권순호 658<br>이경수 668<br>심연수 665 | | 임유화 226<br>박경화 227 |
| | 표정범 409<br>이예지 410<br>이윤노 411 | 박연진 427<br>장재영 428<br>고현일 429<br>김태민 430 | 윤혜수 486<br>유학승 487<br>배혜원 488 | 신유림 507 | 전현우 526<br>김은혜 527 | 김수진 645 | 임인재 662<br>김다영 659<br>강한나 653<br>김민주 656 | | 김유미 228<br>전미애 228<br>여경규 229 |
| FAX | 2678-3818 | | 2634-0757 | 2634-0758 | 2634-0757 | 2678-6965 | | 2678-4163 | 2635-0795 |

# 관악세무서

대표전화: 02-21734-200 / DID: 02-21734-OOO

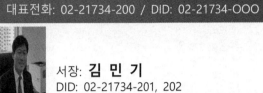

서장: **김 민 기**
DID: 02-21734-201, 202

| 주소 | 서울특별시 관악구 문성로 187 (신림1동 438-2) (우) 08773 | | | | | | |
|---|---|---|---|---|---|---|---|
| 코드번호 | 145 | 계좌번호 | 024675 | 사업자번호 | 114-83-01179 | | |
| 관할구역 | 서울특별시 관악구 | | | 이메일 | | | |

| 과 | 징세과 | | | 부가가치세과 | | 소득세과 | | |
|---|---|---|---|---|---|---|---|---|
| 과장 | 오광철 240 | | | 김희대 270 | | 남동균 340 | | |
| 팀 | 운영지원 | 체납추적1 | 체납추적2 | 부가1 | 부가2 | 소득1 | 소득2 | 소득3 |
| 팀장 | 임희원 241 | 최연희 601 | 이희태 621 | 문극필 271 | 최미경 291 | 김미숙 341 | 최재현 361 | 유기무 381 |
| 국세조사관 | | 김정숙 602 | 배수진 622 | | 이광재 292 | 이정은 342 | 배현우 362 | |
| 국세조사관 | 정인선 242<br>황보현 243 | 박지영 603<br>김은혜 604 | 김진희 262<br>조영성 623<br>전우범 624 | 양종선 273<br>한누리 274<br>노지현 275<br>여정재 276<br>오덕희 277 | 정혜윤 293<br>노연섭 294<br>김현우 295<br>김소영 296<br>송정아 297 | 손수정 343<br>임승하 344<br>송호필 345<br>임관호 346 | 김혜성 363<br>김혜인 364<br>이희영 379<br>구재효 365 | 황현주 383<br>김경숙 384<br>최선규 385<br>이은제 386<br>김철권 387 |
| 국세조사관 | | 박병주 605<br>김주원 606 | 유소진 263<br>강다영 625<br>김양수 626 | 박민주 278<br>조아라 279 | 김문영 639<br>이재석 298 | 유신혜 347<br>최선호 348<br>강수빈 379 | 김민영 366<br>서경희 367 | |
| 국세조사관 | 김한오 246<br>최지우 245<br>최상혁(방호)<br>김진구(운전) | 정수영 607<br>박성한 608 | 김아리수<br>627 | 조예훈 639<br>윤동희 280<br>김미란 281<br>석호정 282 | 고현주 299<br>최은진 301<br>이예지 302<br>손지원 303 | 이우준 349 | 이서준 368 | 정재희 388<br>오영주 389 |
| FAX | 2173-4269 | | | 2173-4339 | | 2173-4409 | | |

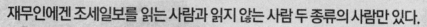

# 재무인과 함께 걸어가겠습니다 '조세일보'

재무인에겐 조세일보를 읽는 사람과 읽지 않는 사람 두 종류의 사람만 있다.

1등 조세회계 경제신문 조세일보

| 과 | 재산법인세과 | | | 조사과 | | 납세자보호담당관 | |
|---|---|---|---|---|---|---|---|
| 과장 | 양동석 460 | | | 이응기 640 | | 이평년 210 | |
| 팀 | 재산1 | 재산2 | 법인 | 정보관리 | 조사 | 납세자<br>보호실 | 민원봉사실 |
| 팀장 | 현근수 461 | 김현태 481 | 조병성 531 | 김미순 641 | 박정민 651 | 권보성 211 | 김임경 221 |
| 국세<br>조사관 | | 김태윤 482<br>문용식 483 | 김선아 533<br>전은상 534 | 정성훈 642 | 정태환 655<br>최재덕 658 | 함석광 212 | |
| | 변성구 462<br>김윤미 471<br>편혜란 463<br>김자현 464<br>김남희 465 | 강규철 484<br>권규원 485<br>황순이(사무)<br>488 | 전인향 535 | 전확 643<br>최일 644 | 이준규 656<br>김태훈 652<br>조예리 659 | 정민주 214<br>박혜숙 213 | 배주현 226 |
| | 박신영 309<br>임종헌 466 | 김은진<br>나한결 486 | 오은지 536<br>정혜지 537 | 홍윤석 645 | 장건수 653 | 박효진 215 | 서보미 227<br>박혜진 224<br>김용 222<br>형유경 225<br>정영화 228 |
| | 정민석 467<br>나성빈 468<br>장지원 469 | 정동욱 487 | 신지연 538<br>김충현 539<br>우가람 540 | | 오서영 657<br>박윤환 660<br>한가희 654 | | 김미연 223 |
| FAX | 2173-4550 | | | 2173-4690 | | 2173-4220 | 2173-4239 |

# 구로세무서

대표전화: 02-26307-200 / DID: 02-26307-OOO

서장: **김 태 성**
DID: 02-26307-201

| 주소 | 서울특별시 영등포구 경인로 778 (문래동 1가) (우) 07363 | | | |
|---|---|---|---|---|
| 코드번호 | 113 | 계좌번호 011756 | 사업자번호 | 113-83-00013 |
| 관할구역 | 서울특별시 구로구 | | 이메일 | guro@nts.go.kr |

| 과 | 징세과 | | | 부가가치세과 | | | 소득세과 | |
|---|---|---|---|---|---|---|---|---|
| 과장 | 정현중 240 | | | 맹충호 280 | | | 황효숙 360 | |
| 팀 | 운영지원 | 체납추적1 | 체납추적2 | 부가1 | 부가2 | 부가3 | 소득1 | 소득2 |
| 팀장 | 김동원 241 | 안동섭 601 | 이승준 621 | 김성두 281 | 조인옥 301 | | 김용삼 361 | 정미원 381 |
| 국세<br>조사관 | | 김혜영 602 | 윤진희 622<br>이윤하 623 | 정중호 282 | 김은숙 302<br>안효진 303 | 박영애 322 | 정현숙 362 | 이상민 382 |
| | 박현자 242<br>차지연 243<br>배진경 244 | 이규웅<br>황윤숙 603<br>이성복 604<br>김희은 605<br>박은희 606 | 이지현 624<br>이영수 625<br>송기원 626<br>조민지 627<br>김유진 261 | 황진하 283<br>곽동윤 284<br>김효정 285<br>표우중 286 | 강문자 304<br>이은정 305<br>최하나 306 | 이은정 323<br>홍승표 324<br>정용관 325<br>김신자 326 | 김영숙 363<br>손현숙 372<br>이영호 364<br>이채곤 365<br>강은실 366 | 김병선 372<br>김경태 383<br>고유나 384<br>강아름 385 |
| | 남윤종 245<br>김태식 595<br>강현성 591 | 김동하 607<br>주혜영 608 | 김유진 628<br>김세빈 629<br>최유림 262 | 사혜원 287 | 조성문 307 | 김지영 327<br>김효남 328<br>박혜진 340 | 김상호 367<br>송의미 368 | 이현지 386<br>심수연 387 |
| | 남경민 246 | 노지은 609 | 이은영 630<br>차유미 263 | 김혜진 288 | 김준형 308<br>김동욱 309 | 금승훈 329 | 이영욱 369<br>김은민 370 | 권정우 388<br>강주빈 389<br>최아름 390 |
| FAX | 2631-8958 | | | 2637-7639 | 2636-4913 | | 2634-1874 | 2636-4912 |

| 과 | 법인세과 | | 재산세과 | | 조사과 | | 납세자보호담당관 | |
|---|---|---|---|---|---|---|---|---|
| 과장 | 권영진 400 | | 임준빈 480 | | 정봉균 640 | | 홍영국 210 | |
| 팀 | 법인1 | 법인2 | 재산1 | 재산2 | 정보관리 | 조사 | 납세자보호실 | 민원봉사실 |
| 팀장 | 이선재 401 | 변동석 421 | 최용규 481 | 김영웅 501 | 송태준 641 | 한경화 651 | | 안상현 221 |
| 국세조사관 | 구영대 402 | 이동연 422<br>유동원 423<br>이수화 424 | 임영아 482<br>이미선 483 | 강흥수 502 | | 박정민 654<br>김성문 657<br>임샘터 661 | 김영빈 | 안성진 222<br>정혜정 223 |
| 국세조사관 | 김형진 403<br>이수란 404<br>한재식 405<br>이현일 406<br>황지은 407 | 이가영 425<br>박가은 426 | 김동은 484<br>손영란 485<br>정경화 | 김수영 503<br>김예슬 504<br>유승연 505 | 전태원 642<br>조진숙 692<br>윤현주 693 | 김지범 664<br>함광주 665<br>박미연 658<br>안선희 655<br>조한영 652 | 이선주 213<br>박현혜 214<br>윤장원 215 | 국예름 224<br>김선임 225<br>오선희 227 |
| 국세조사관 | 김현경 408<br>안소라 409<br>이도형 410 | 기승호 427<br>권순엽 428<br>권용학 429 | 이기영 486<br>윤영규 487<br>박선영 488 | 이규태 507 | 이찬 643 | 조영미 662<br>김은혜 653 | | 김고은 228<br>강유미 229 |
| 국세조사관 | 이유영 411<br>도수정 412 | 김수진 430<br>이혜리 431 | 박인규 489 | 권혜지 506 | 박지연 644 | 김규리 659<br>김현선 663<br>최지현 666<br>양상민 656 | | 조민재 231<br>김성진 230 |
| FAX | 2676-7455 | 2679-6394 | 2636-7158 | | 2632-1498 | | 2632-7219 | 2631-8957 |

# 금천세무서

대표전화: 02-8504-200 / DID: 02-8504-OOO

서장: **문 준 검**
DID: 02-8504-201

서울독산동유적발굴전시관
금나래 초등학교
서울금천 경찰서
시흥베르빌아파트
금천구청역

| 주소 | 서울특별시 금천구 시흥대로 315 금천롯데캐슬골드파크4차 업무시설동 (우) 08608 | | | | |
|---|---|---|---|---|---|
| 코드번호 | 119 | **계좌번호** | 014371 | **사업자번호** | 119-83-00011 |
| 관할구역 | 서울특별시 금천구 전체 | | | **이메일** | geumcheon@nts.go.kr |

| 과 | 징세과 | | | 부가가치세과 | | 소득세과 | |
|---|---|---|---|---|---|---|---|
| **과장** | 김정섭 240 | | | 박노헌 280 | | 노병현 320 | |
| **팀** | 운영지원 | 체납추적1 | 체납추적2 | 부가1 | 부가2 | 소득1 | 소득2 |
| **팀장** | 이찬주 241 | 배옥현 601 | 곽윤희 621 | 성시우 281 | 양찬영 301 | 유선종 321 | 배진희 341 |
| **국세 조사관** | | 손영이 602 | 김수연 262 | 김창수 282<br>김원호 283 | 김신우 303<br>한세희 304 | 서재필 322 | |
| | 변유경 248<br>심진용 243<br>조수빈 242 | 김익환 603<br>위경진 604 | 권은숙 263<br>임형철 622<br>이영희 623 | 이언종 284<br>황혜정 285<br>박영숙 286<br>김수진 287 | 문성원 305<br>한보경 306<br>장희정 307<br>이유선 308 | 정은하 323 | 김정숙 342<br>이경주 343 |
| | 장철성 244<br>최은영 245<br>박상인 595<br>유태준 595 | 김보연 605<br>이수철 606<br>신유경 607<br>최진규 608 | 복경아 624<br>허원석 625 | 이송향 288 | 장혜미 309 | 임주원 324<br>최익영 325 | 김영순 344<br>강정목 345 |
| | 정제준 246 | 김나현 609<br>강민주 610 | 성경옥 626<br>김정아 264<br>김수현 627 | 윤수훈 289<br>정효준 290<br>장민주 291 | 김현곤 310<br>두채린 311 | 한지윤 326<br>정영호 327 | 김민혜 346<br>허정희 347 |
| **FAX** | 850-4635 | | | 850-4631 | | 850-4632 | |

## 세림세무법인

**대표세무사 : 김창진**
서울시 금천구 시흥대로 488, 701호, 601호(독산동, 혜전빌딩)

1본부(701호) T. 02)854-2100 F. 02)854-2120
2본부(601호) T. 02)501-2155 F. 02)854-2516
홈페이지: www.taxoffice.co.kr 이메일: taxmgt@taxemail.co.kr

| 과 | 재산법인세과 | | | 조사과 | | 납세자보호담당관 | |
|---|---|---|---|---|---|---|---|
| 과장 | 양석재 400 | | | 하명림 640 | | 김동영 210 | |
| 팀 | 재산 | 법인1 | 법인2 | 정보관리 | 조사 | 납세자보호실 | 민원봉사실 |
| 팀장 | 설미숙 481 | 이기현 401 | 강정화 421 | | 최선호 651 | 정근우 211 | 주현식 221 |
| 국세조사관 | 장민 482<br>이미라 483<br>장은정 484 | 천미진 402<br>김미경 403 | 주기환 422 | 한주진 642 | 이오나 661<br>심재광 671<br>조병만 681<br>박우현 691 | 김미연 212 | 이수정 222 |
| | 홍지혜 485<br>정우선 486<br>조재윤 487 | 최영호 404<br>김혜정 405<br>이다혜 406<br>정해천 407 | 김윤정 423<br>이경옥 424<br>정안석 425<br>홍정표 426<br>이은혜 427 | 전윤석 643<br>이정훈 644<br>이연우 645 | 김경희 652<br>전기승 662<br>장현성 672<br>이민지 673<br>박광춘 682<br>최민석 692 | 김주현 212<br>윤정화 213 | 신동혁 223<br>허진화 224<br>이선미 225 |
| | | 박유리 408<br>황송이 409<br>정명린 410 | 조성광 428<br>김현정 429<br>유은지 430 | | 최서윤 693<br>성기영 663 | | 이하나 226<br>한정아 226 |
| | 우신애 488 | 김찬미 411<br>이근아 412<br>박지화 413<br>최병길 414 | 김민주 431<br>신유동 432<br>김다연 433 | 조서현 646 | 김민형 653<br>민지현 683 | | 손은경 228 |
| FAX | 850-4633 | | | 850-4616 | | 850-4634 | 850-4296 |

# 남대문세무서

대표전화: 02-22600-200 / DID: 02-22600-OOO

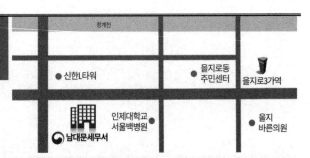

서장: **이 석 봉**
DID: 02-22600-201

| 주소 | 서울특별시 중구 삼일대로 340 (저동1가) 나라키움저동빌딩 (우) 04551 | | | | |
|---|---|---|---|---|---|
| 코드번호 | 104 | 계좌번호 | 011785 | 사업자번호 | 104-83-00455 |
| 관할구역 | 서울특별시 중구 중 남대문로 1·3·4·5가, 을지로 1·2·3·4·5가, 주교동, 삼각동, 수하동, 장교동, 수표동, 저동 1·2가, 입정동, 산림동, 무교동, 다동, 북창동, 남창동, 봉래동 1·2가, 회현동 1·2·3가, 소공동, 태평로 1·2가, 서소문동, 정동, 순화동, 의주로 1·2가, 중림동, 만리동 1·2가, 충정로 1가 | | | 이메일 | namdaemun@nts.go.kr |

| 과 | 징세과 | | 부가소득세과 | | |
|---|---|---|---|---|---|
| 과장 | 김정흠 240 | | 김을령 280 | | |
| 팀 | 운영지원 | 체납추적 | 부가1 | 부가2 | 소득 |
| 팀장 | 김우정 241 | 김인숙 601 | 김보경 281 | 박하윤 301 | 김동만 321 |
| 국세<br>조사관 | 신봉식 246 | 윤미경 602 | 이동일 282 | 김혜란 302 | 김은숙 322 |
| | 노미란 242 | 변애정 261<br>김미애 603<br>정수용 604<br>이용진 605 | 김정미 283<br>유민정 284 | 김연홍 303<br>이창남 329<br>안창남 309 | 이성애 323<br>신원섭 324 |
| | 남만우 243<br>김경두 593<br>황지영 244 | 유은미 606<br>장지우 607 | 김명화 285 | | 이한송 325 |
| | 김광석 245<br>한상철 247 | 김보송 262<br>김소희 608<br>최보현 609 | 박신정 286<br>남현준 287 | 정지문 304<br>김유권 305 | |
| 공무직 | 홍옥선 209<br>이영애 202 | | | | |
| FAX | 755-7146 | | 755-7145 | | |

# 10년간 쌓아온 재무인의 역사를 돌려드립니다 '온라인 재무인명부'

수시 업데이트 되는 국세청, 정·관계 인사의 프로필과 국세청, 지방청, 전국세무서, 관세청, 유관기관 등의 인력배치 현황을 볼 수 있는 온라인 재무인명부

1등 조세회계 경제신문 조세일보

| 과 | 재산법인세과 | | | | 조사과 | | 납세자보호담당관 | |
|---|---|---|---|---|---|---|---|---|
| 과장 | 채혜정 400 | | | | 김재철 640 | | 풍관섭 210 | |
| 팀 | 재산 | 법인1 | 법인2 | 법인3 | 정보관리 | 조사 | 납세자보호실 | 민원봉사실 |
| 팀장 | 윤수현 481 | 옥혁규 401 | 박준서 421 | 이정희 441 | 이호필 641 | 김영기 651 | 211 | 문민숙 221 |
| 국세조사관 | 김진석 486<br>임현영 482 | 이주희 402 | 김창명 422 | | 우창완 | 남기훈 654<br>황윤섭 657<br>여태환 671<br>김국진 674 | 김성덕 212 | 김민아 222<br>이현화 223 |
| 국세조사관 | 김민주 483 | 이재일 403<br>김두성 404<br>신미선 405<br>김미란 406 | 박혜경 423<br>문석빈 424<br>배성한 425<br>정철우 426 | 박정희 443<br>김준우 444<br>박민서 445<br>박지완 446 | 김재련 691<br>홍승희 692<br>송도영 642 | 석지윤 672<br>정주희 675<br>서익준 652<br>정석훈 658<br>심주영 655 | 이현주 214<br>이혜연 213 | |
| 국세조사관 | 손국 486<br>유병창 484<br>최인아 485 | 민경상 407<br>김혜영 408 | 박다슬 427<br>김영천 428 | 임진영 447<br>이정림 448 | 김나은 643 | 박형호 656<br>이다경 676 | | 임혜빈 225<br>이은희 223 |
| 국세조사관 | | 이상덕 409 | 박한승 429<br>김선화 430 | | | 김상걸 673<br>신민지 653<br>노정연 659 | | 문혜원 226 |
| FAX | 755-7730 | 755-7714 | | | 755-7923 | | 755-7903 | 755-7944 |

171

# 노원세무서

대표전화: 02-34990-200 / DID: 02-34990-OOO

서장: **우 창 용**
DID: 02-34990-201

| 주소 | 서울특별시 도봉구 노해로69길 14 (창4동 15) (우) 01415 | | | | |
|---|---|---|---|---|---|
| 코드번호 | 217 | 계좌번호 | 001562 | 사업자번호 | 217-83-00014 |
| 관할구역 | 서울특별시 노원구 전지역, 도봉구 중 창동 | | | 이메일 | nowon@nts.go.kr |

| 과 | 징세과 | | | 부가가치세과 | | 소득세과 | |
|---|---|---|---|---|---|---|---|
| 과장 | 박옥련 240 | | | 신우교 280 | | 고미경 360 | |
| 팀 | 운영지원 | 체납추적1 | 체납추적2 | 부가1 | 부가2 | 소득1 | 소득2 |
| 팀장 | 고태일 241 | 유경민 601 | 장인수 621 | 윤용구 281 | 권기수 301 | 김성묵 361 | 양미영 381 |
| 국세<br>조사관 | | 오광선 602 | 김기환 628<br>안병옥 622<br>용연주 623 | 김영선 282 | 주동철 302 | | 오재현 382 |
| | 이범규 242 | 권미경 603<br>김은화 604<br>김혜진 605<br>조해영 606 | 임미영 262<br>김민섭 624<br>정화영 625<br>정하영 263 | 최용진 283<br>이승학 284<br>윤소영 285<br>정현진 286<br>류희정 287<br>최수연 399<br>이상호 399 | 박성일 303<br>고현웅 304<br>정연선 305<br>강현정 306<br>조연상 307<br>이재완 308 | 이현순 362<br>김영아 363<br>정흥자 364<br>백승현 365<br>함연의 399<br>박애란 366<br>김규진 367 | 강선미 383<br>김재우 384<br>정애정 385<br>강복길 386<br>박영란 387<br>조서혜 388<br>정남숙 389<br>문종빈 390<br>신예민 391 |
| | 이유정 243<br>최정원 593 | 하태연 607<br>김혜영 608 | 여길동 626<br>장두영 627<br>정의주 264 | | 이연정 309 | 최보미 368<br>곽성용 369<br>김상혁 370<br>김가연 371<br>강민정 399 | 이강산 392 |
| | 노재윤 593<br>박한빛 244<br>박지혜 247<br>이동훈 246 | | 최하나 265 | 김미선 288<br>조영호 289<br>이인아 290<br>이주영 291<br>김인빈 292 | 고민석 310<br>이혜선 311<br>김태호 312<br>김경아 313 | 이아름 372<br>김수헌 373 | 곽인혜 393<br>여가은 394 |
| FAX | 992-1485 | | | 992-0112 | | 992-0574 | |

| 과 | 재산법인세과 | | | | 조사과 | | 납세자보호담당실 | |
|---|---|---|---|---|---|---|---|---|
| 과장 | 박양운 400 | | | | 가완순 640 | | 김시영 210 | |
| 팀 | 재산1 | 재산2 | 재산3 | 법인 | 정보관리 | 조사 | 납세자보호 | 민원봉사 |
| 팀장 | 김수영 481 | 이성 501 | 최원석 521 | 임재현 401 | 홍상기 641 | 최규식 651 | 김준연 211 | 문태흥 221 |
| 국세<br>조사관 | | 최선희 502 | 양철원 522 | | 박준용 642 | 전종상 654<br>김영환 657<br>안진영 660 | 홍미영 212<br>황다검 213 | 이세정 222 |
| | 김찬일 483<br>박선용 484<br>김현정 485<br>이미화 486 | 안승현 503<br>강미수 504<br>김인경 505 | 정명훈 523<br>박준명 524 | 송유석 402<br>곽진후 403<br>김경원 404<br>김종수 405 | 남용희 645 | 이민욱 655<br>오세혁 652<br>김현진 658 | | 성혜전 223<br>최연희 228<br>이지혜 224 |
| | 이설아 487 | 김일하 506<br>이소정 507 | 이훈 527 | 허수진 406 | 서주아 643<br>문다영 691 | 송보화 661<br>조성익 662<br>유희민 653 | 석호정 214<br>안해송 215 | 박주영 225<br>최선희 226<br>김원정 228<br>문현희 228 |
| | 조한송이 488<br>박재형 489 | 김혜빈 508<br>최길섭 509 | 정류빈 525<br>양문혜 526 | 조민수 407<br>송형승 408 | 백지원 644 | 진예슬 659<br>박진희 656 | | 이선민 229<br>오제만 238 |
| FAX | 992-0188 | | 992-2693 | | 992-2747 | | 992-0272 | 992-6753<br>900-2911<br>(공릉동) |

# 도봉세무서

대표전화: 02-9440-200 / DID: 02-9440-OOO

서장: **김 상 원**
DID: 02-9440-201

| 주소 | 서울특별시 강북구 도봉로 117 (미아동 327-5) (우) 01177 | | | | |
|---|---|---|---|---|---|
| 코드번호 | 210 | 계좌번호 | 011811 | 사업자번호 | 210-83-00013 |
| 관할구역 | 서울특별시 강북구, 도봉구 (창동 제외) | | | 이메일 | dobong@nts.go.kr |

| 과 | 징세과 | | | 부가가치세과 | | 소득세과 | |
|---|---|---|---|---|---|---|---|
| 과장 | 진병환 240 | | | 서민정 280 | | 김재광 360 | |
| 팀 | 운영지원 | 체납추적1 | 체납추적2 | 부가1 | 부가2 | 소득1 | 소득2 |
| 팀장 | 이승호 241 | | 김영숙 621 | 김혜숙 281 | 박기정 301 | 이은영 361 | 채용찬 381 |
| 국세조사관 | 김순근(사무) 248 | 김동범 602 | 김진수 622 | 민경화 282<br>최인옥 283 | 강희웅 302<br>이응선<br>김미정 303 | 배민우 362 | 최기웅 382<br>심현희 383 |
| | 여원모 242<br>류장혁(운전) 595<br>윤차용(방호) 595 | 복은주 603<br>정승갑 604<br>이지숙 605 | 김만숙 262<br>강현주 623 | 오은경 284<br>김윤정 285<br>정원영 286<br>김안나 287<br>이정은 288<br>최효선 289 | 김도형 304<br>강보아 305<br>남수주 306<br>김영신 307<br>오동석 308<br>한효주 309 | 김희정 363<br>이호연 364<br>조은비<br>김선미 365<br>김수연 366 | 황정미 384<br>권세혁 385<br>조아라 386<br>조정미 387<br>주재임 388 |
| | 김태영 244<br>박민중 243 | 신이나 606<br>황지영 607 | 홍성애 624<br>이동건 625<br>윤민호 626 | 서하영<br>김세명 290 | 강지현 310 | 백남훈 367<br>홍영실 368<br>이소현 369<br>강송현 370 | 최재림 389<br>김영호 390 |
| | 조재훈 245 | 최영보 608<br>곽정은 609 | 임희건<br>김다현 627 | 김소라 291<br>김재원 292 | 이선우 311<br>최원희 312 | 조예린 371<br>박종훈 372 | 김가림 391<br>남혜진 392<br>이효원 393 |
| FAX | 944-0247 | 944-0249 | | 945-8312 | | 987-7915 | |

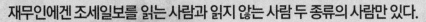
| 과 | 재산법인세과 | | | 조사과 | | 납세자보호담당관 | |
|---|---|---|---|---|---|---|---|
| 과장 | 강연성 400 | | | 김민광 640 | | 임용걸 210 | |
| 팀 | 재산1 | 재산2 | 법인 | 정보관리 | 조사 | 납세자보호실 | 민원봉사실 |
| 팀장 | 이순영 481 | 전경호 501 | 김영필 401 | 최향성 641 | 황영규 651 | 조승모 211 | 정성현 221 |
| 국세<br>조사관 | | 고성순 502 | | 김소연 642 | 서경철 | 이서원 212 | 이상열 222 |
| | 신영진 482<br>권혁빈 483<br>오영은 484<br>박은정<br>김재훈 485 | 양신 503<br>엄기관 504 | 이수인 402<br>김미란 403 | 이수연 692<br>이존열 693 | 강민수 671<br>권우택 662<br>박성희 652<br>조광호 672 | 백기량 213<br>심경연 214 | 배현정 224<br>류기현 226 |
| | 오현석 486 | | 이진실 404<br>최소라 405 | 박수현 643 | | | 박소연 223 |
| | 문윤정 487<br>백만리 488 | 조은기 505<br>박슬기 506<br>강다애 507 | 장우석 406<br>조성찬 407 | | 손유진 663<br>정희재 653 | | 이애신 225<br>배동혁 227 |
| FAX | 945-8313 | | | 984-8057 | | 984-6097 | 945-6942 |

# 동대문세무서

대표전화: 02-9580-200 / DID: 02-9580-OOO

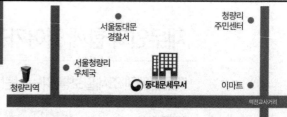

서장: **남궁서정**
DID: 02-9580-201

| 주소 | 서울특별시 동대문구 약령시로 159 (청량리동 235-5) (우) 02489 | | | | |
|---|---|---|---|---|---|
| 코드번호 | 204 | 계좌번호 | 011824 | 사업자번호 | 209-83-00819 |
| 관할구역 | 서울특별시 동대문구 | | | 이메일 | dongdaemun@nts.go.kr |

| 과 | 징세과 | | | 부가가치세과 | | 소득세과 | |
|---|---|---|---|---|---|---|---|
| 과장 | 이성복 240 | | | 이종록 280 | | 윤석태 360 | |
| 팀 | 운영지원 | 체납추적1 | 체납추적2 | 부가1 | 부가2 | 소득1 | 소득2 |
| 팀장 | 박은주 241 | 이은정 601 | 김병래 621 | 윤선기 281 | 김용원 301 | 이원정 361 | 김고환 381 |
| 국세<br>조사관 | | 김영준 602 | 최은영 261<br>서미 262 | 김두환 282 | 조은희 302 | 유극종 362<br>윤미숙 493 | 이미영 382<br>송설희 383 |
| | 유선화 242<br>유순희 243<br>이경애 600<br>박종현 591 | 최수진 604<br>권종기 603<br>김현정 608 | 임보현 622<br>김동훈 623<br>금잔디 624<br>박재영 263 | 박마래 283<br>차은정 284<br>송재영 285<br>최창호 286<br>김주찬 287 | 한승욱 303<br>임미영 304<br>이은영 305<br>김경성 306 | 황순영 363<br>표윤미 144<br>변정기 364<br>이은영 144 | 곽용석 384<br>김은정 385 |
| | 이승주 245<br>홍문기 244<br>김정현 592<br>권용상 247 | 이성혜 606 | 전윤아 624 | 김두희 288<br>김소희 289<br>강지은 141<br>김지미 290 | 김영지 307<br>박상원 308<br>윤민아 309 | 박민우 365<br>이승재 366 | 지명희 386<br>정일범 387<br>이주선 388 |
| | 이상욱 246 | 김소연 607<br>최지용 605 | 최성욱 625<br>강성률 626 | 안지은 141<br>김은정 291 | 최지민 310 | 이정은 367<br>이상현 368 | 김경아 389 |
| FAX | 958-0159 | 927-9461 | | 927-9462 | | 927-9464 | |

| 과 | 재산세과 | | 법인세과 | | 조사과 | | 납세자보호담당관 | |
|---|---|---|---|---|---|---|---|---|
| 과장 | 임희운 480 | | 유승환 400 | | 송종철 640 | | 조성식 210 | |
| 팀 | 재산1 | 재산2 | 법인1 | 법인2 | 정보관리 | 조사 | 납세자보호 | 민원봉사 |
| 팀장 | 장은정 481 | 김성준 521 | 이귀영 401 | | 강종식 641 | 권범준 651 | 김재훈 211 | 최경희 221 |
| 국세<br>조사관 | 윤미자 493 | | 배두진 402 | 김재희 422 | | 김경국 664<br>왕훈희 655<br>박병영 658<br>안상진 661 | 강승희 212 | 최창주 222 |
| | 조재평 482<br>한금순 483<br>박혜옥 484<br>정채영 485 | 이용호 522<br>김원필 523<br>박금숙 524 | 황보주경<br>403 | 박유정 423 | 장혜경 692<br>조보연 642 | 김주희 652<br>김지현 659<br>황민철 665<br>양인경 662<br>이원희 656 | 유정림 213<br>정성민 214 | 고영훈 223<br>장소영 224 |
| | 강슬기 486 | 오지훈 525<br>김세현 526 | 정서영 404 | | | 이지현 657<br>진경화 667<br>이영주 654 | | 육송희 225<br>김선진 226 |
| | 송대섭 487<br>고혜진 488 | | 김재연 405<br>송수빈 406 | 황미향 424<br>양인환 425 | 박철한 643 | 오정현 663<br>이예지 660 | | 이승희 227 |
| FAX | 927-9466 | | 927-9465 | | 927-4200 | | 927-9463 | 927-9469 |

# 동작세무서

대표전화: 02-8409-200 / DID: 02-8409-OOO

서장: **박 광 식**
DID: 02-8409-201

강남중학교
메트하임 아파트
보라매역
서울공업 고등학교
세마을금고
동작세무서
보라매 요양병원

| 주소 | 서울특별시 영등포구 대방천로 259 (신길동 476) (우) 07432 | | | | |
|---|---|---|---|---|---|
| 코드번호 | 108 | 계좌번호 | 000181 | 사업자번호 | 108-83-00025 |
| 관할구역 | 서울특별시 동작구, 영등포구 중 신길동, 대림동, 도림동 | | | 이메일 | dongjak@nts.go.kr |

| 과 | 징세과 | | | 부가가치세과 | | | 소득세과 | | |
|---|---|---|---|---|---|---|---|---|---|
| 과장 | 윤동환 240 | | | 조호철 280 | | | 김성일 360 | | |
| 팀 | 운영지원 | 체납1 | 체납2 | 부가1 | 부가2 | 부가3 | 소득1 | 소득2 | 소득3 |
| 팀장 | 김진수 241 | 김환규 601 | 김선순 621 | 김영민 281 | 이승훈 301 | 이미정 321 | 권은영 341 | 변정 361 | 고미숙 381 |
| 국세조사관 | | | 이정숙 622 | | 서정석 302 | 박상준 322<br>강미성 323 | | 노재호 362 | |
| 국세조사관 | 김상희 242<br>홍기연 243<br>양상원 244 | 김경민 603<br>강동석 604<br>김범준 605 | 박성탄 623<br>유은주 624<br>한현숙 263<br>심주호 625<br>권민수 626<br>최은경 627 | 정인월 282<br>서경원 283<br>최순희 284<br>김민숙 394<br>김지연 285 | 정상화 303<br>신종웅 304<br>이수민 305 | 김승환 324<br>신윤경 325 | 권오광 342<br>정은이 343<br>심민정 344<br>김수경 393<br>이경자 351<br>이규형 345 | 박은주 363<br>김미연 364<br>안종호 365<br>박정연 366 | 황선우 382<br>김용수 383<br>구인성 384<br>이윤주 393<br>박자영 385 |
| 국세조사관 | 김정호 614<br>장서윤 246 | 정의범 606<br>홍혜진 607 | 신수창 628 | 김규완 286<br>손태욱 287 | 문경은 306<br>이희환 307 | 김진희 326 | 김철현 346<br>이수현 347 | 황시연 367 | 이서은 386<br>서여진 387 |
| 국세조사관 | 박동규 245<br>김병수 248 | 최가은 608<br>이해성 609 | 윤경희 629<br>이호성 630 | 이보라 288 | 최현정 308 | 이병주 327<br>김정민 328 | 정다혜 347<br>이미진 348<br>성수연 349 | 윤지원 393<br>김제성 368 | 소윤지 388<br>이가원 389 |
| 공무직 | 류미진 202<br>김회숙 619<br>김경희 619<br>김정희 619 | | | | | | | | |
| FAX | 831-4136 | | | 833-8775 | | | 833-8774 | | |

# 1등 조세회계 경제신문 조세일보

| 과 | 재산세과 | | | 법인세과 | | 조사과 | | 납세자보호담당관 | |
|---|---|---|---|---|---|---|---|---|---|
| 과장 | 박종무 480 | | | 오시원 400 | | 권오현 640 | | 박기환 210 | |
| 팀 | 재산1 | 재산2 | 재산3 | 법인1 | 법인2 | 정보관리 | 조사 | 납세자보호실 | 민원봉사실 |
| 팀장 | 염훈선 481 | 김남균 501 | 조성용 521 | 박윤정 401 | 이용진 421 | 권민선 641 | 권순찬 651 | 박정민 211 | 김수정 221 |
| 국세조사관 | | 이형원 502 | 이영주 522<br>박영우 523<br>이재혁 524 | 정미선 402 | | 함두화 692 | 김인수 655<br>유수권 658<br>김재곤 661<br>김원종 664 | | |
| | 고정란 483<br>신명수 484<br>이현성 396<br>이창민 485<br>장지영 486<br>김상연 487 | 김성표 503<br>유지선 504 | 정상덕 525<br>장동환 526 | 이성호 403<br>나종현 404 | 조현아 422 | 김제은 642<br>윤현경 643<br>김광미 693 | 이지은 665<br>김대원 659<br>심상미 656<br>강민호 652 | 권윤희 214<br>이재욱 215 | 김순정 222<br>김성숙 223 |
| | 심윤미 488 | 오은희 505<br>이상문 506<br>김효진 395<br>김성미 507<br>박지환 508 | | 김지영 405 | 김지선 423<br>이명수 424<br>최주희 425 | | 김철홍 660<br>최은진 666 | 문미진 216<br>서운용 217 | 김은선 224<br>박수연 225<br>이민영 226<br>장민영 227<br>노익환 228 |
| | 이지은 489 | 최영진 509 | 김지혜 527<br>배경환 528<br>장서희 529 | 한혜성 406 | 최재득 426 | 김준 644 | 김시홍 663<br>이서영 667<br>김영일 657 | | 문경아 230 |
| FAX | 836-1445 | | | 836-1658 | | 825-4398 | | 836-1626 | |

# 마포세무서

대표전화: 02-7057-200 / DID: 02-7057-OOO

서장: **고 만 수**
DID: 02-7057-201

| 주소 | 서울특별시 마포구 독막로 234 (신수동 43) (우) 04090 | | | | |
|---|---|---|---|---|---|
| 코드번호 | 105 | 계좌번호 | 011840 | 사업자번호 | 105-83-00012 |
| 관할구역 | 서울특별시 마포구 | | | 이메일 | mapo@nts.go.kr |

| 과 | 징세과 | | | 부가가치세과 | | | 소득세과 | |
|---|---|---|---|---|---|---|---|---|
| 과장 | 양해준 240 | | | 백성기 280 | | | 박인국 360 | |
| 팀 | 운영지원 | 체납1 | 체납2 | 부가1 | 부가2 | 부가3 | 소득1 | 소득2 |
| 팀장 | 현혜은 241 | 강태호 601 | 김현정 621 | 이수락 281 | | 유성문 321 | 최영환 361 | 조준 381 |
| 국세조사관 | | 박상훈 602 | 최우일 622<br>이경희 261 | 정한신 282 | 김미경 302 | 최현정 322 | | 박경수 382 |
| 국세조사관 | 최현석 242<br>윤점희 243 | 이정화 603<br>구진영 604<br>임엽 605<br>정유진 606 | 천명선 262<br>이희진 263<br>김형욱 623<br>박범규 624 | 김효진 283<br>손은정 284<br>김현정 285<br>김서이 285 | 양영동 303<br>배이화 304<br>김소연 305 | 최문석 323<br>신영순<br>신영빈 324 | 신미경<br>김가영 363<br>김지헌 364<br>정경영 365 | 이유진 383<br>김영옥 384<br>손준성 385 |
| 국세조사관 | 박수연 244<br>한광일 245<br>박경렬 247 | 이성진 607<br>고지환 608 | 강영묵 626<br>성민규 627<br>권태준 628<br>김한별 629 | 이미현 287<br>박지혜 288<br>김오중 289<br>임유진 290 | 장하용 306<br>김용정 307 | 손주희 325<br>주나라 326<br>이혜승 327 | 방원석 366 | 이창수 386 |
| 국세조사관 | 정준호 591<br>최민정 246 | 박미진 609<br>권관수 610<br>한윤주 611 | 백가연 630<br>박수연 631 | 이재윤 291 | 이윤정 309<br>박유리 310 | 김건우 328 | 이슬비 367<br>김한슬 368<br>김태훈 369<br>채성운 370 | 우미라 387<br>유다정 388<br>박선영 389<br>노강래 390<br>조성진 391 |
| FAX | 717-7255 | | 702-2100 | 718-0656 | | | 718-0897 | |

| 과 | 법인세과 | | | 재산세과 | | | 조사과 | | 납세자보호담당관 | |
|---|---|---|---|---|---|---|---|---|---|---|
| 과장 | 강은호 400 | | | 김보석 480 | | | 시현기 640 | | 김미나 210 | |
| 팀 | 법인1 | 법인2 | 법인3 | 재산1 | 재산2 | 재산3 | 정보관리 | 조사 | 납세자보호실 | 민원봉사실 |
| 팀장 | 이재상 401 | 김승일 421 | 정의재 441 | 김철 481 | 사명환 501 | 진정록 521 | 이남형 641 | 권정희 651 | 양미경 211 | 서은정 221 |
| 국세조사관 | 권혜정 402 | 최영숙 422 권정운 423 | 김은경 442 이민정 443 | 박한상 482 노경민 483 | 국승원 502 | 최정열 522 | 정보기 691 고경미 642 | 권영칠 655 권오평 683 김광연 675 김유혜 660 김봉찬 680 백승학 663 박정건 684 | 이민경 212 이서현 213 | |
| | 박상희 403 정소영 404 주현경 405 채현진 406 박소영 407 | 김광현 424 이동현 426 임보라 429 | 전민재 444 정규호 445 서은주 446 | 유형래 484 김찬옥 485 윤병진 486 | 이진 503 유민수 504 | 이승훈 524 신동호 526 명현욱 528 정보령 523 송영태 525 | 임금자 692 유병수 643 남성윤 693 | 박윤수 652 안은정 656 김윤호 676 이영훈 681 조현은 664 | 신미덕 214 | 이원복 223 김보라 224 김형태 225 이동건 226 |
| | 감동윤 408 김민경 409 | 최진아 425 김하연 428 | 채민정 447 민윤선 448 | | 이지혜 505 | | 김유진 644 | 정문희 653 임지민 657 박예은 685 김보원 662 박지은 682 문지현 665 | 신동준 215 | 이금옥 227 김경혜 228 |
| | 강인혜 410 송승원 411 | 조호준 430 권태인 427 | 박아름 449 한도현 450 | 유선애 487 김치우 488 | 유세종 506 신수빈 507 | 이나경 527 신지연 529 | | 강건희 677 | | 김진솔 229 이효진 230 |
| FAX | 3272-1824 | 3273-3349 | | 718-0264 | | | 718-0856 | | | 701-5791 |

# 반포세무서

대표전화: 02-5904-200 / DID: 02-5904-OOO

서장: **신 석 균**
DID: 02-5904-201~2

| 주소 | 서울특별시 서초구 방배로163 (방배동 874-4) (우) 06573 | | | | |
|---|---|---|---|---|---|
| 코드번호 | 114 | 계좌번호 | 180645 | 사업자번호 | 114-83-00428 |
| 관할구역 | 서울특별시 서초구 중 잠원동, 반포동, 방배동 | | | 이메일 | banpo@nts.go.kr |

| 과 | 징세과 | | | 부가가치세과 | | 소득세과 | | 법인세과 | |
|---|---|---|---|---|---|---|---|---|---|
| 과장 | 김봉범 240 | | | 이선미 280 | | 이선구 360 | | 김재균 400 | |
| 팀 | 운영지원 | 체납추적1 | 체납추적2 | 부가1 | 부가2 | 소득1 | 소득2 | 법인1 | 법인2 |
| 팀장 | 이용제 241 | 유진희 601 | 이경미 621 | 안상순 281 | 함상봉 301 | | 김춘례 381 | 양재영 401 | 정대수 421 |
| 국세조사관 | | | 임지숙 264<br>김재현 627 | 양명숙 282 | 임한균 302 | 한상민 362<br>최수연 363 | 고형관 382<br>이경숙 383 | 김형일 402 | 임경남 422 |
| | 이선영 242<br>이우근 243<br>임담윤 593 | 민경은 602<br>양준권 603<br>이경민 604 | 정기선 622<br>이홍숙 628<br>이영빈 623<br>김명주 262<br>고유영 625 | 임태호 283<br>서정이 284<br>김수현 285<br>이동훈 286 | 유정훈 303<br>강미나 304<br>민인녀 232 | 송유승 365<br>나영주 366<br>허지연 367 | 정호철 384<br>정지은 385 | 김선미 403<br>지성은 404<br>유신혜 405 | 이성구 423<br>김병윤 424<br>최서나 425 |
| | 김세령 244<br>박소연 245 | 박정화 605<br>공기영<br>최윤정 606<br>임미송 607 | 전보현 624<br>고민지 263 | | 이은정 305 | 한성일 368<br>윤선용 233<br>임지남 233 | 유혜란 386<br>이시은 387<br>임규성 388 | | 양윤모 427 |
| | 신기용 246<br>김현근 582<br>이용욱 594 | 김형주 608 | 김슬기 626 | 홍다예 287<br>서현지 288<br>박지원 232 | 장혜진 306<br>최영조 307 | 조민경 369 | 송근우 389 | 유진아 406<br>장영애 407<br>문호승 408<br>옥영주 409 | 정미경 428<br>김도형 429<br>김한성 430 |
| FAX | 536-4083 | | | 590-4517 | | 590-4518 | | 590-4426 | |

| 과 | 재산세1과 | | 재산세2과 | | 조사과 | | 납세자보호담당관 | |
|---|---|---|---|---|---|---|---|---|
| **과장** | 장기웅 480 | | 윤영호 540 | | 곽종욱 640 | | 권기창 210 | |
| **팀** | 재산1 | 재산2 | 재산1 | 재산2 | 정보관리 | 조사 | 납세자보호 | 민원봉사 |
| **팀장** | 강탁수 481 | 김기덕 501 | 박정한 541 | 황상욱 561 | | 엄기황 651 | 홍정기 211 | 이봉숙 221 |
| **국세<br>조사관** | 이정연 482 | 이수민 502<br>강유나 | 김은아 542<br>김병준 543 | 신현삼 562<br>김봉재 563 | 김동환 642 | 김치호 655<br>문승진 659<br>박상현 662<br>김명진 665 | 유미라 212<br>박승재 213 | 김윤이 222 |
| | 이강윤 483<br>김효정 484<br>서명진 485<br>정석훈 486<br>김수현 487<br>김유나 488 | 황상인 503<br>홍욱기 504 | 윤현미 544<br>신정현 545<br>이건호 546<br>이용우 547<br>김효정 548<br>김현준 549 | 이진재 564<br>백정훈 565<br>정지열 566<br>김다은 567<br>이혜선 | 장은영 644<br>김인중 645 | 홍범식 652<br>유인혜 656<br>이은진 664<br>황창연 660<br>이명희 656<br>김재욱 657 | 유민희 214<br>문혜림 215 | 박선례 223<br>오은진 224<br>김현수 225<br>김진희 226 |
| | 곽성준 489 | 이주선 506<br>김영주 505<br>최경철 507 | | 장윤희 568 | 안성희 643 | 김찬웅 667<br>서미래 663<br>박소은 661 | 현윤영 216 | 류정란 227<br>임정희 228<br>강혜정 229 |
| | 김유승 490<br>류가향 491<br>오선주 492 | | 김미림 550 | | | 서정은 654 | | |
| **FAX** | 591-2662 | | 590-4513 | | 523-4339 | | 590-4220 | 590-4685 |

# 삼성세무서

대표전화: 02-30117-200 / DID: 02-30117-OOO

서장: **김 종 복**
DID: 02-30117-201

| 주소 | 서울특별시 강남구 테헤란로 114 (역삼1동) 1,5,6,9,10층 (우) 06233 | | | | |
|---|---|---|---|---|---|
| 코드번호 | 120 | 계좌번호 | 181149 | 사업자번호 | 120-83-00011 |
| 관할구역 | 서울특별시 강남구(신사동, 논현동, 압구정동, 청담동, 역삼동, 도곡동 제외) | | | 이메일 | samseong@nts.go.kr |

| 과 | 징세과 | | | 부가가치세과 | | 소득세과 | | 법인세1과 | |
|---|---|---|---|---|---|---|---|---|---|
| 과장 | 이길형 240 | | | 주은화 280 | | 최종호 360 | | 임양건 400 | |
| 팀 | 운영지원 | 체납추적1 | 체납추적2 | 부가1 | 부가2 | 소득1 | 소득2 | 법인1 | 법인2 |
| 팀장 | 정완수 241 | 김강훈 601 | 이지영 621 | 양동준 281 | 임문숙 301 | 곽세운 361 | 노아영 381 | 김요수 401 | 강정일 421 |
| 국세 조사관 | | 배주섭 602 | 김창범 622 이선경 261 | 윤범일 282 | 오도열 302 박주현 303 | 김지현 362 | 김미경 382 | | 손민선 422 이경란 423 |
| 국세 조사관 | 김미정 242 조아름 243 이재경 160 | 송찬미 603 김명주 604 유성희 605 이승준 606 유필립 607 | 손민자 262 정미경 623 조성주 한지민 263 이환수 624 임태윤 625 신지현 626 | 김도엽 283 김민영 284 김지민 285 조민영 286 이고훈 291 | 박배근 304 이주영 298 안진아 305 | 김래하 363 강석순 364 이규미 399 류대훈 365 신미경 366 함지영 367 | 박수연 383 오경자 384 박성찬 385 이서아 399 윤진우 최태용 386 | 류호민 402 이은희 403 신수민 404 전세정 405 이주희 406 강지인 407 | 홍여주 424 정아름 425 |
| 국세 조사관 | 안소연 248 | 이승진 608 | 박안나 627 박명진 628 이현지 629 오자영 264 김은지 630 | 송미화 298 함다정 287 김도형 288 | 고서영 306 심윤보 307 이재원 308 | 김한일 368 | | 정수지 408 | 나혜영 426 박진희 427 |
| 국세 조사관 | 박범우 245 김용철 247 김태랑 244 박래인 249 최치권 250 | 최초로 609 박상길 610 | 강선영 620 강수경 631 | 최정우 289 | 주영석 309 | 조경아 369 김다정 370 | 김준상 387 김도연 388 윤주희 389 | 강소영 409 조주희 410 정호영 411 | 정부교 428 장진영 429 김명희 430 |
| FAX | 564-1129 | 501-5464 | | 552-5130 | | 552-4095 | | 552-4148 | |

| 과 | 법인세2과 | | 재산세1과 | | 재산세2과 | | 조사과 | | 납세자보호담당관 | |
|---|---|---|---|---|---|---|---|---|---|---|
| 과장 | 심정식 440 | | 고임형 480 | | 노정택 540 | | 이양우 640 | | 송수희 210 | |
| 팀 | 법인1 | 법인2 | 재산1 | 재산2 | 재산1 | 재산2 | 정보관리 | 조사 | 납세자보호실 | 민원봉사실 |
| 팀장 | 강용석 441 | 구현철 461 | 전승훈 481 | 신갑수 501 | 조수현 541 | 안정섭 561 | 안미영 641 | 임태일 661 | 진성범 211 | 김진호 221 |
| 국세조사관 | | | 김동진 482 이유진 483 | 이춘근 502 | 차양호 542 권혜영 543 | 황재원 562 최영봉 563 | | 윤태준 668 김정륜 665 남동훈 671 송춘희 675 이승호 681 정민호 678 최민희 684 김현철 691 이명건 666 | 이지연 213 김성희 214 윤현숙 215 | 오경애 556 |
| | 양소영 442 김형석 443 이성혜 444 김중우 445 | 조예림 464 최세라 465 정준호 466 | 송수자 497 김수현 484 류지은 485 윤종훈 486 변우환 487 이광은 488 | 배재홍 503 장효섭 504 | 김정란 544 김종문 554 최재영 545 김인화 546 강남영 547 박희진 548 | 김준우 564 | 강화수 642 박찬욱 643 고정진 644 | 한승수 676 서은원 692 김정근 682 이세진 679 안지현 662 천영수 672 송지우 663 김태형 668 한광희 685 | 이지은 216 | 김효정 556 김지은 556 신지연 556 김성용 556 |
| | 신지혜 446 오도훈 447 정자단 448 인윤희 449 | 이인재 467 양원석 468 | 주성용 489 송현수 497 김민정 490 김수현 491 | 용승환 505 | 이승훈 549 조영주 550 | 이윤선 565 | 구훈모 645 김효미 646 | 박하송 667 | 이윤경 217 | 김수경 556 박혜신 556 정태상 556 |
| | 김상천 450 전다솜 451 | 권은호 469 정희연 470 박현빈 471 | | 최은희 506 김동완 507 | 노영돈 551 | 정혜경 566 황수진 567 | | 김용재 677 이윤선 693 임수진 683 임지혜 686 김지은 674 강민주 670 홍차령 680 | | 이유경 556 |
| FAX | 564-0588 | | 552-6880 | 552-4277 | 564-1127 | | 552-4093 | 564-4876 | 569-0287 | |

# 서대문세무서

대표전화: 02-22874-200 / DID: 02-22874-OOO

서장: **박 강 수**
DID: 02-22874-201~2

| 주소 | 서울특별시 서대문구 세무서길 11 (홍제동 251)  (우) 03629 | | | | |
|---|---|---|---|---|---|
| 코드번호 | 110 | **계좌번호** | 011879 | **사업자번호** | 110-83-00256 |
| 관할구역 | 서울특별시 서대문구 | | | **이메일** | seodaemun@nts.go.kr |

| 과 | 징세과 | | 부가가치세과 | | 소득세과 | |
|---|---|---|---|---|---|---|
| **과장** | 김장근 240 | | 최영수 280 | | 강기헌 360 | |
| **팀** | 운영지원 | 체납추적 | 부가1 | 부가2 | 소득1 | 소득2 |
| **팀장** | 최환규 241 | 박준규 601 | 김재현 281 | 장준재 301 | 신경수 361 | 신영희 381 |
| **국세<br>조사관** | 여민호 249 | 유후양 602<br>서영순 603 | 이규철 282<br>윤상건 288 | | | 이순희 382 |
| | 박소희 242<br>이기헌 243 | 양윤선 262<br>이희영<br>김성주 604<br>이인자263 | 윤공자 283<br>최용민 284<br>최근영 285 | 김영선 302<br>주현경 303<br>도영림 304<br>이중훈 305 | 최인귀 363<br>이경애 364<br>김은정 365<br>김소연 366 | 김은영 383<br>고경만 384<br>한수현 385 |
| | | 김여진 605<br>지대진 606<br>김승희 607<br>최효영 608<br>황정선 | | 김현아 306<br>조인영 313<br>민윤식 307 | 김현희 313 | 이선민 313<br>양옥진 386 |
| | 차용희 244<br>이제일 245<br>손은태 249 | 남지은 609<br>김지윤 611<br>김현정 610 | 이다예 286<br>김가영 287 | 윤태훈 308 | 이은준 367 | 심경섭 387<br>탁희경 388 |
| **FAX** | 379-0552 | 395-0543 | 395-0544 | | 395-0546 | |

# 재무인과 함께 걸어가겠습니다 '조세일보'

재무인에겐 조세일보를 읽는 사람과 읽지 않는 사람 두 종류의 사람만 있다.

1등 조세회계 경제신문 조세일보

| 과 | 재산법인세과 | | | 조사과 | | 납세자보호담당관 | |
|---|---|---|---|---|---|---|---|
| **과장** | 박상정 400 | | | 최병태 640 | | 백승한 210 | |
| **팀** | 재산1 | 재산2 | 법인 | 정보관리 | 조사 | 납세자<br>보호실 | 민원봉사실 |
| **팀장** | 남승호 481 | 김영미 501 | 엄형태 401 | 장동훈 641 | | 이진주 211 | 이은길 221 |
| **국세<br>조사관** | 정원영 482<br>이수빈 483 | 곽영미 502 | 강인소 402 | | \<1팀\><br>김근수(팀장)<br>651<br>이계승(7) 652<br>김도희(8) 653 | | 윤현경 222 |
| | 도혜순 484<br>박문숙 485<br>김은해 486<br>성창임 491 | 조한덕 503<br>김희진<br>이건술 504 | 노민정 403<br>기은진 404<br>이성원 405<br>안성은 406<br>이지원 407 | 남윤수 642<br>최윤미 643<br>이예슬 645<br>진수환 644 | \<2팀\><br>김세훈(팀장)<br>654<br>이성진(7) 655<br>조현희(9) 656 | 조안나 212<br>이선영 213 | 최진영 224<br>한지영 225 |
| | 양명지 487<br>구동욱 488<br>강혜연 489<br>구아림 490 | 차무중 505<br>정소정 506 | 김남희 408 | | | 전승헌 214 | 차연주 230 |
| | 김영 491 | 최명훈 507 | 김예리 409<br>신동민 410 | | \<3팀\><br>구우형(팀장)<br>657<br>이응찬(7) 658 | | 박수미 227<br>윤단비 226 |
| **FAX** | 379-5507 | | | 391-3582 | | 395-0541 | 395-0542 |

# 서초세무서

대표전화: 02-30116-200 / DID: 02-30116-OOO

서장: **이 봉 근**
DID: 02-3011-6201

| 주소 | 서울특별시 강남구 테헤란로 114 역삼빌딩 (우) 06233 | | | | |
|---|---|---|---|---|---|
| 코드번호 | 214 | 계좌번호 | 180658 | 사업자번호 | 214-83-00015 |
| 관할구역 | 서울특별시 서초구(방배동, 반포동, 잠원동 제외) | | | 이메일 | seocho@nts.go.kr |

| 과 | 징세과 | | | 부가가치세과 | | 소득세과 | | 법인세1과 | | 법인세2과 | |
|---|---|---|---|---|---|---|---|---|---|---|---|
| 과장 | 조병준 240 | | | 이성종 280 | | 김기선 360 | | 김은경 400 | | 박철규 440 | |
| 팀 | 운영지원 | 체납추적1 | 체납추적2 | 부가1 | 부가2 | 소득1 | 소득2 | 법인1 | 법인2 | 법인1 | 법인2 |
| 팀장 | 한정식 241 | 이정노 601 | 조광래 621 | 정하덕 281 | 김승석 301 | 조동표 361 | 류명옥 381 | 이선민 401 | | 박정기 441 | 이상기 461 |
| 국세조사관 | | 황혜윤 602 | 김혜정 262 | 박지상 282 박상미 | 채수필 303 | | 정명주 382 | 김유정 402 이수진 403 | | 김한규 442 | 김현희 462 |
| 국세조사관 | 송진영 242 주수미 243 | 이용수 603 이정학 604 박은영 605 강성권 606 | 원정일 622 유제근 623 박찬희 624 김명희 263 정진택 625 정상근 626 전미숙 264 송예체 627 | 김진희 283 양은영 284 현종헌 285 | 변지야 304 박정숙 305 김홍래 306 민지혜 307 | 김나연 362 차지원 363 하정민 364 | 박정안 이동운 383 정진아 384 | 이종성 404 김효정 405 최하나 406 박지성 407 박민선 408 | 오동문 423 김승구 424 민상원 425 민샘 426 김주영 427 | 손가희 443 김낙용 444 이지현 445 장서라 446 | 전희경 463 김지선 464 정준호 465 박지영 466 김정엽 467 |
| 국세조사관 | 조영수 244 박배열 278 한지운 245 | 최소영 607 주성진 608 | 김윤정 265 김민수 628 문선영 629 | 이은지 286 조대훈 287 | 강유미 308 | 윤지수 이재연 366 | | 이지은 409 | 박은서 428 | 어재경 447 | 정소윤 468 김서연 469 |
| 국세조사관 | 이지은 246 김상진 277 | 김병우 609 김수정 610 한석윤 611 | 김혜민 630 김아현 631 | 안진모 288 안재현 289 | 김다미 309 박세환 310 박혜진 311 | 장준원 367 배민주 368 | 금가비 385 박종윤 386 이소연 387 | 박푸른 410 박상기 411 김민수 412 | 조성원 429 탁성찬 430 김석준 431 | 김주현 448 최현지 449 서진형 450 | 최문경 470 김상규 471 |
| FAX | 563-8030 | 561-2271 | | 561-2610 | 561-2682 | 561-3202 | 561-2948 | 561-3230 | 561-1647 | 561-3291 | 561-1683 |

**예일세무법인**

대표세무사 : 류득현 (前서초세무서장)

서울특별시 강남구 테헤란로 313 3층 (역삼동, 성지하이츠1차)

전화 : 02-2188-8100    팩스 : 02-568-0030
이메일 : r7294dh@naver.com

| 과 | 재산세1과 | | 재산세2과 | | 조사과 | | 납세자보호담당관 | |
|---|---|---|---|---|---|---|---|---|
| 과장 | 최동일 480 | | 박찬만 540 | | 진선조 640 | | 옥창의 210 | |
| 팀 | 재산1 | 재산2 | 재산1 | 재산2 | 정보관리 | 조사 | 납세자보호 | 민원봉사 |
| 팀장 | | 최미옥 501 | 김영수 541 | 김영석 561 | 이재범 641 | 한순규 651 | 권성대 211 | 권혁성 221 |
| 국세조사관 | 김기미 482 | 이민용 502<br>김성향 503 | 장진희 542<br>임유정 543<br>노경수 549 | 정희은 562<br>조범래 563<br>김양수 564 | | 조문현 652<br>이창준 657<br>최경호 653<br>이은혜 658<br>한명민 654<br>서승원 659<br>김철민 655<br>이재성<br>오수현 656<br>윤여진 | 김지영 212<br>이남경 213 | 김상목 556<br>이지형 556 |
| | 정현정 483<br>황명희<br>권민지 484<br>박준원 485 | 전승현 504<br>오경환 505 | 전우찬 544<br>조우성 545<br>김초롱 546 | | 장혜진 6648<br>고보해 642<br>성경진 646 | 차유라 661<br>구선영 671<br>정규식 662<br>김내현 673<br>박지숙 663<br>백경훈 675<br>한종범 665<br>이슬린 677<br>백승범 667<br>고강민 660<br>김난희 668<br>박민원 679<br>성연일 669 | 김애라 214<br>이민정 215<br>이재훈 216 | 박정아 556<br>윤소연 556<br>박가희 556<br>김도영 556 |
| | 김양경 486<br>이혜민 487 | 윤정민 506 | | 김영기 565<br>권혁진 566 | 이혜지 643<br>김시아 647 | 임동영 664<br>이윤정 674<br>조서연 666<br>박지수 675<br>김세하 670<br>구세진 678<br>김기선 672 | 안승진 217 | 이현영 556<br>김태영 556<br>김다현 556<br>윤정민 556<br>김수민 556 |
| | | 이서영 507 | 이혜수 547 | 김지은 567 | 육근영 644<br>윤기섭 645 | | | 차지해 556<br>백진주 556 |
| FAX | 561-3378 | | 561-3750 | | 02-561-3801 | | 561-4521 | 3011-6600 |

# 성동세무서

대표전화: 02-4604-200 / DID: 02-4604-OOO

서장: **최 종 환**
DID: 02-4604-201~2

| 주소 | 서울특별시 성동구 광나루로 297 (송정동 67-6) (우) 04802 | | | | |
|---|---|---|---|---|---|
| 코드번호 | 206 | 계좌번호 | 011905 | 사업자번호 | 206-83-00561 |
| 관할구역 | 서울특별시 성동구, 광진구 | | | 이메일 | seongdong@nts.go.kr |

| 과 | 징세과 | | | | 부가가치세1과 | | 부가가치세2과 | | 소득세과 | | |
|---|---|---|---|---|---|---|---|---|---|---|---|
| 과장 | 윤기성 240 | | | | 김상원 280 | | 반종복 320 | | 조중현 360 | | |
| 팀 | 운영지원 | 체납추적1 | 체납추적2 | 체납추적3 | 부가1 | 부가2 | 부가1 | 부가2 | 소득1 | 소득2 | 소득3 |
| 팀장 | 김옥환 241 | 염미정 601 | 이유선 621 | 이진균 261 | 박경오 281 | 정선화 301 | 안정미 321 | 김상희 341 | 백상엽 361 | 안규상 374 | 권오성 387 |
| 국세조사관 | 김명순 249 | 조은희 602 | 김경선 622 이소민 623 | 김준수 635 | 최숙현 282 | 최선이 302 | 이종순 322 | | 이탁수 362 윤은미 363 | 김종문 375 류기수 376 | 박명하 389 |
| 국세조사관 | 최금해 242 임옥경 243 김정미 244 | 신승애 603 김교선 이진동 604 주용태 605 최미경 606 | 최태주 624 김지만 625 김수경 626 이경수 627 | 박정은 636 김명숙 262 박주영 263 백연희 264 | 장혜경 282 노미선 하승훈 283 | 김보미 이윤미 303 김희연 304 | 이재향 323 엄익춘 324 변행열 | 윤석주 343 윤상용 344 김지연 345 | 전한식 364 김태균 김효영 365 | 최근창 376 진현서 377 김지영 380 | 김정미 389 정연경 390 최민애 391 |
| 국세조사관 | 김세빈 245 김동철 596 | 윤혜미 607 김은경 608 김광환 609 | 이다현 628 이진서 629 남지현 630 | 배원희 637 최영현 265 | 이선영 287 김혜원 286 이성근 288 김득중 289 | 김화도 305 주영상 306 김나영 307 | 김수연 325 | 박수지 346 | 김하은 371 이예슬 이충원 367 | 정혜윤 윤기숙 381 | 김성현 392 김유리 임지현 393 |
| 국세조사관 | 이유진 246 유동석 247 김현우 248 송병희 250 | 이제헌 610 강희윤 611 | 신은수 631 | 성가현 638 | 주성희 288 조수정 289 | 한장미 307 박준현 308 | 남정태 326 추다솔 327 김나현 328 | 김성진 김수영 347 백보민 348 | 조영현 368 전수연 369 신명관 370 박경빈 372 | 허지현 381 최형윤 382 김다영 383 이은상 384 | 서혁준 393 서미선 394 김동현 395 |
| FAX | 468-0016 | 468-8455 | | | 497-6719 | | 466-2100 | | 498-2437 | | |

| 과 | 재산세1과 | | 재산세2과 | | 법인세과 | | | 조사과 | | 납세자보호 담당관 | |
|---|---|---|---|---|---|---|---|---|---|---|---|
| 과장 | 이승훈 480 | | 문영한 540 | | 윤성중 400 | | | 강신태 640 | | 장성우 210 | |
| 팀 | 재산1 | 재산2 | 재산1 | 재산2 | 법인1 | 법인2 | 법인3 | 정보관리 | 조사 | 납세자보호실 | 민원봉사실 |
| 팀장 | 윤미성 481 | 심규연 501 | 김지성 541 | 이풍훈 561 | 김태균 401 | 장연근 421 | 이승호 441 | 박귀화 641 | 이진경 651 | 김경원 211 | 김선하 221 |
| 국세조사관 | 강혜은 482 | 강민석 502<br>백영선 503 | 이상숙 542 | 이승일 563 | 윤정재 402 | | 안순호 442 | 박성근 642 | 황제헌 654<br>이재철 657<br>정민호 660<br>김영면 663<br>홍영민 666<br>박종화 669<br>이숙영 672<br>채규홍 675 | 최영은 212<br>이승연 213<br>홍미숙 214 | 지상수 222 |
| | 박민정 483<br>임홍철 484<br>최민수 485<br>심지은 486<br>김은애 487<br>함지훈 488<br>정효주 489<br>유미나 490 | 이재성 504<br>김우영 505 | 김미영 543<br>정주영 544<br>박연주 545<br>류승남 546<br>배현옥 547<br>김미진 548<br>이선주 549<br>안미라 550 | 김현주 564 | 윤영훈 403<br>양미숙 410<br>이호재 404 | 임상진 422<br>김성덕 423<br>안경화 424<br>조아라 425 | 박금지 443<br>이진구 444<br>유호경 447 | 범정원 643<br>박현준 693<br>김은미 694 | 김은실 673<br>노현선 652<br>양영희 667<br>양송이 658<br>박준식 676<br>육동선 661<br>홍민기 655<br>김제성 670<br>박대영 668 | 김민정 215<br>박재현 216<br>성지연 217 | 김옥재 223 |
| | 이장훈 493 | 이선아 506 | 임소연 549 | 고주연 565 | 황아름 405<br>최웅 406<br>이소정 407 | 이성준 426<br>이나래 427 | 지서연 445 | 최기웅 644<br>이재환 695<br>이태현 695 | 이준표 671<br>김우석 677<br>한수정 662<br>박용업 678<br>편나래 679 | 이서연 219 | 정희선 229<br>이지혜 224<br>이병수 225<br>김희선 226<br>박정현 231<br>변혜림 227<br>정인희 228<br>김태윤 230 |
| | 김태경 494<br>모희산 495 | 곽현승 507 | 유진 551 | 윤소윤 566<br>곽종훈 567 | 박찬규 408<br>박소정 409<br>안미진 417 | 이경서 428<br>한승아 429<br>구경수 430 | 최민규 446<br>김동현 448<br>정유현 449 | | 천혜빈 653<br>안정은 656<br>김시훈 659 | | 이주경 232<br>송건주 233 |
| FAX | 468-1663 | | 499-7102 | | 468-3768 | | 460-4572 | 469-2120 | | 2205-0919 | 2205-0911 |

191

# 성북세무서

대표전화: 02-7608-200 / DID: 02-7608-OOO

서장: **지 임구**
DID: 02-7608-201

| 주소 | 서울특별시 성북구 삼선교로 16길 13(삼선동 3가 3-2) (우) 02863 | | | | |
|---|---|---|---|---|---|
| 코드번호 | 209 | 계좌번호 | 011918 | 사업자번호 | 209-83-00046 |
| 관할구역 | 서울특별시 성북구 | | | 이메일 | seongbuk@nts.go.kr |

| 과 | 징세과 | | | 부가가치세과 | | 소득세과 | |
|---|---|---|---|---|---|---|---|
| 과장 | 김내리 240 | | | 이승현 280 | | 강현주 360 | |
| 팀 | 운영지원 | 체납추적1 | 체납추적2 | 부가1 | 부가2 | 소득1 | 소득2 |
| 팀장 | 금봉호 241 | 도형우 601 | 엄세진 621 | 박선영 281 | 강상길 301 | 정상술 361 | 박정곤 381 |
| 국세<br>조사관 | | 정동환 602<br>박승혜 603 | 이승필 622 | 고상석 282<br>박현숙 283 | 이성훈 302 | 홍세민 362<br>전소연 363 | 박승문 382 |
| | 김경희 242<br>배수일 207 | 김은화 604<br>조은정 605<br>강성환 606 | 신주현 626<br>유아람 627<br>이병직 623 | 정유정 284<br>정지혜 285<br>주희정 286 | 김선덕 303<br>김민경 297<br>최서진 304<br>강혜지 305 | 이연경 294<br>한진옥 364<br>김우성 365<br>박현선 372 | 변성익 383<br>신선 384<br>이장영 294<br>안진성 385 |
| | 이원나 243<br>노은호 244 | | 원상호 624<br>이은실 628 | 최우경 297<br>정지원 287<br>진성민 288 | 허준원 306 | 서인숙 366<br>김효림 367<br>정현기 368 | 최원희 386<br>이한나 387<br>오대철 388 |
| | 양동범 245<br>김영환 208 | 김동현 607<br>이동준 608 | 여호종 625 | 이은선 290 | 정현숙 289<br>조윤수 307 | 김효진 369<br>김남주 370 | 서수현 389<br>이경석 390 |
| FAX | 744-6160 | | | 760-8672 | 760-8677 | 760-8673 | 760-8678 |

# 10년간 쌓아온 재무인의 역사를 돌려드립니다 '온라인 재무인명부'

수시 업데이트 되는 국세청, 정·관계 인사의 프로필과 국세청, 지방청, 전국세무서, 관세청,
유관기관 등의 인력배치 현황을 볼 수 있는 온라인 재무인명부

1등 조세회계 경제신문 조세일보

| 과 | 재산법인세과 | | | 조사과 | | 납세자보호담당관 | |
|---|---|---|---|---|---|---|---|
| 과장 | 박성신 400 | | | 양광준 640 | | 어기선 210 | |
| 팀 | 재산1 | 재산2 | 법인 | 정보관리 | 조사 | 납세자<br>보호실 | 민원봉사실 |
| 팀장 | 정승렬 481 | 김선율 501 | 이민규 401 | 안진수 641 | | 남궁재옥 211 | 심상우 221 |
| 국세<br>조사관 | | 김경희 502 | 김대훈 402 | 박은미 642 | 윤현숙 660<br>장문근 651<br>최영진 655 | 이미경 212 | |
| | 최은애 482<br>이화진 483<br>양혜선 485<br>차선영 492 | 김종협 503<br>이지훈 504<br>진성욱 505 | 박종익 403<br>박진현 408<br>차중협 404 | 정철 643<br>이상직 644<br>김문숙 645 | 두준철 661<br>김희정 652<br>홍성혜 656 | 이지현 213<br>류한상 214 | 권용익 222<br>김은주 223<br>정세연 224 |
| | 김은미 486<br>김지현 484<br>곽민정 487 | 안광인 506<br>박혜진 507 | 강명은 405 | 이수정 646<br>김민영 647 | 허진수 662<br>박준우 653<br>김동진 657 | | 조혜리 225 |
| | 김효상 488<br>정현수 489<br>정인아 490<br>김종연 491 | 김지현 508<br>김초아 509<br>양민정 510 | 박계희 406<br>이금미 407 | | | | 전상현 226<br>노혜리 227 |
| FAX | 760-8675 | 760-8679 | 760-8419 | 760-8671, 8674 | | 760-8676 | 742-8112 |

# 송파세무서

대표전화: 02-22249-200 / DID: 02-22249-OOO

서장: **고 성 호**
DID: 02-22249-201~2

| 주소 | 서울특별시 송파구 강동대로 62 (풍납동 388-6) (우) 05506 | | | | |
|---|---|---|---|---|---|
| 코드번호 | 215 | 계좌번호 | 180661 | 사업자번호 | 215-83-00018 |
| 관할구역 | 서울특별시 송파구 중 송파동, 장지동, 거여동, 마천동, 가락동, 문정동, 석촌동 | | | 이메일 | songpa@nts.go.kr |

| 과 | 징세과 | | | 부가가치세과 | | 소득세과 | |
|---|---|---|---|---|---|---|---|
| 과장 | 이민구 240 | | | 이성필 280 | | 김효상 360 | |
| 팀 | 운영지원 | 체납추적1 | 체납추적2 | 부가1 | 부가2 | 소득1 | 소득2 |
| 팀장 | 강하규 241 | 곽미경 601 | 오남임 621 | 송희성 281 | 황기오 301 | 강체윤 361 | 임정미 381 |
| 국세조사관 | | 김명희 602 | 강경미 629 | | 은지현 302 | 조정화 362 | 이석재 382 |
| | 유동철 594<br>송진호 615<br>박자음 242<br>오잔디 243<br>석한결 244 | 송민영 603<br>양순희 604<br>김민래 605<br>홍수영 606 | 이금조 262<br>채용문 263<br>서민경 264<br>김은수 622<br>김양근 623<br>양승복 624<br>김선경 625 | 정화선 282<br>박현정 283<br>김가연 284<br>신동한 285<br>안태수 286<br>서봉우 287 | 이효주 303<br>유정화 304<br>강하영 305<br>엄순영 306<br>김혜원 307<br>김도화 141 | 서승현 363<br>신현영 364<br>유주만 365<br>윤혜숙 143 | 김종성 383<br>조정미 384<br>하상철 385 |
| | | 박효진 607<br>홍진기 608 | 신구호 626<br>노종옥 630 | 박주혜 288 | 김태훈 308<br>박금찬 369 | 강수정 366<br>김동현 367 | 장송이 386<br>장민경 143<br>박소미 387<br>윤진주 388 |
| | 장건식 593<br>정성욱 245 | 하주원 609 | 차승기 627 | 용연훈 141<br>노혜림 289 | 신새벽 310 | 장민경<br>박찬휘 369 | 유승희 389<br>이제안 390 |
| FAX | 409-8329 | 483-1925 | | 477-0135 | | 483-1927 | |

| 과 | 재산세과 | | | 법인세과 | | 조사과 | | 납세자보호담당관 | |
|---|---|---|---|---|---|---|---|---|---|
| 과장 | 민진기 540 | | | 박성수 400 | | 윤권욱 640 | | 김영근 210 | |
| 팀 | 재산1 | 재산2 | 재산3 | 법인1 | 법인2 | 정보관리 | 조사 | 납세자보호 | 민원봉사 |
| 팀장 | 김주애 541 | 김은주 561 | 배덕렬 581 | 김혜랑 401 | 박찬욱 421 | 허장 641 | 이준혁 651 | 김수현 211 | 동철호 230 |
| 국세조사관 | 김해림 542<br>박종태 543 | 서정연 563 | 김주영 582<br>최운환 584 | 예찬순 402 | 김은자 432<br>공효신 423 | 고영지 691 | 권종욱 654<br>김선한 657<br>정승호 660<br>최종태 663<br>권경범 667 | | |
| | 오현주 544<br>이지윤 545 | 장희정 144<br>김진곤 564<br>김성욱 565<br>주아름 566<br>권경해 550 | 유수정 586<br>김병현 588 | 은진용 403<br>정월옥 404<br>안지영 405<br>강귀희 406 | 정봉훈 424<br>노미현 425<br>권현식 426 | 박세웅 642 | 정주영 670<br>노지형 664<br>박정호 652<br>박은지 655 | 한혜린 212<br>박형선 213<br>김은실 214<br>안희석 215 | 황서진 231<br>김정희<br>서미영 232<br>이아린 233<br>김미희 234 |
| | 최병석 546<br>김연희 144 | | 이희숙 583 | 최원영 407<br>이현미 408<br>윤지현 409<br>김호진 410 | 이건구 427<br>강가윤 428<br>남장우 429 | | 최수현 668<br>위진성 661<br>이지윤 658<br>강혜수 671<br>조한경 653 | | 김지현 237<br>손지선 236 |
| | 윤희원 547<br>최준영 549 | 장해연 568 | 김주예 585<br>김현선 587<br>구현정 589 | 박현진 411<br>추교석 412 | 정보경 430<br>신준호 431 | 김용희 643<br>마민화 692<br>김태희 644 | 백태훈 656<br>양현우 659<br>제은아 669<br>황소은 662<br>전민지 665 | | 김경현 235 |
| FAX | 472-3742 | | | 482-5495 | | 482-5494 | | 487-3842 | 409-6939 |

# 양천세무서

대표전화: 02-26509-200 / DID: 02-26509-OOO

서장: **김 승 현**
DID: 02-26509-201

| 주소 | 서울특별시 양천구 목동동로 165 (우) 08013<br>별관(조사과) : 서울특별시 양천구 신목로2길 66, 씨티프라자 3층 301호 (우) 08007 | | | |
|---|---|---|---|---|
| 코드번호 | 117 | 계좌번호 | 012878 | 사업자번호 | 117-83-00505 |
| 관할구역 | 서울특별시 양천구 | | | 이메일 | yangcheon@nts.go.kr |

| 과 | 징세과 | | | 부가가치세과 | | | 소득세과 | | |
|---|---|---|---|---|---|---|---|---|---|
| 과장 | 모상용 240 | | | 황장순 280 | | | 윤일호 360 | | |
| 팀 | 운영지원 | 체납추적1 | 체납추적2 | 부가1 | 부가2 | 부가3 | 소득1 | 소득2 | 소득3 |
| 팀장 | 서광원 241 | 이세주 601 | 김우진 621 | 김규성 281 | 최미순 301 | 김성도 321 | 성이택 361 | 김선항 381 | 곽민성 461 |
| 국세<br>조사관 | | | 한윤정 262<br>김문영 622 | 김보미 282 | 안혜영 302 | | 이애랑 362 | 이재하 382 | 정상원 463 |
| | 김경진 242<br>변선정 243<br>김병진 244 | 손미량 602<br>정수영 603<br>정경진 604<br>남경일 605<br>마정윤 606 | 조원준 623<br>용수화 263<br>박옥희 264<br>최기환 624<br>김행순 625 | 이광식 283<br>박근식 284<br>이나영 332 | 윤성준 303<br>임지형 304<br>윤수열 305 | 박정순 322<br>채현석 323<br>임효선 324<br>박민희 325 | 송성철 363<br>조수현 364<br>강현우 365<br>나경아 372 | 김진호 150<br>권현신 383<br>박숙영 384 | 윤순옥 464<br>노영희 150 |
| | | 최은영 607<br>류신우 608 | 맹선영 626<br>김윤영 627 | 유소현 285<br>김나래 286 | | 이승현 326 | 김지영 366 | 홍국희 385 | 조현수 465<br>이민경 466 |
| | 이선주 245<br>신상민 246<br>오세종 591<br>심희열 591 | 김진아 609 | | 차정미 287 | 김명선 306<br>서선 307 | 도준 327 | 강나루 367<br>문장환 368 | 이선아 386<br>강재신 387 | 김은진 467 |
| FAX | 2652-0058 | | | 2654-2291 | 2654-2292 | | 2654-2294 | | |

# 1등 조세회계 경제신문 조세일보

| 과 | 재산세과 | | | 법인세과 | | 조사과 | | 납세자보호담당관 | |
|---|---|---|---|---|---|---|---|---|---|
| 과장 | 손상영 480 | | | 양경영 400 | | 박재성 640 | | 이동원 210 | |
| 팀 | 재산1 | 재산2 | 재산3 | 법인1 | 법인2 | 정보관리 | 조사 | 납세자<br>보호실 | 민원봉사 |
| 팀장 | 손광섭<br>481 | | 정영진<br>521 | 정중원<br>401 | 김미원<br>421 | 정대완<br>641 | | 박정임<br>211 | 김유군<br>221 |
| 국세<br>조사관 | 심선미<br>482 | 권혁순<br>502 | 이정민<br>522<br>구민성<br>523 | 박영래<br>402 | 최성균<br>422 | | 김기만<br>654<br>황경희<br>651<br>김정화<br>657<br>최상 661 | | 이정희<br>225 |
| | 김소연<br>483<br>유강훈<br>484 | 김우수<br>503<br>고현숙<br>504<br>서강현<br>505<br>김지혜<br>김정은<br>506 | 류병호<br>524<br>박재춘<br>525 | 주희진<br>403<br>이선유<br>404 | 정여원<br>423 | 김경희<br>642<br>남승규<br>643 | 손재하<br>662<br>민경희<br>663<br>김하림<br>652<br>강혜지<br>655 | 정미화<br>212<br>손창수<br>213<br>김대희<br>214 | 안미나<br>229<br>유경숙<br>222 |
| | 이보라<br>485<br>노미현<br>윤창용<br>486 | 김혜원<br>507 | 김지은<br>526 | | 황인태<br>424 | 이민아<br>644<br>정서빈<br>645 | 최광신<br>658<br>방미경<br>653<br>전유나<br>656<br>강인한<br>659 | 오현섭<br>215 | 박선영<br>224<br>남경자<br>228<br>이영우<br>223 |
| | 서효정<br>487 | 조성현<br>508 | 김혜연<br>527<br>김유림<br>528<br>신현경<br>529 | 김지완<br>405<br>전하영<br>406 | 이승민<br>425 | 한정현<br>646 | 김준철<br>664 | | 박진아<br>226<br>오수연<br>227 |
| FAX | 2654-2295 | | | 2654-2296 | | 2650-9601 | | 2654-<br>2297 | 2649-<br>9415 |

# 역삼세무서

대표전화: 02-30118-200 / DID: 02-30118-OOO

서장: **최 진 복**
DID: 02-30118-201

| 주소 | 서울특별시 강남구 테헤란로 114 (역삼동 824) 역삼빌딩 7, 8층 및 9층 일부 (우) 06233 | | | | |
|---|---|---|---|---|---|
| 코드번호 | 220 | 계좌번호 | 181822 | 사업자번호 | 220-83-00010 |
| 관할구역 | 서울특별시 강남구 역삼동, 도곡동 | | | 이메일 | yeoksam@nts.go.kr |

| 과 | 체납징세과 | | | 부가가치세과 | | 소득세과 | | 법인세1과 | |
|---|---|---|---|---|---|---|---|---|---|
| 과장 | 박미란 240 | | | 전우식 280 | | 노동승 360 | | 정병록 400 | |
| 팀 | 운영지원 | 체납추적1 | 체납추적2 | 부가1 | 부가2 | 소득1 | 소득2 | 법인1 | 법인2 |
| 팀장 | 김상훈 241 | 이우철 601 | 김남정 621 | 김용철 281 | 김지영 301 | 최차영 361 | 김병석 372 | 정승식 401 | |
| 국세조사관 | | 정미영 602 | 안미선 622 | 천진해 282<br>정민수 283 | 이성수 302 | 임현정 362 | 박란수 372 | 황주연 402 | |
| | 전훈희 243<br>최미영 242<br>이대정 244<br>박시춘 592 | 김문경 603<br>김현민 604<br>정수빈 605<br>김미진 606 | 이영주 623<br>박미영 262<br>박재현 621<br>장희숙 263<br>임수진 621<br>이선희 624 | 백은경 284<br>최혜옥 284 | 신주령 303<br>정종욱 304<br>한유진 305<br>서동우 306 | 김난경 363<br>김경아 364<br>이송화 364 | 홍영선 373<br>박재명 374 | 홍경헌 403<br>이미숙 404<br>음홍식 405<br>문정희 406<br>최종수 407 | 김영균 422<br>진정호 423<br>정종현 424<br>석진영 425 |
| | 정순원 595 | 김수정 607<br>양근성 608 | 김나연 625<br>강명신 626<br>이종경 627<br>백수희 628<br>김희준 629 | 조민현 285<br>박용석 286 | 김소영 307<br>최선주 308 | | | 정일영 408<br>김혁희 409 | 오정언 426<br>이지호 427<br>김효섭 428 |
| | 이승연 245<br>손기봉 246 | 전진효 609<br>이석봉 610 | 이신화 264<br>윤지원 630<br>조선진 265<br>구용모 631 | 오소현 287 | 이윤진 309<br>신나현 309 | 김연규 365<br>이승우 366 | 황경주 374<br>이현진 375 | 최보윤 410<br>문아연 411 | 이지영 429<br>이미지 430 |
| FAX | 561-6684 | | | 501-6741 | | 564-0311 | 565-0314 | 552-0759 | 3011-8397 |

| 과 | 법인세2과 | | 재산세과 | | | 조사과 | | 납세자보호담당관 | |
|---|---|---|---|---|---|---|---|---|---|
| 과장 | 송영채 440 | | 오명준 480 | | | 허천회 640 | | 오규철 210 | |
| 팀 | 법인1 | 법인2 | 재산1 | 재산2 | 재산3 | 정보관리 | 조사 | 납세자보호실 | 민원봉사실 |
| 팀장 | 이봉희 441 | 김지욱 461 | 김은중 481 | 정한욱 501 | 조헌일 521 | 김주현 641 | 김제우 651<br>김혜미 680 | 이주한 211 | 홍규선 221 |
| 국세조사관 | 박소연 442<br>우덕규 443 | 김현주 463 | 김수용 482<br>이금숙 483 | 정주인 502 | 김호 522<br>전수미 523 | | 감석종 656<br>이영우 661<br>하태희 660<br>금현정 680<br>정호형 663<br>이종경 670<br>이윤주 673<br>임근재 677 | | 유현정 556 |
| | 김성향 444<br>박명열 445<br>문보라 446<br>권규종 447 | 서용준 464<br>김다솜 465<br>허미영 466 | 조정진 484<br>박도윤 485 | 김희윤 503<br>최은수 504<br>설정란 504<br>주화연 505 | 권혁 524 | 황인주 642<br>박희근 691<br>차지현 692<br>박세림 643<br>김오미 644 | 이충섭 653<br>서재운 657<br>송현호 664<br>허송 671<br>이재영 674<br>노정환 679<br>민우빈 681 | 백유진 213<br>강형석 214 | 김새미 556 |
| | 최여은 448<br>이현정 449 | 이효정 467<br>윤수빈 468<br>박진우 469 | 노이주 485 | | 조영혁 525 | 조동진 645 | 이준희 654<br>최설향 662<br>이고운 665 | 박지언 215<br>이주희 216 | 박샛별 556<br>김화숙 556<br>오푸른 556<br>박하니 556<br>정상열 556 |
| | 김경은 450 | 양민영 470 | 박우경 486 | 백진우 506 | 김찬주 526<br>최혜연 527 | | 장수원 658<br>신유진 672<br>이민철 675 | 채지유 217 | |
| FAX | 561- 0371 | | 539-0852 | 561-4464 | | 501-6743 | 552-0736 | 552-2100 | 3011-6600 |

# 영등포세무서

대표전화: 02-26309-200 / DID: 02-26309-OOO

서장: **김 필 식**
DID: 02-26309-201, 202

| 주소 | 서울특별시 영등포구 선유로 243 (양평동4가 24) (우) 07261 | | | | |
|---|---|---|---|---|---|
| 코드번호 | 107 | 계좌번호 | 011934 | 사업자번호 | 107-83-00599 |
| 관할구역 | 서울특별시 영등포구 (신길동, 도림동, 대림동 제외) | | | 이메일 | yeongdeungpo@nts.go.kr |

| 과 | 징세과 | | | 부가가치세1과 | | 부가가치세2과 | | 소득세과 | |
|---|---|---|---|---|---|---|---|---|---|
| 과장 | 김태선 240 | | | 김진석 280 | | 이병만 320 | | 조재량 360 | |
| 팀 | 운영지원 | 체납추적1 | 체납추적2 | 부가1 | 부가2 | 부가1 | 부가2 | 소득1 | 소득2 |
| 팀장 | 최현석 241 | 심종숙 601 | 한숙향 621 | 천영현 281 | 박옥주 301 | 차순백 321 | 이재원 341 | 조형석 361 | 이규원 381 |
| 국세조사관 | | 이정로 602<br>엄태자 603 | 김은실 622<br>박애자 262 | 소영석 283 | 김기은 302 | 신영심 322 | | 이혜전 540<br>최남원 362 | |
| 국세조사관 | 정혜영 242<br>남전우 208<br>김은석 591 | 임은화 604<br>염은영 605<br>윤정미 606<br>장성우 607 | 김경희 263<br>박원영 623<br>김정희 624<br>김유미 264 | 천경필 282<br>김유나 284<br>유진옥 285<br>이선영 290 | 오혜실 303<br>이현아 304<br>정화승 305<br>채종희 310 | 이수련 323<br>정민순 327 | 박윤진 342<br>이명희 552<br>이완배 345<br>고완구 344 | 김희선 363<br>임효정 364 | 이정훈 382<br>박연주 383 |
| 국세조사관 | 배상철 619<br>김성진 618<br>전형민 243<br>이채원 244 | 김혜정 608<br>최인석 609 | 김윤미 625<br>박순진 626<br>홍다영 265<br>이명원 627 | 양지상 286 | | | 장승연 347 | 김석규 365 | 김서윤 384 |
| 국세조사관 | 김주만 245<br>양웅비 246 | 조인영 610<br>황혜주 611<br>신동진 612 | 연성준 628<br>송필섭 629<br>최민정 630 | 김지은 290 | 이진아 307<br>김민석 306 | 장희정 324<br>박승필 325 | 박진영 346 | 최보영 366 | 홍성옥 385<br>서한슬 386<br>노은지 387 |
| FAX | 2678-4909 | | | 2679-4971 | | 2679-4977 | | 2679-2627 | |

# 10년간 쌓아온 재무인의 역사를 돌려드립니다 '온라인 재무인명부'

수시 업데이트 되는 국세청, 정·관계 인사의 프로필과 국세청, 지방청, 전국세무서, 관세청,
유관기관 등의 인력배치 현황을 볼 수 있는 온라인 재무인명부

1등 조세회계 경제신문 조세일보

| 과 | 재산세과 | | 법인세1과 | | 법인세2과 | | 조사과 | | 납세자보호담당관 | |
|---|---|---|---|---|---|---|---|---|---|---|
| 과장 | 강기석 480 | | 이경수 400 | | 이재영 440 | | 남호성 640 | | 선봉관 210 | |
| 팀 | 재산1 | 재산2 | 법인1 | 법인2 | 법인1 | 법인2 | 정보관리 | 조사 | 납세자보호실 | 민원봉사실 |
| 팀장 | 김령도 481 | 문지혁 501 | 이승구 401 | 주경탁 421 | 손성국 441 | 강지성 461 | 한석진 641 | 최병국 651 | 유지유 211 | 박찬경 221 |
| 국세조사관 | 송병섭 483 김경미 484 | 박성민 502 | 오대창 402 | | 김민경 442 | | 하신호 642 | 박광용 655 강선희 659 최동혁 663 | 송도관 212 | 이동백 222 김정연 223 장재훈 224 |
| | 당만기 485 이지원 486 연지연 487 심수민 488 김소연 515 | 이주연 503 정순임 504 박기태 507 이은미 506 | 김영일 403 이민지 404 구미선 405 임현우 406 여주연 412 | 김기남 422 윤소윤 423 임성도 424 이지응 425 | 장은정 443 임하나 444 홍은결 445 서진호 446 | 권오정 462 이진아 463 최설희 464 지원민 465 김석현 466 | 권우건 692 최민경 643 엄영희 693 | 류나리 666 최정훈 669 구선영 652 박준현 660 홍은아 670 | 구현지 213 | 조영주 225 김라영 (오전) 226 |
| | 이현지 515 | 이경진 510 | 조가을 407 이선영 408 빈효준 409 | 한재일 426 최성열 427 | 조정훈 447 박근영 448 김선영 449 | 여혜진 이연실 467 손상익 468 | | 조혜리 656 노지혜 664 김혁 667 박지해 653 김유리 657 김윤성 668 김지현 665 | 배민정 214 송진수 215 이은정 216 | 김유정 227 김보영 228 김예주 229 김경록 230 |
| | 김민준 489 김가희 490 | 김세린 505 김보라 511 | 허정인 410 임진주 411 | 박효준 428 정다영 429 장이지 430 김예지 431 | 신순호 김해진 450 강서의 451 | 윤서울 469 변병돈 470 | 황민정 644 | 송지혜 661 이현주 671 | | 강성은 231 |
| FAX | 2679-4361 | | 2633-9220 | | 2679-0732 | | 2679-0953, 0185 | | 2631-9220 | 2637-9295 |

# 용산세무서

대표전화: 02-7488-200 / DID: 02-7488-OOO

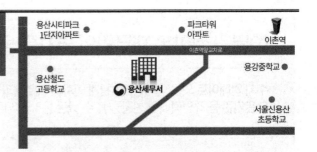

용산시티파크 1단지아파트 · 파크타워 아파트 · 이촌역
이촌역앞교차로
용산철도 고등학교 · 용산세무서 · 용강중학교
서울신용산 초등학교

서장: **김 시 현**
DID: 02-7488-201~2

| 주소 | 서울특별시 용산구 서빙고로24길 15 (한강로3가) (우) 04388 | | | | |
|---|---|---|---|---|---|
| 코드번호 | 106 | 계좌번호 | 011947 | 사업자번호 | 106-83-02667 |
| 관할구역 | 서울특별시 용산구 | | | 이메일 | youngsan@nts.go.kr |

| 과 | 체납징세과 | | | 부가가치세과 | | 소득세과 | | 재산세과 | | |
|---|---|---|---|---|---|---|---|---|---|---|
| 과장 | 배정현 240 | | | 조구영 280 | | 권순일 360 | | 박해근 480 | | |
| 팀 | 운영지원 | 체납추적1 | 체납추적2 | 부가1 | 부가2 | 소득1 | 소득2 | 재산1 | 재산2 | 재산3 |
| 팀장 | 류인용 241 | 장영환 601 | 조민숙 621 | 최성순 281 | 진인수 301 | 박문철 361 | 김용만 381 | 이정민 481 | 하기성 501 | 최병석 521 |
| 국세 조사관 | | 김현아 602 임미선 604 | 김상근 622 김도경 261 이인숙 262 | | 강경수 302 김종현 303 | 이광수 362 | | 윤명희 490 홍해성 482 한미경 483 | 전혜정 502 김수열 503 | 최태진 522 |
| | 이정숙 242 권태인 244 | 육혜연 황은옥 606 김충상 603 | 배을주 624 배원만 626 | 김재형 282 한예숙 283 김지연 284 김해리 285 | 정희진 304 최영아 305 임선진 306 | 주혜령 363 한경석 368 류관선 369 최운식 366 | 권대식 382 이혜리 383 고병석 384 | 송영석 484 유주민 485 | 홍찬희 509 김정희 504 | 진관수 523 임규만 524 류수현 525 |
| | 박혜근 243 성주호 245 | 홍경원 607 김경복 605 | 박은혜 263 김나연 623 | 강태경 286 | 양유진 | 김수경 268 | 이병도 385 임종희 268 | 신주현 486 나은경 487 | 전미례 505 임성영 506 도명준 507 | 박진성 526 장연주 527 |
| | 권윤섭 246 김동민 614 조창규 615 | 박소현 608 | 권윤회 625 최현준 627 김은정 628 | 박지원 287 어수임 288 | 한석영 307 백영지 308 | 김단아 367 윤성호 370 | 정혜원 388 황선혜 386 박소정 387 | 이은우 488 | 최정은 508 | 김서영 528 안영준 529 |
| FAX | 748-8269 | 792-2619 | | 748-8296 | | 748-8160 | 748-8169 | 748-8512 | 748-8515 | |

# 1등 조세회계 경제신문 조세일보

| 과 | 법인세과 | | 조사과 | | 납세자보호담당관 | |
|---|---|---|---|---|---|---|
| **과장** | 김선봉 400 | | 김영동 640 | | 금승수 210 | |
| **팀** | 법인1 | 법인2 | 정보관리 | 조사 | 납세자보호실 | 민원봉사실 |
| **팀장** | 박인홍 401 | 장영림 421 | | 범수만 651 | 최정규 211 | 이미경 221 |
| **국세 조사관** | 성현주 402 | | 정수인 김명희 642 윤청연 691 | 박시용 659 김창호 663 정영식 667 이경표 670 | | 한재희 222 |
| | 박주철 403 최진 404 정민섭 405 조윤아 406 임석민 407 | 황태연 422 김현 423 유지영 424 김은희 425 장용경 426 | 강병순 692 라지영 643 | 박진영 652 이광성 656 조애정 657 안대엽 660 배지영 664 김성훈 665 김호서 668 염진옥 671 | 부윤신 212 김차남 213 강은숙 214 | 황연희 223 김소리 226 |
| | 심수빈 408 제우성 409 | 여은수 427 | | 최은정 673 위다현 658 양종열 661 강민형 669 주윤정 672 | | 김연주 224 |
| | 박혜성 410 박서연 411 | 채연주 428 나인애 429 김희선 430 | 최원길 644 | 이우재 654 | | 임찬혁 225 |
| **FAX** | 748-8190 | | 748-8696 | | 748-8217 | 796-0187 |

# 은평세무서

대표전화: 02-21329-200 / DID: 02-21329-OOO

서장: **전 병 오**
DID: 02-21329-201~2

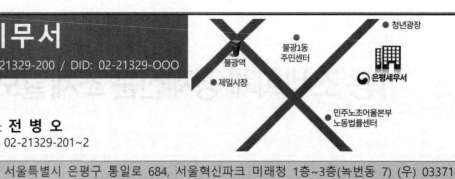

| 주소 | 서울특별시 은평구 통일로 684, 서울혁신파크 미래청 1층~3층(녹번동 7) (우) 03371 | | | | |
|---|---|---|---|---|---|
| 코드번호 | 147 | **계좌번호** | 026165 | **사업자번호** | 268-83-00026 |
| 관할구역 | 서울특별시 은평구 | | | **이메일** | |

| 과 | 징세과 | | | 부가가치세과 | | 소득세과 | |
|---|---|---|---|---|---|---|---|
| **과장** | 한명숙 240 | | | 권석주 280 | | 정성영 360 | |
| **팀** | 운영지원 | 체납추적1 | 체납추적2 | 부가1 | 부가2 | 소득1 | 소득2 |
| **팀장** | 김웅 241 | 김수진 601 | 박우성 621 | 김주생 281 | 안무혁 301 | 김성덕 361 | 김종국 381 |
| **국세<br>조사관** | | 김미성 602 | 이성진 622 | 오임순 282 | 김지혜 302 | 오해정 362<br>문형빈 363 | 이수경 382<br>오현주 383 |
| | 박복영 242<br>김기연 243<br>김은재 244<br>김진몽 593<br>하륜광 246 | 정기선 603<br>양홍석 604 | 노인선 628<br>천새봄 623<br>황유숙 629<br>권기홍 624 | 남미라 283<br>김지민 284<br>박원희 288 | 이수민 304<br>박대윤 305<br>허성근 307 | 이윤경 364<br>김숙영 365<br>이화선 366 | 박하란<br>김민영 384<br>안정훈<br>진형석 385<br>유정화 386 |
| | | 김현준 605<br>이정주 606<br>박성하 607 | 어장규 625<br>도주현 626 | 조선희 285 | 강민영<br>금민진<br>조한아 305 | 김이화 367<br>김중규 368 | 김지은 367 |
| | | 김유진 608<br>이슬 609 | 류선아 627 | 김진아 286<br>조현우 287 | 최소은 306<br>강민주 308 | 박서희 369<br>김영석 371<br>윤국한<br>박현철 370 | 박선영 388<br>박준희 389<br>임아연 390 |
| **FAX** | 2132-9571 | 2132-9505 | | 2132-9572 | | 2132-9573 | |

| 과 | 재산법인세과 | | | 조사과 | | 납세자보호담당관 | |
|---|---|---|---|---|---|---|---|
| **과장** | 최영호 400 | | | 서재기 640 | | 김찬 210 | |
| **팀** | 재산1 | 재산2 | 법인 | 정보관리 | 조사 | 납세자<br>보호실 | 민원봉사실 |
| **팀장** | 박평식 481 | 서윤식 501 | 정운형 401 | 한상범 641 | 전동근 651<br>김종진 654<br>김희겸 657<br>노수정 652 | 황윤숙 211 | 신영섭 221 |
| | | 김경환 502 | 공태운 402 | | | | |
| **국세<br>조사관** | 최웅 482<br>이창민 483<br>김소희 484<br>이민석 485 | 이태경 503<br>정소연 504 | 백아영 403<br>임보람 404<br>박치현 405<br>윤주영 407 | 성대경 642<br>윤민정 643<br>유희정 644 | 김형섭 658<br>정수진 655 | 김흥기 212<br>조혜정 213<br>김경모 214 | 정유진 222<br>진병훈 223 |
| | 지신영 486<br>정주희 487 | 최명식 505<br>이우남 506 | 부나리 406 | 오은숙 645<br>윤수향 646 | 김성율 656 | | 김지은 224<br>윤세진 225 |
| | 김도균 488<br>김민경 489<br>이경희 490<br>김정범 491 | 박정은 508<br>박영주 507 | | | 이다훈 653 | | 김민정 226<br>나희영 227 |
| **FAX** | 2132-9574 | | | 2132-9505 | | 2132-9576 | |

# 잠실세무서

대표전화: 02-20559-200 / DID: 02-20559-OOO

서장: **권 순 재**
DID: 02-20559-201

| 주소 | 서울특별시 송파구 강동대로 62 (풍납2동 388-6) (우) 05506 | | | | | | | | |
|---|---|---|---|---|---|---|---|---|---|
| 코드번호 | 230 | | 계좌번호 | 019868 | | 사업자번호 | | 230-83-00017 | |
| 관할구역 | 송파구 중 잠실동, 신천동, 삼전동, 방이동, 오금동, 풍납동 | | | | | 이메일 | | | |

| 과 | 징세과 | | | 부가가치세과 | | 소득세과 | | 법인세과 | |
|---|---|---|---|---|---|---|---|---|---|
| **과장** | 이귀병 240 | | | 임일훈 280 | | 김춘경 360 | | 김기태 400 | |
| **팀** | 운영지원 | 체납추적1 | 체납추적2 | 부가1 | 부가2 | 소득1 | 소득2 | 법인1 | 법인2 |
| **팀장** | 전학심 241 | 박범진 601 | 김승룡 621 | 이희경 281 | 김윤희 301 | 노현정 361 | 전준일 381 | 김강현 401 | 노석봉 421 |
| **국세 조사관** | | | 조윤서 629 구자옥 262 정은정 264 | 임성찬 282 | | 김태연 362 노일호 363 | 윤희정 382 | 김율희 402 | 문주란 422 |
| | 박민재 242 차유경 244 김선호 246 | 윤민수 603 마선희 604 | 강현철 623 이원도 624 박연선 263 박경애 625 | 이상훈 283 김은하 (오후) 김윤정 284 | 박은혜 302 김서연 303 김경인 (오전) 김정배 304 김성환 305 | 이민순 364 임홍숙 365 김현진(오전) 392 배우리 366 이미경(사무) 379 | 김주수 383 강혜경 384 권예원 385 | 최상채 403 김승혜 404 | 정현진 423 이성규 424 |
| | 최범식 243 | 김준하 605 정인지 606 박경림 607 | 양현준 626 | 이가연 285 권오현 286 | 박세인 306 | 양수정 367 한지혜 368 김선규 369 | 박민수 386 | 이석준 405 박보화 406 | 정다은 425 송명림 426 이대근 427 |
| | 황찬연 245 류경탁 (운전) 596 이재혁 (방호) 599 | 이태원 608 | 장윤서 627 김혜식 264 | 박찬송 287 | 강범준 307 김유진 308 | 임광훈 370 | 이륜경 387 이미숙 388 임성미 389 | 공자빈 407 조은솔 408 | 손홍필 428 |
| **FAX** | 475-0881 | 476-4757 | | 483-1926 | | 475-7511 | | 486-2494 | |

**🌀가현택스**

대표세무사 : 임채수 (前잠실세무서장/경영학박사)
서울시 송파구 신천동 11-9 한신코아오피스텔 1016호
전화 : 02-3431-1900    팩스 : 02-3431-5900
핸드폰 : 010-2242-8341    이메일 : lcsms57@hanmail.net

**예일세무법인**

대표세무사 : 이인기 (前잠실세무서장)
서울특별시 강남구 테헤란로 313 3층 (역삼동, 성지하이츠1차)
전화 : 02-2188-8100    팩스 : 02-568-0030
이메일 : inkilee9@naver.com

| 과 | 재산세과 | | | 조사과 | | 납세자보호담당관 | |
|---|---|---|---|---|---|---|---|
| 과장 | 최영환 480 | | | 문정오 640 | | 김명규 210 | |
| 팀 | 재산1 | 재산2 | 재산3 | 정보관리 | 조사 | 납세자보호실 | 민원봉사실 |
| 팀장 | 신지성 481 | 노명희 501 | 하행수 521 | 장호수 641 | 황찬욱 | | 최미자 221 |
| 국세조사관 | 이지현 482 | 송기동 502 | 신이길 522<br>신정숙 523 | | 백성태 656<br>윤재헌 661<br>도경민 664<br>이진수 667<br>박향미 652 | 문여리 212 | |
| | 김현옥 483<br>김태은 484<br>조현구 485 | 정혜영 503<br>윤신애 504<br>이난영(사무)<br>519 | 오강재 524<br>이한배울 525<br>홍성천 526<br>문명진 527<br>김도영 528 | 김재은 642<br>전병준 643<br>박상미 644 | 박명희 662<br>김기천 665<br>안승용 657<br>한영섭 668 | 정소영 213 | 이해미 223<br>최혜진(오후)<br>225<br>김지혜(오전)<br>224<br>최성화 227 |
| | 전지연 486<br>송창식 487<br>길혜선 488 | 김영심 505<br>김혜진 506<br>우지영 507 | | | 김상원 663<br>최정인 666<br>현진희 669 | 장철현 214<br>조윤희 215 | 김주영 226 |
| | 김유림 489<br>허준영 490 | 이건희 508<br>오정욱 509 | 정은선 530<br>김예진 529<br>이주영 531 | 김유리 645 | 김문경 653<br>송지예 658 | | 유태호 228 |
| FAX | 476-4587 | | | 475-6933 | | 485-3703 | 470-0241 |

# 종로세무서

대표전화: 02-7609-200 / DID: 02-7609-OOO

서장: **이 승 신**
DID: 02-7609-201

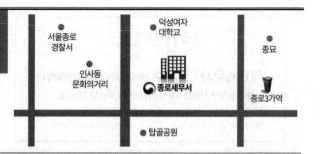

| 주소 | 서울특별시 종로구 삼일대로 30길 22 (낙원동 58-8번지) (우) 03133 ||||
|---|---|---|---|---|
| 코드번호 | 101 | 계좌번호 | 011976 | 사업자번호 | 101-83-00193 |
| 관할구역 | 서울특별시 종로구 || 이메일 | jongno@nts.go.kr |

| 과 | 징세과 ||| 부가가치세과 ||| 소득세과 ||
|---|---|---|---|---|---|---|---|---|
| 과장 | 김경선 240(4층), 250(3층) ||| 이유원 280 ||| 박만욱 360 ||
| 팀 | 운영지원 | 체납추적1 | 체납추적2 | 부가1 | 부가2 | 부가3 | 소득1 | 소득2 |
| 팀장 | 권지은 241 | 성기동 601 | 이은배 621 | 민승기 281 | 박영애 301 | 김유미 321 | 정희숙 361 | 박혜정 381 |
| 국세<br>조사관 | | 김종식 602 | 이상현 622<br>김원형 623 | 박희달 282 | 정동혁 302 | 김영미 322 | | 문광섭 382<br>이주희 312 |
| | 진미선 242<br>김성희 243<br>송지혜 244<br>조천령 620 | 김영남 603<br>이홍욱 604<br>홍경욱 605 | 임정희 262<br>홍현승 263<br>김동원 624 | 임경미 283<br>이현지 284<br>이경하 285 | 윤지미 305<br>고은주 304<br>황미경 307<br>유호영 297 | 홍주현 323<br>김선영 324<br>박은정 325 | 최미리 312<br>최상임 362<br>김대환 363 | 김별진 312 |
| | 양웅 245 | 박희수 606<br>이송하 607<br>최원길 608 | 윤서영 625<br>채연기 626<br>조현주 264 | 박성수 286<br>윤성귀 297<br>이현욱 287 | 노민경 306 | 김정우 326<br>박혜미 327 | 홍기선 364 | 박소희 383<br>백은실 384 |
| | 유동준 246<br>박종서 249<br>이정모 248 | 강한덕 609 | 류지호 627<br>방솔비 628<br>김유진 629 | 박소미 288<br>오서연 289 | 정현승 308 | 김형완 328 | 구진아 365<br>이지원 366 | 유예림 385 |
| FAX | 744-4939 | 760-9632, 744-4939 || 760-9600 ||| 747-4253 ||

# 1등 조세회계 경제신문 조세일보

| 과 | 재산세과 | | 법인세과 | | | 조사과 | | 납세자보호담당관 | |
|---|---|---|---|---|---|---|---|---|---|
| 과장 | 오성철 480 | | 김미경 400 | | | 윤종상 640 | | 양한철 210 | |
| 팀 | 재산1 | 재산2 | 법인1 | 법인2 | 법인3 | 정보관리 | 조사 | 납세자보호실 | 민원봉사실 |
| 팀장 | 배성호 481 | 지은섭 501 | 강장환 401 | 김민주 421 | 김소희 441 | 박정우 641 | | | 탁용성 221 |
| 국세조사관 | 정윤미 495 | 전정훈 502<br>홍광원 503 | 조성오 402<br>김영신 403 | 이영민 422<br>정주현 423 | 손길진 442<br>윤주영 443 | 이경아 642 | 임인정 661<br>곽봉섭 656<br>조운학 651<br>한이수 681<br>강성화 676 | 전진수 212 | 김광미 223 |
| | 남호철 482<br>권수연 489<br>김성수 483<br>김예린 484<br>예수빈 485 | 황정화 504<br>김경식 505<br>김인호 506<br>김효원 507 | 유은진 404<br>박혜경 405<br>김선우 406 | 최준웅 424<br>이경민 425<br>정형진 426<br>박지희 427 | 백유영 444<br>최아현 445<br>조송희 446 | 곽병길 691<br>장영훈 692 | 현재민 662<br>김진식 657<br>박민우 652<br>임윤종 682<br>박정희 671<br>정장군 672 | 양미선 213<br>오우진 214 | 김영옥 224<br>임미애 225 |
| | 김선아 486<br>이슬기 487 | | 방유미 407<br>김용호 408<br>김수현 409 | 양희승 428 | 박주연 447<br>이정은 448 | 송현화 693 | 김수정 683<br>김은지 677 | | 양심영 226<br>김민아 227 |
| | 최혜련 488 | | 김지혜 410<br>박창묵 411 | 권혁찬 429 | 이은아 449 | 문예서 643<br>인순영 644 | 박홍균 663<br>한지원 664<br>이재영 658<br>이솔아 653<br>송인범 678<br>박세인 673 | 정현호 215 | 김유주 228 |
| FAX | 747-9154 | | 760-9454 | | | 747-9156 | | 747-9157 | |

# 중랑세무서

대표전화: 02-21700-200 / DID: 02-21700-OOO

서장: **윤 재 갑**
DID: 02-21700-200

| 주소 | 서울특별시 중랑구 망우로 176 (상봉동 137-1) (우) 02118 | | | | |
|---|---|---|---|---|---|
| 코드번호 | 146 | 계좌번호 | 025454 | 사업자번호 | 454-83-00025 |
| 관할구역 | 서울특별시 중랑구 | | | 이메일 | jungnang@nts.go.kr |

| 과 | 징세과 | | | 부가가치세과 | | 소득세과 | |
|---|---|---|---|---|---|---|---|
| 과장 | 유원재 240 | | | 노수현 270 | | 김권 340 | |
| 팀 | 운영지원 | 체납추적1 | 체납추적2 | 부가1 | 부가2 | 소득1 | 소득2 |
| 팀장 | 장민우 241 | 김민제 601 | 유한순 621 | 조판규 271 | 유성두 291 | 어명진 341 | 박애경 361 |
| 국세<br>조사관 | | 안연숙 602 | | 김영주 272 | 임종민 293 | 오주원 342<br>이동현 343 | 이길채 362 |
| | 이은경 242<br>김지현 243<br>강장욱 595<br>유승종 595 | 홍지화 603<br>홍정민 609<br>이은희 604<br>김채윤 605 | 김인숙 622<br>이은진 623<br>손선미 262<br>이후건 624 | 전광준 273<br>이진호 274<br>임영은 275<br>김도연 701<br>최은수 276<br>임은주 280 | 권교범 294<br>채민호 702<br>윤영랑 295<br>임세영 296<br>이지희 297 | 김은경 344<br>김수경 702 | 이윤행 702<br>백설희 363 |
| | | 김혜현 606 | 신승현 625 | 노승환 277 | 양영철 298<br>최현영 299 | 남영철 345<br>송연주 346 | 이윤정 364<br>홍수지 365 |
| | 이현문 244<br>이예진 245 | 김상현 607<br>임수진 608 | 박도은(오전)<br>263<br>김현정 264 | 김재훈 278 | 서영호 300 | 최시온 347<br>한재식 348<br>양영택 349 | 신현주 366<br>이지율 367<br>김수진 368<br>변광호 369 |
| FAX | 493-7315 | | | 493-7313 | | 493-7312 | |

| 과 | 재산법인세과 | | | 조사과 | | 납세자보호담당관 | |
|---|---|---|---|---|---|---|---|
| **과장** | 이서행 460 | | | 오창주 640 | | 류동현 210 | |
| **팀** | 재산1 | 재산2 | 법인 | 정보관리 | 조사 | 납세자<br>보호실 | 민원봉사실 |
| **팀장** | 최동수 461 | 강민완 481 | 정한진 531 | 황병규 641 | 양재중 651 | 신지영 211 | 이성희 221 |
| **국세<br>조사관** | 정성은 462<br>김난형 463 | 강미순 482 | | | 오민숙 654<br>정애진 657 | 이지선 212 | 김나나 222<br>배상미 226 |
| | 최연정 464<br>한영규 703<br>안소영 465<br>조명근 466 | 이찬형 483 | 정동원 532<br>엄영진 533 | 신나영 644<br>이지혜 642<br>전정원 643 | 박상언 658 | 김대연 213<br>정강미 214 | 정경순 226<br>윤영민 223 |
| | 임윤택 467 | 황신원 484 | 박정혜 534<br>김대연 535<br>이세란 536 | | 한정호 655<br>강선이 652<br>한혜빈 656 | 임현경 215 | 박인희 224 |
| | | 장조희 485<br>이다경 486 | 문정식 537 | 이현아 645 | 김지안 653 | | 정석훈 225 |
| **FAX** | 493-7316 | | | 493-7317 | | 493-7311 | 493-7310 |

# 중부세무서

대표전화: 02-22609-200 / DID: 02-22609-OOO

서장: **이 철 재**
DID: 02-22609-201~2

| 주소 | 서울특별시 중구 퇴계로 170 (남학동 12-3) (우) 04627 | | | |
|---|---|---|---|---|
| **코드번호** | 201 | **계좌번호** 011989 | **사업자번호** | 202-83-30044 |
| **관할구역** | 중구 중 광희동 1,2가, 남대문로 2가, 남산동 1,2,3가, 남학동, 명동 1,2가, 무학동, 묵정동, 방산동, 신당동, 쌍림동, 예관동, 예장동, 오장동, 을지로 6,7가, 인현동 1,2가, 장충동 1,2가, 주자동, 초동, 충무로 1,2,3,4,5가, 필동 1,2,3가, 황학동, 홍인동 | | **이메일** | jungbu@nts.go.kr |

| 과 | 징세과 | | | 부가가치세과 | | 소득세과 | |
|---|---|---|---|---|---|---|---|
| **과장** | 배인수 240 | | | 조성호 280 | | 한예환 360 | |
| **팀** | 운영지원 | 체납추적1 | 체납추적2 | 부가1 | 부가2 | 소득1 | 소득2 |
| **팀장** | 이승희 241 | 박성호 601 | 이재원 621 | 한상민 281 | 채종철 301 | 이문수 361 | 김지원 381 |
| **국세 조사관** | | 정영건 602 | | 임봉숙 282 김미진 283 | 황주현 303 박옥진 304 | 조명상 362 | |
| | 허형철 242 마경진 243 | 김행복 603 김대윤 604 | 최진원 624 김지영 622 | 황미영 284 이상민 285 최정림 286 전화영 287 | 정민철 305 홍강훈 306 조미애 307 김수진 308 | 신수영 363 홍지석 364 김영남 365 | 김수진 382 김경익 383 |
| | 박지훈(방호) 595 김유식 강동원 244 | 정세나 605 강동우 606 유정현 607 | 신지숙 623 김효정 625 | 박세현 288 최원화 289 심지은 290 정현철 291 | 김지현 309 김지연 310 | | |
| | 강민균 245 | 이은아 608 조슬기 609 | 윤희정 626 정승현 627 | 한소백 292 엄하은 293 | 김은령 311 황은진 312 | 전민채 366 | 조경진 384 |
| **FAX** | 2268-0582 | 2268-0583 | | 2260-9582 | | 2260-9583 | |

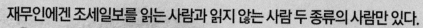

# 재무인과 함께 걸어가겠습니다 '조세일보'

재무인에겐 조세일보를 읽는 사람과 읽지 않는 사람 두 종류의 사람만 있다.

1등 조세회계 경제신문 조세일보

| 과 | 재산법인세과 | | | 조사과 | | 납세자보호담당관 | |
|---|---|---|---|---|---|---|---|
| 과장 | 남영우 400 | | | 박주담 640 | | 조미희 210 | |
| 팀 | 재산 | 법인1 | 법인2 | 정보관리 | 조사 | 납세자보호실 | 민원봉사실 |
| 팀장 | 김용선 481 | 김용배 401 | 조규창 421 | 이필 641 | 배장완 654<br>최윤영 657<br>심민경 660 | 이경호 211 | 이태순 221 |
| 국세<br>조사관 | 강명준 482<br>이태경 483<br>최상연 484 | 오근선(사무)<br>410 | 최길숙 422<br>이진희 423 | | | 김성한 212 | |
| | 김지윤 485<br>이창흠 486<br>김수연 487<br>유서진 488 | 김현숙 403<br>박미영 404<br>김형주 405 | 김연자 424<br>권나예 425<br>진덕화 426<br>유현아 427 | 제갈융 642<br>차유해 643 | 서문지영 652<br>정아람 658<br>김평섭 661<br>김정윤 663 | 박선희 213<br>정미경 214 | 황선익 223<br>공선영 224 |
| | | | | 최수인 644<br>김영주 645 | 박소영 655<br>이종룡 664<br>최세희 665<br>정희연 662 | | 정현진 225<br>박선욱 226 |
| | 송예린 489 | 정재호 406<br>황지현 407<br>박동수 408 | 윤성민 428 | | 나영미 656<br>한승완 659<br>송채원 653 | | 안희성 227 |
| FAX | 2260-9584 | | | 2260-9586 | | 2260-9581 | |

# 중부지방국세청
# 관할세무서

| | | |
|---|---|---|
| ■ 중부지방국세청 | 215 | |
| 지방국세청 국·과 | 216 | |
| [경기] 구    리 세무서 | 226 | |
| 기    흥 세무서 | 228 | |
| 남 양 주 세무서 | 230 | |
| 동 수 원 세무서 | 232 | |
| 동 안 양 세무서 | 234 | |
| 분    당 세무서 | 236 | |
| 성    남 세무서 | 238 | |
| 수    원 세무서 | 240 | |
| 시    흥 세무서 | 242 | |
| 경기광주 세무서[하남지서] | 244 | |
| 안    산 세무서 | 246 | |
| 동 안 산 세무서 | 248 | |

| | | |
|---|---|---|
| 안    양 세무서 | 250 | |
| 용    인 세무서 | 252 | |
| 이    천 세무서 | 254 | |
| 평    택 세무서[안성지서] | 256 | |
| 동 화 성 세무서 | 258 | |
| 화    성 세무서 | 260 | |
| [강원] 강    릉 세무서 | 262 | |
| 삼    척 세무서[태백지서] | 264 | |
| 속    초 세무서 | 266 | |
| 영    월 세무서 | 268 | |
| 원    주 세무서 | 270 | |
| 춘    천 세무서 | 272 | |
| 홍    천 세무서 | 274 | |

# 중부지방국세청

| 주소 | 경기도 수원시 장안구 경수대로 1110-17 (파장동 216-1) (우) 16206 |
|---|---|
| 대표전화 & 팩스 | 031-888-4200 / 031-888-7612 |
| 코드번호 | 200 |
| 계좌번호 | 000165 |
| 사업자등록번호 | 124-83-04120 |
| e-mail | jungburto@nts.go.kr |

## 청장　　박재형

(D) 031-888-4201

비　　서　　이현규　　　　(D) 031-888-4204

| 성실납세지원국장 | 최영준 | (D) 031-888-4420 |
|---|---|---|
| 징세송무국장 | 정용대 | (D) 031-888-4340 |
| 조사1국장 | 유재준 | (D) 031-888-4660 |
| 조사2국장 | | (D) 031-888-4480 |
| 조사3국장 | | (D) 031-888-4080 |

# 중부지방국세청

대표전화: 031-888-4200 / DID: 031-888-OOOO

청장: **박 재 형**
DID: 031-888-4201

| 주소 | 경기도 수원시 장안구 경수대로 1110-17 (파장동 216-1) (우) 16206 | | | | |
|---|---|---|---|---|---|
| 코드번호 | 200 | 계좌번호 | 000165 | 사업자번호 | 124-83-04120 |
| 관할구역 | 경기도 일부, 강원도(철원군 제외) [중부지방국세청 관내 22개 세무서 : 안양, 동안양, 안산, 수원, 동수원, 화성, 평택, 성남, 분당, 이천, 남양주, 구리, 시흥, 용인, 춘천, 홍천, 원주, 영월, 삼척(태백지서), 강릉, 속초, 경기광주(하남지서), 기흥] | | | 이메일 | jungburto@nts.go.kr |

| 과 | 운영지원과 | | | |
|---|---|---|---|---|
| 과장 | 백승권 4240 | | | |
| 팀 | 인사 | 행정 | 경리 | 현장소통 |
| 팀장 | 이봉숙 4242 | 이규완 4252 | 이주일 4262 | 이주형 4272 |
| 국세조사관 | 김원경 4243<br>김홍균 4244<br>여우주 4245<br>곽호현 4246 | 하재봉(시설) 4255<br>안지은 4253<br>김백규 4254<br>박종일(방호) | 한미자 4263 | |
| | 최현정 4247<br>김은호 4248<br>유승우 4249<br>김종훈 4250 | 김기식 4256<br>이범주 4257<br>조용재 4259<br>강복남(전화) 4990<br>김로연(기록) 4261<br>소유섭(운전) | 김혜령 4267<br>박정민 4269<br>이승수 4264 | 고영필 4273<br>이유진 4274<br>윤지혜 4275 |
| | 김가인 4285<br>정연득 4251<br>이민우 4286 | 김지암 4234<br>김준호 4236<br>김수지 4235<br>장연택(방호)<br>박지현(공업) 4260<br>신정무(운전)<br>황영훈(운전) | 장연숙 4268<br>박순웅 4266<br>김태범 4270 | 김영훈 4278<br>이윤선 4276 |
| | | | | |
| 공무직 | 박지은 4284 | 임나영 4238<br>전미란 4203<br>우희영 4240 | | |
| FAX | 888-7613 | 888-7612 | 888-7614 | 888-7615 |

| 국실 | | | | | | | | 성실납세지원국 | | |
|---|---|---|---|---|---|---|---|---|---|---|
| 국장 | | | | | | | | 최영준 4420 | | |
| 과 | 감사관 | | | | 납세자보호담당관 | | | 부가가치세과 | | |
| 과장 | 윤성호 4300 | | | | 장신기 4600 | | | 이순용 4451 | | |
| 팀 | 감사1 | 감사2 | 감찰1 | 감찰2 | 납세자보호1 | 납세자보호2 | 심사 | 부가1 | 부가2 | 소비 |
| 팀장 | 허영섭 4302 | 김동조 4312 | 문창전 4322 | 최정희 4290 | 김진숙 4601 | 정성우 4621 | 박효서 4631 | 김성미 4422 | 오향우 4452 | 박진혁 4872 |
| 국세조사관 | 천만진 4303 박영웅 4304 석용훈 4305 구본섭 4306 김경희 4307 | 이현무 4313 이정민 4314 최성용 4315 김윤정 4316 | 공석환 4323 김혜원 4327 김형욱 4328 김한기 4329 | 이준성 4291 김종훈 4292 고경아 4293 | 박주리 4602 김은주 4603 박수현 4604 | 김광태 4622 | 김성호 4632 박종화 4633 이신화 4634 유진희 4635 | 황상진 4423 | 장석준 4453 이준용 4454 김선영 4455 | 고은선 4873 전국휘 4874 |
| | 권택경 4308 김주원 4309 | 진수민 4317 김다운 4318 | 김여경 4325 김수현 4330 노용승 4324 홍세정 4331 최연욱 4332 | 김태용 4295 윤상목 4294 | 최연주 4605 | 박현우 4623 김난영 4624 | 이헌석 4636 조희정 4637 이동준 4638 | 최상재 4424 이연석 4425 권영호 4426 김순영 (사무) 4428 | 석장수 4456 김보미 4457 | 김상옥 4875 서유식 4876 김지윤 4877 |
| | | | 김수상 4333 | | 송휘종 4606 | 조영준 4625 | | 김햇님 4427 | 민천일 4370 노주호 4371 | 김다이 4878 여지수 4879 |
| | | | | | | | | | | |
| 공무직 | 안기회 4301 | | | | 정인순 4600 | | | 임보화 4420 | | |
| FAX | 888-7616 | | 888-7618 | 888-7617 | 888-7619 | | | 888-7633 | | 888-7630 |

217

**DID : 031-888-OOOO**

| 국실 | 성실납세지원국 | | | | | | | | |
|---|---|---|---|---|---|---|---|---|---|
| 국장 | 최영준 4420 | | | | | | | | |
| 과 | 소득재산세과 | | | | 법인세과 | | | | |
| 과장 | 전일수 4381 | | | | 김광민 4831 | | | | |
| 팀 | 소득 | 재산 | 복지세정1 | 복지세정2 | 법인1 | 법인2 | 법인3 | 법인4 | 국제조세 |
| 팀장 | 이승미 4430 | 김종수 4460 | 김주원 4382 | 공효정 4884 | | 정용석 4840 | 윤재웅 4851 | 김상엽 4962 | 이윤희 4952 |
| 국세조사관 | 방미숙 4431<br>최성민 4432 | 곽혜정 4461<br>이강석 4462<br>김지향 4463 | 이재혁 4383 | | 이인숙 4833<br>이민수 4834<br>백정화 (사무) 4838 | 정선현 4841<br>이재관 4842 | 박형주 4852<br>최미정 4853 | 이주연 4963<br>서윤희 4964 | 이상현 4953<br>문규환 4954 |
| | 박병훈 4433<br>송우람 4434<br>남명기 4435<br>박현정 4436 | 라영채 4464<br>김남영 4465<br>우희정 4466 | 남경희 4384 | 윤준호 4885 | 김희화 4835<br>이효경 4836 | 임승수 4843<br>박은아 4844<br>김학송 4845<br>강민구 4846 | 구혜란 4854<br>강병수 4855 | 이하나 4965<br>신요한 4966<br>김유정 4967<br>전은정 4968 | 손지아 4955<br>정용선 4956 |
| | 김훈기 4437<br>권미경 4438 | 김여진 4467 | 임석준 4385<br>김수진 4386 | | 강병극 4837 | 양다희 4847 | 우보람 4856 | 노태경 4969 | 이하나 4957 |
| 공무직 | | | | | | | | | |
| FAX | 888-7631 | 888-7629 | | | 888-7635 | | | | |

218

| 국실 | 성실납세지원국 | | | | | 징세송무국 | |
|---|---|---|---|---|---|---|---|
| 국장 | 최영준 4420 | | | | | 정용대 4340 | |
| 과 | 정보화관리팀 | | | | | 징세과 | |
| 과장 | 권영림 4401 | | | | | 김영기 4341 | |
| 팀 | 지원 | 보안감사 | 정보화센터1 | 정보화센터2 | 정보화센터3 | 징세 | 체납관리 |
| 팀장 | 황순영 4402 | 정현철 4411 | 송영춘 290-3002 | 장석오 290-3052 | 권오진 290-3102 | 이승규 4342 | 김근수 4352 |
| 국세조사관 | 박은숙 4403<br>전유림 4404<br>고양숙 4405 | 이문원 4412<br>박만기 4413 | 최영미 3003<br>서미숙(사무) 3004<br>노은복(사무) 3005 | 정을영 3053<br>장용자(사무) 3054 | 고현주 3103<br>정복순(사무) 3104<br>강미애(사무) 3105 | 오수연 4343<br>윤지영 4344 | 박미숙 4353<br>박수안 4354<br>황병광 4355 |
| 국세조사관 | 김현숙 4406 | 정병창 4414 | 박회숙(사무) 3006<br>이성훈(사무) 3007 | 강윤경 3059<br>김홍남(사무) 3055<br>김숙영(사무) 3056<br>이윤정(사무) 3057<br>박명숙(사무) 3058 | 정현주 3108<br>고은희(사무) 3106<br>장문경(사무) 3107 | 김은진 4345<br>황인범 4346 | 이상민 4356<br>문혜경 4357 |
| 국세조사관 | 유재상 4407 | 박성준 4415<br>이용재 4416 | 정미진 3008<br>최석종 3009<br>유주희 3010<br>노현서 3011 | 윤아름 3060<br>이민선 3061 | 정지나 3109 | 김선근 4347 | 임혜영 4358<br>정현수 4359<br>김용희 4360 |
| 공무직 | | | | | | 최정은 4340 | |
| FAX | 888-7627 | | 290-3148 | 290-3099 | | 888-7621 | |

**세미래 콜센터 126**

국세관련 모든 상담은 국번없이 126
전국 어디서나 편리하게 상담받으세요.
평일 9시~18시 (탈세제보는 24시간)

**DID : 031-8012-OOOO(체납추적과)**

| 국실 | 징세송무국 | | | | | | | | | |
|---|---|---|---|---|---|---|---|---|---|---|
| 국장 | 정용대 4340 | | | | | | | | | |
| 과 | 송무과 | | | | | | | 체납추적과 | | |
| 과장 | 변희경 4011 | | | | | | | 이순민 8012-7901 | | |
| 팀 | 총괄 | 심판 | 법인 | 국제조세 | 개인1 | 개인2 | 상증 | 체납추적관리 | 체납추적1 | 체납추적2 |
| 팀장 | 홍강표 4012 | | 김성곤 4022 | 김은수 4032 | 주승연 4042 | 김정현 4052 | 양구철 4062 | 윤영진 7902 | 신동익 7922 | 신진규 7942 |
| 국세조사관 | 최진석 4013 | | 윤경림 4023<br>이정용 4024 | 윤대호 4033<br>류수연 4034<br>박대현 4035 | 박상우 4043<br>전하영 4044 | 조미옥 4053<br>김성훈 4054 | 이하나 4063<br>김희선 4064<br>허신걸 4065 | 김민선 7903<br>백승우 7904 | 윤호연 7923<br>최옥구 7924<br>김유진 7925 | 강인욱 7943<br>김주란 7944<br>한효숙 7945 |
| | 김미나 4014<br>백은혜 4015 | | 남기현 4026<br>박현수 4027 | 조창국 4036<br>김태효 4037 | 하유정 4045 | 김소정 4055<br>구태환 4056 | 이여성 4066 | 박희경 7905<br>강상준 7906 | 김중삼 7926<br>권기정 7927<br>김광준 7928<br>문성운 7929 | 손희정 7946<br>장익성 7947<br>황정태 7948<br>조민희 7949<br>이원락 7950 |
| | 채연식 4016 | | 김운중 4028 | | 문지선 4046 | | | 홍근배 7907<br>권설진 7908<br>한그루 7909 | 조은빈 7930<br>허지은 7931<br>노현민 7932 | 유창인 7951<br>고운이 7952 |
| 공무직 | | | | | | | | | | |
| FAX | 888-7624 | | | | | | | 888-7622, 7623 | | |

| 국실 | 조사1국 | | | | | | | | | | | |
|---|---|---|---|---|---|---|---|---|---|---|---|---|
| 국장 | 유재준 4660 | | | | | | | | | | | |
| 과 | 조사1과 | | | | | | | 조사2과 | | | | | |
| 과장 | 박지원 4661 | | | | | | | 김항로 4741 | | | | | |
| 팀 | 조사1 | 조사2 | 조사3 | 조사4 | 조사5 | 조사6 | 조사7 | 조사1 | 조사2 | 조사3 | 조사4 | 조사5 | 조사6 |
| 팀장 | 권순락 4662 | 한보미 4672 | 심희준 4682 | 허진 4692 | 성병모 4702 | 박상준 4712 | 박흥현 4722 | 이연선 4742 | 정윤석 4752 | 장태성 4762 | 최동주 4772 | 김가원 4782 | 김형준 4792 |
| 국세조사관 | 김정관 4663 김동호 4664 | 김한진 4673 | 오기일 4683 | 강주연 4693 | 신정훈 4703 | 최돈희 4713 | 김재중 4723 유미영 4724 | 이윤주 4743 염유섭 4744 | 신영림 4753 | 구홍림 4763 민규홍 4764 | 오경선 4773 | 허정무 4783 전강희 4784 | 이창훈 4793 |
| | 강용수 4665 김지민 4666 박미혜 (사무) 4669 | 채혜인 4675 이희석 4676 | 박다빈 4684 김영석 4685 강정선 4686 오아람 4687 | 김강주 4694 김현일 4695 김상민 4696 | 박건우 4704 윤희선 4705 김광현 4706 | 조해일 4714 구자호 4715 | 박미현 4725 | 송흥철 4745 주은미 4746 | 국경호 4754 염정식 4755 | 허용 4765 차연수 4766 유홍근 4767 | 김국성 4774 정승용 4775 천혜미 4776 | 남상준 4785 안현자 4786 | 조희진 4794 김명선 4795 김은실 4796 |
| | 정지환 4667 임지혜 4668 | 김준태 4677 | 현은영 4688 | 김효진 4697 | 정유진 4707 | 명경자 4716 최우현 4717 | 한다은 4726 | 황동형 4748 민재영 4747 | 나희선 4756 김은성 4757 | 전소희 4768 | 이도헌 4777 | 김준영 4787 | 박제린 4797 |
| 공무직 | 박성은 4660 | | | | | | | 김민정 4749 | | | | | |
| FAX | 888–7636 | | | | | | | 888-7640 | | | | | |

국세관련 모든 상담은 국번없이 126
전국 어디서나 편리하게 상담받으세요.
평일 9시~18시 (탈세제보는 24시간)

DID : 031-888-OOOO(1~3팀), 031-8012-OOOO(4~6팀)

| 국실 | 조사1국 | | | | | | 조사2국 | | | |
|---|---|---|---|---|---|---|---|---|---|---|
| 국장 | 유재준 4660 | | | | | | | | | |
| 과 | 국제거래조사과 | | | | | | 조사관리과 | | | |
| 과장 | 김태형 4801 | | | | | | 임상훈 4481 | | | |
| 팀 | 국제거래조사1 | 국제거래조사2 | 국제거래조사3 | 국제거래조사4 | 국제거래조사5 | 국제거래조사6 | 관리1 | 관리2 | 관리3 | 관리4 |
| 팀장 | 박선열 4802 | 남용우 4812 | 박광석 4822 | 임재규 1802 | 배병석 1822 | 강새롬 1832 | 최찬민 4482 | 이순주 4492 | 이수형 4502 | 이원섭 4512 |
| 국세조사관 | 송영석 4803 | 이연화 4813 김찬섭 4814 | 임승빈 4823 | 김주연 1803 | 김성문 1823 | 김병주 1833 | 김동현 4483 조은용 4484 | 임현주 4493 배중혁 4494 | 양종훈 4503 김기훈 4504 | 윤재연 4513 이미희 4514 |
| | 송민철 4804 정재욱 4805 강윤지 4806 | 김경일 4815 조아라 4816 김지현 4817 | 김나영 4824 염가연 4825 김창윤 4826 | 심민정 1804 한승철 1805 김건우 1806 | 김영석 1824 정희경 1825 | 양서용 1834 | 최인영 4485 김지혜 4486 황세웅 4487 | 김송이 4495 | 서현준 4505 장경희 4506 | 박재우 4515 윤일주 4516 |
| | 이현택 4807 강화리 4808 | 김재욱 4818 | 김동준 4827 | 조현우 1807 | 김수아 1826 김도연 1827 | | 유형진 4488 김민경 4489 | 김경연 4496 | | 권영진 4517 |
| 공무직 | | | | | | | 홍주연 4480 | | | |
| FAX | 888-7643 | | | | | | 888-7654 | | | |

| 국실 | 조사2국 | | | | | | | | |
|---|---|---|---|---|---|---|---|---|---|
| 국장 | | | | | | | | | |
| 과 | 조사관리과 | | | | 조사1과 | | | | |
| 과장 | 임상훈 4481 | | | | 송원영 4571 | | | | |
| 팀 | 조사관리5 | 조사관리6 | 조사관리7 | 조사관리8 | 조사1 | 조사2 | 조사3 | 조사4 | 조사5 |
| 팀장 | 임상헌 4522 | 김상민 4532 | 노정민 4542 | 윤광섭 4552 | 김종민 4572 | 박정민 4582 | 노신남 4592 | 김용환 1842 | 최고은 1852 |
| 국세 조사관 | 이창열 4523 김숙경 4524 | 최명진 4533 김민정 4534 | 김신덕 4543 서경원 4544 | 이민희 4553 | 김교성 4573 장창하 4574 | 안찬웅 4583 최락진 4584 | 곽재승 4593 임세실 4594 | 김혜령 1843 윤장현 1844 | 방치권 1853 |
| | | 이정윤 4535 최혜진 4536 장성환 4537 박성용 4538 | 문승덕 4545 최준완 4546 | 강주현 4554 | 박건준 4575 오민선 4576 | 이은형 4587 방민식 4586 | 임우현 4596 이현정 4598 | 이순복 1846 유희태 1847 | 박현준 1854 하종수 |
| | 김성훈 4525 | 김별아 4539 전혜영 4540 이현익 4541 | 김다희 4547 강순택 4548 황한나 4549 | 김상덕 4555 | 김은혜 4578 여진동 4577 | 전하돈 4588 김지현 4585 | 이현주 4595 안대엽 4597 | 윤효준 1848 조해정 1845 | 조영래 1856 배진령 1855 |
| 공무직 | | | | | 김영경 4579 | | | | |
| FAX | 888–7654 | | | | 888-7659 | | | | |

2024년 8월 23일 이후 인사는 조세일보 홈페이지 오른쪽 하단
**"재무인명부 업데이트 알림"** 게시판에 추가 교정본을 올릴 예정이오니 이를 확인하시거나
또는 **조세일보 온라인 재무인명부**를 확인하시길 바랍니다.

1등 조세회계 경제신문 조세일보

| 국실 | 조사2국 | | | | | 조사3국 | | | | | |
|---|---|---|---|---|---|---|---|---|---|---|---|
| 국장 | | | | | | | | | | | |
| 과 | 조사2과 | | | | | 조사관리과 | | | | | |
| 과장 | 채중석 1861 | | | | | 김태훈 4081 | | | | | |
| 팀 | 조사1 | 조사2 | 조사3 | 조사4 | 조사5 | 관리1 | 관리2 | 관리3 | 관리4 | 관리5 | 관리6 |
| 팀장 | 김영기 1862 | 최준성 1872 | 윤영순 1882 | 박경옥 1892 | 남상웅 4072 | 김영진 4082 | 임서현 4092 | 황영희 4102 | 정용수 4112 | 김영민 4122 | 이낙영 4132 |
| 국세조사관 | 임희정 1863 김재형 1866 | 이주희 1873 정맹헌 1876 | 박재홍 1883 이광철 1886 | 정현덕 1893 권미희 1896 | | 전기희 4083 신승수 4084 | 이소영 4093 박주효 4094 | 윤영상 4103 박상주 4104 유득렬 4105 | 이순철 4113 김은혜 4114 | 강문자 4123 | 박은정 4137 이양래 4133 |
| 국세조사관 | 임정은 1864 차송근 1867 | 임혜란 1877 김종선 1874 | 원종민 1884 한범희 1887 | 민경석 1897 정윤기 1894 | 박경수 4073 김주연 4074 | 박기우 4085 황순진 4086 | 신문정 4095 | 신미리 4106 민옥정 4107 | 정윤선 4115 주재명 4116 신유미 4117 | 한성미 4124 최완규 4125 | 이남곤 4138 이유라 4134 구아현 4139 이대훈 4135 |
| 국세조사관 | 박형기 1865 황용택 1868 박미선 1869 | 강미정 1875 김민성 1878 | 현미선 1888 추근우 1885 | 강진영 1898 채상윤 1895 | 한진아 4075 | 김민표 4087 최지은 4088 나윤수 4089 | 최명호 4096 | 안지훈 4108 황정미 4109 | 김대원 4118 | 박미리 4126 조성수 4127 어영준 4128 이유민 4129 | 임애리 4136 홍주희 4140 |
| 공무직 | | | | | | 원유미 4080 | | | | | |
| FAX | 888-7644 | | | | | 888-7673 | | | | | |

DID : 031-8012-OOOO

| 국실 | 조사3국 | | | | | | | | | | |
|---|---|---|---|---|---|---|---|---|---|---|---|
| 국장 | | | | | | | | | | | |
| 과 | 조사1과 | | | | | 조사2과 | | | | | |
| 과장 | 엄인찬 4151 | | | | | 조수진 5601 | | | | | |
| 팀 | 조사1 | 조사2 | 조사3 | 조사4 | 조사5 | 조사1 | 조사2 | 조사3 | 조사4 | 조사5 | 조사6 |
| 팀장 | 이재현 4152 | 이재성 4162 | 최태형 4172 | 장현주 4182 | 조성수 4192 | 장영일 5602 | 정태경 5612 | 조성인 5622 | 장인섭 5632 | 김송주 5642 | |
| 국세 조사관 | 박선범 4153 | 편대수 4163 | 김은숙 4173 | 채칠용 4183 | 강여정 4193 | 유승현 5603 강지원 5604 | 고영욱 5613 | 박세민 5623 손민석 5624 | 이창수 5633 문은하 5634 | 이영태 5643 | |
| | 임재미 4154 송은호 4155 유성은 4156 이경심 4158 | 이은정 4164 팽동준 4165 김완 4166 | 김민호 4174 김해진 4175 박동완 4176 | 홍지우 4184 이오형 4185 이은선 4186 | 배진 4194 김준희 4195 안인기 4196 | 강경식 5605 정휘섭 5606 | 유승천 5614 송민경 5615 김수연 5616 | 이동호 5625 김보미 5626 | 이충환 5635 고지현 5636 | 임수정 5644 문지선 5645 김도헌 5646 | |
| | 한병연 4157 | 정상오 4167 | 임재혁 4177 | 박은비 4187 | 최진화 4197 | 여진혁 5607 | 임정혁 5617 | 김경훈 5627 | 고은혜 5637 | 이종영 5647 | |
| 공무직 | | | | | | 이지연 5608 | | | | | |
| FAX | 888–7678 | | | | | 888-7683 | | | | | |

225

# 구리세무서

대표전화: 031-3267-200/DID: 031-3267-OOO

서장: **안 동 숙**
DID: 031-3267-201

| 주소 | 경기도 구리시 안골로 36 (교문동736-2) (우) 11934 | | | | |
|---|---|---|---|---|---|
| 코드번호 | 149 | 계좌번호 | 027290 | 사업자번호 | 149-83-00050 |
| 관할구역 | 경기도 구리시, 남양주시(별내면, 별내동, 퇴계원읍, 다산1,2동, 양정동, 와부읍, 조안면) | | 이메일 | | |

| 과 | 징세과 | | | 부가가치세과 | | 소득세과 | |
|---|---|---|---|---|---|---|---|
| 과장 | 홍소영 240 | | | 조성우 280 | | 정홍석 360 | |
| 팀 | 운영지원 | 체납추적1 | 체납추적2 | 부가1 | 부가2 | 소득1 | 소득2 |
| 팀장 | 우정은 241 | 최상림 441 | 이관열 461 | 오승철 281 | 강선희 301 | 권흥일 361 | 황민 381 |
| 국세<br>조사관 | | 한주희 442 | 배정숙 262 | 엄주원 282 | | 김희정 362 | |
| | 송지선 242<br>임소연(시) 612 | 조영미 443<br>김은희 445<br>임부선(시) 447<br>신영철 446 | 김인숙 462<br>김태진 463<br>이나래(시) 264<br>서승경(사무) 468 | 이중재 283<br>안지은 284<br>이소원(시) 285<br>정준희 285 | 김소라(시)<br>김한상 302<br>이기섭 303<br>김미선 304<br>윤도란 305 | 김주애 363<br>채정석 364<br>이효진 365 | 김동희 382<br>서윤석(시)<br>인정덕 383<br>한봉수 384 |
| | 송정은 243<br>김동현(방호)<br>245 | 정명하 448 | 전다인 263<br>김민수 464 | 이우정 286<br>이승희 287<br>김주헌 288 | 황시윤 306<br>최수인 307 | 최재진(시)<br>문현경 366<br>김혜영 367 | 강정미 385 |
| | 김기민 244<br>김차돌(운전)<br>246 | 이수빈 449<br>정수길 450 | 이주현 465<br>윤정임 466<br>전세영 467 | 임지은 289<br>이예연 290<br>강문이 291 | 지영은 308<br>김승주 309<br>한수연 310 | 손영주 368<br>박원준 369 | 정재윤 386<br>박나혜 387<br>심수진 388 |
| 공무직 | 최홍인(비서)<br>손혜자<br>박지현 | | | | | | |
| FAX | 326-7249 | 326-7469 | | 326-7359 | | 326-7399 | |

| 과 | 재산법인세과 | | | 조사과 | | 납세자보호담당관 | |
|---|---|---|---|---|---|---|---|
| 과장 | 손병중 480 | | | 김영승 640 | | 김상동 210 | |
| 팀 | 재산1 | 재산2 | 법인 | 정보관리 | 조사 | 납세자보호실 | 민원봉사실 |
| 팀장 | 박진흥 481 | 이종하 491 | 이은수 401 | 이주영 641 | 최연구 651 | 신충민 211 | 차윤중 221 |
| 국세<br>조사관 | 이범주 482 | 문전안 492 | | | 정종원 654<br>김경랑 658 | 송윤식 212 | |
| | 한승기 483<br>한영준 484<br>이우현(시)<br>박상훈 485<br>김수민 486 | 홍성민 493<br>이영석 494 | 변상미 402<br>허진혁 403<br>정수연 404<br>방여진 405 | 강성구 642 | 양시범 659<br>우해나 652<br>김아영 655 | 안문철 213<br>김도훈 214 | 최나영 222<br>심별 223<br>권현회(시) 229<br>김하니(시) 229 |
| | 이성민 487 | 유예림 496 | 유희수 406<br>정경민 407<br>김나영 408<br>김두수 409<br>진소현 410 | 하정민 643 | 신정민 656 | | 방선미(시)228<br>노승미 224<br>신주현 225<br>이은진 226 |
| | 정보빈 490 | 장소영 497<br>구혜영 495 | 양지현 411 | 이소연 645<br>이유안 644 | 김선웅 653<br>이도현 660 | | 김선종 227 |
| 공무직 | | | | | | | |
| FAX | 326-7439 | | | 326-7699 | | 326-7219 | 554-2100 |

# 기흥세무서

대표전화: 031-80071-200/DID: 031-80071-OOO

서장: **이 미 진**
DID: 031-80071-201

지도: 광교레이크 스위첸아파트, 호반써밋레이크 파크아파트, 기흥세무서, 홍덕파출소, 영덕1동 주민자치센터, 봉인서울 고속도로

| 주소 | 경기도 용인시 기흥구 흥덕2로117번길 15 (영덕동974-3) (우) 16953 | | | | |
|---|---|---|---|---|---|
| 코드번호 | 236 | 계좌번호 | 026178 | 사업자번호 | |
| 관할구역 | 경기도 용인시 기흥구 | | | 이메일 | giheung@nts.go.kr |

| 과 | 징세과 | | 부가소득세과 | | 재산법인세과 | | |
|---|---|---|---|---|---|---|---|
| 과장 | 김동우 240 | | 김서윤 280 | | 장석진 400 | | |
| 팀 | 운영지원 | 체납추적 | 부가 | 소득 | 재산1 | 재산2 | 법인 |
| 팀장 | 임영교 241 | 전병천 441 | 김동수 281 | 박훈수 301 | 신연준 481 | 한종훈 501 | 김영민 401 |
| 국세조사관 | | 김경민 442 | | | 김영근 482<br>이기언 483 | 차성수 502 | 한동훈 402 |
| 국세조사관 | 김봄 242<br>차순화(사무)<br>244<br>한대희 243<br>허채연(시) 246<br>신현일(운전) | 류진희 261<br>김용선(시) 453<br>최숙희 443<br>이고운 444<br>김보경 445<br>서홍석 446 | 최근영 282<br>김연아 283<br>황유진 284<br>정동기 285<br>김영미(시) 625 | 고진숙 302<br>허양숙(시) 626<br>조영은 303<br>정지영 304<br>김민정 305<br>이지원 306<br>이상준 307<br>이성현 | 박은주 484<br>공선영(시) 628 | 곽정수 503 | 김수지 403<br>문영건 404 |
| 국세조사관 | 박소현 248<br>강다현 | 박원경<br>윤현경 447<br>박범석 449 | 김선화 286<br>김윤한 287 | 임민경 308<br>선수아(시) 626<br>한비룡 309 | 김지영(시) 628<br>홍문희 485<br>이다연 486<br>유나연 487 | 박수용 504<br>김지동 505 | 김보경 405<br>임수현 406<br>이정표 407<br>김소연 408 |
| 국세조사관 | 최석준(방호)<br>249 | 이유정 448<br>김도현 262<br>김유현 450<br>양경목 451<br>나하은 452 | 송현정(시) 625<br>김미경 288<br>김다솔 289<br>조현진 290<br>최근호 291<br>전세리 292 | 유승현 310<br>지혜주 311<br>황길하 312 | 길민재 488<br>노주연 489 | | 백해정(시) 409<br>김경모(시) 413<br>황나경 410<br>강수아 411 |
| 공무직 | 신은숙(비서)<br>202<br>이태자<br>최병례 | | | | | | |
| FAX | 895-4902 | 895-4903 | 895-4904 | | 895-4905 | | |

| 과 | 조사과 | | 납세자보호담당관 | |
|---|---|---|---|---|
| **과장** | 문병갑 640 | | 김분희 210 | |
| **팀** | 정보관리 | 조사 | 납세자보호실 | 민원봉사실 |
| **팀장** | 이재준 641 | 이은창 654 | 홍준만 211 | 이은정 221 |
| **국세 조사관** | 윤환 642 | 유영욱 651 | | |
| | 김명환 643 | 박용훈 657<br>김지연(시) 655<br>유혜리 656<br>주미진 658 | 황혜조 212<br>원설희 213 | 유정선 222<br>이은정 223 |
| | 강혜진(시) 644 | 이동은 652 | 김동민 214 | 이진희(시) 226<br>원계연 224 |
| | | 정혜윤 653 | | 강장원(시) 226<br>박재우 225 |
| **공무직** | | | | |
| **FAX** | 895-4907 | | 895-4908 | 895-4950 |

# 남양주세무서

대표전화: 031-5503-200 / DID: 031-5503-OOO

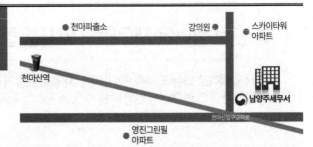

서장: **김 수 섭**
DID: 031-5503-201

| 주소 | 경기도 남양주시 화도읍 경춘로 1807 (묵현리) 쉼터빌딩 (우) 12167 가평출장소 : 경기도 가평군 청평면 은고개로 19 (청평리) | | | | |
|---|---|---|---|---|---|
| 코드번호 | 132 | 계좌번호 | 012302 | 사업자번호 | 132-83-00014 |
| 관할구역 | 경기도 남양주시(별내면, 별내동, 퇴계원읍, 다산1,2동, 양정동, 와부읍, 조안면 제외), 가평군 | | | 이메일 | namyangju@nts.go.kr |

| 과 | 징세과 | | | 부가가치세과 | | 소득세과 | |
|---|---|---|---|---|---|---|---|
| 과장 | 박종주 240 | | | 김정열 280 | | 이의태 360 | |
| 팀 | 운영지원 | 체납추적1 | 체납추적2 | 부가1 | 부가2 | 소득1 | 소득2 |
| 팀장 | 한상윤 241 | 박윤석 441 | 최세영 461 | 안홍갑 281 | 이환운 301 | 김영호 361 | 최용 381 |
| 국세조사관 | | | 안용수 462 | 임병석 282 | | 이기현 362 | 홍선영 382 |
| 국세조사관 | 임광열 242 박지현 243 | 김민철 442 박새별 443 김민성 445 최지원(사무) 451 | 김미선(징세) 262 김정기 463 조아름 464 정하미(징세) 263 | 김아름 283 오동호 284 김나윤 285 이솔(시) | 박경아 302 오승배(소비) 304 오은희 303 이정하 305 | 조건희(시) 구승원 363 김지혜 364 유현민 365 | 임현구 383 이우경 384 태종배(시) 김주연 385 |
| 국세조사관 | | 박성훈 446 손정아 447 | 정영미 465 김성우 466 이송이 467 | 나환영 286 | 이관희 306 이민규(시) | | 이동현 386 김형준 387 |
| 국세조사관 | 심재호 244 김태경 245 | 윤경효 448 김병진 449 정민 450 | 박인희 468 남예진 469 김재원 470 | 남기홍 287 이은지 288 오세영 289 김남희 290 | 김혜진 307 이상진 308 조성윤 309 이명곤 310 | 권오광 366 김유진 367 류정윤 368 | 김햇살 388 |
| 공무직 | 장소영(비서) 202 임선주 손창열 | | | | | | |
| FAX | 550-3249 | 550-3268 | | 550-3329 | | 550-3399 | |

| 과 | 재산법인세과 | | | 조사과 | | 납세자보호담당관 | |
|---|---|---|---|---|---|---|---|
| 과장 | 김진삼 480 | | | 홍필성 640 | | 이정아 210 | |
| 팀 | 재산1 | 재산2 | 법인 | 정보관리 | 조사 | 납세자보호실 | 민원봉사실 |
| 팀장 | 윤지수 481 | 김정건 501 | 유철 401 | 조한용 641 | 김민태 651 | 박종환 211 | 김규호 221 |
| 국세<br>조사관 | 조성문 482 | | | | | | 박태구 222 |
| 국세<br>조사관 | 안정호(시)<br>조형구 483<br>차정은 486<br>윤도식(시) | 신준규 502<br>장혜진 503 | 박준범 402<br>권은정 403<br>김소영 404<br>양이지 405<br>유형우 406 | 방정기 691<br>이명용 692<br>심단비 642 | 류호정 661<br>이동구 671<br>석종훈 672<br>최동휘 662 | 엄영석 212<br>육현수 213 | 나정학 223<br>홍정욱 224 |
| 국세<br>조사관 | 장정수 485<br>정은재 489<br>이지수 487 | 박혜인 504 | 정소연 407 | | 박정현 652 | 진주원 214 | 조연우 225<br>정주희 226 |
| 국세<br>조사관 | 변태민 488<br>박재형 484 | 박경민 505 | 진영석 408<br>유지원 409 | 최누리 643 | 이정임 673<br>송지은 653<br>장정윤 663 | | 오준영 227<br>안지영 228 |
| 공무직 | | | | | | | |
| FAX | 550-3519 | | | 550-3669 | | 550-3219 | |

# 동수원세무서

대표전화: 031-6954-200 / DID: 031-6954-OOO

서장: **김 호 현**
DID: 031-6954-201

| 주소 | 경기도 수원시 영통구 청명남로 13 (영통동) (우) 16704 | | | | |
|---|---|---|---|---|---|
| 코드번호 | 135 | 계좌번호 | 131157 | 사업자번호 | |
| 관할구역 | 경기도 수원시 영통구, 권선구 일부 | | | 이메일 | dongsuwon@nts.go.kr |

| 과 | 징세과 | | 부가소득세과 | | |
|---|---|---|---|---|---|
| 과장 | 조영수 240 | | 김윤용 360 | | |
| 팀 | 운영지원 | 체납추적 | 부가1 | 부가2 | 소득 |
| 팀장 | 정봉석 241 | 김영환 441 | 전채환 281 | 조일제 301 | 박종석 361 |
| 국세<br>조사관 | 윤혜진 243 | 성수미 262<br>문경 442 | 지영환 282<br>김동진(시) | 최재성 302 | |
| | 최진규 242<br>유구현(운전) 247 | 김소연 443<br>김혜란 444<br>장민수 445<br>정기은 446<br>이재희 447<br>김선이 263 | 최병화 283<br>한수현 284 | 좌현미 303<br>곽경미 304<br>한영수 305 | 박순영(시)<br>김영애 362<br>정기호 363<br>이동엽 364 |
| | 박선영(시)<br>김동엽 244 | 김지안 448<br>박원경 449<br>김예슬 450<br>최지연 451 | 문정희 285<br>이수연(시) | 양일환 306 | 박현정 365<br>선가희 366<br>이상일 367<br>김연지(시) |
| | 문용준(방호) 246 | 최지은 452 | 김건우 286<br>가주희 287 | 정주리 307<br>정은해 308 | 김규원 368<br>공채원 379<br>김경희 370<br>이준학 371 |
| 공무직 | 이혜원(비서) 201<br>조미경<br>이미선<br>박천왕 | | | | |
| FAX | 273-2416 | | 273-2427 | | |

# 1등 조세회계 경제신문 조세일보

| 과 | 재산법인세과 | | | 조사과 | | 납세자보호담당관 | |
|---|---|---|---|---|---|---|---|
| 과장 | 김희숙 400 | | | 김성근 640 | | 홍정연 210 | |
| 팀 | 재산1 | 재산2 | 법인 | 정보관리 | 조사 | 납세자보호실 | 민원봉사실 |
| 팀장 | 류종수 481 | 배영섭 501 | 김도원 401 | 김명숙 641 | 윤석배 651<br>서기원 654<br>박성현 656 | 김영곤 211 | 김세훈 221 |
| 국세<br>조사관 | | | 김수진 402 | | | 김지원 212 | |
| 국세<br>조사관 | 신미애(시)<br>김소영 482<br>최윤영 483<br>최진남 484<br>오진선 485 | 정택준 502<br>차영석 503 | 박재윤 403<br>김성진 404<br>권혜민(시)<br>김경민 405 | 김인숙 642<br>김태형 643 | 박지혜 652<br>김나경 655 | 지용권 213 | 김미나(시)<br>김윤희(시)<br>박혜진 222 |
| 국세<br>조사관 | 신소희 486<br>김민경 487 | 박선영 504 | 이준우 406<br>지영환 407<br>오지현 409 | 백소희 644 | 이희정 657 | | 이명하 223<br>김새봄 224<br>김유미 225 |
| 국세<br>조사관 | 이태영 489<br>선소임 490 | 이다인 505 | 김이현 408 | | 이유영 653 | 권영은 214 | 김대연 226 |
| 공무직 | | | | | | | |
| FAX | 273-2412 | | | 273-2454 | | 273-2461 | 273-2470 |

# 동안양세무서

대표전화: 031-3898-200 / DID: 031-3898-OOO

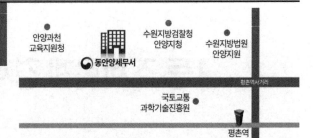

서장: **조 종 호**
DID: 031-3898-201

| 주소 | 경기도 안양시 동안구 관평로 202번길 27 (관양동) (우) 14054 | | | | | |
|---|---|---|---|---|---|---|
| 코드번호 | 138 | **계좌번호** | 001591 | **사업자번호** | 138-83-02489 |
| 관할구역 | 경기도 안양시 동안구, 과천시, 의왕시 | | | **이메일** | donganyang@nts.go.kr |

| 과 | 징세과 | | | 부가가치세과 | | 소득세과 | |
|---|---|---|---|---|---|---|---|
| 과장 | 임민철 240 | | | 정은숙 280 | | 신영주 360 | |
| 팀 | 운영지원 | 체납추적1 | 체납추적2 | 부가1 | 부가2 | 소득1 | 소득2 |
| 팀장 | 유은주 241 | 김수진 551 | | 홍경일 281 | 위현후 301 | 서성철 361 | 김재일 381 |
| 국세<br>조사관 | | | 정순남(시) | 이명희 282 | 박하홍 302 | | 김형선(시) |
| | 이소영 242<br>김나현 243 | 한미영 552<br>김슬아 553<br>구성민(시)<br>송재성 554 | 김윤경(시)<br>장현준 572<br>구현영 578<br>김아영 579 | 김은선 283<br>심완수 284<br>장명섭 285 | 이훈기<br>이재훈(시)<br>강성현 303<br>신성희 304<br>이창희 305 | 이자연 362<br>강나영 363<br>조성주(시)<br>이혜진 364 | 이민희 382<br>송우락 383<br>김묘정 384 |
| | 이남길(방호)<br>615<br>송민준(운전)<br>616 | 유명한 555<br>이소연 556<br>홍다임 557 | 김수민 261<br>안소현 262<br>조은영 573<br>고우성 574 | 안영순 286<br>장인영(시)<br>이현진 287 | 이지연 306 | 류대현 365 | |
| | 김은진 244<br>조민석 245<br>이형진 246 | 김현서 558<br>황윤정 559 | 김미령(시) | 박희연 288<br>전재홍 289<br>황정미 290<br>지민영 291 | 한수민 307<br>김선미 308<br>전인아 309<br>정나눔 310 | 허준 366<br>안광혁 367<br>조혜진 368<br>최웅 369 | 김영중 385<br>송지인 386<br>백유진 387<br>김지연 388<br>김진우 389 |
| 공무직 | 이정화(비서)<br>202<br>이선순(미화)<br>조윤희(미화)<br>홍정화(미화) | | | | | | |
| FAX | 389-8628 | 476-9787 | | 476-9784, 383-0428 | | 383-0429, 0486 | |

| 과 | 재산세과 | | | 법인세과 | | 조사과 | | 납세자보호담당관 | |
|---|---|---|---|---|---|---|---|---|---|
| 과장 | 정국일 480 | | | 장승희 400 | | 장대식 640 | | 장혁배 210 | |
| 팀 | 재산1 | 재산2 | 재산3 | 법인1 | 법인2 | 정보관리 | 조사 | 납세자보호 | 민원봉사 |
| 팀장 | 문태범 481 | 이응찬 501 | 백규현 521 | 유병욱 401 | | 진수진 641 | 신영수 651 | | 문병남 212 |
| 국세조사관 | 양월숙 (사무) 490 | | 고대홍 522 | 남유진 402 | | | 지선영 658<br>김석훈 663<br>이도연 654<br>이정수 660 | 윤길성 212 | 김진우 |
| 국세조사관 | 김은영 482<br>구본균 483<br>장재호 484<br>이은성 485 | 조현성 502<br>박승진 503<br>문호균 504<br>안현수 505 | 조창일 523<br>오수경 524<br>김영식 525<br>하재은(시) | 김대환 403<br>이현진 404<br>노승옥 405 | 고빛나 422<br>원호선<br>박수현 423 | 이주미 642<br>유기연 643 | 박찬희 652<br>황성연 655<br>김동구 664<br>정영석 661<br>안진환 659<br>김민기 665 | 안중현 213<br>이은경 214 | 유경진 227<br>황보주연 222 |
| 국세조사관 | 한진선 486<br>안애선 487 | 이현주 506<br>양영진 507 | 서수아 526<br>박해란(시) | 김형식 406 | 최혜정 424<br>이승리 425 | | 정미호 662<br>나예영 657 | 곽가은 215 | 김유나 227<br>김주미 223<br>오진욱 224<br>김우주 225<br>송보혜 228 |
| 국세조사관 | 송오은 488 | | 박상민 527<br>김기덕 528<br>고윤형 529 | 김남이 407<br>이범 408<br>이재희 409 | 박의현 426<br>현덕진 427<br>오은진 428 | 지유미 647<br>송재은 645 | 박선영 656<br>배지연 653 | | 김가윤 228<br>홍서윤 226 |
| 공무직 | | | | | | | | | |
| FAX | 383-0435~7 | | | 476-9785 | | 476-9786 | | 476-9782 | 389-8629 |

# 분당세무서

대표전화: 031-2199-200 DID: 031-2199-OOO

서장 : **이은규**
DID : 031-2199-201

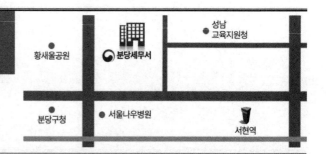

| 주소 | 경기도 성남시 분당구 분당로 23 (서현동 277) (우) 13590 | | | | | |
|---|---|---|---|---|---|---|
| 코드번호 | 144 | | 계좌번호 | 018364 | 사업자번호 | |
| 관할구역 | 경기도 성남시 분당구 | | | | 이메일 | bundang@nts.go.kr |

| 과 | 징세과 | | | 부가가치세과 | | 소득세과 | |
|---|---|---|---|---|---|---|---|
| 과장 | 이병현 240 | | | 이호길 280 | | 유제연 360 | |
| 팀 | 운영지원 | 체납추적1 | 체납추적2 | 부가1 | 부가2 | 소득1 | 소득2 |
| 팀장 | 임승섭 241 | 윤명로 441 | 김정범 461 | 황대근 281 | 최종호 301 | 이동관 361 | 원한규 381 |
| 국세 조사관 | | 최경식 442<br>박진영 444 | 박근용 462 | 조아라 282 | | | |
| 국세 조사관 | 노원준 242<br>이경이 243 | 이현정 448<br>박은정 446<br>이상윤 443 | 권혜영 464<br>진다래 262<br>김건호 465<br>김환진 467<br>박영은 264 | 김영환 283<br>윤송희 287 | 김강미 302<br>손인준 303<br>박철민 304 | 이진명 362<br>이정현(오전)<br>김용관 | 김경란 382<br>전영준 383 |
| 국세 조사관 | | | 노기란 263 | 김지현 286<br>박혜진 285<br>김아람 288 | 하태욱 313<br>김다솔 305 | 전화영(오후)<br>하한울 364<br>박미희 365 | 김현정 384 |
| 국세 조사관 | 박소연 244<br>심재현 245<br>박병철(방호) 247<br>서원준(운전) 248 | 권이혁 445<br>조혜진 449<br>이인심 447<br>김은영 468 | 이명욱 463<br>박미선 469<br>임온순 466<br>성유빈 000 | 박정은(오후)<br>이윤의(오전)<br>박하용 284<br>유현지 289 | 이그린 306<br>강보은 307<br>김은진 308 | 이서연 367<br>오상철 366<br>최윤서 368 | 조가연 385<br>류승화 386<br>김민주 387<br>이효원 388<br>이진수 389 |
| 공무직 | 조혜정<br>박명화<br>박순남<br>손금주 | | | | | | |
| FAX | 219-9580 | 718-6852 | | 718-8961 | | 718-8962 | |

| 과 | 재산세과 | | | 법인세과 | | 조사과 | | 납세자보호담당관 | |
|---|---|---|---|---|---|---|---|---|---|
| 과장 | 기노선 480 | | | 김수원 400 | | 오승찬 640 | | 김소영 210 | |
| 팀 | 재산1 | 재산2 | 재산3 | 법인1 | 법인2 | 정보관리 | 조사 | 납세자보호 | 민원봉사 |
| 팀장 | 송현종 481 | 이재현 501 | 강영구 521 | 이현준 401 | 이경숙 421 | 최상미 641 | 김훈태 651 | 고현숙 211 | 김보성 221 |
| 국세조사관 | 손기만 482 | | 지소영 522<br>박금세 532 | 송종범 402 | | 김수진 644<br>김태진 691 | 백두산 654<br>조경호 657 | 강성훈 212 | |
| | 김영은 483<br>조지원 484<br>박진희<br>(오후)<br>김경희(사)<br>490 | 정진희 503<br>장윤정 504<br>박성은 505 | 반흥찬 526<br>황주성 530<br>전범수 528<br>정재원 537 | 박시현 403<br>박동민 404 | 변광호 422<br>정신영 423<br>김경옥 424<br>권미애 425 | 정원석 642 | 김태영 660<br>백인희 663<br>조희근 658<br>이보배 652<br>한수현 664<br>이유진 655<br>이지우 661 | 이경현 213<br>김경향 214 | 조홍섭 222<br>진승연<br>(오전) 227<br>신지영 225<br>박연미 224<br>오동석<br>(오후) 230 |
| | 윤희경<br>(오전)<br>이동수 485 | 박용현 506 | 박한나 531<br>이하림 534 | 김경미 405<br>정예지 406 | 이진희 426 | 유희진 692 | | 유지환 215<br>고윤정 216 | 최수정 223 |
| | 김인제 486<br>문시현 487<br>한정현 488<br>장기훈 489 | 김선균 507<br>이수지 508<br>이기연 509 | 윤지예 533<br>박지우 523<br>고병준 529<br>이지현 527 | 이수진 407<br>윤미경 408<br>김장섭 409<br>나현규 410 | 이성수 427<br>이상영 428<br>김서경 429<br>정현정 430 | 윤민경 643<br>최윤성 645 | 박소현 662<br>서지민 656<br>조채연 653<br>권민수 665<br>차수현 659 | | 선우영진<br>226<br>심지현 229<br>조현하 228 |
| 공무직 | | | | | | | | | |
| FAX | 718-6849 | | | 718-4721 | | 718-4722 | | 718-4723 | 718-4724 |

# 성남세무서

대표전화: 031-7306-200 / DID: 031-7306-OOO

서장: **정 경 철**
DID: 031-7306-201

| 주소 | 경기도 성남시 수정구 희망로 480 (단대동) (우) 13148 | | | | |
|---|---|---|---|---|---|
| 코드번호 | 129 | **계좌번호** | 130349 | **사업자번호** | 129-83-00018 |
| 관할구역 | 경기도 성남시 수정구, 중원구 | | | **이메일** | seongnam@nts.go.kr |

| 과 | 징세과 | | 부가가치세과 | | 소득세과 | |
|---|---|---|---|---|---|---|
| 과장 | 염경진 240 | | 송찬주 280 | | 이준호 360 | |
| 팀 | 운영지원 | 체납추적 | 부가1 | 부가2 | 소득1 | 소득2 |
| 팀장 | 송은영 241 | 위종 261 | 강승조 281 | 김성은 301 | 이준표 361 | 최은창 381 |
| 국세<br>조사관 | | 최미옥 441 | 송종민 282 | 문민호 302 | 김헌우 362 | 윤혜정 382 |
| | 문정민 242<br>이혜진 243 | 남기선 442<br>김주형 262<br>김연정 263<br>조광제 443<br>이현주 445<br>김희연 446<br>조효신 447 | 김주옥 283<br>박효숙 284<br>김진광 285<br>한규진 286<br>박성순(사무) 310<br>안진희(시) 506 | 윤연주 303<br>박은진 304<br>천수현 305<br>차지인 306<br>박채은 307<br>한희자(시) 506 | 정윤희 363<br>김안나 364 | 김현석 383<br>정희태 384<br>이우성(시) 505 |
| | 반장윤 244<br>김승철(운전) 246 | 강미선 448<br>박수옥(시) 454 | 유혜영 287 | 박미희 308 | 박지은 365<br>전세연 366<br>양은지(시) 505 | 김숙영 385<br>최한솔 386 |
| | 임지광(방호) 247 | 이지수 449<br>김태서 450<br>안수민 451<br>김현배 452<br>김선진 453<br>김찬우(시) 455 | 김소현 288<br>구자윤 289<br>이홍비 290 | 조윤영 309<br>백지연 310<br>류제현 312 | 박재현 367<br>임하섭 368 | 이용훈 387<br>김누리 388 |
| 공무직 | 유은정 245<br>박윤이 202<br>윤인자 667<br>박월례<br>이미화<br>정인순 | | | | | |
| FAX | 736-1904 | | 734-4365 | | 743-8718 | |

## 택스홈앤아웃

### 대표이사: 신웅식

서울시 강남구 언주로 148길 19 청호빌딩 2층
전화번호 : 02 - 6910 - 3000          팩스 : 02-3443-5170
이메일 : taxhomeout@naver.com

| 과 | 재산법인세과 | | | 조사과 | | 납세자보호담당관 | |
|---|---|---|---|---|---|---|---|
| 과장 | 문한별 400 | | | 박순준 640 | | 주원숙 210 | |
| 팀 | 재산1 | 재산2 | 법인 | 정보관리 | 조사 | 납세자보호실 | 민원봉사실 |
| 팀장 | 강병구 481 | 경재찬 491 | 양동규 401 | 이상희 641 | 김수희 651 | | 정수인 221 |
| 국세조사관 | 김정민 482 | | 이명수 402 | 진영한 691 | 김영근 657 | 이채린 212 | |
| 국세조사관 | 도유정 483<br>양주희 484<br>고인수 485 | 양승우 493 | 우주연 403<br>박종호 404<br>김재일 405 | 이우현 692<br>안미환 642 | 김중현 654<br>김동우 652<br>손영미 655<br>유윤희 658<br>안민지 659 | 서동경 213<br>백두열 214 | 이승민 222<br>윤영진(시) 227 |
| 국세조사관 | 최영환 486 | 김혜연 492<br>이강은(시) 502<br>조민영(시) 502 | 권진솔 406<br>송혜리 407 | 김수인 643 | 강지안 656 | | 박소영 223<br>서은애 224<br>송유란(시) 228 |
| 국세조사관 | 서지은 487<br>엄민식 488 | 김수영 495 | 남현주 408<br>허지원 409<br>최세진 410 | | 손은하 653 | | 김호영 225<br>이현지 226 |
| 공무직 | | | | | | | |
| FAX | 8023-5836 | | 8023-5834 | 736-1900, 1905,<br>721-8611 | | 745-9472 | 732-8424 |

# 수원세무서

대표전화: 031-2504-200 / DID: 031-2504-OOO

서장: **이 상 용**
DID: 031-2504-201

| 주소 | 경기도 수원시 팔달구 매산로61 (매산로3가 28) (우) 16456 | | | | |
|---|---|---|---|---|---|
| 코드번호 | 124 | 계좌번호 | 130352 | 사업자번호 | 124-83-00124 |
| 관할구역 | 경기도 수원시 장안구, 팔달구, 권선구 일부 | | | 이메일 | suwon@nts.go.kr |

| 과 | 징세과 | | | 부가가치세과 | | | 소득세과 | |
|---|---|---|---|---|---|---|---|---|
| 과장 | 강표 240 | | | 김희정 280 | | | 천병선 360 | |
| 팀 | 운영지원 | 체납추적1 | 체납추적2 | 부가1 | 부가2 | 부가3 | 소득1 | 소득2 |
| 팀장 | 정해란 241 | 한은정 441 | 연제열 461 | 양재우 281 | 하희완 301 | 장소영 321 | 이성진 361 | 오영철 381 |
| 국세<br>조사관 | | | | | 박민정 302 | 유영근 323 | | 이정미 382 |
| 국세<br>조사관 | 이영은 242<br>이상규<br>(열관리) 685<br>김은애(전화)<br>259<br>천진호(운전)<br>246 | 신영두 442<br>이문희 443<br>유지호 444<br>김석준 445<br>황성희(시)<br>450 | 윤기순 462<br>김은숙 463<br>이향선(시)<br>472<br>여지현 464<br>이령조 465<br>김효숙 262<br>강정호 466<br>성은경 467<br>김유리(사)<br>264 | 김하강 282<br>김용연 283<br>허은정(시)<br>이지현 284<br>엄현정 285 | 조숙영(시)<br>최우성 303<br>김수연 304 | 안순주 322<br>정유진 324<br>이재혁 325 | 김수연 362<br>김수정 363<br>이현진 364<br>배진호 365 | 송창용 383<br>허진이 384<br>박훈미(시)<br>한경란 385 |
| 국세<br>조사관 | 정한나 243<br>김소영 244 | 김예지 446<br>백소이 447<br>이재욱 448 | 장유리 468<br>주에나 263 | 안지영(시)<br>이다운 287<br>김수종 286 | 강미영 305 | 김새롬 326 | 김정은(시)<br>김도연 366<br>강준 367 | 김미경 386<br>지석란 387<br>허미림 388 |
| 국세<br>조사관 | 김종빈 245<br>김일근(방호)<br>247 | 송상율 449<br>오재열 451 | 이재민 469<br>최진욱 470<br>박여준 471 | 채희원 288<br>최주희 289<br>김영은 291<br>김혜영 290 | 유제언 306<br>장현봉 307<br>전미경 308<br>김현정 309<br>전희선 310 | 인애선(시)<br>271<br>강휘 327<br>김윤아 328<br>백미나 329 | 엄혜림(시)<br>이다은 368<br>장호욱 369<br>김문형 370<br>유미선 371<br>김지성 372 | 장혜림 391<br>강윤형 390<br>이수환 389 |
| 공무직 | 이주화 202<br>소선희<br>이명숙 | | | | | | | |
| FAX | 258-9411 | 258-0454 | | 258-9413 | | | 258-9415 | |

| 과 | 재산법인세과 | | | 조사과 | | 납세자보호담당관 | |
|---|---|---|---|---|---|---|---|
| 과장 | 용환희 400 | | | 이강석 640 | | 박봉철 210 | |
| 팀 | 재산1 | 재산2 | 법인 | 정보관리 | 조사 | 납세자보호실 | 민원봉사실 |
| 팀장 | 한민규 481 | 이종우 501 | 주경관 401 | 정호성 641 | 윤용호 651 | | 박현종 221 |
| 국세조사관 | 정지영(시) | 장민재 502 | 박정용 402<br>최민혜 403 | 정진영 642 | 김대성 654<br>박민규 657<br>조선미 660<br>김태연 663 | | 김미향 223 |
| | 한희수 482<br>민경진 483<br>유진호 484 | 박수범 503<br>김인겸 504 | 정혜정 404<br>송예지 405<br>이미나(시) 411 | 하경종 643<br>양승규 644 | 이미선 652<br>이승환 655<br>이은정 658<br>최성일 661<br>강다희 664 | 최미영 212<br>박수경 213<br>조은상 214 | 김정림 225 |
| | 김예지(시)<br>이가령 485<br>염관진 486 | 문희제 505<br>박조은 506 | 장윤정 406<br>김기환 407 | 최주현 645<br>전영지 647 | 김민정 659<br>송상민 665 | | 이혜리(시) 233<br>함용식 226<br>박현명(시) 232<br>강혜진 227 |
| | 박수지 487<br>이주연 488<br>강민정 489<br>채준형 490 | 박혜경 507 | 박정욱 408<br>김다영 409<br>김하경 410<br>강은희 412 | 임양미 646 | 김수인 653<br>이요셉 656<br>정지혜 662 | 주하나 215 | 이혜나(시) 232<br>이주현 229<br>이두호 224<br>전혜영 230<br>한기연 231 |
| 공무직 | | | | | | | |
| FAX | 250-4494 | | 258-0497 | 258-0453 | | 248-1596 | 258-1011 |

# 시흥세무서

대표전화: 031-3107-200 / DID: 031-3107-OOO

서장: **이 용 안**
DID: 031-3107-201

| 주소 | 경기도 시흥시 마유로 368 (정왕동) (우) 15055<br>대야민원실 : 시흥시 비둘기공원7길 51 (대야동,대명프라자) 대명프라자 3층 (우) 14912 | | | | | | |
|---|---|---|---|---|---|---|---|
| 코드번호 | 140 | 계좌번호 | 001588 | | 사업자번호 | 140-83-00015 | |
| 관할구역 | 경기도 시흥시 | | | | 이메일 | siheung@nts.go.kr | |

| 과 | 징세과 | | | 부가가치세과 | | | 소득세과 | |
|---|---|---|---|---|---|---|---|---|
| **과장** | 최선미 240 | | | 정병진 280 | | | 박중기 360 | |
| **팀** | 운영지원 | 체납추적1 | 체납추적2 | 부가1 | 부가2 | 부가3 | 소득1 | 소득2 |
| **팀장** | 조상현 241 | 강성현 441 | 신지훈 461 | 김승훈 281 | 이봉림 301 | 장남식 321 | 송승한 361 | 박명수 381 |
| | | 기두현 442 | 정민재 462 | 신정환 283 | 백승화 302 | | | 문선희 382 |
| | 한희윤 242<br>김반디 243 | 이한희 443<br>변철용 444<br>김정준 445<br>박준선 446<br>김진형 447 | 박미라 463<br>정수현 263<br>신영화 464<br>김성현 465<br>정경윤 264 | 이경아 284 | 김민수 303 | 김남주 327<br>박찬민 323<br>최지현 324<br>하준찬 325<br>서덕성 326 | 조병섭 362<br>강유진 363 | 한상범 383 |
| **국세<br>조사관** | 김용선(운전)<br>246<br>김재성 244 | 조소윤 448<br>김윤희 449<br>정유진(오전)<br>268<br>서태웅 450 | 정지수(오후)<br>268<br>황유경 466<br>김유진 265<br>장소연 467 | 이지우 285<br>유진아 286<br>임지민 287<br>소규철 288<br>김성수 289<br>이소라 290 | 이혜진 304<br>강혜연 305<br>박경일 306 | 김진옥 328 | 정강영 364<br>이현정 365<br>김용국 366 | 이효정 384<br>하나임 385 |
| | 김택준 245<br>양우현(방호)<br>247 | 윤준희 451<br>김태현 452<br>노다혜 453<br>이은정 454 | 이현준 468 | 배윤진(오전)<br>김미현 291<br>박윤채 292 | 조승철(오후)<br>박세원 307<br>장지은 308<br>김하늘 309<br>김성은 310 | 임혜연 329<br>곽길영 330<br>박보영 331<br>한예슬 332 | 한수현 367<br>신여경 368 | 송보섭 387<br>모혜연 386<br>박경주 388 |
| **공무직** | 강경인(비서)<br>202 | | | | | | | |
| **FAX** | 310-7551 | | | 314-2174, 313-6900 | | | 314-3979 | |

# 1등 조세회계 경제신문 조세일보

| 과 | 재산법인세과 | | | | 조사과 | | 납세자보호담당관 | |
|---|---|---|---|---|---|---|---|---|
| 과장 | 박병남 400 | | | | 맹환준 640 | | 이영재 210 | |
| 팀 | 재산1 | 재산2 | 법인1 | 법인2 | 정보관리 | 조사 | 납세자보호 | 민원봉사 |
| 팀장 | 윤영택 481 | 김애숙 501 | 성창화 401 | 김환 421 | 김용덕 641 | 전상훈 651 | 박수홍 211 | 김현정 221 |
| 국세조사관 | 권중훈 482 | 최정헌 502 | 고경진 405 | | 공정민 644 | 이철환 661 | | |
| | 조윤호 483 김주옥 484 황혜선 485 윤지은(오전) 490 권영인(오후) 490 | 김기배 503 이은성 504 | 송은희 402 임정경 403 | 김은경 422 한상수 423 | 송재봉 642 정원석 643 정경민 645 | 변한준 671 황종욱 681 이동훈 652 이은종 662 | 이윤옥 212 이진영 216 | 최윤정 222 김창욱 223 신미식 224 김나영 225 |
| | 박정민 486 | 정다운 505 | 김지연 406 조소현(오전) 428 박선양(시) 406 | 장원용 424 | | 유화진 682 손윤정 653 박광태 672 | 김상혁 213 | 윤소현 226 조혜민 227 |
| | 황석현 487 이승아 488 | | 김종호 407 윤영운 408 | 이수연 425 서예원 426 이종민 427 | | 조수빈 663 연지원 673 | | 채민재 228 정지헌 229 |
| 공무직 | | | | | | | | |
| FAX | 314-2178 | | 314-3975 | | 314-3977, 3978 | | 314-3971 | 314-3972 8041-3226(대야동) |

# 경기광주세무서

대표전화: 031-8809-200 / DID: 031-8809-OOO

서장: **이 병 오**
DID: 031-8809-201

| 주소 | 경기도 광주시 문화로 127 (경안동) (우) 12752<br>하남지서 : 경기도 하남시 하남대로 776번길 91 (신장동 521-4) (우) 12947<br>별관 : 경기도 광주시 파발로 151번길 5-5 부국빌딩2층 (우) 12755<br>하남지서별관 : 경기도 하남시 대청로 15 트레벨오피스텔 209호 (신장동 519) (우) 12950 | | | | |
|---|---|---|---|---|---|
| 코드번호 | 233 | 계좌번호 | 023744 | 사업자번호 | |
| 관할구역 | 경기도 광주시, 하남시 | | | 이메일 | Singwangju@nts.go.kr |

| 과 | 징세과 | | | 부가소득세과 | | 재산법인세과 | | |
|---|---|---|---|---|---|---|---|---|
| 과장 | 심미현 240 | | | 신승수 280 | | 김정남 480 | | |
| 팀 | 운영지원 | 체납추적1 | 체납추적2 | 부가1 | 부가2 | 소득 | 재산 | 법인 |
| 팀장 | 최승복 241 | 김은기 441 | 조창권 461 | 정아영 281 | 최경초 361 | 이현정 361 | 김남호 481 | 이봉형 401 |
| 국세<br>조사관 | 양혜민 243 | 오은경 442 | 최재천 462<br>이용욱 262 | 박진수 282 | | | 곽은희 488<br>김승미 482<br>박주열 490 | 김도훈 402 |
| | 강석원 242 | 강은영 443<br>홍서연 444<br>남현정 445<br>박미영 446 | 이기혁 463<br>박라영 464<br>하윤희 263<br>이은애 264<br>이민의 465<br>김광혜 466 | 장인섭(시)<br>나영수 283<br>박영은 284 | 안광민 302<br>임종훈 290 | 김형규 364<br>이향섭 366<br>송현철 362<br>김수현 365 | 윤정환 484<br>이창한 483<br>이희정 492<br>이재룡 485<br>조선영(시) | 이평재 403<br>공선미 404<br>박진호 405 |
| | 송민석 244<br>박완식(방호)<br>246<br>이정구(운전)<br>247 | 윤주영 447<br>이철원 448 | 강진선 467<br>임경수 468 | 장미숙 285<br>박나영 286 | 최우영 303<br>정태식 304<br>김은정 309 | 한명수 363<br>권승희(시)<br>박미경 367<br>김예연 368 | 박은지 491 | 황지연 406<br>김인애 407<br>허진주 408<br>전재형 409 |
| | 김주찬 245 | 김용준 449 | 정회정 469 | 염수진 287<br>오광호 288 | 최규선 305<br>김성경 306<br>권혁주 307<br>임수현 308 | 이상윤 369<br>허정미 370<br>최진경 371<br>임빛나 372<br>김하은 373 | 윤민경 486<br>강민지 487<br>김태연 493 | 김예지 410 |
| 공무직 | 윤미경 202 | | | | | | | |
| FAX | 769-0416 | 769-0417 | | 769-0746 | | 769-0773 | | |

| 과 | 조사과 | | 납세자보호담당관 | | 하남지서(031-7922-100) | | | | | |
|---|---|---|---|---|---|---|---|---|---|---|
| 과장 | 서인창 640 | | 김연일 210 | | 유상화 790–3400 | | | | | |
| 팀 | 정보관리 | 조사 | 납세자보호 | 민원봉사 | 체납추적 | 납세자보호 | 부가 | 소득 | 재산 | 법인 |
| 팀장 | 노수진 641 | 이선옥 651 | 강덕수 211 | 이병진 221 | 윤주영 461 | 김옥남 410 | 이승훈 421 | 이중한 431 | 김남헌 441 | 정성은 451 |
| 국세조사관 | | 박동균 654<br>김수현 660<br>박희경 667 | | | | 강계현 411 | | | | |
| | 이향은 642<br>이상근 691 | 강신국 663<br>이준무 657<br>강명호 655<br>강한수 668<br>주향미 661<br>고재윤 652<br>김도희 664<br>반승민 658 | 안지은 212<br>박동일 213<br>이은미 214 | 백경모 222<br>김혜진 223 | 신상훈 462<br>한민수 463<br>송선영 464<br>조나래 465 | 서효영 412<br>정택주 413<br>이미령 414<br>주진선(시) | 이건석 422<br>김윤희 423<br>김종우 424<br>박양숙 425<br>오현수 426<br>강승호 427 | 정희정 432<br>최영조 433<br>진선애 434 | 김세진 442<br>권정석 443<br>김강 444<br>오유나 445 | 최우신 452<br>임훈 454<br>박승현 453 |
| | 한상범 643<br>김진환 692 | 서가현 669<br>김신애 656<br>최효임 659<br>박지예 662 | | 유소희 224<br>장금희 225 | 이정형 466<br>배정현 467<br>이강희 468 | 강수림 415<br>이길호(방호) 502 | 송민섭 428<br>김혜정(시)<br>정현빈 429<br>서정우 430 | 정영현 436<br>정호식 435<br>윤병현 437 | 심선희 446<br>박지영(시)<br>배상원 450<br>이빛나 460 | 표다은 456<br>김동석 458 |
| | 남지윤 644 | 이현정 665<br>박다인 653 | | 이창진 226 | 이주연 469<br>조서영 470 | 함효재 416 | 곽수정 471<br>안태균 472<br>오승민 473<br>박은지<br>황승규 474<br>권택형 475 | 김규희 438<br>강성길 439<br>우민지 440<br>육소연 477 | 김두정 447<br>박세용 448<br>황수지 457 | 권서영 455<br>임수빈 459 |
| 공무직 | | | | | | | | | | |
| FAX | 769-0685 | | 769-0842 | 769-0768<br>769-0803 | 793-2097 | 793-2098 | 791-3422 | | 795-5193 | |

# 안산세무서

대표전화: 031-4123-200 / DID: 031-4123-OOO

서장: **함 민 규**
DID: 031-4123-201

| 주소 | 경기도 안산시 단원구 화랑로 350 (고잔동 517) (우) 15354 | | | | |
|---|---|---|---|---|---|
| **코드번호** | 134 | **계좌번호** | 131076 | **사업자번호** | 134-83-00010 |
| **관할구역** | 경기도 안산시 단원구 | | | **이메일** | ansan@nts.go.kr |

| 과 | 징세과 | | | 부가가치세과 | | 소득세과 | |
|---|---|---|---|---|---|---|---|
| **과장** | 양정주 240 | | | 이삼기 280 | | 김정래 360 | |
| **팀** | 운영지원 | 체납추적1 | 체납추적2 | 부가1 | 부가2 | 소득1 | 소득2 |
| **팀장** | 조행순 241 | 유정은 441 | 조성훈 461 | 서용훈 281 | 이종남 301 | 인길식 361 | 김남주 381 |
| **국세조사관** | | | 오현정 261 | 박영실 282<br>박병선 283 | 이창원 302 | | 김현미 382 |
| | 이해진 242<br>이경수 243 | 장종현 442<br>이석아 443<br>이송이 444<br>박원규 445 | 박승욱 462<br>김은주 463<br>박혜경 464<br>성광민 465 | 김민교 284<br>장경애 285 | 홍현기 303<br>노수창(시)<br>이수빈 304<br>설수미 305 | 정가희 362<br>박재훈(시)<br>정다운 363 | 최영윤(시)<br>이혜민 383 |
| | 윤창식(운전)<br>246<br>안재현 244 | 배자강 446<br>윤혜원 447<br>정인영 448 | 한혜경 466<br>김병섭 467<br>김서경 262 | 김민균(시)<br>서두환 286<br>안유미 287<br>김지선 288 | 임승화 306<br>구진선 307<br>고은비 308<br>한아름 309 | 김세식 364<br>정윤정 365 | 권구성 384 |
| | 이경환(방호)<br>247<br>전병우 245 | | 김보연 468 | 최승빈 289<br>곽윤정 290 | 김중헌 310 | 조은비 366 | 이지영 385<br>한수진 386 |
| **공무직** | 안명순(비서)<br>202<br>유화진<br>신수빈 | | | | | | |
| **FAX** | 412-3268 | | | 412-3531 | | 412-3550, 3380 | |

| 과 | 재산세과 | | 법인세과 | | 조사과 | | 납세자보호담당관 | |
|---|---|---|---|---|---|---|---|---|
| 과장 | 이민철 480 | | 강채업 400 | | 박영인 640 | | 왕춘근 210 | |
| 팀 | 재산1 | 재산2 | 법인1 | 법인2 | 정보관리 | 조사 | 납세자보호 | 민원봉사 |
| 팀장 | 하광무 481 | | 한순근 401 | 김대혁 421 | 송주희 641 | 김학진 651 | 이수호 211 | 소수정 221 |
| 국세<br>조사관 | 김찬 482 | | | | | | | |
| | 김혜리(시)<br>김다영 484<br>최완규 483 | 서승화 522<br>정인경 523 | 유현상 402<br>임건아 403<br>박윤배 404 | 이형구 422<br>채호정 423<br>김지혜 424 | 이아름 642<br>유시은 643 | 장희진 654<br>김명호 657<br>채성호 660<br>신민아 658<br>장재영 655<br>김범준 652<br>신민규 661 | 서정훈 212<br>최다예 213 | 심현수 222<br>김춘화(사무)<br>227 |
| | 박수진 485<br>한수현(시) | 오지현 524 | 배정민 405<br>박지선 406<br>정다솔 407 | 김경아 425 | 권민경 644 | 방순연 653<br>연송이 659<br>강수빈 663<br>이예미 656 | | 권나경(시)<br>김지언 224<br>이푸르미 225<br>박수진 226 |
| | | | 이예지 408<br>이혜서 409 | 박상우 426<br>홍장원 427 | 전지현 645 | 은성도 662 | 김성범 214 | 임지은 227<br>장명훈 228 |
| 공무직 | | | | | | | | |
| FAX | 412-3495 | | 412-3350 | | 412-3580 | | 412-3340, 487-1127 | |

# 동안산세무서

대표전화: 031-9373-200 / DID: 031-9373-OOO

서장: **박 옥 임**
DID: 031-9373-201

| 주소 | 경기도 안산시 상록구 상록수로 20 (본오동 877-6) (우) 15532 | | | | |
|---|---|---|---|---|---|
| 코드번호 | 153 | **계좌번호** | 027707 | **사업자번호** | |
| 관할구역 | 경기도 안산시 상록구 | | | **이메일** | dongansan@nts.go.kr |

| 과 | 징세과 | | 부가가치세과 | | 소득세과 | |
|---|---|---|---|---|---|---|
| **과장** | 하광열 240 | | 박상별 280 | | 이성호 360 | |
| **팀** | 운영지원 | 체납추적 | 부가1 | 부가2 | 소득1 | 소득2 |
| **팀장** | 민현석 241 | 남숙경 441 | 유성주 281 | 이상욱 301 | 엄남식 361 | 반정원 381 |
| **국세조사관** | | 서영춘 442<br>전은영 262 | | | 강미애 362 | |
| | 이삼섭 242 | 김재희 443<br>박창선 444<br>최병국 449<br>김혜진 445<br>정진형 446 | 전진우(시)<br>김문희 282<br>이재남 283<br>최하나 284 | 김민 302<br>김서은 시)<br>방예진 303<br>권영빈 304 | 강기수 363 | 김미경(시)<br>정명기 382 |
| | 옥경민 243<br>윤준웅 244 | 김소정 447<br>우동희 263<br>김인혜 450 | 송성희 285<br>최호림 286 | | 김민정 364<br>소연경(시) | 안병용 383 |
| | 최경식(운전) 245<br>김청수(방호) 246 | 박은비 448 | 정의선 287 | 박지인 305 | 최용호 365<br>조정미 366 | 류재성 384<br>장선미 385<br>김다영 386 |
| **공무직** | 김영란 202 | | | | | |
| **FAX** | 8042-4602, 8042-4603 | | 8042-4604 | | 8042-4605 | |

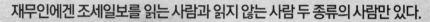

# 재무인과 함께 걸어가겠습니다 '조세일보'

재무인에겐 조세일보를 읽는 사람과 읽지 않는 사람 두 종류의 사람만 있다.

| 과 | 재산법인세과 | | | 조사과 | | 납세자보호담당관 | |
|---|---|---|---|---|---|---|---|
| 과장 | 강성필 400 | | | 윤진일 640 | | 양종명 210 | |
| 팀 | 재산1 | 재산2 | 법인 | 정보관리 | 조사 | 납세자보호실 | 민원봉사실 |
| 팀장 | 권창위 481 | | 선형렬 401 | 박홍자 641 | 정애라 651 | 박경휘 211 | 오진숙 221 |
| 국세<br>조사관 | | | 오선경 402 | | 이남주 654 | | 이상훈 222 |
| | 이은영 482<br>정은순 483<br>강유나(시)<br>오효정(시)<br>나경태 484 | 장슬기 501<br>김효영 502 | 최용준 403<br>김예지 404 | 박정옥 642<br>전진무 643 | 장형보 657<br>김혜진 655<br>김동욱 652 | 김철호 212 | 심우택 223 |
| | 이정환 485 | 김주영 503 | 송상우 405<br>고아라 407 | 윤태경 644 | 송진용 658<br>김의영 653 | 유현경 213 | 강지혜 224 |
| | | | 오수영 406 | | 윤샛별 659<br>조현민 656 | 유용환 214 | 허민주 225 |
| 공무직 | | | | | | | |
| FAX | 8042-4606 | | | 8042-4607 | | 8042-4608, 8042-4609 | |

# 안양세무서

대표전화: 031-4671-200 / DID: 031-4671-OOO

서장: **송 명 섭**
DID: 031-4671-201

안양세무서

안양대학교 안양캠퍼스 · 새마을금고 · 안양119 안전센터

| 주소 | 경기도 안양시 만안구 냉천로 83 (안양동) (우) 14090<br>군포민원실 : 군포시 청백리길 6 군포시청내 1층 민원봉사실 (금정동 844) (우) 15829 | | | | | |
|---|---|---|---|---|---|---|
| 코드번호 | 123 | **계좌번호** | 130365 | **사업자번호** | 123-83-00010 |
| 관할구역 | 경기도 안양시 만안구, 군포시 | | **이메일** | anyang@nts.go.kr | |

| 과 | 징세과 | | | 부가가치세과 | | 소득세과 | |
|---|---|---|---|---|---|---|---|
| **과장** | 최현주 240 | | | 장재영 280 | | 박수용 360 | |
| **팀** | 운영지원 | 체납추적1 | 체납추적2 | 부가1 | 부가2 | 소득1 | 소득2 |
| **팀장** | 최성례 241 | 이종완 441 | 김종태 461 | 박동현 281 | 변인영 301 | 전원실 361 | 진승호 381 |
| **국세 조사관** | | | 김선미 262 | 주진아 282 | 남궁준 302 | | |
| | 송준호 242<br>김미애 243<br>조숙의(전화) 620<br>최광석(운전) 628 | 김정훈 442<br>이재상 443<br>김은주 444 | 한만훈 462<br>황현희 463 | 정회훈 283<br>손선영 284<br>김지현 285<br>성민수 286 | 정영희(시)<br>이병옥 303<br>이준홍 305<br>김기선 306<br>황요셉 307<br>임석봉 304 | 김성미 363<br>이해영 364<br>한승우(시)<br>성은정(사무) 370 | 김형주 382<br>최미란 383<br>진영상 384<br>한여름 385 |
| | 이다영 | 김수지 445 | 최세은 263<br>김상아 464 | 주소희 287<br>민병웅(시)<br>오병관 288 | 이영은 308<br>이노을 309<br>이찬송 310 | 김상록 365<br>양선미 366 | 최은화 386<br>이명주 387<br>윤가연(시) |
| | 여원선 244<br>정지용(방호) 625 | 김정하 446<br>박소윤 447<br>최윤미 448 | 김소현 465<br>김정섭 466 | 이세연 289<br>김성의 290 | 이기훈 311 | 나은비 367<br>박민선 368 | 이지현 388<br>오승연 389 |
| **공무직** | 한경희(사무) 246<br>김예림(비서) 203 | | | | | | |
| **FAX** | 467-1600 | 467-1300 | | 467-1350 | | 467-1340 | |

# 10년간 쌓아온 재무인의 역사를 돌려드립니다 '온라인 재무인명부'

수시 업데이트 되는 국세청, 정·관계 인사의 프로필과 국세청, 지방청, 전국세무서, 관세청, 유관기관 등의 인력배치 현황을 볼 수 있는 온라인 재무인명부

1등 조세회계 경제신문 조세일보

| 과 | 재산법인세과 | | | 조사과 | | 납세자보호담당관 | |
|---|---|---|---|---|---|---|---|
| 과장 | 이준영 400 | | | 김국현 640 | | 양동구 210 | |
| 팀 | 재산1 | 재산2 | 법인 | 정보관리 | 조사 | 납세자보호실 | 민원봉사실 |
| 팀장 | 김예숙 481 | 권영진 501 | 김태우 401 | 김란주 641 | | 강경근 211 | 이길녀 221 |
| 국세조사관 | 문영건 482 | 김지은 502 | 최청림 402 | | 장해순 654<br>이오섭 657<br>한경태 651 | | 박인철 222 |
| | 장민기(시)<br>강선영 483<br>임소영(시)<br>최지연 484 | 장유경 503<br>김유현 504<br>백하나 505 | 김은령 403<br>황성윤 404<br>김은진 405<br>강은경 406<br>최명화(사무)<br>410 | 송창훈 645<br>구명희 643 | 김효일 655<br>이성재 658<br>홍솔아 652 | 정현주 212<br>천혜령 213<br>손택영 214 | 이영순(시)<br>박송이 223<br>조현경(시) |
| | | 김정혜 506 | | 김하영 644 | 안성선 659 | | 박현수 224<br>이근우 225 |
| | 허영렬 485<br>김진슬 486<br>남효정 487 | 김윤혁 507 | 이주환 407<br>이영아 408<br>강민기 409 | | 임형은 656<br>정이수 653 | 박보경 215 | 성재경 225 |
| 공무직 | | | | | | | |
| FAX | 467-1419 | | | 469-9831 | | 469-4155 | 467-1229 |

251

# 용인세무서

대표전화: 031-329-2200 / DID: 031-329-2OOO

서장: **문 홍 승**
DID: 031-329-2201

| 주소 | 경기도 용인시 처인구 중부대로 1161번길 71 (삼가동) (우) 17019<br>수지민원실 : 용인 수지구 문인로54번길2 수지하우비상가 214호 (동천동 887) | | | | |
|---|---|---|---|---|---|
| 코드번호 | 142 | 계좌번호 | 002846 | 사업자번호 | 142-83-00011 |
| 관할구역 | 경기도 용인시 처인구, 수지구 | | | 이메일 | yongin@nts.go.kr |

| 과 | 징세과 | | | 부가가치세과 | | 소득세과 | |
|---|---|---|---|---|---|---|---|
| 과장 | 최은주 240 | | | 박진영 280 | | 강부덕 360 | |
| 팀 | 운영지원 | 체납추적1 | 체납추적2 | 부가1 | 부가2 | 소득1 | 소득2 |
| 팀장 | 김진희 241 | 김민희 441 | 강지윤 461 | 장현수 281 | 김동열 301 | 박병관 361 | 송정숙 381 |
| 국세<br>조사관 |  |  |  |  |  |  | 남경희 382 |
|  | 이은교 242 | 이진희 442<br>김상용 443<br>윤정희 444 | 김승국 462<br>권대웅 463<br>김보름 261<br>오연경 464<br>김병호 465<br>이현지 262 | 하효연 282<br>한수철 283<br>지민경 284<br>김고희 285<br>홍제용 286 | 태석충 311<br>조한정 302<br>정해란 303<br>박종국(시)<br>임유진 304<br>고민경 305<br>신영호 306 | 어윤제 362<br>양진석 363 | 홍보희 383<br>권민선 384 |
|  | 문하나 243<br>권정훈 244<br>이도현(운전)<br>246 | 윤한미 445<br>예성민 446<br>원효정 447 | 신혜민 466<br>김가민 467<br>석혜원 263<br>박경진 468 | 최미정 287<br>윤일한(시) | 노혜선 307<br>신나영 308 | 권희갑 364<br>이미지 365<br>김찬수 366<br>한상화 367<br>문가은(시) | 이수빈(시)<br>이준규 385<br>이슬이 386 |
|  | 오동현 245<br>이택민(방호)<br>247 | 최재강 448<br>손가영 449<br>안광식 450 | 홍새로미 469<br>조병욱 470 | 김소영 288<br>양지영 289<br>김지은 290 | 최병민 309<br>이준호 310 | 최영 368<br>안수현 369<br>신수경 370<br>최윤정 371 | 김재홍 387<br>박지성 388<br>김태은 389 |
| 공무직 | 김윤희(비서)<br>202 |  |  |  |  |  |  |
| FAX | 321-8933 | 329-2687 | | 321-1627 | | 321-1251 | 321-1628 |

# 1등 조세회계 경제신문 조세일보

| 과 | 재산세과 | | | 법인세과 | | 조사과 | | 납세자보호담당관 | |
|---|---|---|---|---|---|---|---|---|---|
| 과장 | 이태균 500 | | | 조일훈 400 | | 박금철 640 | | 윤경 210 | |
| 팀 | 재산1 | 재산2 | 재산3 | 법인1 | 법인2 | 정보관리 | 조사 | 납세자보호 | 민원봉사 |
| 팀장 | 오경택 481 | 최인범 501 | 류두형 521 | 김경숙 401 | 최윤기 421 | 김강산 641 | 엄선호 651 | 임선희 211 | 소기형 221 |
| 국세조사관 | 유정희 482 | 김선아(시) | 이지원 522<br>최성도 523 | | 전다영 | 이재진 691 | 고은미 654<br>윤종근 657<br>손세종 660 | | |
| | 김미영 483<br>이효나 484<br>홍지은 485<br>이창민 486 | 황보람 502<br>김창우 503<br>연근영 504<br>이국성 505<br>문은식 506 | 선화영 524<br>신영민 525<br>김민정 526 | 김영지 402<br>한상영 403<br>이윤정 404<br>정현정 405 | 이다솜 422<br>김진태 423<br>김준이 424 | 박영규 642<br>김정진 692<br>김정효 643 | 차선주 658<br>안태준 661 | 김수인 212<br>김윤희 213<br>이진호 214 | 임대근 223<br>문혁 222<br>김정기(시)<br>임혜미(시)<br>박영종 225 |
| | 나선(시)<br>이현정 487 | 이미정 507 | | 김소은 406 | 최준환 425<br>장보수 426 | | 김수진 655<br>박지애 652<br>정은지 653 | 박지수 215 | 이유림(시)<br>이윤경(시)<br>이혜민225<br>곽한율226 |
| | 윤석영 488 | 황혜미 508 | 김혜경 527<br>양준모 528<br>김아영 529 | 김예원 407 | 박지혜 427 | | 류민하 656<br>이은정 659 | | 이한설 227 |
| 공무직 | | | | | | | | | |
| FAX | 321-1641 | | | 321-1626 | | 321-1643 | | 321-7210 | |

# 이천세무서

대표전화: 031-6440-200 / DID: 031-6440-OOO

서장: **이 인 우**
DID: 031-6440-201

 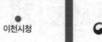 

이천경찰서 / 이천시청 / 이천세무서 / 한국국토정보공사 이천지사 / 이천중리공공임대아파트

| 주소 | 경기도 이천시 부악로 47(중리동) (우) 17380<br>여주민원실 : 경기도 여주시 세종로10 여주시청 2층 (우) 12619<br>양평민원실 : 경기도 양평군 양평읍 군청앞길2 양평군청1층 (우) 12554 | | | | |
|---|---|---|---|---|---|
| 코드번호 | 126 | 계좌번호 | 130378 | 사업자번호 | |
| 관할구역 | 경기도 이천시, 여주시, 양평군 | | | 이메일 | icheon@nts.go.kr |

| 과 | 징세과 | | | 부가가치세과 | | 소득세과 | | 재산법인세과 | |
|---|---|---|---|---|---|---|---|---|---|
| 과장 | 한광인 240 | | | 강덕근 280 | | 석영일 520 | | 이오혁 400 | |
| 팀 | 운영지원 | 체납추적1 | 체납추적2 | 부가1 | 부가2 | 소득1 | 소득2 | 재산1 | 재산2 |
| 팀장 | 송원기 241 | 김정식 441 | 이만식 461 | 이수은 281 | 서효우 301 | 박일환 521 | 권희숙 541 | 김경숙 481 | 이은경 501 |
| 국세조사관 | | | 이현주 462 | 최용화 282 | 김성훈 302<br>유인식 303 | | 정회창 542 | 김준오 482<br>길요한 483 | |
| 국세조사관 | 김용철 242<br>김양희 243 | 김효정 442<br>조덕상 443<br>김상욱 444<br>유제이 445 | 허성훈 463<br>인한용 464<br>이수덕 262<br>오원정 466 | 김종만 283<br>이진규 284<br>정현준 285<br>오광현 286 | 박원규 304<br>황계순 305<br>서형민 306 | 안유진 522<br>박상우 523<br>조상희 524<br>정원석 525 | 김경린 548<br>최유연 544 | 채상조 484<br>양성봉 485<br>권오교 486<br>김은경<br>(사무) | 정종원 502<br>남유승 505<br>윤경현 503 |
| 국세조사관 | 박준원<br>(운전) 246<br>김영삼<br>(방호) 597 | 방민주 446<br>강현 447 | 유가현 467 | 이수정 287<br>남현두(시)<br>372<br>김희재 288 | 김충모 307<br>정현위 308 | 정연주 526 | 김성현 545 | 김태은 487<br>김두리 488<br>김순옥(시)<br>489 | 이경원 504 |
| 국세조사관 | 지창익 244<br>곽보경 245 | 박지은 448<br>김현성 449<br>김경민 450<br>석정훈 451 | 전수연(시)<br>263<br>남연경 469 | 허광녕 289<br>권예림 290<br>한미희 291 | 박혜원 309<br>서채은 310<br>김강휘 311 | 강슬기 527<br>이경민 528 | 이상윤 546<br>정보성 547 | 유미선 490<br>남훈현 491<br>김나예 492<br>강준호 493 | 한재민 |
| 공무직 | 이민영<br>이서현<br>태혜숙<br>문묘연 | | | 이현숙 297 | | | | | |
| FAX | 634-2103, 637-0142 | | | 637-3920,<br>638-0148 | | 637-4037, 0144 | | 638-8801 | |

| 과 | 재산법인세과 | | 조사과 | | 납세자보호담당관 | | | |
|---|---|---|---|---|---|---|---|---|
| 과장 | 이오혁 400 | | 김종학 640 | | 이정원 210 | | | |
| 팀 | 법인1 | 법인2 | 정보관리 | 조사 | 납세자보호 | 민원봉사 | 여주민원실 | 양평민원실 |
| 팀장 | 이광희 401 | 이영호 421 | 김수정 641 | 박상민 651 | 남윤현 211 | 심영일 221 | | |
| 국세조사관 | | 김원택 422 | | 윤희상 655<br>박연우 652<br>김경현 659 | 배인희 212 | | | |
| 국세조사관 | 박수태 402<br>조희정 403<br>김기홍 404 | 이진영 423<br>하영우 424 | 손석호 642<br>이치웅 643<br>노현주 644 | 송승재 660<br>선승민 656 | 박희창 213 | 권기주 222<br>김성식 223<br>김안순(사무)<br>224 | 강근영<br>883-8551 | 이승환<br>773-2100 |
| 국세조사관 | 양가은 405 | | | 박승철 657<br>김충배 653 | | 김승래 225<br>이석임 226 | | |
| 국세조사관 | 장혜지 406<br>박소미 407 | 유지원 425<br>장미진 426 | | 장혜지 661<br>박지우 662<br>송혜연 658<br>김재우 654 | 윤우식 214 | 김기웅 227 | | 유민설<br>773-2100 |
| 공무직 | | | | | | | | |
| FAX | 634-2115 | | 644-0381 | | 632-8343 | 638-3878 | 883-8553 | 771-0524 |

# 평택세무서

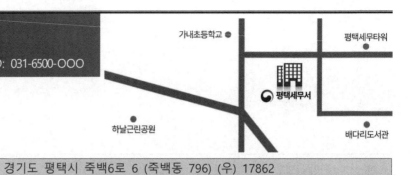

대표전화: 031-6500-200 / DID: 031-6500-OOO

서장: **최 영 호**
DID: 031-6500-201

| 주소 | 경기도 평택시 죽백6로 6 (죽백동 796) (우) 17862<br>안성지서 : 경기 안성시 대덕면 중앙로 13 (대덕면) (우) 17545 | | | | |
|---|---|---|---|---|---|
| 코드번호 | 125 | 계좌번호 | 130381 | 사업자번호 | 125-83-00016 |
| 관할구역 | 경기도 평택시, 안성시 | | | 이메일 | pyeongtaek@nts.go.kr |

| 과 | 징세과 | | | 부가가치세과 | | | 재산세과 | | |
|---|---|---|---|---|---|---|---|---|---|
| **과장** | 서민성 240 | | | 이창준 280 | | | 전정호 500 | | |
| **팀** | 운영지원 | 체납추적1 | 체납추적2 | 부가1 | 부가2 | 부가3 | 재산1 | 재산2 | 재산3 |
| **팀장** | 윤희경 241 | 김영욱 441 | 김진오 461 | 황우오 281 | 김창희 301 | 정성곤 321 | 양종렬 481 | 이수용 501 | |
| **국세<br>조사관** | | 김혜선 442 | 변종희 262 | | 노명환 302 | 김문환 322 | | 이현균 502 | 임승원 521<br>송윤섭 522<br>신지선 523 |
| | 최복기 242 | 이상범 443<br>김선 444<br>김현기 445 | 권철균 463<br>도종호 469<br>김기영<br>김서연 262<br>진동욱 464 | 김보영 282<br>곽수진 283 | 송주한 303<br>나상진 304 | 홍윤선 323<br>임유리 341<br>서가은 324 | 유다연(시)<br>정수일 482<br>김초희 483<br>서준 484 | 김의동(시)<br>김유창 503 | |
| | 이경민 243<br>성유미 244<br>남덕희<br>(방호) 247<br>정승기<br>(운전) 246 | 이화경 446<br>최유영 447<br>김주환 448<br>전가람 449<br>이승배 450 | 김성룡 470<br>임우영 263<br>김지혜 465 | 최영준 284<br>강상희(시)<br>박유천 285<br>문창환 286<br>이혜인 287 | 김현경 305<br>우세진 306 | 박태윤 325 | 박관중 485 | | 공영은 524<br>조한우 525<br>김지연 526 |
| | 조학준 245 | 곽세욱 451<br>손경미 452 | 이민주 466<br>김예은 264<br>우진원 467<br>육종학 468 | 박만경 288<br>김민경 289<br>안서윤 290 | 김화비(시)<br>정완규 307<br>조봉경 308 | 이연주 326<br>박기백 340<br>김도현 327 | 채수연 486 | 이주미 504<br>이하은 505<br>최윤진 506 | |
| **공무직** | 임순이<br>(전화) 680<br>윤지현<br>(비서) 202<br>강순자<br>정용남<br>송노화 | | | | | | | | |
| **FAX** | 658-1116 | 658-1107 | | 652-8226 | | | 655-4786, 7103 | | |

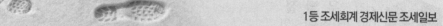
| 과 | 소득세과 | | 법인세과 | | 조사과 | | 납세자보호담당관 | | 안성지서(031-6190-2200) | | | |
|---|---|---|---|---|---|---|---|---|---|---|---|---|
| 과장 | 박요철 360 | | 김시정 400 | | 장현기 640 | | 조병옥 210 | | 김훈 201 | | | |
| 팀 | 소득1 | 소득2 | 법인1 | 법인2 | 정보관리 | 조사 | 납세자보호실 | 민원봉사실 | 체납추적 | 납세자보호실 | 부가소득 | 재산법인 |
| 팀장 | 최종훈 361 | 이우섭 381 | 임병일 401 | 정효중 421 | 이명훈 641 | 정현표 652 | 정선아 211 | 홍경 221 | 황용연 441 | 황지유 221 | 이충인 281 | 송기원 481 |
| 국세조사관 | | 연명희 382 | | | | 김현미 654<br>이호광 657 | | | 박수열 442 | | 안성호 282<br>안정민 362 | |
| | 강혜영<br>(시)<br>최근형<br>362<br>김수진<br>김근한<br>363 | 정효민<br>383<br>이성현<br>384 | 우성식<br>402<br>이유미<br>403<br>김진호<br>404<br>송기순<br>405 | 전진철<br>422<br>유준호<br>423<br>박혜영<br>424 | 양성욱<br>642<br>송영진<br>643 | 정인교 660<br>최혁진 663<br>박홍규 666<br>송민숙 664<br>장재민 655<br>박찬승 665<br>박하늬 667<br>권소현 652<br>윤장원 661<br>이예지 658 | 배재학<br>212 | 강경래<br>222<br>정지숙<br>223<br>김준영<br>224 | 이경식<br>443<br>이규선<br>444 | 곽준옥<br>222 | | 김정우 402<br>정준영 482<br>김연광 403<br>노정윤 404 |
| | 조성원<br>364<br>최원익<br>365 | 박상희<br>(시)<br>강보라<br>385 | 김세기<br>406 | | 이은서<br>644<br>우원준<br>645<br>이상은<br>646 | 김이준 653<br>김단비<br>박상흠 659 | 최현정<br>213<br>이정은<br>214<br>이한나<br>215 | 임인혁<br>225<br>백진현<br>226<br>이경현<br>227 | 박민욱<br>445 | | 엄인영 283<br>오혜미 363<br>이연지 284<br>정훈 285 | 전형정 483<br>최지우 405<br>박일주 406<br>오병걸 484<br>이후돈 407 |
| | 한서연<br>366<br>이민정<br>367<br>김소현<br>368 | 정채연<br>386<br>이혜진<br>387<br>김보현<br>388 | 윤선수<br>407<br>김민주<br>408<br>채민석<br>409 | 임수민<br>425<br>조아라<br>426<br>박규하<br>427 | 정문승<br>647 | 장세원 656<br>김태은 662<br>임아름 668 | | 송정하<br>(시)<br>김소연<br>(시)<br>박찬호<br>229<br>채동준<br>230 | 강수현<br>446 | 조계호<br>223 | 조소영 364<br>한성호 365<br>이지현 286<br>이지영 287<br>최슬기 288<br>안해준 366<br>김준혁 367 | 김준범 485<br>안윤혜 408 |
| 공무직 | | | | | | | | | | 배명수 | | |
| FAX | 618-6234 | | 656-7113 | | 655-7112 | | 655-0196 | 656-7111 | 6190-2251 | 6190-2256 | 6190-2252 | 6190-2253 |

257

# 동화성세무서

대표전화: 031-9346-200 DID: 031-9346-OOO

서장 : **우 병 철**
DID: 031-9346-201

| 주소 | 경기도 화성시 동탄오산로 86-3 MK 타워 3,4,9,10,11층 (우) 18478<br>오산민원실 : 경기도 오산시 성호대로 141 오산시청 1층 (우) 18132 | | | | | | |
|---|---|---|---|---|---|---|
| 코드번호 | 151 | 계좌번호 | 027684 | 사업자번호 | | |
| 관할구역 | 경기도 오산시, 화성시 중<br>정남면·진안동·능동·기산동·반정동·병점동·반월동·배양동·기안동·황계<br>동·송산동·안녕동·반송동·석우동·청계동·영천동·중동·오산동·방교동·<br>금곡동·송동·산척동·목동·신동·장지동 | | | 이메일 | | |

| 과 | 징세과 | | | 부가가치세과 | | | 소득세과 | |
|---|---|---|---|---|---|---|---|---|
| **과장** | 마동운 240 | | | 서동선 280 | | | 전용훈 360 | |
| **팀** | 운영지원 | 체납추적1 | 체납추적2 | 부가1 | 부가2 | 부가3 | 소득1 | 소득2 |
| **팀장** | 김완종 241 | | 김진수 461 | 최송엽 281 | 문창수 301 | 이숙정 321 | 강문성 361 | 엄태영 381 |
| **국세<br>조사관** | | | 박남숙 462 | 김신애 282 | | 홍성권 322 | 나형욱 362 | 김현미 382 |
| | 조미영 242<br>김혜경 243 | 전경선 442<br>이도영 443<br>이남경 444<br>이수지 445 | 이영아 261<br>조주현 463<br>김현진 464<br>김성미 465<br>최현숙 262 | 김민규 283<br>김태현(오후)<br>김규혁(오전)<br>오상택 284<br>장순임 285<br>장혜주(사무)<br>296 | 김선애 302<br>정현정 303<br>고윤석 304<br>정혜정 305 | 김상현 323<br>최은희 324<br>김주옥 325 | 이경희 363<br>성지은 364 | 조희정 383<br>김진환 384 |
| | 장영진 245<br>김수진 244<br>백진원(운전)<br>246 | 장지은 446<br>김수진 447<br>곽미송 448 | 홍우환 466<br>김미란 467<br>김상훈 | 노수지 286<br>최두이 287 | 서혜수 306<br>류승혜 307 | 임승용 326<br>유선아 327 | 이혜리나<br>(오전)<br>김형민 365 | 장혜미 385<br>박지영 386 |
| | 노성태(방호)<br>247 | 정필윤 449<br>김채아 450<br>최윤석 451 | 신원정 468<br>이은범 469 | 정지윤 288<br>정해리 289<br>박진석 290 | 박서연 308<br>탁봉진 309<br>박은서 310 | 이경규 328<br>박미림 329<br>신수영 330 | 김혜인 367<br>임청하 368<br>박세연 366<br>김지수 369<br>남승훈 370 | 김수정(오후)<br>박성원 387<br>하상돈 388<br>안정민 389 |
| **공무직** | 김경선(비서)<br>202<br>김정렬(미화)<br>신미선(미화) | | | | | | | |
| **FAX** | 934-6249 | 934-6269 | | 934-6299 | | | 934-6379 | |

| 과 | 재산법인세과 | | | | 조사과 | | 납세자보호담당관 | |
|---|---|---|---|---|---|---|---|---|
| **과장** | 함명자 400 | | | | 유병선 640 | | 박정훈 210 | |
| **팀** | 재산1 | 재산2 | 법인1 | 법인2 | 정보관리 | 조사 | 납세자보호 | 민원봉사 |
| **팀장** | 주충용 481 | 김진덕 491 | 최윤회 401 | | 강수미 641 | 이영태 651 | | 신종무 221 |
| **국세조사관** | 주기영 482<br>이영미 483 | 이재택 492 | 김수현 402 | | | <1팀><br>이호수(7)<br>652<br>이나래(9)<br>653 | 류승우 212 | |
| | 박서연 484<br>정태형 485<br>이훈희 486<br>박은미 487<br>김민정(오후)<br>류재희 | 나기석 493<br>최현영 494 | 조은비 403<br>김정규 404<br>위장훈 405 | 이정언 422<br>구자헌 423<br>김상민 424<br>이문희 425 | 최우석 463 | <2팀><br>박준규(6)<br>654<br>엄지희(7)<br>655<br>유진선(9)<br>656 | 김정희 213<br>정지현 214 | 이철우(오산)<br>이용문(오후)<br>222<br>한경화(오전)<br>222 |
| | 박세진(오전)<br>김수지 488<br>안의진 489<br>이은수 490<br>신예슬 496 | | 조현정 406 | 박은희 426<br>박지혜 427 | 김미래 642<br>김현석 644 | <3팀><br>정웅교(7)<br>657<br>전선희(7)<br>658 | | 송현정 228<br>차지숙 227<br>박영훈 224<br>김민경 223<br>어현서 225<br>손혜진 231 |
| | 김형준 497 | 김채린 495 | 김진화 407<br>강현규 408<br>왕혜연 409 | 이유정 428<br>최세진 429 | | <4팀><br>정경화(7)<br>660<br>정혜영(7)<br>661 | 김찬기 214 | 정희정(오후)<br>232<br>박미나(오전)<br>230<br>김온유 229 |
| **공무직** | | | | | | | | |
| **FAX** | 934-6479 | | 934-6419 | | 934-6649 | 934-6699 | 934-6219 | 934-6239 |

259

# 화성세무서

대표전화: 031-80191-200 DID: 031-80191-OOO

서장 : **정 순 범**
DID: 031-80191-201

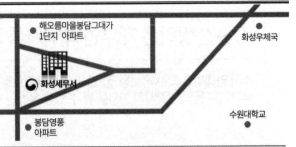

| 주소 | 경기도 화성시 봉담읍 참샘길 27(와우리 31-16) (우) 18321<br>남양민원실 : 화성시 남양읍 시청로 159 화성시청 1층 세정과 내 | | | | | |
|---|---|---|---|---|---|
| 코드번호 | 143 | **계좌번호** | 018351 | **사업자번호** | |
| 관할구역 | 경기도 화성시 4개 읍, 8개 면과 새솔동 * 제외지역 : 정남면,<br>진안동, 능동, 기산동, 반정동, 병점1,2동, 반월동, 배양동, 기안동,<br>황계동, 송산동, 안녕동, 동탄1,2,3,4,5,6,7,8동(반송동, 석우동, 능동,<br>청계동, 영천동, 중동, 오산동, 방교동, 금곡동, 송동, 산척동, 목동,<br>신동, 장지동) | | | **이메일** | hwaseong@nts.go.kr |

| 과 | 징세과 | | | | 부가소득세과 | | |
|---|---|---|---|---|---|---|---|
| 과장 | 정명순 240 | | | | 김석제 280 | | |
| 팀 | 운영지원 | 체납추적1 | 체납추적2 | 체납추적3 | 부가1 | 부가2 | 소득 |
| 팀장 | 조규상 241 | 이종복 441 | 정규남 451 | 박기택 461 | 이영환 281 | 김용진 291 | 구응서 301 |
| 국세<br>조사관 | | 서원상 442 | | 원은미 462 | 임관수 282 | 박준희 292 | |
| | 유환동 242<br>박득란(전화)<br>258 | 인경훈 443<br>권현정 444<br>김정은 445<br>박은정 446 | 윤영우 452<br>정미애 457<br>최은수 453<br>김보경 458<br>이수민 454 | 최재광 463<br>최정심 464<br>곽은선 469 | 권선화 283<br>김도경 284<br>서기영 285<br>김주란(사무)<br>314 | 김정은 293<br>이은경(시)<br>김현준 294 | 백남현 302<br>서미경 303<br>윤윤숙 304<br>윤미영 305<br>김수현(시) 312 |
| | 배상용 245<br>전신희 244 | 장지혜 472<br>이대훈 447<br>한선희(시) 450 | 김지영 455<br>이란희 459 | 공신혜 465<br>오현주 470<br>진솔 468<br>이재준 466 | 서예빈 286<br>이재훈(시)<br>김석주 287 | 문혜미 295<br>윤은미 297<br>임성연 296 | 박주미 306<br>정은주 307<br>김송이 308<br>신아름 309 |
| | 조은희 243<br>안정원(방호)<br>249 | 임아사(시) 448<br>김지원 449 | 석지원 456 | 이지원 467 | 박선화 288<br>진준 289<br>조은옥 290 | 박성은 298<br>임재빈 299<br>김승주 300 | 이원자(시) 313<br>민규원 310<br>정아름 311 |
| 공무직 | 양승희(비서)<br>205 | | | | | | |
| FAX | 8019-8211 | | | | 8019-8257 | | 8019-8202 |

| 과 | 재산세과 | | 법인세과 | | 조사과 | | 납세자보호담당관 | |
|---|---|---|---|---|---|---|---|---|
| 과장 | 유선정 480 | | 전봉준 400 | | 노중권 640 | | 조금식 210 | |
| 팀 | 재산1 | 재산2 | 법인1 | 법인2 | 정보관리 | 조사 | 납세자보호 | 민원봉사 |
| 팀장 | 박제상 481 | 구규완 501 | 신호균 401 | 임희경 421 | 김성길 641 | 한은우 651 | 정은미 211 | 박순철 221 |
| 국세<br>조사관 | 김수정 482 | 정직한 502 | 이상영 402 | | | 김현승 654<br>양금영 657<br>김근민 660 | | |
| | 박가영(시)<br>김한선 483<br>신보경 484<br>조강우 485 | 남도영 503<br>소미현 504<br>박지현 505 | 김현숙 403<br>박유정 404<br>양서용<br>한수정 405<br>왕윤세 406 | 김태영 422<br>장주아 423<br>윤주휘 424<br>최정연 425 | 이범수 682<br>박수련 642<br>정재훈 683 | 양서진 663<br>유홍재 661<br>곽진희 664<br>이순아 658<br>유현정 652 | 이해자 212<br>전운 213<br>김정화 214 | 심수경 222<br>박소연 223 |
| | 심예진(시)<br>장해성 486 | | 홍지민 407<br>강지현 408 | 문희원(시)<br>431<br>이민희 426<br>강민재 427 | | 함태희 659<br>최영진 662<br>장은심 653<br>진향미 656 | | 방은미 224<br>송이(시)<br>정지수 225 |
| | 권문경 487 | | 이정은(시)<br>411<br>김유진 409<br>이화섭 410 | 김리하 428<br>최은선 429<br>석진호 430 | 신혜정 643 | 김은서 662<br>고호경 665 | | 임한섭 226<br>신승훈 227 |
| 공무직 | | | | | | | | |
| FAX | 8019-1758 | | 8019-8227 | 8019-8270 | 8019-8251 | | 8019-8245 | 8019-8231 |

# 강릉세무서

대표전화: 033-6109-200 / DID: 033-6109-OOO

서장: **이 창 수**
DID: 033-6109-201

| 주소 | 강원도 강릉시 수리골길 65 (교동) (우) 25473 | | | |
|---|---|---|---|---|
| 코드번호 | 226 | 계좌번호 | 150154 | 사업자번호 |
| 관할구역 | 강원도 강릉시, 평창군 중 대관령면, 진부면, 용평면, 정선군 중 임계면 | | 이메일 | gangneung@nts.go.kr |

| 과 | 징세과 | | 부가소득세과 | | |
|---|---|---|---|---|---|
| 과장 | 이은규 240 | | 조예현 280 | | |
| 팀 | 운영지원 | 체납추적 | 부가1 | 부가2 | 소득 |
| 팀장 | 권혁찬 241 | 강근효 441 | 김태진 281 | 조해윤 301 | 홍석의 361 |
| 국세조사관 | 최정원(사무) 244 | | 장수정 282 | 김범채 302<br>김동윤 303 | 전대진 362<br>최상운 363 |
| 국세조사관 | 권택만 242<br>홍영준(운전) 245 | 김연화 442<br>이현숙 262<br>김용일 443 | 김재용 283<br>박용범 284<br>정나영 285 | 조현숙 304<br>박혜진 305<br>신진섭 306 | 유수현 364 |
| 국세조사관 | | | | | 이서진 365<br>김다영 366<br>윤혜원 367 |
| 국세조사관 | 이현승 243 | 김동윤 444<br>이동환 445<br>김지운 446 | 김민재 286 | 서정민 307 | 이진주 368 |
| 공무직 | 최유성 666<br>김현정 202<br>박희숙 247<br>박성자<br>오영주 | | | | |
| FAX | 641-4186 | 641-4185 | 646-8914 | | |

# 1등 조세회계 경제신문 조세일보

| 과 | 재산법인세과 | | 조사과 | | 납세자보호담당관 | |
|---|---|---|---|---|---|---|
| **과장** | 신상희 400 | | 김대옥 640 | | 김향일 210 | |
| **팀** | 재산 | 법인 | 정보관리 | 조사 | 납세자보호실 | 민원봉사실 |
| **팀장** | 신명진 481 | 신영승 401 | 김정희 661 | 조숙연 651 | | 박선미 221 |
| **국세<br>조사관** | 이학승 483 | 박준영 402 | 홍승영 662 | 김현호 652<br>이원구 653<br>이예림 654 | 박미정 212 | 김영숙 223 |
| | 윤하정 484<br>이덕종 485 | 주승철 403 | | 김광식 655 | | 이주영 222<br>김종흠 222<br>조광희 225 |
| | | 정현민 405 | 김지현 663 | 유가량 656 | | 박일찬 226 |
| | 강하라 486 | 김동현 406 | | | | 조현희 224 |
| **공무직** | | | | | | |
| **FAX** | 648-2181 | | 646-8915 | | 641-2100 | 648-2080 |

# 삼척세무서

대표전화: 033-5700-200 / DID: 033-5700-OOO

서장: **임 형 태**
DID: 033-5700-201

교동
청솔아파트 · 　신동아아파트 ·  　　🔵 삼척세무서

삼척시
평생학습관 ·  　강부
아파트 ·

| 주소 | 강원도 삼척시 교동로 148 (우) 25924<br>태백지서  : 태백시 황지로 64 (우) 26021<br>동해민원봉사실  : 강원 동해시 천곡로 100-1 (천곡동) (우) 25769 | | | | |
|---|---|---|---|---|---|
| 코드번호 | 222 | 계좌번호 | 150167 | 사업자번호 | 142-83-00011 |
| 관할구역 | 강원도 삼척시, 동해시, 태백시 | | | 이메일 | samcheok@nts.go.kr |

| 과 | 징세과 | | | 세원관리과 | | |
|---|---|---|---|---|---|---|
| 과장 | 정국교 240 | | | 채상철 280 | | |
| 팀 | 운영지원 | 체납추적 | 조사 | 부가 | 소득 | 재산법인 |
| 팀장 | 박종호 241 | 홍후진 441 | 651 | 김진희 281 | 탄정기 361 | 임무일 401 |
| 국세<br>조사관 | | 정홍선 442 | 김광식 652<br>김원명 653 | 김용철 282<br>정경진 282 | 함영록 362<br>정영욱 363 | 김지현 402 |
| 국세<br>조사관 | 육강일 242<br>전수만(운전) 247<br>안태길(방호) 246 | 이신정 444<br>이보라 445 | 함인한 654<br>김은주 655 | 이성희 283<br>임종성 284 | 박상도 364 | 조상미 481<br>김진만 482 |
| 국세<br>조사관 | | | | | | 이형석 403 |
| 국세<br>조사관 | 우수희 243<br>이지은 244 | 오규원 447<br>송재덕 446 | 최정인 656 | 문준현 285 | 이예지 365<br>조재식 366 | 김용태 404<br>허성문 483<br>김보람 487 |
| 공무직 | 이정옥(비서) 203<br>김필선 626<br>이정희 242 | | | | | |
| FAX | 574-5788 | 570-0668 | 570-0640 | 570-0408 | | |

| 과 | 납세자보호담당관 | | 태백지서(033-5505-200) | | |
|---|---|---|---|---|---|
| **과장** | 김삼수 210 | | 전동철 201 | | |
| **팀** | 납세자보호실 | 민원봉사실 | 납세자보호 | 부가소득 | 재산법인 |
| **팀장** | | 조해원 221 | | | 김영주 401 |
| **국세 조사관** | | 황보승 222 | 김태경 221<br>최태현 222 | | |
| | 김태민 211 | 장호윤(동해)<br>535-2100<br>임진묵 223<br>최윤성(동해)<br>532-2100 | | 형비오 283<br>조윤방 282 | 박상언 482<br>김시윤 481 |
| | | | 김경록 223<br>김유영(방호) 242 | 홍석민 285 | |
| | | | | 최성현 284 | |
| **공무직** | | | 조영미 364 | | |
| **FAX** | 574-6583<br>532-2161(동해) | | 552-9808 | 553-5140 | 552-2501 |

# 속초세무서

대표전화: 033-6399-200 / DID: 033-6399-OOO

서장: **배 일 규**
DID: 033-6399-201

| 주소 | 강원도 속초시 수복로 28 (교동) (우) 24855 | | | | |
|---|---|---|---|---|---|
| 코드번호 | 227 | 계좌번호 | 150170 | 사업자번호 | |
| 관할구역 | 강원도 속초시, 고성군, 양양군 | | | 이메일 | sokcho@nts.go.kr |

| 과 | 징세과 | | |
|---|---|---|---|
| 과장 | 김동식 240 | | |
| 팀 | 운영지원 | 체납추적 | 조사 |
| 팀장 | 황신영 241 | 서의성 441 | 양용선 651 |
| 국세조사관 | | | 김광묵 652 |
| 국세조사관 | 서동원 242<br>정하나 243<br>김민정(사무) 244<br>김성수(운전) 245 | | 박정수 653<br>시현민 654 |
| 국세조사관 | | 김훈민 443 | |
| 국세조사관 | 신종수(방호) 246 | 신원식 444<br>이유진 445<br>김휘호 446 | 홍요셉 655 |
| 공무직 | 김수미 203<br>백귀숙 | | |
| FAX | 633-9510 | | 631-7920 |

# 재무인과 함께 걸어가겠습니다 '조세일보'

재무인에겐 조세일보를 읽는 사람과 읽지 않는 사람 두 종류의 사람만 있다.

1등 조세회계 경제신문 조세일보

| 과 | 세원관리과 | | | | 납세자보호담당관 | |
|---|---|---|---|---|---|---|
| 과장 | 김유학 280 | | | | 이철형 210 | |
| 팀 | 부가 | 소득 | 재산 | 법인 | 납세자보호실 | 민원봉사실 |
| 팀장 | 김재형 281 | 김진관 361 | 정의성 481 | 최덕선 401 | | |
| 국세<br>조사관 | 최승철 282<br>박진규 283 | | 방용익 482<br>박상태 483 | 김인철 402 | | |
| | 박원기 284 | 서지상 362<br>김정은 363 | | 함귀옥 403 | 박기태 212 | 김현성 222<br>조민경(시) 223<br>임미숙(사무) 223 |
| | 유현정 285<br>이지수 286 | 김성민 364 | 김지윤 484 | | | |
| | 남유현 287<br>김정은 288<br>윤건주 289 | 황효정 365 | 조무건 485 | 박찬웅 404 | | 신효상 224<br>김호준 225 |
| 공무직 | | | | | | |
| FAX | 632-9523 | | 631-9243 | | 639-9670 | 632-9519 |

# 영월세무서

대표전화: 033-3700-200 / DID: 033-3700-OOO

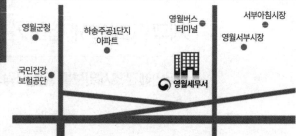

서장: **이 철**
DID: 033-3700-201

| 주소 | 강원도 영월군 영월읍 하송안길 49 (하송3리) (우) 26235 | | | | |
|---|---|---|---|---|---|
| 코드번호 | 225 | 계좌번호 | 150183 | 사업자번호 | |
| 관할구역 | 강원도 영월군, 정선군(임계면 제외), 평창군(평창읍, 미탄면) | | | 이메일 | yeongwol@nts.go.kr |

| 과 | 징세과 | | |
|---|---|---|---|
| 과장 | 김승욱 240 | | |
| 팀 | 운영지원 | 체납추적 | 조사 |
| 팀장 | 박태진 241 | 김석일 441 | 조원희 651 |
| 국세<br>조사관 | 배원준 242 | 심수현 442 | |
| | 이순정(사무) 243<br>엄은주(사무) 246<br>지경덕(운전) 245 | 김석채 443<br>이영미(사무) 445 | |
| | 정의남(방호) 244 | | 강태진 653 |
| | 임영선 247 | 김원민 444 | 하명진 654 |
| 공무직 | 신미정(비서) 203<br>우청자 | | |
| FAX | 373-1315 | | |

| 과 | 세원관리과 | | | 납세자보호담당관 | |
|---|---|---|---|---|---|
| 과장 | 전익선 280 | | | 강우진 210 | |
| 팀 | 부가소득 | 재산법인 | | 납세자보호실 | 민원봉사실 |
| | | 재산 | 법인 | | |
| 팀장 | 김영달 281 | 최중진 401 | | | |
| 국세조사관 | 백윤용 282<br>진재화 283 | 김은순 481 | 임영수 402 | | 엄봉준(사북) |
| | 박희영 284 | | 박애리 403<br>장석만 404 | | 김은희 221<br>정희정(사무) 222 |
| | | 최우석 482 | 최경준 405 | | 윤한철 223 |
| | 강유정 285<br>박석현 286<br>장지영 287<br>송지협 288 | | | | |
| 공무직 | | | | | |
| FAX | 373-1316 | 373-2100 | | 373-3105 | |

# 원주세무서

대표전화: 033-7409-200 / DID: 033-7409-OOO

서장: **김 광 대**
DID: 033-7409-201

북원여자
고등학교

치악중학교

원주세무서

학성근린공원

단계동
행정복지센터

| 주소 | 강원도 원주시 북원로 (단계동) 2325 (우) 26411 | | | | |
|---|---|---|---|---|---|
| **코드번호** | 224 | **계좌번호** | 100269 | **사업자번호** | |
| **관할구역** | 강원도 원주시, 횡성군, 평창군 중 봉평면, 대화면, 방림면 | | | **이메일** | wonju@nts.go.kr |

| 과 | 징세과 | | | 부가소득세과 | | |
|---|---|---|---|---|---|---|
| **과장** | 임정숙 240 | | | 유한진 280 | | |
| **팀** | 운영지원 | 체납추적1 | 체납추적2 | 부가1 | 부가2 | 소득 |
| **팀장** | 김태범 241 | 임순하 441 | 고병덕 461 | 정경화 281 | 전소현 361 | 안용 621 |
| **국세조사관** | | 임철우 442 | 김남주 462 | 장경일 282 | 노경민 362 | 강동훈 622<br>이연호 623<br>원진희 624 |
| | 이지혜 242<br>김병구(열관리)<br>248<br>김세호(운전) 246<br>홍성대(방호) 613 | 정의숙 443<br>이종훈 444 | 임창현 463<br>한혜영 464 | 박승훈 283 | 정재영 363<br>이우영 364 | 박순천 625<br>강명호 626<br>김상빈 627 |
| | 최성지 243 | 이송희 445<br>정병호 446 | 김아람 465 | 이원희 284<br>정슬기 285 | 진선미 365<br>한승일 366<br>김도헌 367 | 송현주 628 |
| | 정상헌 244 | 이현선 447<br>윤은수 448 | 이상윤 466<br>김세원 467 | 장재희 286<br>임경수 287<br>최은지 288<br>박현서 289 | 최영우 368<br>정승하 369<br>최지은 370 | 김주상 629<br>권창현 630<br>김민정 631<br>왕아림 632 |
| **공무직** | 권태희 247<br>박란희 251<br>최돈순 202<br>장현옥<br>박봉순 | | | | | |
| **FAX** | 746-4791 | | | 745-8336, 740-9635 | | |

| 과 | 재산법인세과 | | 조사과 | | 납세자보호담당관 | |
|---|---|---|---|---|---|---|
| 과장 | 이춘호 480 | | 원정재 650 | | 조영록 210 | |
| 팀 | 재산 | 법인 | 정보관리 | 조사 | 납세자보호실 | 민원봉사실 |
| 팀장 | 장광식 481 | 이순옥 401 | 임재승 691 | 전기석(1팀장) 651 | 이부자 211 | 이수빈 221 |
| 국세조사관 | 김형수 483 | 김정희 402<br>이경열 403<br>이시연 404 | 유경훈 692 | 홍기남(2팀장) 654<br>이준(3팀장) 657 | 곽병철 212 | 정호근 222<br>김경란 223<br>이정희(사무) 227 |
| | 박형주 484<br>권상원 485<br>안진경 486 | 최현수 405<br>김두영 406 | | 김보미 652<br>이진영 655<br>손선수 658<br>김달님 653 | 문주희 213 | 윤정도 229<br>김태경(시) 224<br>박현주 226<br>박미옥(사무) 228 |
| | 김천섭 487 | 최수현 407 | 배설희 693 | | 백윤헌 214 | 배수영(시) 225<br>김민주(임) 230 |
| | 양기태 488<br>김하은 489<br>천세희 490<br>김지은 491 | 인소영 408<br>진윤영 409 | | 전인지 656 | | |
| 공무직 | | | | | | |
| FAX | 740-9420 | 740-9204 | 743-2630 | | 740-9220 | 740-9425 |

# 춘천세무서

대표전화: 033-2500-200 / DID: 033-2500-OOO

서장: **홍 용 석**
DID: 033-2500-201

| 주소 | 강원도 춘천시 중앙로 115 (중앙로3가) (우)24358<br>화천민원실 : 강원도 화천군 화천읍 중앙로5길 5 (우) 24124<br>양구민원실 : 강원도 양구군 양구읍 관공서로 14 (우) 24523 | | | | |
|---|---|---|---|---|---|
| 코드번호 | 221 | 계좌번호 | 100272 | 사업자번호 | 142-83-00011 |
| 관할구역 | 강원도 춘천시, 화천군, 양구군 | | | 이메일 | chuncheon@nts.go.kr |

| 과 | 징세과 | | 부가소득세과 | | |
|---|---|---|---|---|---|
| 과장 | 김지태 240 | | 최경화 280 | | |
| 팀 | 운영지원 | 체납추적 | 부가1 | 부가2 | 소득 |
| 팀장 | 김영빈 241 | 김진성 441 | 진봉균 281 | 박상선 301 | 김화완 361 |
| 국세<br>조사관 | 김진영 242 | 조성구 442<br>김경훈 443 | 유인호 282<br>염선경 283 | 이성삼 302<br>강영화 303 | 박제웅 363 |
| | 김미경(사무) 244 | 최호영 444<br>노정민 450<br>선민준 445 | 이건일 284<br>박현경 285 | 신정미 304 | 홍재옥 364<br>최혁 365<br>김산 366 |
| | 민영규(운전) 245<br>최연우 243<br>우문연 247 | 이종민 446<br>차지훈 447 | | 임정환 305 | 김신희 367 |
| | | 백미연 451<br>이홍준 448<br>박채영 449 | 남궁은 286<br>양재한 287 | 이명규 306<br>방휘연 307 | 신재희 368<br>권승소 369<br>김나휘 370 |
| 공무직 | 백진주 202<br>오점순<br>이명숙 | | | | |
| FAX | 252-3589 | | 257-4886 | | |

| 과 | 재산법인세과 | | 조사과 | | 납세자보호담당관 | |
|---|---|---|---|---|---|---|
| 과장 | 김경돈 400 | | 윤동규 640 | | 김광용 210 | |
| 팀 | 재산 | 법인 | 정보관리 | 조사 | 납세자보호실 | 민원봉사실 |
| 팀장 | 김향미 481 | 이경자 401 | 김두수 651 | 최형지 652 | 표석진 211 | 남정임 221 |
| 국세조사관 | 윤동호 482 | 남호규 402<br>김진수 403 | 도주희 692 | 조용진 653<br>백일홍 654<br>전범철 655 | | 정영훈(화천)<br>변대원(양구)<br>윤상락(시) 222 |
| 국세조사관 | 조준기 483<br>이은규 484<br>이남호 485 | 박연수 404<br>이윤형 405 | 박경미 656 | 정재용 657 | 진보람 212 | 박찬영 224<br>정석환 225<br>황재연 226<br>전영훈 227 |
| 국세조사관 | 최자연 486<br>이수빈 487<br>좌길훈 488 | 김민비 406 | | | | |
| 국세조사관 | 김주은 489 | 진수민 407 | | | 김소윤 213 | |
| 공무직 | | | | | | |
| FAX | 244-7947 | | 254-2487 | | 252-3793 | 252-2103 |

# 홍천세무서

대표전화: 033-4301-200 / DID: 033-4301-OOO

서장: **전 진**
DID: 033-4301-201

무궁화공원　청솔아파트　느티나무 어린이공원

홍천읍 생활체육공원

홍천세무서

홍천생명 건강과학관

| 주소 | 강원도 홍천군 홍천읍 생명과학관길 50 (연봉리) (우) 25142<br>인제민원실 : 강원도 인제군 인제읍 비봉로 43 인제종합터미널 내 (우) 24635 | | | | |
|---|---|---|---|---|---|
| 코드번호 | 223 | 계좌번호 | 100285 | 사업자번호 | |
| 관할구역 | 강원도 홍천군, 인제군 | | | 이메일 | hongcheon@nts.go.kr |

| 과 | 징세과 | | |
|---|---|---|---|
| 과장 | 신영웅 240 | | |
| 팀 | 운영지원 | 체납추적 | 조사 |
| 팀장 | 김용진 241 | 심종기 441 | 허두영 651 |
| 국세<br>조사관 | 이금연 242 | 유원숙 442 | 강성우 652<br>정대환 653 |
| | 임재영(방호) 244<br>이종호(운전) 245 | 신우용 443<br>곽락원 444 | |
| | 육지원 243 | | |
| 공무직 | 허미경(비서) 202<br>허옥란(미화) | | |
| FAX | 433-1889 | | |

# 재무인과 함께 걸어가겠습니다 '조세일보'

재무인에겐 조세일보를 읽는 사람과 읽지 않는 사람 두 종류의 사람만 있다.

| 과 | 세원관리과 | | | | 납세자보호담당관 | |
|---|---|---|---|---|---|---|
| 과장 | 양희석 280 | | | | 김재준 210 | |
| 팀 | 부가소득 | | 재산법인 | | 납세자보호실 | 민원봉사실 |
| | 부가 | 소득 | 재산 | 법인 | | |
| 팀장 | 황인하 281 | | 유광선 401 | | 황일섭 211 | |
| 국세<br>조사관 | 이창호 282<br>김철호 283 | 이정균 302 | 김경숙 482<br>최동기 483<br>김구호 484 | 이하나 402 | | 최병용 221 |
| | | 김동련 303<br>주태웅 304 | | 이영균 403 | | 이병규(인제)<br>461-2105<br>김정민 222 |
| | | | | | | |
| | 안양순 284<br>박승찬 285 | | 이난주 485 | 권혜경 404 | | 이걸 223 |
| 공무직 | | | | | | |
| FAX | 434-7622 | | | | 435-0223 | |

# 인천지방국세청
# 관할세무서

| ■ 인천지방국세청 | 277 |
|---|---|
| 지방국세청 국·과 | 278 |
| 남   동 세무서 | 286 |
| 서 인 천 세무서 | 288 |
| 인   천 세무서 | 290 |
| 계   양 세무서 | 292 |
| 고   양 세무서 | 294 |
| 광   명 세무서 | 296 |
| 김   포 세무서 | 298 |
| 동 고 양 세무서 | 300 |
| 남 부 천 세무서 | 302 |
| 부   천 세무서 | 304 |
| 부   평 세무서 | 306 |
| 연   수 세무서 | 308 |
| 의 정 부 세무서 | 310 |
| 파   주 세무서 | 312 |
| 포   천 세무서[동두천지서] | 314 |

# 인천지방국세청

| | |
|---|---|
| 주소 | 인천광역시 남동구 남동대로 763 (구월동)<br>(우) 21556 |
| 대표전화 & 팩스 | 032-718-6200 / 032-718-6021 |
| 코드번호 | 800 |
| 계좌번호 | 027054 |
| 사업자등록번호 | 1318305001 |
| e-mail | incheonrto@nts.go.kr |

## 청장　　박수복

(D) 032-718-6201

비　서　　최유미　　　(D) 032-718-6202

| | | |
|---|---|---|
| 성실납세지원국장 | 남우창 | (D) 032-718-6400 |
| 징세송무국장 | 김충순 | (D) 032-718-6500 |
| 조사1국장 | 윤창복 | (D) 032-718-6600 |
| 조사2국장 | 김봉규 | (D) 032-718-6800 |

# 인천지방국세청

대표전화: 032-7186-200 / DID: 032-718-OOOO

청장: **박 수 복**
DID: 032-7186-201

| 주소 | 인천광역시 남동구 남동대로 763 (구월동) (우) 21556 | | | | |
|---|---|---|---|---|---|
| 코드번호 | 800 | 계좌번호 | 027054 | 사업자번호 | 1318305001 |
| 관할구역 | 인천권(인천, 김포, 부천, 광명), 경기 북부권(의정부, 양주, 포천, 동두천, 연천, 철원, 고양, 파주)(관내 세무서 : 인천,북인천,서인천,남인천,연수,김포,부천,남부천,의정부,포천,고양,동고양,파주,광명) | | | 이메일 | incheonrto@nts.go.kr |

| 과 | 운영지원과 | | | | 감사관 | |
|---|---|---|---|---|---|---|
| 과장 | 조민호 6240 | | | | 김민 6310 | |
| 팀 | 인사 | 행정 | 경리 | 현장소통 | 감사 | 감찰 |
| 팀장 | 이동훈 6242 | 박성호 6252 | 공원재 6262 | 이승환 6272 | 김민수 6312 | 조성덕 6322 |
| 국세<br>조사관 | 송충호 6243 | 박창환 6253<br>김선화(기록) 6254 | 현선영 6263 | 안세연 6273 | 최병재 6313<br>이진호 6314 | 정종천 6323<br>박창수 6324<br>이한택 6325 |
| | 최수지 6244<br>이승우 6245<br>이태곤 6246<br>이근호 6247 | 한재영 6255<br>조혜민(시설) 6256<br>진승철 6257<br>김한나 6258 | 조혜진 6264<br>이준형 6265 | 강석훈 6274<br>정승훈 6275 | 남기인 6315<br>공민지 6316<br>이영수 6317<br>서경석 6318<br>송보라 6319 | 심주용 6326<br>이동락 6327<br>서주현 6328<br>여현정 6329 |
| | 박주희 6248<br>정호영 6249 | 최윤주 6259<br>홍성준 6260<br>이영도(방호) 6281 | 김지엽 6266<br>김한범 6267<br>김소윤 6268 | 문찬웅 6276<br>김주아 6277 | | 김명규 6330 |
| | | 강태헌(방호) 6282<br>양승훈(운전) 6286<br>박지훈(운전) 6283<br>김준수(운전) 6287 | | | | |
| 공무직 | | 최유미 6202<br>허유나 6241<br>여옥희 6284<br>이정희 6285 | | | | |
| FAX | 718-6022 | 718-6021 | 718-6023 | 718-6024 | 718-6025 | 718-6026 |

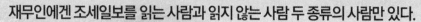

# 재무인과 함께 걸어가겠습니다 '조세일보'

재무인에겐 조세일보를 읽는 사람과 읽지 않는 사람 두 종류의 사람만 있다.

| 국 | | | | 성실납세지원국 | | | | | | |
|---|---|---|---|---|---|---|---|---|---|---|
| 국장 | | | | 남우창 6400 | | | | | | |
| 과 | 납세자보호담당관 | | | 부가가치세과 | | | 소득재산세과 | | | |
| 과장 | 이규열 6350 | | | 김성동 6401 | | | 김동형 6431 | | | |
| 팀 | 보호 | 심사 | 공항납세지원 | 부가1 | 부가2 | 소비세 | 소득 | 재산 | 복지세정1 | 복지세정2 |
| 팀장 | 이진아 6352 | 고선혜 6362 | | 김은정 6402 | 김화정 6412 | 구수정 6422 | 임덕수 6432 | 오수미 6452 | 안성경 6462 | 류경아 6392 |
| 국세조사관 | 이병용 6353 | 권성미 6363 | | | | | | | | |
| | 이선 6354 정지은 6355 | 이상수 6364 윤애림 6365 최지민 6366 | | 강소라 6403 정다은 6404 김성재 6405 | 백찬주 6413 김용학 6414 윤영식 6415 | 이영옥 6423 이재훈 6424 | 변성경 6433 전지연 6434 강경호 6435 | 조지현 6453 송선주 6454 김경미 6455 진영근 6456 | 이현준 6463 정현정 6464 | 노재훈 6393 |
| | 전예은 6356 신혜란 6357 | 서창덕 6367 곽승훈 6368 | 남관덕 6163 박진아 6164 | 정지훈 6406 윤주영 6407 | 김은향 6416 이예슬 6417 | 김하얀 6425 최경화 6426 | 배윤정 6436 김민조 6437 | 남은영 6457 | 장엄지 6465 | |
| 공무직 | | | | 김청희 6499 | | | | | | |
| FAX | 718-6027 | 718-6028 | | 718-6029 | | | 718-6030 | | | |

**국세관련 모든 상담은 국번없이 126**
전국 어디서나 편리하게 상담받으세요.
평일 9시~18시 (탈세제보는 24시간)

**DID : 032-718-OOOO**

| 국 | 성실납세지원국 | | | | | | | |
|---|---|---|---|---|---|---|---|---|
| **국장** | 남우창 6400 | | | | | | | |
| **과** | 법인세과 | | | | 정보화관리팀 | | | |
| **과장** | 우철윤 6471 | | | | 성승용 6101 | | | |
| **팀** | 법인세1 | 법인세2 | 법인세3 | 법인세4 | 지원 | 보안감사 | 정보화1 | 정보화2 |
| **팀장** | 문현 6472 | 김영수 6482 | 송숭 6488 | 강혜진 6493 | 안형수(전) 6102 | 김용우(전) 6112 | 김경민(전) 6121 | |
| **국세<br>조사관** | | | | | 조광진(전) 6103 | 정병호 6113 | 이미경(사무) 6127 | |
| | 김혜윤 6473<br>한지연 6474<br>홍준경 6475 | 전유영 6483<br>김우현 6484<br>윤지희 6485 | 김지수 6489 | 남도경 6494<br>오영 6495 | 조은정(전) 6104 | 신의현(전) 6116 | 김은주 6122<br>김한나 6123<br>정미경(사무) 6138<br>한연주(사무) 6128<br>김복임(사무) 6129<br>김진희(사무) 6130 | 서지희 6135<br>배효정 6142<br>추은정 6144<br>조정자(사무) 6147<br>최명순(사무) 6148<br>김정희(사무) 6137<br>권정숙(사무) 6149 |
| | 현민웅 6476<br>김선영 6477<br>백다정 6478 | 이다영 6486 | 가준섭 6490<br>이은정 6491 | 김태용 6496 | 남은빈 6105<br>박혜선 6106 | 정보길 6114 | 김영아 6136<br>섭지수 6124<br>김송정 6125<br>정현지 6126 | 김관우 6143<br>조연화 6145 |
| | | | | | | | | 조영상(전) 6146 |
| **공무직** | | | | | | | | |
| **FAX** | 718-6031 | | | | 718-6032 | | | |

# 1등 조세회계 경제신문 조세일보

| 국실 | 징세송무국 | | | | | | | |
|---|---|---|---|---|---|---|---|---|
| 국장 | 김충순 6500 | | | | | | | |
| 과 | 징세과 | | 송무과 | | | | 체납추적과 | |
| 과장 | 정철화 6501 | | 길수정 6541 | | | | 김민수 6571 | |
| 팀 | 징세 | 체납관리 | 총괄 | 법인 | 개인 | 상증 | 체납추적관리 | 체납추적 |
| 팀장 | 이기련 6502 | 김관홍 6512 | 김진우 6542 | 이창현 6546 | 이정희 6550 | 이강연 6558 | 김광천 6572 | 선창규 6582 |
| 국세조사관 | 방윤희 6503 | | | 송두영(임) 6547 | | | 김지애(임) 6573 | |
| 국세조사관 | 김복래 6504<br>엄연희 6505 | 유현수 6513<br>현보람 6514<br>김향주 6515 | 양홍철 6543<br>이아름 6544 | 홍석희 6548<br>박태완 6549 | 홍성걸 6553<br>김재윤 6554<br>조하나 6555<br>차일현 6556 | 김동열 6560<br>문성희 6561 | 이상민 6574<br>서유진 6575<br>홍지아 6576<br>신채영 6577 | 채미옥 6583<br>이준희 6584<br>양이곤 6585<br>임진혁 6586 |
| 국세조사관 | 김동우 6506<br>박슬기 6507 | 이문형 6516 | 조다인 6545 | | 하수정 6557 | | 김혜성 6578<br>유승현 6579 | 이혜선 6587<br>박신우 6588<br>주소미 6589<br>박효은 6590 |
| 공무직 | 이영실 6599 | | | | | | | |
| FAX | 718-6033 | | 718-6034 | | | | 718-6035 | |

281

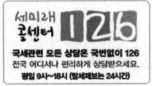

**DID : 032-718-OOOO**

| 국실 | 조사1국 | | | | | | | | | |
|---|---|---|---|---|---|---|---|---|---|---|
| 국장 | 윤창복 6600 | | | | | | | | | |
| 과 | 조사관리과 | | | | | | 조사1과 | | | |
| 과장 | 김홍식 6601 | | | | | | 이율배 6651 | | | |
| 팀 | 조사관리1 | 조사관리2 | 조사관리3 | 조사관리4 | 조사관리5 | 조사관리6 | 조사1 | 조사2 | 조사3 | 조사4 |
| 팀장 | 최현 6602 | 박수진 6612 | 김정대 6622 | 이도경 6632 | 김지영 6642 | 김치호 6772 | 배성수 6652 | 유대현 6662 | 김대범 6672 | 양숙진 6682 |
| 국세 조사관 | | 강민수(임) 6613 | | | | | | | | |
| | 김재석 6603 김명진 6604 권혁준 6605 박창현 6606 | 신기주 6614 조초희 6615 | 박종석 6623 김가람 6624 남은정 6625 이선행 6626 | 이슬비 6633 조현준 6634 이정문 6635 김상민 6636 | 이재춘 6643 장선영 6644 장예원 6645 정구휘 6646 | 이광환 6773 | 고정주 6653 전연주 6654 전현정 6655 고대근 6656 | 이경석 6663 조원석 6664 손종대 6665 | 고영주 6673 김민희 6674 우은혜 6675 | 전준호 6683 김명경 6684 김혜연 6685 |
| | 송채영 6607 | 김유진 6616 정지연 6617 | 김도협 6627 서문영 6628 | 이윤애 6637 이주환 6638 최상연 6639 | 최유성 6647 | | 주보영 6657 | 권혜련 6666 | 이진우 6676 박유라 6677 | 한혜진 6686 |
| 공무직 | 함미란 6799 | | | | | | | | | |
| FAX | 718-6036 | | | | | | 718-6037 | | | |

| 국실 | 조사1국 | | | | | | 조사2국 | | | |
|---|---|---|---|---|---|---|---|---|---|---|
| 국장 | 윤창복 6600 | | | | | | 김봉규 6800 | | | |
| 과 | 조사2과 | | | 조사3과 | | | 조사관리과 | | | |
| 과장 | 문민규 6701 | | | 안미경 6741 | | | 오태진 6801 | | | |
| 팀 | 조사1 | 조사2 | 조사3 | 조사1 | 조사2 | 조사3 | 조사관리1 | 조사관리2 | 조사관리3 | 조사관리4 |
| 팀장 | 서명국 6702 | 정건 6712 | 김묘성 6722 | 이영진 6742 | 김생분 6752 | 배동희 6762 | 이기수 6802 | 박형민 6812 | 김상윤 6822 | 김한진 6832 |
| 국세조사관 | 김효진 6703 | | 임준일 6723 | | | | | 김미나 6813 | | |
| 국세조사관 | 김승희 6704 권병묵 6705 박선미 6706 | 임세혁 6713 김보나 6714 우진하 6715 | 김수정 6724 윤은 6725 | 이규의 6743 임은식 6744 박일호 6745 | 박좌준 6753 박정은 6754 전창선 6755 | 김봉완 6763 김태진 6764 윤재현 6765 | 김재철 6803 김현경 6804 | 유성훈 6814 박일수 6815 | 남일현 6823 안재현 6824 | 성재영 6833 박인재 6834 강성민 6835 이익진 6836 이아연 6837 |
| 국세조사관 | 채희문 6707 | 전홍근 6716 이민지 6717 | 정기선 6726 | 여의주 6746 강현창 6747 | 이창학 6756 황정하 6757 | 한수지 6766 | 김이섭 6805 오재경 6806 김영재 6807 | 현종원 6816 | 오경선 6825 최연주 6826 | 윤지현 6838 김지애 6839 |
| 공무직 | | | | | | | 유영미 6999 | | | |
| FAX | 718-6038 | | | 718-6039 | | | 718-6040 | | | |

국세관련 모든 상담은 국번없이 126
전국 어디서나 편리하게 상담받으세요.
평일 9시~18시 (탈세제보는 24시간)

**DID : 032-718-OOOO**

| 국실 | 조사2국 | | | | | | | | | |
|---|---|---|---|---|---|---|---|---|---|---|
| 국장 | 김봉규 6800 | | | | | | | | | |
| 과 | 조사1과 | | | | | 조사2과 | | | | |
| 과장 | 최현진 6851 | | | | | 이경모 6901 | | | | |
| 팀 | 조사1 | 조사2 | 조사3 | 조사4 | 조사5 | 조사1 | 조사2 | 조사3 | 조사4 | 조사5 |
| 팀장 | 윤경주 6852 | 강신준 6862 | 허준용 6872 | 엄의성 6882 | 김훈 6892 | 정은정 6902 | 이윤우 6912 | 박근엽 6922 | 김병찬 6932 | 문인섭 6942 |
| 국세 조사관 | | | 김태원 6873 | | | | | | | |
| | 곽재형 6853 남현철 6854 | 장선정 6863 | 조현국 6874 | 이규호 6883 | 권기완 6893 차세원 6894 | 김재중 6903 용진숙 6904 | 신창영 6913 민소윤 6914 | 김성록 6923 박미진 6924 | 백선애 6933 김동현 6934 | 김상진 6943 최파란 6944 |
| | 최보라 6855 신지은 6856 | 이신숙 6864 강한얼 6865 | 제병민 6875 | 윤유라 6884 김대범 6885 | 문영미 6895 | 한완상 6905 유준상 6906 | 최민경 6915 하현정 6916 | 심한보 6925 | 송지원 6935 | 홍영호 6945 |
| 공무직 | | | | | | | | | | |
| FAX | 718-6041 | | | | | 718-6042 | | | | |

284

재무인의 가치를 높이는 변화

# 조세일보 정회원

**온라인 재무인명부**
수시 업데이트되는 국세청, 정·관계 인사의 프로필, 국세청, 지방국세청, 전국 세무서, 관세청, 공정위, 금감원 등 인력배치 현황

**예규·판례**
행정법원 판례를 포함한 20만 건 이상의 최신 예규, 판례 제공

**구인정보**
조세일보 일평균 10만 온라인 독자에게 구인 정보 제공

**업무용 서식**
세무·회계 및 업무용 필수서식 3,000여 개 제공

**세무계산기**
4대보험, 갑근세, 이용자 갑근세, 퇴직소득세, 취득/등록세 등 간편 세금계산까지!

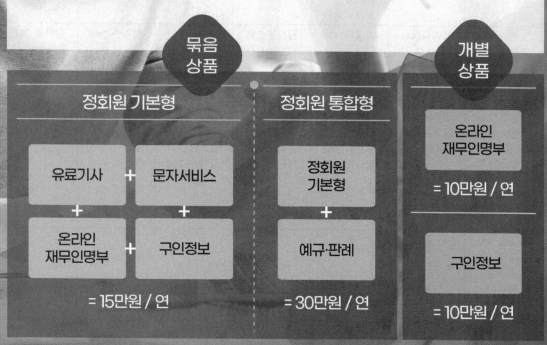

**묶음 상품**

**개별 상품**

정회원 기본형

유료기사 + 문자서비스
+ +
온라인 재무인명부 + 구인정보

= 15만원 / 연

정회원 통합형

정회원 기본형
+
예규·판례

= 30만원 / 연

온라인 재무인명부

= 10만원 / 연

구인정보

= 10만원 / 연

※ 자세한 조세일보 정회원 서비스 안내 http://www.joseilbo.com/members/info/

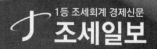

1등 조세회계 경제신문
조세일보

# 남동세무서

대표전화: 032-4605-200 / DID: 032-4605-OOO

서장: **홍 순 택**
DID: 032-4605-201

| 주소 | 인천광역시 남동구 인하로 548(구월동 1447-1) (우) 21582 | | | | |
|---|---|---|---|---|---|
| 코드번호 | 131 | **계좌번호** | 110424 | **사업자번호** | 131-83-00011 |
| 관할구역 | 인천시 남동구 | | | **이메일** | namincheon@nts.go.kr |

| 과 | 징세과 | | | 부가가치세과 | | 소득세과 | |
|---|---|---|---|---|---|---|---|
| **과장** | 정진원 240 | | | 정철 280 | | 김승임 360 | |
| **팀** | 운영지원 | 체납추적1 | 체납추적2 | 부가1 | 부가2 | 소득1 | 소득2 |
| **팀장** | 김준호 241 | 진경철 441 | 정경돈 461 | 박인수 281 | 김유경 301 | 조진동 361 | 서은화 381 |
| **국세조사관** | | | 김명선<br>김순석 462 | | 나찬주 302 | 김미선 362 | 김용철(시간)<br>298 |
| | 민경준 242 | 임해숙 442<br>이호정 443<br>김재원 444 | 박소혜 463<br>이서연 464<br>박미영 263<br>이지연(시간)<br>264<br>노상우 465 | 송우경 282<br>양경애 283<br>정진주 284 | 신동진 309<br>김혜진 303<br>김선아 304 | 권은경 363<br>박정진 364<br>이재현 365 | 조세원 382<br>함상현 383<br>이하경 384<br>정선영 385 |
| | 도승호 243<br>윤혜미 244 | 김미정 445<br>김진희(시간)<br>449 | 심홍채 466 | 김지은 285<br>이현애(시간)<br>297<br>최윤정 286 | 유진영 310<br>남윤현(시간) | 박기현 366 | 김아름 386<br>황경서(시간)<br>298 |
| | 김성영 245<br>서현석(운전)<br>246<br>김선근(방호)<br>247 | 변정연 446<br>김연서 447<br>송치성 448 | 채혜미 262<br>장슬빈 467<br>주민희 468<br>김규희 469 | 김호찬 287<br>엄경화 288<br>윤여진 289<br>정윤환 290 | 김태린 305<br>우민석 306<br>김소연 307<br>김나은 308 | 조중현 367<br>김태규 368 | 김병주 387<br>이기택 388 |
| **공무직** | 장정순 202<br>이미영 370<br>김귀희<br>정화자 | | | | | | |
| **FAX** | 463-5778 | | | 461-0658 | | 461-0657, 3291, 3743 | |

| 과 | 재산법인세과 | | | | 조사과 | | 납세자보호담당관 | |
|---|---|---|---|---|---|---|---|---|
| 과장 | 김월웅 400 | | | | 윤성태 640 | | 김용웅 210 | |
| 팀 | 재산1 | 재산2 | 법인1 | 법인2 | 정보관리 | 조사 | 납세자보호실 | 민원봉사실 |
| 팀장 | 김용석 481 | 윤양호 522 | 박성찬 401 | 김창호 411 | 정동욱 641 | 이용재 657 | 김순영 211 | 최호상 221 |
| 국세조사관 | | 권오영 | 김창현 402 | 류수현 412 | | 배인수 656<br>최창현 652<br>조윤경 653 | 고배영 212 | |
| | 이지숙 482<br>김영진 483 | | 유예진 403<br>이동광 404 | 김우환 413 | 이규종 691 | 민종권 655<br>이건빈 654<br>조재희 663<br>안은정 658 | 하정욱 213 | 이찬수 230 |
| | 임자혁 484<br>이명훈 485<br>기영준 486 | 이창우 523<br>최보미 524 | | 김주희 414<br>김태희 415 | 최지웅 643 | 김영호 668<br>서경덕 659 | | 이지안 225<br>윤수인(시간) 223<br>조윤영 228<br>최승규 226 |
| | 김태희 487<br>김현민 488 | 장은경 525 | 김영훈 405<br>서문경 406<br>강다연 407 | 황태희 416 | | 신희라 665 | 김민중 214 | 서지형 229<br>박세영 227<br>이은지 224 |
| 공무직 | 박은주 490 | | | | | | | |
| FAX | 464-3944, 461-6877 | | | | 462-4232, 471-2101 | | 463-7177, 461-2613 | |

# 서인천세무서

대표전화: 032-5605-200 / DID: 032-5605-OOO

서장: **김 성 철**
DID: 032-5605-201

| 주소 | 인천광역시 서구 청라사파이어로 192 (우) 22758 | | | | |
|---|---|---|---|---|---|
| 코드번호 | 137 | 계좌번호 | 111025 | 사업자번호 | 137-83-00019 |
| 관할구역 | 인천광역시 서구 | | | 이메일 | seoincheon@nts.go.kr |

| 과 | 징세과 | | | 부가가치세과 | | | 소득세과 | |
|---|---|---|---|---|---|---|---|---|
| 과장 | 이철우 240 | | | 손재락 280 | | | 김봉섭 620 | |
| 팀 | 운영지원 | 체납추적1 | 체납추적2 | 부가1 | 부가2 | 부가3 | 소득1 | 소득2 |
| 팀장 | 신희명 241 | 김기식 441 | 서위숙 221 | 김슬기 281 | 박한중 301 | 황경숙 321 | 고민수 361 | 손의철 621 |
| 국세조사관 | | 조은희 442 | 박용호 461<br>김성연 261 | | 조종식 302 | 신연희 332 | 송승용 362 | 이선아 622 |
| | 이상희(사무) 244<br>홍예령 243<br>안국찬 242 | 이동열(시간)<br>박찬우 443<br>정미영 444 | 한인정 462<br>조용권 470<br>이주희 463 | 윤난영 282<br>백장미 283<br>정도진 284 | 송윤미(시간)<br>송나영 303<br>하태완 304 | 문하림 323<br>천수진(시간)<br>천현창 324 | 박일수 363<br>김희창 364 | 이종우 623<br>장지환 624<br>권현택(시간) |
| | 김동수 245<br>이성엽(운전) | 차지연 445<br>한연근 446<br>최윤석 447<br>이연경 448 | 엄장원 466<br>장진아 262<br>이정인 464 | 김봉재 285<br>유정훈 286<br>박상규 287<br>김정환 288 | 여수민 305<br>손현진 306<br>박현우 307 | 김규호 325<br>신동호 326 | 홍윤석 365<br>김하원 366 | 양성철 625 |
| | 이종욱 246<br>홍성훈(방호)<br>615 | 고설민 450<br>최진영 451<br>최희주 452 | 안소형 465<br>변효정 490<br>서세형 467<br>최서연 469 | 윤미라(시간)<br>289<br>심은지 291<br>정수영 290<br>신채원 292 | 이문진 308<br>김하운 309<br>황윤영 310 | 하성우 330<br>임연우 327<br>허유범 328<br>신기완 329 | 유동재(시간)<br>심자민 367<br>김정인 368<br>최건호 369<br>신연주 370 | 김세은 626<br>양진주 627<br>홍영유 628<br>조주형 629 |
| 공무직 | 노현주 202<br>송창인<br>616(교환) | | | | | | | |
| FAX | 561-5995 | | | 561-4144 | | | 562-8210 | |

288

| 과 | 재산법인세과 | | | | 조사과 | | 납세자 보호담당관 | |
|---|---|---|---|---|---|---|---|---|
| 과장 | 고현 400 | | | | 김동진 640 | | 이미진 210 | |
| 팀 | 재산1 | 재산2 | 법인1 | 법인2 | 정보관리 | 조사 | 납세자보호실 | 민원봉사실 |
| 팀장 | 김상만 481 | | 조성리 401 | 신민철 421 | 이용희 641 | 임옥규 651 | 이영휘 211 | 최현 221 |
| 국세조사관 | 최광민 482 | | | | 정연섭 | 김동진 655<br>김상천 658<br>김인숙 661<br>이진선 652 | | |
| | 이선미(시간)<br>이승환 483<br>이혜영 484<br>국봉균 485 | 김선옥 502<br>정정섭 503<br>박소정 505 | 김민형 402<br>정영인 403 | 강인행 422 | 김태완 691<br>신현원 642 | 조현지 662<br>홍세희 656 | 박종원 212 | 이영란(시간)<br>222<br>김민희(시간)<br>228<br>이은석(시간)<br>228 |
| | 김주영(시간)<br>정민혜 486 | 안혜진 504 | 김인정 405<br>정은아 406 | 김보경 423<br>이상곤 424 | 김봉호 644<br>문진희 643<br>정기주 693 | 강현주 659<br>정은아 653 | 김미영 213<br>박혜인 214 | 정신애 225<br>이은경(시간)<br>222<br>유순희 229<br>박미리 224 |
| | 안수민 487<br>이하림 488<br>장유림 489 | | 박모린 407<br>이동광 408<br>오윤미 409 | 김영규 425<br>현유진 426 | | 이채현 657<br>유광근 660<br>최현태 663 | | 박한열 227<br>류여경 223<br>라윤상 226 |
| 공무직 | | | 김미선 430 | | | | | |
| FAX | 561-3395 | | 561-4423 | | 562-5673 | | 561-0666 | 569-8032 |

289

# 인천세무서

대표전화: 032-7700-200 / DID: 032-7700-OOO

서장: **윤 재 원**
DID: 032-7700-201

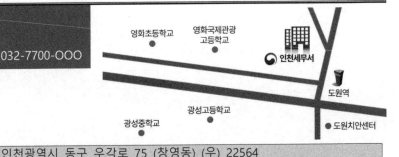

| 주소 | 인천광역시 동구 우각로 75 (창영동) (우) 22564<br>별관 : 인천 미추홀구 인중로 22, 2층 조사과(숭의동, 용운빌딩) (우) 22171<br>영종도민원실 : 인천시 중구 신도시남로 142번길 17, 301호 (운서동) (우) 22371 | | | | |
|---|---|---|---|---|---|
| 코드번호 | 121 | 계좌번호 | 110259 | 사업자번호 | 121-83-00014 |
| 관할구역 | 인천광역시 중구, 동구, 미추홀구, 옹진군 | | | 이메일 | incheon@nts.go.kr |

| 과 | 징세과 | | | 부가가치세과 | | | 소득세과 | |
|---|---|---|---|---|---|---|---|---|
| 과장 | 이정현 240 | | | 권재욱 280 | | | 공희현 340 | |
| 팀 | 운영지원 | 체납추적1 | 체납추적2 | 부가1 | 부가2 | 부가3 | 소득1 | 소득2 |
| 팀장 | 임용주 241 | 하미숙 441 | | 채송화 281 | 장기승 301 | 오정일 321 | 이영민 341 | 임경순 361 |
| 국세<br>조사관 | | | | | | | 김정동 342 | |
| 국세<br>조사관 | 박장수 242<br>이일환(운) | 이종섭 442<br>정지운 443<br>이승호 444 | 임선옥 472<br>이진숙 261<br>배은상 462<br>김향숙 463<br>권혜화 464 | 장재웅 282<br>정종우 283 | 김보람 302<br>최형준 303 | 이영선(시간)<br>노연숙 332<br>이송이 322 | 한지원 343<br>이연수 344 | 신경섭 362<br>장은용(시간)<br>곽진우 363 |
| 국세<br>조사관 | 이민희 243<br>이관재 244 | 손태영 445<br>김은송 446 | 박진실 465 | 신지수 284<br>박경은 285<br>조윤경 286 | 박경완 304<br>장연화 305<br>서은지 306 | 김기송 323<br>이종훈 324<br>최다혜 325<br>김소연 326 | 신현진 345<br>이혜미 346 | 김성진 364 |
| 국세<br>조사관 | 오수현 246<br>강희천 245<br>노수현(방) | 김태훈 447<br>박모우 448<br>김건형 449<br>안지혜 450<br>유현주 451 | 김대욱 466<br>윤영섭 467<br>이소정 468<br>고민경 262<br>김준환 469<br>박은영 470<br>송호근 471 | 신예원 287<br>유희붕 288<br>이상현 289<br>김보선 290<br>남영탁 291<br>김예성 292 | 이유경 307<br>최규한 308<br>조정해 309<br>김소담 310<br>정다빈 311<br>손영준 312 | 김혜빈 327<br>황종하 328<br>조민경 329<br>권도현 330 | 이원희 347<br>이유상 348<br>황수인 349<br>김해리 350 | 나태운 365<br>전예진 366<br>오수연 367<br>송길웅 368<br>노마로 369 |
| 공무직 | 이세희 202<br>김미순<br>정찬문 | | | | | | | |
| FAX | 763-9007 | | | 765-1604 | | | 777-8105 | |

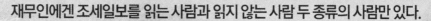

# 재무인과 함께 걸어가겠습니다 '조세일보'

재무인에겐 조세일보를 읽는 사람과 읽지 않는 사람 두 종류의 사람만 있다.

1등 조세회계 경제신문 조세일보

| 과 | 재산세과 | | 법인세과 | | 조사과 | | 납세자보호담당관 | |
|---|---|---|---|---|---|---|---|---|
| 과장 | 이지선 480 | | 최진선 400 | | 김항중 640 | | 장필효 210 | |
| 팀 | 재산1 | 재산3 | 법인1 | 법인2 | 정보관리 | 조사 | 납세자보호실 | 민원 봉사실 |
| 팀장 | 장동은 481 | 공용성 521 | 고석철 401 | | 강선영 641 | 남정식 651 | 강경진 211 | 홍성기 221 |
| 국세 조사관 | 원범석 482<br>주승윤 483 | 장원석 522 | | | | 박병곤 651<br>황창혁 671<br>전미애 681<br>김미옥 691<br>김진우 696 | 김윤희 212 | 김선영 223<br>박미선(시간) |
| | 이소정 484<br>정다운 485<br>한인표 486 | 박두원 523 | 유선정 402<br>양주원 403<br>고유경 404 | 유정아 422<br>윤미경 423 | 김민정 642<br>김수연 643<br>송주형 644<br>김진아 645 | 유진하 682<br>전유광 662<br>최석운 672<br>이금희 652<br>박영호 692 | 조영기 213<br>박진서 214<br>최은정 215 | 김성기 222<br>서원식(영종)<br>윤한수(영종)<br>신진희(시간)<br>이경록(영종) |
| | 김자림 487 | 권효정 524 | 이성훈 405 | 김빛누리 424<br>조종수 425 | | | | 강유진 224<br>이재민 225 |
| | 이준호 488<br>김수민 489 | | 강유정 406<br>유정완 407<br>곽채윤 408 | 정연선 426<br>최이진 427 | | 김민애 697<br>복지현 663<br>김혜린 673<br>박세윤 653<br>심기보 693<br>여승구 683<br>정호성 698 | | 정지윤 226 |
| 공무직 | | | | | | | | |
| FAX | | | 777-8109 | | 885-8334, 888-1454 | | 765-6044 | 765-6042<br>747-0293<br>(영종도) |

# 계양세무서

대표전화: 032-4598-200 / DID: 032-4598-OOO

서장: **최 병 구**
DID: 032-4598-201

| 주소 | 인천광역시 계양구 효서로 244 (우) 21120 | | | | |
|---|---|---|---|---|---|
| 코드번호 | 154 | 계좌번호 | 027708 | 사업자번호 | |
| 관할구역 | 인천광역시 계양구 | | | 이메일 | |

| 과 | 징세과 | | 부가가치세과 | | 소득세과 | |
|---|---|---|---|---|---|---|
| 과장 | 이병준 240 | | 정종오 280 | | 황재선 360 | |
| 팀 | 운영지원 | 체납추적 | 부가1 | 부가2 | 소득1 | 소득2 |
| 팀장 | 임태호 241 | 정태민 441 | 장현수 281 | 배성심 301 | 송석철 361 | 이종기 381 |
| 국세<br>조사관 | | 이수진 442<br>허광규 263 | | | | |
| | 조재웅 242<br>김남중 246 | 김수영 443 | 최정완 282 | 범지호 302 | 양정미 362 | 이영숙 382 |
| | 정민우(운전)<br>620<br>정기열(방호) 245 | 이재영 444<br>이유영 262 | 장유정 283<br>김홍경 284 | 이유정 303<br>지영주 304<br>소서희(시간) | 홍슬기(시간)<br>김은영 363 | 계현희 383<br>김회연(시간) |
| | 전소윤 243 | 김혜정 445<br>박유리 446 | 안상현 285<br>신지아 286 | 김혜원 305 | 김시은 364<br>엄남용 365 | 윤종혁 384 |
| 공무직 | 최수정 202<br>심광식<br>전순화<br>안미희 | | | | | |
| FAX | 544-9152 | 544-9160 | 544-9153<br>544-9154 | | 544-9156<br>544-9157 | |

# 1등 조세회계 경제신문 조세일보

| 과 | 재산법인세과 | | | 조사과 | | 납세자보호담당관 | |
|---|---|---|---|---|---|---|---|
| 과장 | 이상민 480 | | | 박영길 640 | | 이찬희 210 | |
| 팀 | 재산1 | 재산2 | 법인 | 정보관리 | 조사 | 납세자보호실 | 민원봉사실 |
| 팀장 | 이순모 481 | 천현식 502 | 김동현 401 | 송영우 641 | 박상영 651 | 김재석 211 | 우인식 221 |
| 국세<br>조사관 | 이선기(시간)<br>오은희 482 | | 안준 402 | | 정홍주 654 | | 김미정 222<br>최용선(시간) |
| | 박예람 483 | 이은진 502 | 이미애 403 | 이은수 642 | 하윤정 652<br>이태한 655<br>심재은 656 | 이수경 212 | 박미영 223<br>이진경 224 |
| | 김종주 484 | 강민정(시간) | 최은영 404 | 이솔지 643 | | | 이영재 225 |
| | 반재욱 485 | 함송희 503 | 김태웅 405<br>임해균 406 | | 박다인 653 | 최창열 213 | |
| 공무직 | | | 이은설 410 | | | | |
| FAX | 544-9158<br>544-9159 | | | 544-9155 | | 544-9971 | 544-9972 |

# 고양세무서

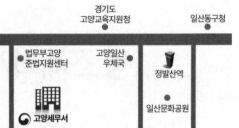

대표전화: 031-9009-200 / DID: 031-9009-OOO

서장: **최 현 창**
DID: 031-9009-201

| 주소 | 경기도 고양시 일산동구 중앙로 1275번길 14-43 (장항동774) (우) 10401 | | | | |
|---|---|---|---|---|---|
| 코드번호 | 128 | 계좌번호 | 012014 | 사업자번호 | 128-83-00015 |
| 관할구역 | 경기도 고양시 일산동구, 일산서구 | | | 이메일 | goyang@nts.go.kr |

| 과 | 징세과 | | | 부가가치세과 | | | 소득세과 | |
|---|---|---|---|---|---|---|---|---|
| 과장 | 강용 240 | | | 나선일 280 | | | 정문현 360 | |
| 팀 | 운영지원 | 체납추적1 | 체납추적2 | 부가1 | 부가2 | 부가3 | 소득1 | 소득2 |
| 팀장 | 김육노 241 | 손동칠 441 | 이병노 461 | 정선례 281 | 신명숙 301 | 오병태 321 | 이동근 361 | 최연지 381 |
| 국세조사관 | | 전미영 442 | 최은옥 262 | 이경빈(시간) 289 | 김태훈 302 고상용 | | | 이상선 382 |
| | 이루리 243 남석주 242 황창기(운전) 613 | 안재학 443 | 안지은 462 이은옥 463 장미향(시간) 263 정정우 464 | 임경석(시간) 김민욱 282 장설희 283 태영연 284 강민아 285 | 유영숙 303 홍형주 304 | 조정은 322 김정미 323 이정원(시간) 328 김인찬 324 | 김정혁(파견) 문지영 362 정미영 363 이난희(시간) 김규림 | 송명진(시간) 김지우 383 황인성 384 |
| | 안혜진 245 | 정선재 444 유미성 445 백한나 446 이강혁 447 최용진 | 최재혁 465 안혜원 466 어정아 467 조송화 264 홍서준 468 송선영 469 | | 박아름별(시간) 손주영 305 조영종 306 | 박상봉 325 | 허세미(시간) 369 | 윤지연(시간) 박종률 388 |
| | 이원진 246 유창수(방호) 614 | 김희영 448 이현화 449 김승현 450 | 최우녕 470 | 김창민 286 변성희 287 최웅렬 288 | 김승화 307 | 윤재원 326 권민재 327 | 신중훈 370 김감채 364 천주헌 368 임주형 367 심수현 365 | 조은애 387 권도진 389 윤석현 386 임소연 390 |
| 공무직 | 김지현(부속실) 202 김지현(교환) 258 | | | | | | | |
| FAX | 907-0678 | | | 907-0677 | | | 907-1812 | |

| 과 | 재산세과 | | | 법인세과 | | 조사과 | | 납세자보호담당 | |
|---|---|---|---|---|---|---|---|---|---|
| 과장 | 안재홍 480 | | | 이호준 400 | | 유현인 640 | | 한성호 210 | |
| 팀 | 재산1 | 재산2 | 재산3 | 법인1 | 법인2 | 정보관리 | 조사 | 납세자보호실 | 민원봉사실 |
| 팀장 | 이기정 481 | 문삼식 491 | 권대영 501 | 추원욱 401 | 박동찬 421 | 신거련 641 | | | |
| 국세조사관 | 조민재(시간) | 김태형 492 | | 김무남(시간) | | | 왕태선 655<br>김동현 660<br>김종화 663 | 이현석 212 | 임형우(시간) 232 |
| 국세조사관 | 조석균 482<br>김경원 483<br>심정연 484 | 염정은 493<br>송인화 496 | 변진형 502<br>이용우 503<br>이은영 504 | 김지훈 402<br>한은영 403<br>안주희 404 | 김미옥 422<br>정다이 423 | 유수재 692<br>노규현 642<br>이신혜 693<br>최미경 644 | 김영주 670<br>허진혁 667<br>문진희 652<br>김계정(파견)<br>윤희수 656<br>이준영 664<br>양강진 671<br>박희경 661 | 박지선 213<br>정다혜 214 | 현양미(시간) 225<br>최은영 233<br>최연경(시간) 232<br>송자연 229 |
| 국세조사관 | 이정화 485 | 강혜진 495<br>나유림 494 | 송승한 507 | 황선진 405 | 주애란 424<br>임재은 425<br>박수지 426 | | 장원미 657<br>이현주 662<br>안수지 668 | | 이혜옥(임) 230<br>김민석 228<br>이혜미 231 |
| 국세조사관 | 이민지 486<br>이채빈 487<br>임준환 488 | 김혜원 497 | 김민아 505<br>이유민 506 | 장진혁 406<br>강은솜 407 | 김지혁 427<br>강지수 428 | | 조지윤 672<br>윤여준 653<br>최현호 669 | 이은지 215<br>이윤호 216 | 최우정(시간) 234<br>권자인 224<br>심수진 226<br>문지홍 227 |
| 공무직 | | | | | | 장점선 645 | | | |
| FAX | 907-0672 | | | 907-0973 | | 907-0674 | | | |

# 광명세무서

대표전화: 02-26108-200 / DID: 02-26108-OOO

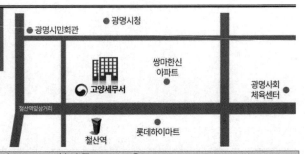

서장: **오 정 근**
DID: 02-26108-201

| 주소 | 경기도 광명시 철산로 3-12(철산동 251) (우) 14235<br>별관: 경기도 광명시 철산로 5 (철산동 250) (우) 14235 | | | |
|---|---|---|---|---|
| **코드번호** | 235 | **계좌번호** 025195 | **사업자번호** | 702-83-00017 |
| **관할구역** | 경기도 광명시 | | **이메일** | |

| 과 | 징세과 | | 부가소득세과 | |
|---|---|---|---|---|
| **과장** | 이창우 240 | | 박진혁 300 | |
| **팀** | 운영지원 | 체납추적 | 부가 | 소득 |
| **팀장** | 송인규 241 | 서동욱 441 | 김윤주 301 | 김성열 351 |
| **국세<br>조사관** | 양희정 242<br>송성심(사무)246<br>이현채(운전) 245 | 주민희 262<br>김지현 444<br>장선희 445 | 이종찬 303<br>남현주 304<br>조지영 305<br>차지원 306<br>이용주(시간) 319 | 장일영 352<br>한상재 353<br>이도형 354 |
| | 최영환 244<br>백승윤(시간) 247<br>김용희(방호) 631 | 박지민 442 | 전지원 307 | 강동인 355<br>김보미 356<br>송영빈(시간) 230 |
| | 정희수 243 | 오주학 263<br>배준영 446<br>지희창 447 | 남궁민아 308<br>전유빈 309<br>최기현 310 | 고정근 357<br>이영주 358<br>정장환 359 |
| **공무직** | 손다솜 202<br>전종순<br>김제랑 | | | |
| **FAX** | 2614-8443 | | 2617-1486 | |

# 10년간 쌓아온 재무인의 역사를 돌려드립니다 '온라인 재무인명부'

수시 업데이트 되는 국세청, 정·관계 인사의 프로필과 국세청, 지방청, 전국세무서, 관세청,
유관기관 등의 인력배치 현황을 볼 수 있는 온라인 재무인명부

| 과 | 재산법인세과 | | 조사과 | | 납세자보호담당 | |
|---|---|---|---|---|---|---|
| 과장 | 이종민 500 | | 성보경 640 | | 전경옥 210 | |
| 팀 | 재산 | 법인 | 정보관리 | 조사 | 납세자보호실 | 민원봉사실 |
| 팀장 | 서원식 401 | 안태동 501 | 유성춘 647 | 이국근 641 | 김보윤 211 | 김형봉 221 |
| 국세<br>조사관 | | 이은섭 502 | 박지원 648 | 이일생 643<br>서보림 645 | | |
| | 박수춘 403<br>안미진 402<br>박창수 405<br>송지훈 404 | 최희정 503 | | 이상곤 646<br>배성혜 642 | 이혜영 212<br>이재한 213 | 조아라 222 |
| | 백정하 406<br>차인혜(시간) 230 | 신치원 504 | | 김성혜 644 | | 정혜인 223 |
| | 신민서 407<br>이자영 408<br>김희수 409<br>박수지 410<br>이주은 411 | 안경우 505<br>이은경 506 | 김한솔 682 | | | 정형범 224<br>손다희 225<br>전병무 226 |
| 공무직 | | | | | | |
| FAX | | 2060-0027 | 2685-1992 | | 2617-1485 | 2615-3213 |

# 김포세무서

대표전화: 031-9803-200 / DID: 031-9803-OOO

서장: **김 일 환**
DID: 031-9803-201

초당마을휴먼시아
1단지아파트

고창마을
신영지웰아파트

고창중학교

장기초등학교 ● 솔내근린공원

고창마을반도
유보라아파트

김포세무서

장기고등학교

| 주소 | 경기도 김포시 김포한강1로 22 장기동 (우) 10087<br>강화민원봉사실 : 인천광역시 강화군 강화읍 강화대로 394 (우) 23031 | | | | | | |
|---|---|---|---|---|---|---|
| 코드번호 | 234 | 계좌번호 | 023760 | 사업자번호 | | |
| 관할구역 | 경기도 김포시, 인천광역시 강화군 | | | 이메일 | gimpo@nts.go.kr | |

| 과 | 징세과 | | | 부가가치세과 | | | 소득세과 | |
|---|---|---|---|---|---|---|---|---|
| **과장** | 고덕환 240 | | | 윤영식 280 | | | 조형준 340 | |
| **팀** | 운영지원 | 체납추적1 | 체납추적2 | 부가1 | 부가2 | 부가3 | 소득1 | 소득2 |
| **팀장** | 조현관 241 | 김세종 441 | 한덕우 461 | 김학규 281 | 유은주 301 | 김헌규 321 | 이광용 341 | 김세영 361 |
| **국세<br>조사관** | | | 최서윤 462 | | | | | |
| | 김완석 242<br>신용섭(방호)<br>황선길(운전) | 나선회 442<br>이인이(시간)<br>박민규 443<br>채혜란 444 | 전영출 463<br>채원식 464<br>김대관 472 | 장선영(시간)<br>장현주 282<br>임수진 283<br>방혜선 284 | 정수지(시간)<br>안선미 302<br>이동규 303 | 황한수 322<br>김광식 323 | 김진기 342<br>최혜진(시간)<br>신기섭 343<br>설병환 344 | 임진연 362<br>박혜진 363<br>진주희(시간) |
| | 류영리 244<br>윤지원 243 | 이윤수 445<br>김한올 446<br>정혜린 447 | 이온유 470<br>김동준 473<br>강윤영 465<br>이현선 466 | 이민규 285<br>김지수 286 | 김진원 304<br>홍정수 305 | 윤선영 324<br>강소라 325 | 양현식 345<br>최보윤 346 | 김인환 364<br>조병덕 365 |
| | 신현우 245 | 김원욱 448<br>윤성현 449 | 이민정 467<br>안수빈 468<br>김은비 469<br>노용현 471 | 김태영 287<br>장훈희 288<br>최익훈 289<br>서기훈 290 | 유환일 306<br>신승진 307<br>송영지 308<br>김태희 309<br>김소연 310 | 신민철 326<br>김성준 327<br>김재연 328<br>민지호 329 | 한진규 347<br>이수민 348<br>강예린 349<br>송남경 350 | 최선혜 366<br>조혜인 367<br>천준환 368<br>김재형 369 |
| **공무직** | 최지선 202<br>이옥분<br>김문자<br>이견희 | | | | | | | |
| **FAX** | 987-9932 | 987-9862 | | 998-6973 | | | 983-8028 | |

| 과 | 재산세과 | | 법인세과 | | 조사과 | | 납세자보호담당관 | |
|---|---|---|---|---|---|---|---|---|
| 과장 | 이선우 400 | | 이종윤 500 | | 정준모 600 | | 심정은 210 | |
| 팀 | 재산1 | 재산2 | 법인1 | 법인2 | 정보관리 | 조사 | 납세자보호실 | 민원봉사실 |
| 팀장 | 여종구 401 | 유의상 421 | 박병민 501 | 남형주 521 | 최원석 601 | 박기룡 621 | 성종만 211 | 윤민오 221 |
| 국세조사관 | 송영욱(시간) | 이준년 422 | | | 유은선 602 | 박태훈 625<br>고은희 629<br>박종진 633<br>김병규 637 | | 박영기(강화)<br>조영순 222 |
| | 심소영 402<br>김진교 403<br>이슬기 404 | 박성혁 424<br>안연찬 423 | 오상엽 502<br>김진아 503<br>이현규 504<br>정지명 505<br>이미란 506 | 김정미 522<br>이기철 523<br>김민상 524<br>선종국 525 | 윤도현 603<br>김승희 604 | 유래연 625<br>이형철 634<br>석산호 630<br>이연주 638<br>김영재 622 | 오현지 212<br>류치선 213 | 김만덕(강화)<br>남명규 227<br>민경원(시간) |
| | 황화숙(시간)<br>정지영 405<br>이주한 406<br>오고은<br>마재정 407 | 이여경 425<br>이종석 426 | 구지은 507<br>이동찬 508 | 김건호 530<br>김민선 526<br>한승구 527 | 서지우 605<br>박용운 606 | 안소연 623<br>박미연 635 | 김윤희 215<br>박소현 214 | 김아영(시간)<br>예민희(시간)<br>정진숙 223<br>지수(시간) |
| | 장정현 408<br>박지수 409 | 고연우 427 | 김가연 509<br>장일웅 510 | 이혜지 528<br>이선아 529 | | 한무현 631<br>이동석 626<br>조정연 639 | | 홍지안 228<br>이지은 229 |
| 공무직 | | | | | | | | |
| FAX | 998-6971 | | 986-2801 | | 986-2769 | | 986-2806 | 982-8125<br>934-1496<br>(강화) |

299

# 동고양세무서

대표전화: 031-9006-200 / DID: 031-9006-OOO

서장: **이 용 선**
DID: 031-9006-201

은빛마을6단지
프라웰아파트

 동고양세무서

화정고등학교

화정역

화정역광장  화정역버스
터미널

| 주소 | 경기도 고양시 덕양구 화중로104번길 16 (화정동) 화정아카데미타워 3층(민원실), 4층, 5층, 9층 (우) 10497 | | | | | | |
|---|---|---|---|---|---|---|
| 코드번호 | 232 | | 계좌번호 | 023757 | 사업자번호 | |
| 관할구역 | 경기도 고양시 덕양구 | | | | 이메일 | |

| 과 | 징세과 | | | 부가소득세과 | | | |
|---|---|---|---|---|---|---|---|
| 과장 | 임진옥 240 | | | 조홍기 280 | | | |
| 팀 | 운영지원 | 체납추적1 | 체납추적2 | 부가1 | 부가2 | 소득1 | 소득2 |
| 팀장 | 장주열 241 | 임경태 441 | 강승룡 461 | 오승필 281 | 박수정 301 | 신혜주 321 | 오윤화 381 |
| 국세<br>조사관 | 민수진 242 | | 한은숙 462 | 박윤경 282 | 박찬택 215 | | |
| | | 전혜윤(시간) 442<br>이찬무 443<br>최유나 444 | 한승협 463<br>이현아 464 | 정도령 283 | 이종현 302<br>김영숙 303<br>김태두(시간) | 김지혜 322<br>최주광 323<br>태대환 324 | 서미애 382<br>박노승 383<br>강성훈 384 |
| | 강효정 243<br>김현철(운전) 246<br>이득규 244 | 김지연 445 | 김지인 465 | 하명선(시간)<br>남보영 284<br>김일용 285<br>원규호 286 | 남기홍 304<br>배형은 305<br>주아람 306 | | 이지원(시간) 385<br>황지혜(시간) |
| | 김명규(방호) 245<br>정현준 247 | 박송이 446<br>김상균 447 | 김웅 466<br>김나미 467 | 나길제 287<br>송나연 288<br>문해령 289 | 박은지 307<br>정광표 308 | 문주희(시간)<br>김미혜 325<br>오윤라 326<br>김건웅 327 | 피연지 386<br>백진이 387 |
| 공무직 | 양은혜<br>김희성<br>이명진 | | | | | | |
| FAX | 963-2979 | | | 963-2089 | | | |

| 과 | 재산법인세과 | | | 조사과 | | 납세자보호담당관 | |
|---|---|---|---|---|---|---|---|
| 과장 | 조대규 400 | | | 노충모 640 | | 김몽경 210 | |
| 팀 | 재산1 | 재산2 | 법인 | 정보관리 | 조사 | 납세자보호실 | 민원봉사실 |
| 팀장 | 김춘동 481 | 이창석 501 | 최헌순 401 | 김연수 641 | 고영환 651 | 김시욱 211 | 송주규 221 |
| 국세조사관 | 신해규 482 | | 진호범 402 | | 신성환 661<br>김병찬 671 | | |
| 국세조사관 | 김현서 483<br>이광희 484<br>강희정 485<br>김용민 486 | 김범석 502 | 신경아 403<br>정형석 404<br>박윤하 405 | 김봉식 642 | 최회윤 652<br>김덕교 672 | 최지현 212<br>최다인 213 | 최동진(시간) 222<br>길미정 223 |
| 국세조사관 | 김민정(시간)<br>배지민 487<br>안미영 488 | 이동훈 503<br>김민상 504 | 김미소 406<br>조은희 407 | 신정원 643 | 임상록 662 | 김린 214 | 조영진(시간) 224<br>최해영 225<br>김연지 226 |
| 국세조사관 | 김의연 489<br>변해일 490 | | 조수연 408 | 유화정 644<br>김은선 645 | 이지영 653<br>김민주 663<br>장유진 673 | | 김민선 227 |
| 공무직 | | | | | | | |
| FAX | 963-2983 | | | 963-2972 | | 963-2271 | |

# 남부천세무서

대표전화: 032-4597-200 / DID: 032-4597-OOO

서장: **임 식 용**
DID: 032-4597-201

| 주소 | 경기도 부천시 경인옛로 115 (우) 14691 | | | | |
|---|---|---|---|---|---|
| 코드번호 | 152 | 계좌번호 | 027685 | 사업자번호 | |
| 관할구역 | 부천시 부천동 일부(원미, 역곡, 춘의), 심곡동, 대산동, 소사본동, 범안동 | | | 이메일 | |

| 과 | 징세과 | | 부가가치세과 | | 소득세과 | |
|---|---|---|---|---|---|---|
| 과장 | 남무정 240 | | 민희망 280 | | 권혁란 360 | |
| 팀 | 운영지원 | 체납추적 | 부가1 | 부가2 | 소득1 | 소득2 |
| 팀장 | 김혜령 241 | 박창길 441 | 강경덕 281 | 문종구 301 | 노영훈 361 | 함광수 381 |
| 국세조사관 | | | 김인천 282 | 박영민 302 | | 박대협 382 |
| | | 조미진 442<br>이주성 443<br>김동휘 444 | 김인수 283 | 박미래(시간)<br>박은미 303 | 임순종 362<br>김효민 363 | 신준호 383<br>남채윤 384 |
| | 박영수 242<br>김지현 243<br>박정호 244<br>이다민(운전) 258 | 윤지현 450<br>손경선 445<br>권오방<br>오정은 451<br>박주영 446 | 박건규 284<br>김소현(시간)<br>강현진 285 | | 최민규 364 | |
| | 신지환 245<br>박민수(방호) 259 | 이다원 447<br>이지현 448 | 홍아름 286<br>홍영진 287 | 김은하 304<br>김기환 305<br>홍수현 306 | 김현기 365<br>이혜진 366 | 정해시 385<br>이윤경 386 |
| 공무직 | 홍영남 202 | | | | | |
| FAX | 459-7249 | | 459-7299 | | 459-7379 | |

| 과 | 재산법인세과 | | | 조사과 | | 납세자보호담당관 | |
|---|---|---|---|---|---|---|---|
| 과장 | 고종관 480 | | | 권영희 640 | | 유탁균 210 | |
| 팀 | 재산1 | 재산2 | 법인 | 정보관리 | 조사 | 납세자보호실 | 민원봉사실 |
| 팀장 | 조용식 481 | | 김중재 401 | 유재식 641 | | 황광선 211 | 허세욱 221 |
| 국세조사관 | 오경택 | | 민성기 402<br>임명숙(사무)<br>408 | | 서현희 653<br>박진석 655 | | |
| | 홍석후(시간)<br>한송희 482<br>류민경 483<br>김은주(시간) | 박진아 502<br>성상현 503 | 오미정 403 | 박선민 642 | 정승기 652 | 유미연 212 | 김지은 222 |
| | | 김보미 504 | 김경태 404<br>김득화 405 | 허지영 643 | 노종대 654 | 박현정 213<br>한민우 214 | 차수빈 223<br>전지영 224 |
| | 김예슬 484 | | 정지연 406 | 이은지 644 | 박병태 656 | | 이은자 225 |
| 공무직 | | | | | | | |
| FAX | 459-7499 | | | 349-8971 | 349-8972 | 459-7219<br>459-7231 | |

# 부천세무서

대표전화: 032-3205-200 / DID: 032-3205-OOO

중3동우체국
부천세무서
중흥초등학교  중흥중학교
부천부흥중학교
신중동역

서장: **안 형 태**
DID: 032-3205-201

| 주소 | 경기도 부천시 원미구 계남로227 (중동) (우) 14535 | | | | |
|---|---|---|---|---|---|
| 코드번호 | 130 | 계좌번호 | 110246 | 사업자번호 | 130-83-00022 |
| 관할구역 | 경기도 부천시 고강동, 내동, 대장동, 도당동, 삼정동, 상동, 약대동, 여월동, 오정동, 원종동, 작동, 중동 | | | 이메일 | bucheon@nts.go.kr |

| 과 | 징세과 | | | 부가가치세과 | | 소득세과 | |
|---|---|---|---|---|---|---|---|
| 과장 | 박소영 240 | | | 최용훈 280 | | 김웅 360 | |
| 팀 | 운영지원 | 체납추적1 | 체납추적2 | 부가1 | 부가2 | 소득1 | 소득2 |
| 팀장 | 윤경옥 241 | 황미영 441 | 박기범 451 | 강옥향 281 | 양영규 301 | 황선태 361 | 박은희 371 |
| 국세조사관 | | | | 양지선 282 | 오유미 302 | | 손민(시간) 350 |
| 국세조사관 | 김정이 242<br>김가영 243<br>조용호(운전) 259<br>최옥미(교환) 252<br>서은미(사무) 244 | 김혜연 422<br>정미라 443 | 김재권 262<br>임채경 454 | 임현정 283<br>이영례(시간) 350<br>최정명 284 | 김대영(시간) 350<br>홍근표 303<br>길은영 304 | 오진택 362<br>차연아 363<br>안윤미 364<br>김건희 365 | 이준우 372<br>김수원 373<br>김태규 374 |
| 국세조사관 | 유희근 245 | 최성환 444<br>박호빈 445<br>이규석 446 | 김선화 455<br>박형규 456 | 김지숙 285<br>곽동훈 286 | 손현명 305<br>이수진 | 조남명 366 | 김상균 375 |
| 국세조사관 | 서동천(방호) 618 | 고유나 447<br>심현주 448<br>윤다은 449 | 한유진 263<br>김유철 457<br>정수진 458<br>방서주 459 | 문영신 287<br>김민주 288<br>한혜민 289<br>임예진 290 | 권다혜 306<br>김나영 308<br>배형천 307<br>문예린 309 | 안지은 367<br>한은미 368<br>배기헌(시간) 350 | 성다진 376<br>김성민 377 |
| 공무직 | 이비아 202<br>김후희<br>문선미<br>이은경 | | | | | | |
| FAX | 328-5248 | | | 328-6936 | | 320-5476 | |

304

| 과 | 재산법인세과 | | | 조사과 | | 납세자보호담당관 | |
|---|---|---|---|---|---|---|---|
| 과장 | 강창식 480 | | | 서문교 640 | | 김재호 210 | |
| 팀 | 재산1 | 재산2 | 법인 | 정보관리 | 조사 | 납세자보호실 | 민원봉사실 |
| 팀장 | 민경삼 481 | 박대현 522 | 김병수 401 | 김종훈 641 | 이동출 651 | | 윤난희 221 |
| 국세조사관 | 황태영 482<br>김효진 483 | 임석호 523 | 박지암 402 | | 정병숙 654<br>조영진 657<br>유상욱 660 | | |
| | 남동완 484<br>이상왕 485<br>신나리 486<br>이충원 487<br>조가람(시간)<br>491 | | 이태용 403<br>고봉균 404<br>박정윤 405<br>전세진 406<br>이현주(사무)<br>412 | 이병노 691<br>최종욱 642 | 김해아 661<br>박상선 655<br>윤다영 652<br>전세림 658 | 정희원 212<br>김경애 213 | 이수아 222<br>한상희 227<br>엄희진(시간)<br>228 |
| | 전원진 488 | 김미정 524<br>남기은 525 | 임기문 407<br>김수빈 408<br>채명훈 409 | 이주현 692 | 정효성 659<br>이슬비 662<br>성해리 653 | 김준철 214 | 이성인(시간)<br>228<br>안종근 225<br>장소영 224 |
| | 이영롱 489<br>이소연 490 | | 이병욱 410<br>염효송 411 | | 한승민 656 | | 이서희<br>서민지 223<br>안성국 226<br>정희선 229 |
| 공무직 | | | | | | | |
| FAX | 320-5431 | | | 328-6935 | | 328-5941, 328-6428 | |

# 부평세무서

대표전화: 032-5406-200 / DID: 032-5406-OOO

서장: **손 호 익**
DID: 032-5406-201

| 주소 | 인천광역시 부평구 부평대로 147 (우) 21366 | | | | | | | | |
|---|---|---|---|---|---|---|---|---|---|
| 코드번호 | 122 | | 계좌번호 | 110233 | | 사업자번호 | | | |
| 관할구역 | 인천광역시 부평구 | | | | | 이메일 | | | |

| 과 | 징세과 | | | 부가가치세1과 | | 부가가치세2과 | | 소득세과 | |
|---|---|---|---|---|---|---|---|---|---|
| **과장** | 유재복 240 | | | 오상원 280 | | 하종면 300 | | 엄태현 360 | |
| **팀** | 운영지원 | 체납추적1 | 체납추적2 | 부가1 | 부가2 | 부가1 | 부가2 | 소득1 | 소득2 |
| **팀장** | 김택우 241 | 이민철 461 | 최준재 261 | 김성길 281 | 전우식 291 | 안상욱 301 | 조미현 311 | 탁경석 361 | 송충종 381 |
| **국세<br>조사관** | | | | | 장윤호 292 | 김기훈 302 | 김명준 312 | | |
| | | 최혜진 463 | 가성원 469<br>송정은 472<br>홍은지 262<br>최은경(사무) 263 | 홍세진 282<br>홍보경 283 | 어원경 293 | 김정미 303 | 손현지 313 | 임은영(사무) 370<br>이소영(시간)<br>김상철 363 | 송동규 382<br>나영 383<br>임유화(시간) |
| | 김다영 243<br>김복현(방호) 245 | 김찬주 464<br>김민정 464<br>정근욱 465<br>박인선 462 | 황정록 471 | 우형기 284<br>박민희(시간) | 채진병 294 | 조유영 304<br>황순우(시간) | 박규빈 314 | | 이진영 384 |
| | 황재승 244<br>김수연 246 | 윤정욱 466<br>정다움 467<br>황명하 468 | 박은지 264<br>소진영 470 | 유선영 285<br>오태경 286 | 박미래 295<br>허예린 296 | 유혜영 305<br>이건민 306 | 이지영 315<br>윤수정 316 | 이주연 365<br>임보금 366<br>문용인 367 | 김한진 385<br>함수정 386 |
| **공무직** | 유수진 202 | | | | | | | | |
| **FAX** | 545-0411 | | | 543-2100 | | 546-0719 | | 542-5012 | |

306

| 과 | 재산법인세과 | | | 조사과 | | 납세자보호담당관 | |
|---|---|---|---|---|---|---|---|
| **과장** | 이명문 480 | | | 김민후 530 | | 이영휘 210 | |
| **팀** | 재산1 | 재산2 | 법인 | 정보관리 | 조사 | 납세자보호실 | 민원봉사실 |
| **팀장** | 강정원 481 | 이미영 521 | 안형선 421 | 김영조 531 | 강석윤 541 | 고진곤 211 | 이영길 221 |
| **국세<br>조사관** | | | | | 류송 551<br>정현대 581 | | |
| | 이진례 483<br>이진하 484 | 도영만 522 | 조정훈 422<br>정성익 423 | 김인성 532<br>천재도 533 | 구표수 542<br>장성진 552<br>위은혜 582<br>김제헌 583 | 배정미 213<br>이현민 214 | 강소여 226<br>김미연 223 |
| | 김은정(시간)<br>조혜정 485<br>김민정 486 | 김효은 523<br>진혜진 524 | 이승형 424 | 이택수 534 | | | 박미나 224<br>박수미 225 |
| | 심희정 487<br>박지은 488 | | 임광빈 425<br>정수진 426<br>태민성 427 | | 유민상 543<br>이민정 553 | | 남예원 222<br>정성훈 227 |
| **공무직** | | | | | | | |
| **FAX** | 542-6175 | | | 551-0666 | | 542-0132 | 549-6766 |

# 연수세무서

대표전화: 032-6709-200 / DID: 032-6709-OOO

서장: **김 태 수**
DID: 032-6709-201

| 주소 | 인천광역시 연수구 인천타워대로 323(송도동, 송도센트로드A동 1층~5층) (우) 22007 | | | | |
|---|---|---|---|---|---|
| 코드번호 | 150 | 계좌번호 | 027300 | 사업자번호 | |
| 관할구역 | 인천광역시 연수구 | | | 이메일 | |

| 과 | 징세과 | | 부가가치세과 | | 소득세과 | |
|---|---|---|---|---|---|---|
| 과장 | 박상돈 240 | | 김선주 280 | | 이지훈 360 | |
| 팀 | 운영지원 | 체납추적 | 부가1 | 부가2 | 소득1 | 소득2 |
| 팀장 | 김영노 241 | 이영권 441 | 방성자 281 | 배재호 301 | 정성일 361 | 이주영 381 |
| 국세조사관 | | 임재석 442 | 하두영 282 | | | |
| 국세조사관 | 백수빈 244<br>박광욱 242 | 김보균 442<br>김정한 444<br>남기은 445 | 최경아 283<br>조성연 284 | 정치헌 304<br>신성규<br>599(시간)<br>유지현 306 | 김제주(시간) 399<br>방경섭 362<br>전현민 363<br>양시준 364 | 홍순화 383<br>안혜영(시간) 399<br>이준남 382 |
| 국세조사관 | 하은주 243<br>류가연(시간) 247 | 김재곤 262<br>이지현 446 | 오로지 286<br>안태균(시간) 599 | 안세은 303 | | 이재홍 385 |
| 국세조사관 | 김다형 245<br>구대현(운전) 248 | 조경화 447<br>전영우 448<br>김유경 449<br>권예은 263<br>김병민 450 | 이찬웅 287<br>김환희 288<br>강지현 289 | 서은영 308<br>김인욱 309<br>조봉기 310 | 김민주 368<br>천인호 366<br>오나현 365 | 배지은 384<br>이정훈 387<br>안소현 386 |
| 공무직 | 이지혜 202<br>박경숙<br>박준희 | | | | | |
| FAX | 858-7351 | 858-7352 | 858-7353 | | 858-7354 | |

| 과 | 재산법인세과 | | | 조사과 | | 납세자보호담당관 | |
|---|---|---|---|---|---|---|---|
| 과장 | 고진수 400 | | | 배호기 640 | | 이광 210 | |
| 팀 | 재산1 | 재산2 | 법인 | 정보관리 | 조사 | 납세자보호실 | 민원봉사실 |
| 팀장 | 김영환 481 | 김종률 501 | 최장영 401 | 한원찬 641 | 박범수 651 | 강홍수 211 | 이영숙 221 |
| 국세조사관 | | | 정성은 402 | | 김경진 654 | 김진도 212 | 한송희 222 |
| 국세조사관 | 박주현(시간) 299<br>신연주(시간) 299<br>김영숙 482<br>노세영 483 | 김동준 502 | 김종태 403<br>박준식 404<br>방미경 405 | 신유나 642 | 이미진 657<br>이승찬 655<br>박미소 651 | 이혜경 213 | 한세훈 223<br>김혜인(시간) 224 |
| 국세조사관 | 김수아 484<br>박준영 485<br>박주연 486<br>박종성 487 | | 김준호 406<br>김향숙 407 | 박형준 643 | 선희 658 | 손재원 214 | 이윤경(시간) 225<br>고명현 226 |
| 국세조사관 | 민예지 488<br>서석현 489<br>김가영 490<br>장윤미 491<br>박지희 492 | 전하준 503<br>이경혜 504 | 윤정현 408<br>김하나 409<br>신은주 410<br>황윤재 411 | 정도연 644 | 유광열 653 | | |
| 공무직 | | | | | | | |
| FAX | 858-7355 | | | 858-7356 | | 858-7357 | 858-7358 |

# 의정부세무서

대표전화: 031-8704-200　DID: 031-8704-OOO

서장: **최 미 숙**
DID: 031-8704-201

지도: 의정부세무서 / 의정부시청역 / 평화의광장 / 의정부시청 / 홍선119 안전센터 / 의정부 정보도서관

| 주소 | 경기도 의정부시 의정로 77 (의정부동) (우) 11622 | | | | |
|---|---|---|---|---|---|
| 코드번호 | 127 | 계좌번호 | 900142 | 사업자번호 | 127-83-00012 |
| 관할구역 | 경기도 의정부시, 양주시 | | | 이메일 | uijeongbu@nts.go.kr |

| 과 | 징세과 | | | 부가가치세과 | | | 소득세과 | |
|---|---|---|---|---|---|---|---|---|
| 과장 | 김윤 240 | | | 강세희 280 | | | 정광륜 360 | |
| 팀 | 운영지원 | 체납추적1 | 체납추적2 | 부가1 | 부가2 | 부가3 | 소득1 | 소득2 |
| 팀장 | 이수안 241 | 임정현 441 | 이상락 461 | 정윤철 281 | 서광렬 301 | 오동구 321 | 신옥미 361 | 강경인 381 |
| 국세조사관 | | | 조명기 462 | 문성인 282 | 박송복 302 | | | 이명희(시간) |
| 국세조사관 | 김의중 242 | 정영무 443<br>정민재 444<br>김대현 445 | 박미숙 463<br>손응희 464<br>박신영(시간)<br>한승범 465 | 김동근 283<br>김희명 284<br>이명선(시간)<br>이정윤 285 | 박애심(시간)<br>김지혜 304<br>원종훈 303<br>이영숙 305 | 민백기 330<br>박근애 332<br>박세진(시간) | 천영환 362<br>안지윤 363 | 장연경 382<br>강민지 383 |
| 국세조사관 | 전주완(운전)<br>이재준 243<br>이윤희(시간)<br>246<br>강나영 245 | 조다혜 446<br>채문석 447 | 고민경 263<br>장승원 466 | 이명행 286<br>모충서 287<br>송재철 288 | 채정화 306 | 임진영 323<br>이미소 324<br>황지환 325 | 이상미 364<br>김보근 365<br>박수진(시간)<br>이진우 366 | 손성수 384<br>김민희 385<br>김수빈 386<br>이수현 387 |
| 국세조사관 | 김홍영(방호)<br>최혜정 244<br>배지환 247 | 경지수 448<br>김진국 449<br>허성경 450 | 김한솔 264<br>박정린 467<br>김종서 468<br>윤지현 469<br>길영은 470 | 박수경 289<br>김미림 290 | 박효선 307<br>이지후 308<br>박소영 309 | 권기성 326<br>양은지 327<br>이은수 328 | 양윤숙 367<br>임진옥 368<br>김경아 369<br>이다혜 370<br>박보민 371 | 이진수 388<br>김민정 389<br>김지은 390 |
| 공무직 | 이영자(교환)<br>100<br>정금란(환경)<br>송완호(환경) | | | | | | | |
| FAX | 875-2736 | | | 871-9015, 874-9012 | | | 871-9012, 9013 | |

# 1등 조세회계 경제신문 조세일보

| 과 | 재산법인세과 | | | 조사과 | | 납세자보호담당관 | |
|---|---|---|---|---|---|---|---|
| **과장** | 원종일 400 | | | 이영석 640 | | 김현숙 210 | |
| **팀** | 재산1 | 재산2 | 법인 | 정보관리 | 조사 | 납세자보호실 | 민원봉사실 |
| **팀장** | 정용효 481 | 김병성 521 | 한문식 401 | 정환철 641 | 김진규 651 | 임흥식 211 | 임상규 221 |
| **국세<br>조사관** | 김희정(시간) | 민정기 522 | 양재호 402 | 노은영 642 | 오희준 661<br>류현수 671<br>한정희 681 | 조성수 212 | |
| | 전경일 482<br>민용우 483<br>손명 484<br>권두형 485<br>전성훈 486 | 김성진 523<br>노일도 524<br>박현수 526 | 박종주 403<br>김정훈 404<br>김주하 405<br>배경은 406 | 이효재 692 | 한주성 671<br>김주홍 652<br>신용욱 662<br>홍혜인 682 | 박현경 213 | 이효진(양주)<br>이계승 222<br>윤은미 223<br>이용희(양주)<br>황지영(시간)<br>224 |
| | 선경식 487 | | 박노준 407<br>정유빈 408 | 안진영(시간)<br>644<br>배명선 693 | 최지현 654<br>이소진 663<br>황인환 653<br>이주희 683 | 박은지 214 | 한길택 229<br>주혜옥 225 |
| | 김진주 488<br>이지원 489<br>최수경 490 | 이은기 527<br>채유진 525 | 권지원 409<br>조성조 410<br>이세은 411 | 김은설 643 | 이로아 673 | | 김준형(시간)<br>228<br>김영익 226<br>유정환 227<br>최지우(시간)<br>224 |
| **공무직** | | | | | | | |
| **FAX** | 871-9014 | | 878-9015 | 837-9010, 871-9017 | | 871-9018 | 877-2104 |

# 파주세무서

대표전화: 031-9560-200 / DID: 031-9560-OOO

서장: **서 기 열**
DID: 031-9560-201

| 주소 | 경기도 파주시 금릉역로 62 (금촌동) (우) 10915 | | | | |
|---|---|---|---|---|---|
| 코드번호 | 141 | **계좌번호** | 001575 | **사업자번호** | |
| 관할구역 | 파주시 전역 | | | **이메일** | paju@nts.go.kr |

| 과 | 징세과 | | | 부가소득세과 | | | |
|---|---|---|---|---|---|---|---|
| **과장** | 유상욱 240 | | | 박선수 280 | | | |
| **팀** | 운영지원 | 체납추적1 | 체납추적2 | 부가1 | 부가2 | 소득1 | 소득2 |
| **팀장** | 김태환 241 | 서기열 441 | 김성영 461 | 황영삼 281 | 신선주 301 | 김영국 360 | 김호 381 |
| **국세<br>조사관** | | 윤혜영 442 | 박용주 462 | 김도윤 290 | | | |
| | 공태웅 242<br>주성숙 243<br>정연철(운전)<br>추연우(방호) | 채연학 444<br>최유진 443<br>박인순(시간) | 황은희 463<br>김현정 262<br>여선 468<br>신수범 466<br>최희경 263<br>백진화(시간) | 김희정 282<br>송효선 283<br>김인애 284<br>이지은 | 강지연 302<br>신지은 303<br>김주희 304 | 류승진 362<br>이준영 363 | 송경령 382<br>이희영(시간) |
| | 김지현 244 | 진민정 445<br>이보라 447 | 남화영 467 | 김승욱 285 | 유환성 305<br>장정욱 306<br>김경업(시간) | 유길웅 364<br>심재일(시간) | 배준용 389<br>최현성 388 |
| | 김찬진 245 | 신명섭 448<br>신미미 449 | 이지현 469<br>임호성 464 | 김소정 286<br>정보연 287<br>허은진 288<br>황희태 289<br>김수지(시간) | 박준영 307<br>이가은 310<br>윤태진 308<br>김경희 309 | 신승우 365<br>손채원 366<br>한주희 368 | 채예지 384<br>김도형 387<br>박정현 385<br>박상현 386 |
| **공무직** | 김지선 202<br>윤경선<br>성미숙 | | | | | | |
| **FAX** | 957-0315 | 956-0450 | | 946-6048 | | | |

| 과 | 재산법인세과 | | | | 조사과 | | 납세자보호담당관 | |
|---|---|---|---|---|---|---|---|---|
| 과장 | 오관택 400 | | | | 서승원 640 | | 한철희 210 | |
| 팀 | 재산1 | 재산2 | 법인1 | 법인2 | 정보관리 | 조사 | 납세자보호실 | 민원봉사실 |
| 팀장 | 한세영 481 | 임지혁 501 | 최완규 401 | 유정식 421 | 이유미 641 | 박민규 681 | 신동훈 211 | 이강일 221 |
| 국세조사관 | 남영우 482 | | | | | 이기병 651<br>조영호 661<br>김정식 671 | | |
| 국세조사관 | 이정현 483<br>이영욱 484<br>조수영 485<br>김승태 468<br>김태영(시간) | 윤영섭 502<br>오기철 503 | 오상준 402 | 배인애 422<br>유래경 423 | 기아람 642<br>고상권 692 | 장정엽 684<br>조정은 652<br>안지선 653<br>박우영 662 | 허인규 212<br>김인희 213 | 김윤경 222<br>구성민(시간) 227 |
| 국세조사관 | 정경숙 487<br>김은영(시간) | 이정욱 504 | 김유미 403<br>봉선영 404<br>황연성 405<br>전건모 406<br>홍지혜 407 | 민경준 424<br>나경훈 425 | 정은주 465<br>김성희 643 | 박윤미 682<br>윤하영 672 | 전은선 214 | 전소정 223<br>이은영 224<br>최은경(시간) 228 |
| 국세조사관 | 송일훈 488 | 강혜수 505 | 이도경 408 | 유다영 426<br>이혁재 427<br>김한울 428 | | 이예슬 683<br>김아정 663<br>최혜원 673 | | 박근호 225<br>박수진 226 |
| 공무직 | | | | | | | | |
| FAX | 957-3654 | | | | 957-0319 | | 957-0313 | 943-2100 |

# 포천세무서

대표전화: 031-5387-200 / DID: 031-5387-OOO

신봉초등학교
국민연금공단 ● 송우초등학교
송우고등학교 ●
◎ 포천세무서

서장: **고 병 재**
DID: 031-5387-201

| 주소 | 경기도 포천시 소흘읍 송우로 75 (우) 11177<br>동두천지서: 경기도 동두천시 중앙로 136 (우) 11346<br>포천시청민원실: 경기도 포천시 중앙로 87 포천시청 본관 1층 세정과(우) 11147<br>별관(철원민원실) : 강원도 철원군 갈말읍 삼부연로 51 (우) 24039 | | | | | |
|---|---|---|---|---|---|---|
| **코드번호** | 231 | **계좌번호** | 019871 | **사업자번호** | | |
| **관할구역** | 경기도 포천시, 동두천시, 연천군, 강원도 철원군 | | | **이메일** | pocheon@nts.go.kr | |

| 과 | 징세과 | | | 부가소득세과 | | 재산법인납세과 | |
|---|---|---|---|---|---|---|---|
| **과장** | 소섭 240 | | | 김혜경 280 | | 박성배 400 | |
| **팀** | 운영지원 | 체납추적1 | 체납추적2 | 부가 | 소득 | 재산 | 법인 |
| **팀장** | 김영문 241 | 이용배 441 | 이문영 461 | 조양선 281 | 송기선 301 | 서동옥 481 | 김종완 401 |
| **국세<br>조사관** | | 신현철 442 | 정용석 462<br>강대규 463 | 김영환 285 | | | 박회경 402 |
| | 윤선희 242<br>김황경(운전)<br>612<br>최병문(방호)<br>613 | 강정민 443 | 이정기 464<br>박미영 465 | 천광진 282<br>김태우 283<br>김수정 284<br>박정배 286 | 김정호 302<br>문성은 303 | 최은복 482<br>박진수 483<br>서래훈 484 | 오정식 403<br>김규원 404 |
| | 김선영 243 | 김기완 444<br>오신형 445 | 명경철 466 | 오소은 287<br>강희정(시간)<br>310 | 강연우 304<br>양향임 305 | 안재국 487<br>유한나 468<br>장혜인(시간)<br>490 | 김슬기 405<br>고동현 406 |
| | 강현우 244<br>야문욱 245 | 김혜수 446 | | 정은채 292<br>정맑음 288<br>서동철 289<br>이은빈 290<br>이한솔 291 | 박소현 306<br>박희근 307 | 이민경 488<br>김보경 489 | 김세건 407 |
| **공무직** | 최영자<br>장복동 | | | | | | |
| **FAX** | 544-6090 | 538-7249 | | 544-6091 | | 544-6093 | 544-6094 |

# 재무인과 함께 걸어가겠습니다 '조세일보'

재무인에겐 조세일보를 읽는 사람과 읽지 않는 사람 두 종류의 사람만 있다.

| 과 | 조사과 | | 납세자보호담당관 | | 동두천지서(031-8606-200) | | | |
|---|---|---|---|---|---|---|---|---|
| **과장** | 박윤주 640 | | 오민철 210 | | 전주석 201 | | | |
| **팀** | 정보관리 | 조사 | 납세자보호실 | 민원봉사실 | 체납추적 | 납세자보호 | 부가소득 | 재산법인 |
| **팀장** | 김진섭 641 | 강세정 651 | 박영용 211 | | 이대일 271 | | 박형진 300 | 장병찬 250 |
| **국세조사관** | 김희선 642 | 전상호 652<br>류자영 653 | | 강태완(철원)<br>033-452-2100<br>조태욱 222 | | 한희수(연천)<br>031-839-2932 | | |
| | | 유진우 654<br>한희정 656<br>임칠성 655 | 박창우 212<br>김경라 213 | | 오세민 272<br>천승범 273 | 허승호 230 | 곽훈 302<br>김남철(시간)<br>304<br>이환주 301 | 손동영 256<br>장건후 251<br>김병현 254 |
| | 김근우 643 | 김성민 659 | 김진아 214 | 전유완<br>031-538-3179<br>박대순 223<br>박민서 225<br>권오찬(시간)<br>224 | | 지정훈(방호)<br>231<br>박인배 232 | 김도애 305 | |
| | 이정기 644 | 이다은 657<br>홍혜연 658 | | 김정호 226 | 박미경 274 | 임소영 233 | 박찬용 303<br>노기훈 308<br>이병석 310<br>김경준 309 | 김희주 252<br>김도균 253<br>김보라 255 |
| **공무직** | | | | | 김은미 | | | |
| **FAX** | 544-6095 | | 544-6097 | 544-6098<br>538-3190<br>(포천시청)<br>452-7542<br>(철원) | 867-2115 | | 860-6279 | 867-6259 |

315

# 대전지방국세청
# 관할세무서

| | | |
|---|---|---|
| ■ 대전지방국세청 | | 317 |
| | 지방국세청 국·과 | 318 |
| [대전] | 대 전 세무서 | 324 |
| | 북대전 세무서 | 326 |
| | 서대전 세무서 | 328 |
| [충남] | 공 주 세무서 | 330 |
| | 논 산 세무서 | 332 |
| | 보 령 세무서 | 334 |
| | 서 산 세무서 | 336 |
| | 세 종 세무서 | 338 |
| | 아 산 세무서 | 340 |
| | 예 산 세무서[당진지서] | 342 |
| | 천 안 세무서 | 344 |
| | 홍 성 세무서 | 346 |
| [충북] | 동청주 세무서 | 348 |
| | 영 동 세무서 | 350 |
| | 제 천 세무서 | 352 |
| | 청 주 세무서 | 354 |
| | 충 주 세무서[충북혁신지서] | 356 |

# 대전지방국세청

| | |
|---|---|
| 주소 | 대전광역시 대덕구 계족로 677(법동)<br>(우) 34383 |
| 대표전화 & 팩스 | 042-615-2200 / 042-621-4552 |
| 코드번호 | 300 |
| 계좌번호 | 080499 |
| 사업자등록번호 | 102-83-01647 |
| 관할구역 | 대전광역시 및 충청남·북도, 세종특별자치시 |

## 청장 　 양동훈

(D) 042-6152-201~2

| | | |
|---|---|---|
| 성실납세지원국장 | 박찬욱 | (D) 042-615-2400 |
| 징세송무국장 | 이슬 | (D) 042-615-2500 |
| 조사1국장 | 김대일 | (D) 042-615-2700 |
| 조사2국장 | 오원균 | (D) 042-615-2900 |

# 대전지방국세청

대표전화: 042-615-2200 / DID: 042-615-OOOO

청장: **양 동 훈**
DID: 042-615-2201

| 주소 | 대전광역시 대덕구 계족로 677 (법동) (우) 34383 | | | | |
|---|---|---|---|---|---|
| 코드번호 | 300 | 계좌번호 | 080499 | 사업자번호 | 102-83-01647 |
| 관할구역 | 대전광역시 및 충청남·북도, 세종특별자치시 | | | 이메일 | |

| 과 | 감사관 | | 납세자보호 | | 운영지원과 | | | |
|---|---|---|---|---|---|---|---|---|
| 과장 | 최수종 2300 | | 박재호 2330 | | 양용산 2240 | | | |
| 팀 | 감사 | 감찰 | 보호 | 심사 | 행정 | 인사 | 경리 | 소통 |
| 팀장 | 김원덕 2302 | 박한석 2312 | 조연숙 2332 | 박찬희 2342 | 이주한 2252 | 최시은 2242 | 이준현 2262 | 문정기 2272 |
| 국세조사관 | 남택원 2303<br>최영권 2304<br>김승주 2305<br>김현응 2306<br>이동규 2307<br>박민우 2308<br>이수민 2309 | 최진옥 2313<br>채홍선 2314<br>윤은택 2315<br>김재철 2316<br>박기정 2317<br>백인정 2318<br>이철우 2319 | 김영지 2333<br>이휴련 2334<br>김태헌 2335 | 장은주 2343<br>조강희 2344<br>김경미 2345<br>오건우 2346 | 이호 2253<br>김태훈 2254<br>이동기 2255<br>한종태 2256<br>이경순 2257<br>박동규 2258<br>전호순 2259<br>조선영 2261 | 이정훈 2243<br>지슬찬 2244<br>양영진 2245<br>권혜지 2246<br>김다현 2247<br>이연희 2248 | 박지혜 2263<br>여인순 2265<br>김정훈 2267<br>권유빈 2268<br>이영화 2266 | 김효순 2273<br>조항진 2274<br>유가연 2275<br>정재남 2276 |
| 공무직 | | | | | | | | |
| FAX | 634-5098 | | 636-4727 | | 621-4552 | 634-5097 | 634-6324 | 615-2279 |

| 국실 | 성실납세지원국 | | | | | | | | | | | | | |
|---|---|---|---|---|---|---|---|---|---|---|---|---|---|---|
| 국장 | 박찬욱 2400 | | | | | | | | | | | | | |
| 과 | 부가가치세과 | | | 소득재산세과 | | | | 법인세과 | | | | 정보화관리팀 | | |
| 과장 | 윤동규 2401 | | | 장훈 2431 | | | | 이창수 2461 | | | | 강덕성 2131 | | |
| 팀 | 부가1 | 부가2 | 소비 | 소득 | 재산 | 복지세정1 | 복지세정2 | 법인1 | 법인2 | 법인3 | 법인4 | 지원 | 보안감사 | 포렌식지원 |
| 팀장 | 이한성 2402 | 전지현 2412 | 정영웅 2422 | 강민석 2432 | 전옥선 2442 | 이소영 2452 | 김희란 2602 | 윤홍덕 2462 | 한숙란 2472 | 김정수 2482 | 차건수 2492 | 이영구 2132 | 이홍조 2142 | 박승현 2192 |
| 국세조사관 | 안선일 2403<br>안지영 2404<br>정선군 2405<br>임영신 2406 | 이현상 2413<br>박세환 2414<br>전병헌 2415<br>유경모 2416 | 원대한 2423<br>이영 2424<br>김현태 2426<br>김규원 2425 | 전혜영 2433<br>김태서 2434<br>김진기 2435 | 문미희 2443<br>정윤정 2444<br>김홍근 2445<br>배경희 2446<br>황후용 2447 | 최은혜 2454<br>김영기 2453 | 윤석창 2603 | 임현철 2463<br>한란 2464<br>김명진 2465<br>김동혁 2466<br>김재민 2467 | 강정숙 2473<br>홍상우 2475<br>최진이 2474 | 이선영 2483<br>이경욱 2484<br>나유숙 2485 | 김태건 2493<br>박상옥 2494<br>오하라 2495 | 정주희 2133<br>서정은 2135<br>양선미 2134<br>장영석 2136 | 송향희 2143<br>오백진 2144 | 이정아 2193<br>이해진 2194<br>송재호 2195 |
| 공무직 | | | | | | | | | | | | | | |
| FAX | 625-9751 | | | 634-6129 | | | | 632-7723 | | | | 625-8472 | | |

국세관련 모든 상담은 국번없이 126
전국 어디서나 편리하게 상담받으세요.
평일 9시~18시 (탈세제보는 24시간)

**DID : 042-615-OOOO**

| 국실 | 성실납세지원국 | | | | | | | | |
|---|---|---|---|---|---|---|---|---|---|
| 국장 | 박찬욱 2400 | | | | | | | | |
| 과 | 정보화관리팀 | | 개발지원1팀 | | | | 개발지원2팀 | | |
| 과장 | 강덕성 2131 | | 박재근 2021 | | | | 김명원 2081 | | |
| 팀 | 정보화센터1 | 정보화센터2 | 정보분석 | 엔티스개발 | 엔티스상담1 | 엔티스상담2 | 정보화개발 | 개발교육1 | 개발교육2 |
| 팀장 | 최영둘 2152 | 이정미 2172 | 김상숙 2022 | 정의진 2102 | 박현숙 2042 | 김미애 2062 | 하창수 2082 | | 박성미 2672 |
| 국세조사관 | 백수아 2153 | 안지연 2173 | 이미라 2023 | 이상수 2113 | 유미영 2043 | 박종수 2063 | 라유성 2083 | 임은총 2653 | 고명훈 2667 |
| | 최금년 2154 | 한도순 2174 | 조명순 2024 | 김남용 2115 | 손윤숙 2044 | 정윤희 2064 | 김주영 2084 | 이혜린 2654 | 윤동현 2673 |
| | 신상례 2155 | 김영선 2175 | 강선홍 2025 | 장광석 2114 | 김필순 2046 | 김형미 2065 | 최진숙 2085 | 류은영 2655 | 고결 2674 |
| | 송인희 2156 | 김명순 2176 | 최학규 2026 | 안수림 2103 | 최윤실 2047 | 이채윤 2066 | 박미경 2086 | 장동근 2656 | 이상현 2675 |
| | 이화자 2157 | 유수향 2177 | 김은희 2027 | 황치운 2105 | 김연숙 2048 | 신주영 2067 | 최은애 2087 | 이효진 2657 | 김동규 2676 |
| | 조현구 2159 | 강영자 2178 | | 최윤호 2117 | 김경선 2049 | 김상진 2068 | 최수영 2089 | 최현민 2658 | 이강혁 2677 |
| | 신선희 2160 | 박진숙 2180 | | 윤창인 2104 | 이윤희 2050 | 조수연 2069 | 박신영 2088 | 연규빈 2659 | 주현주 2678 |
| | 김태순 2161 | 김양미 2181 | | 이규화 2107 | 김수영 2051 | 주재철 2070 | 이성호 2090 | 송명섭 2660 | 이종일 2679 |
| | 천은영 2162 | 권인숙 2182 | | 이정묵 2108 | | 최홍열 2071 | 이은정 2091 | 박하영 2661 | 이다해 2680 |
| | 김수영 2163 | 김광순 2183 | | 윤민지 2116 | | | | 황정우 2662 | 정성연 2681 |
| | 안은향 2164 | 유혜민 2184 | | 김재욱 2106 | | | | 도아라 2663 | 안영훈 2682 |
| | | 김홍란 2185 | | | | | | 안대인 2664 | 김성진 2683 |
| | | | | | | | | 유승우 2665 | 정지훈 2684 |
| | | | | | | | | 최지희 2666 | 김현아 2685 |
| | | | | | | | | | 김혜민 2686 |
| 공무직 | | | | | | | | | |
| FAX | 615-2170 | 615-2190 | | | | | | | |

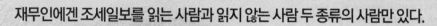
| 국실 | 징세송무국 | | | | | | 조사1국 | | | | | |
|---|---|---|---|---|---|---|---|---|---|---|---|---|
| 국장 | 이슬 2500 | | | | | | 김대일 2700 | | | | | |
| 과 | 징세과 | | 송무과 | | 체납추적과 | | 조사관리과 | | | | | |
| 과장 | 김윤용 2501 | | 송지은 2521 | | 신승태 2541 | | 왕성국 2701 | | | | | |
| 팀 | 징세 | 체납관리 | 송무1 | 송무2 | 체납추적관리 | 체납추적 | 조사관리1 | 조사관리2 | 조사관리3 | 조사관리4 | 조사관리5 | 조사관리6 |
| 팀장 | 여미라 2502 | 송칠선 2512 | 황경애 2522 | 양주희 2532 | 이덕주 2542 | 연수민 2552 | 이주영 2702 | 김수진 2712 | 이미영 2719 | 이병용 2732 | 권민형 2742 | 신명식 2722 |
| 국세조사관 | 이정선 2503<br>이상봉 2504<br>임수민 2505 | 최인옥 2513<br>양희연 2514<br>임한준 2515<br>김수월 2516 | 박신정 2523<br>권준경 2524<br>신방인 2525<br>최지훈 2526<br>정영화 2527<br>이가희 2528<br>신민정 2529 | 고의환 2533<br>김빛나 2534<br>심재진 2535<br>임지훈 2536<br>박옥길 2537 | 노은아 2543<br>노용래 2544<br>김양수 2545<br>이석재 2546<br>박노욱 2547<br>박재우 2548 | 황지은 2553<br>전명진 2554<br>윤상탁 2555<br>석원영 2556 | 윤상호 2703<br>박성룡 2704<br>임정혜 2705<br>김수원 2706<br>이안수 2707<br>김길정 2708 | 박은정 2713<br>윤춘미 2714<br>박승권 2715 | 고혜진 2724<br>손신혜 2725<br>김희영 2728<br>구승완 2726<br>김진주 2727<br>윤수환 2720<br>조성빈 2721 | 윤지희 2733<br>정인애 2734<br>강민구 2735 | 이경숙 2743<br>태상미 2744<br>고정환 2745<br>엄채연 2746<br>황석규(파견) | 석진안 2723 |
| 공무직 | | | | | | | | | | | | |
| FAX | 632-1798 | | 626-4512 | | 625-9758 | | 634-6325 | | | | | |

**국세관련 모든 상담은 국번없이 126**
전국 어디서나 편리하게 상담받으세요.
평일 9시~18시 (탈세제보는 24시간)

**DID : 042-615-OOOO**

| 국실 | 조사1국 | | | | | | | | | |
|---|---|---|---|---|---|---|---|---|---|---|
| 국장 | 김대일 2700 | | | | | | | | | |
| 과 | 조사1과 | | | | 조사2과 | | | 조사3과 | | |
| 과장 | 이완표 2751 | | | | 김병식 2781 | | | 김장년 2811 | | |
| 팀 | 조사1 | 조사2 | 조사3 | 조사4 | 조사1 | 조사2 | 조사3 | 조사1 | 조사2 | 조사3 |
| 팀장 | 배은경 2752 | 조선영 2762 | 지상준 2772 | 김장용 2882 | 김영교 2782 | 송태정 2792 | 정현원 2802 | 금영송 2812 | 백인억 2822 | 임길묵 2832 |
| 국세<br>조사관 | 김승태 2753<br>신광철 2754<br>장세연 2755<br>이진수 2756 | 장덕구 2763<br>이준혁 2764<br>손정화 2765<br>윤용화 2766 | 박종호 2773<br>김중규 2774<br>박진숙 2775<br>고병준 2776 | 허지혜 2883<br>박상욱 2884<br>이권희 2885 | 송인용 2783<br>주진수 2784<br>강병수 2785<br>권명윤 2786 | 이현상 2793<br>강경묵 2794<br>윤희창 2795<br>신용식 2796 | 윤재두 2803<br>이환규 2804<br>김이수 2805 | 김대용 2813<br>이한기 2814<br>김상현 2815<br>허성민 2816 | 이종신 2823<br>연제석 2824<br>이연주 2825<br>최우진 2826 | 강안나 2833<br>박주오 2834<br>한용 2835 |
| 공무직 | | | | | | | | | | |
| FAX | 634-6128 | | | | 626-4513 | | | 636-0372 | | |

| 국실 | 조사2국 | | | | | | | | | |
|---|---|---|---|---|---|---|---|---|---|---|
| 국장 | 오원균 2900 | | | | | | | | | |
| 과 | 조사관리과 | | | 조사1과 | | | | 조사2과 | | |
| 과장 | 김혜경 2901 | | | 유은영 2931 | | | | 최재명 2961 | | |
| 팀 | 조사관리1 | 조사관리2 | 조사관리3 | 조사1 | 조사2 | 조사3 | 조사4 | 조사1 | 조사2 | 조사3 |
| 팀장 | 홍성자 2902 | 진소영 2912 | 박영주 2922 | 조은애 2932 | 조정주 2942 | 이영찬 2952 | 김아경 2992 | 서용하 2962 | 민양기 2972 | 이정임 2982 |
| 국세 조사관 | 이원근 2903 최윤경 2904 이유진 2905 정영숙 2906 | 이상석 2913 장시찬 2914 육재하 2915 황은지 2916 정준희 2917 | 오진성 2923 최성호 2924 최미숙 2925 유지현 2926 이승택 2927 한원주 2928 | 오세윤 2933 오승희 2934 권대근 2935 | 신숙희 2943 김준익 2944 | 김선기 2953 육정섭 2954 | 이화용 2993 조한규 2994 | 신상훈 2963 차보미 2964 추원득 2965 | 이현진 2973 강훈 2974 고민철 2975 | 지상수 2983 이건흥 2984 추원규 2985 |
| 공무직 | | | | | | | | | | |
| FAX | 626-4514 | | | 626-4515 | | | | 625-9432 | | |

# 대전세무서

대표전화: 042-2298-200 / DID: 042-2298-OOO

서장: **임 영 미**
DID: 042-2298-201

| 주소 | 대전광역시 중구 보문로 331 (선화 188) (우) 34851<br>금산민원실 : 충청남도 금산군 금산읍 인삼약초로 42 (중도리 16-1) (우) 32739 | | | | |
|---|---|---|---|---|---|
| 코드번호 | 305 | 계좌번호 | 080486 | 사업자번호 | 305-83-00077 |
| 관할구역 | 대전광역시 동구, 중구, 충청남도 금산군 | | | 이메일 | daejeon@nts.go.kr |

| 과 | 징세과 | | | 부가가치세과 | | | 소득세과 | |
|---|---|---|---|---|---|---|---|---|
| 과장 | 김원호 240 | | | 최재균 280 | | | 조병길 360 | |
| 팀 | 운영지원 | 체납추적1 | 체납추적2 | 부가1 | 부가2 | 부가3 | 소득1 | 소득2 |
| 팀장 | 이용환 241 | 박인국 551 | | 임창수 281 | 이정기 301 | 윤태요 321 | 오정탁 361 | 김은철 381 |
| 국세<br>조사관 | | 신계희 552 | 유경열 572 | 이창권 282 | 김균태 302<br>박태구 303 | 라기정 322 | 이주한 362 | |
| | 최서현 242<br>정미영 243<br>황순금(교환)<br>250<br>안형식(열관<br>리) 616<br>김정환(운전)<br>247 | 이선미 553<br>윤석진 554 | 조하영 262<br>유연우 573<br>이상요 263 | 배효정 283<br>김나희 284 | 김보혜 304<br>권혁희 305 | 안은경 323<br>박인선 324<br>안승희 | 최현정 363 | 이주성 382<br>허남주 383 |
| | 박문수 248<br>정희남 245 | 전재령 555<br>정계승 556 | 정해은 574<br>임유리 575 | 정휘언 285 | 이준석 306 | 김병철 325<br>하미현 326 | 이다원 364<br>한누리 365<br>변다연 366 | 이신정 384<br>박영일 385 |
| | 송윤태 246 | 김민정 557<br>문서림 558<br>석지훈 559 | 최민지 264<br>박대현 576 | 주영서 286<br>김준성 287<br>장효선 288<br>남서윤 289 | 김준영 307<br>송재현 308 | 이미현 327<br>김소연 328 | 박재홍 367<br>전지현 368<br>김유진 369 | 이종혁 386<br>곽민지 387<br>유채원 388 |
| 공무직 | 이선영 202<br>김민정 246<br>임춘희(환경)<br>황순하(환경) | | | | | | | |
| FAX | | | | | | | | |

# 1등 조세회계 경제신문 조세일보

| 과 | 재산법인세과 | | | | 조사과 | | 납세자보호담당관 | |
|---|---|---|---|---|---|---|---|---|
| 과장 | 송익범 400 | | | | 서민덕 640 | | 조치상 210 | |
| 팀 | 재산1 | 재산2 | 법인1 | 법인2 | 정보관리 | 조사 | 납세자보호실 | 민원봉사실 |
| 팀장 | 윤문수 481 | 주구종 501 | 강원경 401 | 윤명한 421 | 김인태 641 | | 김기채 211 | 강희석 221 |
| 국세조사관 | 유승원 482<br>이인숙 483 | 신대수 502<br>이영락 503 | 정혜진 402 | | 조민영<br>엄태진 642<br>이명해 645 | <1팀><br>이명석 651<br>성지환 652<br>신성호 653<br>김다솜 654 | 김성연 212<br>김선자 213 | 222 |
| | 김미선 484<br>최영미 485 | 이수미 504 | 권경미 403<br>이영희 404 | 안주희 424<br>오왕석 426 | 이영순 643 | <2팀><br>조재규 661<br>이재열 662<br>이진수 663 | 류성권 214<br>신유현 215 | 박정연 223<br>김선미 224 |
| | 나유진 486 | 이병권 505 | | 이설이 424 | | <3팀><br>이재명 671<br>이건우 672<br>박요안나 673 | | 김세호 225<br>최동훈 226<br>이호제 227<br>김재현 228 |
| | 이지연 487 | | 신승환 405<br>왕지영 406 | 박병규 422 | 황선유 644 | | | 이정주 229<br>정윤수 230 |
| 공무직 | | | | | | | | |
| FAX | | | | | | | | |

# 북대전세무서

대표전화: 042-6038-200 / DID: 042-6038-OOO

서장: **정 성 훈**
DID: 042-6038-201

대전보훈요양원
죽동 국가산업단지
북대전세무서
죽동푸르지오 아파트
충남대학교 대덕캠퍼스
카이스트 본원 →
롯데하이마트유성점

| 주소 | 대전광역시 유성구 유성대로 935번길7 (죽동 731-4) (우) 34127 | | | | |
|---|---|---|---|---|---|
| 코드번호 | 318 | 계좌번호 | 023773 | 사업자번호 | |
| 관할구역 | 대전광역시 유성구, 대덕구 | | | 이메일 | Bukdaejeon@nts.go.kr |

| 과 | 징세과 | | | 부가가치세과 | | 소득세과 | | 재산세과 | |
|---|---|---|---|---|---|---|---|---|---|
| 과장 | 김용철 240 | | | 김희재 280 | | 박종빈 360 | | 임종찬 480 | |
| 팀 | 운영지원 | 체납추적1 | 체납추적2 | 부가1 | 부가2 | 소득1 | 소득2 | 재산1 | 재산2 |
| 팀장 | 임상빈 241 | 박미숙 551 | 이명하 571 | 김진영 281 | 신원영 301 | 맹창호 361 | 권영조 381 | 홍문선 481 | 김윤진 501 |
| 국세조사관 | 편무창 242 | 김경애 553 | 김인호 572 박정수 574 | 서정원 282 | 백선주 303 | 오연균(시) 615 노기우 362 | 김명제 382 김영철(시) 615 | 가재윤 483 | 전윤희 503 |
| 국세조사관 | 이정환 243 강혜윤 246 정근선(운전) 245 | 황영숙 552 이숙희 554 | 여은희(시) 573 나경미 578 문미영 575 | 강병조 283 방경선 284 안영희 285 정미현(시) 614 박윤주 286 | 서준용(시) 614 백미순 310 임선영 304 | 서명옥 363 김덕영 364 서승의 365 구효진 366 | 박미경 383 권경숙 384 김보경 385 | 정상남 484 김은경 485 | 강지은 504 |
| 국세조사관 | 김병훈(방호) 244 | 김유라 558 안슬기 555 박선민 557 | 한정민 576 김자경(징) 262 | 한정희 287 김금립 288 | 문진영 305 | | 김주영 386 유관호 387 | 이채민 486 | 노준호 505 조은애 506 |
| 국세조사관 | 오세준 247 장성봉(병가) | 곽지훈 556 손범수 559 | 송선경(징) 263 박종훈 577 박민주(징) 264 | 박세희 289 김상호 290 박완다 291 | 한승희 306 문민지 307 김지현 308 백승아 309 | 이수영 367 박혜빈 368 | 손태희 388 임지완 389 | 김수진 487 박지수 488 정보경 489 주영철 490 | |
| 공무직 | 김현숙 620 경유림 202 서경진(사회복무) | 강천순(환경) 정소영(환경) | | | | | | | |
| FAX | 823-9662 | 603-8560 | | 823-9665 | | 823-9646 | | 823-9648 | |

| 과 | 법인세과 | | 조사과 | | 납세자보호담당관 | |
|---|---|---|---|---|---|---|
| 과장 | 황규용 400 | | 김영덕 640 | | 이은영 210 | |
| 팀 | 법인1 | 법인2 | 정보관리 | 조사 | 납세자보호실 | 민원봉사실 |
| 팀장 | 박병수 401 | 이왕수 421 | 유장현 641 | | 이주연 211 | 노태송 221 |
| 국세<br>조사관 | 위정호 403<br>배준 404 | 윤영준 422 | 김동현 642 | <1팀><br>심영찬(6) 652<br>박지윤(7) 653<br>옥진경(8) 654 | | 원광호(대덕)<br>최윤선(시) 224<br>강성대 223 |
| | 김한용 405<br>조정진 406 | 최지영 423<br>이규완 424 | 이현정 646<br>공은주 643<br>유다형 644 | <2팀><br>이현찬(6) 655<br>김민준(6) 656<br>임한솔(9) 657 | 조명상 212<br>유경희 213<br>전형주 214 | 최서진 225<br>김준하 230 |
| | 이민경 407 | 최민지 425<br>이수연 426 | 황윤철(파견) | <3팀><br>김종윤(6) 658<br>박성원(8) 659<br>김근아(8) 660 | | 이미정 226<br>김용석 227 |
| | 한수영 408<br>윤옥진 409<br>오수빈 410 | 송효주 427<br>김로환 428 | 변민영 645 | <4팀><br>이응구(6) 661<br>이희종(7) 662<br>성소윤(8) 663 | | 권태민 229<br>김지호 231<br>정현주 228<br>대덕민원실<br>624-8233 |
| 공무직 | | | | | | 김민준(사회복무) |
| FAX | 823-9616 | | 823-9617 | | 823-9619 | 823-9610 |

# 서대전세무서

대표전화: 042-4808-200 / DID: 042-4808-OOO

서장: **김 영 찬**
DID: 042-4808-201

| 주소 | 대전광역시 서구 둔산서로 70 (둔산동 1296) (우) 35239 | | | | |
|---|---|---|---|---|---|
| 코드번호 | 314 | 계좌번호 | 081197 | 사업자번호 | 314-83-01385 |
| 관할구역 | 대전광역시 서구 | | | 이메일 | seodaejeon@nts.go.kr |

| 과 | 징세과 | | 부가가치세과 | | 소득세과 | |
|---|---|---|---|---|---|---|
| **과장** | 김영식 240 | | 이종길 280 | | 신혜선 360 | |
| **팀** | 운영지원 | 체납추적 | 부가1 | 부가2 | 소득1 | 소득2 |
| **팀장** | 최용세 241 | 강인성 551 | 홍창표 281 | 김년호 301 | 박선영 361 | 강재근 381 |
| **국세 조사관** | | 정광호 552<br>장명화 553 | | 이충근 310<br>임진규 302 | 육영찬<br>362 | |
| | 강기진 242<br>황소원 243 | 구민채 262<br>김정근 554<br>김은덕 555 | 최혜지 283 | 이은숙 303 | 양유미 363<br>이명한 364 | 최은희 382<br>안현정(시)<br>손경숙 383 |
| | | 김미영 556<br>황정민 263 | 김혜리 284<br>김수량(시)<br>조태희 285 | 김유진(시)<br>조한민 304 | 나혜진(시) | 김석현 384<br>김세령 385 |
| | 김민석 244<br>하형준 245<br>배형기(운전) 246<br>정남용(방호) 247,<br>611 | 임선하 557<br>김미솔 558<br>안은지 559<br>김의연 560<br>최호열 561 | 박서희 286<br>김경빈 287<br>유선희 288<br>최현주 289 | 진원용 305<br>최진하 306<br>길기윤 307<br>홍정화 308 | 이주연 365<br>전종호 366<br>석진서 367 | 박경환 386<br>박세진 387<br>임채현 388 |
| **공무직** | 신민화(교환) 618<br>박다솜(행정) 248<br>김기주(비서) 202<br>배문선(환경)<br>장현빈(공익) | | | | | |
| **FAX** | 486-8067 | 480-8687 | 472-1657 | 480-8682 | 480-8683 | |

| 과 | 재산법인세과 | | | 조사과 | | 납세자보호담당관 | |
|---|---|---|---|---|---|---|---|
| 과장 | 마삼호 400 | | | 박일병 640 | | 이인근 210 | |
| 팀 | 재산1 | 재산2 | 법인 | 정보관리 | 조사 | 납세자보호실 | 민원봉사실 |
| 팀장 | 유인숙 481 | 전수진 501 | 김영건 401 | 배은주 641 | | 송형희 211 | 이용철 221 |
| 국세조사관 | 김은주 482<br>이승윤 483 | | 오용락 402 | 한수이 642 | <1팀><br>오승훈(6) 651<br>엄상혁(6) 652<br>강정현(8) 653 | 한석희 212<br>양광식 213 | 222<br>김진희 224 |
| 국세조사관 | 송수은 484 | 황현순 502<br>최미진 503<br>정판균 504 | 김수정 403<br>오현석 404<br>강윤화 405<br>임선근 406 | 강현영 643 | <2팀><br>박경균(6) 661<br>송인우(7) 662<br>위태홍(8) 663 | | 김은의(시) 225<br>박유자 226<br>이채민(사) 223<br>강윤학 227<br>김혜원(시) 228 |
| 국세조사관 | 문호영 485<br>황지연 486 | | 김경오 407 | 임형빈 644<br>류원석 645 | | 박길원 214 | 김승현 229 |
| 국세조사관 | 이대희 487<br>유다원 488 | | 홍유민 408<br>김세연 409<br>정수연 410 | | <3팀><br>심용주(6) 671<br>이현재(7) 672<br>문형식(9) 673 | | 이재현 230<br>박소연 231 |
| 공무직 | | | | | | | |
| FAX | 480-8685 | 480-8684 | | 480-8686 | | 486-8062 | 486-2086 |

# 공주세무서

대표전화: 041-8503-200 / DID: 041-8503-OOO

서장: **이 광 호**
DID: 041-8503-201

| 주소 | 충청남도 공주시 봉황로 87 (반죽동 332) (우) 32550 | | | | |
|---|---|---|---|---|---|
| 코드번호 | 307 | 계좌번호 | 080460 | 사업자번호 | . |
| 관할구역 | 충청남도 공주시 | | | 이메일 | gongju307@nts.go.kr |

| 과 | 징세과 | | | 부가소득세과 | |
|---|---|---|---|---|---|
| 과장 | 김정범 240 | | | 유경룡 280 | |
| 팀 | 운영지원 | 체납추적 | 조사 | 부가소득 | |
| | | | | 부가 | 소득 |
| 팀장 | 국윤미 241 | 차광섭 551 | 주정권 671 | 김경만 281 | |
| 국세<br>조사관 | | 손영희 552 | | 임유란 283 | |
| | 서민경 242<br>박만기(운전) 244 | 김소민 553<br>권혁수 554<br>홍명숙(오전) 555 | 신용직 672<br>정소라 673 | 마승진 284 | 이미희 291<br>김복선 292 |
| | 이재진 243 | 정윤주 556 | | | |
| | 윤상준(방호) 244 | | 이상금 674 | 김영중 285 | 방지선 293 |
| 공무직 | 김지연(병·휴)<br>방소희 202<br>이명희(환경) | | | | |
| FAX | 850-3696 | 850-3692 | | 850-3691 | |

| 과 | 재산법인세과 | | 납세자보호담당관 | |
|---|---|---|---|---|
| 과장 | 조영우 400 | | 양회수 210 | |
| 팀 | 재산법인 | | 납세자보호실 | 민원봉사실 |
| | 재산 | 법인 | | |
| 팀장 | 김인화 421 | | 이계홍 211 | 이윤우 221 |
| 국세<br>조사관 | 고윤하(파견)<br>이상용 422 | 박준규 522 | | |
| | 김연수 423<br>서원희 424 | 이재승 523<br>이신열 524 | | 문미란(오후) 222<br>박민채 223<br>이수연(오전) 224 |
| | | | | 가혜미 225 |
| | 송유나 425 | 최다솜 525 | | |
| 공무직 | | | | |
| FAX | 850-3693 | | 850-3690 | |

# 논산세무서

대표전화: 041-7308-200 / DID: 041-7308-OOO

서장: **민 강**
DID: 041-7308-200

| 주소 | 충청남도 논산시 논산대로 241번길 6 (강산동) (우) 32959<br>부여지역민원실 : 충청남도 부여군 부여읍 사비로 41 군민회관내 (우) 33153<br>계룡출장소 : 충청남도 계룡시 장안로 46 계룡시청내 (우) 32823 | | | |
| --- | --- | --- | --- | --- |
| 코드번호 | 308 | 계좌번호 | 080473 | 사업자번호 |
| 관할구역 | 충청남도 논산시, 계룡시, 부여군 | | 이메일 | nonsan@nts.go.kr |

| 과 | 징세과 | | | 부가소득세과 | |
| --- | --- | --- | --- | --- | --- |
| 과장 | 윤승갑 240 | | | 신지명 280 | |
| 팀 | 운영지원 | 체납추적 | 조사 | 부가 | 소득 |
| 팀장 | 이화용 241 | 문찬식 551 | 박주항 651 | 정용협 281 | 강선규 361 |
| 국세<br>조사관 | | 이기수 552 | 김기숙 652 | | |
| | 김정수 242<br>조민정 243 | 이재희 553<br>안은경 554<br>김광성 555<br>김희은 556 | 박웅 653<br>권동원 655 | 김수옥282<br>오수연(소비) 284<br>유영주 283<br>강현정 285<br>오미영(시) 291<br>이우현 286 | 이호영 362<br>이미주 363<br>이민호 364 |
| | 홍동기(운전) 244 | | | 신연주 287 | |
| | 김성은 24 | 안소영 557 | 김승범 654 | 심현이(시) 288 | 김호겸 365<br>장윤규 366 |
| 공무직 | 이혜진(비서) 201<br>김춘기(시설) 246<br>황윤진(환경)<br>심명주(사회복무) | | | | |
| FAX | 730-8270 | 733-3137 | 733-3140 | 733-3139 | |

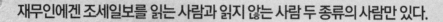

| 과 | 재산법인세과 | | 납세자보호담당관 | |
|---|---|---|---|---|
| 과장 | 황인자 400 | | 김미애 210 | |
| 팀 | 재산 | 법인 | 납세자보호 | 민원봉사 |
| 팀장 | 정필영 481 | 이철효 401 | 종만 211 | |
| 국세조사관 | 우창제 482 | | | 이영호 223 |
| 국세조사관 | 곽문희 483<br>이경선 484 | 이봉현 402<br>김선애 403<br>조윤민 404 | | 이은숙 223 |
| 국세조사관 | | | 최성미 211 | 박수진(부여, 시) 836-7349<br>조유진 222 |
| 국세조사관 | 김민형 485<br>류보람 486<br>김우주 487 | 홍은화 405<br>오정선 406<br>홍덕길 407 | | 송승윤 224<br>한규민 223 |
| 공무직 | | | | <신고창구><br>부여 836-7348<br>계룡 042-551-6014 |
| FAX | 735-7640 | 730-8630 | 733-3136<br>041-551-6013(계룡)<br>832-7932(부여) | |

# 보령세무서

대표전화: 041-9309-200 / DID: 041-9309-OOO

서장: **이 완 희**
DID: 041-9309-201

(지도) 홈플러스 / 대명중학교 / 한내로 ←한내로터리 / 충남보령경찰서 / 보령시청 / 보령베이스CC / 보령세무서

| 주소 | 충청남도 보령시 옥마로 56 (명천동) (우) 33482<br>장항민원실 : 충청남도 서천군 장항읍 장항로 193 (창선2리) (우) 33674 | | | |
|---|---|---|---|---|
| 코드번호 | 313 | 계좌번호 | 930154 | 사업자번호 |
| 관할구역 | 충청남도 보령시, 서천군 | | 이메일 | boryeong313@nts.go.kr |

| 과 | 징세과 | | | 세원관리과 | |
|---|---|---|---|---|---|
| 과장 | 조종연 240 | | | 강신혁 205 | |
| 팀 | 운영지원 | 체납추적 | 조사 | 부가 | 소득 |
| 팀장 | 정상천 241 | 김용보 551 | 조복환 651 | 허충회 281 | 금기준 290 |
| 국세<br>조사관 | | 조연 | 박한수 652<br>김남훈 653 | | 최승오 291 |
| 국세<br>조사관 | 백귀순 242<br>윤문원 243<br>이진영(사무) | 양종혁 552<br>이영주(징세) 261<br>민찬근 553 | | 최환석 282<br>윤기송 283<br>엄유환 284 | 김진식 292 |
| 국세<br>조사관 | 문안전(운전) 244 | | 장기원 654 | | |
| 국세<br>조사관 | 이성엽(방호) 245 | 김세욱 554<br>노관우 555 | 임소현 655 | 이혜민 285<br>김효진 286 | 오양금 293<br>강필원 294 |
| 공무직 | 김가영(비서) 202<br>박경화(청사미화) | | | | |
| FAX | 936-7289 | 936-2289 | | 930-9299 | |

| 과 | 세원관리과 | | 납세자보호담당관 | |
|---|---|---|---|---|
| 과장 | 강신혁 205 | | 김경철 210 | |
| 팀 | 재산법인 | | 납세자보호실 | 민원봉사실 |
| | 법인 | 재산 | | |
| 팀장 | 신광재 401 | | 송채성 221 | |
| 국세<br>조사관 | 이영재 482 | 서옥배 402<br>배문수 403 | 구명옥 211 | 이기순 222<br>임종화(장항) 956-2100<br>김용기 223 |
| | 김훈수 483<br>구은숙 484 | 최지영 404 | | |
| | 김보미 48 | 노혜원 405 | | 박은영(시간제) 224 |
| 공무직 | | | | |
| FAX | 930-5160 | 934-9570 | 931-0564<br>956-5292(장항) | |

# 서산세무서

대표전화: 041-6609-200 / DID: 041-6609-OOO

서장: **박 달 영**
DID: 041-6609-201

| 주소 | 충청남도 서산시 덕지천로 145-6 (우) 32003 | | | | |
|---|---|---|---|---|---|
| | 태안민원실 : 충청남도 태안군 태안읍 후곡로 121 (우) 32144 | | | | |
| 코드번호 | 316 | 계좌번호 | 000602 | 사업자번호 | |
| 관할구역 | 충청남도 서산시, 태안군 | | | 이메일 | seosan@nts.go.kr |

| 과 | 징세과 | | | 부가소득세과 | |
|---|---|---|---|---|---|
| 과장 | 국태선 240 | | | 차은규 280 | |
| 팀 | 운영지원 | 체납추적 | 조사 | 부가 | 소득 |
| 팀장 | 김응남 241 | 문강수 551 | 허원갑 651 | 박광수 281 | 이한승 361 |
| 국세<br>조사관 | | 김은혜 552 | | 유미숙 282 | |
| | 이연실 242<br>윤숙영(사무) 245 | 유미숙 553<br>김진화(징세) 559<br>안재문 554 | 최동찬 652<br>박홍기 653<br>주환욱(파견) | 김영균 283<br>김현태 284<br>김학진 285 | 이정길 362<br>김봉진 363<br>변상미 364 |
| | 이수빈 243 | 김택창 555<br>이나미 556 | 한송희 654 | 최준영 286<br>지충환 287 | |
| | 이인기(방호) 246<br>조욱(운전) 244 | 홍성수 557<br>안수안 558 | 이규림 655 | 백경령 288<br>김민성 289 | 송연서 365<br>고은정 366<br>육예연 36 |
| 공무직 | 김지현 (부속실)<br>이덕순 (환경)<br>유숙남 (조리실) | | | | |
| FAX | 660-9259 | 660-9569 | | 660-9299 | |

# 1등 조세회계 경제신문 조세일보

| 과 | 재산법인세과 | | 납세자보호담당관 | |
|---|---|---|---|---|
| 과장 | 진정욱 400 | | 한현섭 210 | |
| 팀 | 재산 | 법인 | 납세자보호실 | 민원봉사실 |
| 팀장 | 박순규 481 | 김기성 401 | 김재구 211 | 유재남 221 |
| 국세<br>조사관 | 양병문 482 | 서창완 402 | 이동구 212 | |
| | 김윤희 483<br>이준탁 484 | 이대연 403<br>이영주 404 | | 홍혜령 223 |
| | 김보영 485<br>김수현 486 | 홍성희(시간선택제) 405<br>황수민 406 | | 김영길 224 |
| | 오로라 487 | 최유정 407 | | 김아영 225<br>권순영 226 |
| 공무직 | | | | 태안민원실 041-672-1280 |
| FAX | 660-9499 | | 660-9219<br>675-1281(태안) | |

# 세종세무서

대표전화: 044-8508-200 / DID: 044-8508-OOO

서장: **고 승 현**
DID: 044-8508-201

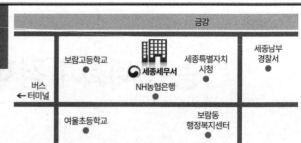

| 주소 | 세종특별자치시 시청대로 126 (보람동 724) (우) 30151<br>조치원민원실 : 세종특별자치시 조치원읍 충현로 193 (침산리 256-6) (우) 30021 | | | |
|---|---|---|---|---|
| 코드번호 | 320 | 계좌번호 | 025467 | 사업자번호 |
| 관할구역 | 세종특별자치시 | | 이메일 | |

| 과 | 징세과 | | 부가가치세과 | | 소득세과 |
|---|---|---|---|---|---|
| 과장 | 남은숙 240 | | 박창용 270 | | 박추옥 340 |
| 팀 | 운영지원 | 체납추적 | 부가1 | 부가2 | 소득 |
| 팀장 | 이덕형 241 | 서대성 551 | 이종영 271 | 정인숙 281 | 이성호 341 |
| 국세<br>조사관 | | | 도우형 272 | 손경아 282 | 이현도 342 |
| | 문영임 242 | 박지은 552<br>장현수 553<br>장진화 554<br>최희경(징세) 262 | 원지연 273 | 신시영 283 | 서혜진(오전) 311<br>김대운 343<br>전소희 344<br>오지윤(오후) 311 |
| | 최지은 243<br>윤여룡(방호) 246 | 최서진 555<br>김미라(징세) 263<br>서경하 556<br>임슬기 557<br>전지은 558 | 임슬기 274<br>정은아 275 | 정영은 284<br>김규리 285 | 박은미 345 |
| | 김성준(운전) 247<br>이성일 244 | 박소연 559 | 김동민 276<br>서진희 277 | 차규현 286<br>윤지영 287 | 민효정 346<br>한동규 347<br>배민혜 348<br>오영섭 349<br>기민정 350 |
| 공무직 | 송문주 (교환)<br>박지혜 (비서)<br>조은희 (미화)<br>정종순 (미화)<br>이상현 (공익)<br>홍성웅 (공익) | | | | |
| FAX | 850-8431 | 850-8443,<br>850-8432 | 850-8433 | | 850-8434 |

# 10년간 쌓아온 재무인의 역사를 돌려드립니다 '온라인 재무인명부'

수시 업데이트 되는 국세청, 정·관계 인사의 프로필과 국세청, 지방청, 전국세무서, 관세청,
유관기관 등의 인력배치 현황을 볼 수 있는 온라인 재무인명부

1등 조세회계 경제신문 조세일보

| 과 | 재산법인세과 | | | 조사과 | | 납세자보호담당관 | |
|---|---|---|---|---|---|---|---|
| 과장 | 오승호 460 | | | 정지석 640 | | 김우성 210 | |
| 팀 | 재산1 | 재산2 | 법인 | 정보관리 | 조사 | 납세자보호실 | 민원봉사실 |
| 팀장 | 지대현 461 | 김상훈 491 | 옹주현 531 | 고수영 641 | | 정은주 211 | 전중원 221 |
| 국세조사관 | 이정희 462<br>박은정 463 | | | 송영화 642 | < 1팀 ><br>이상수(6) 652<br>배종호(9) 653 | | |
| | 박희정 464<br>이진석 465 | 진수민 492<br>심재인 493 | 최희권 532<br>오영우 533<br>이수현 534 | 조정대 643<br>심민정 644 | | 한동희 212<br>김진아 213 | 주윤정(오후)<br>225<br>표미경(오전)<br>226<br>구정인(오전)<br>227<br>백준호 222 |
| | | 박엘리 494<br>장민환 495 | 김소현 535 | | < 2팀 ><br>김한민(6) 661<br>이안희(7) 662 | | 이혜연 223 |
| | 손영주 466<br>최두현 467 | | 강동훈 536<br>김소연 537<br>이재성 538<br>임선정 539 | | | | 손경식(오후)<br>225<br>이정원 224 |
| 공무직 | | | | | | | 조치원민원실(<br>화,목운영) 228,<br>229 |
| FAX | 850-8435 | 850-8441 | 850-8436 | 850-8437 | | 850-8439<br>(본서)<br>850-8440<br>(조치원) | |

# 아산세무서

대표전화: 041-5367-200 / DID: 041-5367-OOO

서장: **권 오 흥**
DID: 041-5367-201

| 주소 | 충청남도 아산시 배방읍 배방로 57-29 (공수리 282-15) 토마토빌딩 (우) 31486 | | | | |
|---|---|---|---|---|---|
| 코드번호 | 319 | 계좌번호 | 024688 | 사업자번호 | |
| 관할구역 | 충청남도 아산시 | | | 이메일 | asan@nts.go.kr |

| 과 | 징세과 | | 부가소득세과 | | |
|---|---|---|---|---|---|
| 과장 | 김종문 240 | | 최익수 280 | | |
| 팀 | 운영지원 | 체납추적 | 부가1 | 부가2 | 소득 |
| 팀장 | 변종철 241 | 신희정 551 | 석혜숙 281 | 두진국 291 | 박기민 301 |
| 국세<br>조사관 | 하현균 242 | | 이은숙(오후)<br>김대진 282 | 장미영 292 | 이동근 302 |
| | 지은정 243<br>김영남(운) 244 | 백민정 261<br>윤여중 552<br>김효정 553<br>강희수 554<br>장현하 555<br>신순영 556 | 양선숙 283<br>김의규 284 | 한상훈 293<br>한서희(오전) | 박금숙 303<br>송승호 304 |
| | 한명철(방) 245 | 오인화 557<br>이상민 558<br>박혜숙 262<br>최슬기 559<br>박원진 | 양소라 285<br>어경윤 286 | 유성운 294<br>김기동 295 | 윤이슬 305<br>허정필 306<br>홍충 307 |
| | 박재욱 246 | 김지수 560<br>이강희 561 | 김승호 287<br>석용희 288 | 이은서 296<br>이효진 297<br>김기환 298 | 김주언 308<br>서재우 309<br>심국보 310 |
| 공무직 | 김수진 202 | | | | |
| FAX | 536-7770 | 533-1352 | 533-1325 | | |

| 과 | 재산법인세과 | | 조사과 | | 납세자보호담당관 | |
|---|---|---|---|---|---|---|
| **과장** | 박영민 400 | | 이관수 640 | | 박성일 210 | |
| **팀** | 재산 | 법인 | 정보관리 | 조사1 | 납세자보호실 | 민원봉사실 |
| **팀장** | 황진구 481 | 이모성 401 | 노학종 641 | | 김은하 211 | 유범상 221 |
| **국세조사관** | 서동민 482 | 조영혁(동원) | 박미진 642 | <1팀><br>유달근(6) 651<br>김정화(7) 652<br>이익중(9) 653 | 김명진 212 | |
| | 정영석 483<br>김현중 484<br>정재경 485 | 양전옥 402<br>윤연심 403<br>장석현 404<br>채민기 405<br>김보성 406 | 이경노 643 | <2팀><br>김두섭(7) 662<br>김효근(8) 663 | | 김수미 222<br>심혜정(오전) 223 |
| | 양상원 486<br>정인형 487<br>박재곤 488 | 이한나 407<br>안세영 408<br>오경미 409 | 이상재 644 | | 홍경표 213 | 박찬오 224 |
| | 서정원 489 | 이예진 410<br>한수관 411 | | <3팀><br>김주현(7) 671<br>석진안(7, 동원)<br>안서진(9) 672 | | 전소민 225 |
| **공무직** | | | | | | |
| **FAX** | 533-1327 | 533-1328 | 533-1354 | 533-1353 | 533-1385 | 533-1384 |

# 예산세무서

대표전화: 041-3305-200 / DID: 041-330-5OOO

서장: **김 태 수**
DID: 041-3305-201

당진↑
좌방1구 마을회관
명품타이어 나라
예산세무서
운봉길로
S-OIL아리랑 주유소
오가우성 아파트

| 주소 | 충청남도 예산군 오가면 윤봉길로 1883 (좌방 19-69) (우) 32425<br>당진지서 : 충청남도 당진시 원당로 88 (원당동 790-4) (우) 31767 | | | | | |
|---|---|---|---|---|---|
| 코드번호 | 311 | | 계좌번호 | 930167 | 사업자번호 | |
| 관할구역 | 충청남도 예산군, 당진시 | | | | 이메일 | yesan@nts.go.kr |

| 과 | 징세과 | | | 세원관리과 | | 납세자보호담당관 | |
|---|---|---|---|---|---|---|---|
| 과장 | 이문원 240 | | | 박인환 280 | | 박종영 210 | |
| 팀 | 운영지원 | 체납추적 | 조사 | 부가소득 | 재산법인 | 납세자보호실 | 민원봉사실 |
| 팀장 | 도해구 241 | | 기회훈 651 | 김병일 281 | 박세국 481 | 김정수 211 | 오승진 221 |
| 국세<br>조사관 | | | 이제현 652 | 윤현숙(소득)<br>285 | 신상수(재산)<br>482 | 최기순 212 | |
| | 강은실 242<br>강태곤(방호)<br>245 | 신경희 552<br>송미나 553<br>김은규 554<br>오희정 555 | 김윤환 653<br>강현주 654<br>한기룡 655 | 유주상(부가)<br>282 | 선봉래(재산)<br>483<br>서규호(법인)<br>402<br>허재혁(법인)<br>403 | | 안태유 222<br>염미숙 223 |
| | 최인혜 243 | | | | | | |
| | 양동현(운전)<br>246<br>이근원 244 | | 김경숙 656 | 박채영(소득)<br>286<br>이진하(부가)<br>283<br>정용화(소득)<br>287<br>이다희(부가)<br>284 | 박성재(재산)<br>484<br>임재돈(법인)<br>404 | | |
| 공무직 | 김미나 202<br>이재실 | | | | | | 군청민원실(오<br>후근무)<br>339-7869 |
| FAX | 330-5305 | 330-5302 | | 334-0614 | 334-0615 | 334-0612 | |

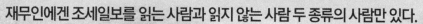

| 과 | 당진지서(041-3509-200) | | | | | |
|---|---|---|---|---|---|---|
| 과장 | 김완구 201 | | | | | |
| 팀 | 체납추적 | 부가 | 소득 | 재산 | 법인 | 납세자보호실 |
| 팀장 | 이우용 451 | | 김찬규 361 | 장석안 481 | 이성영 401 | 이무황 221 |
| 국세조사관 | 송인광 452 | 염태섭 282<br>조미영 283 | 이순영 362 | 한경수 482 | | |
| 국세조사관 | | 박상곤 284<br>박두용 285 | 손화승 363<br>김영희 364<br>박준규 365 | 최우영 483<br>선명우 484<br>임돈희 485 | 백승민 402<br>손진이 403<br>양대식 404 | 남경 222<br>임재철(시간제)<br>223 |
| 국세조사관 | 신진아 453<br>김수현 454<br>이준서 455<br>이다빈 456 | 장유민 286 | | | 강민정 405 | 이경아 224 |
| 국세조사관 | 유현희 457<br>김현지 458 | | 김진서 366 | 김유빈 486 | 강혜리 406 | |
| 공무직 | | | | 김원호(사회복무요원) | | |
| FAX | 350-9424 | 350-9410 | | 350-9369 | | 350-9229 |

# 천안세무서

대표전화: 041-5598-200 / DID: 041-5598-OOO

서장: **김 종 성**
DID: 041-5598-201~2

| 주소 | 충청남도 천안시 동남구 청수14로 80 (우) 31198 | | | | |
|---|---|---|---|---|---|
| 코드번호 | 312 | 계좌번호 | 935188 | 사업자번호 | 312-83-00018 |
| 관할구역 | 충청남도 천안시 | | | 이메일 | cheonan@nts.go.kr |

| 과 | 징세과 | | | 부가가치세과 | | 소득세과 | |
|---|---|---|---|---|---|---|---|
| 과장 | 김진형 240 | | | 한구환 280 | | 김용주 360 | |
| 팀 | 운영지원 | 체납추적1 | 체납추적2 | 부가1 | 부가2 | 소득1 | 소득2 |
| 팀장 | 윤영재 241 | 박승원 551 | 김종진 571 | 김경호 281 | 김경철 301 | 하정영 361 | 장정우 381 |
| 국세조사관 | | 이석기 552 | 문성호 572<br>이건호 581<br>박정숙 262 | 고용국 | 강지연 302 | | |
| | 고철호 242<br>권혜원 243<br>공기성 245<br>이재성 244 | 강미영 553<br>홍창화 554<br>손민영 555<br>김수연 556 | 이안희 573<br>이공후 574<br>김미희 263<br>육경아 575 | 정소라 283<br>남기범 284<br>임송빈 285<br>엄진숙 286 | 고종철 303<br>송재하 304<br>이유정 305<br>장혜린 306 | 여중구 362<br>박상민 363<br>도미선 364 | 이순길 382<br>박미경(시) 374<br>김황경 383<br>길민석 384 |
| | 조지훈(운전)<br>614 | 방아현 557<br>김병철 558 | 김선돌 582<br>김유나 264 | 안수진 287<br>조우진 288 | 김선주 307<br>정태윤 308<br>이은혜 309 | 전창우 365<br>김희원 366 | 진승환 385 |
| | 김기대(방호)<br>248<br>계예슬 246<br>이상각 248 | 한송이 559<br>유채원 560 | 이헌진 265<br>정지영 576<br>차나리 577<br>최은선 578<br>이기원 579 | 한민아 289<br>박희정 290<br>손새봄 291<br>권영서 292<br>이선관 293<br>최수인 294 | 김영래 310<br>금현지 311<br>이예솔 312<br>최종욱 313 | 조지훈 367<br>박현정 368<br>김도연 369<br>권혁주 370 | 김지우 386<br>이유진 387<br>조은비 388<br>오세정 389<br>유인수 390 |
| 공무직 | 천혜란 202<br>김은주 247<br>강동완 608<br>정현옥(환경)<br>홍계숙(환경) | | | | | | |
| FAX | 559-8250 | | 559-8699 | 551-2062 | | 555-9556 | |

지도 표시: 대전지방검찰청 천안지청 / 대전지방법원 천안지원 / 청룡동 행정복지센터 / 천안청수지구 수자인아파트 / 하나로마트 / 천안세무서 / 청당2 체육공원 / 농협 / 동천안 우체국 / 남부대로

| 과 | 재산세과 | | 법인세과 | | 조사과 | | 납세자보호담당관 | |
|---|---|---|---|---|---|---|---|---|
| 과장 | 하상진 480 | | 이상현 400 | | 김창미 640 | | 김민수 210 | |
| 팀 | 재산1 | 재산2 | 법인1 | 법인2 | 정보관리 | 조사 | 납세자보호실 | 민원봉사실 |
| 팀장 | 최영준 481 | 송인한 521 | 김성진 401 | 김진문 421 | 최승식 641 | | 김형기 211 | 이성호 221 |
| 국세조사관 | 원순영 482<br>김구봉 483<br>김운주 484 | 박종찬 522<br>이정운 523 | 전상배 402 | 김상린 422 | 오민경 642 | <1팀><br>문상균(6) 651<br>이재명(7) 652<br>문병권(7) 653 | | 엄태선 222<br>우창영 223 |
| | 황연주 485<br>오서진 486<br>송재윤 487<br>배성진 488 | 양명호 524<br>박동일 525<br>박범석 526 | 황규동 403<br>정호석 404<br>안용수 405 | 이양로 423<br>김영삼 424<br>최서영 425 | 이만준 643<br>윤희민 692<br>유하선 644 | <2팀><br>이종호(6) 655<br>강기철(8) 656 | 박성경 212<br>김현아 213<br>박혜경 214 | 김진환 225<br>민옥자<br>박민호 226<br>최혜경 227 |
| | | | 이민규 406 | 채희준 426<br>마숙연 427 | | <3팀><br>조석정(6) 657<br>안진영(7) 658<br>이의신(8) 659 | | 이송미(시) 233<br>왕수현 228<br>박미현 229<br>박민아 233<br>김용진 230<br>방준석 231 |
| | 이후인 489<br>신미연 490<br>권혜연 491 | | 지혜연 407<br>김보경 408<br>김수빈 409<br>백현심 410 | 김태규 428<br>최노용 429 | | <4팀><br>박인수(6) 660<br>김문수(6) 661<br>김예림(9) 662 | | 김장현 232<br>문혜영 224 |
| 공무직 | | | | | | | | |
| FAX | 563-8723 | | 553-7523 | | 561-2677<br>551-4175 | | 551-4176 | 553-4356<br>562-4677 |

345

# 홍성세무서

대표전화: 041-6304-200 / DID: 041-6304-OOO

서장: **김 재 산**
DID: 041-6304-201

| 주소 | 충청남도 홍성군 홍성읍 홍덕서로 32 (우) 32216<br>청양민원실 : 충청남도 청양군 청양읍 중앙로 158 (우) 33327 | | | | |
|---|---|---|---|---|---|
| 코드번호 | 310 | 계좌번호 | 930170 | 사업자번호 | |
| 관할구역 | 충청남도 홍성군, 청양군 | | | 이메일 | hongseong@nts.go.kr |

| 과 | 징세과 | | | 세원관리과 | |
|---|---|---|---|---|---|
| 과장 | 유재원 240 | | | 한민희 280 | |
| 팀 | 운영지원 | 체납추적 | 조사 | 부가소득 | |
| | | | | 부가 | 소득 |
| 팀장 | 박태정 241 | 임인택 551 | 박종호 651 | 이동환 281 | |
| 국세<br>조사관 | 김정일(방) 244 | 윤철원 552<br>김영목 553 | | 박규서 282<br>황성희 283 | 박현정 292 |
| | 김지연(사) 243 | 김유정 554 | 이홍순 652 | 김영아 284<br>최인애 285 | 최민 293<br>엄소정 294 |
| | 이형섭 242<br>이진희(운) 245 | | | | |
| | | 이지은 555<br>이유나 556 | 우재은 653 | 임진이 286 | 황은서 295 |
| 공무직 | 이경아(비) 202<br>전병미(환) | | | | |
| FAX | 630-4249 | 630-4559 | 630-4659 | 630-4335<br>0503-113-9173 | |

| 과 | 세원관리과 | | 납세자보호담당관 | |
|---|---|---|---|---|
| 과장 | 한민희 280 | | 정헌호 210 | |
| 팀 | 재산법인 | | 납세자보호실 | 민원봉사실 |
| | 재산 | 법인 | | |
| 팀장 | 장찬순 481 | | 정승재 211 | |
| 국세<br>조사관 | | 홍성도 402 | | |
| | 양세희 482<br>장준용 483<br>노영실 484 | 유태응 403 | | 우은주(사) 221<br>최지선(청양) 944-1050 |
| | 고석희 485 | 김준하 404<br>정주관 405 | | 임지혜 222<br>서동화 223 |
| 공무직 | | | | 신고창구 944-1051 |
| FAX | 630-4489<br>0503-113-9173 | | 630-4229<br>0503-113-9172<br>944-1060(청양) | |

# 동청주세무서

대표전화: 043-2294-200 / DID: 043-2294-OOO

서장: **김 동 근**
DID: 043-2294-201

청주우체국
동청주세무서
1순환로
청주대학교 예술대학    대원칸타빌 4차아파트

| 주소 | 충청북도 청주시 청원구 1순환로 44 (율량동 2242) (우) 28322<br>괴산민원실 : 충청북도 괴산군 괴산읍 임꺽정로 90 (서부리 125) 괴산군청 1층 민원과 (우) 28026<br>증평민원실 : 충청북도 증평군 증평읍 광장로 88 (창동리 100번지) 증평군청 종합민원실 (우) 27927 | | | | |
|---|---|---|---|---|---|
| 코드번호 | 317 | 계좌번호 | 002859 | 사업자번호 | 301-83-07063 |
| 관할구역 | 청주시 상당구, 청원구, 증평군, 괴산군 | | | 이메일 | dongcheongju@nts.go.kr |

| 과 | 징세과 | | | 부가가치세과 | | 소득세과 |
|---|---|---|---|---|---|---|
| 과장 | 김진술 240 | | | 최은미 280 | | 박미란 360 |
| 팀 | 운영지원 | 체납추적1 | 체납추적2 | 부가1 | 부가2 | 소득 |
| 팀장 | 이상준 241 | 변문건 551 | 백성옥 571 | 임현수 281 | 유영복 301 | 박예규 361 |
| 국세<br>조사관 | | 안남진 552 | 김은경(징세) 261 | 최성한 282 | 김약수 | 임인택 362 |
| 국세<br>조사관 | 이재현 242<br>홍은정 243<br>김두연 244 | 이승석 553 | 손현정(징세) 262<br>한성준 572 | 유장현 283<br>심준석 284<br>이경숙(오전) 271<br>연상훈 285<br>권영선 286 | 김유림 302<br>박제영 303<br>성은숙(오후) 271<br>남기태 304<br>여윤수 305<br>김수진 306 | 임성옥 363<br>권윤희(오전) 272<br>서은영 364<br>장성미 365<br>황다영 366 |
| 국세<br>조사관 | 남명수(방호) 245 | 한지우 554<br>이하경 555<br>이오령 556 | 박시형 573<br>김민선 574 | 정은미 287 | | |
| 국세<br>조사관 | 이경호(운전) 246 | 박수현 557 | 이민지 575 | 전수연 288<br>전요셉 289 | 손은채 307<br>최슬기 308<br>고민철 309 | 이혜진 367<br>강지훈 368<br>윤덕현 369<br>허은정 370<br>김가은 371 |
| 공무직 | | | | | | |
| FAX | 229-4601 | | | 229-4605 | | 229-4602 |

# 1등 조세회계 경제신문 조세일보

| 과 | 재산법인세과 | | | 조사과 | | 납세자보호담당관 | |
|---|---|---|---|---|---|---|---|
| **과장** | 신동우 400 | | | 김민규 640 | | 이수영 210 | |
| **팀** | 재산1 | 재산2 | 법인 | 정보관리 | 조사 | 납세자보호실 | 민원봉사실 |
| **팀장** | 황재중 481 | 신진우 501 | 전서동 401 | 류영상 641 | | 박용진 211 | 남현우 221 |
| **국세<br>조사관** | | 송경진 502 | 오관택 402 | 나용호 643 | <조사1팀><br>이수진(6) 654<br>신원철(8) 657 | 이은혜 213 | |
| | 김기미 482<br>박수아 483 | 이동욱 503<br>정영선 504 | 차희윤 403<br>김유경 404 | | <조사2팀><br>전영(6) 652<br>장동환(8) 655<br>송수빈(8) 658 | | 박연옥 223<br>김선주 224<br>김재완 225 |
| | 연소정 484 | | 홍석우 405<br>유승아 406 | 나은주 644 | | 신혜인 214 | 조미겸 226<br>신형원 227 |
| | 임다림 485<br>김지영 486<br>천상미 487 | | 김태은 407<br>오지은 408<br>한수진 409<br>김상엽 410 | | <조사3팀><br>조남웅(6) 653<br>최충일(7) 656<br>손규리(8) 659 | | 송민우(오후)<br>228<br>이준혁 229 |
| **공무직** | | | | | | | |
| **FAX** | 229-4609 | 229-4606 | 229-4607 | | 229-4603 | 229-4604<br>229-4133 |

# 영동세무서

대표전화: 043-7406-200 / DID: 043-7406-OOO

서장: **김 치 태**
DID: 043-7406-201

| 주소 | 충청북도 영동군 영동읍 계산로2길 10 (계산리 681-4) (우) 29145<br>옥천민원실 : 충청북도 옥천군 옥천읍 동부로 15 옥천읍행정복지센터 3층 (우) 29040<br>보은민원실 : 충청북도 보은군 보은읍 삼산로 50 보은읍행정복지센터 2층 (우) 28947 | | | | |
|---|---|---|---|---|---|
| 코드번호 | 302 | 계좌번호 | 090311 | 사업자번호 | 306-83-02175 |
| 관할구역 | 충북 영동군, 옥천군, 보은군 | | | 이메일 | yeongdong@nts.go.kr |

| 과 | 징세과 | | |
|---|---|---|---|
| **과장** | 오길춘 240 | | |
| **팀** | 운영지원 | 체납추적 | 조사 |
| **팀장** | 임달순 241 | 전현정 551 | |
| **국세<br>조사관** | | | 김동일 652<br>유은주 653 |
| | 최상형 242<br>최연옥(사무) 243<br>이지호(운전) 244 | 윤순영 552<br>금종희 553 | 강현애 654 |
| | | | |
| | 정성관(방호) 245 | 이보라 554<br>박상희 555<br>정희옥 556 | |
| **공무직** | 신수인(비서) 202<br>이금희(환경미화) | | |
| **FAX** | 740-6250 | 740-6260 | |

| 과 | 세원관리과 | | | | 납세자보호담당관 | |
|---|---|---|---|---|---|---|
| **과장** | 이기활 280 | | | | 안승호 210 | |
| **팀** | 부가소득 | | 재산법인 | | 납세자보호실 | 민원봉사실 |
| | 부가 | 소득 | 재산 | 법인 | | |
| **팀장** | 신미영 281 | | 김용호 481 | | | 조대서(옥천)<br>733-2157 |
| **국세조사관** | 노영하 282 | | 정창훈 482 | 차정환 402 | 조영자 212 | 보은 542-2400 |
| | 양지현 283 | 송현희 288 | 김창순 483 | 조혜민 403 | | 이재숙 221<br>권원호(옥천)<br>733-2157 |
| | | 조영주 289 | | | | |
| | 김성환 284<br>전서연 285<br>정나겸 286 | 안지민 290<br>박상경 292 | 박채린 484 | 이근수 404<br>안용환 405 | | 김유식 222 |
| **공무직** | | | | | | |
| **FAX** | 740-6600 | | 743-5283 | | (영동)743-1932<br>(옥천)731-5805<br>(보은)543-2640 | |

# 제천세무서

대표전화: 043-6492-200 / DID: 043-6492-OOO

서장: **허 남 승**
DID: 043-6432-107

| 주소 | 충청북도 제천시 복합타운1길 78 (우) 27157 | | | | |
|---|---|---|---|---|---|
| 코드번호 | 304 | 계좌번호 | 090324 | 사업자번호 | |
| 관할구역 | 충청북도 제천시, 단양군 | | | 이메일 | jecheon@nts.go.kr |

| 과 | 징세과 | | | 세원관리과 | |
|---|---|---|---|---|---|
| 과장 | 김진배 240 | | | 이기활 280 | |
| 팀 | 운영지원 | 체납추적 | 조사 | 부가 | 소득 |
| 팀장 | 송호근 241 | 신열석 551 | 이세호 651 | 이미정 281 | 반병권 361 |
| 국세<br>조사관 | | 황은희 557<br>오재홍 552 | 김정섭 652 | 김기태 282 | 송연호 362 |
| | 최경아 242<br>김용진 243<br>박익상(운전) 244 | 명혜란 553 | 강희웅 653 | 이철주 283<br>이솔 284 | 박현희 363<br>최성찬 364<br>김다빈 365 |
| | | 이은지 554<br>김진웅 555<br>장문수 556 | 고재우 654 | 김종필 285<br>방재필 286<br>박영임 287 | |
| | 국주헌(방호) 245 | | 김보람 655 | 윤하서 288 | |
| 공무직 | 김경숙 246<br>정유정 202 | | | | |
| FAX | 648-3586 | | 653-2366 | 645-4171 | |

| 과 | 세원관리과 | | 납세자보호담당관 | |
|---|---|---|---|---|
| 과장 | 유선우 280 | | 고은정 210 | |
| 팀 | 재산법인 | | 납세자보호실 | 민원봉사실 |
| | 재산 | 법인 | | |
| 팀장 | 김무영 401 | | 이평희 211 | 윤태경 221 |
| 국세 조사관 | 김종현 482 | 김문철 402 | | |
| | 인길성 483 | | | 이경순 222 조정헌(오전) 223 |
| | | 김희창 403 나정현 404 | | 김정현(오후) 224 |
| | 한성경 484 김윤겸 485 | 전현주 405 | | 한미연 225 |
| 공무직 | | | | |
| FAX | 652-2495 | | 652-2630 | |

# 청주세무서

대표전화: 043-2309-200 / DID: 043-2309-OOO

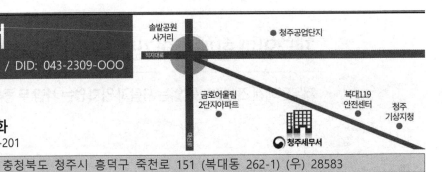

서장: **오 원 화**
DID: 043-2309-201

| 주소 | 충청북도 청주시 흥덕구 죽천로 151 (복대동 262-1) (우) 28583 | | | | | | |
|---|---|---|---|---|---|---|---|
| 코드번호 | 301 | | 계좌번호 | 090337 | | 사업자번호 | 301-83-00395 |
| 관할구역 | 충청북도 청주시 흥덕구, 서원구 | | | | | 이메일 | cheongju@nts.go.kr |

| 과 | 징세과 | | | 부가가치세과 | | 소득세과 | |
|---|---|---|---|---|---|---|---|
| 과장 | 안주훈 240 | | | 고상기 280 | | 이호 360 | |
| 팀 | 운영지원 | 체납추적1 | 체납추적2 | 부가1 | 부가2 | 소득1 | 소득2 |
| 팀장 | 백오숙 241 | 이형훈 551 | 최해욱 571 | 류성돈 281 | 유병민 301 | 서혜숙 361 | 박병문 381 |
| 국세조사관 | | 신언순 552 | | 최민우 282 | 송석중 302 | | |
| | 이동준 242<br>최경하 243 | 오상은 553<br>전광희 554<br>박수진 555<br>김현숙 556 | 백영신 572<br>윤여용 573<br>천소진 577<br>박선영 574<br>이신영 575<br>이지윤 262<br>김혜미 576 | 김지원 283<br>박미진 284<br>김민정 285<br>이현우 286<br>문형민 287 | 박미정 303<br>김수정 304<br>서민원 305 | 권오성 362 | 이재욱 383<br>최경인 384 |
| | 이혜정 244 | 오소진 557 | | 박은실 288<br>송인경 289 | 신은지 306 | 김근하 363 | |
| | 김두환 245<br>김승훈 246<br>조훈연 247 | 손정연 558 | 임찬휘 263 | 정유진 290<br>강다향 291 | 임해리 307<br>박민근 308<br>정은유 309 | 정상수 364<br>민수호 365<br>이유선 366<br>김선휘 367 | 김나리아 385<br>이지영 386<br>장영준 387 |
| 공무직 | | | | | | | |
| FAX | 235-5417 | 235-5410 | | 235-5415 | | 235-5414 | |

| 과 | 재산법인세과 | | | 조사과 | | 납세자보호담당관 | |
|---|---|---|---|---|---|---|---|
| 과장 | 장상우 400 | | | 윤영현 640 | | 김철현 210 | |
| 팀 | 재산1 | 재산2 | 법인 | 정보관리 | 조사 | 납세자보호실 | 민원봉사실 |
| 팀장 | 오세덕 481 | 이양호 501 | 엄기봉 401 | 연태석 641 | | 성백경 211 | 김남중 221 |
| 국세조사관 | 신승우 482 | 송성호 502<br>이병용(동원) | 노혜정 402 | 김철웅 692 | 1팀<br>정승복(6) 651<br>김민영(8) 655<br>강소영(9) 659 | 정성무 212 | 김승환 222<br>고영경 223 |
| 국세조사관 | 김영간 483 | | 백혜진 403<br>오진용 404<br>이원경 405<br>정성화 406 | 이원종(파견)<br>강소령 642 | 2팀<br>임경수(9) 654 | | 채상희 224<br>이화진 225<br>이혜경 226 |
| 국세조사관 | 윤보배 484 | 김국현 503 | | 노건호 643 | | | 이은경 226<br>정미현 227 |
| 국세조사관 | 전범준 485<br>조혜연 486<br>김민석 487 | 한주희 504<br>문채은 505 | 신은주 407<br>이수비 408<br>홍관의 409<br>조상준 410 | | 3팀<br>류다현(6) 653<br>박대경(6) 657<br>이성준(7) 658 | | 류한나 228 |
| 공무직 | | | | | | | |
| FAX | 235-5419 | | 234-6445 | 234-6446 | | 235-5412 | 235-5418 |

355

# 충주세무서

대표전화: 043-8416-200 / DID: 043-8416-OOO

GS충주 주유소 · 충주세무서 · 금제2구 마을회관 · 충주시청
← 남한강
무지개삼일 아파트 · 금능현대 아파트
변영대로

서장: **최 행 용**
DID: 043-8416-201

| 주소 | 충청북도 충주시 충원대로 724 (금릉동) (우) 27338<br>충북혁신지서 : 충청북도 음성군 맹동면 대하1길10 센텀CGV타워 3층 (우) 27738 | | | | |
|---|---|---|---|---|---|
| **코드번호** | 303 | **계좌번호** | 090340 | **사업자번호** | 303-83-00014 |
| **관할구역** | 충주세무서(충청북도 충주시),<br>충북혁신지서(충청북도 음성군, 진천군) | | **이메일** | chungju@nts.go.kr | |

| 과 | 징세과 | | 부가소득세과 | | 재산법인세과 | | 조사과 | |
|---|---|---|---|---|---|---|---|---|
| **과장** | 이상우 240 | | 문수빈 280 | | 이영규 400 | | 김영두 640 | |
| **팀** | 운영지원 | 체납추적 | 부가 | 소득 | 재산 | 법인 | 정보관리 | 조사 |
| **팀장** | 신혁 241 | 손영진 551 | 김봉호 281 | 노정환 361 | 김영일 481 | 신기철 401 | 김관수 641 | |
| **국세<br>조사관** | 홍순진 | 최병분 262 | 전현숙 282 | | | 한상배 402 | | \<1팀\><br>권석용(6) 651<br>김근환(7) 652<br>주은경(8) 653 |
| | 최용복 242 | 김은영 552<br>임수정(사무)<br>263<br>박지은 553<br>류희식 554<br>금기태 555 | 강윤정 283<br>김이영 284<br>김용현 285<br>박가향 286 | 김광섭 362<br>이문석 363 | 최광식 482<br>권진영 483 | 이상봉 403<br>이동섭 404 | 박승권 642<br>홍기오 644 | \<2팀\><br>이승재(6) 654<br>사현민(7,<br>파견)<br>허승열(8) 655 |
| | 안수용 243<br>허천일(운전)<br>245 | | 오광석 287 | | | | 정성모 643 | |
| | 최휘철 244<br>임유리(방호)<br>246 | 김지희 556<br>허성진 557<br>정지윤 558 | 김예름 288<br>강지우 289 | 김가원 364<br>문지원 365<br>이예은 366<br>임은경 367 | 심진영 484<br>심혜원 485 | 한웅희 405 | | \<3팀\><br>정진성(6) 656<br>신용규(8) 657 |
| **공무직** | 안진숙(교환)<br>235<br>이문형(부속<br>실)202<br>정혜원(환경)<br>강기순(환경) | 김한민(사회<br>복무요원)<br>황하선(지서) | | | | | | |
| **FAX** | 845-3320 | | 845-3322 | | 851-5594 | | 845-3323 | |

| 과 | 납세자보호담당관 | 충북혁신지서(043-8719-200) | | | | | | |
|---|---|---|---|---|---|---|---|---|
| 과장 | 안기호 210 | 이화명 201 | | | | | | |
| 팀 | 납세자보호 | 민원봉사실 | 체납추적 | 부가 | 소득 | 재산 | 법인 | 납세자보호 |
| 팀장 | 권오찬 211 | 이영직 221 | | 안승연 281 | 임헌진 361 | 오철규 481 | 김태환 401 | 신현준 221 |
| 국세조사관 | | | | 박준형 282 | | 이종희 482 | | |
| 국세조사관 | 김유라 212 | 정명숙(사무) 222 | 안미분 552<br>김연이 553<br>김동현 554 | 이남정 283<br>이종태 284<br>옥지웅 285<br>염나래 286<br>김태화 287 | 김은기 362<br>최윤정 363 | 탁현희 483 | 정연경 402<br>권예리 403<br>김지현 404 | 박소영(오후) 222 |
| 국세조사관 | 이강원 213 | 유송희(임기) 223 | 이병욱 555<br>정미화 556 | 신우열 288 | | 손권호 484<br>이주형 485 | 주현민 405 | 박승욱(오전) 223<br>김태균 224 |
| 국세조사관 | | 성진혁 224<br>조은서 225 | 황준석 557<br>이수빈 558<br>남경아 559 | 김민준 289<br>이종용 290<br>문성일 291 | 박수연 364<br>조용우 365<br>박준성 366 | | 문보경 406<br>송수인 407<br>이현주 408<br>이승찬 409<br>김준혁 410<br>정원준 411 | 양희윤 225 |
| 공무직 | | | | | | | | |
| FAX | 851-5595 | 847-9093 | 871-9631 | 871-9632 | | 871-9633 | | 871-9634 |

# 광주지방국세청
## 관할세무서

| | | |
|---|---|---|
| ■ 광주지방국세청 | | 359 |
| | 지방국세청 국·과 | 360 |
| [광주] | 광 산 세무서 | 366 |
| | 광 주 세무서 | 368 |
| | 북광주 세무서 | 370 |
| | 서광주 세무서 | 372 |
| [전남] | 나 주 세무서 | 374 |
| | 목 포 세무서 | 376 |
| | 순 천 세무서[벌교지서, 광양지서] | 378 |
| | 여 수 세무서 | 380 |
| | 해 남 세무서[강진지서] | 382 |
| [전북] | 군 산 세무서 | 384 |
| | 남 원 세무서 | 386 |
| | 북전주 세무서[진안지서] | 388 |
| | 익 산 세무서[김제지서] | 390 |
| | 전 주 세무서 | 392 |
| | 정 읍 세무서 | 394 |

# 광주지방국세청

| 주소 | 광주광역시 북구 첨단과기로 208번길 43 (오룡동 1110-13) (우) 61011 |
|---|---|
| 대표전화 & 팩스 | 062-236-7200 / 062-716-7215 |
| 코드번호 | 400 |
| 계좌번호 | 060707 |
| 사업자등록번호 | 102-83-01647 |
| e-mail | gwangjurto@nts.go.kr |

## 청장      박광종

(D) 062-236-7200

| 징세송무국장 | 백계민 | (D) 062-236-7500 |
|---|---|---|
| 성실납세지원국장 | 강병수 | (D) 062-236-7400 |
| 조사1국장 | 오상휴 | (D) 062-236-7700 |
| 조사2국장 | 노현탁 | (D) 062-236-7900 |

# 광주지방국세청

대표전화: 062-236-7200 / DID: 062-236-OOOO

청장: **박 광 종**
DID: 062-236-7201

| 주소 | 광주광역시 북구 첨단과기로 208번길 43 (오룡동) (우) 61011<br>별관 : 광주광역시 서구 월드컵4강로 101길 (화정4동 896-3) (우) 61997 | | | | | | |
|---|---|---|---|---|---|---|---|
| 코드번호 | 400 | 계좌번호 | 060707 | | 사업자번호 | 410-83-02945 | |
| 관할구역 | 광주광역시, 전라남도, 전라북도 전체 | | | | 이메일 | gwangjurto@nts.go.kr | |

| 과 | 운영지원과 | | | | 감사관 | | 납세자보호담당관 | |
|---|---|---|---|---|---|---|---|---|
| 과장 | 홍영표 7240 | | | | 정완기 7300 | | 이상준 7330 | |
| 팀 | 행정 | 인사 | 경리 | 현장소통 | 감사 | 감찰 | 납세자보호 | 심사 |
| 팀장 | 임성민 7252 | 송방의 7242 | 김경주 7262 | 조종필 7272 | 오경태 7302 | 손충식 7312 | 박정일 7332 | 박소현 7342 |
| 국세<br>조사관 | 김요환 7253 | 황인철 7243 | 박종근 7263 | 송윤민 7273 | 박연 7303 | 박은재 7313 | 강성기 7333 | 이건주 7343 |
| | 홍정기 7254<br>김세곤 7615 | 이재남 7244<br>박성정 7245<br>노성은 7246 | 박환 7264<br>서민하 7265 | 김현진 7274<br>윤희겸 7275 | 정철기 7304<br>김민경 7305<br>김승수 7306<br>한국일 7307 | 안호정 7314<br>김우신 7315<br>최창무 7316<br>박란영 7317<br>이재완 7318 | 유희경 7334 | 김재은 7344<br>한일용 7345 |
| | 김태준 7255<br>김재경 7256<br>서영조 7616<br>김환 7617 | 정다희 7247<br>곽재원 7248 | 정진아 7266<br>이동엽 7267 | 유재룡 7276 | 하경아 7308 | | 한나라 7335 | 백지원 7346 |
| | 오종권 7257<br>정에녹 7618 | | | | | | | |
| 공무직 | 이혁재 7259<br>김윤희 7202<br>배슬지 7258<br>한미숙 | 박혜현 7249 | | | | | | |
| FAX | 716-7215 | 371-4911 | | | 376-3102 | | 376-3108 | |

| 국실 | 성실납세지원국 | | | | | | | | | |
|---|---|---|---|---|---|---|---|---|---|---|
| 국장 | 강병수 7400 | | | | | | | | | |
| 과 | 부가가치세과 | | | 소득재산세과 | | | | 법인세과 | | |
| 과장 | 박진찬 7401 | | | 유태정 7431 | | | | 민준기 7461 | | |
| 팀 | 부가1 | 부가2 | 소비 | 소득 | 재산 | 복지세정1 | 복지세정2 | 법인1 | 법인2 | 법인3 |
| 팀장 | 염지영 7402 | 윤병준 7412 | 문식 7422 | 박미선 7432 | 문주연 7442 | 정희경 7452 | 박선영 7456 | 임철진 7462 | 최영임 7472 | 윤연자 7482 |
| 국세조사관 | 신용호 7403 | | 강현아 7423 | 강병관 7433 | | | | 정병주 7463 | | 강지선 7483 |
| 국세조사관 | 기민아 7404 | 심현석 7413 장수연 7414 오세철 7415 | 최환석 7424 김승범 7425 | 배민예 7434 | 강종만 7443 김민정 7444 | 배은선 7453 | 김미진 7457 | 민지홍 7464 백철주 7465 | 정미진 7473 정혜화 7474 이승훈 7475 | 강희정 7484 손종현 7485 |
| 국세조사관 | 주송현 7405 양현황 7406 | 유항수 7416 | 강윤지 7426 | 김은영 7435 김재원 7436 | 김지민 7445 | 김재욱 7454 김영지 7455 | | 김화영 7466 | 박설희 7476 김득수 7477 | 임수미 7486 |
| 공무직 | 김진 7400 | | | | | | | | | |
| FAX | 236-7651 | | | 236-7652 | | | | 716-7224 | | |

**DID : 062-236-OOOO**

| 국실 | 성실납세지원국 | | | | | | 징세송무국 | |
|---|---|---|---|---|---|---|---|---|
| 국장 | 강병수 7400 | | | | | | 백계민 7500 | |
| 과 | 정보화관리팀 | | | | | | 징세과 | |
| 과장 | 정장호 7131 | | | | | | 채규일 7501 | |
| 팀 | 지원 | 보안감사 | 포렌식지원 | 인프라지원 | 정보화센터1 | 정보화센터2 | 징세 | 체납관리 |
| 팀장 | 정현호 7132 | 김옥희 7142 | 오수진 7152 | 김보현 7162 | 박원석 7172 | 안래본 7182 | 노은주 7502 | 김옥현 7512 |
| 국세조사관 | 이성 7133<br>윤여관 7134 | 백근허 7143 | 김운기 7153 | 김영오 7163 | 박귀자 7173<br>김경임 7179<br>이승희 7180 | 김경례 7186<br>황경숙 7187<br>김영미 7188<br>이향화 7189 | 이정복 7503 | |
| | 조선경 7135 | 정태호 7144 | 류진 7154 | | 신미숙 7174<br>이혜경 7175<br>김혜영 7176<br>염현주 7177<br>강진 7178<br>김양미 7181 | 정영숙 7183<br>김은자 7184<br>유희경 7185<br>윤희경 7190<br>김희숙 7191 | 최향미 7504 | 이장원 7513<br>정옥진 7514 |
| | | | 홍영준 7155 | 송재윤 7164 | | | 김은솔 7505 | 임정민 7515 |
| 공무직 | | | | | | | 주선미 7500 | |
| FAX | 716-7221 | | | | | | 716-7219 | |

# 10년간 쌓아온 재무인의 역사를 돌려드립니다 '온라인 재무인명부'

수시 업데이트 되는 국세청, 정·관계 인사의 프로필과 국세청, 지방청, 전국세무서, 관세청, 유관기관 등의 인력배치 현황을 볼 수 있는 온라인 재무인명부

1등 조세회계 경제신문 조세일보

| 국실 | 징세송무국 | | | | 조사1국 | | | | | |
|---|---|---|---|---|---|---|---|---|---|---|
| 국장 | 백계민 7500 | | | | 오상휴 7700 | | | | | |
| 과 | 송무과 | | 체납추적과 | | 조사관리과 | | | | | |
| 과장 | 노정운 7521 | | 김현성 7541 | | 손오석 7701 | | | | | |
| 팀 | 송무1 | 송무2 | 추적관리 | 추적 | 조사관리1 | 조사관리2 | 조사관리3 | 조사관리4 | 조사관리5 | 조사관리6 |
| 팀장 | 이동현 7522 | 최영주 7532 | 박성진 7542 | 민동준 7552 | 김용주 7702 | 정소영 7712 | 김엘리야 7722 | 박수인 7732 | 임주리 7742 | 최정욱 7812 |
| 국세조사관 | 박남주 7523 양승정 7526 | 고복님 7534 | 황득현 7543 | | | | | 문영권 7733 | | |
| 국세조사관 | 이호석 7524 고선미 7527 이성 7528 | 나인엽 7535 이상철 7537 최훈 7536 | 송재중 7546 강경희 7545 김성준 7544 | 정희섭 7553 한채윤 7554 김종화 7555 | 이영은 7703 강윤성 7704 박슬기 7705 이채현 7706 | 김은정 7713 손형주 7714 고석중 7715 | 김현주 7723 김예준 7724 조해정 7725 조정효 7726 | 오진명 7734 정미라 7735 | 박민주 7743 한창균 7744 배주애 7745 | 이진택 7813 |
| 국세조사관 | 김영석 7525 | | 박지은 7547 | 박지은 7556 최창욱 7557 김주현 7558 | 안이슬 7707 박태준 7708 | | | 김효수 7736 | 강성현 7746 | |
| 공무직 | | | | | 김여진 | | | | | |
| FAX | 716-7220 | | 716-7223 | | 376-3105 | | | | | |

국세관련 모든 상담은 국번없이 126
전국 어디서나 편리하게 상담받으세요.
평일 9시~18시 (탈세제보는 24시간)

**DID : 062-236-OOOO**

| 국실 | 조사1국 | | | | | |
|---|---|---|---|---|---|---|
| 국장 | 오상휴 7700 | | | | | |
| 과 | 조사1과 | | | 조사2과 | | |
| 과장 | 김창현 7751 | | | 김희봉 7781 | | |
| 팀 | 조사1 | 조사2 | 조사3 | 조사1 | 조사2 | 조사3 |
| 팀장 | 임선미 7752 | 김철호 7762 | 강성준 7772 | 김근우 7782 | 김기정 7792 | 최지훈 7802 |
| 국세<br>조사관 | 하봉남 7753 | | | | | |
| | 강중희 7754 | 서영우 7763<br>김상민 7764 | 김형주 7773<br>윤정익 7774 | 박석환 7783<br>이승완 7784 | 문윤진 7793<br>최원규 7794 | 정경종 7803<br>성명재 7804 |
| | 이선민 7755 | 김보람 7765 | 이승준 7775 | 송희진 7785 | 유판종 7795 | 김학민 7805 |
| 공무직 | | | | | | |
| FAX | 236-7653 | | | 236-7654 | | |

| 국실 | 조사2국 | | | | | | | | |
|---|---|---|---|---|---|---|---|---|---|
| 국장 | 노현탁 7900 | | | | | | | | |
| 과 | 조사관리과 | | | 조사1과 | | | 조사2과 | | |
| 과장 | 김대학 7901 | | | 박숙희 7931 | | | 장성재 7961 | | |
| 팀 | 조사관리1 | 조사관리2 | 조사관리3 | 조사1 | 조사2 | 조사3 | 조사1 | 조사2 | 조사3 |
| 팀장 | 박기호 7902 | 윤석헌 7912 | 김윤희 7922 | 김성희 7932 | 변재만 7942 | 김희석 7952 | 이수진 7962 | 김만성 7972 | 김완주 7982 |
| 국세 조사관 | | 송봉선 7913 | 이주현 7923 | | | | | 이진우 7973 | |
| | 신영남 7903 | 윤조아 7914 | 문홍배 7927 정수현 7925 문경애 7924 | 송원호 7933 | 정수자 7943 | 유춘선 7953 | 김용태 7963 기금헌 7964 | | 한정규 7983 |
| | 장지원 7904 | 안지섭 7915 김혜원 7918 이소연 7916 김한림 7917 | 최장균 7926 | 문은성 7934 | 문준규 7944 | 임정미 7954 | 최보영 7965 | 이하현 7974 | 박재환 7984 |
| 공무직 | 김아람 | | | | | | | | |
| FAX | 716-7228 | | | 716-7229 | | | 716-7230 | | |

# 광산세무서

대표전화: 062-9702-200 /DID: 062-9702-OOO

서장: **나 종 선**
DID: 062-9702-201

| 주소 | 광주광역시 광산구 하남대로 83 (하남동 1276) (우) 62232 | | | | |
|---|---|---|---|---|---|
| 코드번호 | 419 | 계좌번호 | 027313 | 사업자번호 | |
| 관할구역 | 광주광역시 광산구, 전라남도 영광군 | | | 이메일 | |

| 과 | 징세과 | | | 부가가치세과 | | 재산법인세과 | | | |
|---|---|---|---|---|---|---|---|---|---|
| 과장 | 김봉재 240 | | | 임광준 280 | | 김균열 400 | | | |
| 팀 | 운영지원 | 체납추적1 | 체납추적2 | 부가1 | 부가2 | 재산1 | 재산2 | 법인1 | 법인2 |
| 팀장 | 김윤주 241 | 박준규 511 | 오두환 531 | 김정임 281 | 김광현 301 | 김종숙 481 | 박용우 501 | 박병환 401 | 김진호 421 |
| 국세조사관 | | 박병일 512<br>양행훈 513 | 김정아 536<br>강지만 533<br>정재훈 534<br>박선미 537 | 마현주 282<br>김혜정 622 | 김규표 302<br>최연희 622<br>고수영 303 | 김기옥 625<br>박경란 483<br>고서연 625 | | 곽민호 402 | 정찬일 422 |
| | 양명희 242<br>정초희 243<br>최철승 247 | 서정숙 514<br>이지연 515<br>김현진 516<br>이승근 517 | | 송은주 283<br>손상필 284<br>한초롱 285<br>김지훈 286 | 김미영 304<br>조현국 310 | 최영임 482<br>박금옥 485<br>김공해 484 | 윤현웅 502<br>기대원 503<br>강경완 505 | 이지현 405<br>정미선 403<br>안현창 406 | 유훈주 425<br>전혜정 426 |
| | 최고든 245 | 황경미 518 | 박새얀 538 | 신초일 287<br>이호승 384 | 배성관 305 | | 지정국 504 | 노우성 404 | 최미혜 423 |
| | 김형연 244<br>권소연 246 | 김도훈 519 | 조우정 535<br>이지은 539 | 김시영 288<br>최소아 289<br>김경숙 290 | 장서영 306<br>박예진 307<br>정원중 308 | 정예슬 486 | | 조유리 407 | 장수희 424<br>최원영 427 |
| 공무직 | 정혜진 202<br>김현숙 617 | | | | | | | | |
| FAX | 970-2259 | 970-2269 | | 970-2299 | | 970-2419 | | | |

| 과 | 소득세과 | | 조사과 | | 납세자보호담당관 | |
|---|---|---|---|---|---|---|
| **과장** | 이시형 360 | | 조영빈 640 | | 김은오 210 | |
| **팀** | 소득1 | 소득2 | 조사관리 | 조사 | 납세자보호실 | 민원봉사실 |
| **팀장** | 우재만 361 | 한동석 381 | 김영호 641 | 정성수 651 | 홍수경 211 | 정종필 221 |
| **국세 조사관** | 강혜린 362 | | | 김현철 654<br>신승훈 657<br>유수호 652<br>이승현 658 | | 김성렬 222<br>김옥천 228 |
| | 이정환 623<br>전태현 363<br>송용기 364 | 김희진 382<br>양은진 383 | 나혜경 642<br>김대호 643 | | 정선태 212 | 김기아 223<br>김유연 224 |
| | 차영준 365 | 오현창 384 | | 정주희 655<br>정형필 656 | | 양현진 226 |
| | 이다예 366<br>김재완 367 | 김정석 385<br>심태섭 386<br>김지수 387 | 김재은 644<br>정종은 645 | 김명중 653<br>양한별 659 | 오가원 213 | 박지선 223<br>정주리 225<br>박민솔 227 |
| **공무직** | | | | | | |
| **FAX** | 970-2379 | | 970-2649 | | 970-2219 | 970-2238~9 |

# 광주세무서

대표전화: 062-6050-200 /DID: 062-6050-OOO

서장: **박 성 열**
DID: 062-6050-201

| 주소 | 광주 동구 중앙로209 (대인동 163번지) (우) 61473 | | | | | |
|---|---|---|---|---|---|---|
| 코드번호 | 408 | 계좌번호 | 060639 | 사업자번호 | 408-83-00186 | |
| 관할구역 | 광주광역시 동구, 남구, 전라남도 곡성군, 화순군 | | | 이메일 | gwangju@nts.go.kr | |

| 과 | 징세과 | | 부가가치세과 | | | 재산법인세과 | | |
|---|---|---|---|---|---|---|---|---|
| 과장 | 오현미 240 | | 박권진 280 | | | 손재명 400 | | |
| 팀 | 운영지원 | 체납추적 | 부가1 | 부가2 | 부가3 | 재산1 | 재산2 | 법인 |
| 팀장 | 이상무 241 | 김명선 511 | 김정연 282 | 김대현 301 | 백광호 321 | 박기홍 481 | 김광섭 501 | 박홍균 401 |
| 국세<br>조사관 | | 이정민 513<br>박정아 514 | | | 김미선 322<br>장재영 323 | 민순기 482 | 현경 503<br>안유정 504 | 박찬열 402 |
| | 구윤희 242<br>박신아 243<br>박홍일 244<br>방해준 246 | 정재원 515<br>정숙경 516<br>신명희 517<br>이경희 521<br>김현진 522<br>김영하 523 | 박소영 282<br>강태양 283 | 김세나 302 | 박정환 324 | 김미화 431<br>박문상 483<br>박지연 484<br>이재아 485<br>김필선 431<br>장진영 486 | 위광환 504<br>정재훈 505 | 한연식 403<br>유민희 404<br>김혜민 405<br>문소현 406 |
| | 고문수 247 | 노유선 518<br>채숙경 519<br>김자희 520<br>노순정 524 | 한정관 284 | 하주희 303 | 김규태 397<br>허경숙 325 | 양정희 487 | | 형신애 407 |
| | 이수진 245 | | 강정님 285<br>송혜원 286<br>강성윤 287 | 장선균 304<br>박효열 305<br>이예은 306 | 이은지 326 | 윤준영 488<br>박현주 489 | | 최종민 408<br>김법열 409<br>유의지 410 |
| 공무직 | 김경화 202<br>김은주 620<br>한용철 614<br>이현<br>안구임 | | | | | | | |
| FAX | 716-7232 | | 716-7233~4 | | | 716-7236 | | 716-7236<br>~7 |

| 과 | 소득세과 | | 조사과 | | 납세자보호담당관 | |
|---|---|---|---|---|---|---|
| 과장 | 정찬성 360 | | 박순희 640 | | 박정식 210 | |
| 팀 | 소득1 | 소득2 | 정보관리 | 조사 | 납세자보호실 | 민원봉사실 |
| 팀장 | 손삼석 361 | 남궁화순 381 | 윤석길 641 | 정성문 651 | 김종의 211 | 정기중 221 |
| 국세조사관 | 조규봉 362 | 382<br>정혜경 383 | | 김창진 661<br>문경준 671<br>문형민 681<br>박진호 662 | 채남기 212<br>전수영 213 | 이윤호 222<br>박경미 228<br>한윤희 223 |
| | 최순옥 363<br>오재란 364<br>주온슬 398 | 최성배 384<br>박현화 385 | 이은광 643<br>안진영 644<br>정미향 645 | 심현주 652<br>이춘형 672 | | 이은아 224<br>이재성 225<br>주선영 226 |
| | | 김세린 398 | | 류지윤 653 | 유광호 214 | 안소연 228 |
| | 정찬우 365<br>문은서 366<br>서상호 367<br>강혜송 368 | 임형용 386<br>하주연 387<br>윤지인 388 | 박선영 646<br>임다윗 647 | 김동신 663<br>박준후 682 | | 장지민 229 |
| 공무직 | | | | | | |
| FAX | 716-7235 | | 716-7238 | | 716-7239 | 227-4710 |

# 북광주세무서

대표전화: 062-5209-200 / DID: 062-5209-OOO

서장: **김 태 열**
DID: 062-5209-201

| 주소 | 광주광역시 북구 경양로 170 (중흥동 712-3) (우) 61238 | | | |
|---|---|---|---|---|
| 코드번호 | 409 | 계좌번호 | 060671 | 사업자번호 | 409-83-00011 |
| 관할구역 | 광주광역시 북구, 전라남도 장성군, 담양군 | | 이메일 | bukgwangju@nts.go.kr |

| 과 | 징세과 | | | 부가가치세과 | | | 소득세과 | |
|---|---|---|---|---|---|---|---|---|
| 과장 | 박정국 240 | | | 김형숙 280 | | | 이강영 360 | |
| 팀 | 운영지원 | 체납추적1 | 체납추적2 | 부가1 | 부가2 | 부가3 | 소득1 | 소득2 |
| 팀장 | 김안철 241 | 남상훈 511 | 한규종 531 | 이영태 281 | 박이진 301 | 송경희 321 | 박철성 361 | 박행진 381 |
| 국세<br>조사관 | | 박상을 512<br>기승연 513<br>문해수 514 | 조영숙 537<br>이정미 532<br>김소영 533<br>심성연 534 | 정오영 282<br>이성률 283 | 최연희 302<br>정미연 303 | 나미선 322<br>정형준 323<br>유관식 324 | 박정애 362 | 손광민 382 |
| | 방현정 242<br>한송이 243<br>최윤주 244<br>정현태 249 | 김광성 515 | 기남국 539<br>김정화 540<br>김수경 538<br>박명철 535 | 김상훈 319<br>이숙경 284<br>이승준 285 | 양혜성 304 | 박은영 325 | 김동구 363<br>서동현 320<br>김화경 364<br>황지선 365<br>한다정 320 | 이창훈 383<br>류진영 384<br>박지현 385 |
| | 신영주 610<br>박종근 246 | 신평화 516 | | 정세미 319 | 강용명 305 | 오동화 326 | 정한록 366 | 기은지 386 |
| | 김시온 247<br>전미선 248 | 공다인 517<br>윤다니엘 518 | 김희승 536 | 이수현 286<br>김다영 287<br>유지수 288 | 정샛별 306<br>이돈영 307<br>정승기 308 | 김평화 327<br>송현진 328 | 권도열 367<br>박정배 368<br>신은송 369 | 안혜정 387<br>이언우 388<br>이원정 389 |
| 공무직 | 최지현 203<br>박건혜 250<br>김영균 250<br>윤명자 250<br>김경희 250 | | | | | | | |
| FAX | 716-7280 | | | 716-7282~3 | | | 716-7287 | |

| 과 | 재산세과 | | 법인세과 | | 조사과 | | 납세자보호담당관 | |
|---|---|---|---|---|---|---|---|---|
| 과장 | 노남종 480 | | 이철웅 400 | | 진중기 640 | | 김용오 210 | |
| 팀 | 재산1 | 재산2 | 법인1 | 법인2 | 정보관리 | 조사 | 납세자보호 | 민원봉사 |
| 팀장 | 이동진 481 | 박태훈 501 | 김철호 401 | 이필용 421 | 구대중 641 | 김환국 671 | 정은영 211 | 박정희 221 |
| 국세조사관 | 주재정 482<br>오춘택 483 | 하철수 502 | 정우철 402 | 최용철 422 | 김현자 642 | 박인환 675<br>김준성 679<br>최종선 683<br>나윤미 686 | 전홍석 212<br>김승진 213 | 신은화 222<br>허선덕 223<br>정필섭 226 |
| | 박은영 484<br>한상춘 485<br>양정숙 486 | 손승재 503 | 정명숙 403<br>김민재 404 | 최제후 423<br>박세인 424 | 황정현 643<br>장성필 644<br>이병조 646 | 김정진 672<br>김인중 676<br>이승찬 680<br>최방석 687 | 양은정 214 | 김희정 224<br>김민정 227 |
| | 안현아 510<br>조완정 487<br>이보람 488 | 박정욱 504 | 조호연 405 | 유재곤 425 | 곽새미 645 | 전지선 681<br>이소영 684<br>조연종 685 | 김아영 215 | 박유미 228 |
| | 박지현 489<br>조상진 490<br>김백승 491 | 윤여흔 505 | 김다예 406<br>신나영 407<br>유형근 408 | 최예린 426<br>심유정 427 | | 이수빈 673<br>김금정 677<br>정유리 688 | | 박종화 225 |
| 공무직 | | | | | | | | |
| FAX | 716-7286 | | 716-7285 | | 716-7289 | | 716-7284 | 716-7291 |

# 서광주세무서

대표전화: 062-3805-200 / DID: 062-3805-OOO

서장: **정 학 관**
DID: 062-3805-201

| 주소 | 광주광역시 서구 상무민주로 6번길 31 (쌍촌동 627-7) (우) 61969 | | | | |
|---|---|---|---|---|---|
| 코드번호 | 410 | 계좌번호 | 060655 | 사업자번호 | 410-83-00141 |
| 관할구역 | 광주광역시 서구 | | | 이메일 | seogwangju@nts.go.kr |

| 과 | 징세과 | | 부가가치세과 | | 재산법인세과 | | |
|---|---|---|---|---|---|---|---|
| 과장 | 김재만 240 | | 정길호 280 | | 김형국 400 | | |
| 팀 | 운영지원 | 체납추적 | 부가1 | 부가2 | 재산1 | 재산2 | 법인1 |
| 팀장 | 김정운 241 | 배진우 511 | 서근석 281 | 최문자 301 | 정은연 481 | 방양석 501 | 박득연 401 |
| 국세<br>조사관 | | 우영만 513<br>배현옥 514<br>김준석 515 | 나한태 282<br>한상용 283<br>임남옥 284 | 홍용길 302<br>한수홍 303 | 박경단 482 | 김영선 502 | 박종현 402 |
| | 이철승 242<br>강소정 243<br>김정진 247 | 이성창 516<br>지은호 517<br>김영심 518 | 이경환 285<br>최원정 442<br>하지영 286 | 박복심 304<br>임치영 305 | 조혜진 483<br>정호영 443<br>성동연 484<br>유자연 485 | 차경진 503<br>김주일 504 | 이상훈 403<br>김희관 404<br>김혜정 405<br>김진광 406 |
| | 김희창 244<br>조재연 248 | 이서정 519<br>이하연 520 | 주은영 287 | | 정시온 486<br>문수미 443 | 정건철 505 | 강성식 407 |
| | 박지연 245 | 류지훈 521<br>정보현 522<br>김민지 523 | 문대우 288<br>김초현 289<br>김시원 290 | 강민규 306<br>정다희 307<br>윤가연 308 | 김다혜 487 | | 박유나 408<br>장진혁 409<br>노영명 410 |
| 공무직 | 장경화 201<br>박금아 610<br>이미자<br>김정숙<br>한상금 | | | | | | |
| FAX | 716-7260 | 716-7264 | 371-3143 | | 716-7265 | | |

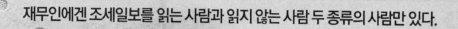

| 과 | 소득세과 | | 조사과 | | 납세자보호담당관 | |
|---|---|---|---|---|---|---|
| 과장 | 이장근 360 | | 박영수 640 | | 오금탁 210 | |
| 팀 | 소득1 | 소득2 | 정보관리 | 조사 | 납세자보호실 | 민원봉사실 |
| 팀장 | 박인수 361 | 최형동 381 | 정영천 641 | 박형희 661<br>문동호 655 | 김자회 211 | 이성용 221 |
| 국세<br>조사관 | 추지연 362<br>위지혜 441 | 이창언 382 | | 이태훈 658 | 이진환 212 | 정선옥 222 |
| | 박상일 363 | 박향엽 383<br>지혜림 441 | 이지영 642<br>김영보 643 | 김병기 656<br>김광현 659<br>김용태 662 | 이승환 213 | 이연희 223<br>강문승 224<br>송은영 225<br>차은정 226 |
| | 이옥진 364 | 송진희 384<br>이정우 385 | | 김미리 657 | | 김민승 227<br>김효근 228 |
| | 강기호 365<br>박다현 366<br>이혜선 367 | 정윤기 386 | 이효선 644 | 황선우 660 | 조가윤 213 | 박혜민 228 |
| 공무직 | | | | | | |
| FAX | 376-0231 | | 716-7266 | | 716-7267 | |

# 나주세무서

대표전화: 061-3300-200 / DID: 061-3300-OOO

서장: **선 규 성**
DID: 061-3300-201

| 주소 | 전라남도 나주시 재신길 33 (송월동 1125) (우) 58262 | | | |
|---|---|---|---|---|
| 코드번호 | 412 | 계좌번호 060642 | 사업자번호 | 412-83-00036 |
| 관할구역 | 전라남도 나주시, 영암군(삼호읍 제외), 함평군 | | 이메일 | naju@nts.go.kr |

| 과 | 징세과 | | | 부가소득세과 | |
|---|---|---|---|---|---|
| 과장 | 권혁준 240 | | | 정일상 280 | |
| 팀 | 운영지원 | 체납추적 | 조사 | 부가 | 소득 |
| 팀장 | 윤성두 241 | 고균석 511 | 박경수 651 | 전해철 281 | 류제형 361 |
| 국세조사관 | | 512 | 오금선 652<br>신정용 653 | 오근님 282 | 최승재 362<br>김미애 363 |
| 국세조사관 | 소찬희 243<br>황동욱 242<br>전은상 245 | 양창헌 513<br>조영란 514<br>조은지 515<br>박지혜 516 | 이인숙 654<br>정리나 655 | 진문수 283<br>김도연 284<br>정미선 285<br>이정 286<br>남승원 287<br>김미경 288 | 박창용 363<br>정지연 365 |
| 국세조사관 | | 백지은 518 | 노현정 656 | 고우리 289<br>범서희 290 | |
| 국세조사관 | 전태호 244<br>김우정 246<br>이승훈 247 | 염래경 518<br>김중연 519 | 이아라 657<br>이기훈 658<br>조정현 659 | | 정덕균 366 |
| 공무직 | 나유선 248<br>김지수 201<br>조은향 338<br>최세희 338 | | | | |
| FAX | 332-8583 | | 333-2100 | 332-8581 | |

# 1등 조세회계 경제신문 조세일보

| 과 | 재산법인세과 | | 납세자보호담당관 | |
|---|---|---|---|---|
| 과장 | 장동규 400 | | 기연희 210 | |
| 팀 | 재산 | 법인 | 납세자보호실 | 민원봉사실 |
| 팀장 | 박무수 481 | 최권호 401 | 박삼용 211 | 권정용 221 |
| 국세<br>조사관 | 고부경 483 | 이동훈 403 | | 222<br>김현정 223<br>오은주 224<br>이영민 225 |
| | 김민석 484<br>정세훈 296<br>조혜선 485 | 강이근 403<br>진혁환 404 | 박시연 212 | 염보미 224 |
| | | 김은정 405<br>안제은 406 | | |
| | 천서정 486<br>조화경 487 | 최상혁 407<br>이지은 408<br>박선영 409 | | |
| 공무직 | | | | |
| FAX | 332-2900 | | 333-2100 | 332-8570 |

# 목포세무서

대표전화: 061-2411-200 / DID: 061-2411-OOO

서장: **이 진 재**
DID: 061-2411-201

| 주소 | 전라남도 목포시 호남로 58번길 19 (대안동 3-2번지) (우) 58723 | | | | |
|---|---|---|---|---|---|
| 코드번호 | 411 | 계좌번호 | 050144 | 사업자번호 | 411-83-00014 |
| 관할구역 | 전라남도 목포시, 무안군, 신안군, 영암군 삼호읍 | | | 이메일 | mokpo@nts.go.kr |

| 과 | 징세과 | | 부가가치세과 | | 소득세과 | |
|---|---|---|---|---|---|---|
| 과장 | 양석범 240 | | 김진수 280 | | 양길호 360 | |
| 팀 | 운영지원 | 체납추적 | 부가1 | 부가2 | 소득1 | 소득2 |
| 팀장 | 고재환 241 | 송정희 511 | 이수창 281 | 강석제 301 | 김명숙 361 | 남기정 621 |
| 국세조사관 | | 윤민숙 512<br>박정순 513 | 오성실 282<br>조윤경 283 | 김종일 309<br>심상원 302 | 강미화 362 | 정성의 622 |
| | 신우영 243<br>박봉주 242<br>문승식 247<br>유승철 246 | 박미애 514<br>신영아 515<br>류호진 516<br>오윤정 517<br>장형욱 518<br>최지혜 519 | 나소영 284<br>정미선 285<br>한주성 286<br>장슬미 287 | 박해연 303<br>박용희 304<br>모성하 305<br>황원복 306 | 조성애 363<br>강선희 364 | 정성오 623<br>임창관 624<br>김수희 625 |
| | | 홍주연 520<br>이종률 521 | | | | 최나영 626 |
| | 강태훈 244 | 윤수연 522<br>정유진 523 | 강희다 288<br>염정훈 289<br>윤재도 290 | 한정화 307<br>이수환 308 | 최준민 365<br>임채영 366<br>이동주 367 | 박명수 627<br>김수민 628<br>윤준범 629 |
| 공무직 | 홍은실 202<br>나경희 242<br>조미 242 | | | | | |
| FAX | 244-5915 | | 247-2900 | | 241-1349 | |

| 과 | 재산법인세과 | | | 조사과 | | 납세자보호담당관 | |
|---|---|---|---|---|---|---|---|
| **과장** | 남애숙 400 | | | 배삼동 640 | | 송창호 210 | |
| **팀** | 재산1 | 재산2 | 법인 | 조사관리 | 조사 | 납세자보호실 | 민원봉사실 |
| **팀장** | 천경식 481 | 조영두 491 | 이정훈 401 | 김영호 641 | 오민수 651<br>조상옥 654<br>손경근 657 | 설영태 211 | 김재석 221 |
| **국세<br>조사관** | 정명근 482 | | 이혜경 402<br>신종식 403 | 은희도(정) 692<br>임미란 642 | | | 김은숙<br>윤여찬 222<br>이은경 223 |
| | 김은영 483<br>선양기 484 | 김현철 493<br>오종수 494 | 이점희 404<br>노민경 405<br>장시원 406<br>엄지혜 407 | | 오승섭 652<br>박민원 655<br>김영준 658 | 권인오 212<br>안요한 213 | 김송심 224<br>양윤성 225<br>김주현 226 |
| | 박봉현 485<br>박유라 486 | | 박은지 408<br>한수현 409 | 박지희 643 | 박승연 653<br>한송이 656 | | |
| | | | 김지민 410 | | 나유민 659 | | 김영유 227<br>김단비 228 |
| **공무직** | | | | | | | |
| **FAX** | 241-1602 | | | 245-4339 | | 241-1214 | |

# 순천세무서

대표전화: 061-7200-200 / DID: 061-7200-OOO

서장: **김 시 형**
DID: 061-7200-201

| 주소 | 전라남도 순천 연향번영길 64 (연향동 1379) (우) 57980<br>벌교지서 : 전라남도 보성 벌교 채동선로 260 (우) 59425<br>광양지서 : 전남 광양 중마중앙로 149 (우) 57785 | | | | | | | |
|---|---|---|---|---|---|---|---|---|
| 코드번호 | 416 | | 계좌번호 | 920300 | | 사업자번호 | 416-83-00213 | |
| 관할구역 | 전라남도 순천시, 광양시, 구례군, 보성군, 고흥군 | | | | 이메일 | suncheon@nts.go.kr | | |

| 과 | 징세과 | | 부가가치세과 | | 소득세과 | | 재산법인세과 | | |
|---|---|---|---|---|---|---|---|---|---|
| **과장** | 이용혁 240 | | 서순기 280 | | 김행곤 360 | | 박후진 400 | | |
| **팀** | 운영지원 | 체납추적 | 부가1 | 부가2 | 소득1 | 소득2 | 재산1 | 재산2 | 법인 |
| **팀장** | 이호 241 | 최인광 511 | 김진재 281 | 류영길 301 | 최미영 361 | 이용철 381 | 백기호 541 | 백남중 561 | 황교언 401 |
| **국세<br>조사관** | 황숙자 246 | 류성주 512<br>노시열 513 | 박용문 282 | 강성원 307<br>차지연 308 | 김정현 362 | 전용현 382 | 심성환 313<br>박천주 542 | 신찬호 562<br>배숙희 563 | 하성철 402<br>최수민 403 |
| | 곽용재 242<br>김재찬 248 | 강태민 514<br>김상훈 515<br>임현택 516<br>윤경희 262<br>홍미숙 263<br>곽민경 517 | 김상호 283<br>김현정 285 | 최현아 302<br>김예진 303 | 김미영 363<br>한송이 364 | 서현영 383<br>유영근 384 | 이은진 543<br>신수정 544<br>김재호 545 | 최보람 564<br>한용희 565 | 강혜정 404<br>류숙현 405 |
| | 명국빈 243<br>박유진 247 | 손성희 518 | 박소미 284 | 이재원 304 | 손수아 365 | | | | 최다혜 406 |
| | 이재원 244 | 송애림 519 | 김성규 287<br>김태경 288 | 배한솜 305<br>강미하 306 | 양철웅 366 | 구태휴 385<br>배은정 386<br>이유민 387 | | | 정인환 407<br>박승윤 408<br>강초희 409 |
| **공무직** | 한지호 202<br>김지현 200<br>김현주<br>이청엽 | | | | | | | | |
| **FAX** | 723-6677 | | 723-6673 | | 720-0330 | | 720-0410 | | |

# 10년간 쌓아온 재무인의 역사를 돌려드립니다 '온라인 재무인명부'

수시 업데이트 되는 국세청, 정·관계 인사의 프로필과 국세청, 지방청, 전국세무서, 관세청, 유관기관 등의 인력배치 현황을 볼 수 있는 온라인 재무인명부

1등 조세회계 경제신문 조세일보

| 과 | 조사과 | | 납세자보호담당관 | | 벌교지서(061-8592-200) | | | 광양지서(061-7604-200) | | | |
|---|---|---|---|---|---|---|---|---|---|---|---|
| 과장 | 백홍교 640 | | 함은정 210 | | 양용환 201 | | | 김훈 201 | | | |
| 팀 | 정보관리 | 조사 | 납세자<br>보호실 | 민원<br>봉사실 | 납세자<br>보호실 | 부가소득 | 재산법인 | 납세자<br>보호실 | 부가 | 소득 | 재산법인 |
| 팀장 | 임향숙<br>641 | 임수봉<br>651<br>이탁신<br>656<br>윤승철<br>661<br>윤길성<br>666 | 심재용<br>211 | 김영하<br>221 | 박진갑<br>211 | 서삼미<br>301 | 심재운<br>401 | 박영수<br>211 | 이환 281 | 황희정<br>361 | 나형채<br>401 |
| 국세<br>조사관 | 김혜란<br>691<br>이세라<br>642 | | | 정병철<br>222 | 진정 212<br>김영순<br>213 | 천우남<br>311<br>이호남<br>303 | | | 윤종호<br>282<br>이성호<br>291<br>정일 292 | 홍은영<br>362 | 이종필<br>481<br>정현미<br>402 |
| | 김진우<br>643<br>이용욱<br>644<br>우남준<br>692 | 김광호<br>662<br>주은상<br>667<br>김지혜<br>662<br>김명희<br>657 | | | | 이철 305<br>최상영<br>304<br>김현진<br>306 | 최선 403<br>김동선<br>450<br>채명석<br>451 | 김정희<br>212 | 허미나<br>293<br>신상덕<br>283<br>박설화<br>284<br>김유정<br>285 | 강선대<br>363 | 손명희<br>403<br>강경수<br>404 |
| | 윤다희<br>658 | 류은미<br>653<br>음지영<br>668 | 강구남<br>213 | 김혜은<br>223<br>홍해라<br>224 | | 이승환<br>310 | 김윤정<br>404 | | 박민 294<br>양환준<br>295<br>정지운<br>286 | | 이아림<br>482 |
| | | 차유곤<br>663 | | 강아라<br>225<br>김민정<br>226<br>장유나<br>227 | | 김지현<br>307 | 신예진<br>452 | 전은지<br>213<br>최낙훈<br>214 | 최시은<br>287<br>한규리<br>288 | 박동진<br>364<br>노승규<br>365 | 문한솔<br>405<br>강성민<br>483 |
| 공무직 | | | | | 김명엽 | | | | | | |
| FAX | 720-0420 | | 723-6676 | | 857-<br>7707 | 857-<br>7466 | 859-<br>2267 | 760-<br>4238 | 760-4379, 4299(체납) | | |

# 여수세무서

대표전화: 061-6880-200 / DID: 061-6880-OOO

서장: **이 성 일**
DID: 061-6880-201

여수국가산업단지 / 한국수출입은행 / 좌수영요양병원 / 농협 / 여수세무서 / 좌수영로 / 전남대 둔덕캠퍼스 / 주삼천

| 주소 | 전라남도 여수시 좌수영로 948-5 (봉계동 726-36번지) (우) 59631 | | | | |
|---|---|---|---|---|---|
| 코드번호 | 417 | 계좌번호 | 920313 | 사업자번호 | 417-83-00012 |
| 관할구역 | 전라남도 여수시 | | | 이메일 | yeosu@nts.go.kr |

| 과 | 징세과 | | 부가소득세과 | | |
|---|---|---|---|---|---|
| 과장 | 조영규 240 | | 염삼열 280 | | |
| 팀 | 운영지원 | 체납추적 | 부가1 | 부가2 | 소득 |
| 팀장 | 박도영 241 | 윤정필 511 | 김혜경 281 | 정종대 301 | 서동정 361 |
| 국세조사관 | | 고길현 261<br>윤유선 512<br>김태원 513 | 김대일 282 | 김진희 307<br>김종철 302 | 서미순 362 |
| | 최병윤 242<br>김성진 246<br>한은정 243 | 최인효 514<br>이성실 515 | 김문희 283<br>문형일 285<br>신솔지 284 | 박은화 303<br>황승진 308<br>유지화 304 | 김임순 363<br>남상진 364<br>김소망 365 |
| | 서광기 244 | 이호철 516 | 김지영 287<br>박혁 286 | | |
| | 박근호 245 | 엄석찬 517<br>이다영 262<br>나형배 518<br>한지현 519<br>송윤주 263 | 이주영 288 | 주희은 306<br>안찬종 305 | 강여울 369<br>양태영 367<br>정지은 368<br>배준호 366 |
| 공무직 | 박누리 203<br>김유선 620<br>김효숙<br>장점자 | | | | |
| FAX | 688-0600 | 682-1649 | 682-1652 | | |

| 과 | 재산법인세과 | | 조사과 | | 납세자보호담당관 | |
|---|---|---|---|---|---|---|
| 과장 | 박상현 400 | | 박정환 640 | | 문미선 210 | |
| 팀 | 재산 | 법인 | 정보관리 | 조사 | 납세자보호실 | 민원봉사실 |
| 팀장 | 박귀숙 481 | 박연서 401 | | 한기청 661 | 남자세 211 | 민경옥 221 |
| 국세<br>조사관 | 나채용 482 | 이재갑 402 | 배제섭 652 | 이창주 671 | | 박상희 222 |
| | 황선태 483<br>정찬조 484<br>김효정 485<br>안재형 486 | 류성백 403<br>김금영 404<br>김종율 405<br>김정은 406 | 정경식 692 | 오인철 662<br>안민숙 672 | 박광천 212 | 주연봉 226 |
| | 임강혁 487 | 김우정 409 | 손세민 653 | 채우리 663 | 김경현 213 | 전주화 226<br>김서현 224<br>김은진 223 |
| | 박채연 488 | 장지선 407<br>이한이 408 | | | | 김세원 225 |
| 공무직 | | | | | | |
| FAX | 682-1656 | | 682-1653 | | 682-1648 | |

# 해남세무서

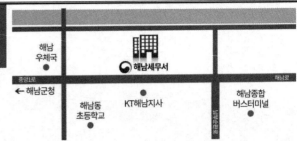

대표전화: 061-5306-200 / DID: 061-5306-OOO

서장: **천 주 석**
DID: 061-5306-201

| 주소 | 전라남도 해남군 해남읍 중앙1로 18 (우) 59027<br>강진지서 : 전라남도 강진군 강진읍 사의재길 1 (우) 59226<br>완도민원실 : 전남 완도군 완도읍 중앙길 11, 4층 (우)58922<br>진도민원실: 전남 진도군 진도읍 남문길 13, 2층 | | | | |
|---|---|---|---|---|---|
| 코드번호 | 415 | 계좌번호 | 050157 | 사업자번호 | 415-83-00302 |
| 관할구역 | 전라남도 해남군, 강진군, 완도군, 진도군, 장흥군 | | | 이메일 | haenam@nts.go.kr |

| 과 | 징세과 | | | 세원관리과 | | |
|---|---|---|---|---|---|---|
| 과장 | 우인제 240 | | | 김성수 280 | | |
| 팀 | 운영지원 | 체납추적 | 조사 | 부가 | 소득 | 재산법인 |
| 팀장 | 유승진 241 | 공병국 511 | 한영수 651 | 김재춘 281 | 정란 361 | 최재혁 401 |
| 국세<br>조사관 | | 김익상 512<br>전종태 513<br>임수경 514 | 최연수 652<br>이일재 653 | 김수영 282 | | 이화섭 402<br>나승창 482 |
| | 김용일 242<br>국명래 243<br>지행주 246 | 김진영 517<br>김민수 515<br>김창훈 516 | 정현아 654 | 박남중 282<br>김현성 283 | 구혜숙 362 | 양용희 483<br>박지언 484 |
| | 권혁일 245 | | 김효희 655 | | 조식 363<br>정혜진 364 | 양시은 403<br>조유정 485 |
| | 문성윤 247 | | | 하은지 285<br>안일찬 286<br>박지연 287 | 손혜은 365<br>정종호 366 | 강설화 284<br>박경호 404<br>최가인 405<br>박신우 406 |
| 공무직 | 조희주 202<br>함용숙 200<br>서정애 200 | | | | | |
| FAX | 530-6249 | 530-6132 | 536-6131 | | | 534-3995 |

| 과 | 납세자보호담당관 | | 강진지서(061-4302-200) | |
|---|---|---|---|---|
| 과장 | 하상진 210 | | 김경민 201 | |
| 팀 | 납세자보호실 | 민원봉사실 | 납세자보호 | 세원관리 |
| 팀장 | | 서병희 221 | 210 | 박철우 300 |
| 국세조사관 | 박상범 211 | | | 이선화 321<br>박홍범 511<br>김준수 511<br>노미경 361 |
| | | 양진호 222 | | 박병민 401<br>서경무 481<br>박형민 482 |
| | | 박명식 223<br>유상원 544-5997<br>방영화 552-2100<br>황선진 224 | 이수라 211 | 고재성 402<br>박상은 322<br>서은지 512 |
| | | | | 강예은 483<br>전성준 362 |
| 공무직 | | | 윤길남 200 | |
| FAX | 534-3540 | 534-3541 | 433-0021 | 434-8214 |

# 군산세무서

대표전화: 063-4703-200 / DID:063-4703-OOO

서장: **황 영 표**
DID: 063-4703-201

| 주소 | | 전라북도 군산시 미장13길 49 (미장동 525) (우) 54096 | | | |
|---|---|---|---|---|---|
| 코드번호 | 401 | 계좌번호 | 070399 | 사업자번호 | 401-83-00017 |
| 관할구역 | | 전라북도 군산시 | | 이메일 | gunsan@nts.go.kr |

| 과 | 징세과 | | 부가소득세과 | | |
|---|---|---|---|---|---|
| 과장 | 김성엽 240 | | 안정민 280 | | |
| 팀 | 운영지원 | 체납추적 | 부가1 | 부가2 | 소득 |
| 팀장 | 채수정 241 | 김영관 511 | 김준연 281 | 정한길 291 | 이민호 361 |
| 국세<br>조사관 | | 김성호 512<br>이정애 513 | 김은아 282<br>장현숙 283 | 진수영 292 | 박성란 362 |
| | 류종규 242<br>최순희 243<br>설진원 244 | 김소영 514<br>박현수 515<br>정필경 516<br>박정숙 262 | 박효진 284<br>황호혁 285<br>김중휘 286 | 소윤섭 294<br>류아영 295 | 김병삼 363<br>조홍수 364<br>박종원 365<br>이정호 366<br>심미선 367 |
| | 최정연 245 | 안기웅 517<br>조성현 518<br>김예슬 263<br>고현재 519 | 안성민 287 | | 김혜인 368 |
| | 김진만 246 | 박성윤 520 | 김미경(후) 288<br>이수진 289 | 김한솔 296 | 김민주 369<br>이도한 370 |
| 공무직 | 최지선 202<br>유순자<br>이현주 | | | | |
| FAX | 470-3249 | 468-2100 | 467-2007 | | |

| 과 | 재산법인세과 | | 조사과 | | | 납세자보호담당관 | |
|---|---|---|---|---|---|---|---|
| 과장 | 정명수 400 | | 송지원 640 | | | 김창오 210 | |
| 팀 | 재산 | 법인 | 정보관리 | 조사1 | 조사2 | 납세자보호실 | 민원봉사실 |
| 팀장 | 한권수 481 | | 이기웅 651 | 고선주 654 | 이용출 657 | 이승용 211 | 김광희 221 |
| 국세<br>조사관 | 허진성 482 | 양향열 402 | | | 장완재 658 | 한길완 212 | 신덕수 222 |
| | 이은경 483<br>김진철 484 | 김은옥 403<br>이한일 404<br>김보미 405<br>이원교 406 | 박동진 652<br>황병준 653 | 이영민 655<br>손세영 656 | | 이소은 213 | 황현주 224<br>박선영 224<br>한수경 225 |
| | 양준복 485 | 박태완 407 | | 김지혜 657 | 박소희 659 | | 김남덕 226 |
| | 문가나 486<br>최호일 487 | 송의진 408 | | | | | 이민영 227 |
| 공무직 | | | | | | | |
| FAX | 470-3636 | | 470-3344 | | | 470-3214 | 470-3441 |

385

# 남원세무서

대표전화: 063-6302-200 / DID: 063-6302-OOO

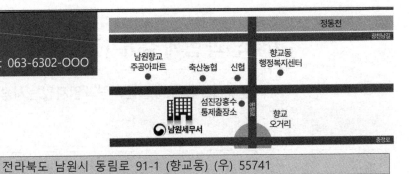

서장: **장 영 수**
DID: 063-6302-201

| 주소 | 전라북도 남원시 동림로 91-1 (향교동) (우) 55741 | | | | |
|---|---|---|---|---|---|
| 코드번호 | 407 | 계좌번호 | 070412 | 사업자번호 | 407-83-00015 |
| 관할구역 | 전라북도 남원시, 순창군, 임실군, 장수군(천천면, 장계면, 계북면 및 계남면 제외) | | | 이메일 | namwon@nts.go.kr |

| 과 | 징세과 | | | 세원관리과 | |
|---|---|---|---|---|---|
| 과장 | 조호형 240 | | | 이성묵 280 | |
| 팀 | 운영지원 | 체납추적 | 조사 | 부가 | 소득 |
| 팀장 | 손선미 241 | 정준 511 | 임종안 651 | 권영훈 281 | 장미랑 361 |
| 국세조사관 | | 이백용 512 | 김은미 652<br>공대귀 653 | 김춘광 282 | |
| | 김철수 244<br>정기종 242 | 김재준 513<br>이성민 514 | 정영현 654<br>김정아 655 | 박찬후 283<br>송희조 284<br>박지혜 285 | 김현옥 362 |
| | | 나선영 516<br>김현재 515 | 김은지 656 | | 이다미 363<br>나진희 364 |
| | 윤영원 245<br>고혜진 243 | | | 권태원 286<br>김나은 287<br>김관호 288 | 김초원 365<br>윤겸주 366 |
| 공무직 | 박소현 202<br>김봉임<br>모옥순 | | | | |
| FAX | 632-7302 | | | 631-4254 | |

| 과 | 세원관리과 | | 납세자보호담당관 | |
|---|---|---|---|---|
| 과장 | 이성묵 280 | | 강용구 210 | |
| 팀 | 재산법인 | | 납세자보호실 | 민원봉사실 |
| 팀장 | 김종운 401 | | | 박미선 221 |
| 국세조사관 | 민혜민 482 | | | 천명길 222 |
| | 유주미 483<br>민호성 484<br>방경규 485 | 최기환 402<br>한정용 403 | 김정호 211 | |
| | 송은선 486 | 한도혼 404 | | 강선양 223<br>도하정 224<br>박형지 225 |
| | | 안자영 405<br>신세연 406 | | |
| 공무직 | | | | |
| FAX | 630-2419 | | 635-6121 | |

# 북전주세무서

대표전화: 063-2491-200 / DID: 063-2491-OOO

서장: **장 성 우**
DID: 063-2491-201

| 주소 | 전라북도 전주시 덕진구 벚꽃로 33 (진북동 416-11) (우) 54937<br>진안지서 : 전라북도 진안군 진안읍 중앙로 45 (우) 55426 | | | | | |
|---|---|---|---|---|---|
| 코드번호 | 418 | 계좌번호 | 002862 | 사업자번호 | 402-83-05126 |
| 관할구역 | 전주시 덕진구, 진안군, 무주군, 장수군 중 일부 | | | 이메일 | bukjeonju@nts.go.kr |

| 과 | 징세과 | | 부가소득세과 | | | 재산법인세과 | |
|---|---|---|---|---|---|---|---|
| 과장 | 김관오 240 | | 장영철 280 | | | 김진환 400 | |
| 팀 | 운영지원 | 체납추적 | 부가1 | 부가2 | 소득 | 재산 | 법인 |
| 팀장 | 오은영 241 | 조미옥 511 | 김영민 281 | 유근순 301 | 김은정 361 | 조경제 481 | 이현주 401 |
| 국세<br>조사관 | | 안형숙 512 | 김정학 282 | 김정원 312<br>이현기 311 | 이종호 362 | | |
| | 양수빈 243<br>김지호 242<br>김종호 247 | 강석 513<br>박인숙 521<br>심재옥 522<br>유종선 514<br>문찬영 515<br>김용남 516 | 방귀섭 283<br>손현주 284<br>김선영 285<br>장미영 554<br>이성준 556 | 노화정 302<br>금윤순 303 | 이수복 363<br>조성훈 364<br>임소희 365 | 김학수 482<br>박태신 483 | 전요찬 402<br>배영태 403<br>허현 404 |
| | 임우찬 244<br>김광괄 246 | | 조란 286 | 이보영 304 | 강수성 366<br>최지희 367 | 김지유 484<br>심혜진 485<br>장준엽 486<br>이하은 492 | 양지연 405 |
| | 오유진 245 | 고한빛 517<br>박신현 518<br>배윤정 519<br>최준성 520 | 송송이 287<br>송채원 288 | 이하승 305<br>허예린 306 | 김상현 368<br>권륜아 369<br>김수현 370 | 이은석 487<br>엄재연 488 | 전이나 406<br>정소영 407<br>김이경 408 |
| 공무직 | 최지영 202<br>이금순<br>김상욱 | | | | | | |
| FAX | 249-1555 | 249-1558 | 249-1682 | | | 249-1681 | 249-1687 |

388

# 1등 조세회계 경제신문 조세일보

| 과 | 조사과 | | 납세자보호담당관 | | 진안지서(063-4305-200) | |
|---|---|---|---|---|---|---|
| 과장 | 염대성 640 | | 조혜영 210 | | 김현 201 | |
| 팀 | 정보관리 | 조사 | 납세자보호실 | 민원봉사실 | 납세자보호실 | 세원관리 |
| 팀장 | 박윤규 641 | 이명준 651 | 김춘배 211 | 유요덕 221 | 손안상 211 | 박정재 300 |
| 국세조사관 | 공미자 642 | 이정수 661<br>설진 671<br>고석춘 662 | | 강인석 222 | 최영근 212 | 손현태 511<br>양용환 301<br>김회광 401 |
| | 이용진 643<br>김새롬 644 | 진동권 652<br>김준석 672 | 박지명 212 | 김환옥 223<br>임재성 224<br>최현영 225 | 김이영 214 | 김희태 501<br>양영훈 302 |
| | | 성미경 653<br>유현수 663 | 김현주 213 | | | 문미나 303 |
| | | | | 윤한빛 226 | | 천민근 512<br>송하준 402<br>최은철 502<br>윤성민 304 |
| 공무직 | | | | | 구성숙 | |
| | | | | | 무주출장소 | |
| | | | | | 정흥엽 322-2100<br>정진미 322-2100<br>(팩스) 322-2022 | |
| FAX | 249-1683 | | 249-1684 | | 433-5996 | 432-1225 |

# 익산세무서

대표전화: 063-8400-200 / DID: 063-8400-OOO

서장: **강 삼 원**
DID: 063-840-0201

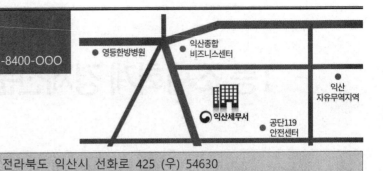

| 주소 | 전라북도 익산시 선화로 425 (우) 54630<br>김제지서 : 전라북도 김제시 신풍길 205 (신풍동 494-20) (우) 54407 | | | | | |
|---|---|---|---|---|---|---|
| 코드번호 | 403 | **계좌번호** | 070425 | **사업자번호** | 403-83-01083 | |
| 관할구역 | 전라북도 익산시, 김제시 | | | **이메일** | iksan@nts.go.kr | |

| 과 | 징세과 | | 부가소득세과 | | | 재산법인세과 | |
|---|---|---|---|---|---|---|---|
| 과장 | 오세인 240 | | 김신흥 280 | | | 안선표 400 | |
| 팀 | 운영지원 | 체납추적 | 부가1 | 부가2 | 소득 | 재산 | 법인 |
| 팀장 | 박지원 241 | 김지홍 511 | 조형오 281 | 서명권 301 | 최현선 621 | 허윤봉 481 | 임기준 401 |
| 국세<br>조사관 | | 조현경 512<br>김은미 513 | 김용례 282 | 노동호 304<br>이철호 303<br>이미선 302 | 양성철 623 | 전봉철 482 | 노도영 402 |
| | 이정은 242 | 최성관 514<br>이선림 262<br>최미란 261 | 김기동 283<br>유명훈 284<br>이규호 285 | 배종진 305<br>조민주 306 | 김수경 624<br>김소영 625<br>장지안 626<br>성정민 627 | 박승훈 483<br>남주희 484<br>류필수 485 | 서동진 403<br>송미소 404<br>김희주 405 |
| | 임지훈 243<br>최경배 244<br>조준철 245 | 박범수 515<br>임아련 516 | 서보경 286 | 박가영 307 | | 문희원 486 | 박시원 406 |
| | 한상훈 246 | 김세연 517<br>김영현 518<br>이정우 519<br>이재성 520 | 박효정<br>나혜정 287<br>양원 288 | 박현아 308 | 조성우 628<br>김민관 629<br>변은지 630<br>박지은 631 | 장하영 487<br>김지수 488 | 조지영 407<br>이승호 408 |
| 공무직 | | | | | | | |
| FAX | 851-0305 | | 840-0447 | 840-0448 | | 840-0549 | |

| 과 | 조사과 | | 납세자보호담당관 | | 김제지서 (063-5400-200) | | |
|---|---|---|---|---|---|---|---|
| 과장 | 정흥기 640 | | 변승철 210 | | 오기범 201 | | |
| 팀 | 정보관리 | 조사 | 납세자보호실 | 민원봉사실 | 납세자보호실 | 부가소득 | 재산법인 |
| 팀장 | 조준식 641 | | | 양정희 221 | 이사영 210 | 김웅진 280 | 백승학 400 |
| 국세조사관 | 이수현 642<br>오미경 643 | <1팀><br>차상윤(팀장) 651<br>김소연(7) 652<br>손수현(9) 653 | | | | 이병재 621 | 채웅길 481<br>전수현 401<br>한원윤 402 |
| 국세조사관 | 민경훈 644 | <2팀><br>이주형(7) 662<br>김용선(8) 663 | 김형만 212<br>박수정 213 | 허경란 222<br>문은수 223 | 장형준 221<br>문은희 222<br>이경진 221<br>박진규 223 | 박종호 511<br>김효진 281<br>허정순 622<br>이다현 623<br>강성희 282<br>임정석 512<br>김희숙 283 | 백원길 482<br>임소미 483 |
| 국세조사관 | | <3팀><br>이훈(팀장) 671<br>최건희(9) 672 | | 황현 224<br>최수연 225 | | | |
| 국세조사관 | 이승하 645 | | | 강민우 226 | | 김태화 284 | 김선경 403 |
| 공무직 | | | | | 박수현 | | |
| FAX | 840-0509 | | 851-3628 | | 540-0202 | | |

# 전주세무서

대표전화: 063-2500-200 / DID: 063-2500-OOO

서장: **박 세 건**
DID: 063-2500-201

| 주소 | 전라북도 전주시 완산구 서곡로 95 (효자동3가 1406번지) (우) 54956 | | | | |
|---|---|---|---|---|---|
| 코드번호 | 402 | 계좌번호 | 070438 | 사업자번호 | 418-83-00524 |
| 관할구역 | 전라북도 전주시 완산구, 완주군 | | | 이메일 | jeonju@nts.go.kr |

| 과 | 징세과 | | | 부가가치세과 | | 소득세과 | |
|---|---|---|---|---|---|---|---|
| 과장 | 이종운 240 | | | 민훈기 280 | | 함태진 360 | |
| 팀 | 운영지원 | 체납추적1 | 체납추적2 | 부가1 | 부가2 | 소득1 | 소득2 |
| 팀장 | 이규 241 | 강원 511 | 장미자 521 | 최병하 281 | 이광선 301 | 정용주 361 | 박영민 621 |
| 국세조사관 | | 문교병 512<br>고선주 513 | 박인숙 528<br>안춘자 529 | 김정은 282 | 김재실 311<br>문정미 302 | 김명숙 362 | 유은애 622 |
| 국세조사관 | 김민지 243<br>한성희 242<br>김경환 425<br>구판서 258<br>유행철 259 | 조상미 514<br>백종현 515<br>이기원 516 | 문영준 527<br>한설희 523 | 김덕진 283<br>배정우 284<br>이지희 285 | 김경희 303<br>박성수 304<br>이승훈 305<br>신새보미 306 | 김주현 363<br>김세웅 583<br>소수혜 364<br>최연평 365 | 강태진 623<br>황지현 624 |
| 국세조사관 | 손정현 244 | 전혜진 517 | 김병주 523<br>이세리 524 | 문선택 286<br>박미진 287<br>장현정 288<br>김성용 582 | 정우진 307<br>정새하 308 | 배정주 366 | 백연비 625<br>김유진 626 |
| 국세조사관 | 한소은 245 | 류해경 518 | 김경은 525<br>한석원 526 | 진예슬 289<br>조혜진 290<br>서재창 291 | 백승헌 309<br>최민정 310 | 전찬희 367<br>양다은 368 | 고필권 627<br>김하경 628 |
| 공무직 | 박지현 203<br>정서연 421<br>조인숙<br>김복순 | | | | | | |
| FAX | 277-7708 | | | 277-7706 | | 250-0449 | 250-0632 |

# 10년간 쌓아온 재무인의 역사를 돌려드립니다 '온라인 재무인명부'

수시 업데이트 되는 국세청, 정·관계 인사의 프로필과 국세청, 지방청, 전국세무서, 관세청,
유관기관 등의 인력배치 현황을 볼 수 있는 온라인 재무인명부

1등 조세회계 경제신문 조세일보

| 과 | 재산법인세과 | | | 조사과 | | 납세자보호담당관 | |
|---|---|---|---|---|---|---|---|
| 과장 | 홍기석 400 | | | 이경섭 640 | | 방정원 210 | |
| 팀 | 재산1 | 재산2 | 법인 | 정보관리 | 조사 | 납세자보호실 | 민원봉사실 |
| 팀장 | 정애리 481 | 장해준 491 | 조용식 401 | 김용수 641 | 방정원 651 | 김영규 211 | 윤석신 221 |
| 국세조사관 | 백원철 482 | 이선경 492 | 주미영 402 | 곽미선 642 | 이승일 661<br>유경근 652<br>김용범(파견) | 김복기 214<br>이동규 213<br>윤정호 213 | |
| | 김재만 483<br>유진선 484<br>이학승 485<br>조길현 486 | 이광열 493 | 유제석 403<br>고의환 404<br>염보름 405<br>최재규 406<br>김영은 407 | 한숙희 643<br>한겨레 645<br>김해강 646 | 윤은미 653<br>박인 662<br>지승룡 672 | | 박봉근 222<br>임완진 223<br>이주은 224<br>진실화 225<br>김애령 226 |
| | 장용준 487 | | | 최현진 644 | | | 문가영 227 |
| | 이다혜 488<br>배성윤 489 | 노명진 494<br>박주형 495 | 박현진 408<br>최희재 409<br>박신영 410<br>이유진 411 | | | | 채준석 228<br>김귀종 225<br>김민채 229 |
| 공무직 | | | | | | | |
| FAX | 250-0505 | 250-7311 | | 250-0649 | | 275-2100 | |

393

# 정읍세무서

대표전화: 063-5301-200 / DID: 063-5301-OOO

서장: **허 준 영**
DID: 063-5301-201

| 주소 | 전라북도 정읍시 중앙1길 93 (수성 610) (우) 56163 | | | |
|---|---|---|---|---|
| 코드번호 | 404 | **계좌번호** | 070441 | **사업자번호** | 404-83-01465 |
| 관할구역 | 전라북도 정읍시, 고창군, 부안군 | | **이메일** | jeongeup@nts.go.kr |

| 과 | 징세과 | | | 부가소득세과 | |
|---|---|---|---|---|---|
| 과장 | 양천일 240 | | | 선희숙 280 | |
| 팀 | 운영지원 | 체납추적 | 조사 | 부가 | 소득 |
| 팀장 | 이영훈 241 | 박봉선 511 | 김남수 651 | 장기영 281 | 임양주 361 |
| 국세조사관 | | 홍완표 512<br>강정희 513 | 최신호 652 | 이재희 291<br>최정이 282 | 신동용 362<br>목영주 363 |
| | 오혜경 243<br>이서진 242<br>박상종 245 | 이수현 514<br>조성재 515 | 박진웅 653<br>이건호 654<br>오한솔 655 | 박은영 283<br>정성택 284<br>이정화 285<br>윤형길 286 | 이동영 364 |
| | | 이윤정 516 | | 양아름 287 | 박소영 365<br>홍현지 366 |
| | 김대석 246 | 김용운 517 | 김정은 656 | 김수진 288<br>김태기 289<br>김수정 290 | 이지영 367<br>송다영 368 |
| 공무직 | 나영희 202<br>김영례<br>김명자 | | | | |
| FAX | 533-9101 | | 535-0040 | 535-0042 | 535-0041 |

# 1등 조세회계 경제신문 조세일보

| 과 | 재산법인세과 | | 납세자보호담당관 | |
|---|---|---|---|---|
| 과장 | 이상두 400 | | 김영선 210 | |
| 팀 | 재산 | 법인 | 납세자보호실 | 민원봉사실 |
| 팀장 | 이정관 481 | 이종현 401 | 류장훈 211 | 신규용 221 |
| 국세조사관 | 김영숙 482 | 선경미 402 | | 국승미 222<br>최문영 223 |
| | 엄하얀 483<br>이성식 484<br>윤정호 485 | 허문옥 403<br>김재경 404 | | 양동혁 224<br>김은미 225 |
| | 김남이 486 | 이윤선 405 | 박성주 212 | 이효선 226 |
| | 김한비 487<br>정민욱 488 | 변지수 406<br>이종훈 407 | | |
| 공무직 | | | | |
| FAX | 535-0043 | 535-6816 | 535-5109 | 530-1691 |

# 대구지방국세청
# 관할세무서

| ■ 대구지방국세청 | 397 |
| 지방국세청 국·과 | 398 |
| [대구] 남대구 세무서[달성지서] | 404 |
| 동대구 세무서 | 406 |
| 북대구 세무서 | 408 |
| 서대구 세무서 | 410 |
| 수 성 세무서 | 412 |
| [경북] 경 산 세무서 | 414 |
| 경 주 세무서[영천지서] | 416 |
| 구 미 세무서 | 418 |
| 김 천 세무서 | 420 |
| 상 주 세무서 | 422 |
| 안 동 세무서[의성지서] | 424 |
| 영 덕 세무서[울진지서] | 426 |
| 영 주 세무서 | 428 |
| 포 항 세무서[울릉지서] | 430 |

# 대구지방국세청

| | |
|---|---|
| 주소 | 대구광역시 달서구 화암로 301 (대곡동)<br>(우) 42768 |
| 대표전화 | 053-661-7200 |
| 코드번호 | 500 |
| 계좌번호 | 040756 |
| 사업자등록번호 | 102-83-01647 |
| e-mail | daegurto@nts.go.kr |

## 청장　　　한경선

(D) 053-6617-201

| 징세송무국장 | 이동훈 | (D) 053-6617-500 |
|---|---|---|
| 성실납세지원국장 | 김진업 | (D) 053-6617-400 |
| 조사1국장 | 고영일 | (D) 053-6617-700 |
| 조사2국장 | 조성래 | (D) 053-6617-900 |

# 대구지방국세청

대표전화: 053-661-7200 / DID: 053-661-OOOO

청장: **한 경 선**
DID: 053-661-7201

| 주소 | 대구광역시 달서구 화암로 301 정부대구지방합동청사 6~9층 (우) 42768 | | | | | | |
|---|---|---|---|---|---|---|---|
| 코드번호 | 500 | | 계좌번호 | 040756 | | 사업자번호 | 102-83-01647 |
| 관할구역 | 대구광역시, 경상북도 | | | | | 이메일 | daegurto@nts.go.kr |

| 과 | 운영지원과 | | | | 감사관실 | | 납세자보호담당관실 | |
|---|---|---|---|---|---|---|---|---|
| 과장 | 박규동 7240 | | | | 이승괄 7300 | | 이진 7330 | |
| 팀 | 행정<br>7252-8 | 인사<br>7242-8 | 경리<br>7262-7 | 현장소통<br>7272-6 | 감사<br>7302-9 | 감찰<br>7312-9 | 납세자보호<br>7332-5 | 심사<br>7342-6 |
| 팀장 | 최기영 | 배재홍 | 정경남 | 최영윤 | 명기룡 | 김정환 | 이형우 | 이병주 |
| 국세<br>조사관 | 박진영<br>황길례(기록) | 이상헌 | | | 한정환<br>정성호 | 장현기<br>김경한 | | 한재진 |
| 국세<br>조사관 | 공성웅<br>서인현 | 남동우<br>정중현<br>이혜란 | 김주영<br>이경아<br>김경희 | 권순형<br>이영주 | 우영재<br>김자헌<br>김상균<br>김연희 | 박윤형<br>김인<br>김민창<br>임채홍<br>김태형 | 배영옥<br>김민주 | 박지연<br>김경수 |
| 국세<br>조사관 | 김지수<br>김소연 | 서장은<br>김지민 | 최용훈<br>박정희 | 도민지<br>손근희 | 최병준 | | 이유지 | 박은영 |
| 국세<br>조사관 | | | | | | | | |
| 공무직 | 성주연(부) 7150<br>김현숙 7155<br>김재민(사회복무) 7104 | | | | 백효진 7309 | | | |
| FAX | 661-7052 | | | | 661-7054 | | 661-7055 | |

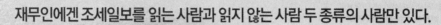

# 재무인과 함께 걸어가겠습니다 '조세일보'

재무인에겐 조세일보를 읽는 사람과 읽지 않는 사람 두 종류의 사람만 있다.

1등 조세회계 경제신문 조세일보

| 국실 | 성실납세지원국 | | | | | | | | | |
|---|---|---|---|---|---|---|---|---|---|---|
| 국장 | 김진업 7400 | | | | | | | | | |
| 과 | 부가가치세과 | | | 소득재산세과 | | | | 법인세과 | | |
| 과장 | 이동일 7401 | | | 이동원 7431 | | | | 김성호 7461 | | |
| 팀 | 부가1 7402-7 | 부가2 7412-6 | 소비세 7422-6 | 소득 7432-6 | 재산 7442-6 | 복지세정1 7452-4 | 복지세정2 7456-7 | 법인1 7462-7 | 법인2 7472-7 | 법인3 7482-6 |
| 팀장 | 권용덕 | 김태형 | 이상호 | 김혜진 | 권태혁 | 이소영 | 김상무 | 권대훈 | 김지인 | 정창근 |
| 국세조사관 | | 김효경 | 도인현 | | 정호선 | | | | | |
| 국세조사관 | 김재환 임정관 | 오호석 장근철 | 최민석 정대석 | 정경미 이선이 | 곽민경 조명석 | 조은경 이동균 | | 김정환 이동규 김종연 | 손은숙 우승하 이슬 안진희 | 김선영 정승우 양세영 |
| 국세조사관 | 권민규 김수진 도이광 | 정유나 | 박재규 | 권은진 박시현 | 김지향 | | 김규식 | 정혜진 김종석 | 최유철 | 이승휘 |
| 국세조사관 | | | | | | | | | | |
| 공무직 | 백지혜(부) 7151 | | | | | | | | | |
| FAX | 661-7056 | | | 661-7057 | | | | 661-7058 | | |

399

**DID : 053-661-0000**

| 국실 | 성실납세지원국 | | | | | 징세송무국 | | | | | |
|---|---|---|---|---|---|---|---|---|---|---|---|
| 국장 | 김진업 7400 | | | | | 이동훈 7500 | | | | | |
| 과 | 정보화관리팀 | | | | | 징세과 | | 송무과 | | 체납추적과 | |
| 과장 | 김순석 7621 | | | | | 김자영 7501 | | 정희석 7521 | | 이병주 7541 | |
| 팀 | 지원 7622-6 | 보안감사 7632-5 | 포레식지원팀 7682-5 | 센터1 7642-7659 | 센터2 7662-7678 | 징세 7502-5 | 체납관리 7512-5 | 송무1 7522-7 | 송무2 7532-6 | 체납추적관리 7542-8 | 체납추적 7552-7 |
| 팀장 | 전현정 | 서계주 | 송재준 | 최상복 | 정이천 | 이경민 | 안해찬 | 김부자 | 이정국 | 최지숙 | 김정철 |
| 국세 조사관 | 김은진 서영지 | 손동민 강지용 | 박주환 | 박경련 | 박경미 | | 강경미 | 김구하 곽미경 | 김종수 | 김일룡 | 배소영 |
| | 이은주 채명신 | 김미량 | | 주명오 권희정 | 최유진 | 조은영 박수범 | 이연진 | 유병모 이근호 | 정수호 최현주 | 박현하 이성훈 이상욱 | 안성엽 김지윤 김광현 |
| | | | 김남규 안지민 | | | 조남철 | 김태완 | 김지은 | 정정하 | 임효신 이태희 | 진언지 |
| | | | | | 김윤호 | | | | | | |
| 공무직 | | | | | | 한은라(부) 7152 | | | | | |
| FAX | 661-7059 | | | | | 661-7060 | | 661-7061 | | 661-7062 | |

| 국실 | 조사1국 | | | | | | | | |
|------|------|------|------|------|------|------|------|------|------|
| 국장 | 고영일 7700 | | | | | | | | |
| 과 | 조사관리과 | | | | | | 조사1과 | | |
| 과장 | 최종기 7701 | | | | | | 김상섭 7751 | | |
| 팀 | 조사관리1 7702-7 | 조사관리2 7712-4 | 조사관리3 7722-9 | 조사관리4 7732-6 | 조사관리5 7742-6 | 조사관리6 7792-3 | 조사1 7752-6 | 조사2 7762-6 | 조사3 7772-5 |
| 팀장 | 이성환 | 황재섭 | 김성균 | 신연숙 | 하성호 | 강대호 | 이중구 | 이석진 | 조재일 |
| 국세 조사관 | | | 류명지 | 장경희 | | | 김태영 | | |
| | 박진희 남상헌 최지영 이주형 | 황지성 | 이준익 김득수 권소연 | 최윤영 우상준 | 김연희 김수민 김혁동 | 이상훈 | 류춘식 김재락 | 오세민 서상범 김경림 | 권우현 이채윤 |
| | 손가영 | 정종권 | 김주원 임재학 이지영 | 정지헌 | 신진우 | | 정현준 | 김병욱 | 조성민 |
| | | | | | | | | | |
| 공무직 | 이가영(부) 7153 | | | | | | 정소영 7757 | | |
| FAX | 661-7063 | | | | | | 661-7065 | | |

401

국세관련 모든 상담은 국번없이 126
전국 어디서나 편리하게 상담받으세요.
평일 9시~18시 (탈세제보는 24시간)

**DID : 053-661-OOOO**

| 국실 | 조사1국 | | | 조사2국 | | |
|---|---|---|---|---|---|---|
| 국장 | 고영일 7700 | | | 조성래 7900 | | |
| 과 | 조사2과 | | | 조사관리과 | | |
| 과장 | 최은호 7801 | | | 김기형 7901 | | |
| 팀 | 조사1<br>7802-6 | 조사2<br>7812-5 | 조사3<br>7822-5 | 조사관리1<br>7902-4 | 조사관리2<br>7912-7 | 조사관리3<br>7922-7 |
| 팀장 | 김정석 | 이장환 | 정윤철 | 서지훈 | 김성제 | 박정길 |
| 국세<br>조사관 | 윤근희 | | | | | 조현덕 |
| | 서민수<br>추혜진 | 이정호<br>배진희 | 손세규<br>김종민 | 민갑승 | 김민호<br>하승범 | 황보정여<br>성원용<br>이강석 |
| | 홍준혁 | 박청진 | 박소정 | 김송원 | 이향옥<br>박상혁<br>함희원 | 정학기 |
| | | | | | | |
| 공무직 | 서지나 7806 | | | 배금숙(부) 7154<br>김애영 7905 | | |
| FAX | 661-7066 | | | 661-7067 | | |

# 10년간 쌓아온 재무인의 역사를 돌려드립니다 '온라인 재무인명부'

수시 업데이트 되는 국세청, 정·관계 인사의 프로필과 국세청, 지방청, 전국세무서, 관세청,
유관기관 등의 인력배치 현황을 볼 수 있는 온라인 재무인명부

1등 조세회계 경제신문 조세일보

| 국실 | 조사2국 | | | | | |
|---|---|---|---|---|---|---|
| 국장 | 조성래 7900 | | | | | |
| 과 | 조사1과 | | | 조사2과 | | |
| 과장 | 조희선 7931 | | | 박경춘 7961 | | |
| 팀 | 조사1 7932-5 | 조사2 7942-4 | 조사3 7952-4 | 조사1 7962-5 | 조사2 7972-5 | 조사3 7982-5 |
| 팀장 | 정규삼 | 박양규 | 권갑선 | 차종언 | 이승은 | 박순출 |
| 국세 조사관 | | 이홍규 | | | | |
| | 박종원 김소희 | | 우병재 | 손정훈 배건한 | 구근랑 고광환 | 김미현 안지연 |
| | 박민주 | 김정미 | 임성훈 | 김혜림 | 이창우 | 주홍준 |
| | | | | | | |
| 공무직 | 김현정 7936 | | | | | |
| FAX | 661-7068 | | | 661-7069 | | |

# 남대구세무서

대표전화: 053-6590-200 / DID: 053-6590-OOO

서장: **이 상 락**
DID: 053-6590-201

| 주소 | 대구광역시 남구 대명로 55 (대명10동 1593-20) (우) 42479<br>달성지서 : 대구광역시 달성군 현풍읍 테크노대로 40 (중리 509-4) (우)) 43020 | | | | |
|---|---|---|---|---|---|
| 코드번호 | 514 | 계좌번호 | 040730 | 사업자번호 | 410-83-02945 |
| 관할구역 | 대구광역시 남구, 달서구 중 월성동, 대천동, 월암동,<br>상인동, 도원동, 진천동, 대곡동, 유천동, 송현동, 본동,<br>달성군 | | | 이메일 | namdaegu@nts.go.kr |

| 과 | 징세과 | | 부가가치세과 | | 소득세과 | | 재산세과 | | 법인세과 | |
|---|---|---|---|---|---|---|---|---|---|---|
| 과장 | 이종훈 240 | | 최지안 280 | | 박유열 360 | | 김복성 480 | | 이광오 400 | |
| 팀 | 운영지원 | 체납추적 | 부가1 | 부가2 | 소득1 | 소득2 | 재산1 | 재산2 | 법인1 | 법인2 |
| 팀장 | 이제욱 241 | 김영섭 441 | 정현중 281 | 김태룡 301 | 홍동훈 381 | 이종숙 621 | 정문제 481 | 김진환 501 | 이준건 401 | 황왕규 421 |
| 국세조사관 | 박수선 244 | 서은혜 442<br>전영현 262 | 김준우(후) | 김병훈 302<br>손춘희 311 | | | 김영인 482<br>김영화 483 | 정영일 502 | 강대호(동원)<br>양미례 402 | |
| 국세조사관 | 장형순 242<br>신원경 243<br>유보아 247<br>배시환 245<br>민재영 248<br>이안섭 246 | 박영주 443<br>남미숙 263<br>김대영 444<br>박자임 445 | 배영환 284<br>이연경 285<br>신익철 286 | 곽철규 303<br>김동원 304<br>전은미 305<br>천정희 306 | 김은주 382<br>남영호 383<br>김경현 384 | 장명진 622<br>정연옥 623<br>김순자 624<br>권정석 625<br>박성현(후) | 김현정 484<br>강인순 485<br>박재형 486 | 이재욱 503<br>송시운 504<br>한성욱 505 | 강정화 403<br>신주영 404 | 최재협 423<br>김안나 424 |
| 국세조사관 | | 손준표 446<br>이선영 447 | 정지환 287 | 정경미 307<br>황다영 308 | | 오현직 626<br>이혜영 627 | | 최윤영 506 | 하효준 405 | |
| 국세조사관 | 이지하 249 | 이상분 264<br>이승환 448<br>이선애 449<br>이대헌 450<br>허환 451<br>정수빈 452 | 박혜영 288<br>김덕년 289<br>선광재 290 | 박상욱 309<br>김수지 310 | 설재혁 385<br>김희연(전)<br>최유나 386<br>하예진 387 | 강대화 628<br>박재원 629<br>정녕현 630 | 박은정 487 | 이소연 507 | 이주하 406 | 이승은 425 |
| 공무직 | 이숙희(교환) 200<br>차은실(부속) 202 | | | | | | | | | |
| FAX | 627-0157 | 625-9726 | 627-7164 | | 627-5281 | | 626-3742 | | 627-0262 | |

| 과 | 조사과 | | 납세자보호담당관 | | 달성지서(053-6620-200) | | | | |
|---|---|---|---|---|---|---|---|---|---|
| 과장 | 이훈희 640 | | 공정원 210 | | 권성구 201 | | | | |
| 팀 | 정보관리 | 조사 | 납세자보호 | 민원봉사 | 체납추적 | 납세자보호 | 부가 | 소득 | 재산법인 |
| 팀장 | 허재훈 641 | <1팀> | 이한솔 211 | 장현미 221 | 고재근 241 | 박재진 221 | 이동민 301 | 오찬현 401 | 신근수 601 |
| 국세조사관 | | 윤희진(6) 651<br>백유정(7) 652<br>이지민(8) 653<br><br><2팀><br>신경우(6) 654<br>정영주(6) 655 | 김동환 212<br>추은경 213<br>정경희(후) 214 | 222 | 김재국 242<br>장연숙 243 | | 정현규 302 | | 황수진(법) 602<br>정환동(법) 603<br>이재현(재) 501 |
| | 김은경 642<br>유현숙 643 | 김재영(9) 656<br><br><3팀><br>이희영(6) 657<br>이보라(8) 658<br>배혜윤(9) 659 | 이미영 215 | 장현정 223<br>이윤주 224 | 김혜영 244 | 우병호 222 | 양철승 303<br>이재홍 304<br>김도민 305 | 정미연 402<br>김형욱 403<br>허성은 404 | 박홍수(재) 502<br>배태호(법) 604 |
| | 박진아 644<br>이영재 645 | 이재락 216<br><br><4팀><br>소현철(6) 660<br>조재영(7) 661 | | | | 안지민<br>(동원)<br>조재범 223 | 이은주 306<br>정승아 307<br>박효임 308 | | 정찬호(재) 503<br>장호우(법) 605 |
| | | <5팀><br>김승년(6) 662<br>민은연(7) 663<br><br><6팀><br>조용길(6) 664 | | 임정아(후) 225<br>김시현 226<br>노헌우 227 | 유창진 245<br>신예람 246<br>강승지 247 | | 박희원 309<br>김경난 310<br>안대근 311 | 송은지 405<br>류광오 406<br>하나정 407<br>박성우 408 | 이보람(법) 606<br>김태원(법) 607<br>조은비(재) 504 |
| 공무직 | | 임중균(7) 665 | | | | | | | |
| FAX | 627-0261 | | 627-2100 | 622-7635 | 627-2100 | 622-7635 | 662-0259 | 662-0229 | 662-0329 |

# 동대구세무서

대표전화: 053-7490-200 / DID: 053-7490-OOO

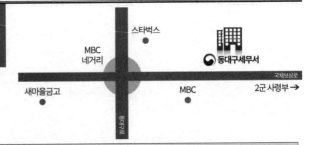

서장: **신 영 재**
DID: 053-7490-201

| 주소 | 대구광역시 동구 국채보상로 895 (우) 41253 | | | | |
|---|---|---|---|---|---|
| 코드번호 | 502 | 계좌번호 | 040769 | 사업자번호 | 410-83-02945 |
| 관할구역 | 대구광역시 동구 | | | 이메일 | dongdaegu@nts.go.kr |

| 과 | 징세과 | | 부가가치세과 | | 소득세과 | |
|---|---|---|---|---|---|---|
| 과장 | 유병길 240 | | 김대중 280 | | 전찬범 360 | |
| 팀 | 운영지원 | 체납추적 | 부가1 | 부가2 | 소득1 | 소득2 |
| 팀장 | 최재혁 241 | 이용균 441 | 전상련 281 | 박영진 301 | 정인현 361 | 이금순 381 |
| 국세<br>조사관 | | 이동호 442<br>백경은 443<br>우명주 444<br>김하수 445<br>고성렬 446 | 박정환 282 | 김혜경 302 | | 이원명 382 |
| 국세<br>조사관 | 신대환 242<br>도세영 245<br>송혜정 243 | 마성혜 262<br>방미주 263<br>이상협 447 | 박남진 283<br>김정옥 284<br>이재복 285<br>최지은 286 | 안미경 303<br>김영은 313<br>김소연 304<br>양준호 305<br>이대호 307 | 장외자 362<br>최현희 363 | 장희정 383 |
| 국세<br>조사관 | 이형욱 246 | 김수희 448<br>이영지 449<br>임향원 264<br>하은석 450 | 성은애 287 | | 구수목 364 | 박춘영 384<br>이동민 385<br>이인호 386 |
| 국세<br>조사관 | 장수연 249<br>박판식 247<br>김진규 248<br>추민성 244 | 이수경 451 | 정상열 288 | 강지원 306 | 강민경 365<br>김동영 366 | 안규민 387 |
| 공무직 | 전소영(비서) 202  신찬영(사회복무)<br>김승희(교환) 542  장우혁 (사회복무)<br>구민성(환경)<br>이미희(환경) | | | | | |
| FAX | 756-8837 | | 754-0392 | | 756-8106 | |

# 1등 조세회계 경제신문 조세일보

| 과 | 재산법인세과 | | 조사과 | | 납세자보호담당관 | |
|---|---|---|---|---|---|---|
| 과장 | 김성진 400 | | 김민웅 640 | | 장시원 210 | |
| 팀 | 재산 | 법인 | 정보관리팀 | 조사팀 | 납세자보호실 | 민원봉사실 |
| 팀장 | 박규철 481 | 조철호 401 | 문창규 641 | | 임한경 211 | 이원복 221 |
| 국세조사관 | 신윤숙 490<br>정수연 482<br>이은영 483 | | | \<1팀\><br>김상균(6) 651<br>장교준(7) 652 | 윤성아 212 | 김훈 222 |
| | 우제경 484<br>이근애 485 | 이미남 402<br>김재민 403 | 우주형 642<br>박재찬 643 | \<2팀\><br>류재현(6) 653<br>이성욱(8) 654<br>양서안(9) 655 | | 이경순 223<br>전재희 226<br>임수경 224<br>최은선 225 |
| | 오가은 486 | 최경화 404<br>심규민 405<br>김재연 406 | 손신혜 644 | | | 서이현 227 |
| | 박가람 487<br>공인호 488<br>홍수림 489 | 정지혜 407<br>최영은 408 | | \<3팀\><br>정이열(6) 656<br>이도현(9) 657 | 김성우 213 | 은혜민 228 |
| 공무직 | | | | | | |
| FAX | 744-5088 | 756-8104 | 742-7504 | | 756-8111 | |

# 북대구세무서

대표전화: 053-3504-200/ DID: 053-3504-OOO

서장: **이 미 애**
DID: 053-3504-201

| 주소 | 대구광역시 북구 원대로 118 (침산동) (우) 41590 ||||||
|---|---|---|---|---|---|---|
| 코드번호 | 504 | 계좌번호 | 040772 | 사업자번호 | 410-83-02945 ||
| 관할구역 | 대구광역시 북구, 중구 ||| 이메일 | bukdaegu@nts.go.kr ||

| 과 | 징세과 ||| 부가가치세과 ||| 소득세과 |||
|---|---|---|---|---|---|---|---|---|---|
| 과장 | 이춘희 240 ||| 권호경 280 ||| 이창훈 360 |||
| 팀 | 운영지원 | 체납추적1 | 체납추적2 | 부가1 | 부가2 | 부가3 | 소득1 | 소득2 | 소득3 |
| 팀장 | 이현수 241 | 윤원정 441 | 김창구 461 | 곽봉화 281 | 하철수 301 | 이동준 321 | 고재봉 361 | 장종철 371 | 석수현 381 |
| 국세조사관 | 배익준 242 | 이도경 442 | 박승용 462<br>김삼규 463<br>유영숙 262<br>이춘복 464 | 김현두 282<br>이광민 283 | 권영대 302<br>엄유섭 303 | 임주환 322<br>박주현<br>(소비) 323 | 이승환<br>(오후) 572<br>권순식 362 | 이동우 372<br>박정수 373 | 이해봉 382 |
| | 나현숙 243<br>백효정<br>(사무) 244 | 조윤주 443<br>장창호 444<br>이영애 445<br>이충호 446 | 여창숙 263<br>박동열 264<br>권순홍 465 | 천해자 285<br>조준환 285<br>김현진 286<br>전지희<br>(오후) 573 | 신재은 304<br>김혜영 305 | 김민철 324<br>김혜인 325 | 서대영<br>(오전) 572<br>정형태 363<br>이상규 364<br>박미정 365 | 김재형 374<br>이상민 375<br>신유림 376 | 조미경 383<br>김이레 384<br>이하나 385 |
| | 최주영 245<br>강홍일<br>(운전) 250 | 정은진 447<br>김하나 447 | 김우리 265<br>김정훈 466 | 임종호 287 | 류재리 306<br>허정미 307 | 임희인 326 | | | |
| | 이윤재 246<br>박근영 247<br>김윤수<br>(방호) 248<br>김종우<br>(공업) 249 | 김정헌 449<br>박정은 450 | 박다겸 467<br>이지은 468 | 최우정 288<br>김현호 289<br>허규진 290<br>김대성 291<br>조혜원 292 | 채미연 308<br>윤기한 309<br>구소림 310<br>안창남 312 | 이종현 327<br>이수연 328<br>김지원 329<br>이홍엽 330<br>박소연 331 | 오진석 366<br>김동범 367<br>권유심 368 | 주현정 377<br>이승언 378 | 이정은 386<br>김호승 387 |
| 공무직 | 이은지(비서) 202, 문한선(환경), 홍성우(환경), 채미영(환경) |||||||||
| FAX | 354-4190 | | 354-4190 | 356-2557 | 신고지원:<br>354-4075 || 355-7511 | | |

# 재무인과 함께 걸어가겠습니다 '조세일보'

재무인에겐 조세일보를 읽는 사람과 읽지 않는 사람 두 종류의 사람만 있다.

1등 조세회계 경제신문 조세일보

| 과 | 재산세과 | | 법인세과 | | 조사과 | | 납세자보호담당관 | |
|---|---|---|---|---|---|---|---|---|
| 과장 | 김창신 480 | | 은경례 400 | | 김선민 640 | | 이정범 210 | |
| 팀 | 재산1 | 재산2 | 법인1 | 법인2 | 정보관리 | 조사 | 납세자보호실 | 민원봉사실 |
| 팀장 | 전영호 481 | 김광열 501 | 백미주 401 | 임병주 421 | 고기태 641 | <1팀><br>김규수(6) 651<br>김상련(7) 652<br>엄수민(8) 653 | | 이도영 221 |
| 국세조사관 | 김진건 482 | 정호태 502 | 김옥현 402 | | 류기환 642 | | 조남규 211<br>송재민 212 | |
| | 이경향 483<br>김태호 484<br>유혜진 485<br>허현정(오후)<br>575 | 황순영 503<br>석종국 504<br>서상순 505 | 이현수 403<br>안우형 404<br>송홍준 405 | 추시은 422<br>김정국 423<br>김상조 424 | 황성희 643<br>윤태희 644<br>전혜진 645 | <2팀><br>윤종현(6) 654<br>윤지연(7) 655<br>김동범(8) 656<br><br><3팀><br>김민국(6) 657<br>이민우(7) 658<br>이채원(9) 659 | 김병모 213<br>유진선 214 | 이혜경 222<br>신은정 223 |
| | 강수은 486<br>노현진 487<br>안진우 488<br>함희원<br>(동원) | | | 이성한 425 | 김민수 646 | <4팀><br>이승명(6) 660<br>김상우(7) 661<br>김민석(9) 662 | 오은비 215 | 이현정 224<br>진미란 225<br>노동영 226 |
| | 최재은 489 | | 김정한 406<br>강고운 407 | 송주현 426<br>김혜인 427 | 배수진 647 | <5팀><br>김희정(6) 663<br>노은미(7) 664<br>이윤주(9) 665 | | 김도훈 227<br>우현지 228<br>임상희 229 |
| 공무직 | | | | | | <6팀><br>한창수(6) 666<br>장창걸(7) 668 | | |
| FAX | 356-2556 | | 356-2030 | | 357-4415 | 351-4434 | 356-2016 | 358-3963 |

# 서대구세무서

대표전화: 053-6591-200 / DID: 053-6591-OOO

서장: **김 부 한**
DID: 053-6591-201

| 주소 | 대구광역시 달서구 당산로38길 33 (두류동) (우) 42645<br>고령민원봉사실 : 경상북도 고령군 고령읍 왕릉로 55(지산리 190번지) (우) 40138 | | |
|---|---|---|---|
| 코드번호 | 503 | 계좌번호 040798 | 사업자번호 410-83-02945 |
| 관할구역 | 대구광역시 서구, 달서구 중 갈산동, 감삼동, 두류동, 본리동,<br>성당동, 신당동, 용산동, 이곡동, 장기동, 장동, 죽전동, 호산동,<br>파호동, 호림동, 경상북도 고령군 | 이메일 | seodaegu@nts.go.kr |

| 과 | 징세과 | | | 부가가치세과 | | | 소득세과 | | |
|---|---|---|---|---|---|---|---|---|---|
| 과장 | 권대명 240 | | | 김영중 280 | | | 김재섭 360 | | |
| 팀 | 운영지원 | 체납추적1 | 체납추적2 | 부가1 | 부가2 | 부가3 | 소득1 | 소득2 | 소득3 |
| 팀장 | 김종인 241 | 전미자 441 | 이기연 461 | 연상훈 281 | 이선희 301 | 신상우 321 | 이정노 361 | 임용규 381 | 이영조 621 |
| 국세<br>조사관 | | 박명우 442 | 김인덕 463<br>손예정 464<br>이정선 465<br>오향아(징세)<br>262<br>윤희범 466 | 김하영 282<br>이명수 283 | 조호연 302 | 이백춘 322 | 이영우 362 | 마명희 382 | 박만용 622 |
| | 하경숙 242<br>정민주 243<br>최태용<br>(열관리) 248<br>김정목(운전)<br>247 | 김영희(사무)<br>449<br>정운월 443<br>이선영 444<br>이경준 448 | 강용철 467<br>김혜진(징세)<br>263 | 최춘자(사무)<br>291<br>좌혜미(오후)<br>314<br>신혜경 284<br>임영진 285 | 정동철 303<br>김인자 304<br>황영숙 305<br>김혜정 306 | 김민주<br>323<br>이동하<br>325<br>김두영<br>330 | 이승아<br>363<br>구병모<br>364 | 이인우<br>383<br>이연숙<br>384 | 이경숙<br>623 |
| | 최현석(방호)<br>249 | | 김현주(징세)<br>264 | 하수진 286<br>조현진 287 | 정쌍화(오전)<br>314<br>이순임 307<br>황준순 308 | 이종휘<br>326<br>박미선<br>327 | | | 하영미<br>(오후) 389 |
| | 정혜원 244<br>허성혁 245 | 이승현 445<br>김은영 446<br>김민정 447 | 장효경 468<br>구신영 469 | 신유정 288<br>박수호 289<br>이수지 290 | 최정은 309 | 최근재<br>328 | 강률인<br>365<br>황은아<br>366 | 이소희<br>385 | 유영환<br>624<br>권성현<br>625 |
| 공무직 | 석미애(비서) 202<br>최지연(교환) 200<br>오미숙, 이성숙, 박옥연 | | | | | | | | |
| FAX | 627-6121 | 629-3642 | | 622-4278, 653-2515 | | | 624-6001 | | |

| 과 | 재산법인세과 | | | | 조사과 | | 납세자보호담당관 | |
|---|---|---|---|---|---|---|---|---|
| 과장 | 홍경란 400 | | | | 장석현 640 | | 김경식 210 | |
| 팀 | 재산1 | 재산2 | 법인1 | 법인2 | 정보관리 | 조사 | 납세자보호 | 민원봉사 |
| 팀장 | 김현수 481 | 조래성 501 | 전상규 401 | 박환협 421 | 윤판호 641 | <1팀><br>오재길(6) 651<br>백승훈(7) 652<br>김유진(9) 653 | | 김성종 221 |
| 국세조사관 | | 변영철 502 | 김영숙 402 | 김태우 422 | | | 김도숙 212 | 안영길(고령)<br>054-950-6550 |
| 국세조사관 | 김지숙 482<br>서소진 483<br>이미선(오후) 492<br>김태희 484 | 조영태 503<br>도연정 504 | 강승묵 403<br>박준욱 404 | 정성희 423 | 이재원 642<br>최선희 643<br>정다운(정보) 644 | <2팀><br>김진한(6) 654<br>허성길(7) 655<br>김영아(8) 656<br><br><3팀><br>배창식(6) 657<br>배은경(7) 658<br>여정현(9) 659 | | 정수현 222<br>권오신 223<br>김단아 224 |
| 국세조사관 | 김은경 485<br>김성민 486 | | | 윤강로 424 | | | 이승준 213 | |
| 국세조사관 | | | | | | <4팀><br>김현수(6) 671<br>정현정(7) 672 | | |
| 국세조사관 | | 박해정 505 | 배민정 405<br>강민지 406<br>김선진 407 | 황무근 425<br>도지회 426 | 이진욱 645 | <5팀><br>이덕원(6) 674<br>배유리(8) 675 | 전현진 214 | 김유진 225<br>김효인 226<br>원종화 227<br>박소영 228 |
| 공무직 | | | | | | <6팀><br>이재혁(6) 677<br>장해탁(7) 678 | | |
| FAX | 624-6003, 629-3643 | | | | 629-3373, 624-6002 | | 627-5761, 625-2103 | |

# 수성세무서

대표전화: 053-7496-200 / DID: 053-7496-OOO

서장: **최 재 현**
DID: 053-7496-201~2

| 주소 | 대구광역시 수성구 달구벌대로 2362 (수성동3가5-1) (우) 42115 | | | | |
|---|---|---|---|---|---|
| 코드번호 | 516 | 계좌번호 | 026181 | 사업자번호 | |
| 관할구역 | 대구광역시 수성구 | | 이메일 | suseong@nts.go.kr | |

| 과 | 징세과 | | 부가가치세과 | | 소득세과 | |
|---|---|---|---|---|---|---|
| 과장 | 박영언 240 | | 김상훈 280 | | 한순국 360 | |
| 팀 | 운영지원 | 체납추적 | 부가1 | 부가2 | 소득1 | 소득2 |
| 팀장 | 김규진 241 | 장수정 441 | 김정섭 281 | 임유선 301 | 박정성 361 | 황일성 381 |
| 국세<br>조사관 | | 김재윤 442<br>김용한 443<br>최성실 444<br>배현숙(징세) 262 | | 서영교 302 | 류희열 362<br>김봉수 363 | 이광재 382 |
| 국세<br>조사관 | 박현주 242<br>구혜림 243<br>배경순(사무) 244 | 이정훈 445<br>김경석 446<br>이정순 447 | 이승택 282<br>박석흠 283<br>이현정(오전) 271 | 권혁도 304<br>서미정 305<br>강덕주(소비) 306 | 신정석 364<br>도성희 365<br>이정훈 366 | 정진웅 383<br>박선혜 384<br>백근민 385 |
| 국세<br>조사관 | 이윤정 245<br>이범철(운전) 246 | 서현지 448<br>김현희(징세) 263<br>우상훈 449 | 박선희 284 | 여소정 307<br>박주언 308 | 박유민 367<br>이상민 368 | 이영수 386 |
| 국세<br>조사관 | 박예진 247<br>권기창(방호) 248 | 진미정(징세) 264<br>김진희 450<br>예성진 451 | 한경태 285<br>박나은 286 | 김민애 309 | 임수현 369 | 김동현 387<br>김영민 388<br>이수현 369 |
| 공무직 | 신은숙(비서) 202<br>박정희(환경)<br>김봉애(환경)<br>이상원(공익)<br>안수빈(공익) | 수납창구 264 | <전자신고 상담창구><br>채은진 275, 276 | | | |
| FAX | 749-6602 | 749-6623 | 749-6603 | | 749-6604 | |

| 과 | 재산법인세과 | | | 조사과 | | 납세자보호담당관 | |
|---|---|---|---|---|---|---|---|
| **과장** | 장경숙 400 | | | 이동범 640 | | 권병일 210 | |
| **팀** | 재산1 | 재산2 | 법인 | 정보관리 | 조사 | 납세자보호실 | 민원봉사실 |
| **팀장** | 김광석 501 | 이원희 541 | 이영철 401 | 이유조 641 | | 이명희 211 | 이경옥 221 |
| **국세<br>조사관** | 최재화 502<br>강대일 503 | 정호용 542<br>정재현 543 | | | <1팀><br>유현종(6) 651<br>정순재(7)(파견)<br>김남정(7) 652<br>정나영(9) 653 | 배재호 212 | 김미현 222 |
| | 김선영 504<br>정소영 505<br>박서형(오전)<br>274<br>강은진 506 | 이승엽 544 | 오승훈 402<br>하헌욱 403<br>이유진 404<br>김지연 405 | 신영준 642<br>안성덕 643 | <2팀><br>김성대(6) 654<br>도선정(7) 655<br>최장규(7)(파견) | | 권현주 223<br>이정영(오후)<br>224<br>서은호 225 |
| | 김윤종 507 | | 손태우 406<br>서용준 407 | 김도훈 644 | | 홍경은 213 | 김선경 226 |
| | 문정혁 508<br>송인준 509 | 오영빈 545<br>박기호 546<br>김주영 547 | 조인애 408<br>안준현 409 | | <3팀><br>이종현(6) 656<br>윤종훈(7) 657 | | 김송희(오후)<br>227<br>장유나 228 |
| **공무직** | | | | | | | |
| **FAX** | 749-6605 | | | 749-6606 | | 749-6607 | 749-6608 |

# 경산세무서

대표전화: 053-8193-200 / DID: 054-8193-OOO

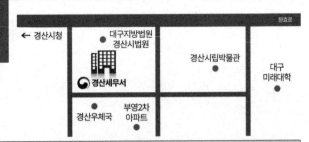

서장: **조 승 현**
DID: 053-8193-201

| 주소 | 경상북도 경산시 박물관로 3 (사동 633-2) (우) 38583 청도민원실 : 경상북도 청도군 화양읍 청화로 70(화양읍 범곡리 133) (우) 38330 | | | | |
|---|---|---|---|---|---|
| 코드번호 | 515 | 계좌번호 | 042330 | 사업자번호 | 410-83-02945 |
| 관할구역 | 경상북도 경산시, 청도군 | | | 이메일 | gueongsan@nts.go.kr |

| 과 | 징세과 | | 부가소득세과 | |
|---|---|---|---|---|
| 과장 | 지재홍 240 | | 백희태 280 | |
| 팀 | 운영지원 | 체납추적 | 부가 | 소득 |
| 팀장 | 임채현 241 | 길성구 441 | 장현우 281 | 김상희 301 |
| 국세조사관 | | 황보웅(오후) 264<br>전창훈 442 | 황지영 282<br>정성희 283<br>김상철 284 | 남해용<br>박무성 302 |
| 국세조사관 | 이효진 243<br>박지연<br>류성주(운전) 244<br>강동호 242 | 박자윤 443<br>심재훈 444<br>이지영(징세) 262<br>김형준(징세) 263<br>장병호 445<br>송민지 446 | 이선미 285<br>공윤미 286<br>이원형 287<br>엄슬희 288 | 조정혜(오후) 312<br>강현구 303 |
| 국세조사관 | 염길선(방호) 245 | | 정중수 289<br>황현정(오전) 312<br>전수진 290 | 반아성 304<br>김상운 305 |
| 국세조사관 | 이푸름 246 | 김영미 447<br>장정혜 448<br>김소현 449<br>김민주 450 | 정혜림 291<br>정정오 292<br>하연정 293 | 전호종 306<br>차재익 307<br>서지현 308<br>임현지 309<br>서효일 310 |
| 공무직 | 배가야(사무) 202<br>신영미(행정) 247<br>임수연(교환) 523<br>김중남(미화)<br>강순열(미화) | 백재영(사회복무)<br>송범근(사회복무) | | |
| FAX | 811-8307 | 802-8300 | 802-8303 | |

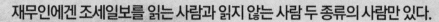

| 과 | 재산법인세과 | | 조사과 | | 납세자보호담당관 | |
|---|---|---|---|---|---|---|
| 과장 | 이충형 400 | | 오재환 620 | | 박성학 210 | |
| 팀 | 재산 | 법인 | 정보관리 | 조사 | 납세자보호실 | 민원봉사실 |
| 팀장 | 정재호 481 | 박형우 401 | 도해민 621 | | 신옥희 211 | 윤호현 221 |
| 국세조사관 | 임상진 482<br>김종현 483 | 김병욱 402 | 박영호 622 | <1팀><br>김진도(6) 631<br>윤상환(7) 632<br>박주현(8) 633 | | 김연희(청도)<br>054-372-2100 |
| 국세조사관 | 장훈 484<br>김보정(오전) 305<br>최용훈 485 | 박정용 403<br>채승훈 404<br>정인회 405 | 이창구 623 | <2팀><br>김태겸(6) 634<br>오정훈(8) 635 | 배민경 212 | 박승현 223 |
| 국세조사관 | 김아영 486 | 김세현 406 | | | | 원효주 224<br>이종민 225 |
| 국세조사관 | 이동명 487<br>이유정 488 | 권인석 407<br>장호정 408<br>성주희 409<br>최유미 410 | 김채은 624 | <3팀><br>황성진(6) 636<br>전종경(7) 637 | | 홍진주 226 |
| 공무직 | | | | | | |
| FAX | 802-8305 | 802-8304 | 802-8306 | | 802-8301 | 802-8302 |

# 경주세무서

대표전화: 054-7791-200/ DID: 054-7791-OOO

서장: **전 재 달**
DID: 054-7791-201

| 주소 | 경상북도 경주시 원화로 335 (성동동180-4) (우) 38138<br>영천지서 : 경상북도 영천시 강변로 12 (성내동 230) (우) 38841 | | | | | |
|---|---|---|---|---|---|---|
| **코드번호** | 505 | **계좌번호** | 170176 | **사업자번호** | 410-83-02945 | |
| **관할구역** | 경상북도 경주시, 영천시 | | | **이메일** | gyeongju@nts.go.kr | |

| 과 | 징세과 | | 부가소득세과 | | | 재산법인세과 | |
|---|---|---|---|---|---|---|---|
| **과장** | 김종근 240 | | 김병석 280 | | | 김성열 400 | |
| **팀** | 운영지원 | 체납추적 | 부가1 | 부가2 | 소득 | 재산 | 법인 |
| **팀장** | 김동춘 241 | | 안병수 281 | 박기영 301 | 이유상 361 | 김현숙 481 | 박상국 401 |
| **국세<br>조사관** | | 김이규 442<br>조현 443<br>김미 444 | 이주형 282 | | | 정재기 482 | |
| | 은종온 242<br>예동희 243<br>설진우 611 | 윤민희 445<br>채주희(징) 262 | 최윤형 283 | 서은우 302<br>최정혜 303<br>하영미 304 | 이인원 362<br>김상기 363<br>정현진 364 | 이상건 483<br>이형준 484 | 오규열 403<br>이은희 404 |
| | 정연훈 245 | 권은경(징) 263 | 김정숙 284 | 김형준(오후)<br>311 | 임지은 365 | | 권대호 405 |
| | 오준오 244<br>유재현 246 | 양예주 446<br>이규호 447<br>백지영 448<br>김민혁 449<br>변수영 450<br>정성용 451 | 권덕환 285<br>류정미 286<br>이건 287 | 신문정 305<br>정현정 306<br>이소정 307 | 김혜지 366<br>유헌정 367<br>조은미 368<br>박주영 369 | 이승렬 485<br>장두수 486<br>권지원 487 | 임완수 406<br>이나경 407<br>현우창 408<br>이동주 409<br>엄상희 410 |
| **공무직** | 정미애(교환)<br>523<br>한휘(부속실)<br>202<br>전명선(환경)<br>최정화(환경) | 이상권<br>정우진<br>(사회복무) | | | | | |
| **FAX** | 743-4408 | 742-2002 | 749-0917, 749-0918 | | | 749-0913 | 745-5000 |

| 과 | 조사과 | | 납세자보호담당관 | | 영천지서(054-8581-200) | | | |
|---|---|---|---|---|---|---|---|---|
| 과장 | 한청희 640 | | 배세령 210 | | 윤재복 201 | | | |
| 팀 | 정보관리 | 조사 | 납세자보호 | 민원봉사 | 체납추적 | 납세자보호 | 부가소득 | 재산법인 |
| 팀장 | 김성희 641 | <1팀> 최인우(6) 651 이수영(7) 652 김재현(8) 653 | 이재훈 211 | | 문성연 261 | | 이선영 231 | 변재완 241 |
| 국세조사관 | | | 변지흠 212 | | 이지안 262 | | 이철호(부) 232 | 임치수(법) 242 |
| 국세조사관 | 김광련 642 김재홍(정) 643 | <2팀> 김명경(6) 654 박필규(7) 655 홍민영(9) 656 | 나상일 213 | 백경엽 222 이민해 223 | 천기문 263 이준식 264 | 이해진(오후) 251 조라경(오전) 251 복현경 252 | 최진(부) 233 박해영(부) 234 김선규(소) 237 | 이경옥(재) 245 |
| 국세조사관 | | <3팀> 김대훈(6) 657 신성용(7) 658 | | | | | 윤상아(부) 235 서애영(소) 238 | 김지은(재) 246 백종헌(법) 243 |
| 국세조사관 | 한규원 644 김수현 645 | <4팀> 김도연(7) 659 이시형(9) 660 | | 나지윤 224 문수원 225 | | 정원용 253 | 오주희(소) 239 나원정(부) 236 | 조민제(재) 247 정세희(법) 244 |
| 공무직 | | | | | 조우영 (부속실) 202 유출이(환경) | | | 최숙희(사무) 250 |
| FAX | 771-9402 | | 773-9605 | 749-9206 | 338-5100 | 333-3943 | 338-5100 | 331-0910 |

417

# 구미세무서

대표전화: 054-4684-200 / DID: 054-4684-OOO

서장: **김 상 현**
DID: 054-4684-201~2

| | | |
|---|---|---|
| **주소** | 경상북도 구미시 수출대로 179 (공단동) (우) 39269<br>칠곡민원실 : 경상북도 칠곡군 왜관읍 공단로1길 7 (우) 39909 | |
| **코드번호** | 513 | **계좌번호** 905244   **사업자번호** 410-83-02945 |
| **관할구역** | 경상북도 구미시, 칠곡군 | **이메일** gumi@nts.go.kr |

| 과 | 징세과 | | | 부가가치세과 | | 소득세과 | |
|---|---|---|---|---|---|---|---|
| **과장** | 이강훈 240 | | | 석용길 280 | | 이상경 360 | |
| **팀** | 운영지원 | 체납추적1 | 체납추적2 | 부가1 | 부가2 | 소득1 | 소득2 |
| **팀장** | 마일명 241 | 전근 441 | 정환주 461 | 강상주 281 | 변정안 301 | 김성우 361 | 시진기 381 |
| **국세<br>조사관** | | 이순기 442<br>김경택 443 | 성영순(징세)<br>262<br>462 | 심상운 281 | 강태윤 302 | | |
| | 김홍경 242<br>김유진 244<br>서이현(운전)<br>243 | 이희옥 444<br>진민혜 445<br>김민지 446<br>서소담 447 | 진소영 463<br>이미선(징세)<br>263<br>황선정 464 | 이승엽(오전)<br>282<br>신선혜 283<br>고광현 284<br>신미영 285<br>최재성 286<br>최재우 287<br>김현숙 288 | 이주미(주) 303<br>이한샘 304<br>전양호(소비)<br>299<br>김민준 305<br>이찬우 306<br>유지연 307<br>박순주 308<br>손소희 309 | 오형주 363<br>구광모 364 | 김경동 382<br>이주미(주) 383<br>황주미 |
| | 강덕훈 247 | | 빈승주(징세)<br>(오전) 264 | 왕화 289<br>염지혜 290<br>이상미 291 | 김현수 310 | | 김좌근 384 |
| | 김은석(방호)<br>246 | 천승렬 448<br>김민석 449 | 조여경 465<br>김휘민 466<br>최재영 467<br>김욱진 468 | 정진후 292<br>한지영 293 | 옥승오 311<br>강예림 312<br>김보림 313 | 김보배 365<br>안예지 366<br>김승현 367<br>김교민 368 | 김규리 385<br>권순근 386<br>금민서 387 |
| **공무직** | 김미숙(사무) 202<br>박지숙(사무) 205<br>최말숙(환경)<br>이지미(환경) | 황민서(공익)<br>김상훈(공익) | | | | | |
| **FAX** | 468-4203 | 464-0537 | | 461-4057 | | 461-4666 | |

# 1등 조세회계 경제신문 조세일보

| 과 | 재산법인세과 | | | | 조사과 | | 납세자보호담당관 | |
|---|---|---|---|---|---|---|---|---|
| 과장 | 변호춘 400 | | | | 이종우 640 | | 신용석 210 | |
| 팀 | 재산1 | 재산2 | 법인1 | 법인2 | 정보관리 | 조사 | 납세자보호 | 민원봉사 |
| 팀장 | 장은경 481 | 민택기 501 | 문효상 401 | 노진철 421 | 김준식 641 | <1팀><br>류재무(6) 651<br>김대업(7) 652<br>조현태(9) 653 | 서정우 211 | 박기탁 221 |
| 국세<br>조사관 | 백유기 482<br>엄경애 483 | 김봉승 502 | 김동욱 402 | 조강호 422 | 정은주 642 | | 이배인 212 | 박세일 222 |
| 국세<br>조사관 | 김완섭 484 | 윤일식 503<br>김나영 504 | 신진연 403<br>김덕환 404 | 박찬녕 423<br>배진우 424 | 김신규 643<br>최기용 644 | <2팀><br>조한규(6) 654<br>정현모(7) 655<br>우수경(9) 656 | 김상헌 213 | 김수현 223<br>박선옥 224<br>김보경(칠곡)<br>(오후)<br>최은영 225<br>최미나(칠곡) |
| 국세<br>조사관 | 김세철 485 | 송성근 505 | 김세온 405 | 신지애 425 | | <3팀><br>이기동(6) 657<br>김성호(7) 658<br>이수정(9) 659 | | 황지원<br>(임기제) 226 |
| 국세<br>조사관 | 복소정 486<br>정경식 487 | | 남정민 406<br>김우주 407<br>김유정 408 | 최은진 426<br>이현지 427<br>윤동연 428 | | <4팀><br>류상효(6) 660<br>김진영(7) 661 | | 이하영 227 |
| 공무직 | | | | | | | | |
| FAX | 461-4665 | | | | 461-4144 | | 463-5000 | 민원<br>463-2100<br>칠곡<br>972-4037 |

419

# 김천세무서

대표전화: 054-4203-200 / DID: 054-4203-OOO

서장: **김 대 중**
DID: 054-4203-201

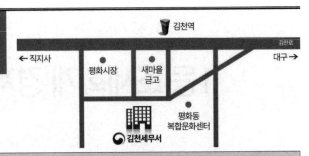

| 주소 | 경상북도 김천시 평화길 128 (평화동) (우) 39610<br>성주민원실 : 경상북도 성주군 성주읍 성주로 3200 (우) 719801 | | | | |
|---|---|---|---|---|---|
| 코드번호 | 510 | 계좌번호 | 905257 | 사업자번호 | 410-83-02945 |
| 관할구역 | 경상북도 김천시, 성주군 | | | 이메일 | gimcheon510@nts.go.kr |

| 과 | 징세과 | | | 세원관리과 | |
|---|---|---|---|---|---|
| 과장 | 박정숙 240 | | | 이동훈 280 | |
| 팀 | 운영지원 | 체납추적 | 조사 | 부가 | 소득 |
| 팀장 | 정석호 241 | 정성민 441 | 최상규 651 | 천상수 281 | 최재영 361 |
| 국세<br>조사관 | | | | 황윤식 282 | 유세은 362 |
| 국세<br>조사관 | 최수진 242<br>박수정 243 | 이수미(징세) 263<br>최혜영 443<br>정동준 444<br>조경희(시간제) 445<br>김남희 446 | 백성철 652<br>김수호 653 | 김명국(소비) 292<br>양혜진 283<br>이은정 284<br>이주석 285<br>김은주 286 | 김상희 363 |
| 국세<br>조사관 | 손동진(운전) 244<br>서석태(방호) 247 | 권현지 447<br>박은옥(시간제) 448 | 현경석 654 | | 김정협 364 |
| 국세<br>조사관 | 천요한 246 | 박경태 449 | 이승은 655 | 권준용 287<br>안유진 288 | 윤현식 365<br>박소영 366 |
| 공무직 | 강미정(교환) 245<br>이수진(환경) 245<br>전상미(비서) 202 | 류태형(사회복무)<br>송길성(사회복무) | | | |
| FAX | 433-6608 | | | 430-8764 | |

| 과 | 세원관리과 | | 납세자보호담당관 | |
|---|---|---|---|---|
| 과장 | 이동훈 280 | | 김종석 210 | |
| 팀 | 재산법인 | | 납세자보호실 | 민원봉사실 |
| | 재산 | 법인 | | |
| 팀장 | 최승필 481 | | | 김경남 221 |
| 국세<br>조사관 | 오주경 482 | 402 | | 김용기 222<br>손경수(성주) |
| | 김정숙 483<br>이진욱 484 | 전성우 403<br>윤성욱 404 | | 강진영 223 |
| | 박시현 485 | 이소연 405 | 이선정 211 | |
| | 변연주 486<br>홍민아 487 | 송채연 406<br>정현명 408 | | |
| 공무직 | | | | |
| FAX | 430-8763 | | 432-2100 | 432-6604 |

# 상주세무서

대표전화: 054-5300-200 / DID: 054-5300-OOO

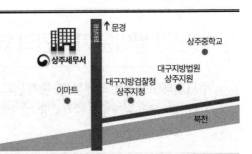

서장: **김 선 수**
DID: 054-5300-201

| 주소 | 경상북도 상주시 경상대로 3173-11 (만산동) (우) 37161<br>문경민원실 : 문경시 당교로 225 (모전동) 문경시청내 문경지역민원봉사실 (우) 36982 | | | | |
|---|---|---|---|---|---|
| 코드번호 | 511 | 계좌번호 | 905260 | 사업자번호 | 410-83-02945 |
| 관할구역 | 경상북도 상주시, 문경시 | | | 이메일 | sangju@nts.go.kr |

| 과 | 징세과 | | | 세원관리과 | |
|---|---|---|---|---|---|
| 과장 | 송명철 240 | | | 엄기범 280 | |
| 팀 | 운영지원 | 체납추적 | 조사 | 부가 | 소득 |
| 팀장 | 민태규 241 | 신건묵 441 | 김철연 651 | 안홍서 281 | 김두곤 361 |
| 국세<br>조사관 | | 장철현 442 | 이선육 652 | 황성만 282 | 이선호 362 |
| | 김대열 242<br>김성순 243<br>최화성(방호) 244 | 배혜진 443 | 권현목 653<br>김덕현 654 | 강미진 283<br>최유일(소비) 291<br>유선희 284 | |
| | 권익찬(운전) 245 | 문호영 444<br>김민정 445 | | 정미금 285 | 김동현 363 |
| | | 신유진(징세) 261 | 장선희 655 | 성도현 286<br>김길희 287<br>윤주희 288 | 안예지 364<br>김태희 365 |
| 공무직 | 김채현(사무) 202<br>임남숙(환경) 695<br>김진욱(사회복무) 247 | | | | |
| FAX | 534-9026 | 534-9025 | 534-8024 | 535-1454 | |

| 과 | 세원관리과 | | 납세자보호담당관 | |
|---|---|---|---|---|
| **과장** | 엄기범 280 | | 서영일 210 | |
| **팀** | 재산법인 | | 납세자보호실 | 민원봉사실 |
| | 재산 | 법인 | | |
| **팀장** | 임광혁 401 | | | 김창환 221 |
| **국세조사관** | 김진우 482 | 서경영 402 | 김종훈 211 | 조원영(문경) 553-9100 |
| | 김영록 483 | 이병영 403 | | 도명선(문경) 552-9100<br>구태훈 222<br>김경해 223 |
| | 양지혜 484<br>정해진 485 | 남창희 404 | | |
| | | 문지윤 405 | | |
| **공무직** | | | | |
| **FAX** | 535-1454 | | 534-9017 | 536-0400<br>문경 553-9102 |

# 안동세무서

대표전화: 054-8510-200 / DID: 054-8510-OOO

서장: **이 기 각**
DID: 054-8510-201

| 주소 | 경상북도 안동시 서동문로 208 (우) 36702<br>의성지서 : 경상북도 의성군 의성읍 후죽5길 27 (우) 37337 | | | | | |
|---|---|---|---|---|---|---|
| 코드번호 | 508 | 계좌번호 | 910365 | 사업자번호 | 410-83-02945 | |
| 관할구역 | 경상북도 안동시, 영양군, 청송군, 의성군, 군위군 | | | 이메일 | andong@nts.go.kr | |

| 과 | 징세과 | | | 세원관리과 | | | |
|---|---|---|---|---|---|---|---|
| 과장 | 이창규 240 | | | 전익성 280 | | | |
| 팀 | 운영지원 | 체납추적 | 조사 | 부가 | 소득 | 재산법인 | |
| | | | | | | 재산 | 법인 |
| 팀장 | 우정호 241 | 황병석 441 | 김동찬 651 | 이범구 281 | 이재성 361 | 엄세영 401, 481 | |
| 국세<br>조사관 | | 윤석천 442 | | 박성욱 282 | 이정욱 362 | 김옥자 482 | 김용석 402 |
| | 소충섭 242<br>최은숙 243<br>이문한(운전)<br>244<br>강순원(방호)<br>245 | 김영아 443<br>김순남(징세)<br>262<br>이복남(징세)<br>263 | 안수경 652<br>권영한 653<br>조순행 654<br>전상주 655 | 김진희(소비)<br>290<br>이치욱 283<br>황석현 | 이미자 363<br>이호인 364<br>최재광(오후) | 김석호 483<br>전우정 484<br>서동원 485<br>박원돈 486 | 김현욱 403<br>권순모 404 |
| | | 김세훈 445<br>홍은지 446 | | | | 신소연(오전) | |
| | | 윤강훈 447 | 정혁철 656<br>홍헌민 657 | 성용제 284<br>석귀희 285<br>최승현 286<br>홍정우 287<br>정민지 288 | 이은비 365 | 이동우 487 | 김상근 405<br>이유진 406 |
| 공무직 | 권영란(부속실)<br>202<br>양미경<br>(행정사무) 246<br>박말남(환경)<br>조영애(환경) | | | | | | |
| FAX | 859-6177 | 852-9992 | 857-8411 | 857-8412 | 857-8414 | 857-8413 | 857-8415 |

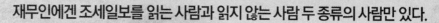

# 재무인과 함께 걸어가겠습니다 '조세일보'

재무인에겐 조세일보를 읽는 사람과 읽지 않는 사람 두 종류의 사람만 있다.

1등 조세회계 경제신문 조세일보

| 과 | 납세자보호담당관 | | 의성지서(054-8307-200) | | |
|---|---|---|---|---|---|
| 과장 | 신유환 210 | | 최병달 601 | | |
| 팀 | 납세자보호실 | 민원봉사실 | 납세자보호실 | 부가소득 | 재산법인 |
| 팀장 | | 금대호 221 | 박철순 210 | 배동노 300 | 김중영 400 |
| 국세조사관 | 권미영 211<br>남효주 212 | 222 | 김영만 211 | 송영진(소득) 301<br>장병호(부가) 302<br>박근열(체납) 305<br>하경섭(체납) 307 | 우남구(법인) 471<br>최종운(재산) 401 |
| | | 김민정 223 | | 김태운(체납) 308<br>유수현(부가) 304 | |
| | | 김윤정(임기) 225 | | | 김길영(재산) 402<br>전지영(법인) 472 |
| | | | 임진환(방호) 212<br>김수빈 213 | 장진영(소득) 303<br>이소현(부가) 306 | |
| 공무직 | | | 신화자(환경) | | |
| FAX | 852-7995 | 859-0919 | 832-2123<br>군위 383-3110 | 832-9477 | 832-7334 |

# 영덕세무서

대표전화: 054-7302-200 / DID: 054-7302-OOO

서장: **이 병 탁**
DID: 054-7302-201

| 주소 | 경상북도 영덕군 영덕읍 영덕로 35-11 (남산리61-1) (우) 36441<br>울진지서 : 경상북도 울진군 울진읍 월변2길 48 (읍내리 347) (우) 36326 | | | | |
|---|---|---|---|---|---|
| 코드번호 | 507 | 계좌번호 | 170189 | 사업자번호 | 410-83-02945 |
| 관할구역 | 경상북도 영덕군, 울진군 | | | 이메일 | yeongdeok1@nts.go.kr |

| 과 | 징세과 | | | 세원관리과 | | | |
|---|---|---|---|---|---|---|---|
| 과장 | 황병록 240 | | | 손정완 280 | | | |
| 팀 | 운영지원 | 체납추적 | 조사 | 부가소득 | | 재산법인 | |
| | | | | 부가 | 소득 | 재산 | 법인 |
| 팀장 | 박문수 241 | 강정호 441 | 박경호 651 | 이경철 281 | | 박상희 401 | |
| 국세<br>조사관 | | 이정희(체납)<br>442<br>이상훈(체납)<br>443 | 김경훈 652 | 정해영 282 | | 482 | |
| | 김월하 243<br>박재성 242<br>박영우(방호)<br>245 | 강수련(징세)<br>262 | 박종국 653 | | 여세영 284 | | 전윤현 402 |
| | | | | | 신지연 285 | 안재근 483 | 한상국 403 |
| | | 윤지승(체납)<br>444 | | 김유진 283 | | | |
| 공무직 | 전은현(비서)<br>202<br>용경희(교환)<br>246<br>김경미(환경)<br>246 | | | | | | |
| FAX | 730-2504 | 730-2695 | | 730-2314 | | | |

# 1등 조세회계 경제신문 조세일보

| 과 | 납세자보호담당관 | | 울진지서(054-7805-100) | |
|---|---|---|---|---|
| **과장** | 우병옥 210 | | 김일우 101 | |
| **팀** | 납세자보호실 | 민원봉사실 | 납세자보호실 | 세원관리 |
| **팀장** | | | 여제현 120 | 최준호 140 |
| **국세<br>조사관** | 서우형 212 | | | 채충우(재) 161<br>고순태(법) 171<br>양병열(법) 172<br>이동희(재) 162 |
| | | 이은호 222 | | 안정환(부) 141<br>이광용(소) 151<br>이보영(소) 152 |
| | | 박소정(임기제) 221 | 김주완 121 | |
| | | | | |
| **공무직** | | | 홍춘자(환경) 122 | 장명자(사무) 142 |
| **FAX** | 730-2625<br>민원인용 734-2323 | | 780-5181 | 780-5182~3 |

# 영주세무서

대표전화: 054-6395-200 / DID: 054-6395-OOO

서장: **최 원 수**
DID: 054-6395-201

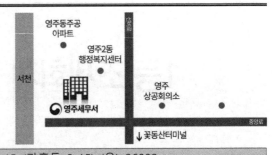

| 주소 | 경상북도 영주시 중앙로 15 (가흥동 2-15) (우) 36099<br>예천민원실 : 경상북도 예천군 예천읍 충효로 111 (대심리 353) (우) 36826<br>봉화민원실 : 경상북도 봉화군 봉화읍 봉화로 1111 (내성리) 봉화군청 민원실내 (우) 36239 ||||
|---|---|---|---|---|
| 코드번호 | 512 | 계좌번호 | 910378 | 사업자번호 | 410-83-02945 |
| 관할구역 | 경상북도 영주시, 봉화군, 예천군 || 이메일 | yeongju@nts.go.kr |

| 과 | 징세과 |||| 세원관리과 ||
|---|---|---|---|---|---|---|
| 과장 | 이현종 240 |||| 원진희 280 ||
| 팀 | 운영지원 | 체납추적 | 조사 | 부가 | 소득 |
| 팀장 | 김성하 241 | 손증렬 441 | 배석관 651 | 권상빈 281 | 김진모 361 |
| 국세<br>조사관 |  | 임종철 442<br>정용구 443<br>김효삼 445 | 김미애 652 | 송윤선 290<br>권은순 283<br>노현정 284 | 문지현 362 |
| | 박규진 242<br>정지원(시간제) 247<br>권일홍(방호) 244<br>이준석(운전) 245<br>최미란 243 | 김종택 446<br>김수정 262 | 김동훈 653<br>이호열 654<br>장한슬 610 | 김인경 285<br>고병열 286 | 황상준 363<br>박중억 364 |
| | | 성민지 447 | 송민준 655 | 김혜림 287<br>김태훈 288 | |
| | 조경숙(시간제) 248 | | | 이지유 289 | 권민정 365<br>임예인 366 |
| 공무직 | 박성희(비서) 202<br>김수진(사무) 246<br>김현숙(환경) | | | | |
| FAX | 633-0954 ||| 635-5214 ||

428

| 과 | 세원관리과 | | 납세자보호담당관 | |
|---|---|---|---|---|
| 과장 | 원진희 280 | | 남정근 210 | |
| 팀 | 재산법인 | | 납세자보호실 | 민원봉사실 |
| | 재산 | 법인 | | |
| 팀장 | 오조섭 401 | | | 권오규 221 |
| 국세<br>조사관 | 장덕진 482 | 이상원 402<br>이은영 403 | 우운하 211 | 김찬태(예천) 654-2100<br>김미경 222 |
| | 조준서 483 | | | 우희정(사무) 223 |
| | 박주성 484<br>김영엽 485<br>최은애 486 | 최도영 404 | | |
| | | 최승훈 405 | | 곽우정 224 |
| 공무직 | | | | |
| FAX | 635-5214 | | 634-2111<br>예천 654-0954<br>봉화 674-0954 | |

# 포항세무서

대표전화: 054-2452-200 / DID: 054-2452-OOO

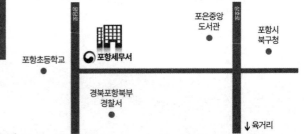

서장: **박 수 철**
DID: 054-2452-201

| 주소 | 경상북도 포항시 북구 중앙로 346 (덕수동46-1) (우) 37727<br>울릉지서 : 경상북도 울릉군 울릉읍 도동2길 76 (도동266) (우) 40221<br>오천민원실 : 경상북도 포항시 남구 오천읍 세계길5 (오천읍주민센터 별관) (우) 37912 | | | |
|---|---|---|---|---|
| 코드번호 | 506 | 계좌번호 | 170192 | 사업자번호 | 410-83-02945 |
| 관할구역 | 경상북도 포항시, 울릉군 | | 이메일 | pohang@nts.go.kr |

| 과 | 징세과 | | | 부가가치세과 | | 소득세과 | |
|---|---|---|---|---|---|---|---|
| 과장 | 홍순영 240 | | | 이홍환 280 | | 유창석 360 | |
| 팀 | 운영지원 | 체납추적1 | 체납추적2 | 부가1 | 부가2 | 소득1 | 소득2 |
| 팀장 | 전갑수 241 | 김용제 441 | 구정숙 461 | 배형수 281 | 신정연 301 | 한종관 361 | 박종욱 381 |
| 국세<br>조사관 | | | | 282 | 이은정 302 | 이승모 362<br>류승우 364 | |
| | 우인호 242<br>조병래(운전)<br>611 | 양희정 443<br>김민식 444 | 남옥희 463<br>김정은(징세)<br>261<br>김명선 464<br>천승현 465 | 김도형 283<br>김영훈 284<br>임정훈 285 | 박점숙 303<br>김재미 304<br>박준영 305<br>박수현 306<br>강준혁 307 | | 송인순 382<br>이승재 383 |
| | 양유나 243 | 김병수 445<br>배재호 446<br>박수빈 447 | 권준혜(징세)<br>262<br>윤중호 466<br>강은비 467 | 권지숙 286<br>김정영 287 | 박귀영(병가) | 최경미 363<br>손명주 365 | 배윤제 384 |
| | 김서영(방호)<br>246<br>김규현 245<br>김준영(공업)<br>244 | 이주현 448<br>조이은 449 | 손효빈 468 | 이채민 288<br>김근형 289<br>김주희 290<br>이윤채 291 | 성혜원 308<br>조해린 309<br>김도곤 310 | 안서윤 366<br>한혜영 367<br>박언준 368<br>남희욱 369 | 박관석 385<br>진유빈 386<br>이동준 387<br>최영철 388<br>손채원 389 |
| 공무직 | 김정근(교환)<br>523<br>김정아(비서)<br>202 | 박송희(환경)<br>김순영(환경)<br>이재근(공익)<br>손동빈(공익) | | | | | |
| FAX | 248-4040 | 241-0900 | | 249-2665 | | 246-9013 | |

# 10년간 쌓아온 재무인의 역사를 돌려드립니다 '온라인 재무인명부'

수시 업데이트 되는 국세청, 정·관계 인사의 프로필과 국세청, 지방청, 전국세무서, 관세청, 유관기관 등의 인력배치 현황을 볼 수 있는 온라인 재무인명부

1등 조세회계 경제신문 조세일보

| 과 | 재산법인세과 | | | | 조사과 | | 납세자보호담당관 | | 울릉지서 (791-2100) |
|---|---|---|---|---|---|---|---|---|---|
| 과장 | 강정석 400 | | | | 조범제 640 | | 이민우 210 | | 이문태 8582-601 |
| 팀 | 재산1 | 재산2 | 법인1 | 법인2 | 정보관리 | 조사 | 납세자보호 | 민원봉사 | 세원관리 |
| 팀장 | 최남숙 481 | 이건옥 501 | 이향석 401 | 이동욱 421 | 이정남 641 | | 이규활 211 | 조금옥 221 | 하태운 602 |
| 국세조사관 | 김형국 482 | 오춘식 502 | 김병훈 402 | | 유성만 642 장혁민 646 | <1팀> 권준혁(6) 651 허소영(7) 652 장세황(9) 653 | | 박현주 222 권영숙 223 | 김관태 603 |
| | 박금희 483 김은윤 484 김종한 486 | 최병구 503 손태욱 504 윤태영 505 | 임경희 403 | 정주영 422 정유철 423 김준엽 424 | 박노진 643 장원일 644 | <2팀> 이주환(6) 654 유미나(7) 655 장은영(8) 656 | 박용우 212 김지웅 213 | 이도현 224 | 정성윤 8604 |
| | | | 김태훈 404 | 박상현 427 손은식 425 | 채민화 645 | <3팀> 최경애(6) 657 김영철(7) 658 이동욱(9) 659 | 강주원 214 | | |
| | 우승형 487 | | 임지수 405 최원제 406 | 박승호 426 | | <4팀> 박정길(7) 660 고남우(7) 661 | | 변명미(오후) 229 손석호 225 김주경 226 김진하 227 금다정 228 | 박슬기 606 송신선(방호) 605 |
| 공무직 | | | | | | | | | 이소영(환경) |
| FAX | 249-2549, 242-9434 | | | | 241-3886 | | 248-2100 | | 791-4250 |

# 부산지방국세청
# 관할세무서

| | | |
|---|---|---|
| ■ 부산지방국세청 | 433 | |
| 지방국세청 국·과 | 434 | |
| [부산] 금　정 세무서 | 442 | |
| 동　래 세무서 | 444 | |
| 부 산 진 세무서 | 446 | |
| 부산강서 세무서 | 448 | |
| 북 부 산 세무서 | 450 | |
| 서 부 산 세무서 | 452 | |
| 수　영 세무서 | 454 | |
| 중 부 산 세무서 | 456 | |
| 해 운 대 세무서 | 458 | |
| [울산] 동 울 산 세무서[울주지서] | 460 | |
| 울　산 세무서 | 462 | |
| [경남] 거　창 세무서 | 464 | |
| 김　해 세무서[밀양지서] | 466 | |
| 마　산 세무서 | 468 | |
| 양　산 세무서 | 470 | |
| 진　주 세무서[하동지서, 사천지서] | 472 | |
| 창　원 세무서 | 474 | |
| 통　영 세무서[거제지서] | 476 | |
| [제주] 제　주 세무서[서귀포지서] | 478 | |

# 부산지방국세청

| 주소 | 부산광역시 연제구 연제로 12 (연산2동 1557번지)<br>(우) 47605 |
|---|---|
| 대표전화 & 팩스 | 051-750-7200 / 051-759-8400 |
| 코드번호 | 600 |
| 계좌번호 | 030517 |
| 사업자등록번호 | 607-83-04737 |
| e-mail | busanrto@nts.go.kr |

## 청장     김동일

(D) 051-750-7200

| 징세송무국장 | | (D) 051-750-7500 |
|---|---|---|
| 성실납세지원국장 | | (D) 051-750-7370 |
| 조사1국장 | | (D) 051-750-7630 |
| 조사2국장 | 지성 | (D) 051-750-7800 |

# 부산지방국세청

대표전화: 051-7507-200 / DID: 051-750-OOOO

청장: **김 동 일**
DID: 051-750-7201

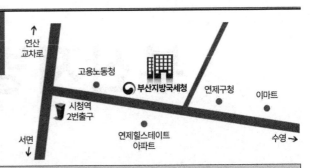

| 주소 | 부산광역시 연제구 연제로 12 (연산2동 1557) 부산지방국세청 (우) 47605<br>별관 : 부산광역시 연제구 토곡로 20 (연산동) (우) 47586 | | | | |
|---|---|---|---|---|---|
| 코드번호 | 600 | 계좌번호 | 030517 | 사업자번호 | 607-83-04737 |
| 관할구역 | 부산광역시, 울산광역시, 경상남도, 제주특별자치도 | | | 이메일 | busanrto@nts.go.kr |

| 과 | 운영지원과 | | | | 감사관 | |
|---|---|---|---|---|---|---|
| 과장 | 이석중 7240 | | | | 이성글 7300 | |
| 팀 | 행정 | 인사 | 경리 | 현장소통 | 감사 | 감찰 |
| 팀장 | 현경훈 7252 | 차무환 7242 | 김태은 7262 | 이승준 7272 | 정상봉 7302 | 허성준 7322 |
| 국세<br>조사관 | 김동원 7253<br>정원대 7254 | 김형래 7243<br>황정민 7244<br>한동훈 7245<br>이성재 7246 | 손보경 7263 | 최대림 7273<br>하서연 7274 | 이동혁 7303<br>최영선 7304<br>김호 7305<br>이선우 7306 | 이호상 7323<br>최윤겸 7324<br>전봉민 7355<br>한정민 7326 |
| | 정성만 7255<br>김남영 7256<br>임기령 7258<br>금도훈 7611<br>박두제 7625<br>김동신 7627<br>김동욱 7627<br>금병호 7628<br>김종월 7629 | 이정웅 7247<br>홍승현 7248 | 윤정원 7264<br>서유희 7265<br>조강훈 7266 | 최근식 7275 | 이주영 7307<br>김성기 7308<br>김민정 7309<br>정성화 7310 | 고주환 7327<br>변민석 7328<br>박진우 7329<br>최윤미 7320 |
| | 박진호 7257<br>하승훈 7259<br>박준영 7260 | 김창영 7249<br>박주희 7250 | 김은수 7267<br>박소현 7268<br>정다윗 7269 | 김형진 7276<br>이제연 7277 | 송민국 7311 | 최안욱 7321 |
| 공무직 | 백인혜 7206<br>김지윤 7610 | | | | 정연주 7604 | |
| FAX | | 711-6446 | 711-6455 | 711-6427 | 758-2747 | 754-8481 |

2024년 8월 23일 이후 인사는 조세일보 홈페이지 오른쪽 하단
**"재무인명부 업데이트 알림"** 게시판에 추가 교정본을 올릴 예정이오니 이를 확인하시거나
또는 **조세일보 온라인 재무인명부**를 확인하시길 바랍니다.

1등 조세회계 경제신문 조세일보

| 국 | | | | 성실납세지원국 | | | |
|---|---|---|---|---|---|---|---|
| **국장** | | | | | | | |
| **과** | 납세자보호담당관 | | | 소득재산세과 | | | |
| **과장** | 김기영 7330 | | | 임정일 7401 | | | |
| **팀** | 납세자보호1 | 납세자보호2 | 심사 | 소득 | 재산 | 복지세정1 | 복지세정2 |
| **팀장** | 심정미 7332 | 전동호 7342 | 김종웅 7352 | 구경식 7402 | 홍충훈 7412 | 전영의 7422 | 이영주 7492 |
| **국세 조사관** | 제상훈 7333<br>박은주 7334 | 김지현 7343<br>문서연 7344 | 김대희 7353<br>김미아 7354<br>오쇄행 7355 | 김준평 7403<br>소현아 7404 | 허남현 7413<br>정혜원 7414 | 지연주 7423 | |
| | | 이용정 7345<br>안혜영 7346 | 정유영 7356<br>박진희 7357 | 이정규 7405<br>서호성 7406 | 배재연 7415<br>조형석 7416 | 박성민 7424 | 김판신 7493 |
| | 서미영 7335<br>한시윤 7336 | | 김보경 7358 | 김효진 7407<br>김영화 7408 | 백지훈 7417 | 박하나 7425 | |
| **공무직** | | | | | | | |
| **FAX** | 711-6456 | | 751-4617 | 711-6461 | | | |

**DID : 051-750-OOOO**

| 국 | 성실납세지원국 | | | | | | | | |
|---|---|---|---|---|---|---|---|---|---|
| **국장** | | | | | | | | | |
| **과** | 부가가치세과 | | | 법인세과 | | | | 정보화관리팀 | |
| **과장** | 양순석 7371 | | | 신관호 7431 | | | | 권상수 7471 | |
| **팀** | 부가1 | 부가2 | 소비세 | 법인1 | 법인2 | 법인3 | 법인4 | 지원 | 보안감사 |
| **팀장** | 오세두 7372 | 강경진 7382 | 7392 | 백주현 7432 | 곽한식 7442 | 김일한 7452 | 강은아 7462 | 신정곤 7472 | 정창원 7482 |
| **국세 조사관** | 한창용 7373 | 최창우 7383 | 김봉진 7393 송진욱 7394 | 홍민표 7433 | 이진경 7443 김수재 7444 | 강희경 7453 | 허종주 7463 | 장석문 7473 | 남창현 7483 장원창 7484 |
| | 이소애 7374 장성근 7375 | 장덕희 7384 박종현 7385 우동윤 7386 | 이승훈 7395 조재승 7396 | 최우영 7434 김영경 7435 김동영 7436 서수현 7437 오진수 7438 | 박미영 7445 하민혜 7446 | 김호승 7454 채여정 7455 | 유홍주 7464 | 강기모 7474 김지현 7475 | |
| | 전진하 7376 주은진 7377 | 이윤서 7387 | 서충석 7397 김슬지 7398 김애진 7399 | 지우석 7439 조은서 7440 | 조준우 7447 | 백상훈 7456 안혜령 7457 | 김현주 7465 | 정전화 7476 이영신 7477 | 조학래 7485 |
| | | | | | | | | | |
| **공무직** | 이미연 7607 | | | | | | | | |
| **FAX** | 711-6451 | | | 711-6432 | | | | 711-6457 | 711-6592 |

2024년 8월 23일 이후 인사는 조세일보 홈페이지 오른쪽 하단
**"재무인명부 업데이트 알림"** 게시판에 추가 교정본을 올릴 예정이오니 이를 확인하시거나
또는 **조세일보 온라인 재무인명부**를 확인하시길 바랍니다.

1등 조세회계 경제신문 조세일보

| 국 | 성실납세지원국 | | | | 징세송무국 | | | | | | |
|---|---|---|---|---|---|---|---|---|---|---|---|
| 국장 | | | | | | | | | | | |
| 과 | 정보화관리팀 | | | | 징세과 | | 송무과 | | | | |
| 과장 | 권상수 7471 | | | | 송평근 7501 | | 김성한 7521 | | | | |
| 팀 | 포렌식지원 | 정보화센터1 | 정보화센터2 | 정보화센터3 | 징세 | 체납관리 | 총괄 | 법인 | 개인1 | 개인2 | 상증 |
| 팀장 | 이상운 7162 | 김영주 7102 | 문승구 7122 | 한희석 7142 | 조명익 7502 | 이상곤 7512 | 박혜경 7522 | 이수형 7526 | 김대옥 7532 | 박주열 7536 | 김동원 7542 |
| 국세조사관 | 이한준 7163 정석우 7164 | 이동면 7103 | | | 정수진 7503 박정수 7504 | 임종진 7513 이수임 7514 | 이진영 7523 | 김혜영 7527 이현만 7528 | 김문정 7533 곽무철 7534 | 김주완 7537 김경화 7538 | 황민주 7543 이상현 7544 |
| | 주지홍 7165 박서연 7166 | | | | 양현정 7505 | 김성진 7515 정하선 7516 | 박욱현 7524 | 배달환 7529 김선기 7530 | 김성훈 7535 | 권지은 7539 | 이희진 7545 |
| | 유효진 7167 | 박가영 7106 | 이혜란 7123 | 정미선 7143 | 서명진 7506 박소영 7507 | 정성훈 7517 | 이상현 7525 | | | 설도환 7540 | |
| | | 허수정 7112 송영아 7111 장인숙 7104 임태순 7110 정의지 7107 임미선 7109 김정남 7105 김소연 7108 | 최진숙 7128 허윤진 7124 이주연 7127 이복재 7130 정정희 7125 석이선 7129 장은경 7131 김외숙 7126 | 예성미 7146 손명숙 7144 김애란 7150 조외숙 7148 박선애 7151 이정애 7147 최진민 7149 이진경 7145 | | | | | | | |
| 공무직 | | | | | 홍은혜 7608 | | | | | | |
| FAX | | 071-6590 | 711-6597 | | 758-2746 | | | | | | |

437

| 국 | 징세송무국 | | | 조사1국 | | | | | | |
|---|---|---|---|---|---|---|---|---|---|---|
| 국장 | | | | | | | | | | |
| 과 | 체납추적과 | | | 조사관리과 | | | | | | |
| 과장 | 허양원 7551 | | | 김종진 7631 | | | | | | |
| 팀 | 체납추적 | 추적1 | 추적2 | 조사관리 1 | 조사관리 2 | 조사관리 3 | 조사관리 4 | 조사관리 5 | 조사관리 6 | 조사관리 7 |
| 팀장 | 강헌구 7552 | 신효경 7562 | 이세풍 7572 | 조용택 7632 | 김수영 7652 | 박정준 7662 | 윤종식 7672 | 장영호 7682 | 한성삼 7702 | 정경주 7709 |
| 국세 조사관 | 방유진 7553 윤성훈 7554 | 김보경 7563 | 장원대 7573 | 김형훈 7633 정성훈 7634 | 이현희 7653 이현진 7654 김민수 7655 | 서정균 7663 하진우 7664 | 김명훈 7673 강혜윤 7674 박종무 7675 | 김재중 7683 마혜진 7684 장희라 7685 | 윤영근 7703 김병찬 7704 | |
| | 장해미 7556 | 임경주 7564 주형석 7565 문하윤 7566 | 김성준 7574 황미경 7575 | 최병철 7635 황동일 7636 정경미 7637 | 김준영 7656 | 정민경 7645 정슬기 7666 김민재 7667 | 김가은 7676 이수진 7677 최은경 7678 | 강길순 7686 이지민 7687 신혜진 7688 | 조현진 7705 어윤필 7706 | 정호성 7710 장명수 7711 |
| | 최혜리 7557 | 김경진 7567 | 이승진 7576 정선두 7577 | 김수창 7638 최지영 7639 장수연 7640 | 배현경 7657 | 김봉준 7668 | 서은혜 7679 유창경 7680 | 김성진 7689 임부은 7690 | 조정목 권진아 7707 김나영 7708 | |
| 공무직 | | | | 신보민 7606 | | | | | | |
| FAX | | | | 711-64 42 | | | 711- 6429 | 711- 6433 | | |

| 국실 | 조사1국 | | | | | | | | | |
|------|------|------|------|------|------|------|------|------|------|------|
| 국장 | | | | | | | | | | |
| 과 | 조사1과 | | | | | 조사2과 | | | | |
| 과장 | 구성진 7711 | | | | | 정헌미 7741 | | | | |
| 팀 | 조사1 | 조사2 | 조사3 | 조사4 | 조사5 | 조사1 | 조사2 | 조사3 | 조사4 | 조사5 |
| 팀장 | 김창일 7712 | 심희정 7717 | 김성진 7723 | 이종호 7728 | 엄인성 7733 | 조준호 7742 | 김지훈 7747 | 차상진 7752 | 권익근 7756 | 하치석 7760 |
| 국세 조사관 | 박미희 7713 이영택 7714 | 손석주 7718 이지민 7719 | 구수연 7724 | 정희종 7729 | 이상훈 7734 | 홍윤종 7743 하은미 7744 | 심우용 7748 이나영 7749 | 박진관 7753 | 박웅종 7757 | 안준건 7761 |
| | 류혜미 7715 서기원 7716 | 추병욱 7720 | 경수현 7725 강성민 7726 | 이재영 7730 박경주 7731 | 김경화 7735 박승찬 7736 | 최해성 7745 이윤미 7746 | 이상언 7750 | 박건 7754 문희진 7755 | 이은주 7758 박세준 7759 | 이용진 7762 노지원 7763 |
| | 김나래 7717 | 지현민 7722 | 김진수 7727 | 민선희 7732 | 강민규 7737 | 박지영 7764 | 이한솔 7751 | 이정민 7765 | 김희선 7766 | 임도훈 7767 |
| 공무직 | | | | | | | | | | |
| FAX | 711-6454 | | | | | 711-6435 | | | | |

439

DID : 051-750-OOOO

| 국실 | 조사1국 | | | | 조사2국 | | | | | |
|---|---|---|---|---|---|---|---|---|---|---|
| 국장 | | | | | 지성 7800 | | | | | |
| 과 | 조사3과 | | | | 조사관리과 | | | | | |
| 과장 | 김영하 7771 | | | | 허종 7801 | | | | | |
| 팀 | 조사1 | 조사2 | 조사3 | 조사4 | 조사관리1 | 조사관리2 | 조사관리3 | 조사관리4 | 조사관리5 | 조사관리6 |
| 팀장 | 남관길 7772 | 이영재 7777 | 김명수 7781 | 조형주 7785 | 성병규 7802 | 김영선 7812 | 이창렬 7822 | 김민완 7832 | 홍석주 7842 | 감경탁 7852 |
| 국세조사관 | 여지은 7773 강동희 7774 | 김평섭 7778 | 황재민 7782 | 김성호 7786 | 하복수 7803 하지경 7804 | 박성훈 7813 이제헌 7814 | 김재열 7823 조주호 7824 | 김도연 7833 이혜정 7834 | 박영곤 7843 | 김난희 7853 |
| | 김두식 7775 | 김고은 7779 한준혁 7780 | 김상현 7783 김미숙 7784 | 김종길 7587 박치호 7788 | 김도영 7805 | 조현진 7815 | 이보은 7825 신민혜 7826 우나경 7827 김주영 7828 | 김혜원 7835 박영진 7836 | 김일권 7844 정수연 7845 최숙경 7846 | 김정호 7854 |
| | 추지희 7776 유동준 7789 | 김보민 7790 | 홍민지 7791 | 황지영 7792 | 김소영 7806 허준호 7807 | | 하승민 김성훈 | 임채영 7837 이강욱 (파견) | 박원호 7848 조홍규 7849 | 유승주 7855 |
| 공무직 | | | | | 이미연 7609 | | | | | |
| FAX | 0503-116-9019 | | | | 711-6443 | | | | | |

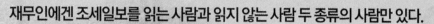

# 재무인과 함께 걸어가겠습니다 '조세일보'

재무인에겐 조세일보를 읽는 사람과 읽지 않는 사람 두 종류의 사람만 있다.

1등 조세회계 경제신문 조세일보

| 국 | 조사2국 | | | | | | | | | |
|---|---|---|---|---|---|---|---|---|---|---|
| 국장 | 지성 7800 | | | | | | | | | |
| 과 | 조사1과 | | | 조사2과 | | | 조사3과 | | | |
| 과장 | 김도균 7861 | | | 송진호 7881 | | | 김정태 7901 | | | |
| 팀 | 조사1 | 조사2 | 조사3 | 조사1 | 조사2 | 조사3 | 조사1 | 조사2 | 조사3 | 조사4 |
| 팀장 | 조현진 7862 | 임지은 7866 | 김혁준 7872 | 조형나 7882 | 윤상섭 7886 | 황순민 7892 | 정준기 7902 | 김동업 7906 | 최용훈 7912 | 고동환 7916 |
| 국세 조사관 | 주광수 7863 | 김병삼 7867 | 김진영 7873 | 박선영 7883 | 안부환 7887 | 임병훈 7893 | 권영록 7903 이성호 7904 | 전지현 7907 | 한재영 7913 | 박지숙 7917 |
| | 김정현 7864 | 박종군 7868 | 김정환 7874 | 김민경 7884 | 한윤주 7888 | 김선경 7894 | 유상선 7905 | 안경호 7908 김혜진 7909 | 이재성 7914 | 박건영 7918 |
| | 하선우 7865 이선규 | 하소영 7869 | 김동민 7875 | 엄지환 7885 | 안세희 7889 | 양수원 7895 | 정현옥 7910 | 남윤석 | 박승희 7915 | 이상준 7919 |
| 공무직 | | | | | | | | | | |
| FAX | 711-64 62 | | | 711-64 34 | | | 711-64 44 | | | |

# 금정세무서

대표전화: 051-5806-200 / DID: 051-5806-OOO

서장: **노 충 환**
DID: 051-5806-201

부산대역삼한골든뷰
에듀스테이션

금정세무서

부산대역

부곡동푸르지오
아파트

| 주소 | 부산광역시 금정구 중앙대로 1636 (부곡동 266-5) (우) 46272 | | | | |
|---|---|---|---|---|---|
| 코드번호 | 621 | 계좌번호 | 031794 | 사업자번호 | 621-83-00019 |
| 관할구역 | 부산광역시 금정구, 기장군 | | | 이메일 | geumjeong@nts.go.kr |

| 과 | 징세과 | | 부가가치세과 | | 소득세과 | |
|---|---|---|---|---|---|---|
| 과장 | 신정훈 240 | | 이상명 280 | | 김현철 320 | |
| 팀 | 운영지원 | 체납추적 | 부가1 | 부가2 | 소득1 | 소득2 |
| 팀장 | 강보길 241 | 문경덕 441 | 노세현 281 | 문명식 301 | 홍정자 321 | 신웅기 341 |
| 국세<br>조사관 | | 조인국 442<br>김상덕 243 | 전병일 282 | 김찬일 310 | 이동우 322 | 홍정수 342 |
| | 유문희 242<br>정영호 243<br>손동주 245 | 노윤희 261<br>김민진 444<br>이성철 445<br>김서형 446<br>남수빈 447<br>전수진 261<br>심서현 448 | 김덕원 283<br>정우영 284<br>임혜경 285<br>이효진 286<br>정은정 292<br>김도형 287 | 황종하 302<br>강은선 303<br>송창훈 304<br>정세나 305<br>김양희 292<br>김정우 306 | 이영일 323<br>손성락 324 | 신하나금 343<br>이동현 344 |
| | 백광민 246 | 신은숙 449<br>김세은 450 | 김민준 | | 정승현 325 | 박민영 292 |
| | 신소영 244<br>이현재 248<br>한정희 247 | 정성민 451<br>손정화 262<br>박정현 263<br>이상일 452 | 백선미 288<br>김미송 289 | 황지혜 307<br>추아민 308 | 백수희 326<br>문혜진 327 | 우세훈 345<br>성현진 346<br>이혜수 347 |
| 공무직 | 강민정 202<br>김윤자 239<br>김동순 239 | | | | | |
| FAX | 711-6419 | | 516-9939 | | 711-6415 | |

| 과 | 재산법인세과 | | | 조사과 | | 납세자보호담당관 | |
|---|---|---|---|---|---|---|---|
| **과장** | 서재균 480 | | | 양기화 640 | | 엄영환 210 | |
| **팀** | 재산신고 | 재산조사 | 법인 | 정보관리 | 조사 | 납세자보호실 | 민원봉사실 |
| **팀장** | 이재열 481 | 박병진 501<br>김연종 503 | 이수용 401 | 전희원 641 | 김성연 651<br>김영란 655<br>조재성 | 우창화 211 | 하인선 221 |
| **국세<br>조사관** | | | 백종렬 402 | 마순옥 642 | 최대현 652<br>권익현 656<br>김주훈 658 | 김성엽 212<br>윤은미 213 | 조준영 224<br>성기일 222 |
| | 은기남 482<br>박건대 483<br>김명지 484<br>김현미 485<br>김인경 494<br>박용규 486 | 박용남 502<br>강지훈 504 | 이용수 403<br>손선희 404<br>하회성 405<br>박미선 406<br>안창현 407<br>김병환 408 | 성봉준 643<br>신수미 644 | 김수연 653<br>박진하 659 | 김병윤 214 | 박민우 |
| | 김민정 487 | | 이희령 409<br>박영철 410 | | 문정현 657 | | 박영순 223<br>박은영 223<br>이지영 225<br>김미옥 226 |
| | 최고은 488<br>구승현 489 | | 백승훈 411<br>정유선 412 | | | | 정희숙 227<br>김지윤 228 |
| **공무직** | | | | | | | |
| **FAX** | 711-6418 | | | 516-9549 | 711-6421 | 711-6413 | 516-9456 |

# 동래세무서

대표전화: 051-8602-200 / DID: 051-8602-OOO

서장: **박 민 기**
DID: 051-8602-201

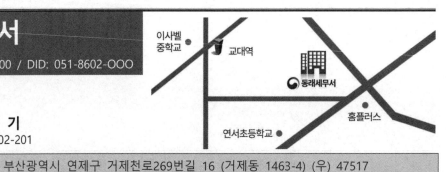

이사벨중학교 / 교대역 / 동래세무서 / 홈플러스 / 연서초등학교

| 주소 | 부산광역시 연제구 거제천로269번길 16 (거제동 1463-4) (우) 47517 | | | | |
|---|---|---|---|---|---|
| 코드번호 | 607 | 계좌번호 | | 사업자번호 | 607-83-00013 |
| 관할구역 | 부산광역시 동래구, 연제구 | | | 이메일 | dongnae@nts.go.kr |

| 과 | 징세과 | | | 부가가치세과 | | | 소득세과 | |
|---|---|---|---|---|---|---|---|---|
| 과장 | 신승환 240 | | | 권성호 280 | | | 권오식 360 | |
| 팀 | 운영지원 | 체납추적1 | 체납추적2 | 부가1 | 부가2 | 부가3 | 소득1 | 소득2 |
| 팀장 | 임주경 241 | 윤성조 441 | 강태규 461 | 박형호 281 | 이영근 301 | 윤태우 321 | 김대철 361 | 장인철 381 |
| 국세조사관 | | 김금주 442 | | 김용주 282 | 조정민 302 | 조은하 322 | 주철우 362 | 홍성민 382 |
| | 최은태 242<br>김지은 243<br>천원철 247<br>김남희 244<br>양승철 248 | 김연희 443<br>황현정 444<br>장두진 445<br>윤호영 446 | 김진경 262<br>김옥진 263<br>임혜정 264<br>김태영 462<br>박효진 463 | 김지아 283<br>김은연 284<br>김소연 285 | 송윤희 303<br>옥수빈 304<br>임성미 305<br>서수빈 306 | 윤한(소비)<br>323<br>정부원 324<br>김지언 325<br>최정운 326 | 곽현숙 363<br>구경아 375<br>전세현 364 | 김양욱 383<br>유화윤 384 |
| | 서종율 249<br>김혜은 245 | 김슬아 447<br>최혜윤 448<br>정혜진 449 | 최미르 265<br>김민지 464 | 곽상은 286<br>박홍제 287 | 권순한 307 | 오주영 291 | 송주은 365<br>김동겸 366<br>오지혜 367 | 정영희 385<br>전지혜 386<br>이창호 387 |
| | 김선혁 246 | | | 이나영 288 | | 이미경 327 | 강보경 368<br>이지영 369 | 하상우 388<br>이유화 375 |
| 공무직 | 이선경 202<br>조영미 600<br>구미숙<br>노정화 | | | 민원창구 291 | | | 민원창구 375 | |
| FAX | 866-6252 | | | 711-6574 | | | 866-1182 | |

444

# 1등 조세회계 경제신문 조세일보

| 과 | 재산법인세과 | | | | 조사과 | | 납세자보호담당관 | |
|---|---|---|---|---|---|---|---|---|
| **과장** | 최강식 400 | | | | 유성욱 640 | | 유승명 210 | |
| **팀** | 재산신고 | 재산조사 | 법인1 | 법인2 | 정보관리 | 조사 | 납세자보호실 | 민원봉사실 |
| **팀장** | 박정하 481 | 정회영 501 | 천태근 401 | 이수원 421 | 김명렬 691 | 한면기 651 | 조창현 211 | 윤혜경 221 |
| **국세<br>조사관** | 유영진 482 | 서정희 505 | 김상우 402 | 이민희 422 | | 도현종 655<br>장유진 658 | | 김은연 222<br>박정화 223<br>최연덕 224 |
| | 장혜경 483<br>김민정 484<br>김수연 485<br>안재원 486<br>권유화 487 | 허윤형 502<br>김경숙 503<br>이혜진 506<br>이상훈 507 | 노근석 403<br>민영신 404 | 정정민 423<br>김유리 424 | 최한호 692<br>안재필 693<br>김형종 694 | 김종호 656<br>김진석 659<br>이정숙 661<br>박장훈 662<br>안도영 652 | 서진선 212<br>유연숙 213 | 김은애 225<br>한준희 226<br>김도연 227<br>문진선 223 |
| | 김영권 488 | | 윤혜정 405 | 김동한 425<br>성민주 426 | 최혜진 695<br>임미희 696 | 백선우 663 | | 강경숙 224<br>류호림 228 |
| | 유재랑 489<br>권순영 490 | | 백진서 406<br>김민주 407 | 곽미숙 427 | | 배소희 653<br>이예원 657<br>정미나 660 | 김병주 214 | 박성태 229 |
| **공무직** | 민원창구 495 | | | | | | | |
| **FAX** | 711-6577 | | | | 866-5476 | | 711-6572 | 866-2657 |

# 부산진세무서

대표전화: 051-4619-200 / DID: 051-4619-OOO

서장: **정 영 배**
DID: 051-4619-201

| 주소 | 부산광역시 동구 진성로 23 (수정동) (우) 48781 | | | | | | | | |
|---|---|---|---|---|---|---|---|---|---|
| **코드번호** | 605 | **계좌번호** | 030520 | | | **사업자번호** | 605-83-00017 | | |
| **관할구역** | 부산광역시 부산진구, 동구 | | | | | **이메일** | busanjin@nts.go.kr | | |

| 과 | 징세과 | | | 부가가치세과 | | | | 소득세과 | |
|---|---|---|---|---|---|---|---|---|---|
| **과장** | 김상태 240 | | | 박종헌 280 | | | | 차규상 320 | |
| **팀** | 운영지원 | 체납추적1 | 체납추적2 | 부가1 | 부가2 | 부가3 | 부가4 | 소득1 | 소득2 |
| **팀장** | 박병철 241 | 박정호 441 | 최감순 261 | 유민자 281 | 김철태 381 | 김덕성 301 | 신현우 361 | 문원수 321 | 최재우 341 |
| **국세조사관** | | 442<br>최민준 443 | 김은경 262<br>조병녕 462 | 김은영 282 | 전영욱 382<br>이남범 383 | 신현우 302 | 박문호 362<br>김승환 363 | 윤성기 322 | 곽원일 342<br>변숙자 343 |
| | 류임정 242<br>박희종 247<br>허준영 243<br>오보람 244<br>김덕봉 248 | 최소윤 444<br>엄송미 445<br>박재군 446 | 김성이 463<br>김미지 264<br>송재경 469<br>이종국 470<br>이동형 464<br>형서우 465<br>송현주 466 | 정해선 283<br>박태훈 284<br>송봉근 285 | 박진영 384<br>정성주 295<br>김용제 385 | 이소영 303<br>최아라 304<br>윤경출 305 | 박지영 364<br>최정웅 365 | 문경희 323<br>김대원 324<br>고지원 392<br>장상원 325<br>송우진 326 | 황진희 344<br>전태용 345 |
| | 오서영<br>김병수 249 | 문민지 447 | 김명선 467 | 김민진 286<br>최태영 287 | 하민경 386<br>박유림 387 | 박선연 306<br>이미연 295 | 허지윤 366<br>서유리 367<br>백아름 368 | | 이윤경 392 |
| | 이지연 246 | 박유진 448 | 이진주 468<br>최유림 263 | 김진수 288 | | | | 김연수 327<br>최지현 328 | 제민지<br>김세은 346<br>곽건우 347 |
| **공무직** | 김지혜 698<br>옥은영 202<br>윤현지<br>김남숙<br>송혜정 | | | | | | | | |
| **FAX** | 464-9552 | 466-9097 | | 465-0336 | | | | 711-6478 | |

446

| 과 | 재산세과 | | 법인세과 | | 조사과 | | 납세자보호담당관 | |
|---|---|---|---|---|---|---|---|---|
| 과장 | 손희경 480 | | 채한기 400 | | 김용정 640 | | 변유솔 210 | |
| 팀 | 재산신고 | 재산조사 | 법인1 | 법인2 | 정보관리 | 조사 | 납세자<br>보호실 | 민원봉사실 |
| 팀장 | 윤상동 481 | | 강성태 401 | 김대연 421 | 박정인 641 | | 김후영 211 | 박필근 221 |
| 국세<br>조사관 | 이동준 482<br>조소현 483 | 빅상길 501 | 이정숙 411 | | | 백순종 651<br>이광섭 655 | 조창래 212 | |
| | 노경환 494<br>김해은 484<br>옥호근 485 | 이정호 504<br>고은경 502<br>권선주 505 | 백은주 402<br>김호진 403<br>김상우 404<br>박지현 | 구경임 422<br>조영진 423<br>김도년 424 | 최원태 643<br>신성용 644<br>강정연 | 박성환 659<br>김은혜 656<br>김태원 652<br>정경민 653<br>조영일 660 | 김상욱 213 | 우경화 223<br>김정이 224<br>조정훈 228<br>손성웅 |
| | 허재호 494<br>김문재 486 | 이민정 503 | | 권혜수 425<br>강양욱 426 | 위부일 645 | 이재성 657<br>하선유 661 | | 박수빈 228 |
| | 도진주 487 | | 송희진 405<br>조윤서 406<br>공민호 407 | 방선윤 427<br>황건영 428 | 김경이 646 | 이수경 654<br>석혜연 658 | | 최지은 225<br>김이현 226<br>배소연 227<br>양인애 228 |
| 공무직 | | | | | | | | |
| FAX | 468-7175 | | 466-8538 | | 466-8537 | | 466-2648 | |

447

# 부산강서세무서

대표전화: 051-7409-200 / DID: 051-7409-OOO

서장: **박 광 룡**
DID: 051-7409-201

| 주소 | 부산시 강서구 명지국제7로 44 (퍼스트월드브라이튼 3~6층) (우) 46726 | | | | |
|---|---|---|---|---|---|
| 코드번호 | 625 | 계좌번호 | 027709 | 사업자번호 | |
| 관할구역 | 부산시 강서구 전지역 | | | 이메일 | |

| 과 | 징세과 | | 부가소득세과 | | |
|---|---|---|---|---|---|
| 과장 | 최해수 240 | | 윤현아 280 | | |
| 팀 | 운영지원 | 체납추적 | 부가1 | 부가2 | 소득 |
| 팀장 | 천호철 241 | 이민경 441 | 정은성 281 | 류현철 301 | 배명한 361 |
| 국세<br>조사관 | 문승준 242<br>김상희 243<br>남인제(운전) 245 | 김태인 442<br>김경민 443<br>김미정 444<br>김민숙 261 | 류세경<br>신성일<br>김지혜 283<br>김주민 284 | 임인섭 302<br>김혜경 303<br>송치호(소비) 304 | 정해연 362<br>이성훈 363<br>진현진 364 |
| | | 김경옥 262<br>박주현 445<br>정대교 446<br>송다성 447 | | 정수영 305 | |
| | 이승익 244<br>권영채(방호) 246 | 천민아 448<br>남학진 449 | 최서우 285<br>강규호 286<br>박민정 287 | 김다희 306<br>최현진 307 | 추민재 365<br>손현정 366<br>강두석 367 |
| 공무직 | 이혜인 202<br>소정선<br>홍정미<br>최소영 | | | | |
| FAX | 294-9506 | 294-9507 | 466-9508 | | |

448

# 10년간 쌓아온 재무인의 역사를 돌려드립니다 '온라인 재무인명부'

수시 업데이트 되는 국세청, 정·관계 인사의 프로필과 국세청, 지방청, 전국세무서, 관세청,
유관기관 등의 인력배치 현황을 볼 수 있는 온라인 재무인명부

| 과 | 재산법인세과 | | | 조사과 | | 납세자보호담당관 | |
|---|---|---|---|---|---|---|---|
| 과장 | 박경민 400 | | | 류용운 640 | | 이상헌 210 | |
| 팀 | 재산1 | 재산2 | 법인 | 정보관리 | 조사 | 납세자보호실 | 민원봉사실 |
| 팀장 | 문병찬 481 | 김영주 501 | 임희택 401 | 이상표 641 | 임선기 651 | 김진삼 211 | 오승연 221 |
| 국세조사관 | 채규욱 482 | | | | | | |
| 국세조사관 | 김진아 482<br>이혜령 483<br>정효주(사무운영) 490 | 이동윤 502 | 정민석 402<br>신영승 403<br>정호진 404<br>황민훈 405<br>명상희 406<br>이규현 407 | 강선실 642 | 박순찬<br>안종규 655<br>김진수 659 | 김영경 212<br>장선우 213 | 임성준<br>이택건 |
| 국세조사관 | 김유정 484 | | 강한솔 408 | 구영범 691<br>박민영 643 | 최예영 656<br>윤주련 661<br>안승현 652 | | 이수영 222 |
| 국세조사관 | 김대희 485<br>조연주 | | 김은비 409<br>김지민 410<br>한지혜 411<br>김의영 412<br>권영민 413 | | 조근비 653 | | 손현정 223 |
| 공무직 | | | | | | | |
| FAX | 294-9509 | | | 294-9510 | | 294-9511 | |

# 북부산세무서

대표전화: 051-3106-200 / DID: 051-3106-OOO

서장: **김 종 일**
DID: 051-3106-201

| 주소 | 부산광역시 사상구 학감대로 263 (감전동) (우) 46984 | | | |
|---|---|---|---|---|
| 코드번호 | 606 | 계좌번호 030533 | 사업자번호 | 606-83-00193 |
| 관할구역 | 부산광역시 북구, 사상구 | | 이메일 | bukbusan@nts.go.kr |

| 과 | 징세과 | | 부가가치세과 | | 소득세과 | |
|---|---|---|---|---|---|---|
| 과장 | 연경태 240 | | 김민주 280 | | 송성욱 360 | |
| 팀 | 운영지원 | 체납추적 | 부가1 | 부가2 | 소득1 | 소득2 |
| 팀장 | 전지용 241 | 김병선 441 | 서귀자 281 | 이진홍 301 | 조재성 361 | 진종희 381 |
| 국세조사관 | | 지광민 261<br>강성문 442<br>정명환 443 | 김형천 282<br>임정훈 283 | 김승철 302<br>김정수 303 | 이영진 363<br>김재철 362 | |
| | 김현준 242<br>이우정 243<br>강경민 249<br>최두환 246<br>김종월 247 | 송인숙 262<br>김태순 444<br>정숙희 445<br>박혜원 446<br>이수경 447<br>김혜영 263<br>김동욱 458<br>이규호 449 | 김동한 284<br>이순영 285<br>나단비 286<br>김민수 287<br>송은영 607<br>고현주 288<br>김영인 289 | 오영주 304<br>김희련 305<br>정건화 306<br>노미향 308 | 제민경 364<br>정미연 608<br>한은숙 365<br>박정화 366<br>김지원 367 | 이수정 383<br>박선남 384 |
| | 박하니 244 | 최원진 450<br>감지윤 451<br>문혜리 452<br>정도영 453 | | 조연수 309<br>강남호 310 | | 강영희 385<br>남연주 386 |
| | 황상진 245 | 김남현 454 | 김나겸 607<br>정인경 290<br>조은비 291 | 이희진 311<br>고종원 312<br>이인혜 313 | 박경화 368<br>김시윤 369 | 김보은 387<br>안태익 388 |
| 공무직 | 김현정 602<br>주미아 202<br>강외숙<br>김선희<br>조해미 | | | | | |
| FAX | 711-6389 | | 711-6377 | | 711-6379 | |

# 1등 조세회계 경제신문 조세일보

| 과 | 재산법인세과 | | | 조사과 | | 납세자보호담당관 | |
|---|---|---|---|---|---|---|---|
| **과장** | 백선기 400 | | | 김현도 640 | | 신언수 210 | |
| **팀** | 재산1 | 재산2 | 법인 | 정보관리 | 조사 | 납세자보호실 | 민원봉사실 |
| **팀장** | 전병도 481 | 조재화 501 | 박주현 401 | 최재호 641 | 류정희 651 | 예종옥 211 | 최영호 221 |
| **국세<br>조사관** | | | | 민승기 642<br>전종태 643 | 이구현 654<br>한대섭 658<br>오익수 662<br>유세명 665 | 공을상 212<br>심은정 213 | 신미옥 222<br>주성민 223 |
| | 강은순 482<br>김영은 483<br>이상훈 484<br>김시연 557<br>서자원 485<br>위지혜 486<br>서화영 487 | 하정욱 502<br>김대원 503 | 오승현 402<br>손민정 403<br>김희범 404<br>황은영 405<br>김시현 406 | 박건태 644 | 정성용 652<br>김경진 655<br>정희선 659<br>손다영 663<br>하승희 666 | 구화란 214 | 김인경 227<br>백종욱 224<br>김나은 225<br>고정애 226 |
| | 서미영 488 | | 김민지 414<br>정수인 407<br>박희진 408 | 정상훈 645 | 이남호 656<br>정세미 667 | | 서자영 228 |
| | | | 김은영 409<br>장다혜 410<br>윤미현 411<br>석진백 412<br>하수민 413 | 전수미 646 | 허금희 653<br>강준구 657<br>박세현 660<br>장서영 661<br>박성진 664 | | 정은미 227 |
| **공무직** | | | 차지현 415 | | | | |
| **FAX** | 711-6381 | | 711-6380 | 314-8143 | | 711-6385 | 314-8144 |

# 서부산세무서

대표전화: 051-2506-200 / DID: 051-2506-OOO

서장: **손 해 수**
DID: 051-2506-201

| 주소 | 부산광역시 서구 대영로 10 (서대신동2가 288-2) (우) 49228 | | | | |
|---|---|---|---|---|---|
| 코드번호 | 603 | 계좌번호 | 030546 | 사업자번호 | 603-83-00535 |
| 관할구역 | 부산광역시 서구, 사하구 | | | 이메일 | seobusan@nts.go.kr |

| 과 | 징세과 | | 부가가치세과 | | 소득세과 | |
|---|---|---|---|---|---|---|
| 과장 | 성한기 240 | | 이홍구 280 | | 이남진 360 | |
| 팀 | 운영지원 | 체납추적 | 부가1 | 부가2 | 소득1 | 소득2 |
| 팀장 | 박선영 241 | 강호창 441 | 박재완 281 | 이상호 301 | 유치현 361 | 신도현 381 |
| 국세조사관 | 이도경 242 | 이옥임 262 | 신동훈 282<br>엄애화 283 | 윤석중 302 | | 382 |
| | 강지선 243<br>김지훈 244 | 이계훈 442<br>배영태 443<br>김선임 444<br>이동철 445<br>이경희 446<br>김주영 447 | 차윤주 289<br>장재필 284<br>강영미 285<br>김미현 341 | 정연재 303<br>박정운 307<br>조선영 341 | 배기윤 362<br>김한신 363<br>김한석 342<br>신미경 364 | 김성민 383<br>김숙희 384<br>이지연 342<br>이철민 385<br>황소정 386 |
| | 최정훈 246<br>김승용 247<br>배성원 245 | 김현정 448<br>명진아 263<br>최기원 449<br>전현명 264<br>김사라 450 | 김민정 286<br>김서현 287 | 박병태 304<br>허유미 305 | 김미희 365 | |
| | | 허지언 451 | 김혜정 288 | 강나운 306 | 손미숙 366<br>박가람 367 | 석대겸 366<br>박가람367 |
| 공무직 | 추지선 202<br>김미야 200<br>김혜숙 249<br>이성금<br>류태순 | | | | | |
| FAX | 241-7004 | | 253-6922 | 256-4490 | 256-4492 | |

| 과 | 재산법인세과 | | | | 조사과 | | 납세자보호담당관 | |
|---|---|---|---|---|---|---|---|---|
| 과장 | 조민래 400 | | | | 박행옥 640 | | 이미숙 210 | |
| 팀 | 재산신고 | 재산조사 | 법인1 | 법인2 | 정보관리 | 조사 | 납세자보호실 | 민원봉사실 |
| 팀장 | 장재윤 481 | 김현숙 501<br>성혜리 503 | 박성진 401 | 박태원 421 | 조석주 641 | 장준영 651<br>김종철 656<br>이혜령 660 | 임정섭 211 | 하성준 221 |
| 국세조사관 | | | 김동건 402 | | | 김찬중 652 | 지만 212 | |
| 국세조사관 | 전하윤 483<br>조승연 488<br>박동철 488<br>홍정희 484<br>김화선 485 | 박종민 504 | 박화경 403 | 박지혜 422<br>김진홍 423<br>이주현 424 | 성상진 643 | 강유정 657<br>이예지 661<br>이경훈 653<br>박미영 654<br>안태영 658 | 주선영 213 | 윤덕희 222<br>김정미 223<br>임상현 224 |
| 국세조사관 | 허태구 486 | | 장성욱 404<br>박모영 405 | | 박미화 644<br>이강현 645 | 이동민 662 | | |
| 국세조사관 | | 최재용 502 | 박민정 406 | 안정희 425<br>천지영 426 | 김혜리 646 | 김한솔 659<br>서예주 655 | 이나연 214 | 박현주 225<br>이수연 228<br>박선호 226<br>이효진 227 |
| 공무직 | | | | | | | | |
| FAX | 256-7147 | | 253-2707 | | 257-0170 | 255-4100 | 256-4489 | 256-7047 |

# 수영세무서

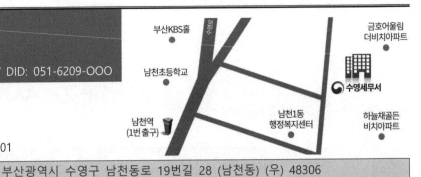

대표전화: 051-6209-200 / DID: 051-6209-OOO

서장: **이 종 현**
DID: 051-6209-201

| 주소 | 부산광역시 수영구 남천동로 19번길 28 (남천동) (우) 48306 | | | | |
|---|---|---|---|---|---|
| 코드번호 | 617 | **계좌번호** | 030478 | **사업자번호** | |
| 관할구역 | 부산광역시 남구, 수영구 | | **이메일** | suyeong@nts.go.kr | |

| 과 | 징세과 | | | 부가가치세과 | | 소득세과 | |
|---|---|---|---|---|---|---|---|
| **과장** | 임채일 240 | | | 김효숙 280 | | 강연태 360 | |
| **팀** | 운영지원 | 체납추적1 | 체납추적2 | 부가1 | 부가2 | 소득1 | 소득2 |
| **팀장** | 이태호 241 | 신성만 441 | 이묘금 461 | 조석권 281 | 서경심 301 | 이상근 361 | 최고진 381 |
| **국세<br>조사관** | | 양문석 442 | | 박진수 282<br>정한나 | 유옥근 302 | 이경진<br>조인순 362 | 오정임 382 |
| | 이성민 242<br>김은희 244<br>김동신 246<br>이은진 243 | 박은숙 443<br>김미영 444<br>강인숙 445<br>김도헌 446<br>이상혁 447<br>손채은 448 | 김성희 463<br>박성우 464<br>김영주 262<br>임나경 263 | 최보경 283<br>강정대 284<br>이영란 285<br>이영희 286<br>김민영 287 | 정선경 303<br>이용환 304<br>정원미 305<br>안지연<br>강덕영 306<br>최지혜 307 | 민연배 363<br>정은희 364<br>고광철 365 | 이치권 383<br>김상엽 384<br>최은빈 385 |
| | | | 이유정 465<br>조상운 466 | 장유나 288 | 김민정<br>박지민 308 | 윤재련 366<br>오규진 367<br>민정 368 | 유재학 386<br>심창훈 |
| | 박지원 247<br>반승희 245 | 박혜경 449 | | 하승민 289<br>예신우 290 | 노학준 309<br>김나현 310 | 김초원 369 | 서정미 387<br>김애진 388 |
| **공무직** | 손보예 202<br>백수지<br>임지현<br>권용희 | | | | | | |
| **FAX** | 711-6152 | | | 711-6149 | | 622-2084 | |

| 과 | 재산법인납세과 | | | | 조사과 | | | | 납세자보호담당관 | |
|---|---|---|---|---|---|---|---|---|---|---|
| 과장 | 윤선태 400 | | | | 백영상 640 | | | | 조선제 210 | |
| 팀 | 재산1 | 재산2 1팀 | 재산2 2팀 | 법인 | 정보관리 | 조사1 | 조사2 | 조사3 | 납세자보호실 | 민원봉사실 |
| 팀장 | 김정욱 481 | | | 류정모 401 | 윤상필 641 | | | | 이준한 211 | 이승희 221 |
| 국세조사관 | 김점준 482 | 서계영 501 | | 김지훈 402 | | 박찬만 651 | 김태성 661 | | 김태훈 212 | |
| | 최학선 이정필 483 박유나 484 추종완 485 | 오종민 503 황상준 505 | 안영준 502 최정주 504 | 이영옥 문강민 403 김지현 404 배용현 405 권수현 406 | 조상래 642 최창호 643 | 이재석 652 | 김정혜 662 | 이종배 671 고상희 672 | 노윤주 213 | 문성철 223 이상덕 222 박지훈 227 엄미라 224 |
| | 김초이 486 방은혜 487 박현주 488 | | | 박숙현 407 김태헌 408 백승옥 409 | 배주원 644 | | | 권나영 673 | 이신애 214 | 김민진 226 박윤희 230 송예진 229 |
| | 최진영 489 오영동 490 김서영 491 | | | 조정은 410 홍라겸 411 | | 박민주 653 | 이수연 663 | | | 김화진 225 |
| 공무직 | | | | | | | | | | |
| FAX | 711-6153 | | | 623-9203 | 711-6154 | | | | 711-6148 | 626-2502 |

455

# 중부산세무서

대표전화: 051-2400-200 / DID: 051-2400-OOO

서장: **이 슬**
DID: 051-2400-201

| 주소 | 중구 충장대로 6 (한진중공업 R&D 센터) 4, 5, 6, 10층 (우) 48941 | | | | |
|---|---|---|---|---|---|
| 코드번호 | 602 | 계좌번호 | 030562 | 사업자번호 | 602-83-00129 |
| 관할구역 | 부산광역시 중구, 영도구 | | | 이메일 | jungbusan@nts.go.kr |

| 과 | 징세과 | | 부가소득세과 | | |
|---|---|---|---|---|---|
| 과장 | 강대선 240 | | 구연수 | | |
| 팀 | 운영지원 | 체납추적 | 부가1 | 부가2 | 소득 |
| 팀장 | 강승묵 241 | 김현배 441 | 천효순 281 | 박정신 301 | 염왕기 361 |
| 국세조사관 | 박현순 242 | 김정인 262 | 양규복 282 | 이미향 302 | 강호인 362 |
| | 김금순 243<br>정재철 244 | 이현재 442<br>권준혁 443<br>백운기 444 | 김재형 283<br>안대협 284 | 박정현 303<br>구선희 313<br>김현범 304 | |
| | 박성재(운전) 245 | 조혜윤 263<br>김효정 445<br>편지현 446 | | 신선미 305<br>서지원 306 | 박판기 363<br>구상은 364<br>이명호 365 |
| | 신아영 248<br>김영민(방호) 247 | 진영희 447<br>문권선 448<br>한유진 449 | 최영철<br>전혜원 285 | 김다빈 307 | 최현빈 366<br>최규진 367 |
| 공무직 | 강경임 200<br>옥은주 202<br>송순례 619<br>김은희 619 | | | | |
| FAX | 241-6009 | 253-5581 | 253-5581 | 711-6535 | 711-6535 |

456

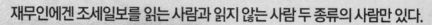

# 재무인과 함께 걸어가겠습니다 '조세일보'

재무인에겐 조세일보를 읽는 사람과 읽지 않는 사람 두 종류의 사람만 있다.

| 과 | 재산법인세과 | | 조사과 | | 납세자보호담당관 | |
|---|---|---|---|---|---|---|
| **과장** | 이재춘 400 | | 김무열 640 | | 권재효 210 | |
| **팀** | 재산 | 법인 | 정보관리 | 조사 | 납세자보호실 | 민원봉사실 |
| **팀장** | 김대엽 481 | 박동기 401 | 성대경 641 | 이형석 651<br>임완진 661<br>신병전 671 | 신용현 211 | 최현택 221 |
| **국세<br>조사관** | | 이동목 402 | | | | 박미영 222 |
| | 강담연 482<br>이일구 486<br>유지혜 483<br>최성희 484<br>황승현 485 | 이호성 403<br>이재철 404<br>백승우 405 | 최상덕 643<br>박상용 644 | | 박승종 212 | 김혜영 224 |
| | | 이정호 406 | | 박재형 652<br>오애란 662 | 윤지영 213 | 김솔 223 |
| | | 장주환 407<br>추수연 408<br>이동환 409 | | 김예원 663<br>김마리아 653<br>이재빈 672 | | 이현아 225 |
| **공무직** | | | | | | |
| **FAX** | 240-0419 | | 711-6538 | | 240-0628 | |

# 해운대세무서

대표전화: 051-6609-200 / DID: 051-6609-OOO

서장: **정 도 식**
DID: 051-6609-201

| 주소 | 부산광역시 해운대구 좌동순환로 17 (우) 48084<br>별관 : 부산광역시 해운대구 해운대로 726 4층 (우) 48101 | | | | |
|---|---|---|---|---|---|
| 코드번호 | 623 | 계좌번호 | 025470 | 사업자번호 | |
| 관할구역 | 부산광역시 해운대구 | | | 이메일 | |

| 과 | 징세과 | | 부가가치세과 | | 소득세과 | |
|---|---|---|---|---|---|---|
| 과장 | 현은식 240 | | 박희술 280 | | 채양숙 360 | |
| 팀 | 운영지원 | 체납추적 | 부가1 | 부가2 | 소득1 | 소득2 |
| 팀장 | 이인권 241 | 이준우 441 | 김현철 281 | 서명준 301 | 신용대 361 | 강병철 621 |
| 국세<br>조사관 | | 김민수 443 | 강준오 282 | 김영숙 302 | | 안양후 622 |
| | 김언선 242<br>전현주 243<br>김진상 247 | 박종국 444<br>김규한 445<br>전문숙 446<br>최윤실 261<br>진채영 447<br>현지훈 448<br>김선광 262<br>박수경 449 | 채승아 283<br>박지영 284<br>최낙상 285<br>이하경 286<br>이연숙 290 | 주연신 303<br>강병진 304<br>심정보 305<br>박재한 311<br>이상은 306 | 노진명 362<br>전경숙 363<br>장지영 364<br>김지혜 365<br>김종선 366<br>김은주 367 | 김명수 623<br>양승민 624<br>김민정 625<br>이성준 626 |
| | 박수진 244<br>권성주 246 | 곽소라 263 | | 이소정 307 | | 이지희 613 |
| | 조소연 245 | 이아름 450<br>서민재 451<br>이재진 452<br>김준성 453<br>오경언 454 | 김소영 287<br>허진웅 288<br>박영민 289<br>장혜진 613 | 박준용 308<br>배소언 309 | 공미영 368<br>한명균 369 | 이민옥 627<br>강가빈 628 |
| 공무직 | 정민경 200<br>문윤선 202<br>박준희 248<br>조경숙<br>박서연 | | | | | |
| FAX | 512-3917 | | | | | |

# 10년간 쌓아온 재무인의 역사를 돌려드립니다 '온라인 재무인명부'

수시 업데이트 되는 국세청, 정·관계 인사의 프로필과 국세청, 지방청, 전국세무서, 관세청, 유관기관 등의 인력배치 현황을 볼 수 있는 온라인 재무인명부

1등 조세회계 경제신문 조세일보

| 과 | 재산법인세과 | | | 조사과 | | 납세자보호담당관 | |
|---|---|---|---|---|---|---|---|
| 과장 | 황규석 400 | | | 윤동수 640 | | 이수연 210 | |
| 팀 | 재산신고 | 재산조사 | 법인 | 정보관리 | 조사 | 납세자보호실 | 민원봉사실 |
| 팀장 | 김성홍 481 | 정석주 501<br>화종원 505 | 최명길 401 | 이시호 641 | 조경배 651<br>이영태 661<br>엄상원 671<br>정유진 681 | 김정도 211 | 양순관 221 |
| 국세<br>조사관 | 박진용 482<br>박수경 483 | 정태옥 504 | 배진만 402 | 전영심 642 | | | |
| | 김찬희<br>장수연 484<br>문홍섭<br>김록수 485<br>윤근호 486<br>이배삼 614 | 김명철 502 | 최선경<br>신정아 403<br>이해웅 404<br>최혜미 405 | 구태효 643<br>손찬희 644 | 임영희 652<br>금인숙 662<br>윤석미 663<br>윤승미 672<br>양효진 673<br>진효영 682 | 이상도 212 | 안정민 222<br>안영서 223<br>양영선 227 |
| | 배지원 487<br>전영현 488 | 여효정 506 | 이치훈 406<br>김성준 407<br>강슬아 408<br>박소정 409 | 조미주 645 | 오혁기 653<br>박준태 654<br>정민영 683 | 이영재 213 | 전하나 224<br>김민규 225 |
| | 고기석 489<br>이준혁 490<br>정가영 491 | | 김민주 410<br>권동민 411<br>방수민 412 | | | 강승우 214 | 정재호 226 |
| 공무직 | | | | | | | |
| FAX | | | | | | | |

# 동울산세무서

대표전화: 052-2199-200 / DID: 052-2199-OOO

서장: **최 흥 길**
DID: 052-2199-201

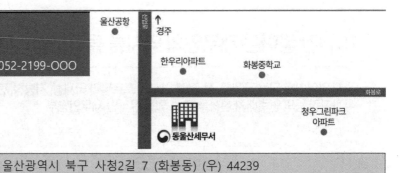

| 주소 | 울산광역시 북구 사청2길 7 (화봉동) (우) 44239 | | | | |
|---|---|---|---|---|---|
| 코드번호 | 620 | 계좌번호 | 001601 | 사업자번호 | 610-83-05315 |
| 관할구역 | 울산광역시 중구, 동구, 북구, 울주군(언양읍, 범서읍, 두동면, 두서면, 상북면, 삼남면, 삼동면) | | 이메일 | donulsan@webmail.nts .go.kr | |

| 과 | 징세과 | | | 부가가치세과 | | 소득세과 | | 재산법인세과 | |
|---|---|---|---|---|---|---|---|---|---|
| 과장 | 윤남식 240 | | | 엄태선 280 | | 이성근 360 | | 김창수 400 | |
| 팀 | 운영지원 | 체납추적1 | 체납추적2 | 부가1 | 부가2 | 소득1 | 소득2 | 재산신고 | 재산조사1 |
| 팀장 | 이혁섭 241 | 김종요 441 | 김형걸 461 | 김국진 281 | 신상수 301 | 장호철 361 | 강도현 621 | 신용도 481 | 서기석 501 |
| 국세조사관 | | 서순연 442 | 송미정 262 | 손석민 282 | 강병문 302 | 손진락 362 | | 정재효 장광택 482 | |
| 국세조사관 | 박복자 242 곽민석 243 김은주 244 이정애 200 이위형 246 | 이선교 443 김석민 444 정영록 윤지연 445 양지윤 446 | 백승연 263 정경임 462 김종철 463 배재현 464 | 권미정 283 윤영자 284 이경재 박찬익 285 변혜정 286 | 김유리 303 민경진 304 최항호 305 송보경 306 김용현 315 | 최호성 363 김윤주 364 김정은 365 한건희 366 | 박수경 622 권병수 623 고인식 624 강성룡 625 | 김영미 483 박주아 484 안지현 485 김은호 236 최제환 486 | 김종명 503 |
| 국세조사관 | 김광덕 247 김일희 245 | 신지혜 447 | 김희애 264 이민주 465 강승훈 466 홍수민 467 | | 이기정 255 임나영 307 전용준 316 | | 장미진 626 김슬빛 627 | 문예지 487 이승걸 488 | |
| 국세조사관 | | 정대성 448 | 이지영 468 | 김아름 287 김시우 288 문가현 289 주현수 290 | 김유진 308 | 이연수 367 이지유 368 | 오주하 628 윤지영 629 이은아 369 | 김현 489 임종훈 490 | |
| 공무직 | 김소영 202 임공주 강래윤 | | | | | | | | |
| FAX | 713-5176 | | | 289-8367 | | 289-8375 | | 287-0729 | |

# 1등 조세회계 경제신문 조세일보

| 과 | 재산법인세과 | | 조사과 | | 납세자보호담당관 | | 울주지서(052-219-9203) | | |
|---|---|---|---|---|---|---|---|---|---|
| 과장 | 김창수 400 | | 송인범 640 | | 홍학봉 210 | | 김홍기 201 | | |
| 팀 | 재산조사2 | 법인 | 정보관리 | 조사 | 납세자보호실 | 민원봉사실 | 납세자보호실 | 부가소득 | 재산법인 |
| 팀장 | 김기범 502 | 장세철 401 | 권윤호 641 | | 김갑이 211 | 신미정 221 | | 이은희 300 | 박종수 400 |
| 국세조사관 | | 박정의 402 심영주 403 | | <조사1팀> 김종각 651 이정화 652 임종근 강수연 653 | 우형수 212 | | | 원성택 311 우성현 301 | 박용섭 411 유지현 412 |
| | 최민식 504 | 김미옥 404 박주희 405 류장식 408 권나영 최정훈 406 | 이현지 642 | <조사2팀> 윤달영 661 이지은 662 김나영 663 | 손지혜 213 | 박창준 222 엄제현 223 윤예진 224 | 정미리 211 | 이지은 312 전성곤 313 이규형 302 이지민 303 | 조재천 401 김선희 421 김미경 422 임병섭 402 김희경 413 |
| | | 박정연 407 양기혁 409 김민희 410 | 이청림 643 노민욱 644 | <조사3팀> 남경호 671 이소영 672 김태완 673 | 손주희 214 | 황민영 227 | | 조세영 304 강희정 305 | 김보희 423 권산 414 |
| | | 백지원 장바롬 411 | | <조사4팀> 김지현 681 김령우 682 | | 백동재 226 김나현 225 | 박혜지 212 | 김승규 314 | |
| 공무직 | | | | | | | 최선자 | | |
| FAX | 287-0729 | 289-8368 | 289-8369 | | 289-8370 | 289-8371 | 291-4210 | 291-4410 | |

# 울산세무서

대표전화: 052-2590-200 / DID: 052-2590-OOO

서장: **김 동 근**
DID: 052-2590-201

| 주소 | 울산광역시 남구 갈밭로 49 (삼산동 1632-1번지) (우) 44715 | | | | |
|---|---|---|---|---|---|
| 코드번호 | 610 | 계좌번호 | 160021 | 사업자번호 | |
| 관할구역 | 울산광역시 남구, 울주군(웅촌,온산,온양,청량,서생) | | | 이메일 | ulsan@nts.go.kr |

| 과 | 징세과 | | | 부가가치세과 | | 소득세과 | |
|---|---|---|---|---|---|---|---|
| 과장 | 손완수 240 | | | 박기식 280 | | 허서영 360 | |
| 팀 | 업무지원 | 체납추적1 | 체납추적2 | 부가1 | 부가2 | 소득1 | 소득2 |
| 팀장 | 이재원 241 | 김태희 441 | 손연숙 461 | 유진희 281 | 안수만 301 | 김경태 361 | 김필곤 621 |
| 국세조사관 | | 박종민 442<br>심은경 443 | 전인석 463<br>이은정 464 | 제재호 282<br>김장석 283 | 조숙현 314<br>이현동 302<br>신민채 303 | 김기업 362 | 공미경 622 |
| | 이진희 242<br>황경호 243<br>최동석 245<br>이정걸 246 | 노동율 444<br>손이슬 445<br>진선미 446 | 허명화 262<br>박주범 465<br>최효순 466<br>이미경 467<br>박미라 263 | 김수진 284<br>김준호 285<br>안은주 286<br>이다은 287 | 권지혜 304<br>김도곤 305<br>정혜경 306<br>박경민 307 | 박미영 363<br>강보화 364<br>정설아 512 | 정준용 623<br>김현아 624 |
| | | 박지민 447 | 최성임 468<br>하태영 469 | 최원우 288<br>김현진 673 | 엄기동 315<br>황나래 308 | 이한라 365 | |
| | 최윤영 244 | 김준희 448<br>장유진 449<br>전승록 450 | 정유진 470<br>김시은 264 | 정보겸 289<br>윤혜원 290 | 김나현 309<br>이현아 311<br>김지연 310 | 손예린 366<br>안현수 367 | 이재연 625<br>정순욱 626<br>김인주 627 |
| 공무직 | 전덕순<br>방금자<br>이현정 620<br>이나경 202 | | | | | | |
| FAX | 266-2135 | | | 266-2136 | | 257-9435 | |

| 과 | 재산세과 | 법인세과 | | 조사과 | | 납세자보호담당관 | |
|---|---|---|---|---|---|---|---|
| 과장 | 김분숙 480 | 한정홍 400 | | 강경구 640 | | 임종훈 210 | |
| 팀 | 재산신고 | 법인1 | 법인2 | 정보관리 | 조사 | 납세자보호실 | 민원봉사실 |
| 팀장 | 이승진 481 | 김석환 401 | 류진열 421 | 강동희 641 | 홍영숙 651 | 김강수 211 | 고영준 221 |
| 국세조사관 | 김현성 482 | 김미옥 402 | | 서재은 642<br>배영애 643 | 김형수 655<br>강정환 659 | 김도윤 212 | 최주영 222 |
| | 김현기 519<br>최경은 483<br>신병준 484 | 최성준 403<br>이재경 404 | 김연진 422<br>박일동 423<br>진성은 424 | 김병인 644<br>최수현 645 | 한석복 691<br>이상욱 652<br>정수희 656<br>김라은 660<br>박정은 692 | 박선희 213 | 심정희 223<br>이선화 224<br>박정은 225 |
| | 한혜숙 485<br>천혜미 519<br>백제흠 486<br>김윤서 487<br>김민정 488 | 김효민 405<br>안대호 406 | 남나은 425<br>오초룡 426 | | 정주희 653<br>이창훈(파견) | | 이미진 253 |
| | | 안은미 407<br>김숙 408<br>권나율 409<br>장수은 410 | 민병현 427<br>윤주민 428<br>김유정 429 | 신민기 646 | 황지영 657 | 고윤학 214<br>배승준 215 | 김은영 225<br>이진수 226<br>최보윤 227<br>정윤지 228<br>손혜원 229 |
| 공무직 | | | | | | | 김영옥 252 |
| FAX | 257-9434 | | | 266-2139 | | 266-2140 | 273-2100 |

# 거창세무서

대표전화: 055-9400-200 / DID: 055-9400-OOO

서장: **조 성 용**
DID: 055-9400-201

| 주소 | 경상남도 거창군 거창읍 상동2길 14 (상림리) (우) 50132 | | | | |
|---|---|---|---|---|---|
| 코드번호 | 611 | 계좌번호 | 950419 | 사업자번호 | 611-83-00123 |
| 관할구역 | 경상남도 거창군, 함양군, 합천군 | | | 이메일 | geochang@nts.go.kr |

| 과 | 징세과 | | |
|---|---|---|---|
| 과장 | 이성환 240 | | |
| 팀 | 운영지원 | 체납추적 | 조사 |
| 팀장 | 두영배 241 | 김병우 441 | 김재년 651 |
| 국세<br>조사관 | 김동일 242 | 윤정미 442 | 이성재 652<br>강회영 653 |
| | 이준희 246 | 이성규 443<br>박주영 444 | 문소원 654 |
| | | 이채호 | 노종근 655 |
| | 이미희 243<br>현선재 245 | 박세웅 445 | |
| 공무직 | | | |
| FAX | 942-3616 | | |

# 재무인과 함께 걸어가겠습니다 '조세일보'

재무인에겐 조세일보를 읽는 사람과 읽지 않는 사람 두 종류의 사람만 있다.

1등 조세회계 경제신문 조세일보

| 과 | 세원관리과 | | | | 납세자보호담당관 | |
|---|---|---|---|---|---|---|
| 과장 | 강승구 280 | | | | 봉지영 210 | |
| 팀 | 부가소득 | | 재산법인 | | 납세자보호실 | 민원봉사실 |
| | 부가 | 소득 | 재산 | 법인 | | |
| 팀장 | 윤영수 281 | | 김원희 481 | | 윤창중 211 | 조강래 221 |
| 국세<br>조사관 | 권경숙 282<br>이은상 284 | | 이상민 482<br>염인균 483 | 정태환<br>송우용 402 | | 박호용 222 |
| | 이정훈 283<br>김현수 285<br>박미혜 286 | 한임철 290<br>허춘도 291<br>배정환 292 | 심상길 484<br>조재형 485 | 김환진 403<br>최윤혁 404<br>안재현 405 | | 강민준(합천민원<br>실) 224 |
| | | | 고진수 486 | | | 서솔지 223<br>백영규(함양민원<br>실) |
| | 이채희 287 | 이지우 293 | | | | |
| 공무직 | | | | | | |
| FAX | 944-0382 | | 944-5448 | | 944-0381 | |

# 김해세무서

대표전화: 055-3206-200 / DID: 055-3206-OOO

김해세무서

부원동
행정복지센터          김해시청

부원역    ↓가락

서장: **천 용 욱**
DID: 055-3206-201

| 주소 | 경상남도 김해시 호계로 440 (부원동) (우) 50922 | | | | | | | |
| | 밀양지서 : 경남 밀양시 중앙로 235 (삼문동 141-2번지) (우) 50440 | | | | | | | |

| 코드번호 | 615 | 계좌번호 | 00178 | 사업자번호 | |
| 관할구역 | 경상남도 김해시, 밀양시 | | | 이메일 | gimhae@nts.go.kr |

| 과 | 징세과 | | | 부가가치세과 | | | 소득세과 | | 재산세과 | |
|---|---|---|---|---|---|---|---|---|---|---|
| 과장 | 곽귀명 240 | | | 유경원 280 | | | 문권주 360 | | 성낙진 480 | |
| 팀 | 운영지원 | 체납추적1 | 체납추적2 | 부가1 | 부가2 | 부가3 | 소득1 | 소득2 | 신고 | 조사 |
| 팀장 | 한종창 241 | 이수미 441 | 최인식 461 | 류진수 281 | 김슬기론 301 | 김풍겸 321 | 조미애 361 | | 김경대 481 | 김현국 501 |
| 국세조사관 | | 윤간오 442<br>김병활 443<br>김상순 444<br>고태혁 445 | 하재현 462<br>김주홍 463<br>선병우 464<br>김지연 465 | 최태훈 282<br>조병환 283 | 박지현 303 | 이봉철 330<br>윤정훈 322<br>노희옥 323 | 손민지 362<br>장노기 363 | 박홍수 622 | 박미연 482 | 김동우 502 |
| | 곽영근 242<br>손영미 243 | 정춘영 446<br>김민석 447<br>심상형 448<br>이은미 449 | 문상영 466<br>박문주 467<br>김지희 261<br>오정민 263<br>선은미 468<br>최희숙 264<br>서주희 469 | 김인숙 284<br>정지현 285<br>송향기 286<br>이승민 287 | 이문호 304<br>이현진 305<br>송세미 306<br>김혜진 307 | 양선미 324<br>정인구 325<br>이탁희 331 | 이미애 304<br>이태형 365<br>이태호 366<br>한가영 367 | 이근환 623<br>박종욱 624 | 박노성 483<br>이민우 484<br>김아람 485<br>조은해 486 | 신민수 504<br>김회정 505<br>백상순 503 |
| | 강재희 244 | 조현아 450<br>오현아 451<br>박용훈 452 | 이광재 470 | 윤숙현 288 | 김영현 308 | 임하나 326 | | 김동길 625 | 한정예 487 | |
| | 송연지 245<br>정은이 246<br>김명섭 247<br>김민재 248 | | 허지혜 471<br>구자양 472 | 김민정 289<br>표민경 290 | 김나영 309<br>최재은 310 | 이유정 327<br>최하은 328 | 송예은 368<br>김현준 369<br>곽혜지 370 | 배은지 626<br>조영미 627<br>오하나 628 | 최미녀 488<br>최지나 489 | 김승훈 506 |
| 공무직 | 강민영 202<br>윤슬기<br>김선희 | | | | | | | | | |
| FAX | 335-2250 | 349-3471 | | 329-3476 | | | 329-3473 | | 329-4902 | |

| 과 | 법인세과 | | 조사과 | | 납세자보호담당관 | | 밀양지서(055-3590-200) | | |
|---|---|---|---|---|---|---|---|---|---|
| 과장 | 최정식 400 | | 신기준 640 | | 정철규 210 | | 김현두 201 | | |
| 팀 | 법인1 | 법인2 | 관리 | 조사 | 납세자보호실 | 민원봉사실 | 납세자보호실 | 부가소득 | 재산법인 |
| 팀장 | 이강우 401 | 장준 421 | 강성호 641 | 엄지원 651 | 엄병섭 211 | 신호철 221 | | 김성수 300 | 이진섭 400 |
| 국세조사관 | 이송우 402<br>이주현 403 | 원욱 422 | | 송창희 652<br>강선미 653<br>우미라 654<br>이동훈 655<br>김태정 661 | 안상재 213 | | 이동곤 212 | 김유진 308<br>김민정 306<br>김경용 308 | 배기득 401<br>전영수 512 |
| | 김형섭 404<br>서준영 405<br>박희령 406 | 김미숙 423<br>최수식 424<br>임윤정 425 | 신연정 642<br>주미균 643<br>서주영 691 | 공민석 656<br>양서영 662<br>이훈희 663<br>최인실 665<br>박지은 666 | 이현진 214 | 최순봉 222<br>김순정 223<br>최지윤 228 | | 진훈미 307<br>이성웅 309<br>주선돈 301<br>이채은 302<br>박일호 308 | 이수길 402<br>홍기성 513<br>배선미 403<br>주지훈 514 |
| | 제갈형 407<br>황미진 408 | 안성태 426<br>김진영 427<br>서유진 428 | 정대화 644 | 서준영 671<br>황선주 674 | 안언형 215 | 강혜은 224<br>김태훈 225 | | 김형민 303 | |
| | 문아현 409<br>박도현 410<br>김나영 412 | 박태준 429<br>황홍비 430 | | 조예언 672 | | 김미경 226 | 이우현 215 | 류선아 213<br>김수진 310 | |
| 공무직 | | | | | | | 백민영 202 | | |
| FAX | 329-3477 | | 329-4303 | | 335-2100 | 329-4901 | 355-8462 | 359-0612 | 353-2228 |

# 마산세무서

대표전화: 055-2400-200 / DID: 055-2400-OOO

서장: **정 규 진**
DID: 055-2400-201

| 주소 | 경상남도 창원시 마산합포구 3.15대로 211 (중앙동3가 3-8) (우) 51265 | | | | |
|---|---|---|---|---|---|
| 코드번호 | 608 | 계좌번호 | 140672 | 사업자번호 | |
| 관할구역 | 경상남도 창원시(마산합포구, 마산회원구), 함안군, 의령군, 창녕군 | | | 이메일 | masan@nts.go.kr |

| 과 | 징세과 | | | 부가가치세과 | | | 소득세과 | |
|---|---|---|---|---|---|---|---|---|
| 과장 | 최태전 240 | | | 정학식 280 | | | 주민혁 360 | |
| 팀 | 운영지원 | 체납추적1 | 체납추적2 | 부가1 | 부가2 | 부가3 | 소득1 | 소득2 |
| 팀장 | 이동욱 241 | 김민규 441 | 김종진 461 | 박성규 281 | 장백용 301 | 한상수 321 | 김계영 361 | 하경혜 381 |
| 국세조사관 | | 구본 442<br>송대섭 443<br>서미선 444 | 문선희(징세) 262<br>강상원 462<br>정성욱 463<br>홍영임 464 | 윤현식 282 | 이희정 302 | 정수환 322 | | |
| 국세조사관 | 이지현 242<br>고명순 243<br>서성덕 244<br>이기영 248<br>황혜경 246<br>김태철 247<br>임종필 248 | 배선경 445<br>이한아 446<br>서형숙 447 | 이효영 465<br>송미연 466<br>주혜진(징세) 263 | 오지연 283<br>박지우 284<br>권보란 285<br>전세훈 286<br>강곡지 290 | 최혜선 303<br>황수영 304<br>정대희 272<br>옥채순 305 | 서윤경 323<br>황성업(소비) 329<br>김봉재(소비) 330<br>박시현 324 | 유송화 362<br>이영진 363<br>최은진 273<br>박미숙 364<br>윤노영 365<br>문숙미 369 | 진석주 382<br>김용백 383<br>박정오 384<br>송승리 385 |
| 국세조사관 | | 전종호 448<br>김규민 449<br>김민후 449 | 서지혜(징세) 264<br>이대현 467<br>이아름 468 | 정유진 272<br>김승미 287 | 강대석 306<br>이재열 307 | 정권술 325 | 김영혜 366 | 공보선 386 |
| 국세조사관 | 김성범 245 | | 이지수 469 | 노가영 288 | 박지향 308 | 배지현 326<br>유도권 327 | 이현지 367<br>엄희지 368 | 조정선 387<br>신유진 388<br>박수완 389 |
| 공무직 | 마숙희 690<br>정하윤 202<br>김순연<br>박미정 | | | | | | | |
| FAX | 223-6881 | | | 241-8634 | | | 245-4883 | |

| 과 | 재산법인세과 | | | | 조사과 | | 납세자보호담당관 | |
|---|---|---|---|---|---|---|---|---|
| 과장 | 안정희 400 | | | | 손성주 640 | | 신현국 210 | |
| 팀 | 재산신고 | 재산조사 | 법인1 | 법인2 | 정보관리 | 조사 | 납세자보호실 | 민원봉사실 |
| 팀장 | 조민경 481 | | 정월선 401 | 권태훈 421 | 이병국 641 | 한현국 651 | 신성원 211 | 김태호 221 |
| 국세조사관 | | 배광한 501<br>채규욱 502 | | | | 홍원의 652<br>김창윤 653<br>이동규 654<br>김명윤 660 | 안승훈 212 | 김종식(창녕민원실) 231<br>최은경 222 |
| | 이세훈 482<br>변은희 483<br>김예정 274<br>박현경 484<br>강혜경 485 | | 강정선 402<br>전홍미 403<br>윤현화 404<br>박윤경 405<br>김현석 406<br>강희 489 | 김형두 422<br>조미희 423<br>김현정 424<br>최진숙 425 | 김성환(정보) 691<br>이현우 642<br>김태근 643 | 김권하 662<br>임지혜 658<br>윤세영 655<br>정성욱 661<br>이성훈 663<br>박은경 666<br>김홍석 657 | 양예진 213 | 이재웅 223<br>권영철 224<br>박동홍 225<br>김수진 226 |
| | 윤태영 486<br>홍경숙 487<br>양세실리아 488 | 우재진 503 | 신동근 407 | 박성준 426 | 김현정 644<br>진현호(정보) 692 | 배지홍 667<br>조원희 652 | 김혜린 214 | 김정현(창녕민원실) 231 |
| | | 서가은 504 | 도준혁 408 | 박성현 427<br>박세언 428 | | 박지은 664<br>박구슬 651<br>이은상 665 | | 최인영 227<br>김다운 228 |
| 공무직 | | | | | | | | |
| FAX | 223-6911 | | 245-4885 | | 244-0850 | | 240-0238 | 223-6880 |

469

# 양산세무서

대표전화: 055-3896-200 / DID: 055-3896-○○○

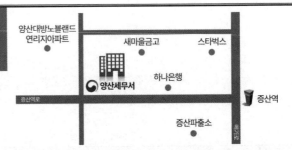

서장: **이 재 영**
DID: 055-3896-201

| 주소 | 경상남도 양산시 물금읍 증산역로 135, 9층, 10층 (가촌리1296-1) (우) 50653<br>웅상민원실 : 경상남도 양산시 진등길 40 (주진동) (우) 50519 | | | | |
|---|---|---|---|---|---|
| 코드번호 | 624 | 계좌번호 | 026194 | 사업자번호 | |
| 관할구역 | 경상남도 양산시 | | | 이메일 | |

| 과 | 징세과 | | | 부가소득세과 | | | 재산세과 | |
|---|---|---|---|---|---|---|---|---|
| 과장 | 공성원 240 | | | 유은주 280 | | | 김병수 480 | |
| 팀 | 운영지원 | 체납추적 | 징세 | 부가1 | 부가2 | 소득 | 재산1 | 재산2 |
| 팀장 | 이장환 241 | 노운성 441 | | 김홍수 281 | 정해룡 301 | 이지영 321 | 서유빈 481 | 이종건 501 |
| 국세<br>조사관 | | | | 최봉순 282 | 김윤경 302<br>김연주 274 | 이호영 322 | 김숙례 275 | 제범모 503 |
| | 조성래 242<br>백상인 245<br>정미선 243 | 김태민 442<br>김희정 443<br>송인출 444<br>우성락 447 | 이미숙 262 | 이정관 283<br>정종근 284<br>성현영 285<br>김지현 274 | 추원희 303<br>허규석 310<br>장현진 304 | 정재현 323<br>김건우 324<br>배지현 325 | 박헌숙 482 | 김병창 504 |
| | 장성근 246 | 강병수 446<br>양은지 452<br>김준현 445<br>김다예 449<br>김동현 451 | 안상언 263 | 김명미 286<br>김성수 287<br>민규홍 288 | 이길재 305 | 주아라 326<br>김지현 327 | 전봄내 483<br>문희준 484<br>제홍주 485<br>배형철 486 | |
| | 이예함 244 | 황영 450<br>이주엽 450<br>박은경 448 | | 이옥주 289<br>황인성 290 | 부강석 306<br>이동현 307 | 이준호 328<br>우지희 329<br>최연정 330<br>장지윤 331 | | |
| 공무직 | 김영은 207<br>임혜진 202<br>김경미<br>구혜경 | | | | | | | |
| FAX | 389-6602 | 389-6603 | | 389-6604 | | | 389-6605 | |

| 과 | 법인세과 | | 조사과 | | | 납세자보호담당관 | |
|---|---|---|---|---|---|---|---|
| 과장 | 김도암 400 | | 김태우 640 | | | 진우영 210 | |
| 팀 | 법인1 | 법인2 | 정보관리 | 조사 | 세원정보 | 납세자보호실 | 민원봉사실 |
| 팀장 | 노영일 401 | 이금대 421 | 김성찬 641 | 신용하 651 | | 김동건 211 | 정현주 221 |
| 국세<br>조사관 | 김경우 402 | 우을숙 422 | | 이영주 654<br>엄태준 652 | | | |
| | 김구환 403<br>이태호 404 | 우인영 423<br>박경수 424 | 김세운 642<br>이채은 644 | 김현희 653<br>김태호 655<br>김형섭 656 | 양은수 643 | 이세호 212 | 전국화 222<br>박준성<br>781-2267<br>이창일 223<br>하원경 224 |
| | 공휘람 405 | 장윤정 425 | | | | 이승훈 213 | 김보현 225 |
| | 최주연 406 | 서예진 426 | | | | | 김수현 226 |
| 공무직 | | | | | | | |
| FAX | 389-6606 | | 389-6607 | 389-6608 | | 389-6609 | 389-6610 |

# 진주세무서

대표전화: 055-7510-200 / DID: 055-7510-OOO

서장: **신 민 섭**
DID: 055-7510-201

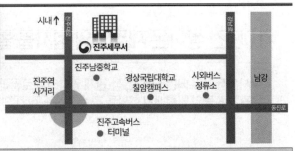

| 주소 | 경상남도 진주시 진주대로908번길 15 (칠암동) (우) 52724<br>사천지서 : 경상남도 사천시 용현면 시청2길 27-20 (우) 52539<br>하동지서 : 경상남도 하동군 하동읍 하동공원길 8 (우) 52331 | | | | |
|---|---|---|---|---|---|
| 코드번호 | 613 | 계좌번호 | 950435 | 사업자번호 | |
| 관할구역 | 경상남도 진주시, 사천시, 하동군 | | | 이메일 | jinju@nts.go.kr |

| 과 | 징세과 | | 부가소득세과 | | | 재산법인세과 | | | |
|---|---|---|---|---|---|---|---|---|---|
| 과장 | 장민석 240 | | 이광자 280 | | | 김남배 400 | | | |
| 팀 | 운영지원 | 체납추적 | 부가1 | 부가2 | 소득 | 재산신고 | 재산조사 | 법인1 | 법인2 |
| 팀장 | 김용대 241 | 강동수 441 | 이병숙 281 | 오영권 301 | 김창현 361 | 김귀현 481 | | 하병욱 401 | 김경무 421 |
| 국세<br>조사관 | | 최윤섭 452<br>김수영 262<br>임태수 442 | 허치환 282 | 정유진 302 | 하민수 362 | 조현용 482<br>이은순 483 | 최은호 501 | 김용원 402<br>김동호 403 | 이은영 422 |
| | 김영민 243<br>김재환 242<br>우동훈 244<br>박용선 247 | 정옥상 443<br>이영미 263<br>최서윤 444<br>김은주 445<br>최정연 446<br>김행은 447<br>천승리 448<br>김수연 449<br>이경구 450 | 오성현 283<br>김난영 284<br>진현탁 285 | 손해진 303<br>조은나라 304<br>장승일 305<br>홍성기 296 | 김경인 363<br>여명철 364<br>박수민 365<br>배영은 366 | 임원희 484<br>하정란 485 | 윤중해 502<br>김정식 503<br>이은미 504 | 곽진우 404<br>정은미 408 | 김태성 423<br>박윤정 424 |
| | 정연국 613 | 강혜인 451 | 백지은 286<br>박지혜 287 | | 최승훈 367 | 이성혜 488<br>김준영 486 | | 허지영 405<br>윤경현 406 | 구경택 425 |
| | 손우현 245 | | 김태환 288<br>김현주 289<br>김성목 290<br>강혜린 291 | 황미정 306<br>강지현 307<br>박지훈 308<br>고흥주 309<br>안승원 310 | 오연정 368<br>유지영 369<br>김예지 370<br>백승혜 371 | 이현우 487 | | 성정현 407 | 정수영 426<br>김정민 427 |
| 공무직 | 유정숙 200<br>김춘란 | 김양현 202<br>최은양 | | | | | | | |
| FAX | 753-9009 | | 752-2100 | | | 762-1397 | | | |

# 1등 조세회계 경제신문 조세일보

| 과 | 조사과 | | 납세자보호담당관 | | 하동지서(055-8684-201) | | | 사천지서(055-8685-201) | | |
|---|---|---|---|---|---|---|---|---|---|---|
| 과장 | 이우석 640 | | 김민철 210 | | 이용식 201 | | | 김호 201 | | |
| 팀 | 조사관리 | 조사세원정보 | 납세자보호실 | 민원봉사실 | 납세자보호실 | 부가소득 | 재산 | 납세자보호실 | 부가소득 | 재산 |
| 팀장 | 고병렬 641 | | 김충일 211 | 박주하 221 | | 손은경 300 | 권성표 400 | | 모규인 301 | 강욱중 401 |
| 국세조사관 | 배준철 642 | 최세영 651 강신태 652 최대경 653 조희정 654 강민규 661 | 김병수 214 | 이정례 226 | 박병규 970-6207 이전승 211 | 여정민 301 이종원 304 전영철 306 | 김재철 501 | 정준규 211 | 김성혁 601 서수정 302 | 서정운 402 이인재 403 우희준 501 |
| | 임상만 643 박용희 691 박지용 692 | 문두열 662 류태경 663 배승현 673 최욱경 664 정소영 672 | 김태식 212 강철구 213 | 윤성혜 222 강경옥 223 | 진경준 863-2341 이진경 212 | 유민호 307 박수성 302 안원기 303 김현우 305 | 김인수 401 서형선 402 | 김진 212 김규진 213 | 김병기 306 김아영 307 박성준 303 정하정 308 조윤주 602 | 김화영 502 이주경 503 조기현 504 이설희 404 |
| | | | | 김준호 224 | | | 조민희 502 | | 김경우 304 박영규 603 | |
| | | 박수영 671 신기한 674 | | 성승민 225 | | | | | | |
| 공무직 | | | | | 강희연 | | | 하영미 | | |
| FAX | 758-9060 | | 753-9269 | 758-9061 | 883-9931 | | | 835-2105 | | |

473

# 창원세무서

대표전화: 055-2390-200 / DID: 055-2390-OOO

서장: **정 동 주**
DID: 055-2390-201

| 주소 | 경상남도 창원시 성산구 중앙대로 105 STX 오션타워 (중앙동 93-3) (우) 51515 |||||||
|---|---|---|---|---|---|---|---|
| | 진해민원실 : 경상남도 창원시 진해구 덕산로 61번길31(자은동) GS더프레시 2층 (우) 51647 |||||||
| 코드번호 | 609 || 계좌번호 | 140669 || 사업자번호 | |
| 관할구역 | 경상남도 창원시(성산구, 의창구, 진해구) |||| 이메일 || changwon@nts.go.kr |

| 과 | 징세과 ||| 부가가치세과 ||| 소득세과 ||
|---|---|---|---|---|---|---|---|---|
| 과장 | 정준갑 240 ||| 박길대 280 ||| 김동현 360 ||
| 팀 | 운영지원 | 체납추적1 | 체납추적2 | 부가1 | 부가2 | 부가3 | 소득1 | 소득2 |
| 팀장 | 현경민 241 | 최경희 441 | 심순보 461 | 이병준 281 | 전태회 301 | 김희준 321 | 이승규 361 | 이상미 381 |
| 국세조사관 | | 양은주 442 임우철 443 | 이유만 462 문성배 463 | 이종욱 282 | 심연주 302 | 배영호 322 | | 이봉화 382 |
| | 송인수 242 배미영 243 김경혜 244 최호영 245 유정우(방호) 247 | 곽다혜 444 이병철 445 | 이대구 464 오승희 261 홍지영 262 강유신 465 성지혜 466 김재준 467 윤진명 468 | 남동현 283 이영수 284 김나영 285 | 김영숙 303 김성택 304 | 이진호 323 이미영 324 김경태 325 | 서재필 362 최정애 363 구현진 364 류서현 조태성 365 이소은 391 | 이보라 383 곽윤영 384 김태경 385 진현덕 386 |
| | 김중훈(운전) 248 | 홍고은 446 최지선 447 | 이현승 469 박다정 263 | 정유영 286 김현주 이경민 287 유지향 288 | 채경연 305 정성윤 306 박세린 307 | 이은주 326 황지언 327 박상우 328 서민정 | 박주희 366 이은희 367 | 주현진 387 |
| | 김혜빈 246 김현민 249 | 김동현 448 박혜림 449 | 박수인 264 송연욱 470 | 장홍정 강이나 289 박장영 290 | 박재홍 308 김유리 309 | 옥상하 329 김윤지 330 | 김민채 368 김미소 369 진소정 370 | 김년성 388 함수민 390 |
| 공무직 | 김성미(교환) 560 김정옥(부속) 202 김복선 박재숙 | | | | | | | |
| FAX | 285-1201 | 287-1394 || 285-0161 | 285-0162 || 285-0163 | 285-0164 |

# 재무인과 함께 걸어가겠습니다 '조세일보'

재무인에겐 조세일보를 읽는 사람과 읽지 않는 사람 두 종류의 사람만 있다.

1등 조세회계 경제신문 조세일보

| 과 | 재산세과 | | 법인세과 | | 조사과 | | 납세자보호담당관 | |
|---|---|---|---|---|---|---|---|---|
| 과장 | 임정환 480 | | 이진환 400 | | 손희영 640 | | 진유신 210 | |
| 팀 | 재산1 | 재산2 | 법인1 | 법인2 | 정보관리 | 조사 | 납세자보호 | 민원봉사실 |
| 팀장 | 이장호 481 | 윤봉원 501 | 김정국 401 | 백성경 421 | 이재철 641 | 홍덕희 651 | 이종면 211 | 이상현 221 |
| 국세조사관 | 허성은 483 | | 김병철 402 | | 강보경 642 | 정승우 654<br>김동수 658<br>임창섭 671<br>이정옥 674 | | 김창석(진해)<br>조경진(진해)<br>서상율 222<br>김경승 223 |
| 국세조사관 | 곽용석 484<br>최인아<br>황성택 485<br>권성준 486<br>김혜진 487<br>장혜원<br>박영훈 488<br>김소영 489 | 김성철 502<br>우윤중 503 | 장명수 403<br>강대현 404<br>김준수 405<br>박정환 406<br>이현희 412 | 이점순 422<br>우정순 423<br>장주영 424<br>남송이 425<br>류영선 426 | 허종구 645<br>박상준 643<br>이진화 644 | 이혜경 652<br>손병열 653<br>이주석(파견)<br>정원석 655<br>오은주 656<br>허유정 659<br>임득균 660<br>정창재 672<br>이상묵 675 | 이현정 212<br>김병욱 213<br>안대철 214 | 박해경 224<br>노미해 225<br>권은경 226 |
| 국세조사관 | 김상훈 490 | 김수현 504 | 신민정 407<br>양재영 408<br>전윤지 409 | 강호윤 427<br>김다혜 428 | 박보중 646 | 최제희 657<br>배수진 673<br>김동현 676 | 김지현 215 | 송효진 227<br>곽은미 228<br>김정은 230<br>이상민 231 |
| 국세조사관 | 정수진 491<br>이경희 492 | | 정현정 410<br>이규영 411 | 강진경 429<br>강지수 430 | | | | 변광률 232<br>조예슬 233 |
| 공무직 | | | | | | | | |
| FAX | 285-0165 | | 287-1332 | | 285-0166 | | 266-9155 | |

# 통영세무서

대표전화: 055-6407-200 / DID: 055-6407-OOO

서장: **김 지 훈**
DID: 055-6407-201

| 주소 | 경상남도 통영시 무전5길 20-9 (무전동) (우) 53036<br>거제지서 : 거제시 계룡로11길 9 (고현동) (우) 53257 | | | | |
|---|---|---|---|---|---|
| 코드번호 | 612 | **계좌번호** | 140708 | **사업자번호** | |
| 관할구역 | 경상남도 통영시, 거제시, 고성군 | | | **이메일** | tongyeong@nts.go.kr |

| 과 | 체납징세과 | | | | 세원관리과 | | 재산법인세과 | |
|---|---|---|---|---|---|---|---|---|
| 과장 | 김유신 240 | | | | 김환중 280 | | 정용섭 480 | |
| 팀 | 운영지원 | 체납추적 | 조사 | 정보관리 | 부가 | 소득 | 재산법인 | |
| | | | | | | | 재산 | 법인 |
| 팀장 | 이지하 241 | 최진관 441 | 김태균 651<br>김태훈 652<br>안병만 653 | 이재관 691 | 박욱상 281 | 최명환 361 | 오대석 481 | |
| 국세<br>조사관 | | | 정연욱 654<br>양소라 655<br>박진영 656<br>윤홍규 657 | 임상조 692 | 정희봉 289<br>이강식 282 | 전창석 362<br>김영진 363 | 윤연갑 482 | |
| | 김재준 242<br>이부경 243<br>김기웅 244 | 이현주 262<br>강수원 443<br>차민식 444<br>최지현 445 | | 최선우 693<br>설전 694 | 조경혜 283<br>박인홍 284<br>김동길 285 | 강민호 364<br>임수정 365<br>이경미 366<br>이환선 367<br>이장석 368 | 임현진 483<br>정의웅 484 | 이창희 402<br>김경은 403<br>김기용 404 |
| | 한명진 245 | 전지민 263<br>주명진 446 | | | 하이레 286 | | | 김경민 405 |
| | 이창주 246 | 김리완 447<br>김난영 448 | 하현주 658 | | 박혜선 287<br>류시철 288 | 손성인 369 | 이세희 485 | |
| 공무직 | 박은주(교환)<br>614<br>조미경(부속)<br>202<br>최경순(미화)<br>홍경숙(미화) | | | | | | | |
| FAX | 644-1814 | 645-0397 | 642-5117 | 644-4010 | | 648-2748 | 649-5117 | |

| 과 | 납세자보호담당관 | | | 거제지서(055-6307-200) | | | | |
|---|---|---|---|---|---|---|---|---|
| 과장 | 노광수 210 | | | 주종기 201 | | | | |
| 팀 | 납세자보호실 | 민원봉사실 | 체납추적 | 납세자보호실 | 부가소득 | | 재산법인 | |
| | | | | | 부가 | 소득 | | |
| 팀장 | 임창수 211 | 김정분 221 | 김주수 441 | 김정면 211 | 김문수 300 | | 전종원 401 | |
| 국세조사관 | 이태진 212 | 이동희 222<br>정성우 223 | 진호근 | 강영식 212<br>백상현 213 | 천승민 301<br>김희문 302<br>김세영 303 | 박인혁 311 | 서효진 482 | 김태수 402 |
| | 추상미 213 | 김혜영 224 | 서용오 443<br>엄준호 444<br>이현정 445<br>성미로 446<br>박석훈 447 | 서학근 214 | 김경숙 309<br>박재우 304 | 노재진 312<br>명영빈 313<br>윤덕원 314<br>이승록 315<br>서기정 316 | 허진호 483<br>김명희 484<br>최윤정 485 | 안수진 403<br>김도현 404<br>우현화 405 |
| | | | | 김지현 215 | 김가은 305<br>김대현 306<br>임지현 307<br>김효진 308 | 김영수 317 | | 김정대 406 |
| | | | | | | | | |
| 공무직 | | 구미주 225 | | | | | | |
| FAX | 645-7287 | 646-9420 | 636-5456 | 635-5002 | 636-5456 | | 636-5456 | |

# 제주세무서

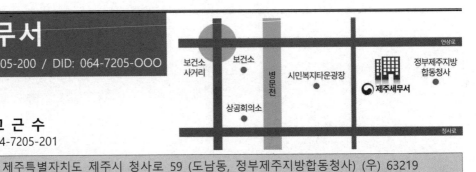

대표전화: 064-7205-200 / DID: 064-7205-OOO

서장: **고 근 수**
DID: 064-7205-201

| 주소 | 제주특별자치도 제주시 청사로 59 (도남동, 정부제주지방합동청사) (우) 63219<br>서귀포지서 : 제주도 서귀포시 신중로55 서귀포시청 제2청사 1층 (우) 63565 | | | | | | |
|---|---|---|---|---|---|---|
| 코드번호 | 616 | 계좌번호 | 120171 | 사업자번호 | | |
| 관할구역 | 제주특별자치도(제주시, 서귀포시) | | | 이메일 | | jeju@nts.go.kr |

| 과 | 징세과 | | | 부가가치세과 | | 소득세과 | | 재산세과 | |
|---|---|---|---|---|---|---|---|---|---|
| 과장 | 백인수 240 | | | 박병관 280 | | 최천식 360 | | 김기중 480 | |
| 팀 | 운영지원 | 체납추적1 | 체납추적2 | 부가1 | 부가2 | 소득1 | 소득2 | 재산신고 | 재산조사 |
| 팀장 | 강보성 241 | 박희찬 441 | 고영조 461 | 김유철 281 | 홍영균 301 | 홍성수 361 | 조용문 381 | 부상석 481 | 고규진 521 |
| 국세<br>조사관 | | 현미정 442 | 강동균 473<br>진경희(징세) 262<br>박길훈 462 | 변관우 282<br>정은영 283 | 최경수 313<br>강영진 302<br>부종철(소비) 315 | 노인섭 373 | 문현국 391<br>양석재 382 | 강희언 482<br>이성재 | 진준식 522<br>고봉국 523<br>강종근 524 |
| | 김성민 242<br>김재환 243 | 김성면 443<br>양제문 444<br>김양수 445 | 문영순(징세) 263<br>김대훈 463<br>좌용준 464<br>이진선 465<br>김준섭 466 | 신은주 284<br>이부형 285<br>한혜선 286<br>송정민 287<br>고유림 288 | 김우석 303<br>김민경 304<br>고경균 305<br>신담호 306 | 김평화 362<br>강상임 363<br>임은미 364 | 안동주 383<br>허현 384<br>강유리 385 | 고창우 483<br>이승환 484<br>정경주 485<br>허윤숙 486 | 나혁균 525<br>박현옥 526 |
| | 문혜정 244 | 고지은 446<br>강창희 447<br>추현희 448<br>한상명 449 | 이형근 467<br>강가에 471<br>김호 468<br>김찬희 469 | 김다혜 289 | 김지희 307<br>고희주 308 | 김성주 365<br>김태환 366 | 홍수은 386 | 양창혁 487<br>고민하 488<br>박연주 489 | 김연순 527 |
| | 김성은 245 | 이지은 450<br>윤소미 451 | 김민건 470<br>김남희 472 | 오지섭 290<br>정우현 291<br>장민석 292<br>이성민 293<br>김주혜 294<br>강지훈 295 | 신정아 309<br>이철종 310<br>오제곤 311<br>강은빈 312 | 박진형 367<br>오미진 368<br>김승용 371<br>임은지 369<br>박혜연 370 | 문민희 387<br>박수진 388<br>김도연 389<br>김준석 390 | 박소영 490<br>오혜원 491<br>김미정 492 | 변민정 528 |
| 공무직 | | | | | | | | | |
| FAX | | | | | | | | | |

수시 업데이트 되는 국세청, 정·관계 인사의 프로필과 국세청, 지방청, 전국세무서, 관세청, 유관기관 등의 인력배치 현황을 볼 수 있는 온라인 재무인명부

1등 조세회계 경제신문 조세일보

| 과 | 법인세과 | | 조사과 | | 납세자보호담당관 | | 서귀포지서(064-7309-200) | | |
|---|---|---|---|---|---|---|---|---|---|
| 과장 | 고택수 400 | | 최희경 640 | | 박진원 210 | | 김영창 201 | | |
| 팀 | 법인1 | 법인2 | 정보관리 | 조사 | 납세자보호 | 민원봉사실 | 납세자보호 | 부가소득 | 재산법인 |
| 팀장 | 양원혁 401 | 이창림 421 | 고창기 641 | 홍명하 651 | 이철수 211 | 이현정 221 | | 최재훈 220 | 윤희관 250 |
| 국세조사관 | 이도헌 402 | 문기창 430 김영훈 422 | 김종헌(관리) 642 | 양용석 654 강경보 657 오창곤 660 강민종 663 | 문영수 212 | 고영남 222 양영혁 223 | 박희선(후) 210 | 송주영(부) 221 손선아(소) 230 변시철(체) 241 정재조(체) 242 윤만성(소) 231 허태민(부) 심혜경(부) 222 고근희(부) 223 | 구인서(법) 261 |
| | 김형익 403 김진열 404 고원정 405 고예나 406 | 지현철 423 김완철 424 김현목 425 | 이창환(정보) 644 윤준호(정보) 645 최기영(관리) 643 | 허영수 652 김지원 659 이경상 661 이상진 664 | 고계명 213 이상희 214 | 강기덕(전) 227 강리복 224 구세현(후) 227 박지호 225 오소희 226 | 임주영 211 박태성(전) 210 | 변현영(체) 243 강정림(부) 224 신미영(체) 244 편상원(소) 232 강미경(체) 245 이지환(부) 225 경진(부) 226 송준오(부) 227 남현승(소) 233 | 김건중(법) 262 오주영(재) 251 정시온(재) 252 주선정(법) 263 |
| | 이정한 407 | 김민규 426 | | 김원경 653 고민지 656 | | 김진호 228 | 장익준 212 | 최효선(소) 234 박종일(부) 228 조인태(소) 235 | 이지희(재) 253 김수남(법) 264 |
| | 김연주 408 송하연 409 김용준 410 | 서현경 427 장소영 428 고지원 429 | | 김혜림 662 김수민 665 | | 김용재 229 김택우 230 한승일 231 | | | 박유린(재) 254 |
| 공무직 | | | | | | | | | |
| FAX | | | | | | | | | |

# 관세청

| ■ 관세청 | 481 |
|---|---|
| 본청 국·과 | 482 |
| 서울본부세관 | 485 |
| 인천본부세관 | 489 |
| 인천공항본부세관 | 491 |
| 부산본부세관 | 495 |
| 대구본부세관 | 499 |
| 광주본부세관 | 501 |

# 관 세 청

| 주소 | 대전광역시 서구 청사로 189 정부대전청사 1동 (우) 35208 |
|---|---|
| 대표전화 | 042-481-4114 |
| 팩스 | 042-472-2100 |
| 당직실 | 042-481-8849 |
| 고객지원센터 | 125 |
| 홈페이지 | www.customs.go.kr |

## 청장       고광효

(D) 042-481-7600, 02-510-1600 (FAX) 042-481-7609

| 비 서 관 | | (D) 042-481-7601 |
|---|---|---|
| 비 서 | 김진구 | (D) 042-481-7602 |
| 비 서 | 백재은 | (D) 042-481-7603 |

## 차장       이명구

(D) 042-481-7610, 02-510-1610 (FAX) 042-481-7619

| 비 서 | 김철민 | (D) 042-481-7611 |
|---|---|---|
| 비 서 | 신채희 | (D) 042-481-7612 |

# 관세청

대표전화: 042-481-4114 DID: 042-481-OOOO

청장: **고 광 효**
DID: 042-481-7600

| 과 | 대변인 | 운영지원과 |
|---|---|---|
| 과장 | 조한진 7615 | 김현정 7620 |

| 국실 | 기획조정관 | | | | | |
|---|---|---|---|---|---|---|
| 국장 | 이종욱 7640 | | | | | |
| 과 | 기획재정담당관 | 행정관리담당관 | 법무담당관 | 비상안전담당관 | 납세자보호팀 | 규제혁신팀 |
| 과장 | 김현석 7660 | 김원희 7670 | 장용호 7680 | 성주성 7690 | 유재상 3255 | 조광선 1130 |

| 국실 | 정보데이터정책관 | | | | |
|---|---|---|---|---|---|
| 국장 | 이진희 7950 | | | | |
| 과 | 정보데이터기획담당관 | 정보관리담당관 | 빅데이터분석팀 | 연구장비개발팀 | 시스템운영팀 |
| 과장 | 김기동 7760 | 지성대 7790 | 박지영 3290 | 박석이 3250 | 박재붕 7770 |

| 국실 | 통관국 | | | | |
|---|---|---|---|---|---|
| 국장 | 고석진 7800 | | | | |
| 과 | 통관물류정책과 | 관세국경감시과 | 수출입안전검사과 | 전자상거래통관과 | 보세산업지원과 |
| 과장 | 박천정 3220 | 나종태 7980 | 박시원 7830 | 김우철 7670 | 마순덕 7750 |

## 신한관세법인

**대표이사 : 장승희**

서울시 강남구 언주로 716 3,4층

전화 : 02-542-1181　　팩스 : 02-540-2323
직통 : 02-3448-1183　　이메일 : vision@shcs.kr

| 국실 | 국제관세협력국 | | | |
|------|------|------|------|------|
| 국장 | 손성수 3200 | | | |
| 과 | 국제협력총괄과 | 자유무역협정집행과 | 원산지검증과 | 해외통관지원팀 |
| 과장 | 최현정 3210 | 정구천 3230 | 윤주현 3220 | 노지선 7970 |

## 관세인재개발원

원장 : 유선희 / DID : 041-410-8500

충청남도 천안시 동남구 병천면 충절로 1687
(병천리 331) (우) 31254

| 과 | 교육지원과 | 인재개발과 | 탐지견훈련센터담당관 |
|------|------|------|------|
| 과장 | 김은경 8510 | 김경호 8530 | |

## 평택직할세관

세관장 : 양승혁 / DID : 031-8054-7001

경기도 평택시 포승읍 평택항만길 45 (만호리 340-3) (우) 17962

| 과 | 통관총괄과 | 통관검사과 | 특송통관과 | 물류감시과 | 여행자통관과 | 대산지원센터 |
|------|------|------|------|------|------|------|
| 과장 | 조정훈 7020 | 정병역 7060 | 이승희 7101 | 강정수 7130 | 박희병 7240 | 이학보 2700 |

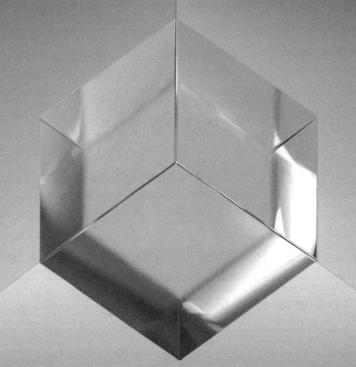

# 서울본부세관

| 주소 | 서울특별시 강남구 언주로 721 (논현2동 71) (우) 06050 |
|---|---|
| 대표전화 | 02-510-1114 |
| 팩스 | 02-548-1381 |
| 당직실 | 02-510-1999 |
| 고객지원센터 | 125 |
| 홈페이지 | www.customs.go.kr/seoul/ |

## 세관장　　　　이석문

(D) 02-510-1000 (FAX) 02-548-1922

비　　서　　　한선민　　　　(D) 02-510-1002

| 통 관 국 장 | 도기봉 | (D) 02-510-1100 |
|---|---|---|
| 안 양 세 관 장 | 김신철 | (D) 031-596-2001 |
| 천 안 세 관 장 | 김재식 | (D) 041-640-2300 |
| 청 주 세 관 장 | 최영민 | (D) 043-717-5700 |
| 대 전 세 관 장 | 임해영 | (D) 042-717-2200 |
| 속 초 세 관 장 | 장진덕 | (D) 033-820-2100 |
| 동 해 세 관 장 | 문병주 | (D) 042-481-2650 |
| 성 남 세 관 장 | 지성근 | (D) 031-697-2570 |
| 파 주 세 관 장 | 권정아 | (D) 031-934-2800 |
| 구 로 지 원 센 터 장 | 곽경훈 | (D) 02-2107-2501 |
| 대 산 지 원 센 터 장 | 이학보 | (D) 041-419-2700 |
| 충 주 지 원 센 터 장 | 박상준 | (D) 043-720-5691 |
| 고 성 지 원 센 터 장 | 오명식 | (D) 033-820-2190 |
| 원 주 지 원 센 터 장 | 윤영진 | (D) 033-811-2850 |
| 의 정 부 지 원 터 장 | 오태완 | (D) 031-540-2600 |
| 도 라 산 지 원 센 터 장 | 임채열 | (D) 031-934-2900 |

# 서울본부세관

대표전화: 02-510-1114 / DID: 02-510-OOOO

세관장: **이 석 문**
DID: 02-510-1000

| 과 | 세관운영과 | 납세자보호담당관 | 감사담당관 | 수출입기업지원센터 |
|---|---|---|---|---|
| 과장 | 조영상 1030 | 박헌욱 1060 | 이준원 1010 | 김재철 1370 |

| 국실 | 통관국 | | | |
|---|---|---|---|---|
| 국장 | 도기봉 1100 | | | |
| 과 | 수출입물류과 | 통관검사1과 | 통관검사2과 | 이사화물과 |
| 과장 | 박일보 1110 | 박순태 1150 | 허지상 1130 | 이시경 1180 |

| 국실 | 안양세관(031-596-2000) | | 천안세관(041-640-2333) | |
|---|---|---|---|---|
| 세관장 | 김신철 2001 | | 김재식 2300 | |
| 과 | 통관지원과 | 조사심사과 | 통관지원과 | |
| 과장 | 김영아 2050 | 김보성 2010 | 심평식 2350 | |

| 국실 | 청주세관(043-717-5780) | | |
|---|---|---|---|
| 세관장 | 최영민 5700 | | |
| 과 | 통관지원과 | 조사심사과 | 여행자통관과 |
| 과장 | 임종덕 5710 | 최영주 5730 | 윤해욱 5750 |

| 세관 | 대전세관(042-717-2234) | | 속초세관(033-820-2114) | |
|---|---|---|---|---|
| 세관장 | 임해영 2200 | | 장진덕 2100 | |
| 과 | 통관지원과 | 조사심사과 | 통관지원과 | 조사심사과 |
| 과장 | 주현정 2220 | 조홍영 2250 | 박병철 2120 | 안상욱 2140 |

| 세관 | 동해세관<br>(033-539-2662) | 성남세관<br>(031-697-2580) | 파주세관<br>(031-934-2807) | 구로지원센터<br>(02-2107-2500) | 대산지원센터<br>(041-419-2714) |
|---|---|---|---|---|---|
| 세관장 | 문병주 2650 | 지성근 2570 | 권정아 2800 | 곽경훈 2501 | 이학보 2700 |

| 세관 | 충주지원센터<br>(043-720-2000) | 고성지원센터<br>(033-820-2181) | 원주지원센터<br>(033-811-2853) | 의정부지원센터<br>(031-540-2618) | 도라산지원센터<br>(031-934-OOOO) |
|---|---|---|---|---|---|
| 세관장 | 박상준 5691 | 오명식 2190 | 윤영진 2850 | 오태완 2600 | 임채열 2900 |

# 세금신고
# 가이드

법 인 세
종합소득세
부가가치세
원 천 징 수

국 민 연 금
건강보험료
고용보험료
산재보험료

지 방 세
재 산 세
자동차세
세 무 일 지

연 말 정 산
양도소득세
상속증여세
증권거래세

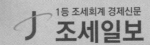

1등 조세회계 경제신문
조세일보

# 인천본부세관

| 주소 | 인천광역시 중구 서해대로 339 (항동7가 1-18) (우) 22346 |
|---|---|
| 대표전화 | 032-452-3114 |
| 팩스 | 032-452-3149 |
| 당직실 | 032-452-3535 |
| 고객지원센터 | 125 |
| 홈페이지 | www.customs.go.kr/incheon/ |

## 세관장　　　　주시경

(D) 032-452-3000 (FAX) 032-722-3905

부 속 실　　　김수정　　　　(D) 032-452-3002

| 통 관 감 시 국 | 이철훈 | (D) 032-452-3200 |
|---|---|---|
| 수 원 세 관 장 | 이승필 | (D) 031-547-3910 |
| 안 산 세 관 장 | 박진희 | (D) 031-8085-3800 |
| 부 평 지 원 센 터 장 | 김성태 | (D) 032-509-3700 |

# 인천본부세관

대표전화: 032-452-3114/ DID: 032-452-OOOO

세관장: **주 시 경**
DID: 032-452-3000

| 과 | 세관운영과 | 수출입기업지원센터 |
|---|---|---|
| 과장 | 석창휴 3100 | 김태연 3630 |

| 국실 | 통관감시국 | | | | | |
|---|---|---|---|---|---|---|
| 국장 | 이철훈 3200 | | | | | |
| 과 | 수출입물류과 | 통관정보과 | 물류감시1과 | 물류감시2과 | 통관검사1과 | 통관검사2과 |
| 과장 | 류하선 3210 | 정웅일 3500 | 여환준 3490 | 이자열 3480 | 김남섭 2010 | 조건익 3240 |
| 과 | 통관검사3과 | 통관검사4과 | 통관검사5과 | 신항통관과 | 여행자통관과 | 여행자통관검사관 |
| 과장 | 김동원 3280 | 김범준 3220 | 박상준 2110 | 송인숙 3650 | 김학렬 3460 | 김수복 3520 |

| 세관 | 수원세관(031-547-OOOO) | | 안산세관(031-8085-OOOO) | | |
|---|---|---|---|---|---|
| 세관장 | 이승필 3910 | | 박진희 3800 | | |
| 과 | 통관지원과 | 조사심사과 | 통관지원과 | 조사심사과 | 부평지원센터 |
| 과장 | 노근홍 3920 | 김덕중 3950 | 박재선 3850 | 채경식 3810 | 김성태 032-509-3700 |

# 인천공항본부세관

| | |
|---|---|
| 주소 | 인천광역시 중구 공항로 272 <br> (우) 22382 |
| 대표전화 | **032-722-4114** |
| 팩스 | |
| 당직실 | **032-722-4049** |
| 고객지원센터 | **125** |
| 홈페이지 | **customs.go.kr/incheon_airport/main.do** |

## 세관장 　　　　김종호

(D) 032-722-4000

| 비　서 | 송의석 | (D) 032-722-4001 |
|---|---|---|
| 부 속 실 | 한혜원 | (D) 032-722-4002 |

| | | |
|---|---|---|
| 통 관 감 시 국 | **민희** | (D) 032-722-4110 |
| 여 행 자 통 관 1 국 장 | **윤동주** | (D) 032-722-4400 |
| 여 행 자 통 관 2 국 장 | **정기섭** | (D) 032-722-5100 |
| 특 송 우 편 통 관 국 장 | **이원상** | (D) 032-722-4300 |
| 김 포 공 항 세 관 장 | **서재용** | (D) 032-722-4900 |

# 인천공항본부세관

대표전화: 032-722-4114 / DID: 02-722-OOOO

세관장: **김 종 호**
DID: 032-722-4000

| 과 | 세관운영과 | | 협업검사센터 |
|---|---|---|---|
| 과장 | 백광환 4100 | | 류재철 4708 |
| 팀 | 인사 | 기획 | |
| 팀장 | 강경아 4010 | 한민구 4030 | |

| 국실 | 통관감시국 | | | | |
|---|---|---|---|---|---|
| 국장 | 민희 4110 | | | | |
| 과 | 수출입물류과 | 통관정보과 | 물류감시1과 | 물류감시2과 | 통관검사1과 |
| 과장 | 원모세 4105 | 윤지혜 4101 | 김재석 4730 | 최철규 5810 | 김용섭 4210 |
| 과 | 통관검사2과 | 통관검사3과 | 장비관리과 | 전산정보관리과 | 심사정보과 | 분석실 |
| 과장 | 유원준 4250 | 공성회 4190 | 신효상 4780 | 서용택 4790 | 최형균 4340 | 정재하 4390 |

| 국실 | 여행자통관1국 | | | | |
|---|---|---|---|---|---|
| 국장 | 윤동주 4400 | | | | |
| 과 | 여행자통관1과 | 여행자정보분석과 | 여행자통관검사1관 | 여행자통관검사2관 | 여행자통관검사3관 |
| 과장 | 김두현 4410 | 김종걸 4470 | 김경태 | 이동화 | 손웅호 |
| | | | (B)4520 (C)4530 (D)5890 (E)5990 | | |

| 과 | 여행자통관검사4관 | 여행자통관검사5관 | 여행자통관검사6관 | 여행자통관검사7관 |
|---|---|---|---|---|
| 과장 | 정진 | 김흥주 | 박세윤 | 주성렬 |
| | (B)4520 (C)4530 (D)5890 (E)5990 | | | |

| 국실 | 여행자통관2국 | | | | | | | |
|---|---|---|---|---|---|---|---|---|
| 국장 | 양을수 5100 | | | | | | | |
| 과 | 여행자통관2과 | 여행자통관검사1관 | 여행자통관검사2관 | 여행자통관검사3관 | 여행자통관검사4관 | 여행자통관검사5관 | 여행자통관검사6관 | 여행자통관검사7관 |
| 과장 | 권태한 5110 | 박부열 | 가영순 | 주현수 | 최진희 | 임용견 | 김영기 | 안필환 |
| | | (A)5160 (B)5170 | | | | | | |

| 국실 | 특송우편통관국 | | | | | |
|---|---|---|---|---|---|---|
| 국장 | 이원상 3400 | | | | | |
| 과 | 특송우편총괄 | 특송통관1과 | 특송통관2과 | 특송통관3과 | 우편통관과 | 우편검사과 |
| 과장 | 문성환 4310 | 이재훈 4800 | 권종원 5200 | 이윤택 5240 | 정병규 7420 | 정현준 7440 |

| 국실 | 김포공항세관 | | |
|---|---|---|---|
| 국장 | 서재용 4900 | | |
| 과 | 통관지원과 | 조사심사과 | 여행자통관과 |
| 과장 | 김상식 4910 | 김영순 4940 | 김원섭 4970 |

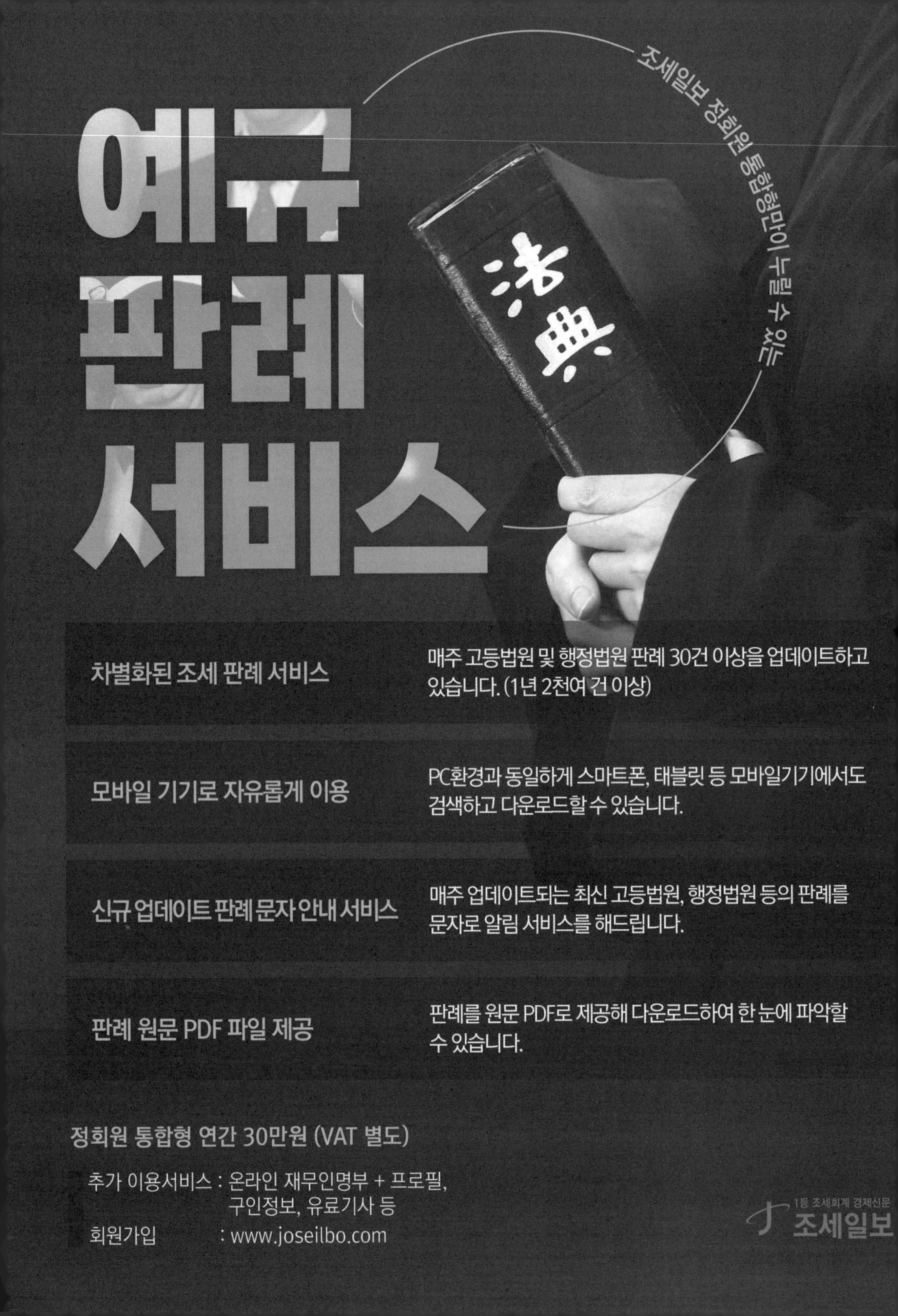

# 부산본부세관

| 주소 | 부산광역시 중구 중앙대로 26 (중앙로 6가 12) (우) 48942 |
|---|---|
| 대표전화 | 051-620-6114 |
| 팩스 | 051-469-5089 |
| 당직실 | 051-620-6666 |
| 고객지원센터 | 125 |
| 홈페이지 | customs.go.kr/busan/ |

## 세관장 　김용식

(D) 051-620-6000 (FAX) 051-620-1100

비　서　　홍유진　　(D) 051-620-6001

| 통　관　국　장 | 민정기 | (D) 051-620-6100 |
|---|---|---|
| 감　시　국　장 | 유태수 | (D) 051-620-6700 |
| 신 항 통 관 감 시 국 장 | 심재현 | (D) 051-620-6200 |
| 김 해 공 항 세 관 장 | 문흥호 | (D) 051-899-7201 |
| 용　당　세　관　장 | 백도선 | (D) 051-793-7101 |
| 양　산　세　관　장 | 손영환 | (D) 055-783-7300 |
| 창　원　세　관　장 | 김원식 | (D) 055-210-7600 |
| 마　산　세　관　장 | 문행용 | (D) 055-240-7000 |
| 경　남　남　부　세　관 | 오해식 | (D) 055-639-7500 |
| 경　남　서　부　세　관 | 신각성 | (D) 055-750-7900 |
| 부 산 국 제 우 편 지 원 센 터 | 임민규 | (D) 055-783-7400 |
| 진　해　지　원　센　터 | 모용선 | (D) 055-210-7680 |
| 통　영　지　원　센　터 | 박해준 | (D) 055-733-8000 |
| 사　천　지　원　센　터 | 양기근 | (D) 055-830-7800 |

## 부산본부세관

대표전화: 051-620-6114/ DID : 051-620-OOOO

세관장: **김 용 식**
DID: 051-620-6000

| 과 | 세관운영과 | 감사담당관 | 수출입기업지원센터 | 협업검사센터 |
|---|---|---|---|---|
| 과장 | 김태용 6030 | 김기환 6010 | 서경복 6950 | 박지원 6910 |

| 국실 | 통관국 | | | | | |
|---|---|---|---|---|---|---|
| 국장 | 민정기 6100 | | | | | |
| 과 | 통관총괄과 | 통관검사1과 | 통관검사2과 | 통관검사3과 | 통관검사4과 | 통관검사5과 |
| 과장 | 남창훈 6110 | 장종희 6140 | 이상진 6170 | 이진오 6501 | 정호남 6520 | 이태훈 6540 |

| 국실 | 감시국 | | | | | | |
|---|---|---|---|---|---|---|---|
| 국장 | 유태수 6700 | | | | | | |
| 과 | 수출입물류과 | 물류감시과 | 물류감시1관 | 물류감시2관 | 물류감시3관 | 여행자통관과 | 장비관리과 |
| 과장 | 오성호 6710 | 윤인철 6760 | 김이석 6790 | 정연오 6810 | 공상권 6830 | 김민세 6730 | 민병조 6850 |

| 국실 | 신항통관감시국 | | | | |
|---|---|---|---|---|---|
| 국장 | 심재현 6200 | | | | |
| 과 | 신항통관감시과 | 신항물류감시과 | 신항통관검사1과 | 신항통관검사2과 | 신항통관검사3과 |
| 과장 | 구태민 6210 | 류경주 6240 | 임종민 6260 | 김훈 6560 | 정용문 6580 |

| 세관 | 김해공항세관(051-899-OOOO) | | 용당세관 (051-793-OOOO) | | 양산세관 (055-783-OOOO) | |
|---|---|---|---|---|---|---|
| 세관장 | 문흥호 7201 | | 백도선 7101 | | 손영환 7300 | |
| 과 | 통관지원과 | 여행자통관과 | 통관지원과 | 조사심사과 | 통관지원과 | 조사심사과 |
| 과장 | 최현오 7210 | 김병헌 7240 | 이달근 7130 | 조철 7110 | 노동섭 7304 | 김국만 7303 |

| 세관 | 창원세관 (055-267-OOOO) | 마산세관 (055-981-OOOO) | | 경남남부세관 (055-639-OOOO) | | 경남서부세관 (055-750-OOOO) |
|---|---|---|---|---|---|---|
| 세관장 | 김원식 7600 | 문행용 7000 | | 오해식 7500 | | 신각성 7900 |
| 과 | 통관지원과 | 통관지원과 | 조사심사과 | 통관지원과 | 조사심사과 | |
| 과장 | 노경환 7610 | 박철용 7003 | 한일권 7004 | 윤복원 7510 | 남세기 7520 | |

| 센터 | 부산국제우편지원센터 | 진해지원센터 | 통영지원센터 | 사천지원센터 |
|---|---|---|---|---|
| 센터장 | 임민규 055-783-7400 | 모용선 055-210-7680 | 박해준 055-733-8000 | 양기근 055-830-7800 |

재무인의 가치를 높이는 변화

# 조세일보 정회원

**온라인 재무인명부**
수시 업데이트되는 국세청, 정·관계 인사의 프로필,
국세청, 지방국세청, 전국 세무서, 관세청, 공정위,
금감원 등 인력배치 현황

**예규·판례**
행정법원 판례를 포함한 20만 건 이상의 최신 예규,
판례 제공

**구인정보**
조세일보 일평균 10만 온라인 독자에게 구인 정보 제공

**업무용 서식**
세무·회계 및 업무용 필수서식 3,000여 개 제공

**세무계산기**
4대보험, 갑근세, 이용자 갑근세, 퇴직소득세,
취득/등록세 등 간편 세금계산까지!

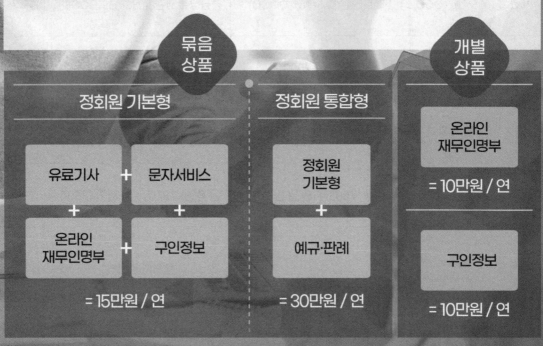

묶음
상품

개별
상품

**정회원 기본형**

| 유료기사 | + | 문자서비스 |
|---|---|---|
| + | | + |
| 온라인 재무인명부 | + | 구인정보 |

= 15만원 / 연

**정회원 통합형**

정회원
기본형

+

예규·판례

= 30만원 / 연

온라인
재무인명부

= 10만원 / 연

구인정보

= 10만원 / 연

※ 자세한 조세일보 정회원 서비스 안내 http://www.joseilbo.com/members/info/

1등 조세회계 경제신문
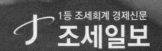
조세일보

# 대구본부세관

| 주소 | 대구광역시 달서구 화암로 301<br>정부대구지방합동청사 4층, 5층 (우) 42768 |
| --- | --- |
| 대표전화 | **053-230-5114** |
| 팩스 | **053-230-5611** |
| 당직실 | **053-230-5130** |
| 고객지원센터 | **125** |
| 홈페이지 | **www.customs.go.kr/daegu/** |

## 세관장 　　　　김정

(D) 053-230-5000 (FAX) 053-230-5129

비　　서　　김소희　　　(D) 053-230-5001

| 울　산　세　관 | **김한진** | (D) 052-278-2200 |
| --- | --- | --- |
| 구　미　세　관 | **김익헌** | (D) 054-469-5600 |
| 포　항　세　관 | **김성복** | (D) 054-720-5700 |
| 온　산　지　원　센　터 | **이병용** | (D) 052-278-2340 |

# 대구본부세관

대표전화: 053-230-5114/ DID: 053-230-OOOO

세관장: **김 정**
DID: 053-230-5000

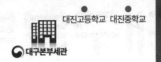

대진어린이공원
대구대진초등학교
대진고등학교 대진중학교
대구본부세관
수목원삼성래미안 1차아파트

| 과 | 세관운영과 | 감사담당관 | 수출입기업지원센터 | 통관지원과 | 납세지원과 | 심사과 | 조사과 | 여행자통관과 |
|---|---|---|---|---|---|---|---|---|
| 과장 | 박준성 5100 | 김희권 5050 | 김용국 5180 | 김영경 5200 | 신태섭 5300 | 김대훈 5301 | 박종필 | 최연재 5500 |

| 세관 | 울산세관(052-278-OOOO) | | |
|---|---|---|---|
| 세관장 | 김한진 2200 | | |
| 과 | 통관지원과 | 감시과 | 감시관 |
| 과장 | 박철우 2230 | 정하경 2290 | 김철중 2300 |

| 세관 | 구미세관(054-469-OOOO) | 포항세관(054-720-OOOO) | | |
|---|---|---|---|---|
| 세관장 | 김익헌 5600 | 김성복 5700 | | |
| 과 | 통관지원과 | 통관지원과 | 조사심사과 | 온산지원센터 |
| 과장 | 신영순 5610 | 이창준 5710 | 이의재 | 이병용 052-278-2340 |

# 광주본부세관

| | |
|---|---|
| 주소 | 광주광역시 북구 첨단과기로208번길 43<br>정부광주지방합동청사 10층, 11층 (우) 61011 |
| 대표전화 | **062-975-8114** |
| 팩스 | **062-975-3102** |
| 당직실 | **062-975-8114** |
| 고객지원센터 | **125** |
| 홈페이지 | **www.customs.go.kr/gwangju/** |

## 세관장     김동수

(D) 062-975-8000 (FAX) 062-975-3101

비　　서　　　박주영　　　(D) 062-975-8003

| 광 양 세 관 장 | **정광춘** | (D) 061-797-8400 |
|---|---|---|
| 목 포 세 관 장 | **김규진** | (D) 061-460-8500 |
| 여 수 세 관 장 | **방대성** | (D) 061-660-8601 |
| 군 산 세 관 장 | **임동욱** | (D) 063-730-8701 |
| 제 주 세 관 장 | **김용익** | (D) 064-797-8801 |
| 전 주 세 관 장 | **곽재석** | (D) 063-710-8951 |
| 완 도 지 원 센 터 장 | **이용중** | (D) 061-460-8570 |
| 보 령 지 원 센 터 장 | **이한선** | (D) 063-730-2751 |
| 익 산 지 원 센 터 장 | **장유용** | (D) 063-720-8901 |

# 광주본부세관

대표전화: 062-975-8114 / DID: 062-975-OOOO

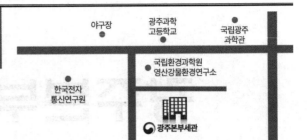

세관장: **김 동 수**
DID: 062-975-8000

| 과 | 세관운영과 | 감사담당관 | 수출입기업지원센터 | 통관지원과 | 심사과 | 조사과 | 여행자통관과 |
|---|---|---|---|---|---|---|---|
| 과장 | 양병택 8020 | 송현남 8010 | 홍성구 8190 | 정진호 8040 | 강봉철 8010 | 정태성 8080 | 정연교 8200 |

| 세관 | 광양세관(061-797-OOOO) | | 목포세관(061-460-OOOO) | | 여수세관(061-660-OOOO) | |
|---|---|---|---|---|---|---|
| 세관장 | 정광춘 8400 | | 김규진 8500 | | 방대성 8601 | |
| 과 | 통관지원과 | 조사심사과 | 통관지원과 | 조사심사과 | 통관지원과 | 조사심사과 |
| 과장 | 정원선 8410 | 김기표 | 이승훈 8510 | 서지웅 8540 | 양술 8610 | 김양관 |

| 세관 | 군산세관 (063-730-OOOO) | | 제주세관(064-797-OOOO) | | 전주세관 (063-710-OOOO) |
|---|---|---|---|---|---|
| 세관장 | 임동욱 8701 | | 김용익 8801 | | 곽재석 8951 |
| 과 | 통관지원과 | 조사심사과 | 통관지원과 | 여행자통관과 | |
| 과장 | 곽기복 8710 | 신동현 | 선승규 8810 | 송승언 8830 | |

| 센터 | 완도지원센터 | 보령지원센터 | 익산지원센터 |
|---|---|---|---|
| 센터장 | 이용중 061-460-8570 | 이한선 041-419-2751 | 장유용 063-720-8901 |

# 행정안전부 지방재정경제제실

대표전화: 02-2100-3399/ DID: 044-205-OOOO

실장: **한 순 기**
DID: 044-205-3600

| 주소 | 세종특별자치시 정부2청사로 13(나성동) (우) 30128<br>제1별관: 세종특별자치시 한누리대로 411(어진동) (우) 30116<br>제2별관: 세종특별자치시 가름로 143(어진동) (우)30116 |
|---|---|

| 국 | 지방재정국 | | | | 지방세제국 | | | |
|---|---|---|---|---|---|---|---|---|
| 국장 | 송경주 3700 | | | | 김성기 3800 | | | |
| 과 | 재정정책과 | 재정협력과 | 교부세과 | 회계제도과 | 지방세정책과 | 부동산세제과 | 지방소득소비세제과 | 지방세특례제도과 |
| 과장 | 김수경<br>3702 | 이광용<br>3731 | 진선주<br>3751 | 서상우<br>3771 | 이화진<br>3802 | 김정선<br>3831 | 정유근<br>3871 | 서은주<br>3851 |
| 서기관 | 나기홍 3703 | 이동훈 3766 | 이보람 3752 | 최교신 3799<br>장유진 3790<br>김정숙 3780 | | 천혜원 3845<br>한건수 3839 | 김문호 3872<br>오경석 3881 | |
| 사무관 | 강민철 3710<br>권순현 3705<br>박원기 3716<br>박찬혁 3711<br>유재민 3721<br>홍성우 3715 | 박영주 3733<br>박현우 3732<br>손동주 3769<br>이정우 3738 | 백진걸 3754<br>위형원 3760<br>이상훈 3763<br>이윤경 3753 | 권오영 3781<br>이범수 3772<br>홍성권 3783<br>예병찬 3782<br>문소영 3776<br>정창기 3786<br>조재우 3785 | 금동선 3817<br>김한경 3808<br>남소정 3821<br>노진현 3816<br>서원주 3811<br>송양미 3814<br>심동보 3820<br>이화령 3803<br>이준혁 3811<br>채가람 3804<br>한현 3819 | 김순복 3846<br>박은희 3835<br>박진우 3850<br>김용구 3836<br>손은경 3843<br>신지희 3847<br>김대철 3836 | 권진옥 3883<br>김선희 3875<br>나병진 3872<br>이주현 3876<br>임규진 3889<br>하헌균 3878 | 김용구 3852<br>김재홍 3858<br>김하영 3856<br>박현정 3852<br>서명자 3861 |
| 주무관 | 김민경 3717<br>김민관 3707<br>이가영 3709<br>이효진 3712<br>전지양 3718<br>정회연 3722<br>주은희 3701<br>최창완 3708<br>이효정 3719<br>김태훈 3713 | 김선 3739<br>김용진 3734<br>김인겸 3737<br>박규선 3767<br>진판곤 3735<br>선창우 3768<br>윤진아 3770 | 김봉근 3758<br>남윤희 3759<br>박경숙 3755<br>이영민 3757<br>이창일 3761<br>박희주 3764<br>이광일 3764 | 김성중 3784<br>설창환 3798<br>이종만 3787<br>구정석 3788<br>권성일 3792<br>류경옥 3779<br>이해창 3772<br>윤찬섭 3789<br>박종재 3773 | 공지훈 3809<br>남건욱 3805<br>이재용 3813<br>손영화 3801<br>김원웅 3806<br>장은영 3814<br>강필구 3815<br>이영우 3810 | 신진주 3833<br>여환수 3838<br>이동렬 3837<br>이수호 3844<br>김예진 3849<br>김효주 3840<br>엄세열 3841<br>김진아 3842<br>정광희 3830 | 구해리 3880<br>정유진 3873<br>김다혜 3884<br>이재호 3882<br>조용식 3877<br>유수연 3874<br>장경현 3888<br>진송은 3887 | 김성기 3853<br>김영호 3857<br>장유정 3855<br>황인산 3860<br>심가현 3859<br>장민영 3854 |
| 직원 | 조선영 3601 | | | 장은경 3775 | | 신미정 3832 | | |

# 1등 조세회계 경제신문 조세일보

| 국 | 지역경제지원국 | | | | | 차세대지방재정세입정보화추진단 | | | |
|---|---|---|---|---|---|---|---|---|---|
| **국장** | 조성환 3900 | | | | | 하종목 4200 | | | |
| **과** | 지역경제과 | 지방규제혁신과 | 지역금융지원과 | 지방공기업정책과 | 지방공공기관관리과 | 기획협력과 | 지방재정보조금정보과 | 지방세입정보과 | 재해복구시스템과 |
| **과장** | 서정훈 3902 | 김해 3931 | 이경수 3941 | 박중근 3961 | 장재원 3981 | 김종범 4202 | 김민정 4141 | 윤희정 4181 | 신민필 4161 |
| **팀장** | | | | | 김용준 3985 | | | | |
| **서기관** | | 류성수 3937 | 신종필 3943 | | 서현덕 3990 | 김현정 4209 | 김수정 4166<br>이두원 4177 | | |
| **사무관** | 강규남 3904<br>구유미 3919<br>권용탁 3903<br>김원한 3912<br>박진숙 3917<br>우연 3908<br>장현웅 3909<br>윤성훈 3914<br>조은영 3914<br>최현숙 3921<br>한영구 3922 | 강규옥 3997<br>강말순 3933<br>고혜영 3911<br>김길수 3932<br>박지혜 3998<br>유해리 3935<br>홍영준 3934<br>곽성준 3936 | 김종훈 3957<br>오정열 3952<br>이우석 3944<br>이화영 3946<br>조성조 3947<br>주현민 3954 | 채성옥 3971<br>김성현 3972<br>변석영 3970<br>김호일 3969<br>윤태웅 3962<br>이경은 3963<br>박유진 3967 | 성수지 3987<br>송진경 3991<br>이현종 3982<br>최인량 3986 | 김현경 4203<br>신동화 4216 | 김종만 4179<br>이문진 4176<br>이봉열 4167<br>이상석 4227<br>최병훈 4146<br>최성국 4145 | 구명회 4186<br>김종택 4189<br>노광래 4222<br>이준혁 4208<br>이도원 4182 | 정양기 4162<br>이관석 4148<br>구자일 4205 |
| **주무관** | 김현아 3906<br>서형주 3920<br>유아랑 3905<br>이승언 3910<br>최범규 3918<br>이가영 3923<br>이재영 3907 | 송인섭 3996<br>윤희문 3940<br>류소연 3938 | 김성욱 3945<br>안명환 3948<br>조유진 3951<br>조한운 3950 | 김정현 3964<br>진향미 3968<br>조세희 3966<br>박선재 3965 | 박석신 3983<br>서준호 3989<br>김상배 3988<br>김형석 3984 | 김예수 4170<br>정다희 4223 | 고명현 4149<br>고복인 4168 | 김곤휘 4187<br>김동영 4188<br>조형진 4215<br>김대성 4192<br>서재혁 4190<br>서정주 4198<br>황성일 4217 | 김효정 4163<br>김혜정 4164<br>박선경 4165<br>박한용 4180 |
| **직원** | 이민아 3901 | | 심규현 3953 | | | 김하영 4201 | | | |

# 국무총리실 조세심판원

대표전화: 044-200-1800 / DID: 044-200-OOOO

원장: **황 정 훈**
DID: 044-200-1700~1702

| 주소 | 세종특별시 갈매로 477, 정부세종청사 4동 3층 조세심판원 (우) 30108<br>서울(별관): 서울특별시 종로구 종로1길 42, 3층 301호 (이마빌딩) (우) 03152 |
| --- | --- |

## 행정실

**행정실장**

곽상민 1710

| 구분 | 행정 | 기획 | 운영 | 조정1 | 조정2 | 조정3 |
| --- | --- | --- | --- | --- | --- | --- |
| 서기관 | 전성익<br>1711 | | | | | |
| 사무관 | | 이석원<br>1721<br>박종현<br>1725 | 윤연원<br>1726<br>송기영<br>1712 | 주강석<br>1731<br>곽충험<br>1732 | 장태희<br>1736<br>허광욱<br>1737 | 현기수<br>1706 |
| 주무관 | 임대규<br>1713<br>김온식<br>1714<br>최진현<br>1735<br>김문수<br>1717<br>노혜련<br>1716 | 오세민<br>1722<br>이정훈<br>1723<br>황혜진<br>1724 | 이승호<br>1727<br>성현일<br>1728<br>이진주<br>1729<br>김연경<br>1730 | 이지연<br>1733<br>최승택<br>1734 | 문정우<br>1738<br>이재곤<br>1739 | 김기홍<br>1707<br>송영재<br>1708 |
| FAX | 200-1706(행정실)<br>200-1707(민원실) | | | | | |

## 심판부

| 심판부 | 1심판부 | 2심판부 | 3심판부 |
| --- | --- | --- | --- |
| 심판관 | 류양훈 1801 | 이상길 1802 | |
| 비서 | 장효숙 1759 | 장효숙 1759 | 송하나 1799 |

| | 1조 | 2조 | 3조 | 4조 | 5조 | 6조 |
| --- | --- | --- | --- | --- | --- | --- |
| 심판조사관 | 은희훈<br>1740 | 박정민<br>1750 | 나종엽<br>1760 | 최영준<br>1770 | 오인석<br>1780 | 유진재<br>1790 |
| 서기관 | 김정호<br>7041 | | 배병윤<br>1761 | | 정진욱<br>1781 | 정해빈<br>1791 |
| 사무관 | 김효남<br>1742<br>손대균<br>1743 | 황성혜<br>1754<br>최창원<br>1752<br>한나라<br>1753 | 조혜정<br>1762<br>김혁준<br>1763 | 이은하<br>1771<br>김경수<br>1772<br>하명균<br>1773 | 강경관<br>1782<br>전연진<br>1783 | 권오현<br>1792<br>김동원<br>1793 |
| 주무관 | 홍승연<br>1744<br>최유미<br>1749 | | 송동훈<br>1764<br>박혜숙<br>1769 | | 전경선<br>1789 | 강병희<br>1794 |

| FAX | | 1심판부 | 2심판부 | 3심판부 |
| --- | --- | --- | --- | --- |
| | 조사관실 | 200-1758 | 200-1868 | 200-1778 |
| | 심판관실 | 200-1818 | 200-1838 | 200-1818 |

| 심판부 | 4심판부 | | 5심판부 | | 6심판부 | | | 7심판부 | | 8심판부 | |
|---|---|---|---|---|---|---|---|---|---|---|---|
| 심판관 | 김영노 1804 | | 정정회 1805 | | 이근후 1806 | | | 김영빈 1807 | | 홍삼기 1808 | |
| 비서 | 송하나 1799 | | 김수정 1849 | | 김수정 1849 | | | 윤승희 1889 | | 윤승희 1889 | |
| 심판조사관 | 7조 | 8조 | 9조 | 10조 | 11조 | 12조 | 13조 | 14조 | 15조 | 16조 | 17조 |
| | 박태의 1810 | | 지장근 1830 | | 김천희 1850 | 조용민 1860 | 우동욱 1865 | 김병철 1870 | 강필구 1880 | 최선재 1890 | 홍성완 1895 |
| 서기관 | | | | | 이재균 1851 | 성호승 1861 | | | | | |
| 사무관 | 오대근 1811 윤근희 1812 박인혜 1813 김하중 1814 | 김두섭 1821 이정화 1822 김상곤 1823 | 송현탁 1831 손혜민 1832 이현우 1834 | 김성엽 1841 류시현 1842 박수혜 1843 박진성 1844 | 조진희 1852 김보람 1853 모재완 1854 | 박희수 1862 문상묵 1863 | 강용규 1866 한종건 1867 안중관 1868 | 홍순태 1871 박천수 1872 심우돈 1873 박지혜 1874 | 박석민 1881 서지용 1882 박천호 1883 박진성 1884 | 김종윤 1891 김승하 1892 이승훈 1893 홍이정 1894 | 김상진 1896 서지용 1897 이유진 1898 |
| 주무관 | 강혜란 1819 | | 임윤정 1839 | | 여정애 1859 | | | 김연진 1879 | | 박선임 1888 | |
| FAX 조사관실 | 200-1778 | | 200-1788 | | 200-1848 | | | 200-1898 | | | |
| FAX 심판관실 | 200-1818 | | 200-1828 | | 200-1828 | | | 200-1838 | | | |

# 한국조세재정연구원

대표전화:044-414-2114/DID: 044-414-OOOO

원장: **김 재 진**
DID: 044-414-2101

세종국책 연구단지

금강

행정중심 복합도시 4-1 생활권

한국조세 재정연구원

| 소속 | 성명/원내 | 소속 | 성명/원내 | 소속 | 성명/원내 |
|---|---|---|---|---|---|
| 부원장 | 정재호 2400 | 선임연구원 | 유재민 2501 | **세법연구센터** | |
| **원장실** | | 선임연구원 | 정빛나 2507 | | |
| 선임전문원 | 홍유남 2100 | 행정원 | 길민선 2504 | | |
| **감사실** | | 행정원 | 김태은 2506 | 센터장 | 권성오 2248 |
| | | 연구원 | 이세미 2483 | 초빙전문위원 | 이종철 2346 |
| 실장 | 배현호 2118 | 행정원 | 최인탁 2508 | 선임행정원 | 최미영 2265 |
| 감사역 | 김정현 2117 | 행정원 | 한유미 2505 | 선임연구원 | 현하영 2499 |
| 특수전문직2급 | 김재경 | **연구출판팀** | | 위촉연구원 | 김선화 |
| 행정원 | 현호석 2119 | | | 위촉연구원 | 진소미 2526 |
| **연구기획실** | | 팀장 | 장정순 2130 | | |
| | | 선임행정원 | 변경숙 2132 | **세제연구팀** | |
| 실장 | 박한준 2120 | 선임전문원 | 신지원 2134 | | |
| 책임행정원 | 조종읍 2561 | 선임전문원 | 장은정 2137 | | |
| 선임행정원 | 안상숙 2381 | 위촉전문원 | 김슬기 2135 | 팀장 | 홍성희 2418 |
| 선임행정원 | 윤혜순 2264 | 위촉행정원 | 김재원 2138 | 특수전문직1급 | 박수진 2412 |
| 선임행정원 | 이현영 2255 | | | 책임연구원 | 송은주 2262 |
| 선임행정원 | 최미영 2265 | **조세정책연구실** | | 선임연구원 | 김민경 2325 |
| 위촉연구원 | 김도연 | | | 선임연구원 | 노수경 2405 |
| **기획예산팀** | | 실장 | 오종현 2289 | 특수전문직2급 | 서동연 2215 |
| | | 연구위원 | 권성오 | 특수전문직2급 | 이형민 2201 |
| 팀장 | 이태우 2121 | 연구위원 | 김문정 2342 | 특수전문직3급 | 김수린 2207 |
| 선임행정원 | 문지영 2122 | 연구위원 | 김빛마로 2339 | 특수전문직3급 | 김혜림 |
| 행정원 | 윤영민 2123 | 연구위원 | 정다운 2243 | 특수전문직3급 | 박하영 2472 |
| 위촉행정원 | 이소정 2125 | 부연구위원 | 강신혁 2312 | **관세연구팀** | |
| 위촉행정원 | 이현주 2124 | 부연구위원 | 고지현 2321 | | |
| 위촉행정원 | 임주리 2128 | 부연구위원 | 권성준 | 팀장 | 최인혁 2446 |
| **성과확산팀** | | 부연구위원 | 문지웅 2220 | 선임연구원 | 노영예 2335 |
| | | 부연구위원 | 최인혁 2446 | 선임연구원 | 박지우 2292 |
| 팀장 | 최미선 2520 | 부연구위원 | 홍병진 2315 | 특수전문직2급 | 이재선 2419 |
| 선임전문원 | 박주희 2521 | 선임연구원 | 김미정 2371 | 특수전문직3급 | 나지수 2372 |
| 선임연구원 | 송진민 2522 | 선임연구원 | 김상현 2376 | 연구원 | 양지영 2278 |
| 선임전문원 | 이슬기 2524 | 선임연구원 | 서주영 2471 | **세정연구센터** | |
| 전문원 | 정문정 2523 | 선임행정원 | 최미영 2265 | | |
| 위촉연구원 | 김선화 2512 | 선임연구원 | 황미연 2369 | | |
| **연구사업팀** | | 연구원 | 김달유 2427 | 센터장 | 김문정 2342 |
| | | 연구원 | 배현경 2279 | 초빙전문위원 | 강동훈 2204 |
| 팀장 | 조혜진 2500 | 연구원 | 이희선 2525 | 선임행정원 | 최미영 2265 |
| 선임연구원 | 성유경 2503 | 연구원 | 허현정 2236 | | |
| 선임행정원 | 오승민 2502 | | | | |

| 소속 | 성명/원내 | 소속 | 성명/원내 | 소속 | 성명/원내 |
|---|---|---|---|---|---|
| **세정연구팀** | | **재정전망팀** | | **재정지출분석센터** | |
| 팀장 | 박주철 2211 | 팀장 | 고창수 2370 | 센터장 | 김빛마로 2339 |
| 특수전문직2급 | 김재경 2216 | 선임연구원 | 권미연 2374 | 선임행정원 | 윤혜순 |
| 선임연구원 | 박하얀 2466 | 선임연구원 | 노지영 2246 | **거시경제분석팀** | |
| 특수전문직2급 | 이희경 2408 | 선임연구원 | 백가영 2454 | | |
| 특수전문직3급 | 권정교 2422 | 선임연구원 | 오수정 2307 | 팀장 | 김빛마로 |
| 특수전문직3급 | 이미현 2250 | 선임연구원 | 정상기 2287 | 선임연구원 | 김인유 2280 |
| 특수전문직3급 | 정효림 2202 | 연구원 | 주남균 2497 | 선임연구원 | 장준희 2474 |
| **조세·개발협력팀** | | **세수추계팀** | | **재정제도분석팀** | |
| 팀장 | 윤영훈 2445 | | | | |
| 선임연구원 | 오현빈 2334 | 팀장 | 권성준 2360 | | |
| 연구원 | 권희연 2230 | 선임연구원 | 김영직 2318 | 팀장 | 김정환 2328 |
| 연구원 | 김세인 2349 | 선임연구원 | 오은혜 2302 | 선임연구원 | 강민채 2458 |
| 연구원 | 심태완 2461 | 연구원 | 임연빈 2413 | 선임연구원 | 구윤모 2452 |
| 연구원 | 윤소영 2324 | | | 선임연구원 | 김은숙 2453 |
| 연구원 | 장다와 2354 | **재정정책연구실** | | 선임연구원 | 김진아 2343 |
| 연구원 | 장석민 2347 | | | 선임연구원 | 박신아 2253 |
| 연구원 | 최민정 2313 | | | 선임연구원 | 박지혜 2244 |
| 위촉연구원 | 현상아 2575 | 실장 | 이은경 2231 | 선임연구원 | 이정은 2475 |
| **조세지식공유팀** | | 선임연구위원 | 김현아 2214 | 선임연구원 | 이정인 2478 |
| | | 선임연구위원 | 원종학 2234 | 선임연구원 | 하에스더 2326 |
| | | 선임연구위원 | 장우현 2286 | 선임연구원 | 한혜란 2463 |
| 팀장 | 이준성 2484 | 선임연구위원 | 최성은 2288 | 선임연구원 | 황보경 2367 |
| 선임연구원 | 나진희 2460 | 선임연구위원 | 최준욱 2221 | 연구원 | 염보라 2271 |
| 선임연구원 | 박은정 2378 | 연구위원 | 이환웅 | 연구원 | 오윤서 2257 |
| 연구원 | 김예원 2394 | 연구위원 | 하세정 | **재정성과평가센터** | |
| 연구원 | 장아론 2402 | 부연구위원 | 고창수 2370 | | |
| **조세지출성과관리센터** | | 부연구위원 | 김정환 | | |
| | | 부연구위원 | 김평식 2218 | | |
| 센터장 | 김용대 2238 | 부연구위원 | 박정흠 2420 | 소장 | 강희우 2224 |
| 책임연구원 | 강미정 2261 | 부연구위원 | 이경훈 2255 | 선임연구위원 | 박노욱 2267 |
| 책임연구원 | 이은경 2273 | 부연구위원 | 이기쁨 2213 | 연구원 | 하세정 2091 |
| 책임행정원 | 조종읍 | 책임연구원 | 박선영 2251 | 선임연구원 | 권선정 2263 |
| 선임연구원 | 허윤영 2308 | 선임연구원 | 김종혁 2393 | 선임연구원 | 백종선 2333 |
| 연구원 | 김효림 2239 | 선임연구원 | 오지연 2225 | 선임행정원 | 이현영 2255 |
| **조세재정전망센터** | | 선임행정원 | 윤혜순 2264 | 연구원 | 이응준 2441 |
| | | 선임연구원 | 이수연 2336 | **국가계약TFT** | |
| 센터장 | 정다운 2243 | 선임연구원 | 정보름 2332 | | |
| 부연구위원 | 강신혁 | 선임연구원 | 현하영 2499 | | |
| 선임연구원 | 김유현 2473 | 선임연구원 | 박진우 2406 | 팀장 | 강희우 |
| 선임행정원 | 윤혜순 | 연구원 | 설지수 2304 | 연구원 | 이아름 2270 |
| 연구원 | 최하영 2411 | 연구원 | 이재국 2410 | 연구원 | 최한영 2482 |
| | | 연구원 | 정세희 2276 | | |

| 소속 | 성명/원내 | 소속 | 성명/원내 | 소속 | 성명/원내 |
|---|---|---|---|---|---|
| **평가제도팀** | | **분석지원팀** | | **공공정책1팀** | |
| 팀장 | 장낙원 2456 | 팀장 | 송남영 2240 | 팀장 | 송현진 2432 |
| 선임연구원 | 김경훈 2447 | 특수전문직2급 | 김다랑 2331 | 선임연구원 | 김신정 2291 |
| 선임연구원 | 변이슬 2294 | 선임연구원 | 김종원 2362 | 선임연구원 | 김준성 2573 |
| 선임연구원 | 안새롬 2293 | 선임연구원 | 신동준 2364 | 특수전문직2급 | 안윤선 2498 |
| 선임연구원 | 이보화 2245 | 선임연구원 | 이남주 2565 | 선임연구원 | 이강신 2459 |
| 선임연구원 | 장문석 2448 | 선임연구원 | 정경화 2310 | 선임연구원 | 임미화 2272 |
| 연구원 | 김준혁 2210 | 선임연구원 | 정은경 2226 | 연구원 | 소병욱 2282 |
| 연구원 | 안소연 2487 | 선임연구원 | 주재민 2320 | 연구원 | 송민나 2493 |
| | | 연구원 | 서동규 2496 | | |
| **경제성과관리팀** | | 위촉연구원 | 정유진 2428 | **공공정책2팀** | |
| 팀장 | 봉재연 2323 | **인프라사업조사팀** | | | |
| 선임연구원 | 심백교 2438 | 팀장 | 이순향 2105 | | |
| 선임연구원 | 이홍범 2232 | 연구원 | 김정현 2481 | 팀장 | 최근호 2495 |
| 선임연구원 | 장운정 2365 | 연구원 | 최시원 2424 | 선임연구원 | 박화영 2357 |
| 선임연구원 | 조은빛 2416 | 위촉연구원 | 정다영 2256 | 선임연구원 | 오소연 2205 |
| 선임연구원 | 최윤미 2449 | **아태재정협력센터** | | 선임연구원 | 윤다솜 2298 |
| 선임연구원 | 한경진 2330 | | | 선임연구원 | 허미혜 2316 |
| 연구원 | 강경민 2444 | | | 연구원 | 강선희 2443 |
| 연구원 | 배지현 2212 | | | 연구원 | 성연주 2423 |
| 연구원 | 서은혜 2433 | 센터장 | 허경선 2241 | | |
| 연구원 | 신우상 2417 | 책임행정원 | 조정읍 | | |
| 연구원 | 유고은 2322 | 선임연구원 | 김윤옥 2385 | | |
| **사회문화성과관리팀** | | 선임연구원 | 김윤지 2395 | **정책사업팀** | |
| | | 선임연구원 | 김의주 2389 | | |
| | | 선임연구원 | 이재영 2384 | | |
| 팀장 | 김평강 2329 | 선임연구원 | 최승훈 2340 | | |
| 선임연구원 | 곽원욱 2223 | 연구원 | 김난유 2395 | 팀장 | 변민정 2306 |
| 선임연구원 | 김인애 2327 | 연구원 | 박도현 2392 | 선임연구원 | 강석훈 2356 |
| 선임연구원 | 김현숙 2277 | 위촉연구원 | 방나타리나 2385 | 선임연구원 | 김은정 2303 |
| 선임연구원 | 박성훈 2485 | 위촉연구원 | 윤선우 | 선임연구원 | 남지현 2574 |
| 선임연구원 | 박창우 2344 | | | 선임연구원 | 오윤미 2377 |
| 선임연구원 | 우지은 2351 | | | 선임연구원 | 유승현 2457 |
| 선임연구원 | 장민혜 2382 | | | 선임연구원 | 이슬 2366 |
| 연구원 | 구남규 2227 | | | 연구원 | 김정은 2435 |
| 연구원 | 이은솔 2434 | **공공기관연구센터** | | 위촉연구원 | 이가을 2490 |
| **정부투자분석센터** | | | | | |
| | | 소장 | 이남국 | **경영평가부** | |
| 센터장 | 송경호 2247 | 초빙연구위원 | 유은지 2338 | | |
| 초빙연구위원 | 김혜련 2492 | 초빙연구위원 | 이민상 2228 | | |
| 초빙연구위원 | 서대현 2368 | 초빙연구위원 | 이윤규 | 부소장 | 문창오 2305 |
| 선임연구원 | 박유미 2442 | 선임연구원 | 송경호 2348 | 선임행정원 | 강민주 2430 |
| 선임행정원 | 이현영 2255 | 선임행정원 | 안상숙 2381 | | |

| 소속 | 성명/원내 | 소속 | 성명/원내 | 소속 | 성명/원내 |
|---|---|---|---|---|---|
| **평가연구팀** | | **국가회계팀** | | **재무회계팀** | |
| 팀장 | 유효정 2363 | | | 팀장 | 최영란 2180 |
| 선임연구원 | 봉우리 2355 | 팀장 | 진태호 2552 | 선임행정원 | 김영화 2187 |
| 선임연구원 | 임희영 2208 | 특수전문직2급 | 오예정 2563 | 선임행정원 | 이지혜 2183 |
| 선임연구원 | 정예슬 | 특수전문직2급 | 임정혁 2553 | 선임행정원 | 임상미 2187 |
| 선임연구원 | 홍윤진 2361 | 특수전문직3급 | 김보성 2415 | 위촉행정원 | 김성미 |
| 연구원 | 나영 2578 | 특수전문직3급 | 안지현 2426 | **총무팀** | |
| 연구원 | 이부연 2431 | 특수전문직3급 | 장윤지 2518 | 팀장 | 노길현 2170 |
| **계량평가·검증팀** | | | | 선임행정원 | 강신중 2173 |
| 팀장 | 임형수 2209 | **결산교육팀** | | 선임행정원 | 김선정 2175 |
| 특수전문직2급 | 강초롱 2337 | | | 선임행정원 | 손동준 2177 |
| 특수전문직2급 | 남승오 2551 | 팀장 | 윤성호 2562 | 선임행정원 | 신수미 2171 |
| 특수전문직2급 | 최지영 | 특수전문직2급 | 오가영 2567 | 선임행정원 | 윤여진 2176 |
| 특수전문직2급 | 현지용 2572 | 특수전문직2급 | 이명인 2555 | 행정원 | 한용균 2174 |
| 특수전문직3급 | 김소현 2281 | 특수전문직2급 | 임종권 2581 | **전산·학술정보팀** | |
| 특수전문직3급 | 김윤미 2319 | 선임행정원 | 정현석 2462 | 팀장 | 김성동 2150 |
| 특수전문직3급 | 양도일 2470 | 특수전문직2급 | 한은미 2556 | 책임전문원 | 심수희 2140 |
| 연구원 | 유현정 2414 | 특수전문직3급 | 정유경 2258 | 선임전문원 | 권정애 2142 |
| 위촉연구원 | 김지혜 2242 | 위촉연구원 | 임근원 2437 | 선임전문원 | 이창호 2153 |
| **평가지원팀** | | **재정통계팀** | | 선임전문원 | 홍서진 2155 |
| 팀장 | 심재경 2543 | 팀장 | 박윤진 2569 | 전문원 | 김인아 2154 |
| 선임연구원 | 서영빈 2542 | 특수전문직1급 | 한소영 2554 | 전문원 | 김준영 2151 |
| 선임연구원 | 장정윤 2544 | 특수전문직2급 | 유귀운 2566 | 전문원 | 최유림 2141 |
| 선임연구원 | 정혜진 2587 | 특수전문직2급 | 장지원 2557 | 위촉행정원 | 윤한 2157 |
| 연구원 | 고승희 2545 | 특수전문직2급 | 최금주 2558 | **시설구매팀** | |
| **경영컨설팅팀** | | 특수전문직2급 | 최중갑 2582 | 팀장 | 박현옥 2190 |
| 팀장 | 이주경 2266 | 특수전문직2급 | 최지영 2577 | 행정원 | 김범수 2192 |
| 선임연구원 | 서니나 2396 | 특수전문직3급 | 김소영 2268 | 행정원 | 박정훈 2193 |
| 선임연구원 | 임소영 2290 | 연구원 | 왕승현 2398 | 위촉행정원 | 정재원 2191 |
| 선임연구원 | 정예슬 2358 | 특수전문직3급 | 정지윤 2537 | **인사혁신팀** | |
| 선임연구원 | 허민영 2479 | 위촉행정원 | 강보성 2451 | 팀장 | 최윤용 2161 |
| 연구원 | 양다연 2401 | 위촉특수전문직 | 김병주 2399 | 선임전문원 | 김서영 2163 |
| 위촉연구원 | 김나영 2375 | **국가회계연구TFT** | | 선임행정원 | 박소연 2166 |
| **국가회계재정통계센터** | | 선임연구원 | 이정미 2259 | 선임행정원 | 전승진 2162 |
| | | 연구원 | 임지윤 2403 | 선임행정원 | 정찬영 2164 |
| 소장 | 문창오 2305 | **경영지원실** | | 행정원 | 강성훈 2168 |
| 초빙연구위원 | 박성진 2560 | | | 행정원 | 공요환 2165 |
| 책임행정원 | 조종읍 2561 | 실장 | 성주석 2160 | 행정원 | 배지호 2168 |
| | | | | 행정원 | 유준오 2167 |
| | | | | 위촉행정원 | 정율아 2513 |

# 전 국 세 무 관 서 주 소 록

| 세무서 | 주소 | 우편번호 | 전화번호 | 팩스번호 | 코드 | 계좌 |
|---|---|---|---|---|---|---|
| 국세청 | 세종 국세청로 8-14 국세청 | 30128 | 044-204-2200 | 02-732-0908 | 100 | 011769 |
| 서울청 | 서울 종로구 종로5길 86 | 03151 | 02-2114-2200 | 02-722-0528 | 100 | 011895 |
| 강남 | 서울 강남구 학동로 425 | 06068 | 02-519-4200 | 02-512-3917 | 211 | 180616 |
| 강동 | 서울 강동구 천호대로 1139 강동그린타워 | 05355 | 02-2224-0200 | 02-2224-0267 | 212 | 180629 |
| 강서 | 서울 강서구 마곡서1로 60 | 07799 | 02-2630-4200 | 02-2679-8777 | 109 | 012027 |
| 관악 | 서울 관악구 문성로 187 | 08773 | 02-2173-4200 | 02-2173-4269 | 145 | 024675 |
| 구로 | 서울 영등포구 경인로 778 | 07363 | 02-2630-7200 | 02-2631-8958 | 113 | 011756 |
| 금천 | 서울특별시 금천구 시흥대로 315 금천롯데캐슬골드파크4차 업무시설동 | 08608 | 02-850-4200 | 02-850-4635 | 119 | 014371 |
| 남대문 | 서울 중구 삼일대로 340 나라키움저동빌딩 | 04551 | 02-2260-0200 | 02-755-7114 | 104 | 011785 |
| 노원 | 서울 도봉구 노해로69길 14 | 01415 | 02-3499-0200 | 0503-111-9927 | 217 | 001562 |
| 도봉 | 서울 강북구 도봉로 117 | 01177 | 02-944-0200 | 02-984-2580 | 210 | 011811 |
| 동대문 | 서울 동대문구 약령시로 159 | 02489 | 02-958-0200 | 02-958-0159 | 204 | 011824 |
| 동작 | 서울 영등포구 대방천로 259 | 07432 | 02-840-9200 | 02-831-4137 | 108 | 000181 |
| 마포 | 서울 마포구 독막로 234 | 04090 | 02-705-7200 | 02-717-7255 | 105 | 011840 |
| 반포 | 서울 서초구 방배로 163 | 06573 | 02-590-4200 | 02-591-1311 | 114 | 180645 |
| 삼성 | 서울 강남구 테헤란로 114 역삼빌딩1,5,6,9,10층 | 06233 | 02-3011-7200 | 02-564-1129 | 120 | 181149 |
| 서대문 | 서울 서대문구 세무서길 11 | 03629 | 02-2287-4200 | 02-379-0552 | 110 | 011879 |
| 서초 | 서울 강남구 테헤란로 114 역삼빌딩 | 06233 | 02-3011-6200 | 02-563-8030 | 214 | 180658 |
| 성동 | 서울 성동구 광나루로 297 | 04802 | 02-460-4200 | 02-468-0016 | 206 | 011905 |
| 성북 | 서울 성북구 삼선교로16길 13 | 02863 | 02-760-8200 | 02-744-6160 | 209 | 011918 |
| 송파 | 서울 송파구 강동대로 62 | 05506 | 02-2224-9200 | 02-409-8329 | 215 | 180661 |
| 양천 | 서울 양천구 목동동로 165 | 08013 | 02-2650-9200 | 02-2652-0058 | 117 | 012878 |
| 역삼 | 서울 강남구 테헤란로 114 역삼빌딩 | 06233 | 02-3011-8200 | 02-558-1123 | 220 | 181822 |
| 영등포 | 서울 영등포구 선유로 243 | 07209 | 02-2630-9200 | 02-2678-4909 | 107 | 011934 |
| 용산 | 서울 용산구 서빙고로24길 15 | 04388 | 02-748-8200 | 02-792-2619 | 106 | 011947 |
| 은평 | 서울특별시 은평구 통일로 684, 서울혁신파크 미래청 1층~3층 | 03371 | 02-2132-9200 | 02-2132-9571 | 147 | 026165 |
| 잠실 | 서울 송파구 강동대로 62 | 05506 | 02-2055-9200 | 02-475-0881 | 230 | 019868 |
| 종로 | 서울 종로구 삼일대로 30길 22 | 03133 | 02-760-9200 | 02-744-4939 | 101 | 011976 |
| 중랑 | 서울 중랑구 망우로 176 | 02118 | 02-2170-0200 | 02-493-7315 | 146 | 025454 |
| 중부 | 서울 중구 퇴계로 170 | 04627 | 02-2260-9200 | 02-2268-0582 | 201 | 011989 |
| 중부청 | 경기 수원시 장안구 경수대로 1110-17 | 16206 | 031-888-4200 | 031-888-7612 | 200 | 000165 |
| 강릉 | 강원 강릉시 수리골길 65 | 25473 | 033-610-9200 | 033-641-4186 | 226 | 150154 |
| 경기광주 | 경기 광주시 문화로 127 | 12752 | 031-880-9200 | 031-769-0417 | 233 | 023744 |

| 세무서 | 주 소 | 우편번호 | 전화번호 | 팩스번호 | 코드 | 계좌 |
|---|---|---|---|---|---|---|
| 구리 | 경기 구리시 안골로 36 | 11934 | 031-326-7200 | | 149 | |
| 기흥 | 경기 용인시 기흥구 흥덕2로117번길 15 | 16953 | 031-8007-1200 | 부서별 번호와 같음 | 236 | 026178 |
| 남양주 | 경기 남양주시 화도읍 경춘로 1807 쉼터빌딩 3~6층 | 12167 | 031-550-3200 | 031-566-1808 | 132 | 012302 |
| 동수원 | 경기 수원시 영통구 청명남로 13 | 16704 | 031-695-4200 | 031-273-2416 | 135 | 131157 |
| 동안양 | 경기 안양시 동안구 관평로202번길 27 | 14054 | 031-389-8200 | 0503-112-9375 | 138 | 001591 |
| 분당 | 경기 성남시 분당구 분당로 23 | 13590 | 031-219-9200 | 031-781-6852 | 144 | 018364 |
| 삼척 | 강원 삼척시 교동로 148 | 25924 | 033-570-0200 | 033-574-5788 | 222 | 150167 |
| 성남 | 경기 성남시 수정구 희망로 480 | 13148 | 031-730-6200 | 031-736-1904 | 129 | 130349 |
| 속초 | 강원 속초시 수복로 28 | 24855 | 033-639-9200 | 033-633-9510 | 227 | 150170 |
| 수원 | 경기 수원시 팔달구 매산로 61 | 16456 | 031-250-4200 | 031-258-9411 | 124 | 130352 |
| 시흥 | 경기 시흥시 마유로 368 | 15055 | 031-310-7200 | 031-314-3973 | 140 | 001588 |
| 안산 | 경기 안산시 단원구 화랑로 350 | 15354 | 031-412-3200 | 031-412-3300 | 134 | 131076 |
| 동안산 | 경기 안산시 상록구 상록수로 20 | 15532 | 031-937-3200 | 031-8042-4602 | 153 | 027707 |
| 안양 | 경기 안양시 만안구 냉천로 83 | 14090 | 031-467-1200 | 031-467-1300 | 123 | 130365 |
| 영월 | 강원 영월군 영월읍 하송안길 49 | 26235 | 033-370-0200 | 033-374-2100 | 225 | 150183 |
| 용인 | 경기 용인시 처인구 중부대로1161번길 7 | 17019 | 031-329-2200 | 부서별 번호와 같음 | 142 | 002846 |
| 원주 | 강원 원주 북원로 2325 | 26411 | 033-740-9200 | 033-746-4791 | 224 | 100269 |
| 이천 | 경기 이천시 부악로 47 | 17380 | 031-644-0200 | 031-634-2100 | 126 | 130378 |
| 춘천 | 강원 춘천시 중앙로 115 | 24358 | 033-250-0200 | 033-252-3589 | 221 | 100272 |
| 평택 | 경기 평택시 죽백6로 6 | 17862 | 031-650-0200 | 031-658-1116 | 125 | 130381 |
| 홍천 | 강원 홍천군 홍천읍 생명과학관길 50 | 25142 | 033-430-1200 | 033-433-1889 | 223 | 100285 |
| 동화성 | 경기 화성시 동탄오산로 86-3 MK 타워 3,4,9,10,11층 | 18478 | 031-934-6200 | 031-934-6249 | 151 | 027684 |
| 화성 | 경기 화성시 봉담읍 참샘길 27 | 18321 | 031-8019-1200 | 031-8019-8211 | 143 | 018351 |
| **인천청** | 인천 남동구 남동대로 763 | 21556 | 032-718-6200 | 032-718-6021 | 800 | 027054 |
| 남동 | 인천 남동구 인하로 548 | 21582 | 032-460-5200 | 032-463-5778 | 131 | 110424 |
| 서인천 | 인천 서구 청라사파이어로 192 | 22758 | 032-560-5200 | 032-561-5777 | 137 | 111025 |
| 인천 | 인천 동구 우각로 75 | 22564 | 032-770-0200 | 032-777-8104 | 121 | 110259 |
| 계양 | 인천 계양구 효서로 244 | 21120 | 032-459-8200 | | 154 | 027708 |
| 고양 | 경기 고양시 일산동구 중앙로1275번길 14-43 | 10401 | 031-900-9200 | 031-901-9177 | 128 | 012014 |
| 광명 | 경기 광명시 철산로 3-12 | 14235 | 02-2610-8200 | 02-3666-0611 | 235 | 025195 |
| 김포 | 경기 김포시 김포한강1로 22 | 10087 | 031-980-3200 | 031-983-8125 | 234 | 023760 |
| 동고양 | 경기 고양시 덕양구 화중로104번길 16 화정아카데미타워 3층(민원실), 4층, 5층, 9층 | 10497 | 031-900-6200 | | 232 | 023757 |
| 남부천 | 경기 부천시 경인옛로 115 | 14691 | 032-459-7200 | 032-459-7249 | 152 | 027685 |
| 부천 | 경기 부천시 계남로227 | 14535 | 032-320-5200 | 032-328-6931 | 130 | 110246 |

| 세무서 | 주소 | 우편번호 | 전화번호 | 팩스번호 | 코드 | 계좌 |
|---|---|---|---|---|---|---|
| 부평 | 인천 부평구 부평대로 147 | 21366 | 032-540-6200 | 032-545-0411 | 122 | 110233 |
| 연수 | 인천 연수구 인천타워대로 323 송도센트로드A동 1층~5층 | 22007 | 032-670-9200 | 032-858-7351 | 150 | 027300 |
| 의정부 | 경기 의정부시 의정로 77 | 11622 | 031-870-4200 | 031-875-2736 | 127 | 900142 |
| 파주 | 경기 파주시 금릉역로 62 | 10915 | 031-956-0200 | 031-957-0315 | 141 | 001575 |
| 포천 | 경기 포천시 소흘읍 송우로 75 | 11177 | 031-538-7200 | 031-544-6090 | 231 | 019871 |
| 대전청 | 대전 대덕구 계족로 677 | 34383 | 042-615-2200 | 042-621-4552 | 300 | 080499 |
| 공주 | 충남 공주시 봉황로 87 | 32550 | 041-850-3200 | 041-850-3692 | 307 | 080460 |
| 논산 | 충남 논산시 논산대로241번길 6 | 32959 | 041-730-8200 | 041-730-8270 | 308 | 080473 |
| 대전 | 대전 중구 보문로 331 | 34851 | 042-229-8200 | 042-253-4990 | 305 | 080486 |
| 동청주 | 충북 청주시 청원구 1순환로 44 | 28322 | 043-229-4200 | 043-229-4601 | 317 | 002859 |
| 보령 | 충북 보령시 옥마로 56 | 33482 | 041-930-9200 | 041-936-7289 | 313 | 930154 |
| 북대전 | 대전 유성구 유성대로 935번길 7 | 34127 | 042-603-8200 | 042-823-9662 | 318 | 023773 |
| 서대전 | 대전 서구 둔산서로 70 | 35239 | 042-480-8200 | 042-486-8067 | 314 | 081197 |
| 서산 | 충남 서산시 덕지천로 145-6 | 32003 | 041-660-9200 | 041-660-9259 | 316 | 000602 |
| 세종 | 세종 시청대로 126 | 30151 | 044-850-8200 | 044-850-8431 | 320 | 025467 |
| 아산 | 충남 아산시 배방읍 배방로 57-29 | 31486 | 041-536-7200 | 041-533-1351 | 319 | 024688 |
| 영동 | 충북 영동군 영동읍 계산로2길 10 | 29145 | 043-740-6200 | 043-740-6250 | 302 | 090311 |
| 예산 | 충남 예산군 윤봉길로 1883 | 32425 | 041-330-5200 | 041-330-5305 | 311 | 930167 |
| 제천 | 충북 제천시 복합타운1길 78 | 27157 | 043-649-2200 | 043-648-3586 | 304 | 090324 |
| 천안 | 충남 천안시 동남구 청수14로 80 | 31198 | 041-559-8200 | 041-559-8250 | 312 | 935188 |
| 청주 | 충북 청주시 흥덕구 죽천로 151 | 28583 | 043-230-9200 | 043-235-5417 | 301 | 090337 |
| 충주 | 충북 충주시 충원대로 724 | 27338 | 043-841-6200 | 043-845-3320 | 303 | 090340 |
| 홍성 | 충남 홍성군 홍성읍 홍덕서로 32 | 32216 | 041-630-4200 | 041-630-4249 | 310 | 930170 |
| 광주청 | 광주 북구 첨단과기로208번길 43 | 61011 | 062-236-7200 | 062-716-7215 | 400 | 060707 |
| 광주 | 광주 동구 중앙로 209 | 61473 | 062-605-0200 | | 408 | 060639 |
| 광산 | 광주 광산구 하남대로 83 | 62232 | 062-970-2200 | 062-970-2209 | 419 | 027313 |
| 군산 | 전북 군산시 미장13길 49 | 54096 | 063-470-3200 | 063-470-3249 | 401 | 070399 |
| 나주 | 전남 나주시 재신길 33 | 58262 | 061-330-0200 | 061-332-8583 | 412 | 060642 |
| 남원 | 전북 남원시 동림로 91-1 | 55741 | 063-630-2200 | 063-632-7302 | 407 | 070412 |
| 목포 | 전남 목포시 호남로58번길 19 | 58723 | 061-241-1200 | 061-244-5915 | 411 | 050144 |
| 북광주 | 광주 북구 경양로 170 | 61238 | 062-520-9200 | 062-716-7280 | 409 | 060671 |
| 북전주 | 전북 전주시 덕진구 벚꽃로 33 | 54937 | 063-249-1200 | 063-249-1555 | 418 | 002862 |
| 서광주 | 광주 서구 상무민주로6번길 31 | 61969 | 062-380-5200 | 062-716-7260 | 410 | 060655 |
| 순천 | 전남 순천시 연향번영길 64 | 57980 | 061-720-0200 | 061-723-6677 | 416 | 920300 |
| 여수 | 전남 여수시 좌수영로 948-5 | 59631 | 061-688-0200 | 061-682-1649 | 417 | 920313 |
| 익산 | 전북 익산시 선화로425 | 54630 | 063-840-0200 | 063-851-0305 | 403 | 070425 |
| 전주 | 전북 전주시 완산구 서곡로 95 | 54956 | 063-250-0200 | 063-277-7708 | 402 | 070438 |

| 세무서 | 주 소 | 우편번호 | 전화번호 | 팩스번호 | 코드 | 계좌 |
|---|---|---|---|---|---|---|
| 정읍 | 전북 정읍시 중앙1길 93 | 56163 | 063-530-1200 | 063-533-9101 | 404 | 070441 |
| 해남 | 전남 해남군 해남읍 중앙1로 18 | 59027 | 061-530-6200 | 061-536-6249 | 415 | 050157 |
| **대구청** | 대구 달서구 화암로 301 | 42768 | 053-661-7200 | 053-661-7052 | 500 | 040756 |
| 경산 | 경북 경산시 박물관로 3 | 38583 | 053-819-3200 | 053-802-8300 | 515 | 042330 |
| 경주 | 경북 경주시 원화로 335 | 38138 | 054-779-1200 | 054-743-4408 | 505 | 170176 |
| 구미 | 경북 구미시 수출대로 179 | 39269 | 054-468-4200 | 054-464-0537 | 513 | 905244 |
| 김천 | 경북 김천시 평화길 128 | 39610 | 054-420-3200 | 054-430-6605 | 510 | 905257 |
| 남대구 | 대구 남구 대명로 55 | 42479 | 053-659-0200 | 053-627-0157 | 514 | 040730 |
| 동대구 | 대구 동구 국채보상로 895 | 41253 | 053-749-0200 | 053-756-8837 | 502 | 040769 |
| 북대구 | 대구 북구 원대로 118 | 41590 | 053-350-4200 | 053-354-4190 | 504 | 040772 |
| 상주 | 경북 상주시 경상대로 3173-11 | 37161 | 054-530-0200 | 054-534-9026 | 511 | 905260 |
| 서대구 | 대구 달서구 당산로38길 33 | 42645 | 053-659-1200 | 053-627-6121 | 503 | 040798 |
| 수성 | 대구 수성구 달구벌대로 2362 | 42115 | 053-749-6200 | 053-749-6602 | 516 | 026181 |
| 안동 | 경북 안동시 서동문로 208 | 36702 | 054-851-0200 | 054-859-6177 | 508 | 910365 |
| 영덕 | 경북 영덕군 영덕읍 영덕로 35-11 | 36441 | 054-730-2200 | 054-730-2504 | 507 | 170189 |
| 영주 | 경북 영주시 중앙로 15 | 36099 | 054-639-5200 | 054-633-0954 | 512 | 910378 |
| 포항 | 경북 포항시 북구 중앙로 346 | 37727 | 054-245-2200 | 054-248-4040 | 506 | 170192 |
| **부산청** | 부산 연제구 연제로 12 | 47605 | 051-750-7200 | 051-759-8400 | 600 | 030517 |
| 거창 | 경남 거창군 거창읍 상동2길 14 | 50132 | 055-940-0200 | 055-942-3616 | 611 | 950419 |
| 금정 | 부산 금정구 중앙대로 1636 | 46272 | 051-580-6200 | 051-516-8272 | 621 | 031794 |
| 김해 | 경남 김해시 호계로 440 | 50922 | 055-320-6200 | 055-335-2250 | 615 | 000178 |
| 동래 | 부산 연제구 거제천로269번길 16 | 47517 | 051-860-2200 | 051-711-6579 | 607 | |
| 동울산 | 울산 북구 사청2길 7 | 44239 | 052-219-9200 | 052-289-8365 | 620 | 001601 |
| 마산 | 경남 창원시 마산합포구 3.15대로 211 | 51265 | 055-240-0200 | 055-223-6881 | 608 | 140672 |
| 부산진 | 부산 동구 진성로 23 | 48781 | 051-461-9200 | 051-464-9552 | 605 | 030520 |
| 부산강서 | 부산 강서구 명지국제7로 44 퍼스트월드브라이튼 3~6층 | 46726 | 051-740-9200 | | 625 | 027709 |
| 북부산 | 부산 사상구 학감대로 263 | 46984 | 051-310-6200 | 051-711-6389 | 606 | 030533 |
| 서부산 | 부산 서구 대영로 10 | 49228 | 051-250-6200 | 051-241-7004 | 603 | 030546 |
| 수영 | 부산 수영구 남천동로19번길 28 | 48306 | 051-620-9200 | 051-621-2593 | 617 | 030478 |
| 양산 | 경남 양산시 물금읍 증산역로13 | 50653 | 055-389-6200 | 055-389-6602 | 624 | 026194 |
| 울산 | 울산 남구 갈밭로 49 | 44715 | 052-259-0200 | 052-266-2135 | 610 | 160021 |
| 제주 | 제주 제주시 청사로 59 | 63219 | 064-720-5200 | 064-724-1107 | 616 | 120171 |
| 중부산 | 부산 중구 충장대로 6 | 48941 | 051-240-0200 | 051-241-6009 | 602 | 030562 |
| 진주 | 경남 진주시 진주대로908번길 15 | 52724 | 055-751-0200 | 055-753-9009 | 613 | 950435 |
| 창원 | 경남 창원시 성산구 중앙대로105 STX 오션타워 | 51515 | 055-239-0200 | 055-287-1394 | 609 | 140669 |
| 통영 | 경남 통영시 무전5길 20-9 | 53036 | 055-640-7200 | 055-644-1814 | 612 | 140708 |
| 해운대 | 부산 해운대구 좌동순환로 17 | 48084 | 051-660-9200 | 051-660-9610 | 623 | 025470 |

# 색인

## ㄱ

가성원 부평서 306
가순봉 기재부 74
가영순 인천공항 493
가완순 노원서 173
가재광 북대전서 326
가주희 동수원서 232
가준섭 인천청 280
가혜미 공주서 331
간종화 서울청 139
감경탁 부산청 440
감동윤 마포서 181
감석종 역삼서 199
감정훈 성현회계 11
감지윤 북부산서 450
강가빈 해운대서 458
강가에 제주서 478
강가윤 송파서 195
강갑영 인천지방 33
강건 법무세종 50
강건희 한울회계 27
강경관 마포서 181
강경구 조세심판 506
강경구 기재부 81
강경근 울산서 463
강경덕 안양서 251
강경래 남부천서 302
강경묵 팽택서 257
강경미 대전청 322
강경민 송파서 194
강경민 북부산서 450
강경민 조세재정 510
강경보 제주서 479
강경수 용산서 202
강경숙 순천서 379
강경식 동래서 445
강경아 중부청 225
강경영 인천공항 492
강경옥 국세청 122
강경완 진주서 473
강경인 광산서 366
강경임 의정부서 310
강경진 중부산서 456
강경진 인천서 291
강경표 부산청 436
강경호 현대회계 28
강경호 기재부 73
강경화 국세청 126
강경희 인천청 279
강고운 국세청 119
강곡지 광주청 363
강관호 북대구서 409
강구남 마산서 468
강규희 국세청 119
강규남 순천서 379
강규옥 송파서 195
강규철 광주세관 505
강규호 관악서 165
강근영 부산강서 448
강근효 이천서 255
강금여 강릉서 262
강기룡 남원서 158
강기모 기재부 74
강기석 기재부 75
강기수 영등포서 436
강기원 동안산서 201
강기진 국세청 126
강기호 서대전서 328
강길순 서광주서 186
강길임 부산청 373
강길조 삼정회계 438
강나루 양천서 19
강나영 동안양서 196
강나영 동안양서 234

강나영 의정부서 310
강남영 서부산서 452
강남호 북부산서 450
강다애 삼성서 185
강다연 남동서 287
강다영 서울청 157
강다향 관악서 164
강다현 국세청 125
강다현 청주서 354
강담연 국세청 115
강담연 기흥서 228
강대규 중부서 241
강대민 포천서 314
강대석 감곡원 97
강대선 마산서 468
강대식 중부산서 456
강대영 국세청 108
강대일 예일회계 22
강대현 수성서 413
강대호 창원서 475
강덕근 대구청 401
강덕성 남대구서 404
강덕수 국세청 404
강덕훈 이천서 254
강도영 경기광주 319
강동균 대전청 320
강동석 경기광주 245
강동수 제주서 454
강동수 기재부 69
강동완 국세청 130
강동우 천안서 472
강동우 중부서 344
강동윤 고시회 212
강동인 법무세종 30
강동진 중부서 212
강동호 법무세종 50
강동훈 서울청 296
강동훈 경산서 143
강동휘 원주서 414
강동희 세종서 160
강두석 조세재정 270
강래광 서울청 339
강률인 부산청 508
강리복 부산강서 142
강말구 서대구서 448
강명구 제주서 410
강명수 국회정무 479
강명신 국세청 505
강명준 역삼서 60
강명진 성북서 111
강명호 중부서 198
강문승 경기광주 193
강문영 원주서 213
강문자 동화회계 245
강문자 서광주서 270
강문정 구리서 258
강문현 중부청 373
강미나 서울청 226
강미선 반포서 166
강미정 성남서 224
강미수 동작서 134
강미애 노원서 138
강미영 중랑서 182
강미영 서울청 238
강미영 수원서 178
강미자 천안서 173
강미정 기재부 211
강미정 조세재정 248
강미진 강서서 152
강미하 순천서 240
강미화 목포서 344
강민경 국회정무 73
강민경 동대구서 224
강민구 중부청 509

강민구 대전청 321
강민국 다솔세무 35
강민규 국회정무 60
강민규 서광주서 372
강민균 진주서 439
강민기 중부서 473
강민기 기재부 212
강민기 안양서 66
강민석 기재부 251
강민석 성동서 70
강민석 대전청 191
강민성 국세청 319
강민수 국세청 115
강민수 국세청 105
강민수 국세청 106
강민아 도봉서 110
강민아 고양서 175
강민영 노원서 294
강민완 중랑서 204
강민우 기재부 211
강민재 익산서 73
강민정 화성서 391
강민정 서울청 261
강민정 노원서 156
강민정 수원서 172
강민정 예산서 241
강민정 금정서 343
강민종 제주서 442
강민주 금천서 479
강민주 삼성서 168
강민주 은평서 185
강민주 조세재정 204
강민지 기재부 510
강민지 경기광주 76
강민지 의정부서 244
강민지 서대구서 310
강민채 조세재정 411
강민철 광주세관 509
강민형 서현회계 504
강민형 용산서 7
강민호 감사원 203
강민호 동작서 63
강민호 통영서 179
강범준 잠실서 476
강법영 광주청 206
강병구 기재부 361
강병국 성남서 66
강병극 중부청 239
강병문 동울산서 218
강병수 중부청 460
강병수 대전청 218
강병수 광주청 322
강병수 광주청 359
강병수 양산서 361
강병순 현대회계 362
강병엽 용산서 470
강병엽 삼릉세무 28
강병재 금감원 203
강병조 북대전서 37
강병주 기재부 94
강병진 해운대서 326
강병철 해운대서 77
강병희 조세심판 458
강보경 국세청 458
강보경 동래서 506
강보경 창원서 123
강보길 금정서 444
강보라 평택서 475
강보미 국세청 442
강보성 제주서 257
강보성 조세재정 110
강보은 도봉서 478
강보은 분당서 511
강보현 기재부 174
강보화 울산서 236
강복길 노원서 80
강복실 국세청 462
강봉선 서울청 172
강봉철 광주세관 128
강부덕 익산서 139
강삼원 성북서 502
강상길 마산서 252
강상영 고시회 390
강상일 제주서 192
강상준 구미서 30
강상준 중부서 478
강상현 서울청 418

강상협 기재부 77
강새롬 중부청 222
강서윤 영등포서 201
강서호 국세청 115
강석 북전주서 388
강석관 서울청 143
강석규 경기광주 153
강석순 태평양 52
강석원 삼성서 184
강석원 다솔세무 35
강석원 다솔세무 35
강석운 다솔세무 35
강석윤 부평서 307
강석제 목포서 376
강석훈 서울청 79
강석훈 인천청 278
강선규 조세재정 510
강선대 순천서 379
강선미 노원서 172
강선미 김해서 467
강선실 부산강서 449
강선영 삼성서 387
강선영 삼성서 184
강선영 안양서 251
강선영 인천서 291
강선이 중랑서 211
강선홍 대전청 320
강선희 영등포서 201
강선희 구리서 226
강선희 목포서 376
강선희 조세재정 510
강설화 해남서 382
강성구 금감원 96
강성권 구리서 227
강성길 서초서 188
강성길 경기광주 360
강성대 북대전서 245
강성률 동대문서 327
강성문 부산청 460
강성민 순천서 176
강성민 부산청 379
강성빈 다솔세무 439
강성식 서광주서 35
강성욱 홍천서 372
강성원 순천서 274
강성원 삼정회계 378
강성원 서현회계 19
강성윤 광주청 6
강성은 영등포서 368
강성준 기재부 201
강성준 광주청 70
강성태 부산진서 364
강성팔 국세청 447
강성팔 국세청 114
강성헌 동안산서 115
강성현 동안양서 116
강성현 시흥서 249
강성호 광주청 119
강성호 김해서 234
강성환 성북서 363
강성훈 분당서 467
강성훈 조세재정 209
강성훈 익산서 192
강세정 포천서 237
강세희 의정부서 300
강소라 인천청 511
강소라 김포서 310
강소령 청주서 128
강소여 부평서 279
강소연 국세청 298
강소연 삼성서 355
강소정 서광주서 307
강소정 도봉서 111
강송현 삼성서 184
강수경 경기광주 372
강수림 동화회계 174
강수미 국세청 184
강수빈 관악서 245
강수빈 안산서 259

강수성 북전주서 388
강수아 기흥서 461
강수연 동울산서 142
강수원 서울청 476
강수은 통영서 409
강수정 북대구서 194
강수지 송파서 160
강수현 강동서 257
강순자 평택서 256
강순택 중부청 223
강술기 동대문서 177
강슬기 이천서 254
강슬아 해운대서 459
강승구 서울청 146
강승구 거창서 300
강승룡 동고양서 411
강승묵 서대구서 456
강승우 중부산서 459
강승원 해운대서 63
강사원 성남서 238
강승조 남대구서 405
강승지 서울청 151
강승현 경기광주 245
강승훈 동울산서 460
강승훈 동대문서 177
강승훈 경기광주 245
강신국 한울회계 27
강신우 국세청 118
강신오 인천청 284
강신준 조세재정 511
강신태 성동서 191
강신태 진주서 473
강신철 보령서 334
강신혁 보령서 335
강신혁 조세재정 508
강신형 조세재정 509
강신형 서울지방 32
강아라 순천서 379
강아름 구로서 166
강안나 대전청 322
강양육 부산진서 447
강여울 연수서 380
강여원 중부청 225
강여정 도봉서 175
강연우 포천서 314
강연태 수영서 454
강영구 분당서 237
강영규 기재부 66
강영묵 마포서 180
강영미 서부산서 452
강영수 금융위 87
강영식 통영서 477
강영자 대전청 320
강영정 제주서 478
강영춘 북부산서 272
강영희 김포서 450
강예린 구미서 298
강예리 해남서 418
강예진 서울청 383
강예진 부천서 141
강옥형 북부산서 304
강외숙 고양서 450
강용 남원서 294
강용구 조세심판 387
강용명 북광주서 507
강용수 삼성서 370
강용수 중부청 185
강용철 서대구서 221
강우진 영월서 410
강우중 택스홈 38
강원경 진주서 269
강원일 전주서 473
강유나 대전청 392
강유리 기재부 325
강유미 법무지평 51
강유미 반포서 183
강유신 제주서 478
강유정 구로서 167
강유정 서초서 188
강유진 창원서 474
강유진 영월서 269
강윤경 인천청 291
강윤성 서부산서 453
강윤진 서울청 136
강윤진 시흥서 242
강윤경 인천서 291
강윤성 중부청 219
강윤성 광주청 363

| 이름 | 소속 | 쪽 |
|---|---|---|
| 강윤영 | 김포서 | 298 |
| 강윤정 | 충무1과 | 356 |
| 강윤지 | 중부청 | 222 |
| 강윤지 | 광주청 | 361 |
| 강윤진 | 기재부 | 72 |
| 강윤학 | 서대전서 | 329 |
| 강윤형 | 수원서 | 240 |
| 강윤화 | 서대전서 | 329 |
| 강은경 | 안양서 | 251 |
| 강은비 | 포항서 | 430 |
| 강은빈 | 제주서 | 478 |
| 강은선 | 금정서 | 442 |
| 강은솔 | 고양서 | 295 |
| 강은숙 | 용산서 | 203 |
| 강은순 | 북부산서 | 451 |
| 강은실 | 서울청 | 138 |
| 강은실 | 구로서 | 166 |
| 강은아 | 예산서 | 342 |
| 강은영 | 부산청 | 436 |
| 강은영 | 기재부 | 72 |
| 강은영 | 서울청 | 152 |
| 강은영 | 경기광주 | 244 |
| 강은진 | 수성서 | 413 |
| 강은호 | 마포서 | 181 |
| 강은희 | 수원서 | 241 |
| 강이근 | 나주서 | 375 |
| 강이나 | 창원서 | 474 |
| 강이은 | 서울청 | 136 |
| 강인석 | 북전주서 | 389 |
| 강인성 | 기재부 | 328 |
| 강인성 | 신한관세 | 44 |
| 강인숙 | 서대문서 | 187 |
| 강인숙 | 남대구서 | 454 |
| 강인순 | 다솔세무 | 404 |
| 강인욱 | 중부청 | 35 |
| 강인주 | 기재부 | 220 |
| 강인태 | 강서서 | 81 |
| 강인한 | 양천서 | 163 |
| 강인행 | 서인천서 | 197 |
| 강인혜 | 서울청 | 289 |
| 강인혜 | 마포서 | 154 |
| 강인호 | 다솔세무 | 181 |
| 강임현 | 국세청 | 118 |
| 강장욱 | 중랑서 | 210 |
| 강장환 | 종로서 | 209 |
| 강재구 | 감사원 | 63 |
| 강재근 | 서대전서 | 328 |
| 강재신 | 양천서 | 196 |
| 강재원 | 국세청 | 122 |
| 강재원 | 서울청 | 154 |
| 강재운 | 기재부 | 84 |
| 강재희 | 김해서 | 466 |
| 강정구 | 서울청 | 149 |
| 강정규 | 강서서 | 162 |
| 강정님 | 광주서 | 368 |
| 강정대 | 수영서 | 454 |
| 강정모 | 서울청 | 138 |
| 강정목 | 금천서 | 168 |
| 강정민 | 구리서 | 226 |
| 강정석 | 포천서 | 314 |
| 강정석 | 포항서 | 431 |
| 강정선 | 중부청 | 221 |
| 강정선 | 마산서 | 469 |
| 강정수 | 서울청 | 134 |
| 강정수 | 관세청 | 483 |
| 강정숙 | 대전청 | 319 |
| 강정연 | 부산진서 | 447 |
| 강정원 | 부평서 | 307 |
| 강정일 | 삼성서 | 184 |
| 강정호 | 수원서 | 240 |
| 강정호 | 영덕서 | 426 |
| 강정화 | 금천서 | 169 |
| 강정환 | 남대구서 | 404 |
| 강정훈 | 울산서 | 463 |
| 강정훈 | 기재부 | 78 |
| 강정희 | 서울청 | 157 |
| 강정희 | 정읍서 | 394 |
| 강종근 | 제주서 | 478 |
| 강종만 | 동대문서 | 177 |
| 강종식 | 다솔세무 | 35 |
| 강종원 | 국세청 | 35 |
| 강종훈 | 서울청 | 135 |
| 강주빈 | 중부청 | 136 |
| 강주연 | 서울청 | 166 |
| 강주영 | 포항서 | 221 |
| 강주원 | 강동서 | 149 |
| 강주은 | 강동서 | 160 |
| 강주현 | 중부청 | 223 |
| 강준 | | |
| 강준구 | 수원서 | 240 |
| 강준모 | 해운대서 | 451 |
| 강준오 | 서울청 | 72 |
| 강준원 | 해운대서 | 458 |
| 강준이 | 기재부 | 143 |
| 강준혁 | 포항서 | 72 |
| 강준현 | 현대회계 | 430 |
| 강준현 | 국회정무 | 28 |
| 강준호 | 이천서 | 60 |
| 강준희 | 기재부 | 254 |
| 강중호 | 광주청 | 84 |
| 강지만 | 강산서 | 80 |
| 강지선 | 서울청 | 364 |
| 강지선 | 서부산서 | 366 |
| 강지성 | 영등포서 | 147 |
| 강지수 | 국세청 | 361 |
| 강지수 | 고양서 | 452 |
| 강지안 | 성남서 | 201 |
| 강지연 | 파주서 | 128 |
| 강지연 | 천안서 | 295 |
| 강지우 | 대구청 | 475 |
| 강지우 | 충주서 | 239 |
| 강지원 | 성남서 | 312 |
| 강지원 | 중부청 | 344 |
| 강지원 | 동대구서 | 400 |
| 강지윤 | 서울청 | 356 |
| 강지윤 | 동대문서 | 108 |
| 강지은 | 삼성서 | 225 |
| 강지은 | 강남서 | 406 |
| 강지은 | 도봉서 | 252 |
| 강지인 | 화성서 | 134 |
| 강지현 | 연수서 | 176 |
| 강지현 | 진주서 | 326 |
| 강지현 | 법무광장 | 184 |
| 강지혜 | 강서서 | 159 |
| 강지혜 | 동안산서 | 163 |
| 강지혜 | 서울청 | 174 |
| 강지훈 | 동청주서 | 261 |
| 강지훈 | 금정서 | 308 |
| 강지훈 | 제주서 | 472 |
| 강진 | 광주청 | 48 |
| 강진경 | 창원서 | 162 |
| 강진성 | 기재부 | 249 |
| 강진성 | 경기광주 | 137 |
| 강진영 | 국세청 | 348 |
| 강진영 | 중부청 | 443 |
| 강진호 | 기재부 | 478 |
| 강찬호 | 서울청 | 362 |
| 강창호 | | 475 |
| 강창식 | 부천서 | 77 |
| 강창희 | 서울청 | 244 |
| 강채업 | 안산서 | 128 |
| 강체윤 | 진주서 | 128 |
| 강초롱 | 조세재정 | 224 |
| 강초희 | 천안서 | 421 |
| 강탁수 | 반포서 | 73 |
| 강태경 | 용산서 | 143 |
| 강태민 | 순천서 | 84 |
| 강태수 | 기재부 | 305 |
| 강태양 | 국세청 | 143 |
| 강태양 | 광주서 | 478 |
| 강태욱 | 국세청 | 247 |
| 강태윤 | 기재부 | 473 |
| 강태윤 | 현대회계 | 194 |
| 강태진 | 전주서 | 378 |
| 강태진 | 마포서 | 74 |
| 강태호 | 마포서 | 28 |
| 강태훈 | 목포서 | 268 |
| 강택훈 | 국세청 | 392 |
| 강표 | 수원서 | 180 |
| 강필구 | 광주세관 | 376 |
| 강필규 | 조세심판 | 130 |
| 강필원 | 보령서 | 240 |
| 강하규 | 송파서 | 507 |
| 강하라 | 강릉서 | 334 |
| 강하나 | 송파서 | 194 |
| 강하덕 | 종로서 | 263 |
| 강한솔 | 부산강서 | 194 |
| | | 163 |
| | | 208 |
| | | 449 |
| 강한수 | 경기광주 | 245 |
| 강한얼 | 인천청 | 284 |
| 강해영 | 국세청 | 128 |
| 강헌구 | 부산청 | 438 |
| 강현 | 이천서 | 254 |
| 강현구 | 경산서 | 414 |
| 강현규 | 동화성서 | 259 |
| 강현길 | 국세청 | 123 |
| 강현삼 | 고시회 | 30 |
| 강현성 | 구로서 | 166 |
| 강현수 | 고시회 | 30 |
| 강현아 | 광주청 | 361 |
| 강현미 | 영동서 | 350 |
| 강현애 | 강동서 | 161 |
| 강현영 | 서대전서 | 329 |
| 강현우 | 양천서 | 196 |
| 강현욱 | 포천서 | 314 |
| 강현웅 | 서울청 | 141 |
| 강현정 | 기재부 | 70 |
| 강현정 | 노원서 | 172 |
| 강현정 | 논산서 | 332 |
| 강현주 | 서울청 | 152 |
| 강현주 | 강동서 | 161 |
| 강현주 | 도봉서 | 174 |
| 강현주 | 서인천서 | 192 |
| 강현주 | 예산서 | 289 |
| 강현진 | 남부천서 | 342 |
| 강현창 | 인천청 | 302 |
| 강현철 | 잠실서 | 283 |
| 강형구 | 남인천청 | 206 |
| 강형규 | 국세청 | 99 |
| 강형석 | 중기회 | 113 |
| 강혜경 | 역삼서 | 102 |
| 강혜경 | 잠실서 | 199 |
| 강혜란 | 마산서 | 206 |
| 강혜리 | 조세심판 | 469 |
| 강혜리 | 예산서 | 507 |
| 강혜린 | 광산서 | 343 |
| 강혜송 | 진주서 | 367 |
| 강혜수 | 광주서 | 472 |
| 강혜수 | 송파서 | 369 |
| 강혜연 | 파주서 | 195 |
| 강혜연 | 기재부 | 313 |
| 강혜연 | 서대문서 | 66 |
| 강혜윤 | 시흥서 | 187 |
| 강혜윤 | 평택서 | 242 |
| 강혜은 | 북대전서 | 257 |
| 강혜은 | 부산청 | 326 |
| 강혜정 | 성동서 | 438 |
| 강혜정 | 김해서 | 191 |
| 강혜지 | 진주서 | 467 |
| 강혜진 | 반포서 | 472 |
| 강혜진 | 천안서 | 183 |
| 강혜진 | 성북서 | 378 |
| 강호성 | 양천서 | 192 |
| 강호연 | 수원서 | 197 |
| 강호인 | 인천청 | 241 |
| 강호인 | 고양서 | 280 |
| 강호종 | 국세청 | 295 |
| 강호현 | 창원서 | 128 |
| 강홍일 | 동부산서 | 475 |
| 강화리 | 서울청 | 456 |
| 강화영 | 중부청 | 136 |
| 강효석 | 동래서 | 452 |
| 강효정 | 순천서 | 121 |
| 강훈 | 기재부 | 408 |
| 강훈식 | 수원서 | 128 |
| 강휘 | 대전청 | 222 |
| 강흥석 | 국회정무 | 185 |
| 강흥수 | 구로서 | 60 |
| 강희경 | 연수서 | 240 |
| 강희다 | 마산서 | 167 |
| 강희민 | 서울청 | 309 |
| 강희수 | 부산서 | 469 |
| 강희언 | 목포서 | 142 |
| 강희우 | 대전서 | 436 |
| 강희우 | 아산서 | 376 |
| 강희웅 | 제주서 | 77 |
| 강희윤 | 조세재정 | 325 |
| 강희윤 | 진주서 | 340 |
| 강희우 | 조세재정 | 509 |
| 강희웅 | 조세재정 | 509 |
| 강희욱 | 부천서 | 174 |
| 강희웅 | 제천서 | 352 |
| 강희윤 | 성동서 | 190 |
| 강희정 | 동고양서 | 301 |
| 강희정 | 광주청 | 361 |
| 강희정 | 동울산서 | 461 |
| 강희중 | 기재부 | 68 |
| 강희진 | 기재부 | 74 |
| 강희천 | 북대전서 | 290 |
| 경수현 | 부산청 | 439 |
| 경유림 | 남대전서 | 326 |
| 경재찬 | 성남서 | 239 |
| 경지수 | 의정부서 | 310 |
| 계강훈 | 기재부 | 71 |
| 계구봉 | 강남서 | 159 |
| 계룡 | 논산서 | 333 |
| 계봉성 | 삼정회계 | 20 |
| 계현희 | 계양서 | 292 |
| 고강민 | 서초서 | 189 |
| 고결 | 대전청 | 320 |
| 고경균 | 제주서 | 478 |
| 고경만 | 서대문서 | 186 |
| 고경수 | 마포서 | 181 |
| 고경구 | 국세청 | 119 |
| 고경일 | 중부청 | 217 |
| 고경진 | 시흥서 | 130 |
| 고경태 | EY한영 | 243 |
| 고계명 | 제주서 | 12 |
| 고광남 | 기재부 | 479 |
| 고광도 | 예일세무 | 84 |
| 고광민 | 서울청 | 40 |
| 고광철 | 기재부 | 146 |
| 고광현 | 구미서 | 73 |
| 고광환 | 관세청 | 454 |
| 고광효 | 관세청 | 418 |
| 고규진 | 제주서 | 403 |
| 고균석 | 나주서 | 481 |
| 고근수 | 제주서 | 482 |
| 고기석 | 해운대서 | 478 |
| 고기태 | 북대구서 | 459 |
| 고기훈 | 국세청 | 409 |
| 고길현 | 국세청 | 128 |
| 고당훈 | 딜로이트 | 380 |
| 고대권 | 인천청 | 123 |
| 고대근 | 기재부 | 13 |
| 고대현 | 동안양서 | 282 |
| 고대홍 | 국세청 | 69 |
| 고덕상 | 국세청 | 235 |
| 고덕현 | 기재부 | 109 |
| 고동성 | 포천서 | 108 |
| 고동환 | 부산서 | 298 |
| 고만수 | 마포서 | 72 |
| 고명순 | 국세청 | 314 |
| 고명현 | 연수서 | 441 |
| 고명효 | 광주세관 | 180 |
| 고명훈 | 대전청 | 115 |
| 고문수 | 노원서 | 468 |
| 고미경 | 동작서 | 309 |
| 고미랑 | 인천서 | 172 |
| 고미숙 | 국세청 | 178 |
| 고민경 | 의정부서 | 252 |
| 고민석 | 노원서 | 290 |
| 고민수 | 서인천서 | 310 |
| 고민지 | 제주서 | 172 |
| 고민지 | 반포서 | 288 |
| 고민철 | 동청주서 | 182 |
| 고민하 | 제주서 | 479 |
| 고배덕 | 남동서 | 287 |
| 고병덕 | 원주서 | 270 |
| 고병렬 | 진주서 | 473 |
| 고병열 | 영주서 | 202 |
| 고병재 | 금감원 | 428 |
| 고병준 | 분당서 | 96 |
| 고보해 | 대전청 | 314 |
| 고복님 | 광주청 | 237 |
| 고복이 | 광주세관 | 322 |
| 고봉국 | 제주서 | 189 |
| 고봉균 | 부천서 | 305 |
| 고부경 | 동안양서 | 235 |
| 고빛나 | 동안양서 | 375 |
| 고상권 | 파주서 | 313 |
| 고상기 | 청주서 | 354 |
| 고상덕 | 기재부 | 67 |
| 고상범 | 금융위 | 87 |
| 고상석 | 금감원 | 91 |
| 고상용 | 성북서 | 192 |
| 고상원 | 고양서 | 294 |
| 고상현 | 택스홈 | 38 |
| 고상훈 | 서울청 | 144 |
| 고서연 | 광산서 | 455 |
| 고서영 | 삼성서 | 366 |
| 고석봉 | 광주청 | 184 |
| 고석중 | 관세청 | 162 |
| 고석진 | 인천서 | 363 |
| 고석철 | 북전주서 | 482 |
| 고석순 | 현대회계 | 291 |
| 고석환 | 홍성서 | 389 |
| 고석희 | 광주청 | 347 |
| 고선미 | 군산서 | 363 |
| 고선주 | 전주서 | 385 |
| 고선주 | 국세청 | 392 |
| 고선혜 | 서인천서 | 115 |
| 고설민 | 동대구서 | 279 |
| 고성렬 | 인천청 | 288 |
| 고성순 | 동대구서 | 406 |
| 고성헌 | 도봉서 | 175 |
| 고성호 | 서울청 | 150 |
| 고성희 | 송파서 | 194 |
| 고세훈 | 국세청 | 117 |
| 고수영 | 법무지평 | 51 |
| 고수영 | 세종서 | 339 |
| 고수진 | 광산서 | 366 |
| 고승균 | 중기회 | 103 |
| 고승용 | 성현회계 | 11 |
| 고승홍 | 서울청 | 153 |
| 고승희 | 세종서 | 338 |
| 고아라 | 조세재정 | 511 |
| 고아라 | 강동서 | 161 |
| 고아영 | 동안산서 | 249 |
| 고양숙 | 서울청 | 136 |
| 고연기 | 법무세종 | 219 |
| 고연우 | 고양청 | 50 |
| 고영남 | 김포서 | 299 |
| 고영동 | 고양청 | 355 |
| 고영록 | 제주서 | 479 |
| 고영배 | 고시회 | 30 |
| 고영상 | 기재부 | 72 |
| 고영숙 | 국세청 | 129 |
| 고영욱 | 서울청 | 143 |
| 고영일 | 강남서 | 158 |
| 고영일 | 강서서 | 163 |
| 고영조 | 기재부 | 77 |
| 고영준 | 중부청 | 225 |
| 고영준 | 대구청 | 397 |
| 고영철 | 대구청 | 401 |
| 고영호 | 대구청 | 402 |
| 고영환 | 제주서 | 478 |
| 고영훈 | 울산서 | 282 |
| 고예나 | 송파서 | 463 |
| 고예지 | 국세청 | 195 |
| 고예미 | 중부청 | 125 |
| 고완구 | 금감원 | 216 |
| 고완병 | 고양서 | 87 |
| 고우리 | 동고양서 | 301 |
| 고우성 | 동대문서 | 177 |
| 고운이 | 제주서 | 479 |
| 고원정 | 강남서 | 158 |
| 고유경 | 영등포서 | 200 |
| 고유경 | 반포서 | 151 |
| 고유나 | 나주서 | 374 |
| 고유나 | 동안양서 | 234 |
| 고유림 | 중부청 | 220 |
| 고유영 | 제주서 | 479 |
| 고유석 | 강남서 | 158 |
| 고윤정 | 인천서 | 291 |
| 고윤석 | 구로서 | 166 |
| 고윤석 | 부천서 | 304 |
| 고유림 | 제주서 | 478 |
| 고유영 | 반포서 | 182 |
| 고유석 | 포천서 | 80 |
| 고유석 | 동화성서 | 258 |
| 고윤정 | 분당서 | 237 |
| 고윤정 | 대전청 | 463 |
| 고윤형 | 서초서 | 235 |
| 고윤형 | 동안양서 | 447 |
| 고은경 | 부산진서 | 35 |
| 고은미 | 다솔세무 | 253 |
| 고은성 | 용인서 | 106 |
| 고은비 | 국세청 | 246 |
| 고은선 | 안산서 | 217 |
| 고은선 | 중부청 | |

| | | |
|---|---|---|
| 고은정 | 서산서 | 336 |
| 고은정 | 제천서 | 353 |
| 고은주 | 종로서 | 208 |
| 고은혜 | 중부청 | 225 |
| 고은희 | 국세청 | 128 |
| 고은희 | 김포서 | 299 |
| 고의환 | 대전청 | 321 |
| 고의환 | 전주서 | 393 |
| 고인수 | 성남서 | 239 |
| 고인식 | 동울산서 | 460 |
| 고인준 | 현대회계 | 28 |
| 고일명 | 국세청 | 107 |
| 고임형 | 삼성서 | 185 |
| 고재국 | 서울청 | 142 |
| 고재근 | 남대구서 | 405 |
| 고재민 | 서울청 | 149 |
| 고재봉 | 북대구서 | 408 |
| 고재성 | 해남서 | 383 |
| 고재우 | 제천서 | 352 |
| 고재윤 | 경기광주 | 245 |
| 고재화 | 하나세무 | 39 |
| 고재환 | 목포서 | 376 |
| 고정근 | 광명서 | 296 |
| 고정란 | 동작서 | 179 |
| 고정선 | 강서서 | 162 |
| 고정애 | 북부산서 | 451 |
| 고정은 | 국세청 | 112 |
| 고정주 | 인천청 | 282 |
| 고정진 | 삼성서 | 185 |
| 고정환 | 대전청 | 321 |
| 고정희 | 기재부 | 81 |
| 고정연 | 국세청 | 123 |
| 고종관 | 남부천서 | 303 |
| 고종원 | 북부산서 | 450 |
| 고종철 | 천안서 | 344 |
| 고주석 | 국세청 | 113 |
| 고주연 | 성동서 | 191 |
| 고주환 | 부산청 | 434 |
| 고준석 | 서울청 | 143 |
| 고지원 | 부산진서 | 446 |
| 고지원 | 제주서 | 479 |
| 고지은 | 제주서 | 478 |
| 고지체 | 국세청 | 110 |
| 고지현 | 중부청 | 225 |
| 고지현 | 조세재정 | 508 |
| 고지환 | 마포서 | 180 |
| 고진곤 | 부평서 | 307 |
| 고진수 | 연수서 | 309 |
| 고진수 | 거창서 | 465 |
| 고진숙 | 기흥서 | 228 |
| 고창기 | 제주서 | 479 |
| 고창수 | 조세재정 | 509 |
| 고창수 | 조세재정 | 509 |
| 고창우 | 제주서 | 478 |
| 고철호 | 천안서 | 344 |
| 고태영 | 강남서 | 159 |
| 고태일 | 노원서 | 172 |
| 고태혁 | 김해서 | 466 |
| 고택수 | 제주서 | 479 |
| 고필권 | 전주서 | 392 |
| 고한빛 | 북전주서 | 388 |
| 고혁준 | 서울청 | 146 |
| 고현 | 서인천서 | 289 |
| 고현숙 | 양천서 | 197 |
| 고현숙 | 분당서 | 237 |
| 고현식 | 다솔세무 | 35 |
| 고현웅 | 노원서 | 172 |
| 고현일 | 강서서 | 163 |
| 고현재 | 군산서 | 384 |
| 고현주 | 강서서 | 162 |
| 고현주 | 관악서 | 164 |
| 고현주 | 중부청 | 219 |
| 고현주 | 북부산서 | 450 |
| 고현준 | 서울청 | 144 |
| 고현진 | 현대회계 | 28 |
| 고현호 | 서울청 | 153 |
| 고형관 | 반포서 | 182 |
| 고혜영 | 광주세관 | 505 |
| 고혜진 | 동대문서 | 177 |
| 고혜진 | 대전청 | 321 |
| 고혜진 | 남원서 | 386 |
| 고호경 | 화성서 | 261 |
| 고호석 | 국세청 | 121 |
| 고흥주 | 진주서 | 472 |
| 고희경 | 서울청 | 139 |
| 고희주 | 제주서 | 478 |
| 공귀환 | 기재부 | 73 |
| 공기성 | 천안서 | 344 |
| 공다인 | 북광주서 | 370 |
| 공대귀 | 남원서 | 386 |
| 공덕환 | 서울청 | 135 |
| 공동준 | 기재부 | 69 |
| 공매도특 | 금감원 | 96 |
| 공명진 | 기재부 | 81 |
| 공미경 | 울산서 | 462 |
| 공미영 | 해운대서 | 458 |
| 공미자 | 북전주서 | 389 |
| 공민석 | 김해서 | 467 |
| 공민지 | 인천청 | 278 |
| 공민호 | 부산진서 | 447 |
| 공병국 | 해남서 | 382 |
| 공보선 | 마산서 | 468 |
| 공상권 | 부산세관 | 496 |
| 공석환 | 중부청 | 217 |
| 공선미 | 경기광주 | 244 |
| 공선영 | 중부서 | 213 |
| 공성웅 | 대구청 | 398 |
| 공성원 | 양산서 | 470 |
| 공성회 | 인천공항 | 492 |
| 공숙영 | 기재부 | 70 |
| 공순권 | 인천지방 | 33 |
| 공신혜 | 화성서 | 260 |
| 공영은 | 평택서 | 256 |
| 공영칠 | 서현회계 | 7 |
| 공요환 | 조세재정 | 511 |
| 공용성 | 인천서 | 291 |
| 공원재 | 인천청 | 278 |
| 공원택 | 국세청 | 131 |
| 공윤미 | 경산서 | 414 |
| 공은주 | 북대전서 | 327 |
| 공을상 | 북부산서 | 451 |
| 공익준 | 이촌회계 | 24 |
| 공인호 | 동대구서 | 407 |
| 공자빈 | 잠실서 | 206 |
| 공정민 | 시흥서 | 243 |
| 공정시장 | 금융위 | 87 |
| 공정원 | 남대구서 | 405 |
| 공주영 | 기재부 | 84 |
| 공주희 | 국세청 | 109 |
| 공지훈 | 광주세관 | 504 |
| 공진배 | 서울청 | 141 |
| 공채원 | 동수원서 | 232 |
| 공태운 | 은평서 | 205 |
| 공태웅 | 파주서 | 312 |
| 공현주 | 서울청 | 152 |
| 공현택 | 인천지방 | 33 |
| 공효신 | 송파서 | 195 |
| 공효정 | 중부청 | 218 |
| 공휘람 | 양산서 | 471 |
| 공희현 | 인천서 | 290 |
| 곽가은 | 동안양서 | 235 |
| 곽건우 | 부산진서 | 446 |
| 곽경미 | 동수원서 | 232 |
| 곽경진 | 삼일회계 | 16 |
| 곽경훈 | 서울세관 | 485 |
| 곽경훈 | 서울세관 | 487 |
| 곽귀명 | 김해서 | 466 |
| 곽규백 | 현대회계 | 28 |
| 곽규택 | 국회법제 | 58 |
| 곽기복 | 광주세관 | 502 |
| 곽길영 | 시흥서 | 242 |
| 곽내원 | 법무대륜 | 45 |
| 곽다혜 | 창원서 | 474 |
| 곽동대 | 서울청 | 134 |
| 곽동윤 | 구로서 | 166 |
| 곽동훈 | 부천서 | 304 |
| 곽동훈 | 법무광장 | 48 |
| 곽락원 | 홍천서 | 274 |
| 곽무철 | 부산청 | 437 |
| 곽문희 | 논산서 | 333 |
| 곽미경 | 송파서 | 194 |
| 곽미경 | 대구청 | 400 |
| 곽미나 | 서울청 | 137 |
| 곽미선 | 전주서 | 393 |
| 곽미송 | 동화성서 | 258 |
| 곽미숙 | 동래서 | 445 |
| 곽민경 | 순천서 | 378 |
| 곽민경 | 대구청 | 399 |
| 곽민석 | 동울산서 | 460 |
| 곽민성 | 양천서 | 196 |
| 곽민정 | 서울청 | 156 |
| 곽민정 | 성북서 | 193 |
| 곽민지 | 대전서 | 324 |
| 곽민호 | 광산서 | 366 |
| 곽민환 | 딜로이트 | 13 |
| 곽범국 | 중기회 | 102 |
| 곽범준 | 금감원 | 91 |
| 곽병길 | 종로서 | 209 |
| 곽병철 | 원주서 | 271 |
| 곽보경 | 이천서 | 254 |
| 곽봉섭 | 종로서 | 209 |
| 곽봉화 | 북대구서 | 408 |
| 곽상민 | 조세심판 | 506 |
| 곽상은 | 동래서 | 444 |
| 곽상현 | 기재부 | 80 |
| 곽새미 | 북광주서 | 371 |
| 곽성용 | 노원서 | 172 |
| 곽성준 | 반포서 | 183 |
| 곽성준 | 광주세관 | 505 |
| 곽세욱 | 평택서 | 256 |
| 곽세운 | 삼성서 | 184 |
| 곽소라 | 해운대서 | 458 |
| 곽소희 | 기재부 | 77 |
| 곽수정 | 경기광주 | 245 |
| 곽수진 | 평택서 | 256 |
| 곽승훈 | 인천청 | 279 |
| 곽시명 | 태평양 | 52 |
| 곽영경 | 국세청 | 117 |
| 곽영국 | 태평양 | 52 |
| 곽영근 | 김해서 | 466 |
| 곽영미 | 서대문서 | 187 |
| 곽용석 | 동대문서 | 176 |
| 곽용석 | 창원서 | 475 |
| 곽용은 | 국세청 | 130 |
| 곽용재 | 순천서 | 378 |
| 곽우정 | 영주서 | 429 |
| 곽원섭 | 금감원 | 93 |
| 곽원욱 | 조세재정 | 510 |
| 곽원일 | 부산진서 | 446 |
| 곽윤영 | 창원서 | 474 |
| 곽윤정 | 안산서 | 246 |
| 곽윤희 | 금천서 | 168 |
| 곽은미 | 창원서 | 475 |
| 곽은선 | 화성서 | 260 |
| 곽은정 | 서울청 | 141 |
| 곽은희 | 경기광주 | 244 |
| 곽인송 | 다솔세무 | 35 |
| 곽인혜 | 노원서 | 172 |
| 곽장운 | 김앤장 | 47 |
| 곽재석 | 광주세관 | 501 |
| 곽재석 | 광주세관 | 502 |
| 곽재승 | 중부청 | 223 |
| 곽재원 | 광주청 | 360 |
| 곽재형 | 인천청 | 284 |
| 곽정민 | 금감원 | 92 |
| 곽정수 | 기흥서 | 228 |
| 곽정은 | 도봉서 | 174 |
| 곽정환 | 기재부 | 71 |
| 곽종욱 | 반포서 | 183 |
| 곽종훈 | 성동서 | 191 |
| 곽주권 | 국세청 | 121 |
| 곽준옥 | 평택서 | 257 |
| 곽지은 | 국세청 | 121 |
| 곽지혜 | 기재부 | 77 |
| 곽지훈 | 서울청 | 145 |
| 곽지훈 | 북대전서 | 326 |
| 곽진우 | 인천서 | 290 |
| 곽진우 | 진주서 | 472 |
| 곽진주 | 하나세무 | 39 |
| 곽진후 | 노원서 | 173 |
| 곽진희 | 화성서 | 261 |
| 곽채윤 | 인천서 | 291 |
| 곽철규 | 남대구서 | 404 |
| 곽충험 | 조세심판 | 506 |
| 곽한식 | 부산청 | 436 |
| 곽한율 | 용인서 | 253 |
| 곽현숙 | 동래서 | 444 |
| 곽현승 | 성동서 | 191 |
| 곽형신 | 국세청 | 120 |
| 곽혜원 | 서울청 | 144 |
| 곽혜정 | 중부청 | 218 |
| 곽혜지 | 김해서 | 466 |
| 곽호현 | 중부청 | 216 |
| 곽훈 | 포천서 | 315 |
| 곽희경 | 서울청 | 157 |
| 곽희준 | 다솔세무 | 35 |
| 구경렬 | 감사원 | 63 |
| 구경수 | 성동서 | 191 |
| 구경식 | 부산청 | 435 |
| 구경아 | 동래서 | 444 |
| 구경임 | 부산진서 | 447 |
| 구경택 | 진주서 | 472 |
| 구광모 | 구미서 | 418 |
| 구교성 | 기재부 | 70 |
| 구규완 | 화성서 | 261 |
| 구근랑 | 대구청 | 403 |
| 구남규 | 조세재정 | 510 |
| 구대중 | 북광주서 | 371 |
| 구동욱 | 서대문서 | 187 |
| 구동원 | 기재부 | 82 |
| 구명옥 | 서울청 | 147 |
| 구명옥 | 보령서 | 335 |
| 구명회 | 광주세관 | 505 |
| 구명희 | 안양서 | 251 |
| 구문주 | 국세청 | 113 |
| 구미선 | 영등포서 | 201 |
| 구미숙 | 동래서 | 444 |
| 구미주 | 통영서 | 477 |
| 구민 | 감사원 | 62 |
| 구민성 | 양천서 | 197 |
| 구민재 | 현대회계 | 28 |
| 구민채 | 서대전서 | 328 |
| 구병모 | 서대구서 | 410 |
| 구본 | 마산서 | 468 |
| 구본경 | 금감원 | 100 |
| 구본균 | 기재부 | 81 |
| 구본균 | 동안양서 | 235 |
| 구본기 | 서울청 | 151 |
| 구본섭 | 중부청 | 217 |
| 구본옥 | 기재부 | 84 |
| 구본하 | 강서서 | 162 |
| 구상수 | 법무지평 | 51 |
| 구상은 | 중부산서 | 456 |
| 구선영 | 서초서 | 189 |
| 구선영 | 영등포서 | 201 |
| 구선희 | 중부산서 | 456 |
| 구섭본 | 관세사회 | 42 |
| 구성숙 | 북전주서 | 389 |
| 구성진 | 부산청 | 439 |
| 구세윤 | 국세청 | 111 |
| 구세윤 | 국세청 | 120 |
| 구세진 | 서초서 | 189 |
| 구소림 | 북대구서 | 408 |
| 구수목 | 동대구서 | 406 |
| 구수연 | 부산청 | 439 |
| 구수정 | 인천청 | 279 |
| 구순옥 | 국세청 | 124 |
| 구순옥 | 서울청 | 140 |
| 구승민 | 국세청 | 123 |
| 구승완 | 대전청 | 321 |
| 구승원 | 남양주서 | 230 |
| 구승현 | 금정서 | 443 |
| 구신영 | 서대구서 | 410 |
| 구아림 | 서대문서 | 187 |
| 구아현 | 중부청 | 224 |
| 구양훈 | 서현회계 | 7 |
| 구양훈 | 서현회계 | 7 |
| 구연수 | 중부산서 | 456 |
| 구영대 | 구로서 | 167 |
| 구영민 | 서울청 | 148 |
| 구영범 | 부산강서 | 449 |
| 구영진 | 국세청 | 116 |
| 구옥선 | 서울청 | 138 |
| 구용모 | 역삼서 | 198 |
| 구유미 | 광주세관 | 505 |
| 구윤모 | 조세재정 | 509 |
| 구윤희 | 광주서 | 368 |
| 구은숙 | 보령서 | 335 |
| 구은주 | 강동서 | 161 |
| 구응서 | 화성서 | 260 |
| 구인성 | 동작서 | 178 |
| 구자근 | 국회재정 | 56 |
| 구자양 | 김해서 | 466 |
| 구자영 | 기재부 | 75 |
| 구자옥 | 잠실서 | 206 |
| 구자윤 | 성남서 | 238 |
| 구자율 | 서울청 | 139 |
| 구자일 | 광주세관 | 505 |
| 구자헌 | 동화성서 | 259 |
| 구자호 | 중부청 | 221 |
| 구재효 | 관악서 | 164 |
| 구재흥 | 서울청 | 152 |
| 구정대 | 기재부 | 72 |
| 구정석 | 광주세관 | 504 |
| 구정숙 | 포항서 | 430 |
| 구제승 | 다솔세무 | 35 |
| 구제승 | 다솔세무 | 35 |
| 구종환 | 김앤장 | 47 |
| 구지은 | 김포서 | 299 |
| 구진선 | 안산서 | 246 |
| 구진아 | 종로서 | 208 |
| 구진영 | 마포서 | 180 |
| 구차성 | 금감원 | 100 |
| 구태민 | 부산세관 | 496 |
| 구태환 | 중부청 | 220 |
| 구태효 | 해운대서 | 459 |
| 구태훈 | 상주서 | 423 |
| 구태휴 | 순천서 | 378 |
| 구판서 | 전주서 | 392 |
| 구표수 | 부평서 | 307 |
| 구해리 | 광주세관 | 504 |
| 구현근 | 인천지방 | 33 |
| 구현모 | 딜로이트 | 13 |
| 구현영 | 동안양서 | 234 |
| 구현정 | 송파서 | 195 |
| 구현지 | 영등포서 | 201 |
| 구현진 | 창원서 | 474 |
| 구현철 | 삼성서 | 185 |
| 구혜경 | 양산서 | 470 |
| 구혜란 | 중부청 | 218 |
| 구혜림 | 수성서 | 412 |
| 구혜숙 | 해남서 | 382 |
| 구혜영 | 구리서 | 227 |
| 구홍림 | 중부청 | 221 |
| 구화란 | 북부산서 | 451 |
| 구효진 | 북대전서 | 326 |
| 구훈모 | 삼성서 | 185 |
| 국경호 | 중부청 | 221 |
| 국명래 | 해남서 | 382 |
| 국봉균 | 서인천서 | 289 |
| 국세조 | 대전청 | 318 |
| 국세조 | 대전청 | 319 |
| 국세조 | 대전청 | 320 |
| 국승미 | 정읍서 | 395 |
| 국승원 | 마포서 | 181 |
| 국승훈 | 삼릉세무 | 37 |
| 국예름 | 구로서 | 167 |
| 국우진 | 국세청 | 116 |
| 국윤미 | 공주서 | 330 |
| 국태선 | 서산서 | 336 |
| 권갑선 | 대구청 | 403 |
| 권경란 | 서울청 | 150 |
| 권경미 | 대전서 | 325 |
| 권경범 | 송파서 | 195 |
| 권경숙 | 북대전서 | 326 |
| 권경숙 | 거창서 | 465 |
| 권경해 | 송파서 | 195 |
| 권경환 | 서울청 | 142 |
| 권관수 | 마포서 | 180 |
| 권교범 | 중랑서 | 210 |
| 권구성 | 안산서 | 246 |
| 권규원 | 관악서 | 165 |
| 권규종 | 역삼서 | 199 |
| 권기대 | 감사원 | 63 |
| 권기민 | 기재부 | 77 |
| 권기성 | 의정부서 | 310 |
| 권기수 | 노원서 | 172 |
| 권기영 | 감사원 | 63 |
| 권기완 | 인천청 | 284 |
| 권기정 | 기재부 | 73 |
| 권기정 | 중부청 | 220 |
| 권기주 | 이천서 | 255 |
| 권기중 | 기재부 | 69 |
| 권기창 | 반포서 | 183 |
| 권기태 | 기재부 | 66 |
| 권기태 | 딜로이트 | 13 |
| 권기현 | 서울청 | 134 |
| 권기홍 | 은평서 | 204 |
| 권기환 | 기재부 | 81 |
| 권나영 | 수영서 | 455 |
| 권나영 | 동울산서 | 461 |
| 권나예 | 중부서 | 213 |
| 권나율 | 울산서 | 463 |
| 권다혜 | 부천서 | 304 |
| 권달후 | 국세청 | 130 |
| 권대근 | 대전청 | 323 |
| 권대명 | 서대구서 | 410 |
| 권대식 | 용산서 | 202 |
| 권대영 | 금융위 | 85 |
| 권대영 | 고양서 | 295 |
| 권대웅 | 용인서 | 252 |
| 권대호 | 경주서 | 416 |
| 권대훈 | 대구청 | 399 |
| 권덕환 | 경주서 | 416 |
| 권도열 | 북광주서 | 370 |
| 권도진 | 고양서 | 294 |
| 권도현 | 인천서 | 290 |
| 권동민 | 해운대서 | 459 |
| 권동원 | 논산서 | 332 |
| 권동한 | 기재부 | 66 |
| 권두형 | 의정부서 | 311 |
| 권륜아 | 북전주서 | 388 |
| 권명윤 | 대전청 | 322 |
| 권묘향 | 서울청 | 139 |
| 권문경 | 화성서 | 261 |
| 권문연 | 기재부 | 78 |
| 권미경 | 기재부 | 78 |
| 권미경 | 노원서 | 172 |
| 권미경 | 중부청 | 218 |
| 권미라 | 기재부 | 80 |
| 권미애 | 분당서 | 237 |
| 권미연 | 조세재정 | 509 |
| 권미영 | 안동서 | 425 |
| 권미정 | 동울산서 | 460 |
| 권미희 | 중부청 | 224 |

**성명 / 근무지 / 번호**

| 성명 | 근무지 | 번호 |
|---|---|---|
| 권민경 | 안산서 | 247 |
| 권민규 | 대구청 | 399 |
| 권민상 | 기재부 | 71 |
| 권민선 | 동작서 | 179 |
| 권민선 | 용인서 | 252 |
| 권민성 | 신한관세 | 44 |
| 권민수 | 서울청 | 138 |
| 권민수 | 동작서 | 178 |
| 권민수 | 분당서 | 237 |
| 권민재 | 고양서 | 294 |
| 권민정 | 기재부 | 70 |
| 권민정 | 서울청 | 154 |
| 권민정 | 영주서 | 428 |
| 권민지 | 강남서 | 158 |
| 권민지 | 서초서 | 189 |
| 권민철 | 국세청 | 130 |
| 권민형 | 대전청 | 321 |
| 권범준 | 동대문서 | 177 |
| 권병묵 | 인천청 | 283 |
| 권병수 | 동울산서 | 460 |
| 권병일 | 수성서 | 413 |
| 권병학 | 기재부 | 69 |
| 권보란 | 마산서 | 468 |
| 권보성 | 관악서 | 165 |
| 권부환 | 강남서 | 158 |
| 권산 | 동울산서 | 461 |
| 권상돈 | 한올회계 | 27 |
| 권상빈 | 영주서 | 428 |
| 권상수 | 부산청 | 436 |
| 권상식 | 부산청 | 437 |
| 권상우 | 서현회계 | 7 |
| 권상원 | 원주서 | 271 |
| 권상형 | 현대회계 | 28 |
| 권서영 | 경기광주 | 245 |
| 권석주 | 은행서 | 204 |
| 권석진 | 국세청 | 128 |
| 권석현 | 서울청 | 147 |
| 권선정 | 조세재정 | 509 |
| 권선주 | 부산진서 | 447 |
| 권선화 | 화성서 | 260 |
| 권설진 | 중부청 | 220 |
| 권성구 | 남대구서 | 405 |
| 권성대 | 서초서 | 189 |
| 권성동 | 국회정무 | 60 |
| 권성미 | 인천청 | 279 |
| 권성오 | 조세재정 | 508 |
| 권성오 | 조세재정 | 508 |
| 권성은 | EY한영 | 12 |
| 권성일 | 관세청 | 504 |
| 권성준 | 해운대서 | 458 |
| 권성준 | 창원서 | 475 |
| 권성준 | 조세재정 | 508 |
| 권성준 | 조세재정 | 509 |
| 권성철 | 기재부 | 70 |
| 권성표 | 진주서 | 473 |
| 권성현 | 서대구서 | 410 |
| 권세혁 | 동래서 | 444 |
| 권소연 | 도봉서 | 174 |
| 권소연 | 광산서 | 366 |
| 권소연 | 대구청 | 401 |
| 권수연 | 종로서 | 257 |
| 권수정 | 수영서 | 209 |
| 권수연 | 수영서 | 455 |
| 권수현 | 구미서 | 418 |
| 권순근 | 성현회계 | 11 |
| 권순도 | 중부청 | 221 |
| 권순모 | 안동서 | 424 |
| 권순배 | 기재부 | 68 |
| 권순성 | 기재부 | 77 |
| 권순식 | 북대구서 | 408 |
| 권순엽 | 구로서 | 167 |
| 권순영 | 서산서 | 337 |
| 권순영 | 동래서 | 445 |
| 권순일 | 잠실서 | 202 |
| 권순재 | 잠실서 | 206 |
| 권순찬 | 동작서 | 179 |
| 권순표 | 강감원 | 90 |
| 권순현 | 동래서 | 444 |
| 권순현 | 광주세관 | 504 |
| 권순형 | 대구청 | 398 |
| 권순호 | 강서서 | 163 |
| 권순홍 | 예일세무 | 40 |
| 권승민 | 북대구서 | 408 |
| 권승민 | 국세청 | 110 |
| 권승소 | 춘천서 | 272 |
| 권영민 | 북대구서 | 408 |
| 권영대 | 부산청 | 441 |
| 권영림 | 중부청 | 219 |
| 권영빈 | 부산강서 | 449 |
| 권영빈 | 동안산서 | 248 |
| 권영서 | 천안서 | 344 |

| 성명 | 근무지 | 번호 |
|---|---|---|
| 권영선 | 동청주서 | 348 |
| 권영숙 | 금감원 | 92 |
| 권영승 | 포항서 | 431 |
| 권영신 | 서울청 | 156 |
| 권영옥 | 김앤장 | 47 |
| 권영우 | 기재부 | 67 |
| 권영은 | 현대회계 | 28 |
| 권영조 | 동수원서 | 233 |
| 권영주 | 북대전서 | 326 |
| 권영진 | 서울청 | 142 |
| 권영진 | 구로서 | 167 |
| 권영진 | 중부청 | 222 |
| 권영창 | 안양서 | 251 |
| 권영철 | 삼덕회계 | 15 |
| 권영철 | 마산서 | 469 |
| 권영한 | 마포서 | 181 |
| 권영현 | 안동서 | 424 |
| 권영호 | 기재부 | 75 |
| 권영환 | 중부청 | 217 |
| 권영훈 | 현대회계 | 28 |
| 권영훈 | 국세청 | 117 |
| 권영희 | 남원서 | 386 |
| 권예리 | 남부천서 | 303 |
| 권예림 | 충주서 | 357 |
| 권예원 | 이천서 | 254 |
| 권예은 | 잠실서 | 206 |
| 권오광 | 연수서 | 308 |
| 권오광 | 동작서 | 178 |
| 권오교 | 남양주서 | 230 |
| 권오규 | 이천서 | 254 |
| 권오민 | 영주서 | 429 |
| 권오방 | 기재부 | 82 |
| 권오봉 | 남부천서 | 302 |
| 권오상 | 서울청 | 146 |
| 권오석 | 서울청 | 134 |
| 권오성 | 성동서 | 138 |
| 권오신 | 청주서 | 190 |
| 권오식 | 서대구서 | 354 |
| 권오영 | 남동서 | 411 |
| 권오영 | 광주세관 | 287 |
| 권오정 | 영등포서 | 504 |
| 권오진 | 중부청 | 201 |
| 권오찬 | 충주서 | 219 |
| 권오철 | 예일세무 | 357 |
| 권오형 | 충주서 | 40 |
| 권오혁 | 인천지방 | 181 |
| 권오현 | 법무광장 | 33 |
| 권오현 | 잠실서 | 49 |
| 권오홍 | 조세심판 | 179 |
| 권옥기 | 아산서 | 206 |
| 권용덕 | 국세청 | 340 |
| 권용상 | 대구서 | 125 |
| 권용익 | 동대문서 | 399 |
| 권용준 | 성북서 | 176 |
| 권용진 | 기재부 | 193 |
| 권용탁 | 태평양 | 77 |
| 권용현 | 광주세관 | 52 |
| 권용훈 | 구로서 | 505 |
| 권용훈 | 관세사회 | 167 |
| 권우건 | 국세청 | 42 |
| 권우택 | 수영서 | 123 |
| 권우현 | 영등포서 | 454 |
| 권욱일 | 도봉서 | 201 |
| 권유미 | 강남서 | 175 |
| 권유빈 | 대전청 | 158 |
| 권유심 | 북대구서 | 318 |
| 권유이 | 금융위 | 408 |
| 권유화 | 동래서 | 87 |
| 권윤대 | 국세청 | 445 |
| 권윤섭 | 용산서 | 120 |
| 권윤희 | 동울산서 | 202 |
| 권윤희 | 동작서 | 461 |
| 권은경 | 국세청 | 179 |
| 권은경 | 남동서 | 119 |
| 권은숙 | 창원서 | 286 |
| 권은순 | 김앤장 | 475 |
| 권은숙 | 진천서 | 47 |
| 권은순 | 영주서 | 168 |
| 권은영 | 기재부 | 428 |
| 권은정 | 동작서 | 68 |
| 권은호 | 남양주서 | 178 |
| 권은호 | 삼성서 | 231 |
| 권은호 | 삼성서 | 185 |
| 권이혁 | 분당서 | 236 |

| 성명 | 근무지 | 번호 |
|---|---|---|
| 권익근 | 부산청 | 439 |
| 권익선 | 금정서 | 443 |
| 권인석 | 경산서 | 415 |
| 권인숙 | 대전청 | 320 |
| 권인오 | 목포서 | 377 |
| 권자인 | 고양서 | 295 |
| 권재관 | 기재부 | 71 |
| 권재현 | 인천서 | 290 |
| 권재효 | 중부산서 | 457 |
| 권정교 | 조세재정 | 509 |
| 권정석 | 경기광주 | 245 |
| 권정석 | 남대구서 | 404 |
| 권정순 | 서울청 | 139 |
| 권정아 | 서울세관 | 485 |
| 권정아 | 서울세관 | 487 |
| 권정애 | 조세재정 | 511 |
| 권정우 | 나주서 | 375 |
| 권정우 | 구로서 | 166 |
| 권정우 | 마포서 | 181 |
| 권정훈 | 마포서 | 252 |
| 권정희 | 마포서 | 181 |
| 권종기 | 대문서 | 176 |
| 권종욱 | 송파서 | 195 |
| 권중원 | 인천공항 | 493 |
| 권중원 | 금융위 | 86 |
| 권주희 | 서울청 | 135 |
| 권준모 | 대전청 | 321 |
| 권준수 | 현대회계 | 28 |
| 권준수 | 기재부 | 73 |
| 권준혁 | 김천서 | 420 |
| 권준혁 | 중부산서 | 456 |
| 권중훈 | 시흥서 | 243 |
| 권중훈 | 포항서 | 430 |
| 권지원 | 의정부서 | 311 |
| 권지원 | 경주서 | 416 |
| 권지원 | 천안서 | 13 |
| 권지은 | 종로서 | 208 |
| 권지혜 | 부산청 | 437 |
| 권진록 | 서울청 | 462 |
| 권진솔 | 성남서 | 157 |
| 권진영 | 서울청 | 239 |
| 권진영 | 부산청 | 438 |
| 권진우 | 충주서 | 356 |
| 권진혁 | 광주세관 | 504 |
| 권진혁 | 국세청 | 108 |
| 권창현 | 강서서 | 162 |
| 권창윤 | 동안산서 | 249 |
| 권창현 | 원주서 | 270 |
| 권채윤 | 국세청 | 128 |
| 권철균 | 강남서 | 134 |
| 권철우 | 평택서 | 256 |
| 권철우 | 현대회계 | 28 |
| 권춘구 | 북대전서 | 140 |
| 권태민 | 법무광장 | 327 |
| 권태원 | 남원서 | 49 |
| 권태윤 | 서울청 | 386 |
| 권태인 | 용산서 | 146 |
| 권태인 | 마포서 | 202 |
| 권태준 | 인천공항 | 180 |
| 권태한 | 대구청 | 493 |
| 권태혁 | 마산서 | 399 |
| 권태훈 | 중부청 | 469 |
| 권택경 | 강릉서 | 270 |
| 권택형 | 경기광주 | 217 |
| 권해영 | 서울청 | 262 |
| 권혁 | 국세청 | 137 |
| 권혁규 | 현대회계 | 199 |
| 권혁기 | 딜로이트 | 28 |
| 권혁노 | 수성서 | 13 |
| 권혁란 | 남부천서 | 163 |
| 권혁만 | 국회재정 | 412 |
| 권혁빈 | 도봉서 | 302 |
| 권혁성 | 서초서 | 77 |
| 권혁수 | 공주서 | 175 |
| 권혁순 | 기재부 | 189 |
| 권혁순 | 양천서 | 330 |
| 권혁일 | 해남서 | 71 |
| 권혁재 | 경기광주 | 197 |
| 권혁주 | 천안서 | 382 |
| 권혁주 | 나주서 | 71 |
| 권혁중 | 현대회계 | 244 |
| 권혁준 | 서초서 | 344 |
| 권혁주 | 천안서 | 282 |
| 권혁중 | 현대회계 | 374 |
| 권혁준 | 서초서 | 28 |
| 권혁찬 | 기재부 | 70 |
| 권혁찬 | 종로서 | 209 |

| 성명 | 근무지 | 번호 |
|---|---|---|
| 권혁찬 | 강릉서 | 262 |
| 권혁희 | 대전서 | 324 |
| 권현목 | 상주서 | 422 |
| 권현서 | 서울청 | 141 |
| 권현숙 | 삼덕회계 | 15 |
| 권현식 | 송파서 | 195 |
| 권현신 | 양천서 | 196 |
| 권현옥 | 국세청 | 111 |
| 권현주 | 화성서 | 260 |
| 권현지 | 수성서 | 413 |
| 권현진 | 인천서 | 420 |
| 권현희 | 서울청 | 148 |
| 권혜경 | 홍천서 | 275 |
| 권혜련 | 인천청 | 282 |
| 권혜미 | 강남서 | 159 |
| 권혜연 | 부산진서 | 447 |
| 권혜연 | 국세청 | 111 |
| 권혜연 | 천안서 | 345 |
| 권혜영 | 삼성서 | 185 |
| 권혜원 | 분당서 | 236 |
| 권혜원 | 천안서 | 344 |
| 권혜지 | 마포서 | 181 |
| 권혜지 | 구로서 | 167 |
| 권혜지 | 대전청 | 318 |
| 권혁련 | 인천서 | 290 |
| 권호경 | 북대구서 | 408 |
| 권효정 | 인천서 | 291 |
| 권효정 | 강동서 | 160 |
| 권흥일 | 구리서 | 226 |
| 권희갑 | 용인서 | 252 |
| 권희외 | 이천서 | 254 |
| 권희연 | 조세재정 | 509 |
| 권희원 | 서울청 | 148 |
| 권희정 | 대구청 | 400 |
| 권희정 | 서초서 | 188 |
| 금가비 | 보령서 | 334 |
| 금기연 | 충주서 | 356 |
| 금기태 | 포항서 | 431 |
| 금다정 | 안동서 | 425 |
| 금대효 | 부산청 | 434 |
| 금동선 | 광주세관 | 504 |
| 금민서 | 구미서 | 418 |
| 금민진 | 은평서 | 204 |
| 금봉호 | 부산청 | 434 |
| 금승수 | 성북서 | 192 |
| 금승준 | 용산서 | 203 |
| 금영송 | 이천서 | 166 |
| 금영우 | 대전청 | 322 |
| 금우열 | 삼덕회계 | 15 |
| 금유선 | 부전주서 | 388 |
| 금유준 | 해운대서 | 459 |
| 금잔디 | 동대문서 | 176 |
| 금종희 | 영동서 | 350 |
| 금진희 | 강남서 | 158 |
| 금창훈 | 삼일회계 | 16 |
| 금현돈 | 역삼서 | 199 |
| 금현지 | 천안서 | 344 |
| 금정보 | 국세청 | 110 |
| 기금희 | 광주청 | 365 |
| 기남국 | 북광주서 | 370 |
| 기노선 | 광산서 | 366 |
| 기대원 | 시흥서 | 242 |
| 기두현 | 택스홈 | 38 |
| 기민준 | 광주청 | 361 |
| 기민아 | 세종서 | 338 |
| 기민정 | 상주서 | 47 |
| 기상도 | 북광주서 | 370 |
| 기승연 | 구로서 | 167 |
| 기승호 | 파주서 | 313 |
| 기아람 | 나주서 | 375 |
| 기연희 | 남동서 | 287 |
| 기영준 | 기재부 | 67 |
| 기예원 | 북광주서 | 370 |
| 기은지 | 서대문서 | 187 |
| 기은진 | 서울청 | 155 |
| 기재희 | 강서서 | 163 |
| 기중화 | 기재부 | 68 |
| 기태경 | 예산서 | 342 |
| 기회훈 | 광주세관 | 505 |
| 길기윤 | 서대전서 | 328 |
| 길남희 | 서울청 | 140 |
| 길미정 | 동고양서 | 301 |
| 길민선 | 천안서 | 344 |
| 길민선 | 조세재정 | 508 |
| 길민재 | 기흥서 | 228 |
| 길성구 | 경산서 | 414 |
| 길수정 | 인천청 | 281 |
| 길영은 | 의정부서 | 310 |
| 길요한 | 이천서 | 254 |
| 길우근 | 금융위 | 86 |

| 성명 | 근무지 | 번호 |
|---|---|---|
| 길은영 | 부천서 | 304 |
| 길혜선 | 잠실서 | 207 |
| 김가람 | 기재부 | 76 |
| 김가람 | 국세청 | 122 |
| 김가람 | 인천청 | 282 |
| 김가림 | 도봉서 | 174 |
| 김가민 | 용인서 | 252 |
| 김가연 | 노원서 | 172 |
| 김가연 | 송파서 | 194 |
| 김가연 | 김포서 | 299 |
| 김가영 | 마포서 | 180 |
| 김가영 | 서대문서 | 186 |
| 김가영 | 부천서 | 304 |
| 김가영 | 연수서 | 309 |
| 김가원 | 중부청 | 221 |
| 김가원 | 충주서 | 356 |
| 김가은 | 동안양서 | 235 |
| 김가은 | 동청주서 | 348 |
| 김가은 | 부산청 | 438 |
| 김가이 | 통영서 | 477 |
| 김가인 | 서울청 | 152 |
| 김가희 | 중부청 | 216 |
| 김가희 | 영등포서 | 201 |
| 김감채 | 고양서 | 294 |
| 김감비 | 동울산서 | 461 |
| 김강 | 경기광주 | 245 |
| 김강미 | 분당서 | 236 |
| 김강산 | 용인서 | 253 |
| 김강산 | 법무지평 | 51 |
| 김강수 | 울산서 | 463 |
| 김강재 | 현대회계 | 28 |
| 김강주 | 중부청 | 221 |
| 김강현 | 잠실서 | 206 |
| 김강훈 | 국세청 | 118 |
| 김강휘 | 삼성서 | 184 |
| 김건미 | 이천서 | 254 |
| 김건식 | 기재부 | 79 |
| 김건영 | 강서서 | 162 |
| 김건영 | 기재부 | 82 |
| 김건우 | 국세청 | 119 |
| 김건우 | 국세청 | 110 |
| 김건우 | 마포서 | 180 |
| 김건우 | 중부청 | 222 |
| 김건우 | 동수원서 | 232 |

| 성명 | 근무지 | 번호 |
|---|---|---|
| 김건웅 | 안산서 | 470 |
| 김건영 | 강동서 | 160 |
| 김건호 | 동고양서 | 300 |
| 김건형 | 인천서 | 290 |
| 김건호 | 분당서 | 236 |
| 김건호 | 김포서 | 299 |
| 김건희 | 부천서 | 304 |
| 김검순 | 다솔세무 | 35 |
| 김경국 | 기재부 | 71 |
| 김경난 | 동대문서 | 177 |
| 김경대 | 남대구서 | 405 |
| 김경덕 | 김해서 | 421 |
| 김경동 | 서울청 | 466 |
| 김경동 | 춘천서 | 139 |
| 김경라 | 구미서 | 273 |
| 김경란 | 남대구서 | 418 |
| 김경란 | 포천서 | 170 |
| 김경랑 | 분당서 | 315 |
| 김경래 | 우리서 | 236 |
| 김경례 | 기재부 | 271 |
| 김경로 | 주주청 | 227 |
| 김경록 | 기재부 | 74 |
| 김경록 | 국세청 | 362 |
| 김경륜 | 영등포서 | 77 |
| 김경린 | 삼척서 | 108 |
| 김경림 | 이천서 | 201 |
| 김경만 | 대구청 | 265 |
| 김경모 | 공주서 | 90 |
| 김경미 | 은평서 | 254 |
| 김경미 | 진주서 | 401 |
| 김경미 | 서울청 | 108 |
| 김경미 | 영등포서 | 330 |
| 김경미 | 분당서 | 205 |
| 김경미 | 인천청 | 472 |
| 김경미 | 대전청 | 157 |
| 김경민 | 양산서 | 201 |
| 김경민 | 삼정회계 | 237 |
| 김경민 | 국세청 | 279 |
| 김경민 | 동작서 | 318 |
| 김경민 | 기흥서 | 470 |
| 김경민 | 동수원서 | 20 |
| 김경민 | 국세청 | 109 |
| 김경민 | 동작서 | 178 |
| 김경민 | 기흥서 | 228 |
| 김경민 | 동수원서 | 233 |
| 김경민 | 이천서 | 254 |

| 이름 | 소속 | 번호 |
|---|---|---|
| 김경민 | 해남서 | 383 |
| 김경민 | 부산강서 | 448 |
| 김경민 | 통영서 | 476 |
| 김경복 | 용산서 | 202 |
| 김경빈 | 서대전서 | 328 |
| 김경석 | 수성서 | 412 |
| 김경선 | 성동서 | 190 |
| 김경선 | 대전서 | 320 |
| 김경성 | 동대문서 | 176 |
| 김경수 | 금감원 | 92 |
| 김경수 | 금감원 | 100 |
| 김경수 | 대구청 | 398 |
| 김경숙 | 조세심판 | 506 |
| 김경숙 | 서울청 | 144 |
| 김경숙 | 관악서 | 164 |
| 김경숙 | 용인서 | 253 |
| 김경숙 | 이천서 | 254 |
| 김경숙 | 홍천서 | 275 |
| 김경숙 | 예산서 | 342 |
| 김경숙 | 제천서 | 352 |
| 김경숙 | 광산서 | 366 |
| 김경숙 | 동래서 | 445 |
| 김경숙 | 통영서 | 477 |
| 김경승 | 창원서 | 475 |
| 김경식 | 종로서 | 209 |
| 김경식 | 서대구서 | 411 |
| 김경아 | 국세청 | 108 |
| 김경아 | 노원서 | 172 |
| 김경아 | 동대문서 | 176 |
| 김경아 | 역삼서 | 198 |
| 김경아 | 안산서 | 247 |
| 김경아 | 의정부서 | 310 |
| 김경애 | 기재부 | 78 |
| 김경애 | 부천서 | 305 |
| 김경애 | 북대전서 | 326 |
| 김경업 | 강서서 | 162 |
| 김경연 | 중부청 | 222 |
| 김경옥 | 서대전서 | 329 |
| 김경옥 | 분당서 | 237 |
| 김경옥 | 부산강서 | 448 |
| 김경옥 | 김해서 | 467 |
| 김경우 | 양산서 | 471 |
| 김경우 | 진주서 | 473 |
| 김경우 | 노원서 | 173 |
| 김경원 | 성동서 | 191 |
| 김경원 | 고양서 | 295 |
| 김경원 | 역삼서 | 199 |
| 김경은 | 전주서 | 392 |
| 김경은 | 통영서 | 476 |
| 김경이 | 부산진서 | 447 |
| 김경익 | 중부서 | 212 |
| 김경인 | 잠실서 | 206 |
| 김경일 | 진주서 | 472 |
| 김경일 | 중부청 | 222 |
| 김경조 | 광주청 | 362 |
| 김경주 | 딜로이트 | 13 |
| 김경주 | 광주청 | 360 |
| 김경준 | 포천서 | 315 |
| 김경진 | 금감원 | 93 |
| 김경진 | 양천서 | 196 |
| 김경진 | 서연서 | 309 |
| 김경진 | 부산청 | 438 |
| 김경진 | 북부산서 | 451 |
| 김경절 | 보령서 | 335 |
| 김경철 | 천안서 | 344 |
| 김경태 | 국세청 | 117 |
| 김경태 | 구로서 | 166 |
| 김경태 | 남부천서 | 303 |
| 김경태 | 울산서 | 462 |
| 김경태 | 창원서 | 474 |
| 김경태 | 인천공항 | 492 |
| 김경택 | 법무광장 | 48 |
| 김경택 | 구미서 | 418 |
| 김경필 | 서울청 | 138 |
| 김경한 | 대구청 | 398 |
| 김경해 | 상주서 | 423 |
| 김경향 | 분당서 | 237 |
| 김경향 | 기재부 | 72 |
| 김경현 | 송파서 | 195 |
| 김경현 | 이천서 | 255 |
| 김경현 | 여수서 | 381 |
| 김경현 | 남대구서 | 404 |
| 김경혜 | 마포서 | 181 |
| 김경혜 | 창원서 | 474 |
| 김경호 | 서울청 | 153 |
| 김경호 | 천안서 | 344 |
| 김경호 | 관세청 | 483 |
| 김경호 | 삼일회계 | 17 |
| 김경호 | 광주서 | 368 |
| 김경화 | 부산청 | 437 |
| 김경화 | 부산청 | 439 |
| 김경환 | 금감원 | 100 |
| 김경환 | 국세청 | 130 |
| 김경환 | 은평서 | 205 |
| 김경환 | 전주서 | 392 |
| 김경훈 | 서울청 | 134 |
| 김경훈 | 중부청 | 225 |
| 김경훈 | 춘천서 | 272 |
| 김경훈 | 영덕서 | 426 |
| 김경희 | 조세재정 | 510 |
| 김경희 | 금천서 | 169 |
| 김경희 | 동작서 | 178 |
| 김경희 | 성북서 | 192 |
| 김경희 | 성북서 | 193 |
| 김경희 | 양천서 | 197 |
| 김경희 | 영등포서 | 200 |
| 김경희 | 중부청 | 232 |
| 김경희 | 동수원서 | 232 |
| 김경희 | 파주서 | 312 |
| 김경희 | 북광주서 | 370 |
| 김경희 | 전주서 | 392 |
| 김경희 | 대구청 | 398 |
| 김계영 | 강동서 | 160 |
| 김계영 | 마산서 | 468 |
| 김계영 | 국세청 | 111 |
| 김고은 | 서울청 | 134 |
| 김고은 | 구로서 | 167 |
| 김고환 | 동대문서 | 176 |
| 김고환 | 용인서 | 252 |
| 김곤휘 | 관세관 | 505 |
| 김공해 | 광산서 | 366 |
| 김관수 | 충주서 | 356 |
| 김관우 | 인천청 | 388 |
| 김관우 | 현대회계 | 28 |
| 김관호 | 남원서 | 386 |
| 김관호 | 북전주서 | 388 |
| 김광괄 | 다솔세무 | 35 |
| 김광규 | 다솔세무 | 35 |
| 김광규 | 다솔세무 | 35 |
| 김광대 | 원주서 | 270 |
| 김광덕 | 동울산서 | 460 |
| 김광래 | 법무대륜 | 45 |
| 김광래 | 국세청 | 108 |
| 김광록 | 화성서 | 417 |
| 김광묵 | 강남서 | 159 |
| 김광미 | 속초서 | 266 |
| 김광민 | 동작서 | 179 |
| 김광민 | 종로서 | 209 |
| 김광석 | 남대문서 | 218 |
| 김광석 | 수성서 | 413 |
| 김광섭 | 광주서 | 356 |
| 김광성 | 논산서 | 368 |
| 김광수 | 광주서 | 332 |
| 김광수 | 서울청 | 370 |
| 김광수 | 서울청 | 134 |
| 김광수 | 서울청 | 135 |
| 김광순 | 의정부 | 16 |
| 김광식 | 대전청 | 320 |
| 김광식 | 강릉서 | 263 |
| 김광식 | 삼척서 | 264 |
| 김광식 | 김포서 | 298 |
| 김광열 | 북대구서 | 181 |
| 김광열 | 서울청 | 409 |
| 김광영 | 춘천서 | 135 |
| 김광옥 | 현대회계 | 273 |
| 김광일 | 기재부 | 28 |
| 김광준 | 금융위 | 73 |
| 김광준 | 중부청 | 86 |
| 김광태 | 인천청 | 281 |
| 김광현 | 서울청 | 217 |
| 김광현 | 마포서 | 144 |
| 김광현 | 중부청 | 181 |
| 김광현 | 광산서 | 221 |
| 김광현 | 서광주서 | 366 |
| 김광현 | 대구청 | 373 |
| 김광혜 | 경기광주 | 400 |
| 김광호 | 강남서 | 244 |
| 김광호 | 순천서 | 158 |
| 김광환 | 성동서 | 379 |
| 김광훈 | 서광회계 | 190 |
| 김교민 | 군산서 | 6 |
| 김교선 | 구미서 | 385 |
| 김교성 | 성동서 | 418 |
| 김교성 | 중부청 | 190 |
| 김교태 | 삼정회계 | 223 |
| 김교태 | | 18 |
| 김구름 | 서울청 | 135 |
| 김구봉 | 금감원 | 345 |
| 김구연 | 금감원 | 96 |
| 김구하 | 대구청 | 400 |
| 김구호 | 홍천서 | 275 |
| 김구환 | 양산세관 | 471 |
| 김국만 | 부산세관 | 497 |
| 김국성 | 중부청 | 221 |
| 김국일 | 법무대륜 | 45 |
| 김국진 | 남대문서 | 171 |
| 김국진 | 동울산서 | 460 |
| 김국현 | 국세청 | 120 |
| 김국현 | 국세청 | 121 |
| 김국현 | 안양서 | 251 |
| 김국현 | 청주서 | 355 |
| 김권 | 중랑서 | 210 |
| 김권하 | 마산서 | 469 |
| 김권하 | 기재부 | 74 |
| 김귀범 | 천안서 | 393 |
| 김귀종 | 진주서 | 472 |
| 김귀현 | 남동서 | 286 |
| 김귀현 | 기재부 | 72 |
| 김규동 | 금감원 | 92 |
| 김규리 | 구로서 | 167 |
| 김규리 | 세종서 | 338 |
| 김규리 | 구미서 | 418 |
| 김규리 | 고양서 | 294 |
| 김규민 | 마산서 | 468 |
| 김규석 | 태평양 | 52 |
| 김규성 | 강서서 | 162 |
| 김규성 | 양천서 | 196 |
| 김규식 | 대구청 | 399 |
| 김규완 | 서초서 | 178 |
| 김규원 | 감사원 | 63 |
| 김규원 | 동수원서 | 232 |
| 김규원 | 포천서 | 314 |
| 김규원 | 대전청 | 319 |
| 김규원 | 금감원 | 100 |
| 김규진 | 노원서 | 172 |
| 김규진 | 수성서 | 412 |
| 김규진 | 진주서 | 473 |
| 김규진 | 광주세관 | 501 |
| 김규진 | 광주세관 | 502 |
| 김규진 | 대전청 | 368 |
| 김규표 | 광산서 | 366 |
| 김규헌 | 해운대서 | 458 |
| 김규헌 | 인천지방 | 33 |
| 김규현 | 포항서 | 430 |
| 김규현 | 남양주서 | 231 |
| 김규호 | 서인천서 | 288 |
| 김규환 | 서울청 | 156 |
| 김규환 | 서울청 | 141 |
| 김규희 | 경기광주 | 245 |
| 김규희 | 남동서 | 286 |
| 김균열 | 광산서 | 366 |
| 김균태 | 대전서 | 324 |
| 김극돈 | 서울청 | 155 |
| 김근수 | 화성서 | 261 |
| 김근우 | 중부청 | 219 |
| 김근우 | 포천서 | 315 |
| 김근하 | 광주청 | 364 |
| 김근하 | 청주서 | 354 |
| 김근형 | 평택서 | 257 |
| 김근호 | 포항서 | 430 |
| 김근호 | 기재부 | 82 |
| 김근화 | 중기회 | 102 |
| 김금립 | 서울청 | 140 |
| 김금순 | 북대전서 | 326 |
| 김금영 | 중부산서 | 456 |
| 김금정 | 여수서 | 381 |
| 김금호 | 북광주서 | 371 |
| 김금호 | 다솔세무 | 444 |
| 김기남 | 영등포서 | 35 |
| 김기덕 | 반포서 | 201 |
| 김기덕 | 동안양서 | 183 |
| 김기동 | 기재부 | 235 |
| 김기동 | 아산서 | 70 |
| 김기동 | 익산서 | 340 |
| 김기동 | 관세청 | 390 |
| 김기동 | 다솔세무 | 461 |
| 김기록 | 삼일회계 | 35 |
| 김기명 | 양천서 | 17 |
| 김기목 | 법무세종 | 197 |
| 김기문 | 법무바른 | 50 |
| 김기미 | 중기회 | 1 |
| 김기민 | 서초서 | 72 |
| 김기민 | 청주서 | 102 |
| 김기민 | 구리서 | 349 |
| 김기민 | 시흥서 | 226 |
| 김기배 | | 243 |
| 김기범 | 동울산서 | 461 |
| 김기복 | 천안서 | 95 |
| 김기복 | 법무바른 | 1 |
| 김기선 | 서초서 | 188 |
| 김기선 | 서초서 | 189 |
| 김기성 | 안양서 | 250 |
| 김기송 | 서산서 | 337 |
| 김기수 | 인천서 | 290 |
| 김기수 | 중기회 | 102 |
| 김기숙 | 서울청 | 139 |
| 김기식 | 논산서 | 332 |
| 김기식 | 중부청 | 216 |
| 김기열 | 서인천서 | 367 |
| 김기업 | 울산서 | 462 |
| 김기열 | 은평서 | 204 |
| 김기열 | 국세청 | 120 |
| 김기영 | 금감원 | 89 |
| 김기영 | 평택서 | 256 |
| 김기옥 | 부산서 | 435 |
| 김기완 | 포천서 | 314 |
| 김기용 | 이천서 | 255 |
| 김기웅 | 통영서 | 476 |
| 김기웅 | 국세청 | 131 |
| 김기은 | 영등포서 | 200 |
| 김기종 | 광주청 | 364 |
| 김기중 | 제주서 | 478 |
| 김기진 | 성현회계 | 150 |
| 김기채 | 대전서 | 325 |
| 김기천 | 잠실서 | 207 |
| 김기철 | 성현회계 | 11 |
| 김기태 | 잠실서 | 206 |
| 김기태 | 제천서 | 352 |
| 김기표 | 광주세관 | 502 |
| 김기한 | 금융위 | 86 |
| 김기헌 | 금융위 | 144 |
| 김기형 | 대구청 | 402 |
| 김기홍 | 기재부 | 78 |
| 김기홍 | 금감원 | 93 |
| 김기홍 | 서울청 | 149 |
| 김기홍 | 이천서 | 255 |
| 김기환 | 조세심판 | 506 |
| 김기환 | 노원서 | 172 |
| 김기환 | 남부천서 | 302 |
| 김기환 | 아산서 | 340 |
| 김기훈 | 부산세관 | 496 |
| 김기훈 | 중기회 | 103 |
| 김기훈 | 서울청 | 155 |
| 김기훈 | 부산청 | 222 |
| 김기훈 | 부평서 | 306 |
| 김길수 | 광주세관 | 505 |
| 김길정 | 대전청 | 321 |
| 김길정 | 상주서 | 422 |
| 김꽃말 | 서울청 | 143 |
| 김나경 | 부산서 | 450 |
| 김나나 | 동수원서 | 233 |
| 김나라 | 중랑서 | 211 |
| 김나래 | 양천서 | 196 |
| 김나리 | 부산서 | 439 |
| 김나리 | 서초서 | 147 |
| 김나리아 | 청주서 | 354 |
| 김나미 | 동고양서 | 300 |
| 김나미 | 중기회 | 123 |
| 김나연 | 서울청 | 137 |
| 김나연 | 서초서 | 188 |
| 김나영 | 역삼서 | 198 |
| 김나영 | 용산서 | 202 |
| 김나영 | 기재부 | 67 |
| 김나영 | 국세청 | 115 |
| 김나영 | 성동서 | 190 |
| 김나영 | 중부청 | 222 |
| 김나영 | 구리서 | 227 |
| 김나영 | 시흥서 | 243 |
| 김나영 | 부천서 | 304 |
| 김나영 | 구미서 | 419 |
| 김나영 | 동울산서 | 438 |
| 김나영 | 동울산서 | 461 |
| 김나영 | 김해서 | 466 |
| 김나영 | 김해서 | 467 |
| 김나영 | 창원서 | 474 |
| 김나예 | 조세재정 | 511 |
| 김나예 | 이천서 | 254 |
| 김나윤 | 남양주서 | 230 |
| 김나은 | 남대문서 | 171 |
| 김나은 | 남동서 | 286 |
| 김나은 | 남원서 | 386 |
| 김나은 | 북부산서 | 451 |
| 김나현 | 기재부 | 79 |
| 김나현 | 국세청 | 126 |
| 김나현 | 금천서 | 168 |
| 김나현 | 성동서 | 190 |
| 김나현 | 동안양서 | 234 |
| 김나현 | 수영서 | 454 |
| 김나현 | 동울산서 | 461 |
| 김나현 | 울산서 | 462 |
| 김나휘 | 춘천서 | 272 |
| 김나희 | 대전서 | 324 |
| 김낙용 | 서초서 | 188 |
| 김낙현 | 기재부 | 67 |
| 김난경 | 역삼서 | 198 |
| 김난미 | 서울청 | 135 |
| 김난영 | 중부청 | 217 |
| 김난영 | 진주서 | 472 |
| 김난영 | 서울청 | 476 |
| 김난유 | 조세재정 | 510 |
| 김난형 | 중랑서 | 211 |
| 김난희 | 서초서 | 189 |
| 김난희 | 부산청 | 440 |
| 김남규 | 국세청 | 117 |
| 김남균 | 대구청 | 400 |
| 김남균 | 동작서 | 179 |
| 김남덕 | 국회정무 | 60 |
| 김남덕 | 군산서 | 385 |
| 김남배 | 진주서 | 472 |
| 김남섭 | 인천세관 | 490 |
| 김남숙 | 정읍서 | 394 |
| 김남영 | 부산진서 | 446 |
| 김남영 | 중부청 | 218 |
| 김남영 | 부산청 | 434 |
| 김남운 | 예일세무 | 40 |
| 김남우 | 대전청 | 320 |
| 김남운 | 현대회계 | 28 |
| 김남유 | 기재부 | 72 |
| 김남이 | 동안양서 | 235 |
| 김남이 | 정읍서 | 395 |
| 김남정 | 역삼서 | 198 |
| 김남주 | 성북서 | 192 |
| 김남주 | 시흥서 | 242 |
| 김남주 | 안산서 | 246 |
| 김남준 | 원주서 | 270 |
| 김남중 | 국세청 | 129 |
| 김남중 | 계양서 | 292 |
| 김남중 | 청주서 | 355 |
| 김남헌 | 감사원 | 63 |
| 김남현 | 경기광주 | 245 |
| 김남현 | 북부산서 | 450 |
| 김남훈 | 경기광주 | 244 |
| 김남훈 | 국세청 | 107 |
| 김남훈 | 보령서 | 334 |
| 김남훈 | 현대회계 | 28 |
| 김남희 | 관악서 | 165 |
| 김남희 | 서대문서 | 187 |
| 김남희 | 남양주서 | 230 |
| 김남희 | 김천서 | 420 |
| 김남희 | 동래서 | 444 |
| 김남희 | 제주서 | 478 |
| 김내리 | 국세청 | 115 |
| 김내리 | 성북서 | 192 |
| 김년성 | 서초서 | 189 |
| 김년호 | 창원서 | 474 |
| 김노섭 | 서대전서 | 328 |
| 김누리 | 서울청 | 153 |
| 김다랑 | 성남서 | 238 |
| 김다빈 | 조세재정 | 510 |
| 김다빈 | 서초서 | 188 |
| 김다빈 | 서울청 | 149 |
| 김다솔 | 제천서 | 352 |
| 김다솔 | 중부산서 | 456 |
| 김다솜 | 기흥서 | 228 |
| 김다솜 | 분당서 | 236 |
| 김다연 | 역삼서 | 199 |
| 김다연 | 대전서 | 325 |
| 김다영 | 금천서 | 169 |
| 김다영 | 강서서 | 163 |
| 김다영 | 성동서 | 190 |
| 김다영 | 수원서 | 241 |
| 김다영 | 안산서 | 247 |
| 김다영 | 동안산서 | 248 |
| 김다영 | 강릉서 | 262 |
| 김다영 | 부평서 | 306 |
| 김다예 | 북광주서 | 370 |
| 김다예 | 양산서 | 371 |
| 김다운 | 양산서 | 470 |
| 김다운 | 중부청 | 217 |
| 김다이 | 마산서 | 469 |
| 김다이 | 반포서 | 183 |
| 김다정 | 중부청 | 217 |
| 김다정 | 삼성서 | 184 |
| 김다현 | 도봉서 | 174 |

| 이름 | 소속 | 번호 |
|---|---|---|
| 김다현 | 서초서 | 189 |
| 김다형 | 대전서 | 318 |
| 김다혜 | 연수서 | 308 |
| 김다혜 | 서광주서 | 372 |
| 김다혜 | 창원서 | 475 |
| 김다혜 | 제주서 | 478 |
| 김다희 | 광주세관 | 504 |
| 김다희 | 중부청 | 223 |
| 김다희 | 부산강서 | 448 |
| 김단비 | 평택서 | 257 |
| 김단아 | 목포서 | 377 |
| 김단아 | 용산서 | 202 |
| 김단아 | 서대구서 | 411 |
| 김달님 | 원주서 | 271 |
| 김달유 | 조세재정 | 508 |
| 김대관 | 김포서 | 298 |
| 김대범 | 인천청 | 282 |
| 김대범 | 인천청 | 284 |
| 김대석 | 정읍서 | 394 |
| 김대성 | 수원서 | 241 |
| 김대성 | 북대구서 | 408 |
| 김대성 | 광주세관 | 505 |
| 김대성 | 삼일회계 | 16 |
| 김대수 | 법무대륜 | 45 |
| 김대식 | 서인천서 | 7 |
| 김대연 | 기재부 | 68 |
| 김대연 | 중랑서 | 211 |
| 김대연 | 중랑서 | 211 |
| 김대연 | 동수원서 | 233 |
| 김대연 | 부산진서 | 447 |
| 김대연 | 상주서 | 422 |
| 김대열 | 중부산서 | 457 |
| 김대영 | 금감원 | 94 |
| 김대영 | 남대구서 | 404 |
| 김대영 | 현대회계 | 28 |
| 김대옥 | 강릉서 | 263 |
| 김대옥 | 부산청 | 437 |
| 김대용 | 서울청 | 134 |
| 김대용 | 대전청 | 322 |
| 김대우 | 서울청 | 142 |
| 김대우 | 서울청 | 144 |
| 김대욱 | 인천서 | 290 |
| 김대운 | 세종서 | 338 |
| 김대원 | 기재부 | 70 |
| 김대원 | 국세청 | 130 |
| 김대원 | 동작서 | 179 |
| 김대원 | 중부청 | 224 |
| 김대원 | 부산진서 | 446 |
| 김대원 | 북부산서 | 451 |
| 김대윤 | 충부서 | 212 |
| 김대일 | 금감원 | 96 |
| 김대일 | 대전청 | 317 |
| 김대일 | 대전청 | 321 |
| 김대일 | 대전청 | 322 |
| 김대일 | 여수서 | 380 |
| 김대준 | 서울청 | 151 |
| 김대중 | 서울청 | 146 |
| 김대중 | 동대구서 | 406 |
| 김대중 | 김천서 | 420 |
| 김대진 | 국세청 | 106 |
| 김대진 | 아산서 | 340 |
| 김대진 | 삼륭세무 | 37 |
| 김대철 | 서울청 | 151 |
| 김대철 | 동래서 | 444 |
| 김대철 | 광주세관 | 504 |
| 김대학 | 광주청 | 365 |
| 김대현 | 안산서 | 247 |
| 김대현 | 감사원 | 62 |
| 김대현 | 기재부 | 67 |
| 김대현 | 국세청 | 112 |
| 김대현 | 서울청 | 154 |
| 김대현 | 의정부서 | 310 |
| 김대현 | 광주서 | 368 |
| 김대현 | 통영서 | 477 |
| 김대호 | 광산서 | 152 |
| 김대호 | 광산서 | 367 |
| 김대환 | 국세청 | 112 |
| 김대환 | 종로서 | 208 |
| 김대환 | 동안양서 | 235 |
| 김대환 | 현대회계 | 28 |
| 김대훈 | 기재부 | 66 |
| 김대훈 | 성북서 | 193 |
| 김대훈 | 제주서 | 478 |
| 김대훈 | 대구세관 | 500 |
| 김대희 | 양천서 | 197 |
| 김대희 | 부산강서 | 449 |
| 김덕교 | 동고양서 | 301 |
| 김덕규 | 국세청 | 111 |
| 김덕기 | 강서서 | 162 |
| 김덕년 | 남대구서 | 404 |
| 김덕봉 | 부산진서 | 446 |
| 김덕성 | 부산진서 | 446 |
| 김덕수 | 삼덕회계 | 15 |
| 김덕수 | 다솔세무 | 35 |
| 김덕원 | 북대전서 | 326 |
| 김덕은 | 금정서 | 442 |
| 김덕은 | 서울청 | 134 |
| 김덕진 | 인천세관 | 490 |
| 김덕진 | 서울청 | 141 |
| 김덕현 | 전주서 | 392 |
| 김덕환 | 상주서 | 422 |
| 김도경 | 구미서 | 419 |
| 김도경 | 기재부 | 68 |
| 김도경 | 용산서 | 202 |
| 김도곤 | 화성서 | 260 |
| 김도균 | 포항서 | 430 |
| 김도균 | 울산서 | 462 |
| 김도균 | 은평서 | 205 |
| 김도년 | 포천서 | 315 |
| 김도민 | 부산진서 | 447 |
| 김도숙 | 남대구서 | 405 |
| 김도암 | 서대구서 | 411 |
| 김도애 | 양산서 | 471 |
| 김도연 | 포천서 | 315 |
| 김도연 | 기재부 | 80 |
| 김도연 | 서울청 | 136 |
| 김도연 | 강서서 | 162 |
| 김도연 | 삼성서 | 184 |
| 김도연 | 중랑서 | 210 |
| 김도연 | 중부청 | 222 |
| 김도연 | 수원서 | 240 |
| 김도연 | 천안서 | 344 |
| 김도연 | 나주서 | 374 |
| 김도연 | 부산청 | 440 |
| 김도연 | 동래서 | 445 |
| 김도연 | 제주서 | 478 |
| 김도영 | 조세재정 | 508 |
| 김도영 | 삼성서 | 184 |
| 김도영 | 기재부 | 82 |
| 김도영 | 국세청 | 108 |
| 김도영 | 서초서 | 189 |
| 김도영 | 잠실서 | 207 |
| 김도영 | 부산청 | 440 |
| 김도원 | 동수원서 | 233 |
| 김도윤 | 서울청 | 145 |
| 김도윤 | 파주서 | 312 |
| 김도윤 | 울산서 | 463 |
| 김도은 | 강동서 | 161 |
| 김도익 | 반포서 | 67 |
| 김도헌 | 중부청 | 225 |
| 김도헌 | 원주서 | 270 |
| 김도현 | 국세청 | 454 |
| 김도현 | 국세청 | 125 |
| 김도현 | 기흥서 | 228 |
| 김도현 | 평택서 | 256 |
| 김도현 | 통영서 | 477 |
| 김도형 | 인천청 | 282 |
| 김도형 | 감사원 | 62 |
| 김도형 | 도봉서 | 174 |
| 김도형 | 반포서 | 182 |
| 김도형 | 삼성서 | 184 |
| 김도형 | 파주서 | 312 |
| 김도형 | 포항서 | 430 |
| 김도형 | 금정서 | 442 |
| 김도형 | 삼덕회계 | 15 |
| 김도형 | 성현회계 | 11 |
| 김도화 | 송파서 | 194 |
| 김도훈 | 기재부 | 67 |
| 김도훈 | 국세청 | 111 |
| 김도훈 | 구리서 | 227 |
| 김도훈 | 경기광주 | 244 |
| 김도훈 | 광산서 | 366 |
| 김도훈 | 북대구서 | 409 |
| 김도훈 | 북대구서 | 413 |
| 김도희 | 기재부 | 72 |
| 김도희 | 금감원 | 90 |
| 김도희 | 국세청 | 106 |
| 김동건 | 경기광주 | 245 |
| 김동겸 | 서부산서 | 453 |
| 김동구 | 양산서 | 471 |
| 김동구 | 동래서 | 444 |
| 김동규 | 동안양서 | 235 |
| 김동규 | 북광주서 | 370 |
| 김동규 | 기재부 | 70 |
| 김동규 | 대전청 | 320 |
| 김동근 | 의정부서 | 310 |
| 김동근 | 동청주서 | 348 |
| 김동길 | 울산서 | 462 |
| 김동길 | 김해서 | 466 |
| 김동길 | 통영서 | 476 |
| 김동련 | 홍천서 | 275 |
| 김동만 | 남대문서 | 170 |
| 김동명 | 삼일회계 | 16 |
| 김동민 | 용산서 | 202 |
| 김동민 | 세종서 | 338 |
| 김동민 | 부산청 | 441 |
| 김동범 | 북대구서 | 408 |
| 김동빈 | 서울청 | 148 |
| 김동석 | 기재부 | 66 |
| 김동석 | 국세청 | 130 |
| 김동선 | 경기광주 | 245 |
| 김동선 | 순천서 | 379 |
| 김동소 | EY한영 | 12 |
| 김동수 | 국세청 | 110 |
| 김동수 | 국세청 | 124 |
| 김동수 | 서인천서 | 288 |
| 김동수 | 창원서 | 475 |
| 김동수 | 남대구서 | 405 |
| 김동수 | 서대구서 | 411 |
| 김동순 | 양산서 | 471 |
| 김동식 | 포천서 | 315 |
| 김동신 | 서울청 | 80 |
| 김동신 | 강서서 | 162 |
| 김동업 | 부산청 | 441 |
| 김동연 | 기재부 | 75 |
| 김동연 | 용인서 | 252 |
| 김동열 | 인천서 | 281 |
| 김동엽 | 동수원서 | 232 |
| 김동엽 | 금천서 | 169 |
| 김동영 | 동대구서 | 406 |
| 김동우 | 부산청 | 436 |
| 김동우 | 광주세관 | 505 |
| 김동우 | 삼성서 | 185 |
| 김동우 | 국세청 | 108 |
| 김동우 | 기흥서 | 228 |
| 김동우 | 성남서 | 239 |
| 김동우 | 인천청 | 281 |
| 김동욱 | 김해서 | 466 |
| 김동욱 | 서울청 | 142 |
| 김동욱 | 서울청 | 143 |
| 김동욱 | 강동서 | 161 |
| 김동욱 | 강서서 | 162 |
| 김동욱 | 구로서 | 166 |
| 김동욱 | 동안양서 | 249 |
| 김동욱 | 구미서 | 419 |
| 김동욱 | 부산청 | 434 |
| 김동욱 | 북부산서 | 450 |
| 김앤장 | | 47 |
| 김동원 | 기재부 | 76 |
| 김동원 | 구로서 | 166 |
| 김동원 | 종로서 | 208 |
| 김동원 | 남대구서 | 404 |
| 김동원 | 부산청 | 434 |
| 김동원 | 부산청 | 437 |
| 김동원 | 인천세관 | 490 |
| 김동원 | 조세심판 | 506 |
| 김동윤 | 국세청 | 109 |
| 김동윤 | 강릉서 | 262 |
| 김동은 | 강릉서 | 167 |
| 김동은 | 기재부 | 71 |
| 김동일 | 기재부 | 72 |
| 김동일 | 영동서 | 350 |
| 김동일 | 부산청 | 433 |
| 김동일 | 거창서 | 464 |
| 김동일 | 중부청 | 217 |
| 김동조 | 기재부 | 83 |
| 김동준 | 중부청 | 222 |
| 김동준 | 연수서 | 309 |
| 김동지 | 국세청 | 109 |
| 김동진 | 기재부 | 78 |
| 김동진 | 기재부 | 84 |
| 김동진 | 삼성서 | 185 |
| 김동진 | 성북서 | 193 |
| 김동진 | 서인천서 | 289 |
| 김동찬 | 안동서 | 424 |
| 김동철 | 성동서 | 190 |
| 김동준 | 경주서 | 416 |
| 김동하 | 금감원 | 98 |
| 김동하 | 구로서 | 166 |
| 김동한 | 동래서 | 445 |
| 김동혁 | 북부산서 | 450 |
| 김동혁 | 대전청 | 319 |
| 김동현 | 기재부 | 69 |
| 김동현 | 금융위 | 71 |
| 김동현 | 국세청 | 86 |
| 김동현 | 국세청 | 111 |
| 김동현 | 국세청 | 124 |
| 김동현 | 서울청 | 147 |
| 김동현 | 성동서 | 190 |
| 김동현 | 성동서 | 191 |
| 김동현 | 성북서 | 192 |
| 김동현 | 송파서 | 194 |
| 김동현 | 중부청 | 222 |
| 김동현 | 강릉서 | 263 |
| 김동현 | 계양서 | 293 |
| 김동현 | 고양서 | 295 |
| 김동현 | 북대전서 | 327 |
| 김동현 | 충주서 | 357 |
| 김동현 | 수성서 | 412 |
| 김동현 | 상주서 | 422 |
| 김동현 | 양산서 | 470 |
| 김동현 | 창원서 | 474 |
| 김동현 | 창원서 | 474 |
| 김동현 | 창원서 | 475 |
| 김동현 | 태평양 | 52 |
| 김동현 | 한울회계 | 27 |
| 김동현 | 현대회계 | 28 |
| 김동호 | 인천청 | 279 |
| 김동호 | 국세청 | 131 |
| 김동호 | 중부청 | 221 |
| 김동환 | 진주서 | 472 |
| 김동환 | 기재부 | 76 |
| 김동환 | 서울청 | 138 |
| 김동환 | 반포서 | 183 |
| 김동환 | 남대구서 | 405 |
| 김동훈 | 기재부 | 73 |
| 김동훈 | 금감원 | 92 |
| 김동훈 | 국세청 | 107 |
| 김동훈 | 서울청 | 134 |
| 김동훈 | 동대문서 | 176 |
| 김동훈 | 영주서 | 428 |
| 김동휘 | 삼정회계 | 19 |
| 김동희 | 남부천서 | 302 |
| 김동희 | 국세청 | 120 |
| 김동희 | 구리서 | 226 |
| 김동희 | 상주서 | 422 |
| 김두곤 | 이천서 | 254 |
| 김두리 | 서현회계 | 7 |
| 김두봉 | 서현회계 | 7 |
| 김두섭 | 조세심판 | 507 |
| 김두성 | 남대문서 | 171 |
| 김두수 | 서울청 | 136 |
| 김두수 | 춘천서 | 273 |
| 김두식 | 부산청 | 440 |
| 김두연 | 동청주서 | 348 |
| 김두영 | 원주서 | 271 |
| 김두영 | 서대구서 | 410 |
| 김두정 | 경기광주 | 245 |
| 김두환 | 인천공항 | 492 |
| 김두환 | 동대문서 | 176 |
| 김두환 | 청주서 | 354 |
| 김득수 | 광주청 | 361 |
| 김득수 | 대구청 | 401 |
| 김득숙 | 성동서 | 190 |
| 김득화 | 남부천서 | 303 |
| 김라영 | 영등포서 | 201 |
| 김라영 | 서울청 | 463 |
| 김라인 | 서울청 | 134 |
| 김란주 | 안양서 | 251 |
| 김래하 | 삼성서 | 184 |
| 김려도 | 영등포서 | 201 |
| 김령아 | 기재부 | 76 |
| 김령우 | 동울산서 | 461 |
| 김로환 | 북대전서 | 327 |
| 김록수 | 해운대서 | 459 |
| 김리완 | 통영서 | 476 |
| 김리하 | 화성서 | 261 |
| 김린 | 국세청 | 301 |
| 김마리아 | 중부산서 | 457 |
| 김만기 | 기재부 | 68 |
| 김만성 | 광주청 | 365 |
| 김만숙 | 도봉서 | 174 |
| 김말숙 | 국세청 | 125 |
| 김명경 | 인천청 | 282 |
| 김명규 | 잠실서 | 207 |
| 김명규 | 인천청 | 278 |
| 김명규 | 딜로이트 | 13 |
| 김명도 | 국세청 | 113 |
| 김명미 | 동래서 | 445 |
| 김명미 | 양산서 | 470 |
| 김명선 | 서초서 | 196 |
| 김명선 | 중부청 | 221 |
| 김명선 | 남동서 | 286 |
| 김명선 | 광주서 | 368 |
| 김명선 | 포항서 | 430 |
| 김명선 | 부산진서 | 446 |
| 김명섭 | 김해서 | 466 |
| 김명수 | 강동서 | 161 |
| 김명수 | 부산청 | 440 |
| 김명수 | 해운대서 | 458 |
| 김명숙 | 성동서 | 190 |
| 김명숙 | 동수원서 | 233 |
| 김명숙 | 목포서 | 376 |
| 김명숙 | 전주서 | 392 |
| 김명순 | 성동서 | 190 |
| 김명순 | 대전청 | 320 |
| 김명엽 | 서울청 | 144 |
| 김명옥 | 기재부 | 80 |
| 김명원 | 대전청 | 320 |
| 김명윤 | 마산서 | 469 |
| 김명자 | 정읍서 | 394 |
| 김명제 | 북대전서 | 326 |
| 김명주 | 반포서 | 182 |
| 김명준 | 삼성서 | 184 |
| 김명준 | 부평서 | 306 |
| 김명중 | 기재부 | 80 |
| 김명중 | 기재부 | 81 |
| 김명지 | 금정서 | 443 |
| 김명진 | 서울청 | 154 |
| 김명진 | 반포서 | 183 |
| 김명진 | 인천청 | 282 |
| 김명진 | 대전청 | 319 |
| 김명진 | 아산서 | 341 |
| 김명진 | 이촌회계 | 24 |
| 김명철 | 인천지방 | 33 |
| 김명철 | 해운대서 | 459 |
| 김명호 | 안산서 | 247 |
| 김명환 | 남대문서 | 170 |
| 김명환 | 기재부 | 83 |
| 김명훈 | 기흥서 | 229 |
| 김명훈 | 부산청 | 438 |
| 김명희 | 삼성서 | 184 |
| 김명희 | 서초서 | 188 |
| 김명희 | 송파서 | 194 |
| 김명희 | 용산서 | 203 |
| 김명희 | 순천서 | 379 |
| 김명희 | 통영서 | 477 |
| 김명희 | 성현회계 | 11 |
| 김묘성 | 동고양서 | 301 |
| 김묘성 | 인천청 | 283 |
| 김묘정 | 동안양서 | 234 |
| 김무열 | 중부산서 | 457 |
| 김무영 | 제천서 | 353 |
| 김무건 | 기재부 | 68 |
| 김문건 | 역삼서 | 198 |
| 김문경 | 잠실서 | 207 |
| 김문길 | 강동서 | 160 |
| 김문성 | 국세청 | 111 |
| 김문수 | 기재부 | 74 |
| 김문수 | 통영서 | 477 |
| 김문영 | 조세심판 | 506 |
| 김문영 | 성북서 | 193 |
| 김문영 | 관악서 | 164 |
| 김문자 | 양천서 | 196 |
| 김문자 | 김포서 | 298 |
| 김문재 | 부산진서 | 447 |
| 김문정 | 조세재정 | 508 |
| 김문정 | 조세재정 | 508 |
| 김문철 | 제천서 | 353 |
| 김문형 | 수원서 | 240 |
| 김문호 | 광주세관 | 504 |
| 김문호 | 평택서 | 256 |
| 김문호 | 택스홀 | 38 |
| 김문희 | 국세청 | 116 |
| 김문희 | 동안양서 | 248 |
| 김문희 | 여수서 | 380 |
| 김미 | 경주서 | 416 |
| 김미 | 국세청 | 110 |
| 김미경 | 서울청 | 137 |
| 김미경 | 금천서 | 169 |
| 김미경 | 마포서 | 180 |
| 김미경 | 삼성서 | 184 |

| 이름 | 관서 | 쪽 | 이름 | 관서 | 쪽 | 이름 | 관서 | 쪽 | 이름 | 관서 | 쪽 | 이름 | 관서 | 쪽 |
|---|---|---|---|---|---|---|---|---|---|---|---|---|---|---|
| 김미경 | 종로서 | 209 | 김미지 | 부산진서 | 446 | 김민숙 | 부산강서 | 448 | 김민준 | 충주서 | 357 | 김병수 | 진주서 | 473 |
| 김미경 | 기흥서 | 228 | 김미진 | 기재부 | 77 | 김민승 | 서광주서 | 373 | 김민준 | 구미서 | 418 | 김병식 | 국세청 | 110 |
| 김미경 | 수원서 | 240 | 김미진 | 성동서 | 191 | 김민식 | 포항서 | 430 | 김민준 | 금정서 | 442 | 김병식 | 대전청 | 322 |
| 김미경 | 나주서 | 374 | 김미진 | 역삼서 | 198 | 김민아 | 서울청 | 148 | 김민중 | 남동서 | 287 | 김병옥 | 서울청 | 134 |
| 김미경 | 영주서 | 429 | 김미진 | 중부서 | 212 | 김민아 | 대구문서 | 171 | 김민지 | 기재부 | 80 | 김병욱 | 서초서 | 188 |
| 김미경 | 동울산서 | 461 | 김미진 | 광주청 | 361 | 김민아 | 종로서 | 209 | 김민지 | 강서서 | 163 | 김병우 | 거창서 | 464 |
| 김미경 | 김해서 | 467 | 김미향 | 수원서 | 241 | 김민아 | 고양서 | 295 | 김민지 | 서광주서 | 372 | 김병욱 | 대구서 | 401 |
| 김미나 | 국세청 | 108 | 김미현 | 국세청 | 130 | 김민애 | 수성서 | 412 | 김민지 | 전주서 | 392 | 김병욱 | 경산서 | 415 |
| 김미나 | 마포서 | 181 | 김미현 | 시흥서 | 242 | 김민양 | 서울청 | 147 | 김민지 | 구미서 | 418 | 김병욱 | 창원서 | 475 |
| 김미나 | 중부청 | 220 | 김미현 | 대구청 | 403 | 김민영 | 국세청 | 115 | 김민지 | 동래서 | 444 | 김병윤 | 반포서 | 182 |
| 김미나 | 인천청 | 283 | 김미현 | 수성서 | 413 | 김민영 | 관악서 | 164 | 김민지 | 북부산서 | 451 | 김병인 | 금정서 | 443 |
| 김미나 | 예산서 | 342 | 김미현 | 서부산서 | 452 | 김민영 | 삼성서 | 184 | 김민진 | 기재부 | 67 | 김병일 | 울산서 | 463 |
| 김미덕 | 강남서 | 158 | 김미혜 | 동고양서 | 300 | 김민영 | 성북서 | 193 | 김민진 | 서울청 | 135 | 김병일 | 예산서 | 342 |
| 김미라 | 기재부 | 76 | 김미화 | 주서 | 368 | 김민영 | 은평서 | 204 | 김민진 | 강동서 | 160 | 김병주 | 중부청 | 222 |
| 김미란 | 관악서 | 164 | 김미희 | 송파서 | 195 | 김민영 | 수영서 | 454 | 김민진 | 금정서 | 442 | 김병주 | 남동서 | 286 |
| 김미란 | 남대문서 | 171 | 김미희 | 천안서 | 344 | 김민완 | 부산청 | 440 | 김민진 | 부산진서 | 446 | 김병주 | 전주서 | 392 |
| 김미란 | 도봉서 | 175 | 김미희 | 서부산서 | 452 | 김민우 | 서울청 | 143 | 김민진 | 수영서 | 455 | 김병주 | 동래서 | 445 |
| 김미란 | 동화성서 | 258 | 김미희 | 동안산서 | 248 | 김민욱 | 고양서 | 294 | 김민찬 | 서현회계 | 7 | 김병주 | 조세재정 | 511 |
| 김미래 | 동화성서 | 259 | 김민 | 인천청 | 279 | 김민욱 | 동대구서 | 407 | 김민찬 | 서현회계 | 28 | 김병준 | 반포서 | 183 |
| 김미량 | 대구서 | 400 | 김민 | 다솔세무 | 35 | 김민재 | 강릉서 | 262 | 김민창 | 대구청 | 398 | 김병준 | 법무광장 | 48 |
| 김미례 | 서울청 | 151 | 김민건 | 제주서 | 478 | 김민재 | 북광주서 | 371 | 김민채 | 전주서 | 393 | 김병진 | 양천서 | 196 |
| 김미리 | 서광주서 | 373 | 김민경 | 국세청 | 110 | 김민재 | 관악서 | 438 | 김민채 | 창원서 | 474 | 김병진 | 남양주서 | 230 |
| 김미림 | 서울청 | 145 | 김민경 | 서울청 | 143 | 김민재 | 김해서 | 466 | 김민철 | 남양주서 | 230 | 김병찬 | 인천청 | 284 |
| 김미림 | 반포서 | 183 | 김민경 | 서울청 | 153 | 김민정 | 국세청 | 112 | 김민철 | 북대구서 | 408 | 김병찬 | 동고양서 | 301 |
| 김미림 | 의정부서 | 310 | 김민경 | 마포서 | 181 | 김민정 | 국세청 | 125 | 김민철 | 진주서 | 473 | 김병창 | 부산청 | 438 |
| 김미선 | 기재부 | 72 | 김민경 | 성북서 | 192 | 김민정 | 국세청 | 128 | 김민태 | 남양주서 | 231 | 김병창 | 양산서 | 470 |
| 김미선 | 금감원 | 99 | 김민경 | 영등포서 | 201 | 김민정 | 서울청 | 144 | 김민표 | 중부청 | 224 | 김병창 | 기재부 | 71 |
| 김미선 | 국세청 | 108 | 김민경 | 은평서 | 205 | 김민정 | 강남서 | 158 | 김민혁 | 경주서 | 416 | 김병철 | 기재부 | 83 |
| 김미선 | 노원서 | 172 | 김민경 | 중부청 | 222 | 김민정 | 강서서 | 163 | 김민형 | 금천서 | 169 | 김병철 | 대전서 | 324 |
| 김미선 | 구리서 | 226 | 김민경 | 동수원서 | 233 | 김민정 | 삼성서 | 185 | 김민형 | 서인천서 | 289 | 김병철 | 천안서 | 344 |
| 김미선 | 남동서 | 286 | 김민경 | 평택서 | 256 | 김민정 | 성동서 | 191 | 김민혜 | 논산서 | 333 | 김병철 | 창원서 | 475 |
| 김미선 | 서인천서 | 289 | 김민경 | 동화성서 | 259 | 김민정 | 은평서 | 205 | 김민호 | 금천서 | 168 | 김병철 | 조세심판 | 507 |
| 김미선 | 대전서 | 325 | 김민경 | 광주청 | 360 | 김민정 | 중부청 | 221 | 김민호 | 기재부 | 79 | 김병철 | 금감원 | 89 |
| 김미선 | 광주서 | 368 | 김민경 | 부산청 | 441 | 김민정 | 중부청 | 223 | 김민호 | 중부청 | 225 | 김병헌 | 부산세관 | 497 |
| 김미성 | 은평서 | 204 | 김민경 | 제주서 | 478 | 김민정 | 기흥서 | 228 | 김민호 | 대구청 | 402 | 김병현 | 송파서 | 195 |
| 김미소 | 서울청 | 143 | 김민경 | 광주세관 | 504 | 김민정 | 수원서 | 241 | 김민후 | 부평서 | 307 | 김병현 | 포천서 | 315 |
| 김미소 | 동고양서 | 301 | 김민경 | 조세재정 | 508 | 김민정 | 동안산서 | 248 | 김민후 | 마산서 | 468 | 김병호 | 용인서 | 252 |
| 김미소 | 창원서 | 474 | 김민관 | 서울청 | 140 | 김민정 | 용인서 | 253 | 김민후 | 법무광장 | 48 | 김병호 | 법무세종 | 50 |
| 김미술 | 서대전서 | 328 | 김민관 | 익산서 | 390 | 김민정 | 원주서 | 270 | 김민후 | 기재부 | 72 | 김병홍 | 국세청 | 106 |
| 김미송 | 금정서 | 442 | 김민관 | 광주세관 | 504 | 김민정 | 인천서 | 291 | 김민희 | 서울청 | 136 | 김병환 | 금융위 | 85 |
| 김미숙 | 강동서 | 160 | 김민광 | 도봉서 | 175 | 김민정 | 부평서 | 306 | 김민희 | 용인서 | 252 | 김병환 | 금융위 | 86 |
| 김미숙 | 관악서 | 164 | 김민교 | 안산서 | 246 | 김민정 | 부평서 | 307 | 김민희 | 인천청 | 282 | 김병환 | 금정서 | 443 |
| 김미숙 | 부산청 | 440 | 김민구 | 법무광장 | 48 | 김민정 | 의정부서 | 310 | 김민희 | 의정부서 | 310 | 김병환 | 서현회계 | 7 |
| 김미숙 | 김해서 | 467 | 김민규 | 동화성서 | 258 | 김민정 | 대전서 | 324 | 김민희 | 동울산서 | 461 | 김병환 | 서현회계 | 7 |
| 김미순 | 관악서 | 165 | 김민규 | 동청주서 | 349 | 김민정 | 대전서 | 324 | 김반디 | 시흥서 | 242 | 김병활 | 김해서 | 466 |
| 김미순 | 인천서 | 290 | 김민규 | 해운대서 | 459 | 김민정 | 청주서 | 354 | 김반석 | 국세청 | 130 | 김병훈 | 남대구서 | 404 |
| 김미아 | 부산서 | 435 | 김민규 | 마산서 | 468 | 김민정 | 창원청 | 361 | 김백승 | 중부청 | 216 | 김병훈 | 포항서 | 431 |
| 김미애 | 서울청 | 151 | 김민규 | 제주서 | 479 | 김민정 | 북광주서 | 371 | 김백승 | 북광주서 | 371 | 김병훈 | 현대회계 | 28 |
| 김미애 | 남대문서 | 170 | 김민기 | 관악서 | 164 | 김민정 | 순천서 | 379 | 김범구 | 국세청 | 107 | 김병휘 | 서울청 | 153 |
| 김미애 | 안양서 | 250 | 김민기 | 동울산 | 235 | 김민정 | 서대구서 | 410 | 김범석 | 기재부 | 67 | 김보경 | 남대문서 | 170 |
| 김미애 | 대전청 | 320 | 김민래 | 송파서 | 194 | 김민정 | 상주서 | 422 | 김범석 | 기재부 | 71 | 김보경 | 기흥서 | 228 |
| 김미애 | 논산서 | 333 | 김민비 | 춘천서 | 273 | 김민정 | 안동서 | 425 | 김범석 | 동고양서 | 301 | 김보경 | 화성서 | 260 |
| 김미애 | 나주서 | 374 | 김민상 | 김포서 | 299 | 김민정 | 부산청 | 434 | 김범석 | 고시회 | 30 | 김보경 | 서인천서 | 289 |
| 김미애 | 영주서 | 428 | 김민상 | 동고양서 | 301 | 김민정 | 금정서 | 443 | 김범석 | 조세재정 | 511 | 김보경 | 포천서 | 314 |
| 김미야 | 서부산서 | 452 | 김민석 | 국세청 | 112 | 김민정 | 동래서 | 445 | 김범준 | 금감원 | 89 | 김보경 | 북대전서 | 326 |
| 김미연 | 서울청 | 139 | 김민석 | 강남서 | 158 | 김민정 | 서부산서 | 452 | 김범준 | 금감원 | 93 | 김보경 | 천안서 | 345 |
| 김미연 | 관악서 | 165 | 김민석 | 영등포서 | 200 | 김민정 | 수영서 | 454 | 김범준 | 안산서 | 247 | 김보경 | 부산청 | 435 |
| 김미연 | 금천서 | 169 | 김민석 | 고양서 | 295 | 김민정 | 해운대서 | 458 | 김범준 | 인천세관 | 490 | 김보경 | 부산청 | 438 |
| 김미연 | 동작서 | 178 | 김민석 | 서대전서 | 328 | 김민정 | 울산서 | 463 | 김범채 | 강릉서 | 262 | 김보균 | 국세청 | 129 |
| 김미연 | 부평서 | 307 | 김민석 | 청주서 | 355 | 김민정 | 김해서 | 466 | 김범철 | 국세청 | 108 | 김보근 | 연수서 | 308 |
| 김미연 | 금감원 | 89 | 김민석 | 나주서 | 375 | 김민정 | 김해서 | 467 | 김법열 | 광주서 | 368 | 김보나 | 의정부서 | 310 |
| 김미영 | 국세청 | 118 | 김민석 | 구미서 | 418 | 김민정 | 광주세관 | 505 | 김별아 | 중부청 | 223 | 김보나 | 인천청 | 283 |
| 김미영 | 서울청 | 136 | 김민석 | 김해서 | 466 | 김민조 | 중랑서 | 210 | 김별진 | 종로서 | 208 | 김보라 | 서울청 | 138 |
| 김미영 | 서울청 | 139 | 김민선 | 강남서 | 158 | 김민제 | 인천청 | 279 | 김병국 | 삼정회계 | 18 | 김보라 | 마포서 | 181 |
| 김미영 | 성동서 | 191 | 김민선 | 중부청 | 220 | 김민주 | 기재부 | 77 | 김병국 | 삼정회계 | 19 | 김보라 | 영등포서 | 201 |
| 김미영 | 용인서 | 253 | 김민선 | 김포서 | 299 | 김민주 | 기재부 | 81 | 김병규 | 김포서 | 299 | 김보라 | 포천서 | 315 |
| 김미영 | 서인천서 | 289 | 김민선 | 동고양서 | 301 | 김민주 | 국세청 | 116 | 김병기 | 국회정무 | 60 | 김보람 | 삼척서 | 264 |
| 김미영 | 서대전서 | 328 | 김민선 | 동청주서 | 348 | 김민주 | 서울청 | 138 | 김병기 | 기재부 | 74 | 김보람 | 인천서 | 290 |
| 김미영 | 광산서 | 366 | 김민섭 | 노원서 | 172 | 김민주 | 서울청 | 140 | 김병기 | 강남서 | 159 | 김보람 | 제천서 | 352 |
| 김미영 | 순천서 | 378 | 김민성 | 강남서 | 159 | 김민주 | 서울청 | 142 | 김병기 | 서광주서 | 373 | 김보람 | 광주청 | 364 |
| 김미영 | 수영서 | 454 | 김민성 | 중부청 | 224 | 김민주 | 강서서 | 163 | 김병래 | 진주서 | 473 | 김보람 | 조세심판 | 507 |
| 김미영 | 인천서 | 291 | 김민성 | 남양주서 | 230 | 김민주 | 강서서 | 169 | 김병모 | 동대문서 | 176 | 김보름 | 용인서 | 252 |
| 김미옥 | 고양서 | 295 | 김민성 | 서산서 | 336 | 김민주 | 남대문서 | 171 | 김병무 | 북대구서 | 409 | 김보름 | 구미서 | 418 |
| 김미옥 | 금정서 | 443 | 김민세 | 부산세관 | 496 | 김민주 | 종로서 | 209 | 김병삼 | 연수서 | 308 | 김보미 | 국세청 | 114 |
| 김미옥 | 동울산서 | 461 | 김민세 | 금감원 | 95 | 김민주 | 분당서 | 236 | 김병삼 | 군산서 | 384 | 김보미 | 서울청 | 142 |
| 김미옥 | 울산서 | 463 | 김민수 | 국세청 | 117 | 김민주 | 평택서 | 257 | 김병삼 | 부산청 | 441 | 김보미 | 서울청 | 143 |
| 김미원 | 양천서 | 197 | 김민수 | 국세청 | 121 | 김민주 | 동고양서 | 301 | 김병석 | 울산서 | 198 | 김보미 | 성동서 | 190 |
| 김미원 | 금융위 | 86 | 김민수 | 강남서 | 158 | 김민주 | 부천서 | 304 | 김병석 | 경주서 | 416 | 김보미 | 양천서 | 196 |
| 김미정 | 서울청 | 135 | 김민수 | 서초서 | 188 | 김민주 | 연수서 | 308 | 김병선 | 구로서 | 166 | 김보미 | 중부청 | 217 |
| 김미정 | 서울청 | 144 | 김민수 | 서초서 | 188 | 김민주 | 군산서 | 384 | 김병선 | 북부산서 | 450 | 김보미 | 중부청 | 225 |
| 김미정 | 강동서 | 161 | 김민수 | 구리서 | 226 | 김민주 | 대구청 | 398 | 김병섭 | 안산서 | 246 | 김보미 | 원주서 | 271 |
| 김미정 | 도봉서 | 174 | 김민수 | 시흥서 | 242 | 김민주 | 서대구서 | 410 | 김병성 | 의정부서 | 311 | 김보미 | 광명서 | 296 |
| 김미정 | 삼성서 | 184 | 김민수 | 인천청 | 281 | 김민주 | 경산서 | 414 | 김병수 | 중기회 | 102 | 김보미 | 남부천서 | 303 |
| 김미정 | 남동서 | 286 | 김민수 | 천안서 | 345 | 김민주 | 동래서 | 445 | 김병수 | 동작서 | 178 | 김보미 | 보령서 | 335 |
| 김미정 | 계양서 | 293 | 김민수 | 해남서 | 382 | 김민주 | 북부산서 | 450 | 김병수 | 부천서 | 305 | 김보미 | 군산서 | 385 |
| 김미정 | 부천서 | 305 | 김민수 | 북대구서 | 409 | 김민주 | 해운대서 | 459 | 김병수 | 포항서 | 430 | 김보민 | 부산청 | 440 |
| 김미정 | 부산강서 | 448 | 김민수 | 부산청 | 438 | 김민주 | 현대회계 | 28 | 김병수 | 부산진서 | 446 | 김보배 | 구미서 | 418 |
| 김미정 | 제주서 | 478 | 김민수 | 북부산서 | 450 | 김민준 | 영등포서 | 201 | 김병수 | 양산서 | 470 | 김보석 | 국세청 | 119 |
| 김미정 | 조세재정 | 508 | 김민수 | 해운대서 | 458 | | | | | | | 김보석 | 마포서 | 181 |
| 김미정 | 택스홈 | 38 | 김민숙 | 동작서 | 178 | | | | | | | 김보선 | 인천서 | 290 |
| 김미주 | 서울청 | 146 | | | | | | | | | | | | |

| 이름 | 관서 | 번호 | 이름 | 관서 | 번호 | 이름 | 관서 | 번호 | 이름 | 관서 | 번호 | 이름 | 관서 | 번호 | 이름 | 관서 | 번호 |
|---|---|---|---|---|---|---|---|---|---|---|---|---|---|---|---|---|---|
| 김보성 | 금감원 | 95 | 김상무 | 대구청 | 399 | 김생분 | 인천청 | 283 | 김선웅 | 구리서 | 227 | 김성복 | 대구세관 | 500 | 김성봉 | 관세사회 | 42 |
| 김보성 | 분당서 | 237 | 김상민 | 국세청 | 110 | 김서경 | 분당서 | 237 | 김선율 | 성북서 | 193 | 김성수 | 기재부 | 69 | 김성수 | 금감원 | 94 |
| 김보성 | 아산서 | 341 | 김상민 | 중부청 | 221 | 김서경 | 안산서 | 246 | 김선이 | 동수원서 | 232 | 김성수 | 종로서 | 209 | 김성수 | 시흥서 | 242 |
| 김보성 | 서울세관 | 486 | 김상민 | 중부청 | 223 | 김서연 | 국세청 | 111 | 김선익 | 기재부 | 74 | 김성수 | 해남서 | 382 | 김성수 | 양산서 | 467 |
| 김보송 | 조세재정 | 511 | 김상민 | 동화성서 | 259 | 김서연 | 기재부 | 74 | 김선인 | 국세청 | 128 | 김성수 | 양산서 | 470 | 김성숙 | 동작서 | 179 |
| 김보송 | 남대문서 | 170 | 김상민 | 인천청 | 282 | 김서연 | 국세청 | 111 | 김선일 | 서울청 | 144 | 김성순 | 상주서 | 422 | 김성식 | 이천서 | 255 |
| 김보연 | 서울청 | 150 | 김상민 | 광주청 | 364 | 김서연 | 서초서 | 188 | 김선일 | 서울청 | 146 | 김성연 | 서인천서 | 288 | 김성연 | 대전서 | 325 |
| 김보연 | 강서서 | 163 | 김상배 | 국세청 | 119 | 김서연 | 잠실서 | 206 | 김선임 | 구로서 | 167 | 김성열 | 금정서 | 443 | 김성열 | 광명서 | 296 |
| 김보연 | 금천서 | 168 | 김상배 | 광주세관 | 505 | 김서연 | 평택서 | 256 | 김선임 | 서부산서 | 452 | 김성열 | 경주서 | 416 | 김성엽 | 군산서 | 384 |
| 김보연 | 안산서 | 246 | 김상범 | 국세청 | 106 | 김서영 | 용산서 | 202 | 김선자 | 대전서 | 325 | 김성엽 | 금정서 | 443 | 김성엽 | 조세심판 | 507 |
| 김보영 | 기재부 | 78 | 김상빈 | 원주서 | 270 | 김서영 | 수영서 | 455 | 김선정 | 기재부 | 70 | 김성영 | 남동서 | 286 | 김성영 | 파주서 | 312 |
| 김보영 | 강남서 | 159 | 김상섭 | 대구서 | 401 | 김서영 | 조세재정 | 511 | 김선정 | 국세청 | 128 | 김성영 | 삼일회계 | 16 | 김성완 | 현대회계 | 28 |
| 김보영 | 영등포서 | 201 | 김상숙 | 대전청 | 320 | 김서영 | 서현회계 | 7 | 김선정 | 국세청 | 129 | 김성용 | 기재부 | 73 | 김성용 | 삼성서 | 185 |
| 김보영 | 평택서 | 256 | 김상순 | 김해서 | 466 | 김서윤 | 영등포서 | 200 | 김선정 | 조세재정 | 511 | 김성용 | 전주서 | 392 | 김성용 | 서울청 | 143 |
| 김보운 | 서산서 | 337 | 김상식 | 인천공항 | 493 | 김서윤 | 기흥서 | 228 | 김선종 | 구리서 | 227 | 김성우 | 남양주서 | 230 | 김성우 | 동대구서 | 407 |
| 김보운 | 서울청 | 139 | 김상연 | 안양서 | 250 | 김서율 | 서울청 | 138 | 김선주 | 기재부 | 82 | 김성욱 | 구미서 | 418 | 김성욱 | 서울청 | 147 |
| 김보원 | 마포서 | 181 | 김상연 | 서울청 | 136 | 김서이 | 마포서 | 180 | 김선주 | 서울청 | 149 | 김성욱 | 서울청 | 148 | 김성욱 | 서울청 | 195 |
| 김보윤 | 광명서 | 297 | 김상연 | 동작서 | 179 | 김서현 | 기재부 | 79 | 김선주 | 서울청 | 151 | 김성욱 | 광주세관 | 505 | 김성웅 | 서울청 | 143 |
| 김보은 | 북부산서 | 450 | 김상열 | 한울회계 | 27 | 김서현 | 기재부 | 83 | 김선주 | 서울청 | 157 | 김성윤 | 강남서 | 159 | 김성윤 | 은평서 | 205 |
| 김보현 | 기재부 | 81 | 김상열 | 중부청 | 218 | 김서현 | 서울청 | 155 | 김선주 | 연수서 | 308 | 김성은 | 서울청 | 154 | 김성은 | 성남서 | 238 |
| 김보현 | 평택서 | 257 | 김상엽 | 동청주서 | 349 | 김서현 | 여수서 | 381 | 김선주 | 천안서 | 344 | 김성은 | 시흥서 | 242 | 김성은 | 논산서 | 332 |
| 김보현 | 광주청 | 362 | 김상연 | 수영서 | 454 | 김서현 | 서부산서 | 452 | 김선주 | 동청주서 | 349 | 김성은 | 제주서 | 478 | 김성의 | 안양서 | 250 |
| 김보혜 | 양산서 | 471 | 김상옥 | 중부청 | 217 | 김서형 | 금정서 | 442 | 김선준 | 다솔세무 | 35 | 김성이 | 부산진서 | 446 | 김성일 | 서울청 | 136 |
| 김보희 | 대전서 | 324 | 김상용 | 용인서 | 252 | 김석규 | 영등포서 | 200 | 김선준 | 딜로이트 | 13 | 김성일 | 동작서 | 178 | 김성일 | 인천청 | 279 |
| 김보희 | 동울산서 | 461 | 김상우 | 기재부 | 71 | 김석동 | 인천지방 | 33 | 김선진 | 동대문서 | 177 | 김성재 | 대구청 | 402 | 김성제 | 서대구서 | 411 |
| 김복기 | 전주서 | 393 | 김상우 | 국세청 | 106 | 김석모 | 서울청 | 154 | 김선진 | 성남서 | 238 | 김성종 | 국세청 | 111 | 김성주 | 국세청 | 122 |
| 김복례 | 인천청 | 281 | 김상우 | 동래서 | 445 | 김석민 | 동울산서 | 460 | 김선진 | 서대구서 | 411 | 김성주 | 서대문서 | 186 | 김성주 | 제주서 | 478 |
| 김복선 | 공주서 | 330 | 김상우 | 부산진서 | 447 | 김석원 | 금감원 | 94 | 김선하 | 성동서 | 191 | 김성주 | 인천지방 | 33 | 김성주 | 인천지방 | 33 |
| 김복성 | 창원서 | 474 | 김상우 | 서울서 | 147 | 김석일 | 영월서 | 268 | 김선항 | 송파서 | 195 | 김성주 | 금융위 | 87 | 김성준 | 강서서 | 162 |
| 김복성 | 남대구서 | 404 | 김상욱 | 이천서 | 254 | 김석제 | 국세청 | 260 | 김선항 | 양천서 | 196 | 김성준 | 동대문서 | 177 | 김성준 | 김포서 | 298 |
| 김복순 | 전주서 | 392 | 김상욱 | 북전주서 | 388 | 김석주 | 화성서 | 130 | 김선혁 | 동래서 | 444 | 김성준 | 광주청 | 363 | 김성준 | 부산청 | 438 |
| 김복희 | 서울청 | 143 | 김상욱 | 부산진서 | 447 | 김석주 | 서초서 | 260 | 김선혁 | 잠실서 | 206 | 김성준 | 해운대서 | 459 | 김성준 | 관세사회 | 42 |
| 김복 | 기흥서 | 228 | 김상우 | 경산서 | 414 | 김석준 | 서초서 | 188 | 김선홍 | 인천지방 | 33 | 김성증 | 광주세관 | 504 | 김성진 | 광주세관 | 504 |
| 김봉규 | 인천청 | 277 | 김상원 | 도봉서 | 174 | 김석준 | 수원서 | 240 | 김선화 | 기재부 | 69 | 김성진 | 감사원 | 63 | 김성진 | 금융위 | 87 |
| 김봉규 | 인천청 | 283 | 김상원 | 성동서 | 190 | 김석현 | 딜로이트 | 13 | 김선화 | 남대문서 | 171 | 김성진 | 국세청 | 118 | 김성진 | 구로서 | 167 |
| 김봉규 | 인천청 | 284 | 김상원 | 잠실서 | 207 | 김석진 | 한울회계 | 27 | 김선화 | 기흥서 | 228 | 김성진 | 성동서 | 190 | 김성진 | 영등포서 | 200 |
| 김봉근 | 광주세관 | 504 | 김상윤 | 인천청 | 283 | 김석채 | 국세청 | 129 | 김선화 | 부천서 | 304 | 김성진 | 동수원서 | 233 | 김성진 | 인천서 | 290 |
| 김봉기 | 국세청 | 122 | 김상이 | 서울청 | 143 | 김석현 | 영등포서 | 268 | 김선화 | 조세재정 | 508 | 김성진 | 의정부서 | 311 | 김성진 | 대전청 | 320 |
| 김봉범 | 반포서 | 182 | 김상익 | 서울청 | 149 | 김석현 | 서대전서 | 201 | 김선화 | 조세재정 | 508 | 김성진 | 천안서 | 345 | 김성진 | 여수서 | 380 |
| 김봉섭 | 서인천서 | 288 | 김상익 | 국세청 | 130 | 김석호 | 인천서 | 424 | 김선휘 | 청주서 | 354 | 김성진 | 동대구서 | 407 | 김성진 | 부산서 | 437 |
| 김봉수 | 수성서 | 412 | 김상일 | 국세청 | 125 | 김석환 | 금융위 | 87 | 김선희 | 서울청 | 147 | 김성진 | 부산청 | 438 | 김성진 | 부산청 | 439 |
| 김봉승 | 구미서 | 419 | 김상일 | 서울청 | 136 | 김석환 | 울산서 | 463 | 김선희 | 북부산서 | 450 | 김성찬 | 양산서 | 471 | 김성철 | 서인천서 | 288 |
| 김봉식 | 동고양서 | 301 | 김상진 | 북대구서 | 409 | 김석훈 | 금감원 | 93 | 김선희 | 동울산서 | 461 | 김성철 | 창원서 | 475 | 김성태 | 인천세관 | 489 |
| 김봉완 | 인천청 | 283 | 김상진 | 서초서 | 188 | 김석훈 | 동안양서 | 235 | 김선희 | 김해서 | 466 | 김성태 | 인천세관 | 490 | 김성택 | 창원서 | 474 |
| 김봉임 | 남원서 | 386 | 김상진 | 인천청 | 284 | 김선 | 평택서 | 256 | 김선희 | 광주세관 | 504 | 김성표 | 동작서 | 179 | 김성필 | 서울청 | 135 |
| 김봉재 | 반포서 | 183 | 김상진 | 조세심판 | 507 | 김선 | 광주세관 | 504 | 김선희 | 경기광주 | 244 | 김성하 | 영주서 | 428 |  |  |  |
| 김봉재 | 서인천서 | 288 | 김상진 | 예일세무 | 40 | 김선경 | 송파서 | 194 | 김선곤 | 중부청 | 220 |  |  |  |  |  |  |
| 김봉재 | 광산서 | 366 | 김상천 | 삼성서 | 185 | 김선경 | 익산서 | 391 | 김선국 | 하나세무 | 39 |  |  |  |  |  |  |
| 김봉조 | 서울청 | 111 | 김상천 | 서인천서 | 289 | 김선경 | 수성서 | 413 | 김성균 | 순천서 | 378 |  |  |  |  |  |  |
| 김봉준 | 기재부 | 76 | 김상철 | 부평서 | 306 | 김선경 | 부산청 | 441 | 김성균 | 대구청 | 401 |  |  |  |  |  |  |
| 김봉중 | 부산청 | 438 | 김상철 | 경산서 | 414 | 김선광 | 해운대서 | 458 | 김성근 | 국세청 | 128 |  |  |  |  |  |  |
| 김봉진 | 서초서 | 336 | 김상태 | 기재부 | 67 | 김선국 | 법무지평 | 51 | 김성기 | 동수원서 | 233 |  |  |  |  |  |  |
| 김봉진 | 부산청 | 436 | 김상태 | 부산진서 | 446 | 김선균 | 잠실서 | 206 | 김성기 | 서울청 | 151 |  |  |  |  |  |  |
| 김봉찬 | 마포서 | 181 | 김상헌 | 구미서 | 419 | 김선근 | 분당서 | 237 | 김성기 | 인천서 | 291 |  |  |  |  |  |  |
| 김봉호 | 서인천서 | 289 | 김상혁 | 서울청 | 135 | 김선근 | 중부청 | 219 | 김성기 | 부산청 | 434 |  |  |  |  |  |  |
| 김부일 | 국세청 | 108 | 김상혁 | 노원서 | 172 | 김선기 | 대전청 | 323 | 김성기 | 광주세관 | 504 |  |  |  |  |  |  |
| 김부자 | 대구청 | 400 | 김상혁 | 시흥서 | 243 | 김선덕 | 부산서 | 437 | 김성기 | 광주세관 | 504 |  |  |  |  |  |  |
| 김부한 | 서대구서 | 410 | 김상현 | 금감원 | 93 | 김선덕 | 성북서 | 192 | 김성길 | 화성서 | 261 |  |  |  |  |  |  |
| 김분숙 | 울산서 | 463 | 김상현 | 서울청 | 210 | 김선돈 | 서울청 | 344 | 김성길 | 부평서 | 306 |  |  |  |  |  |  |
| 김분회 | 안산서 | 229 | 김상현 | 동화성서 | 258 | 김선미 | 도봉서 | 174 | 김성길 | 남대문서 | 171 |  |  |  |  |  |  |
| 김붕호 | 충주서 | 356 | 김상현 | 대전청 | 322 | 김선미 | 반포서 | 182 | 김성덕 | 성동서 | 191 |  |  |  |  |  |  |
| 김비주 | 강남서 | 158 | 김상현 | 북전주서 | 388 | 김선미 | 동안양서 | 234 | 김성덕 | 은평서 | 204 |  |  |  |  |  |  |
| 김빛나 | 대전청 | 141 | 김상현 | 구미서 | 418 | 김선미 | 안양서 | 250 | 김성덕 | 양천서 | 196 |  |  |  |  |  |  |
| 김빛나 | 대전청 | 321 | 김상현 | 부산청 | 440 | 김선미 | 대전서 | 325 | 김성동 | 인천청 | 279 |  |  |  |  |  |  |
| 김빛누리 | 대전청 | 291 | 김상현 | 조세재정 | 508 | 김선봉 | 북대구서 | 409 | 김성두 | 조세재정 | 511 |  |  |  |  |  |  |
| 김빛마로 | 조세재정 | 508 | 김상형 | 기재부 | 77 | 김선수 | 산서 | 203 | 김성량 | 구로서 | 166 |  |  |  |  |  |  |
| 김빛마로 | 조세재정 | 509 | 김상호 | 구로서 | 166 | 김선순 | 상주서 | 422 | 김성렬 | 광산서 | 367 |  |  |  |  |  |  |
| 김빛마로 | 조세재정 | 509 | 김상호 | 북대전서 | 326 | 김선순 | 동작서 | 178 | 김성룡 | 인천청 | 284 |  |  |  |  |  |  |
| 김사라 | 서부산서 | 452 | 김상호 | 순천서 | 378 | 김선아 | 강동서 | 161 | 김성룡 | 평택서 | 256 |  |  |  |  |  |  |
| 김산 | 춘천서 | 272 | 김상호 | 국회정무 | 60 | 김선아 | 관악서 | 165 | 김성면 | 제주서 | 478 |  |  |  |  |  |  |
| 김삼규 | 북대구서 | 408 | 김상훈 | 역삼서 | 198 | 김선애 | 종로서 | 209 | 김성면 | 진주서 | 472 |  |  |  |  |  |  |
| 김삼수 | 삼척서 | 265 | 김상훈 | 동화성서 | 258 | 김선애 | 남동서 | 286 | 김성묵 | 노원서 | 172 |  |  |  |  |  |  |
| 김상걸 | 남대문서 | 171 | 김상훈 | 세종서 | 339 | 김선애 | 국세청 | 109 | 김성문 | 구로서 | 167 |  |  |  |  |  |  |
| 김상곤 | 서초서 | 147 | 김상훈 | 북광주서 | 370 | 김선애 | 동화성서 | 258 | 김성문 | 중부청 | 222 |  |  |  |  |  |  |
| 김상곤 | 조세심판 | 507 | 김상훈 | 순천서 | 378 | 김선영 | 논산서 | 333 | 김성미 | 동작서 | 179 |  |  |  |  |  |  |
| 김상규 | 서초서 | 188 | 김상훈 | 수성서 | 412 | 김선영 | 기재부 | 80 | 김성미 | 중부청 | 217 |  |  |  |  |  |  |
| 김상균 | 동고양서 | 300 | 김상훈 | 창원서 | 475 | 김선영 | 국세청 | 119 | 김성미 | 안양서 | 250 |  |  |  |  |  |  |
| 김상균 | 부천서 | 304 | 김상훈 | 법무광장 | 48 | 김선영 | 영등포서 | 201 | 김성미 | 동화성서 | 258 |  |  |  |  |  |  |
| 김상균 | 대구청 | 398 | 김상훈 | 삼정회계 | 19 | 김선영 | 종로서 | 208 | 김성미 | 조세재정 | 511 |  |  |  |  |  |  |
| 김상근 | 용산서 | 202 | 김상희 | 동작서 | 178 | 김선영 | 중부청 | 217 | 김성민 | 국세청 | 107 |  |  |  |  |  |  |
| 김상근 | 안동서 | 424 | 김상희 | 성동서 | 190 | 김선영 | 인천청 | 280 | 김성민 | 국세청 | 115 |  |  |  |  |  |  |
| 김상기 | 경주서 | 416 | 김상희 | 경산서 | 414 | 김선영 | 인천청 | 291 | 김성민 | 국세청 | 118 |  |  |  |  |  |  |
| 김상기 | 현대회계 | 28 | 김상희 | 천안서 | 420 | 김선영 | 포천서 | 314 | 김성민 | 속초서 | 267 |  |  |  |  |  |  |
| 김상덕 | 중부청 | 223 | 김상희 | 부산강서 | 448 | 김선영 | 북전주서 | 388 | 김성민 | 부천서 | 304 |  |  |  |  |  |  |
| 김상덕 | 금정서 | 442 | 김상희 | 현대회계 | 28 | 김선영 | 대구청 | 399 | 김성민 | 포천서 | 315 |  |  |  |  |  |  |
| 김상돈 | 택스홈 | 38 | 김새롬 | 수원서 | 240 | 김선영 | 수성서 | 413 | 김성민 | 서대구서 | 411 |  |  |  |  |  |  |
| 김상동 | 구리서 | 227 | 김새롬 | 북전주서 | 389 | 김선영 | 법무세종 | 50 | 김성민 | 서부산서 | 452 |  |  |  |  |  |  |
| 김상록 | 안산서 | 250 | 김새미 | 역삼서 | 199 | 김선옥 | 서인천서 | 289 | 김성민 | 제주서 | 478 |  |  |  |  |  |  |
| 김상린 | 천안서 | 345 | 김새봄 | 동수원서 | 233 | 김선우 | 종로서 | 209 | 김성범 | 안산서 | 247 |  |  |  |  |  |  |
| 김상만 | 서인천서 | 289 | 김샛별 | 기재부 | 77 |  |  |  |  |  |  | 김성범 | 마산서 | 468 |  |  |  |  |  |  |
| 김상목 | 서초서 | 189 |  |  |  |  |  |  |  |  |  | 김성복 | 대구세관 | 499 |  |  |  |  |  |  |

| 이름 | 소속 | 번호 |
| --- | --- | --- |
| 김성학 | 기재부 | 70 |
| 김성한 | 중부서 | 213 |
| 김성항 | 부산청 | 437 |
| 김성향 | 서초서 | 189 |
| 김성혁 | 역삼서 | 199 |
| 김성혁 | 진주서 | 473 |
| 김성현 | 성동서 | 190 |
| 김성현 | 시흥서 | 242 |
| 김성현 | 이천서 | 254 |
| 김성현 | 광주세관 | 505 |
| 김성현 | 삼정회계 | 20 |
| 김성혜 | 광명서 | 297 |
| 김성호 | 국세청 | 117 |
| 김성호 | 서울청 | 152 |
| 김성호 | 중부청 | 217 |
| 김성호 | 군산서 | 384 |
| 김성호 | 대구청 | 399 |
| 김성호 | 부산서 | 440 |
| 김성홍 | 해운대서 | 459 |
| 김성환 | 금감원 | 92 |
| 김성환 | 잠실서 | 206 |
| 김성환 | 영동서 | 351 |
| 김성환 | 법무광장 | 48 |
| 김성훈 | 기재부 | 80 |
| 김성훈 | 용산서 | 203 |
| 김성훈 | 중부청 | 220 |
| 김성훈 | 이천서 | 254 |
| 김성훈 | 부산서 | 437 |
| 김성훈 | 부산청 | 440 |
| 김성훈 | 다솔세무 | 35 |
| 김성희 | 삼성서 | 185 |
| 김성희 | 종로서 | 208 |
| 김성희 | 파주서 | 313 |
| 김성희 | 광주청 | 365 |
| 김성희 | 수영서 | 417 |
| 김성희 | 포천서 | 454 |
| 김세건 | 광주청 | 360 |
| 김세기 | 평택서 | 257 |
| 김세나 | 구미서 | 368 |
| 김세라 | 국세청 | 110 |
| 김세령 | 반포서 | 182 |
| 김세령 | 서대전서 | 328 |
| 김세리 | 기재부 | 69 |
| 김세린 | 국세청 | 110 |
| 김세린 | 영등포서 | 201 |
| 김세린 | 광주서 | 369 |
| 김세명 | 도봉서 | 174 |
| 김세모 | 금감원 | 99 |
| 김세민 | 서울청 | 134 |
| 김세빈 | 구로서 | 166 |
| 김세빈 | 성동서 | 190 |
| 김세식 | 안산서 | 246 |
| 김세언 | 성현회계 | 11 |
| 김세연 | 서대전서 | 329 |
| 김세연 | 익산서 | 390 |
| 김세영 | 경산서 | 298 |
| 김세영 | 통영서 | 477 |
| 김세영 | 한울회계 | 27 |
| 김세온 | 서산서 | 419 |
| 김세옥 | 보령서 | 334 |
| 김세웅 | 양산서 | 471 |
| 김세웅 | 기재부 | 82 |
| 김세영 | 전주서 | 392 |
| 김세원 | 원주서 | 270 |
| 김세원 | 여수서 | 381 |
| 김세은 | 기재부 | 67 |
| 김세은 | 서인천서 | 288 |
| 김세은 | 금정서 | 442 |
| 김세은 | 부산진서 | 446 |
| 김세은 | 조세재정 | 509 |
| 김세일 | 강서서 | 163 |
| 김세종 | 김포서 | 298 |
| 김세진 | 경기광주 | 245 |
| 김세진 | 구미서 | 419 |
| 김세철 | 서초서 | 189 |
| 김세한 | 다솔세무 | 35 |
| 김세한 | 다솔세무 | 35 |
| 김세현 | 기재부 | 73 |
| 김세현 | 동대문서 | 177 |
| 김세현 | 경산서 | 415 |
| 김세호 | 대전서 | 325 |
| 김세환 | 금감원 | 95 |
| 김세환 | 국세청 | 122 |
| 김세환 | 삼정회계 | 18 |
| 김세훈 | 금감원 | 98 |
| 김세훈 | 수원서 | 233 |
| 김세훈 | 안동서 | 424 |
| 김세희 | 서울청 | 149 |
| 김소나 | 서울청 | 155 |
| 김소담 | 인천서 | 290 |
| 김소라 | 서울청 | 144 |
| 김소라 | 도봉서 | 174 |
| 김소리 | 국세청 | 118 |
| 김소리 | 용산서 | 203 |
| 김소망 | 여수서 | 380 |
| 김소민 | 공주서 | 330 |
| 김소연 | 기재부 | 72 |
| 김소연 | 강동서 | 160 |
| 김소연 | 강서서 | 162 |
| 김소연 | 도봉서 | 175 |
| 김소연 | 동대문서 | 176 |
| 김소연 | 마포서 | 180 |
| 김소연 | 서대문서 | 186 |
| 김소연 | 양천서 | 197 |
| 김소연 | 영등포서 | 201 |
| 김소연 | 기흥서 | 228 |
| 김소연 | 동수원서 | 232 |
| 김소연 | 평택서 | 257 |
| 김소연 | 남동서 | 286 |
| 김소연 | 인천서 | 290 |
| 김소연 | 김포서 | 298 |
| 김소연 | 대전서 | 324 |
| 김소연 | 세종서 | 339 |
| 김소연 | 대구청 | 398 |
| 김소연 | 동대구서 | 406 |
| 김소연 | 부산청 | 437 |
| 김소연 | 동래서 | 444 |
| 김소연 | 기재부 | 69 |
| 김소연 | 금융위 | 85 |
| 김소영 | 서울청 | 134 |
| 김소영 | 관악서 | 164 |
| 김소영 | 역삼서 | 198 |
| 김소영 | 남양주서 | 231 |
| 김소영 | 동수원서 | 233 |
| 김소영 | 분당서 | 237 |
| 김소영 | 수원서 | 240 |
| 김소영 | 용인서 | 252 |
| 김소영 | 북광주서 | 370 |
| 김소영 | 군산서 | 384 |
| 김소영 | 익산서 | 390 |
| 김소영 | 부산청 | 440 |
| 김소영 | 해운대서 | 458 |
| 김소영 | 동울산서 | 460 |
| 김소영 | 창원서 | 475 |
| 김소윤 | 조세재정 | 511 |
| 김소은 | 춘천서 | 273 |
| 김소은 | 인천청 | 278 |
| 김소은 | 용인서 | 253 |
| 김소정 | 서울청 | 138 |
| 김소정 | 중부청 | 220 |
| 김소정 | 동안산서 | 248 |
| 김소정 | 파주서 | 312 |
| 김소정 | 인천서 | 238 |
| 김소현 | 안양서 | 250 |
| 김소현 | 평택서 | 257 |
| 김소현 | 세종서 | 339 |
| 김소현 | 경산서 | 414 |
| 김소현 | 조세재정 | 511 |
| 김소희 | 택스홈 | 38 |
| 김소희 | 서울청 | 156 |
| 김소희 | 남대문서 | 170 |
| 김소희 | 동대문서 | 176 |
| 김소희 | 은평서 | 205 |
| 김소희 | 종로서 | 209 |
| 김소희 | 대구청 | 403 |
| 김소희 | 대구세관 | 499 |
| 김소희 | 부산서 | 457 |
| 김슬 | 금감원 | 90 |
| 김슬범 | 목포서 | 377 |
| 김송심 | 서초서 | 152 |
| 김송원 | 대구청 | 402 |
| 김송이 | 중부청 | 222 |
| 김송정 | 화성서 | 260 |
| 김송주 | 인천청 | 280 |
| 김수경 | 기재부 | 74 |
| 김수경 | 동작서 | 178 |
| 김수경 | 삼성서 | 185 |
| 김수경 | 성동서 | 190 |
| 김수경 | 용산서 | 202 |
| 김수경 | 중랑서 | 210 |
| 김수경 | 북광주서 | 370 |
| 김수경 | 익산서 | 390 |
| 김수경 | 광주세관 | 504 |
| 김수경 | 서현회계 | 7 |
| 김수경 | 서현회계 | 7 |
| 김수린 | 조세재정 | 508 |
| 김수명 | 국세청 | 110 |
| 김수미 | 속초서 | 266 |
| 김수미 | 아산서 | 341 |
| 김수민 | 기재부 | 66 |
| 김수민 | 국세청 | 130 |
| 김수민 | 강동서 | 160 |
| 김수민 | 서초서 | 189 |
| 김수민 | 구리서 | 227 |
| 김수민 | 동안양서 | 234 |
| 김수민 | 대구청 | 291 |
| 김수민 | 목포서 | 376 |
| 김수민 | 제주서 | 401 |
| 김수민 | 제주서 | 479 |
| 김수복 | 인천세관 | 490 |
| 김수빈 | 강남서 | 158 |
| 김수빈 | 강동서 | 160 |
| 김수빈 | 부천서 | 305 |
| 김수빈 | 의정부서 | 310 |
| 김수빈 | 천안서 | 345 |
| 김수상 | 안동서 | 425 |
| 김수섭 | 중부청 | 217 |
| 김수아 | 남양주서 | 230 |
| 김수아 | 연수서 | 309 |
| 김수연 | 금천서 | 168 |
| 김수연 | 도봉서 | 174 |
| 김수연 | 성동서 | 190 |
| 김수연 | 중부서 | 213 |
| 김수연 | 중부청 | 225 |
| 김수연 | 수원서 | 240 |
| 김수연 | 수원서 | 240 |
| 김수연 | 인천서 | 291 |
| 김수연 | 부평서 | 306 |
| 김수연 | 천안서 | 344 |
| 김수연 | 금정서 | 443 |
| 김수연 | 동래서 | 445 |
| 김수연 | 진주서 | 472 |
| 김수열 | 용산서 | 202 |
| 김수영 | 기재부 | 81 |
| 김수영 | 구로서 | 167 |
| 김수영 | 노원서 | 173 |
| 김수영 | 성동서 | 190 |
| 김수영 | 성남서 | 239 |
| 김수영 | 계양서 | 292 |
| 김수영 | 대전청 | 320 |
| 김수영 | 대전청 | 320 |
| 김수영 | 해남서 | 382 |
| 김수영 | 부산서 | 438 |
| 김수영 | 진주서 | 472 |
| 김수욱 | 논산서 | 332 |
| 김수용 | 국세청 | 109 |
| 김수용 | 서울청 | 144 |
| 김수용 | 역삼서 | 199 |
| 김수용 | 분당서 | 237 |
| 김수원 | 부천서 | 304 |
| 김수원 | 대전청 | 321 |
| 김수원 | 대전청 | 321 |
| 김수인 | 성남서 | 239 |
| 김수인 | 수원서 | 241 |
| 김수인 | 용인서 | 253 |
| 김수일 | 서울청 | 152 |
| 김수재 | 부산청 | 436 |
| 김수정 | 동작서 | 179 |
| 김수정 | 서초서 | 188 |
| 김수정 | 역삼서 | 198 |
| 김수정 | 종로서 | 209 |
| 김수정 | 수원서 | 240 |
| 김수정 | 이천서 | 255 |
| 김수정 | 화성서 | 261 |
| 김수정 | 인천청 | 283 |
| 김수정 | 서대전서 | 329 |
| 김수정 | 청주서 | 354 |
| 김수정 | 영주서 | 428 |
| 김수정 | 인천세관 | 489 |
| 김수정 | 광주세관 | 505 |
| 김수정 | 조세심판 | 507 |
| 김수정 | 조세심판 | 507 |
| 김수종 | 수원서 | 240 |
| 김수지 | 국세청 | 120 |
| 김수지 | 중부청 | 136 |
| 김수지 | 중부청 | 216 |
| 김수지 | 기흥서 | 228 |
| 김수지 | 중랑서 | 210 |
| 김수지 | 동화성서 | 259 |
| 김수지 | 남대구서 | 404 |
| 김수지 | 안양서 | 106 |
| 김수진 | 서울청 | 142 |
| 김수진 | 서울청 | 157 |
| 김수진 | 강서서 | 163 |
| 김수진 | 구로서 | 167 |
| 김수진 | 금천서 | 168 |
| 김수진 | 은평서 | 204 |
| 김수진 | 중랑서 | 210 |
| 김수진 | 중부서 | 212 |
| 김수진 | 중부서 | 212 |
| 김수진 | 중부청 | 218 |
| 김수진 | 동수원서 | 233 |
| 김수진 | 동안양서 | 234 |
| 김수진 | 분당서 | 237 |
| 김수진 | 용인서 | 253 |
| 김수진 | 평택서 | 257 |
| 김수진 | 동화성서 | 258 |
| 김수진 | 동화성서 | 258 |
| 김수진 | 대전서 | 321 |
| 김수진 | 북대전서 | 326 |
| 김수진 | 아산서 | 340 |
| 김수진 | 동청주서 | 348 |
| 김수진 | 정읍서 | 394 |
| 김수진 | 대구청 | 399 |
| 김수진 | 울산서 | 462 |
| 김수진 | 김해서 | 467 |
| 김수진 | 김해서 | 469 |
| 김수창 | 부산청 | 438 |
| 김수한 | 국세청 | 118 |
| 김수현 | 노원서 | 172 |
| 김수현 | 기재부 | 65 |
| 김수현 | 국세청 | 111 |
| 김수현 | 국세청 | 117 |
| 김수현 | 국세청 | 122 |
| 김수현 | 서울청 | 134 |
| 김수현 | 서울청 | 136 |
| 김수현 | 금천서 | 168 |
| 김수현 | 반포서 | 182 |
| 김수현 | 반포서 | 183 |
| 김수현 | 삼성서 | 185 |
| 김수현 | 삼성서 | 185 |
| 김수현 | 송파서 | 195 |
| 김수현 | 종로서 | 209 |
| 김수현 | 중부청 | 217 |
| 김수현 | 경기광주 | 244 |
| 김수현 | 경기광주 | 245 |
| 김수현 | 동화성서 | 259 |
| 김수현 | 서산서 | 337 |
| 김수현 | 예산서 | 343 |
| 김수현 | 북전주서 | 388 |
| 김수현 | 경주서 | 417 |
| 김수현 | 구미서 | 419 |
| 김수현 | 양산서 | 471 |
| 김수현 | 창원서 | 475 |
| 김수형 | 서울청 | 147 |
| 김수호 | 금융위 | 86 |
| 김수호 | 서울청 | 129 |
| 김수호 | 김천서 | 420 |
| 김수희 | 성남서 | 239 |
| 김수희 | 목포서 | 376 |
| 김수희 | 동대구서 | 406 |
| 김숙 | 기재부 | 84 |
| 김숙 | 서울청 | 463 |
| 김숙경 | 중부청 | 223 |
| 김숙경 | 국세청 | 113 |
| 김숙동 | 사상서 | 63 |
| 김숙례 | 양산서 | 470 |
| 김숙영 | 은평서 | 204 |
| 김숙영 | 성남서 | 238 |
| 김숙자 | 강남서 | 159 |
| 김숙자 | 기재부 | 81 |
| 김숙희 | 서부산서 | 452 |
| 김순기 | 서울지방 | 32 |
| 김순기 | 고시회 | 30 |
| 김순복 | 국세청 | 130 |
| 김순복 | 광주세관 | 504 |
| 김순석 | 남동서 | 286 |
| 김순석 | 대구청 | 400 |
| 김순식 | 감사원 | 61 |
| 김순식 | 감사원 | 62 |
| 김순아 | 국세청 | 128 |
| 김순아 | 마산서 | 468 |
| 김순영 | 서울청 | 138 |
| 김순영 | 중부청 | 217 |
| 김순옥 | 남동서 | 287 |
| 김순옥 | 기재부 | 77 |
| 김순옥 | 서울청 | 145 |
| 김순정 | 남대구서 | 404 |
| 김순정 | 동작서 | 179 |
| 김순화 | 김해서 | 467 |
| 김순화 | 서울지방 | 32 |
| 김순화 | 고시회 | 30 |
| 김스텔라 | EY한영 | 12 |
| 김슬기 | 반포서 | 182 |
| 김슬기 | 서인천서 | 288 |
| 김슬기 | 포천서 | 314 |
| 김슬기 | 조세재정 | 508 |
| 김슬기론 | 김해서 | 466 |
| 김슬빛 | 동울산서 | 460 |
| 김슬아 | 동안양서 | 234 |
| 김슬아 | 동래서 | 444 |
| 김슬지 | 부산청 | 436 |
| 김승구 | 서초서 | 188 |
| 김승국 | 국세청 | 109 |
| 김승국 | 용인서 | 252 |
| 김승규 | 동울산서 | 461 |
| 김승균 | 국회재정 | 55 |
| 김승래 | 이천서 | 255 |
| 김승룡 | 잠실서 | 206 |
| 김승미 | 경기광주 | 244 |
| 김승미 | 마산서 | 468 |
| 김승민 | 서울청 | 134 |
| 김승민 | 논산서 | 332 |
| 김승석 | 광주청 | 361 |
| 김승석 | 서초서 | 188 |
| 김승수 | 광주청 | 360 |
| 김승용 | 서부산서 | 452 |
| 김승용 | 제주서 | 478 |
| 김승용 | 영월서 | 268 |
| 김승욱 | 파주서 | 312 |
| 김승원 | 국회법제 | 58 |
| 김승원 | 국회법제 | 58 |
| 김승일 | 마포서 | 181 |
| 김승임 | 남동서 | 286 |
| 김승주 | 구리서 | 226 |
| 김승주 | 화성서 | 260 |
| 김승주 | 대전청 | 318 |
| 김승주 | 북광주서 | 371 |
| 김승철 | 북부산서 | 450 |
| 김승태 | 기재부 | 74 |
| 김승태 | 파주서 | 313 |
| 김승태 | 대전청 | 322 |
| 김승하 | 기재부 | 73 |
| 김승하 | 조세심판 | 507 |
| 김승현 | 양천서 | 196 |
| 김승현 | 고양서 | 294 |
| 김승현 | 서대전서 | 329 |
| 김승현 | 구미서 | 418 |
| 김승현 | 예일세무 | 40 |
| 김승혜 | 잠실서 | 206 |
| 김승호 | 아산서 | 340 |
| 김승화 | 태평양 | 52 |
| 김승화 | 고양서 | 294 |
| 김승환 | 동작서 | 178 |
| 김승환 | 청주서 | 355 |
| 김승환 | 부산진서 | 446 |
| 김승훈 | 시흥서 | 242 |
| 김승훈 | 청주서 | 354 |
| 김승훈 | 김해서 | 466 |
| 김승훈 | 삼일회계 | 17 |
| 김승훈 | 현대회계 | 28 |
| 김승희 | 서대문서 | 186 |
| 김승희 | 인천청 | 283 |
| 김승희 | 김포서 | 299 |
| 김시곤 | 국세청 | 126 |
| 김시백 | 기재부 | 75 |
| 김시백 | 국세청 | 111 |
| 김시아 | 서초서 | 189 |
| 김시연 | 국세청 | 128 |
| 김시연 | 북부산서 | 451 |
| 김시영 | 노원서 | 173 |
| 김시영 | 광산서 | 366 |
| 김시온 | 북광주서 | 370 |
| 김시우 | 동광주서 | 460 |
| 김시우 | 동고양서 | 301 |
| 김시원 | 금감원 | 92 |
| 김시원 | 서광주서 | 372 |
| 김시윤 | 삼척서 | 265 |
| 김시윤 | 북부산서 | 450 |
| 김시은 | 계양서 | 292 |
| 김시은 | 울산서 | 462 |
| 김시진 | 평택서 | 257 |
| 김시태 | 서울청 | 136 |
| 김시현 | 기재부 | 77 |
| 김시현 | 용산서 | 202 |
| 김시현 | 남대구서 | 405 |
| 김시현 | 북부산서 | 451 |
| 김시형 | 기재부 | 73 |
| 김시형 | 금감원 | 94 |
| 김시형 | 순천서 | 378 |
| 김시훈 | 동작서 | 179 |
| 김시훈 | 성동서 | 191 |
| 김신규 | 구미서 | 419 |
| 김신덕 | 중부청 | 223 |
| 김신애 | 서울청 | 155 |
| 김신애 | 경기광주 | 245 |

| 이름 | 소속 | 쪽 |
|---|---|---|
| 김신애 | 동화성서 | 258 |
| 김신우 | 국세청 | 111 |
| 김신우 | 금천서 | 168 |
| 김신자 | 구로서 | 166 |
| 김신정 | 조세재정 | 510 |
| 김신철 | 서울세관 | 485 |
| 김신철 | 서울세관 | 486 |
| 김신홍 | 익산서 | 390 |
| 김아경 | 춘천서 | 272 |
| 김아경 | 대전청 | 323 |
| 김아람 | 분당서 | 236 |
| 김아람 | 원주서 | 270 |
| 김아람 | 광주청 | 365 |
| 김아람 | 김해서 | 466 |
| 김아름 | 국세청 | 110 |
| 김아름 | 서울청 | 146 |
| 김아름 | 남양주서 | 230 |
| 김아름 | 남동서 | 286 |
| 김아름 | 울산서 | 460 |
| 김아름 | 현대회계 | 28 |
| 김아리수 | 관악서 | 164 |
| 김아영 | 구리서 | 227 |
| 김아영 | 동안양서 | 234 |
| 김아영 | 용인서 | 253 |
| 김아영 | 서산서 | 337 |
| 김아영 | 북광주서 | 371 |
| 김아영 | 경산서 | 415 |
| 김아영 | 진주서 | 473 |
| 김아정 | 파주서 | 313 |
| 김아현 | 서초서 | 188 |
| 김안나 | 도봉서 | 174 |
| 김안나 | 성남서 | 238 |
| 김안나 | 남대구서 | 404 |
| 김안철 | 북광주서 | 370 |
| 김애라 | 서초서 | 189 |
| 김애란 | 부산청 | 437 |
| 김애령 | 전주서 | 393 |
| 김애숙 | 시흥서 | 243 |
| 김애영 | 대구청 | 402 |
| 김애진 | 부산청 | 436 |
| 김약수 | 수영서 | 454 |
| 김양경 | 동청주서 | 348 |
| 김양관 | 서초서 | 189 |
| 김양관 | 광주세관 | 502 |
| 김양규 | 국세청 | 112 |
| 김양근 | 송파서 | 194 |
| 김양미 | 대전청 | 320 |
| 김양미 | 광주청 | 362 |
| 김양수 | 관악서 | 164 |
| 김양수 | 서초서 | 189 |
| 김양수 | 대전청 | 321 |
| 김양수 | 제주서 | 478 |
| 김양언 | 기재부 | 66 |
| 김양욱 | 동래서 | 444 |
| 김양현 | 진주서 | 472 |
| 김양희 | 기재부 | 78 |
| 김양희 | 이천서 | 254 |
| 김양희 | 금정서 | 442 |
| 김언선 | 해운대서 | 458 |
| 김언성 | 기재부 | 67 |
| 김엘리야 | 광주청 | 363 |
| 김여경 | 중부청 | 217 |
| 김여진 | 서대문서 | 186 |
| 김여진 | 중부청 | 218 |
| 김여진 | 광주청 | 363 |
| 김여경 | 조세심판 | 506 |
| 김연광 | 평택서 | 257 |
| 김연규 | 역삼서 | 198 |
| 김연대 | 기재부 | 80 |
| 김연상 | 금감원 | 92 |
| 김연서 | 남동서 | 286 |
| 김연수 | 기재부 | 80 |
| 김연수 | 국세청 | 125 |
| 김연수 | 동고양서 | 301 |
| 김연수 | 광주청 | 331 |
| 김연수 | 부산진서 | 446 |
| 김연숙 | 서울청 | 139 |
| 김연순 | 대전청 | 320 |
| 김연신 | 제주서 | 478 |
| 김연신 | 국세청 | 136 |
| 김연실 | 국세청 | 129 |
| 김연아 | 기흥서 | 228 |
| 김연이 | 광주서 | 357 |
| 김연일 | 경기광주 | 245 |
| 김연자 | 중부서 | 213 |
| 김연정 | 성남서 | 238 |
| 김연종 | 금정서 | 443 |
| 김연주 | 용산서 | 203 |
| 김연주 | 양산서 | 470 |
| 김연주 | 제주서 | 479 |
| 김연지 | 동고양서 | 301 |
| 김연진 | 울산서 | 463 |
| 김연진 | 국세심판 | 507 |
| 김연태 | 기재부 | 73 |
| 김연홍 | 남대문서 | 170 |
| 김연희 | 강릉서 | 262 |
| 김연희 | 송파서 | 195 |
| 김연희 | 대구청 | 398 |
| 김연희 | 대구청 | 401 |
| 김연희 | 동래서 | 444 |
| 김영 | 서대문서 | 187 |
| 김영간 | 청주서 | 355 |
| 김영건 | 서대전서 | 329 |
| 김영경 | 중부청 | 223 |
| 김영경 | 부산청 | 436 |
| 김영경 | 부산강서 | 449 |
| 김영곤 | 대구세관 | 500 |
| 김영곤 | 국세청 | 130 |
| 김영곤 | 동수원서 | 233 |
| 김영곤 | 다솔세무 | 35 |
| 김영곤 | 다솔세무 | 35 |
| 김영관 | 감사원 | 61 |
| 김영관 | 군산서 | 384 |
| 김영광 | 금감원 | 98 |
| 김영교 | 대전청 | 322 |
| 김영국 | 파주서 | 312 |
| 김영권 | 동래서 | 445 |
| 김영규 | 서인천서 | 143 |
| 김영규 | 전주서 | 393 |
| 김영규 | 역삼서 | 198 |
| 김영균 | 서산서 | 336 |
| 김영균 | 북광주서 | 370 |
| 김영근 | 서초서 | 145 |
| 김영근 | 송파서 | 195 |
| 김영기 | 성남서 | 239 |
| 김영근 | 현대회계 | 28 |
| 김영기 | 남대문서 | 171 |
| 김영기 | 서초서 | 189 |
| 김영기 | 중부청 | 219 |
| 김영기 | 중부청 | 224 |
| 김영기 | 대전청 | 319 |
| 김영기 | 인천공항 | 493 |
| 김영길 | 서산서 | 337 |
| 김영남 | 종로서 | 208 |
| 김영남 | 중부서 | 212 |
| 김영노 | 연수서 | 308 |
| 김영노 | 조세심판 | 507 |
| 김영달 | 영월서 | 269 |
| 김영대 | 기재부 | 67 |
| 김영대 | 금감원 | 98 |
| 김영덕 | 북대구서 | 327 |
| 김영동 | 기재부 | 66 |
| 김영동 | 국세청 | 119 |
| 김영동 | 충주서 | 203 |
| 김영두 | 충주서 | 356 |
| 김영란 | 국세청 | 118 |
| 김영란 | 금정서 | 248 |
| 김영란 | 금정서 | 443 |
| 김영례 | 천안서 | 344 |
| 김영례 | 정읍서 | 394 |
| 김영록 | 상주서 | 423 |
| 김영면 | 안동서 | 425 |
| 김영목 | 성동서 | 191 |
| 김영목 | 홍성서 | 346 |
| 김영문 | 관악청 | 143 |
| 김영문 | 포천서 | 314 |
| 김영미 | 서대문서 | 187 |
| 김영미 | 종로서 | 208 |
| 김영미 | 광주청 | 362 |
| 김영미 | 경산서 | 414 |
| 김영민 | 동울산서 | 460 |
| 김영민 | 기재부 | 80 |
| 김영민 | 국세청 | 107 |
| 김영민 | 서울청 | 143 |
| 김영민 | 동작서 | 178 |
| 김영민 | 기흥서 | 228 |
| 김영민 | 북전주서 | 388 |
| 김영민 | 수성서 | 412 |
| 김영민 | 진주서 | 472 |
| 김영보 | 서광주서 | 373 |
| 김영복 | 이천서 | 167 |
| 김영빈 | 춘천서 | 272 |
| 김영빈 | 조세심판 | 507 |
| 김영삼 | 금정서 | 254 |
| 김영상 | 천안서 | 345 |
| 김영상 | 국세청 | 120 |
| 김영석 | 국세청 | 121 |
| 김영석 | 강서서 | 163 |
| 김영석 | 서초서 | 189 |
| 김영석 | 은평서 | 204 |
| 김영석 | 중부청 | 221 |
| 김영석 | 중부청 | 222 |
| 김영선 | 광주청 | 363 |
| 김영선 | 노원서 | 172 |
| 김영선 | 서대문서 | 186 |
| 김영선 | 대전청 | 320 |
| 김영선 | 서광주서 | 372 |
| 김영선 | 정읍서 | 395 |
| 김영섭 | 남대구서 | 404 |
| 김영수 | 기재부 | 72 |
| 김영수 | 기재부 | 78 |
| 김영수 | 강서서 | 162 |
| 김영수 | 서초서 | 189 |
| 김영수 | 인천서 | 280 |
| 김영수 | 통영서 | 477 |
| 김영숙 | 강동서 | 161 |
| 김영숙 | 구로서 | 166 |
| 김영숙 | 도봉서 | 174 |
| 김영숙 | 강릉서 | 263 |
| 김영숙 | 동고양서 | 300 |
| 김영숙 | 연수서 | 309 |
| 김영숙 | 정읍서 | 395 |
| 김영숙 | 서대구서 | 411 |
| 김영숙 | 해운대서 | 458 |
| 김영숙 | 창원서 | 474 |
| 김영순 | 기재부 | 83 |
| 김영순 | 금천서 | 168 |
| 김영순 | 순천서 | 379 |
| 김영순 | 인천공항 | 493 |
| 김영순 | 삼일회계 | 17 |
| 김영식 | 구리서 | 227 |
| 김영식 | 동안양서 | 235 |
| 김영식 | 서대전서 | 328 |
| 김영식 | 도봉서 | 174 |
| 김영신 | 종로서 | 209 |
| 김영심 | 잠실서 | 207 |
| 김영심 | 서광주서 | 372 |
| 김영아 | 노원서 | 172 |
| 김영아 | 인천청 | 280 |
| 김영아 | 홍성서 | 346 |
| 김영아 | 안동서 | 424 |
| 김영아 | 서울세관 | 486 |
| 김영애 | 국세청 | 130 |
| 김영애 | 동수원서 | 232 |
| 김영오 | 광주청 | 362 |
| 김영옥 | 기재부 | 76 |
| 김영옥 | 마포서 | 180 |
| 김영옥 | 종로서 | 209 |
| 김영옥 | 울산서 | 463 |
| 김영옥 | 삼일회계 | 16 |
| 김영우 | 서울지방 | 32 |
| 김영우 | 평택서 | 256 |
| 김영유 | 구로서 | 167 |
| 김영유 | 목포서 | 377 |
| 김영은 | 분당서 | 237 |
| 김영은 | 수원서 | 240 |
| 김영은 | 전주서 | 393 |
| 김영은 | 동대구서 | 406 |
| 김영은 | 북부산서 | 451 |
| 김영인 | 양산서 | 470 |
| 김영인 | 의정부서 | 311 |
| 김영인 | 남대구서 | 404 |
| 김영인 | 북부산서 | 450 |
| 김영인 | 다솔세무 | 35 |
| 김영일 | 동작서 | 179 |
| 김영일 | 영등포서 | 201 |
| 김영일 | 충주서 | 356 |
| 김영자 | 기재부 | 70 |
| 김영자 | 서울청 | 148 |
| 김영재 | 인천청 | 283 |
| 김영정 | 김포서 | 299 |
| 김영조 | 서울청 | 155 |
| 김영종 | 부평서 | 307 |
| 김영종 | 서울청 | 140 |
| 김영주 | 금감원 | 89 |
| 김영주 | 서울청 | 150 |
| 김영주 | 반포서 | 183 |
| 김영주 | 중랑서 | 210 |
| 김영주 | 중부서 | 213 |
| 김영주 | 삼척서 | 265 |
| 김영주 | 고양서 | 295 |
| 김영주 | 부산청 | 437 |
| 김영주 | 부산강서 | 449 |
| 김영주 | 수영서 | 454 |
| 김영주 | 삼일회계 | 17 |
| 김영준 | 동대문서 | 176 |
| 김영준 | 목포서 | 377 |
| 김영중 | 금감원 | 95 |
| 김영중 | 동안양서 | 234 |
| 김영중 | 공주서 | 330 |
| 김영석 | 서대구서 | 410 |
| 김영지 | 동대문서 | 176 |
| 김영지 | 용인서 | 253 |
| 김영지 | 대전청 | 318 |
| 김영지 | 광주청 | 361 |
| 김영직 | 국회재정 | 56 |
| 김영진 | 기재부 | 74 |
| 김영진 | 서울청 | 155 |
| 김영진 | 중부청 | 224 |
| 김영진 | 남동서 | 287 |
| 김영진 | 통영서 | 476 |
| 김영찬 | 서울청 | 148 |
| 김영찬 | 서대전서 | 328 |
| 김영창 | 제주서 | 479 |
| 김영철 | 남대문서 | 171 |
| 김영철 | 현대회계 | 28 |
| 김영택 | 현대회계 | 28 |
| 김영필 | 도봉서 | 175 |
| 김영하 | 딜로이트 | 13 |
| 김영하 | 광주서 | 368 |
| 김영하 | 순천서 | 379 |
| 김영하 | 부산청 | 440 |
| 김영한 | 국세청 | 106 |
| 김영한 | 기재부 | 69 |
| 김영현 | 익산서 | 390 |
| 김영현 | 김해서 | 466 |
| 김영현 | 마산서 | 468 |
| 김영호 | 국세청 | 111 |
| 김영호 | 도봉서 | 174 |
| 김영호 | 남양주서 | 230 |
| 김영호 | 남동서 | 287 |
| 김영호 | 광산서 | 367 |
| 김영호 | 광주세관 | 504 |
| 김영호 | 서울청 | 138 |
| 김영화 | 남대구서 | 404 |
| 김영화 | 부산청 | 435 |
| 김영화 | 조세재정 | 511 |
| 김영환 | 국회재정 | 56 |
| 김영환 | 성북서 | 192 |
| 김영환 | 동수원서 | 232 |
| 김영환 | 분당서 | 236 |
| 김영환 | 연수서 | 309 |
| 김영환 | 포천서 | 314 |
| 김영훈 | 중부청 | 216 |
| 김영훈 | 마포서 | 180 |
| 김영훈 | 종로서 | 209 |
| 김영훈 | 울산서 | 463 |
| 김영훈 | EY한영 | 12 |
| 김영희 | 예산서 | 343 |
| 김영희 | 충주서 | 356 |
| 김예린 | 서대문서 | 187 |
| 김예린 | 서울청 | 155 |
| 김예성 | 종로서 | 209 |
| 김예성 | 인천서 | 290 |
| 김예숙 | 광주세관 | 505 |
| 김예숙 | 안양서 | 251 |
| 김예슬 | 기재부 | 81 |
| 김예슬 | 구로서 | 167 |
| 김예슬 | 동수원서 | 232 |
| 김예슬 | 남부천서 | 303 |
| 김예슬 | 군산서 | 384 |
| 김예연 | 경기광주 | 244 |
| 김예원 | 강서서 | 162 |
| 김예원 | 안양서 | 251 |
| 김예원 | 중부산서 | 457 |
| 김예원 | 조세재정 | 509 |
| 김예정 | 평택서 | 256 |
| 김예정 | 마산서 | 469 |
| 김예준 | 영등포서 | 201 |
| 김예준 | 서울청 | 363 |
| 김예지 | 강서서 | 162 |
| 김예지 | 영등포서 | 201 |
| 김예지 | 수원서 | 240 |
| 김예지 | 경기광주 | 244 |
| 김예지 | 동안산서 | 249 |
| 김예지 | 진주서 | 472 |
| 김예진 | 잠실서 | 207 |
| 김예진 | 순천서 | 378 |
| 김예진 | 광주세관 | 504 |
| 김오미 | 역삼서 | 199 |
| 김오영 | 순천서 | 133 |
| 김오영 | 서울청 | 140 |
| 김오영 | 서울청 | 141 |
| 김오남 | 경기광주 | 245 |
| 김옥동 | 기재부 | 77 |
| 김옥분 | 서울청 | 139 |
| 김옥현 | 서울청 | 139 |
| 김옥자 | 안동서 | 424 |
| 김옥재 | 성동서 | 191 |
| 김옥래 | 동래서 | 444 |
| 김옥현 | 광산서 | 367 |
| 김옥현 | 북대구서 | 409 |
| 김옥환 | 성동서 | 190 |
| 김옥희 | 광주청 | 362 |
| 김온식 | 조세심판 | 506 |
| 김온유 | 동화성서 | 259 |
| 김완 | 중부서 | 225 |
| 김완구 | 예산서 | 343 |
| 김완석 | 김포서 | 298 |
| 김완섭 | 구미서 | 419 |
| 김완수 | 기재부 | 68 |
| 김완수 | 기재부 | 79 |
| 김완종 | 서울청 | 144 |
| 김완종 | 동화성서 | 258 |
| 김완철 | 광주청 | 365 |
| 김완태 | 제주서 | 479 |
| 김외국 | 서울청 | 135 |
| 김요균 | 부산청 | 437 |
| 김요대 | 기재부 | 75 |
| 김요왕 | 김앤장 | 47 |
| 김요한 | 삼성서 | 184 |
| 김요한 | 국세청 | 112 |
| 김요한 | 기재부 | 78 |
| 김요환 | 국세청 | 109 |
| 김용 | 광주청 | 360 |
| 김용곤 | 관악서 | 165 |
| 김용관 | 서울청 | 143 |
| 김용관 | 분당서 | 236 |
| 김용구 | 태평양 | 52 |
| 김용구 | 광주세관 | 504 |
| 김용구 | 광주세관 | 504 |
| 김용국 | 시흥서 | 242 |
| 김용규 | 대구세관 | 500 |
| 김용균 | 고시회 | 30 |
| 김용균 | 서현회계 | 6 |
| 김용기 | 국세청 | 108 |
| 김용기 | 보령서 | 335 |
| 김용남 | 김천서 | 421 |
| 김용남 | 북전주서 | 388 |
| 김용대 | 진주서 | 472 |
| 김용덕 | 조세재정 | 509 |
| 김용례 | 시흥서 | 243 |
| 김용만 | 익산서 | 390 |
| 김용만 | 국회정무 | 60 |
| 김용민 | 용산서 | 202 |
| 김용민 | 국회법제 | 58 |
| 김용민 | 금감원 | 99 |
| 김용민 | 서울청 | 134 |
| 김용배 | 남고양서 | 301 |
| 김용백 | 중부서 | 213 |
| 김용삼 | 마산서 | 468 |
| 김용석 | 보령서 | 334 |
| 김용석 | 구로서 | 166 |
| 김용석 | 남동서 | 287 |
| 김용석 | 북대전서 | 327 |
| 김용선 | 안동서 | 424 |
| 김용섭 | 중부서 | 213 |
| 김용수 | 인천공항 | 492 |
| 김용수 | 동작서 | 178 |
| 김용수 | 전주서 | 393 |
| 김용수 | 태평양 | 52 |
| 김용식 | 부산세관 | 495 |
| 김용식 | 부산세관 | 496 |
| 김용연 | 수원서 | 240 |
| 김용오 | 북광주서 | 371 |
| 김용우 | 국세청 | 112 |
| 김용우 | 정읍서 | 394 |
| 김용웅 | 남동서 | 287 |
| 김용원 | 동대문서 | 176 |
| 김용원 | 진주서 | 472 |
| 김용익 | 광주세관 | 501 |
| 김용익 | 광주세관 | 502 |
| 김용익 | 다솔세무 | 35 |
| 김용익 | 인천지방 | 33 |
| 김용재 | 강릉서 | 262 |
| 김용재 | 해남서 | 382 |
| 김용재 | 국세청 | 118 |
| 김용재 | 국세청 | 128 |
| 김용재 | 삼성서 | 185 |
| 김용정 | 제주서 | 479 |
| 김용제 | 마포서 | 180 |
| 김용정 | 부산진서 | 447 |
| 김용주 | 포항서 | 430 |
| 김용제 | 부산진서 | 446 |
| 김용주 | 천안서 | 344 |

**1열**

| 이름 | 소속 | 쪽 |
|---|---|---|
| 김용주 | 광주청 | 363 |
| 김용주 | 동래서 | 444 |
| 김용준 | 기재부 | 77 |
| 김용준 | 서울청 | 142 |
| 김용준 | 경기광주 | 244 |
| 김용준 | 제주서 | 479 |
| 김용준 | 광주세관 | 505 |
| 김용진 | 금융위 | 85 |
| 김용진 | 금감원 | 95 |
| 김용진 | 화성서 | 260 |
| 김용진 | 홍천서 | 274 |
| 김용진 | 천안서 | 345 |
| 김용진 | 제천서 | 352 |
| 김용진 | 광주세관 | 504 |
| 김용천 | 예일세무 | 40 |
| 김용철 | 삼성서 | 184 |
| 김용철 | 역삼서 | 198 |
| 김용철 | 이천서 | 254 |
| 김용철 | 삼척서 | 264 |
| 김용철 | 북대전서 | 326 |
| 김용철 | 하나세무 | 39 |
| 김용태 | 국세청 | 109 |
| 김용태 | 삼척서 | 264 |
| 김용태 | 광주청 | 365 |
| 김용태 | 서광주서 | 373 |
| 김용필 | 현대회계 | 28 |
| 김용학 | 삼덕회계 | 15 |
| 김용한 | 인천청 | 279 |
| 김용한 | 수성서 | 412 |
| 김용현 | 서울청 | 154 |
| 김용현 | 충주서 | 356 |
| 김용현 | 동울산서 | 460 |
| 김용호 | 종로서 | 209 |
| 김용호 | 영동서 | 351 |
| 김용호 | 중부청 | 223 |
| 김용휘 | 현대회계 | 28 |
| 김용희 | 송파서 | 195 |
| 김용희 | 중부청 | 219 |
| 김우리 | 김앤장 | 47 |
| 김우리 | 북대구서 | 408 |
| 김우석 | 성동서 | 191 |
| 김우석 | 제주서 | 478 |
| 김우성 | 기재부 | 82 |
| 김우성 | 국세청 | 109 |
| 김우성 | 성북서 | 192 |
| 김우성 | 세종서 | 339 |
| 김우수 | 양천서 | 197 |
| 김우식 | 성현회계 | 11 |
| 김우신 | 광주청 | 360 |
| 김우영 | 성동서 | 191 |
| 김우영 | 인천지방 | 33 |
| 김우정 | 서울청 | 150 |
| 김우정 | 남대문서 | 170 |
| 김우정 | 나주서 | 374 |
| 김우정 | 여수서 | 381 |
| 김우주 | 동안양서 | 235 |
| 김우주 | 논산서 | 333 |
| 김우진 | 구미서 | 419 |
| 김우진 | 양천서 | 196 |
| 김우철 | 관세청 | 482 |
| 김우택 | 금감원 | 98 |
| 김우현 | 인천청 | 280 |
| 김우호 | 강동서 | 160 |
| 김우환 | 남동서 | 287 |
| 김욱진 | 구미서 | 418 |
| 김운규 | 삼일회계 | 17 |
| 김운기 | 광주청 | 362 |
| 김운주 | 천안서 | 345 |
| 김운중 | 중부청 | 220 |
| 김웅 | 은평서 | 204 |
| 김웅 | 동고양서 | 300 |
| 김웅 | 부천서 | 304 |
| 김웅진 | 익산서 | 391 |
| 김원경 | 중부청 | 216 |
| 김원규 | 제주서 | 479 |
| 김원기 | 강서서 | 163 |
| 김원기 | 예일세무 | 40 |
| 김원대 | 기재부 | 66 |
| 김원덕 | 택스홀 | 38 |
| 김원명 | 대전청 | 318 |
| 김원동 | 딜로이트 | 13 |
| 김원동 | 딜로이트 | 13 |
| 김원민 | 삼척서 | 264 |
| 김원상 | 영월서 | 268 |
| 김원섭 | 법무대륜 | 45 |
| 김원섭 | 인천공항 | 493 |
| 김원식 | 부산세관 | 495 |
| 김원식 | 부산세관 | 497 |
| 김원욱 | 관세사회 | 42 |
| 김원욱 | 김포서 | 298 |
| 김원웅 | 광주세관 | 504 |

**2열**

| 이름 | 소속 | 쪽 |
|---|---|---|
| 김원정 | 노원서 | 173 |
| 김원종 | 삼일회계 | 179 |
| 김원찬 | 이천서 | 16 |
| 김원택 | 동대문서 | 255 |
| 김원필 | 광주세관 | 177 |
| 김원형 | 기재부 | 505 |
| 김원형 | 종로서 | 72 |
| 김원호 | 금천서 | 208 |
| 김원호 | 대전서 | 168 |
| 김원희 | 거창서 | 324 |
| 김월옹 | 관세청 | 465 |
| 김월하 | 영덕서 | 482 |
| 김유경 | 기재부 | 287 |
| 김유경 | 남동서 | 426 |
| 김유경 | 연수서 | 70 |
| 김유권 | 양천서 | 76 |
| 김유나 | 남대문서 | 286 |
| 김유나 | 반포서 | 308 |
| 김유나 | 영등포서 | 349 |
| 김유나 | 동안양서 | 197 |
| 김유라 | 북대전서 | 170 |
| 김유리 | 충주서 | 124 |
| 김유리 | 국세청 | 183 |
| 김유리 | 성동서 | 235 |
| 김유리 | 영등포서 | 344 |
| 김유리 | 잠실서 | 326 |
| 김유리 | 동래서 | 357 |
| 김유리 | 동울산서 | 110 |
| 김유림 | 창원서 | 190 |
| 김유림 | 기재부 | 201 |
| 김유림 | 양천서 | 207 |
| 김유미 | 잠실서 | 445 |
| 김유미 | 동청주서 | 460 |
| 김유미 | 서울청 | 474 |
| 김유미 | 강서서 | 80 |
| 김유미 | 영등포서 | 197 |
| 김유미 | 종로서 | 207 |
| 김유빈 | 동수원서 | 348 |
| 김유선 | 파주서 | 147 |
| 김유숭 | 기재부 | 163 |
| 김유식 | 여수서 | 200 |
| 김유신 | 반포서 | 208 |
| 김유신 | 중부서 | 233 |
| 김유연 | 영동서 | 313 |
| 김유정 | 서울청 | 80 |
| 김유정 | 통영서 | 343 |
| 김유정 | 광산서 | 380 |
| 김유정 | 기재부 | 183 |
| 김유정 | 서초서 | 212 |
| 김유정 | 중부청 | 351 |
| 김유정 | 홍성서 | 153 |
| 김유정 | 구미서 | 154 |
| 김유정 | 부산강서 | 476 |
| 김유정 | 울산서 | 367 |
| 김유주 | 법무대륜 | 81 |
| 김유준 | 종로서 | 153 |
| 김유진 | 법무정무 | 188 |
| 김유진 | 기재부 | 201 |
| 김유진 | 서울청 | 218 |
| 김유진 | 강남서 | 346 |
| 김유진 | 구로서 | 379 |
| 김유진 | 마포서 | 419 |
| 김유진 | 평택서 | 449 |
| 김유진 | 잠실서 | 463 |
| 김유진 | 종로서 | 209 |
| 김유진 | 동부청 | 59 |
| 김유진 | 남양주서 | 70 |
| 김유진 | 시흥서 | 137 |
| 김유진 | 화성서 | 153 |
| 김유진 | 인천청 | 158 |
| 김유진 | 대전서 | 166 |
| 김유진 | 전주서 | 166 |
| 김유진 | 서대구서 | 181 |
| 김유진 | 구미서 | 204 |
| 김유진 | 영덕서 | 206 |
| 김유진 | 동울산서 | 208 |
| 김유진 | 김해서 | 220 |

**3열**

| 이름 | 소속 | 쪽 |
|---|---|---|
| 김유찬 | 기재부 | 81 |
| 김유철 | 평택서 | 256 |
| 김유철 | 부천서 | 304 |
| 김유학 | 제주서 | 478 |
| 김유현 | 속초서 | 267 |
| 김유현 | 국회재정 | 56 |
| 김유현 | 기재부 | 72 |
| 김유현 | 기흥서 | 228 |
| 김유현 | 안양서 | 251 |
| 김유혜 | 조세재정 | 509 |
| 김유홍 | 마포서 | 181 |
| 김육곤 | 감사원 | 63 |
| 김윤 | 국세청 | 111 |
| 김윤 | 고양서 | 294 |
| 김윤 | 의정부서 | 147 |
| 김윤겸 | 서울청 | 310 |
| 김윤경 | 제천서 | 353 |
| 김윤경 | 기재부 | 80 |
| 김윤경 | 강서서 | 160 |
| 김윤래 | 파주서 | 313 |
| 김윤미 | 양산서 | 470 |
| 김윤미 | 기재부 | 67 |
| 김윤상 | 관악서 | 165 |
| 김윤선 | 영등포서 | 200 |
| 김윤섭 | 조세재정 | 511 |
| 김윤섭 | 기재부 | 67 |
| 김윤선 | 울산서 | 463 |
| 김윤수 | 서울청 | 152 |
| 김윤수 | 삼일회계 | 16 |
| 김윤수 | 영등포서 | 201 |
| 김윤수 | 기재부 | 81 |
| 김윤수 | 북구서 | 408 |
| 김윤영 | 수원서 | 240 |
| 김윤영 | 강서서 | 162 |
| 김윤영 | 양천서 | 196 |
| 김윤옥 | 조세재정 | 510 |
| 김윤용 | 동수원서 | 232 |
| 김윤이 | 대전청 | 321 |
| 김윤자 | 반포서 | 183 |
| 김윤자 | 금정서 | 442 |
| 김윤장 |  | 78 |
| 김윤정 | 국세청 | 110 |
| 김윤정 | 서울청 | 145 |
| 김윤정 | 서울청 | 152 |
| 김윤정 | 강동서 | 160 |
| 김윤정 | 금천서 | 169 |
| 김윤정 | 도봉서 | 174 |
| 김윤정 | 서초서 | 188 |
| 김윤정 | 잠실서 | 206 |
| 김윤정 | 중부청 | 217 |
| 김윤정 | 순천서 | 379 |
| 김윤종 | 현대회계 | 28 |
| 김윤주 | 수성서 | 413 |
| 김윤주 | 서울청 | 141 |
| 김윤주 | 광명서 | 296 |
| 김윤주 | 광산서 | 366 |
| 김윤주 | 동울산서 | 460 |
| 김윤주 | 창원서 | 474 |
| 김윤지 | 조세재정 | 510 |
| 김윤지 | 하나세무 | 39 |
| 김윤진 | 북대전서 | 326 |
| 김윤한 | 안양서 | 251 |
| 김윤혁 | 기흥서 | 228 |
| 김윤호 | 강동서 | 160 |
| 김윤호 | 마포서 | 181 |
| 김윤호 | 대구청 | 400 |
| 김윤환 | 예산서 | 342 |
| 김윤희 | 기재부 | 72 |
| 김윤희 | 잠실서 | 206 |
| 김윤희 | 시흥서 | 242 |
| 김윤희 | 경기광주 | 245 |
| 김윤희 | 용인서 | 253 |
| 김윤희 | 김포서 | 299 |
| 김윤희 | 서산서 | 337 |
| 김윤희 | 광주청 | 360 |
| 김윤희 | 광주청 | 365 |
| 김윤희 | 잠실서 | 206 |
| 김은경 | 국세청 | 124 |
| 김은경 | 마포서 | 181 |
| 김은경 | 서초서 | 188 |
| 김은경 | 성동서 | 190 |
| 김은경 | 중랑서 | 210 |
| 김은경 | 시흥서 | 243 |
| 김은경 | 이천서 | 254 |
| 김은경 | 북대전서 | 326 |
| 김은경 | 남대구서 | 405 |
| 김은경 | 서대구서 | 411 |
| 김은경 | 부산진서 | 446 |
| 김은경 | 관세청 | 483 |
| 김은규 | 예산서 | 342 |

**4열**

| 이름 | 소속 | 쪽 |
|---|---|---|
| 김은기 | 국세청 | 109 |
| 김은기 | 경기광주 | 244 |
| 김은덕 | 충주서 | 357 |
| 김은득 | 서대전서 | 328 |
| 김은령 | 기재부 | 69 |
| 김은령 | 강서서 | 162 |
| 김은령 | 중부서 | 212 |
| 김은미 | 안양서 | 251 |
| 김은미 | 서울청 | 137 |
| 김은미 | 성동서 | 191 |
| 김은미 | 성북서 | 193 |
| 김은미 | 포천서 | 315 |
| 김은미 | 남원서 | 386 |
| 김은미 | 익산서 | 390 |
| 김은미 | 정읍서 | 395 |
| 김은미 | 구로서 | 166 |
| 김은민 | 김포서 | 298 |
| 김은비 | 부산강서 | 449 |
| 김은서 | 화성서 | 261 |
| 김은선 | 영등포서 | 200 |
| 김은선 | 서울청 | 152 |
| 김은선 | 동작서 | 179 |
| 김은선 | 동안양서 | 234 |
| 김은설 | 의정부서 | 311 |
| 김은성 | 금감원 | 93 |
| 김은성 | 광주청 | 362 |
| 김은송 | 인천청 | 290 |
| 김은수 | 송파서 | 194 |
| 김은수 | 중부청 | 220 |
| 김은수 | 부산강서 | 434 |
| 김은수 | 강남서 | 159 |
| 김은숙 | 강서서 | 163 |
| 김은숙 | 서울청 | 166 |
| 김은숙 | 남대문서 | 170 |
| 김은숙 | 중부청 | 225 |
| 김은숙 | 서울청 | 240 |
| 김은숙 | 목포서 | 377 |
| 김은순 | 조세재정 | 509 |
| 김은순 | 영월서 | 269 |
| 김은실 | 국세청 | 130 |
| 김은실 | 성동서 | 191 |
| 김은실 | 송파서 | 195 |
| 김은실 | 영등포서 | 200 |
| 김은실 | 중부청 | 221 |
| 김은아 | 고시회 | 30 |
| 김은아 | 서울청 | 141 |
| 김은아 | 반포서 | 183 |
| 김은아 | 군산서 | 384 |
| 김은애 | 동래서 | 191 |
| 김은연 | 동래서 | 445 |
| 김은영 | 국세청 | 128 |
| 김은영 | 서울청 | 150 |
| 김은영 | 서대문서 | 186 |
| 김은영 | 동안양서 | 235 |
| 김은영 | 분당서 | 236 |
| 김은영 | 계양서 | 292 |
| 김은영 | 충주서 | 356 |
| 김은영 | 목포서 | 361 |
| 김은영 | 서대구서 | 377 |
| 김은영 | 부산진서 | 410 |
| 김은영 | 북부산서 | 446 |
| 김은영 | 울산서 | 451 |
| 김은영 | 광산서 | 463 |
| 김은오 | 군산서 | 367 |
| 김은용 | 현대회계 | 28 |
| 김은용 | 기재부 | 72 |
| 김은유 | 포항서 | 431 |
| 김은윤 | 기재부 | 28 |
| 김은자 | 국세청 | 131 |
| 김은자 | 송파서 | 195 |
| 김은자 | 광주청 | 362 |
| 김은재 | 잠실서 | 204 |
| 김은정 | 국세청 | 121 |
| 김은정 | 서울청 | 137 |
| 김은정 | 서울청 | 142 |
| 김은정 | 서울청 | 142 |
| 김은정 | 강동서 | 159 |
| 김은정 | 강동서 | 160 |
| 김은정 | 동대문서 | 176 |
| 김은정 | 서대문서 | 176 |
| 김은정 | 경기광주 | 186 |
| 김은정 | 인천청 | 202 |
| 김은정 | 경기광주 | 244 |
| 김은정 | 인천청 | 279 |
| 김은정 | 광주청 | 363 |

**5열**

| 이름 | 소속 | 쪽 |
|---|---|---|
| 김은정 | 나주서 | 375 |
| 김은정 | 북전주서 | 388 |
| 김은정 | 조세재정 | 510 |
| 김은주 | 예일세무 | 40 |
| 김은주 | 국세청 | 130 |
| 김은주 | 서울청 | 143 |
| 김은주 | 성북서 | 193 |
| 김은주 | 송파서 | 195 |
| 김은주 | 중부청 | 217 |
| 김은주 | 안산서 | 246 |
| 김은주 | 안양서 | 250 |
| 김은주 | 삼척서 | 264 |
| 김은주 | 인천청 | 280 |
| 김은주 | 서대전서 | 329 |
| 김은주 | 천안서 | 344 |
| 김은주 | 남대구서 | 404 |
| 김은주 | 김천서 | 420 |
| 김은주 | 해운대서 | 458 |
| 김은주 | 동울산서 | 460 |
| 김은주 | 진주서 | 472 |
| 김은중 | 역삼서 | 199 |
| 김은지 | 삼성서 | 184 |
| 김은지 | 종로서 | 209 |
| 김은지 | 남원서 | 386 |
| 김은진 | 국세청 | 111 |
| 김은진 | 국세청 | 121 |
| 김은진 | 서울청 | 141 |
| 김은진 | 관악서 | 165 |
| 김은진 | 양천서 | 196 |
| 김은진 | 중부청 | 219 |
| 김은진 | 동안양서 | 234 |
| 김은진 | 분당서 | 236 |
| 김은진 | 안양서 | 251 |
| 김은진 | 여수서 | 381 |
| 김은진 | 대구청 | 400 |
| 김은철 | 대전서 | 324 |
| 김은태 | 국세청 | 122 |
| 김은태 | 잠실서 | 206 |
| 김은하 | 남부천서 | 302 |
| 김은하 | 아산서 | 341 |
| 김은해 | 서대문서 | 187 |
| 김은향 | 인천청 | 279 |
| 김은혜 | 강서서 | 163 |
| 김은혜 | 관악서 | 164 |
| 김은혜 | 구로서 | 167 |
| 김은혜 | 중부청 | 223 |
| 김은혜 | 중부청 | 224 |
| 김은혜 | 서산서 | 336 |
| 김은혜 | 부산진서 | 447 |
| 김은호 | 국세청 | 128 |
| 김은호 | 중부청 | 216 |
| 김은호 | 동울산서 | 460 |
| 김은호 | 노원서 | 172 |
| 김은화 | 성북서 | 192 |
| 김은화 | 국세청 | 147 |
| 김은희 | 서울청 | 147 |
| 김은희 | 강동서 | 161 |
| 김은희 | 용산서 | 203 |
| 김은희 | 구리서 | 226 |
| 김은희 | 영월서 | 269 |
| 김은희 | 대전청 | 320 |
| 김은희 | 수영서 | 454 |
| 김은희 | 중부산서 | 456 |
| 김을령 | 남대문서 | 170 |
| 김을남 | 서산서 | 336 |
| 김의규 | 아산서 | 340 |
| 김의연 | 동고양서 | 301 |
| 김의연 | 서대전서 | 328 |
| 김의영 | 동안산서 | 249 |
| 김의영 | 부산강서 | 449 |
| 김의주 | 조세재정 | 510 |
| 김의주 | 의정부서 | 310 |
| 김의환 | 김앤장 | 47 |
| 김이경 | 북전주서 | 388 |
| 김이곤 | 다솔세무 | 35 |
| 김이규 | 경주서 | 416 |
| 김이동 | 삼정회계 | 18 |
| 김이라 | 서울청 | 137 |
| 김이레 | 북대구서 | 408 |
| 김이쁨 | 강남서 | 159 |
| 김이석 | 부산세관 | 496 |
| 김이섭 | 인천청 | 283 |
| 김이수 | 대전청 | 322 |
| 김이영 | 충주서 | 356 |
| 김이영 | 북전주서 | 389 |
| 김이준 | 서울청 | 142 |
| 김이현 | 평택서 | 257 |
| 김이현 | 기재부 | 80 |
| 김이현 | 동수원서 | 233 |

| 이름 | 소속 | 번호 |
|---|---|---|
| 김이현 | 부산진서 | 447 |
| 김이화 | 은평서 | 204 |
| 김이남 | 금감원 | 91 |
| 김익상 | 해남서 | 382 |
| 김익표 | 현대회계 | 28 |
| 김익헌 | 대구세관 | 499 |
| 김익환 | 대구세관 | 500 |
| 김인 | 금천서 | 168 |
| 김인겸 | 대구청 | 398 |
| 김인겸 | 서울청 | 134 |
| 김인겸 | 수원서 | 241 |
| 김인겸 | 광주세관 | 504 |
| 김인경 | 노원서 | 173 |
| 김인경 | 영주서 | 428 |
| 김인경 | 금정서 | 443 |
| 김인경 | 북부산서 | 451 |
| 김인기 | 현대회계 | 28 |
| 김인덕 | 서대구서 | 410 |
| 김인빈 | 노원서 | 172 |
| 김인성 | 부평서 | 307 |
| 김인수 | 동작서 | 179 |
| 김인수 | 남부천서 | 302 |
| 김인수 | 진주서 | 473 |
| 김인수 | 다솔세무 | 35 |
| 김인숙 | 서울청 | 140 |
| 김인숙 | 남대문서 | 170 |
| 김인숙 | 중랑서 | 210 |
| 김인숙 | 구리서 | 226 |
| 김인숙 | 동수원서 | 233 |
| 김인숙 | 서인천서 | 289 |
| 김인숙 | 김해서 | 466 |
| 김인식 | 금감원 | 90 |
| 김인아 | 서울청 | 138 |
| 김인아 | 조세재정 | 511 |
| 김인애 | 경기광주 | 244 |
| 김인애 | 파주서 | 312 |
| 김인애 | 조세재정 | 510 |
| 김인욱 | 연수서 | 308 |
| 김인원 | 법무대륜 | 45 |
| 김인유 | 조세재정 | 509 |
| 김인자 | 서대구서 | 410 |
| 김인정 | 서인천서 | 289 |
| 김인제 | 분당서 | 237 |
| 김인주 | 울산서 | 462 |
| 김인중 | 반포서 | 183 |
| 김인중 | 북광주서 | 371 |
| 김인찬 | 고양서 | 294 |
| 김인천 | 남부천서 | 302 |
| 김인철 | 속초서 | 267 |
| 김인태 | 대전서 | 325 |
| 김인혜 | 동안산서 | 248 |
| 김인호 | 종로서 | 209 |
| 김인호 | 북대전서 | 326 |
| 김인화 | 삼성서 | 185 |
| 김인화 | 공주서 | 331 |
| 김인환 | 김포서 | 298 |
| 김인희 | 파주서 | 313 |
| 김일국 | 국세청 | 123 |
| 김일권 | 부산청 | 440 |
| 김일도 | 서울청 | 150 |
| 김일빈 | 강남서 | 158 |
| 김일두 | 서울청 | 142 |
| 김일룡 | 대구청 | 400 |
| 김일용 | 동고양서 | 300 |
| 김일우 | 영덕서 | 427 |
| 김일하 | 노원서 | 173 |
| 김일한 | 부산청 | 436 |
| 김일희 | 동울산서 | 460 |
| 김임경 | 관악서 | 165 |
| 김임년 | 국세청 | 111 |
| 김임순 | 여수서 | 380 |
| 김자림 | 인천서 | 291 |
| 김자영 | 대구청 | 398 |
| 김자헌 | 관악서 | 165 |
| 김자현 | 서광주서 | 373 |
| 김자희 | 광주서 | 368 |
| 김장근 | 서대문서 | 186 |
| 김장년 | 대전청 | 322 |
| 김장석 | 울산서 | 462 |
| 김장섭 | 분당서 | 237 |
| 김장용 | 대전청 | 322 |
| 김장현 | 천안서 | 345 |
| 김장훈 | 기재부 | 80 |
| 김재갑 | 금감원 | 93 |
| 김재경 | 광주청 | 360 |
| 김재경 | 정읍서 | 395 |
| 김재경 | 조세재정 | 508 |
| 김재경 | 조세재정 | 509 |
| 김재곤 | 동작서 | 179 |
| 김재곤 | 연수서 | 308 |
| 김재광 | 서울청 | 153 |
| 김재구 | 도봉서 | 174 |
| 김재구 | 서산서 | 337 |
| 김재규 | 남대구서 | 405 |
| 김재권 | 부천서 | 304 |
| 김재균 | 거창서 | 464 |
| 김재동 | 기재부 | 74 |
| 김재락 | 대구청 | 401 |
| 김재련 | 남대문서 | 171 |
| 김재만 | 서광주서 | 372 |
| 김재만 | 전주서 | 393 |
| 김재미 | 포항서 | 430 |
| 김재민 | 대전청 | 319 |
| 김재백 | 동대구서 | 407 |
| 김재산 | 홍성서 | 346 |
| 김재석 | 인천서 | 282 |
| 김재석 | 계양서 | 293 |
| 김재석 | 목포서 | 377 |
| 김재석 | 인천공항 | 492 |
| 김재섭 | 국회정무 | 60 |
| 김재섭 | 서대구서 | 410 |
| 김재성 | 강서서 | 162 |
| 김재성 | 시흥서 | 242 |
| 김재식 | 서울세관 | 485 |
| 김재신 | 딜로이트 | 13 |
| 김재연 | 동대문서 | 177 |
| 김재연 | 김포서 | 298 |
| 김재열 | 동대구서 | 407 |
| 김재영 | 부산청 | 440 |
| 김재오 | 기재부 | 71 |
| 김재완 | 기재부 | 73 |
| 김재완 | 서울청 | 150 |
| 김재용 | 동작주서 | 349 |
| 김재용 | 광산서 | 367 |
| 김재우 | 강릉서 | 262 |
| 김재우 | 이천서 | 255 |
| 김재욱 | 현대회계 | 28 |
| 김재욱 | 서울청 | 142 |
| 김재욱 | 반포서 | 183 |
| 김재웅 | 중부서 | 222 |
| 김재웅 | 대전청 | 320 |
| 김재웅 | 광주청 | 361 |
| 김재원 | 국세청 | 107 |
| 김재원 | 서울청 | 108 |
| 김재원 | 법무광장 | 48 |
| 김재원 | 기재부 | 77 |
| 김재원 | 도봉서 | 174 |
| 김재원 | 남양주서 | 230 |
| 김재원 | 대전청 | 286 |
| 김재원 | 광주청 | 361 |
| 김재원 | 조세재정 | 508 |
| 김재윤 | 인천청 | 136 |
| 김재윤 | 인천청 | 281 |
| 김재율 | 예일회계 | 22 |
| 김재은 | 잠실서 | 207 |
| 김재은 | 광주청 | 360 |
| 김재은 | 광산서 | 367 |
| 김재이 | 기재부 | 75 |
| 김재일 | 기재부 | 82 |
| 김재일 | 동안양서 | 234 |
| 김재준 | 성남서 | 239 |
| 김재준 | 광산서 | 275 |
| 김재준 | 남원서 | 386 |
| 김재준 | 창원서 | 474 |
| 김재중 | 관악서 | 476 |
| 김재중 | 중부청 | 221 |
| 김재진 | 인천청 | 284 |
| 김재진 | 부산청 | 438 |
| 김재집 | 서울청 | 146 |
| 김재찬 | 조세재정 | 508 |
| 김재철 | 기재부 | 77 |
| 김재철 | 순천서 | 378 |
| 김재철 | 홍천서 | 119 |
| 김재철 | 남대문서 | 171 |
| 김재철 | 인천청 | 283 |
| 김재철 | 대전청 | 318 |
| 김재철 | 북부산서 | 450 |
| 김재철 | 진주서 | 473 |
| 김재철 | 서울세관 | 486 |
| 김재춘 | 해남서 | 382 |
| 김재한 | 서울청 | 141 |
| 김재한 | 현대회계 | 28 |
| 김재현 | 기재부 | 72 |
| 김재현 | 기재부 | 81 |
| 김재현 | 국세청 | 109 |
| 김재현 | 서울청 | 123 |
| 김재현 | 서울청 | 135 |
| 김재현 | 서울청 | 147 |
| 김재현 | 반포서 | 154 |
| 김재현 | 서대문서 | 182 |
| 김재현 | 대전서 | 186 |
| 김재형 | 대구청 | 325 |
| 김재형 | 용산서 | 202 |
| 김재형 | 중부서 | 224 |
| 김재형 | 속초서 | 267 |
| 김재형 | 김포서 | 298 |
| 김재형 | 북대구서 | 408 |
| 김재형 | 중부산서 | 456 |
| 김재호 | 서울청 | 135 |
| 김재호 | 부천서 | 305 |
| 김재호 | 순천서 | 378 |
| 김재홍 | 기재부 | 78 |
| 김재홍 | 금감원 | 97 |
| 김재홍 | 용인서 | 252 |
| 김재홍 | 광주세관 | 504 |
| 김재환 | 기재부 | 77 |
| 김재환 | 국세청 | 107 |
| 김재환 | 대구청 | 399 |
| 김재환 | 진주서 | 472 |
| 김재환 | 제주서 | 478 |
| 김재환 | 다솔세무 | 35 |
| 김재훈 | 기재부 | 74 |
| 김재훈 | 도봉서 | 175 |
| 김재훈 | 동대문서 | 177 |
| 김재훈 | 중랑서 | 210 |
| 김재희 | 동대문서 | 177 |
| 김재희 | 동안산서 | 248 |
| 김점준 | 딜로이트 | 13 |
| 김점준 | 수영서 | 455 |
| 김정 | 기재부 | 80 |
| 김정 | 대구세관 | 499 |
| 김정건 | 대구세관 | 500 |
| 김정관 | 남양주서 | 231 |
| 김정관 | 중부청 | 221 |
| 김정국 | 현대회계 | 28 |
| 김정국 | 북대구서 | 409 |
| 김정규 | 창원서 | 475 |
| 김정근 | 동화성서 | 259 |
| 김정근 | 삼성서 | 185 |
| 김정기 | 서대전서 | 328 |
| 김정남 | 남양주서 | 230 |
| 김정남 | 국세청 | 108 |
| 김정남 | 서울청 | 157 |
| 김정남 | 경기광주 | 244 |
| 김정담 | 부산청 | 437 |
| 김정대 | 서울청 | 154 |
| 김정대 | 인천청 | 282 |
| 김정도 | 통영서 | 477 |
| 김정도 | 기재부 | 78 |
| 김정두 | 해운대서 | 459 |
| 김정두 | 인천서 | 290 |
| 김정란 | 기재부 | 82 |
| 김정래 | 삼성서 | 185 |
| 김정류 | 안산서 | 246 |
| 김정류 | 삼성서 | 185 |
| 김정면 | 인천지방 | 33 |
| 김정면 | 수원서 | 241 |
| 김정미 | 통영서 | 477 |
| 김정미 | 서울청 | 155 |
| 김정미 | 강서서 | 162 |
| 김정미 | 남대문서 | 170 |
| 김정미 | 성동서 | 190 |
| 김정미 | 성동서 | 190 |
| 김정미 | 고양서 | 294 |
| 김정미 | 김포서 | 299 |
| 김정미 | 대구청 | 403 |
| 김정민 | 서부산서 | 453 |
| 김정민 | 강서서 | 162 |
| 김정민 | 동작서 | 178 |
| 김정민 | 성남서 | 239 |
| 김정민 | 홍천서 | 275 |
| 김정민 | 진주서 | 472 |
| 김정배 | 잠실서 | 206 |
| 김정범 | 은평서 | 205 |
| 김정범 | 분당서 | 236 |
| 김정복 | 공주서 | 330 |
| 김정복 | 하나세무 | 39 |
| 김정분 | 통영서 | 477 |
| 김정석 | 광산서 | 367 |
| 김정석 | 대구청 | 402 |
| 김정석 | 광주세관 | 504 |
| 김정섭 | 금천서 | 168 |
| 김정섭 | 안양서 | 250 |
| 김정섭 | 제천서 | 352 |
| 김정섭 | 수성서 | 412 |
| 김정수 | 기재부 | 81 |
| 김정수 | 기재부 | 82 |
| 김정수 | 서울청 | 138 |
| 김정수 | 대전청 | 319 |
| 김정수 | 논산서 | 332 |
| 김정수 | 예산서 | 342 |
| 김정수 | 북부산서 | 450 |
| 김정숙 | 서울청 | 135 |
| 김정숙 | 관악서 | 164 |
| 김정숙 | 금천서 | 168 |
| 김정숙 | 서광주서 | 372 |
| 김정숙 | 경주서 | 416 |
| 김정숙 | 김천서 | 421 |
| 김정숙 | 광주세관 | 504 |
| 김정순 | 국세청 | 130 |
| 김정식 | 이천서 | 254 |
| 김정식 | 파주서 | 313 |
| 김정식 | 진주서 | 472 |
| 김정실 | 국세청 | 128 |
| 김정아 | 기재부 | 74 |
| 김정아 | 김천서 | 168 |
| 김정아 | 광산서 | 366 |
| 김정아 | 중부서 | 386 |
| 김정애 | 기재부 | 71 |
| 김정연 | 영등포서 | 201 |
| 김정연 | 서초서 | 368 |
| 김정열 | 남양주서 | 230 |
| 김정엽 | 국회재정 | 55 |
| 김정엽 | 서울청 | 157 |
| 김정엽 | 서초서 | 188 |
| 김정옥 | 포항서 | 430 |
| 김정옥 | 동대구서 | 406 |
| 김정우 | 종로서 | 208 |
| 김정우 | 평택서 | 257 |
| 김정우 | 금정서 | 442 |
| 김정욱 | 수영서 | 455 |
| 김정운 | 서광주서 | 372 |
| 김정운 | 국세청 | 130 |
| 김정원 | 북전주서 | 388 |
| 김정원 | 현대회계 | 28 |
| 김정윤 | 중부서 | 213 |
| 김정은 | 고시회 | 30 |
| 김정은 | 양천서 | 197 |
| 김정은 | 화성서 | 260 |
| 김정은 | 화성서 | 260 |
| 김정은 | 속초서 | 267 |
| 김정은 | 속초서 | 267 |
| 김정은 | 여수서 | 381 |
| 김정은 | 전주서 | 392 |
| 김정은 | 정읍서 | 394 |
| 김정은 | 동울산서 | 460 |
| 김정은 | 창원서 | 475 |
| 김정은 | 조세재정 | 510 |
| 김정이 | 삼정회계 | 19 |
| 김정이 | 부천서 | 304 |
| 김정인 | 부산진서 | 447 |
| 김정인 | 서울청 | 147 |
| 김정인 | 서인천서 | 288 |
| 김정인 | 중부산서 | 456 |
| 김정일 | 금감원 | 91 |
| 김정일 | 광산서 | 366 |
| 김정주 | 기재부 | 68 |
| 김정준 | 서울청 | 135 |
| 김정준 | 시흥서 | 242 |
| 김정진 | 기재부 | 68 |
| 김정진 | 용인서 | 253 |
| 김정진 | 북광주서 | 371 |
| 김정진 | 서광주서 | 372 |
| 김정태 | 대구청 | 400 |
| 김정태 | 금감원 | 89 |
| 김정태 | 부산청 | 441 |
| 김정하 | 부산청 | 250 |
| 김정학 | 법무광장 | 49 |
| 김정학 | 북전주서 | 388 |
| 김정한 | 연수서 | 308 |
| 김정한 | 북대구서 | 409 |
| 김정헌 | 북대구서 | 408 |
| 김정헌 | 동대문서 | 176 |
| 김정현 | 중부청 | 220 |
| 김정현 | 순천서 | 378 |
| 김정현 | 부산청 | 441 |
| 김정현 | 광주세관 | 505 |
| 김정현 | 조세재정 | 508 |
| 김정현 | 조세재정 | 510 |
| 김정현 | 김앤장 | 47 |
| 김정협 | 김천서 | 420 |
| 김정혜 | 국회재정 | 55 |
| 김정혜 | 안양서 | 251 |
| 김정호 | 수영서 | 455 |
| 김정호 | 국세청 | 106 |
| 김정호 | 동작서 | 178 |
| 김정호 | 포천서 | 314 |
| 김정호 | 포천서 | 315 |
| 김정호 | 남원서 | 387 |
| 김정호 | 부산청 | 440 |
| 김정호 | 조세심판 | 506 |
| 김정홍 | 현대회계 | 28 |
| 김정화 | 법무광장 | 49 |
| 김정화 | 양천서 | 197 |
| 김정화 | 화성서 | 261 |
| 김정환 | 북광주서 | 370 |
| 김정환 | 서인천서 | 288 |
| 김정환 | 대구청 | 398 |
| 김정환 | 대구청 | 399 |
| 김정환 | 부산청 | 441 |
| 김정환 | 조세재정 | 509 |
| 김정환 | 조세재정 | 509 |
| 김정효 | 국세청 | 118 |
| 김정훈 | 용인서 | 253 |
| 김정훈 | 기재부 | 82 |
| 김정훈 | 기재부 | 83 |
| 김정훈 | 기재부 | 84 |
| 김정훈 | 금감원 | 91 |
| 김정훈 | 국세청 | 130 |
| 김정훈 | 서울청 | 136 |
| 김정훈 | 안양서 | 250 |
| 김정훈 | 의정부서 | 311 |
| 김정훈 | 대전청 | 318 |
| 김정훈 | 북대구서 | 408 |
| 김정훈 | 남대문서 | 170 |
| 김정희 | 기재부 | 76 |
| 김정희 | 국세청 | 108 |
| 김정희 | 서울청 | 137 |
| 김정희 | 서울청 | 143 |
| 김정희 | 동작서 | 178 |
| 김정희 | 송파서 | 195 |
| 김정희 | 영등포서 | 202 |
| 김정희 | 용산서 | 202 |
| 김정희 | 동화성서 | 259 |
| 김정희 | 강릉서 | 263 |
| 김정희 | 원주서 | 271 |
| 김정희 | 순천서 | 379 |
| 김정희 | 광명서 | 296 |
| 김정희 | 현대회계 | 28 |
| 김제랑 | 화성서 | 260 |
| 김제석 | 국세청 | 113 |
| 김제성 | 동작서 | 178 |
| 김제성 | 성동서 | 191 |
| 김제우 | 역삼서 | 199 |
| 김제헌 | 북평서 | 307 |
| 김종각 | 동울산서 | 461 |
| 김종걸 | 인천공항 | 492 |
| 김종관 | 서울청 | 151 |
| 김종관 | 감사원 | 63 |
| 김종국 | 서울지방 | 32 |
| 김종국 | 강남서 | 158 |
| 김종국 | 은평서 | 204 |
| 김종국 | 연수서 | 416 |
| 김종길 | 부산청 | 440 |
| 김종덕 | 기재부 | 66 |
| 김종득 | 감사원 | 63 |
| 김종두 | 강서서 | 163 |
| 김종률 | 연수서 | 309 |
| 김종만 | 이천서 | 254 |
| 김종만 | 광주세관 | 505 |
| 김종명 | 동울산서 | 460 |
| 김종명 | 삼성서 | 185 |
| 김종문 | 성동서 | 190 |
| 김종민 | 아산서 | 340 |
| 김종민 | 중부청 | 223 |
| 김종민 | 대구청 | 402 |
| 김종문 | 광주세관 | 505 |
| 김종복 | 삼성서 | 184 |
| 김종봉 | 더택스 | 36 |
| 김종빈 | 수원서 | 241 |
| 김종석 | 의정부서 | 310 |
| 김종석 | 기재부 | 68 |
| 김종석 | 서울청 | 136 |
| 김종석 | 대구청 | 399 |
| 김종석 | 김천서 | 421 |
| 김종선 | 중부청 | 224 |
| 김종선 | 해운대서 | 458 |
| 김종설 | 송파서 | 194 |
| 김종성 | 천안서 | 344 |
| 김종수 | 노원서 | 173 |
| 김종수 | 중부청 | 218 |
| 김종수 | 대구청 | 400 |
| 김종숙 | 광산서 | 366 |

| 이름 | 소속 | 쪽 | | 이름 | 소속 | 쪽 | | 이름 | 소속 | 쪽 |
|---|---|---|---|---|---|---|---|---|---|---|
| 김종식 | 종로서 | 208 | | 김주엽 | 국세청 | 112 | | 김준철 | 양천서 | 197 |
| 김종연 | 성북서 | 193 | | 김주영 | 강남서 | 158 | | 김준철 | 부천서 | 305 |
| 김종연 | 대구청 | 399 | | 김주영 | 서초서 | 188 | | 김준태 | 중부청 | 221 |
| 김종완 | 기재부 | 75 | | 김주영 | 송파서 | 195 | | 김준평 | 부산청 | 435 |
| 김종완 | 포천서 | 314 | | 김주영 | 잠실서 | 207 | | 김준하 | 기재부 | 74 |
| 김종요 | 동울산서 | 460 | | 김주영 | 동안서 | 249 | | 김준하 | 잠실서 | 206 |
| 김종우 | 경기광주 | 245 | | 김주영 | 대전청 | 320 | | 김준하 | 북대전서 | 327 |
| 김종우 | 북대구서 | 408 | | 김주영 | 북대전서 | 326 | | 김준혁 | 홍성서 | 347 |
| 김종우 | 태평양 | 52 | | 김주영 | 대구청 | 398 | | 김준혁 | 평택서 | 257 |
| 김종욱 | 기재부 | 67 | | 김주영 | 수성서 | 413 | | 김준혁 | 충주서 | 357 |
| 김종욱 | 국세청 | 106 | | 김주영 | 부산청 | 440 | | 김준현 | 조세재정 | 510 |
| 김종욱 | 삼일회계 | 17 | | 김주영 | 서부산서 | 452 | | 김준현 | 양산서 | 470 |
| 김종운 | 감사원 | 62 | | 김주예 | 인천지방 | 33 | | 김준형 | 구로서 | 166 |
| 김종운 | 남원서 | 387 | | 김주예 | 성남서 | 195 | | 김준형 | 기재부 | 66 |
| 김종웅 | 부산청 | 435 | | 김주옥 | 시흥서 | 238 | | 김준호 | 금감원 | 96 |
| 김종원 | 조세재정 | 510 | | 김주옥 | 동화성서 | 243 | | 김준호 | 국세청 | 119 |
| 김종월 | 부산청 | 434 | | 김주완 | 영덕서 | 258 | | 김준호 | 국세청 | 120 |
| 김종월 | 북부산서 | 450 | | 김주완 | 부산청 | 427 | | 김준호 | 중부청 | 216 |
| 김종월 | 조세심판 | 507 | | 김주완 | 기재부 | 437 | | 김준호 | 남동서 | 286 |
| 김종율 | 여수서 | 381 | | 김주원 | 서울청 | 74 | | 김준호 | 여수서 | 309 |
| 김종의 | 광주서 | 369 | | 김주원 | 관악서 | 142 | | 김준호 | 울산서 | 462 |
| 김종인 | 국세청 | 110 | | 김주원 | 중부청 | 164 | | 김준호 | 법무바른 | 473 |
| 김종인 | 서대구서 | 410 | | 김주원 | 대구청 | 217 | | 김준호 | 삼일회계 | 1 |
| 김종일 | 국세청 | 111 | | 김주은 | 춘천서 | 218 | | 김준환 | 금감원 | 17 |
| 김종일 | 목포서 | 376 | | 김주일 | 서광주서 | 273 | | 김준환 | 인천서 | 89 |
| 김종일 | 북부산서 | 450 | | 김주찬 | 동대문서 | 176 | | 김준희 | 중부청 | 290 |
| 김종일 | 기재부 | 71 | | 김주찬 | 경기광주 | 244 | | 김준희 | 울산서 | 225 |
| 김종준 | 계양서 | 293 | | 김주헌 | 서울청 | 311 | | 김중규 | 은평서 | 204 |
| 김종준 | 기재부 | 73 | | 김주헌 | 구리서 | 135 | | 김중래 | 대전청 | 322 |
| 김종진 | 은평서 | 205 | | 김주헌 | 국세청 | 226 | | 김중래 | 딜로이트 | 13 |
| 김종진 | 천안서 | 344 | | 김주현 | 서초서 | 128 | | 김중삼 | 딜로이트 | 13 |
| 김종진 | 부산청 | 438 | | 김주현 | 역삼서 | 148 | | 김중연 | 중부청 | 220 |
| 김종진 | 마산서 | 468 | | 김주현 | 광주청 | 169 | | 김중연 | 나주서 | 374 |
| 김종철 | 여수서 | 380 | | 김주현 | 목포서 | 188 | | 김중우 | 안동서 | 425 |
| 김종철 | 서부산서 | 453 | | 김주현 | 전주서 | 199 | | 김중재 | 삼성서 | 185 |
| 김종철 | 동대구서 | 460 | | 김주청 | 성남서 | 363 | | 김중재 | 남부천서 | 303 |
| 김종태 | 안양서 | 250 | | 김주혜 | 강서서 | 377 | | 김중현 | 안산서 | 246 |
| 김종태 | 연수서 | 309 | | 김주혜 | 제주서 | 392 | | 김중현 | 성남서 | 239 |
| 김종택 | 영주서 | 428 | | 김주혜 | 의정부서 | 238 | | 김중휘 | 군산서 | 384 |
| 김종택 | 광주세관 | 505 | | 김주홍 | 김해서 | 163 | | 김지동 | 기흥서 | 228 |
| 김종필 | 제천서 | 352 | | 김주홍 | 금정서 | 478 | | 김지동 | 현대회계 | 28 |
| 김종하 | 중기회 | 102 | | 김주환 | 동대문서 | 147 | | 김지만 | 국세청 | 130 |
| 김종학 | 이천서 | 255 | | 김주환 | 남동서 | 311 | | 김지만 | 성동서 | 190 |
| 김종한 | 포항서 | 431 | | 김주희 | 파주서 | 466 | | 김지미 | 동대문서 | 176 |
| 김종혁 | 조세재정 | 509 | | 김주희 | 포항서 | 256 | | 김지미 | 기재부 | 74 |
| 김종현 | 서울청 | 135 | | 김준 | 서울청 | 443 | | 김지민 | 국세청 | 108 |
| 김종현 | 강서서 | 163 | | 김준 | 동작서 | 177 | | 김지민 | 서울청 | 152 |
| 김종현 | 용산서 | 202 | | 김준 | 현대회계 | 287 | | 김지민 | 삼성서 | 184 |
| 김종현 | 제천서 | 353 | | 김준범 | 기재부 | 312 | | 김지민 | 은평서 | 204 |
| 김종현 | 경산서 | 415 | | 김준범 | 평택서 | 430 | | 김지민 | 중부청 | 221 |
| 김종협 | 성북서 | 193 | | 김준상 | 서광주서 | 152 | | 김지민 | 광주청 | 361 |
| 김종호 | 금감원 | 99 | | 김준석 | 북전주서 | 179 | | 김지민 | 목포서 | 377 |
| 김종호 | 국세청 | 126 | | 김준석 | 제주서 | 28 | | 김지민 | 대구서 | 398 |
| 김종호 | 시흥서 | 243 | | 김준석 | 제주서 | 478 | | 김지범 | 부산강서 | 449 |
| 김종호 | 북전주서 | 388 | | 김준성 | 기재부 | 71 | | 김지범 | 구로서 | 167 |
| 김종호 | 동래서 | 445 | | 김준성 | 북광주서 | 324 | | 김지선 | 기재부 | 66 |
| 김종호 | 인천공항 | 491 | | 김준성 | 조세재정 | 371 | | 김지선 | 국세청 | 111 |
| 김종호 | 인천공항 | 492 | | 김준수 | 성동서 | 458 | | 김지선 | 서울청 | 120 |
| 김종화 | 고양서 | 295 | | 김준수 | 창원서 | 510 | | 김지선 | 동작서 | 154 |
| 김종화 | 광주청 | 363 | | 김준식 | 구미서 | 190 | | 김지선 | 서초서 | 179 |
| 김종훈 | 금감원 | 96 | | 김준언 | 노원서 | 383 | | 김지선 | 안산서 | 188 |
| 김종훈 | 고시회 | 30 | | 김준엽 | 포항서 | 475 | | 김지선 | 파주서 | 246 |
| 김종훈 | 중부청 | 216 | | 김준연 | 기재부 | 419 | | 김지성 | 삼정회계 | 20 |
| 김종훈 | 중부청 | 217 | | 김준연 | 강남서 | 173 | | 김지성 | 성동서 | 191 |
| 김종훈 | 부천서 | 305 | | 김준엽 | 평택서 | 384 | | 김지성 | 수원서 | 240 |
| 김종훈 | 상주서 | 423 | | 김준영 | 대전서 | 74 | | 김지수 | 기재부 | 72 |
| 김종후 | 광주세관 | 505 | | 김준영 | 부산청 | 158 | | 김지수 | 기재부 | 83 |
| 김종흡 | 강릉서 | 263 | | 김준영 | 진주서 | 221 | | 김지수 | 동화성서 | 258 |
| 김종희 | 기재부 | 80 | | 김준영 | 조세재정 | 257 | | 김지수 | 인천청 | 280 |
| 김좌근 | 구미서 | 418 | | 김준오 | 이천서 | 324 | | 김지수 | 김포서 | 298 |
| 김주강 | 서울청 | 142 | | 김준오 | 국세청 | 472 | | 김지수 | 아산서 | 340 |
| 김주경 | 포항서 | 431 | | 김준우 | 국세청 | 511 | | 김지수 | 광산서 | 367 |
| 김주덕 | 삼일회계 | 17 | | 김준우 | 다문서 | 254 | | 김지수 | 나주서 | 374 |
| 김주란 | 중부청 | 220 | | 김준욱 | 삼성서 | 129 | | 김지수 | 익산서 | 390 |
| 김주만 | 영등포서 | 200 | | 김준우 | 금감원 | 114 | | 김지숙 | 대구서 | 398 |
| 김주미 | 동안양서 | 235 | | 김준우 | 금감원 | 171 | | 김지아 | 서대구서 | 304 |
| 김주민 | 기재부 | 77 | | 김준욱 | 삼성서 | 185 | | 김지안 | 중랑서 | 411 |
| 김주민 | 부산강서 | 448 | | 김준욱 | 금감원 | 97 | | 김지안 | 동수원서 | 232 |
| 김주상 | 원주서 | 270 | | 김준익 | 용인서 | 253 | | 김지암 | 중부청 | 216 |
| 김주생 | 잠실서 | 206 | | 김준익 | 대전청 | 323 | | 김지애 | 인천청 | 283 |
| 김주수 | 통영서 | 477 | | 김준철 | 기재부 | 81 | | 김지언 | 안산서 | 247 |
| 김주식 | 국세청 | 106 | | | | | | 김지언 | 동래서 | 444 |
| 김주아 | 인천청 | 278 | | | | | | 김지연 | 국세청 | 119 |
| 김주애 | 강남서 | 158 | | | | | | 김지연 | 국세청 | 128 |
| 김주애 | 송파서 | 195 | | | | | | 김지연 | 서울청 | 135 |
| 김주애 | 구리서 | 226 | | | | | | 김지연 | 서울청 | 139 |
| 김주언 | 아산서 | 340 | | | | | | | | |
| 김주연 | 중부청 | 222 | | | | | | | | |
| 김주연 | 중부청 | 224 | | | | | | | | |
| 김주연 | 남양주서 | 230 | | | | | | | | |

| 이름 | 소속 | 쪽 | | 이름 | 소속 | 쪽 |
|---|---|---|---|---|---|---|
| 김지연 | 서울청 | 144 | | 김지현 | 기재부 | 74 |
| 김지연 | 서울청 | 145 | | 김지현 | 기재부 | 77 |
| 김지연 | 동작서 | 178 | | 김지현 | 기재부 | 78 |
| 김지연 | 성동서 | 190 | | 김지현 | 국세청 | 120 |
| 김지연 | 중부서 | 202 | | 김지현 | 강서서 | 162 |
| 김지연 | 중부서 | 212 | | 김지현 | 동대문서 | 177 |
| 김지연 | 동안양서 | 234 | | 김지현 | 삼성서 | 184 |
| 김지연 | 시흥서 | 243 | | 김지현 | 성북서 | 193 |
| 김지연 | 평택서 | 256 | | 김지현 | 성북서 | 193 |
| 김지연 | 동고양서 | 300 | | 김지현 | 송파서 | 195 |
| 김지연 | 수성서 | 413 | | 김지현 | 영등포서 | 201 |
| 김지연 | 울산서 | 462 | | 김지현 | 중랑서 | 210 |
| 김지연 | 김해서 | 466 | | 김지현 | 중부서 | 212 |
| 김지연 | 다솔세무 | 35 | | 김지현 | 중부청 | 222 |
| 김지영 | 인천청 | 278 | | 김지현 | 분당서 | 236 |
| 김지영 | 기재부 | 74 | | 김지현 | 안양서 | 250 |
| 김지영 | 기재부 | 77 | | 김지현 | 강릉서 | 263 |
| 김지영 | 국세청 | 77 | | 김지현 | 삼척서 | 264 |
| 김지영 | 국세청 | 109 | | 김지현 | 광명서 | 296 |
| 김지영 | 국세청 | 112 | | 김지현 | 남부천서 | 302 |
| 김지영 | 구로서 | 122 | | 김지현 | 북대전서 | 326 |
| 김지영 | 동작서 | 166 | | 김지현 | 서산서 | 336 |
| 김지영 | 서초서 | 179 | | 김지현 | 충주서 | 357 |
| 김지영 | 성동서 | 189 | | 김지현 | 순천서 | 378 |
| 김지영 | 양천서 | 190 | | 김지현 | 순천서 | 379 |
| 김지영 | 역삼서 | 196 | | 김지현 | 부산서 | 435 |
| 김지영 | 중부서 | 198 | | 김지현 | 부산청 | 436 |
| 김지영 | 화성서 | 212 | | 김지현 | 동울산서 | 461 |
| 김지영 | 동청주서 | 260 | | 김지현 | 양산서 | 470 |
| 김지영 | 여수서 | 282 | | 김지현 | 양산서 | 470 |
| 김지완 | 국세청 | 349 | | 김지현 | 창원서 | 475 |
| 김지우 | 고양서 | 380 | | 김지현 | 통영서 | 477 |
| 김지우 | 역삼서 | 197 | | 김지현 | 딜로이트 | 13 |
| 김지욱 | 국세청 | 112 | | 김지혜 | 성회회계 | 11 |
| 김지운 | 강릉서 | 294 | | 김지혜 | 서울청 | 134 |
| 김지운 | 금감원 | 344 | | 김지혜 | 동작서 | 179 |
| 김지웅 | 국세청 | 262 | | 김지혜 | 양천서 | 197 |
| 김지웅 | 포항서 | 93 | | 김지혜 | 은평서 | 204 |
| 김지원 | 기재부 | 112 | | 김지혜 | 종로서 | 209 |
| 김지원 | 서울청 | 431 | | 김지혜 | 중부청 | 222 |
| 김지원 | 중부서 | 68 | | 김지혜 | 남양주서 | 230 |
| 김지원 | 동수원서 | 108 | | 김지혜 | 안산서 | 247 |
| 김지원 | 화성서 | 143 | | 김지혜 | 평택서 | 256 |
| 김지원 | 청주서 | 212 | | 김지혜 | 동고양서 | 300 |
| 김지원 | 북부산서 | 233 | | 김지혜 | 의정부서 | 310 |
| 김지원 | 제주서 | 260 | | 김지혜 | 순천서 | 379 |
| 김지원 | 다솔세무 | 354 | | 김지혜 | 군산서 | 419 |
| 김지유 | 북전주서 | 388 | | 김지혜 | 부산진서 | 446 |
| 김지윤 | 국세청 | 479 | | 김지혜 | 부산강서 | 448 |
| 김지윤 | 강동서 | 35 | | 김지혜 | 해운대서 | 458 |
| 김지윤 | 서대문서 | 124 | | 김지혜 | 조세재정 | 511 |
| 김지윤 | 중부서 | 160 | | 김지혜 | 택스홀 | 38 |
| 김지윤 | 대구청 | 186 | | 김지호 | 국세청 | 108 |
| 김지윤 | 부산청 | 213 | | 김지호 | 국세청 | 128 |
| 김지은 | 기재부 | 217 | | 김지호 | 북대전서 | 327 |
| 김지은 | 삼성서 | 267 | | 김지호 | 북전주서 | 388 |
| 김지은 | 서초서 | 400 | | 김지홍 | 익산서 | 390 |
| 김지은 | 양천서 | 434 | | 김지훈 | 국세청 | 111 |
| 김지은 | 영등포서 | 443 | | 김지훈 | 국세청 | 112 |
| 김지은 | 은평서 | 77 | | 김지훈 | 국세청 | 123 |
| 김지은 | 안양서 | 84 | | 김지훈 | 고양서 | 295 |
| 김지은 | 용인서 | 185 | | 김지훈 | 광산서 | 366 |
| 김지은 | 원주서 | 185 | | 김지훈 | 부산청 | 439 |
| 김지은 | 남동서 | 189 | | 김지훈 | 서부산서 | 452 |
| 김지은 | 북부천서 | 197 | | 김지훈 | 수영서 | 455 |
| 김지은 | 의정부서 | 200 | | 김지훈 | 통영서 | 476 |
| 김지은 | 대구청 | 204 | | 김지희 | 충주서 | 356 |
| 김지은 | 동래서 | 205 | | 김지희 | 김해서 | 466 |
| 김지은 | 법무바른 | 1 | | 김지희 | 제주서 | 478 |
| 김지은 | 다솔세무 | 35 | | 김진 | 기재부 | 76 |
| 김지인 | 동고양서 | 300 | | 김진 | 광주청 | 361 |
| 김지인 | 대구청 | 399 | | 김진 | 진주서 | 473 |
| 김지태 | 춘천서 | 272 | | 김진건 | 북대구서 | 409 |
| 김지향 | 중부청 | 218 | | 김진경 | 강동서 | 161 |
| 김지향 | 대구청 | 399 | | 김진경 | 동래서 | 444 |
| 김지헌 | 마포서 | 180 | | 김진곤 | 송파서 | 195 |
| 김지혁 | 고양서 | 295 | | 김진관 | 속초서 | 267 |
| 김지현 | 감사원 | 62 | | 김진광 | 성남서 | 238 |
| | | | | 김진광 | 서광주서 | 372 |
| | | | | 김진교 | 김포서 | 299 |
| | | | | 김진구 | 관세청 | 481 |
| | | | | 김진국 | 의정부서 | 310 |
| | | | | 김진규 | 의정부서 | 311 |
| | | | | 김진규 | 동대구서 | 406 |
| | | | | 김진기 | 김포서 | 298 |
| | | | | 김진달래 | 대전청 | 319 |
| | | | | 김진덕 | 동화성서 | 259 |

| 이름 | 소속 | 쪽 |
|---|---|---|
| 김진도 | 연수서 | 309 |
| 김진동 | 국세청 | 115 |
| 김진만 | 삼척서 | 264 |
| 김진만 | 군산서 | 384 |
| 김진명 | 기재부 | 70 |
| 김진모 | 영주서 | 428 |
| 김진몽 | 은평서 | 204 |
| 김진문 | 천안서 | 345 |
| 김진미 | 서울청 | 147 |
| 김진배 | 제천서 | 352 |
| 김진범 | 서울청 | 137 |
| 김진삼 | 남양주서 | 231 |
| 김진삼 | 부산강서 | 449 |
| 김진상 | 해운대서 | 458 |
| 김진서 | 예산서 | 343 |
| 김진석 | 국세청 | 115 |
| 김진석 | 남대문서 | 171 |
| 김진석 | 영등포서 | 200 |
| 김진석 | 동래서 | 445 |
| 김진섭 | 포천서 | 315 |
| 김진성 | 서울청 | 145 |
| 김진성 | 춘천서 | 272 |
| 김진슬 | 마포서 | 181 |
| 김진수 | 기재부 | 79 |
| 김진수 | 기재부 | 79 |
| 김진수 | 기재부 | 80 |
| 김진수 | 국세청 | 110 |
| 김진수 | 도봉서 | 174 |
| 김진수 | 동작서 | 178 |
| 김진수 | 해운대서 | 258 |
| 김진수 | 춘천서 | 273 |
| 김진수 | 목포서 | 376 |
| 김진수 | 부산청 | 439 |
| 김진수 | 부산진서 | 446 |
| 김진수 | 삼덕회계 | 15 |
| 김진수 | 예일세무 | 40 |
| 김진숙 | 중부청 | 217 |
| 김진슬 | 동청주서 | 348 |
| 김진슬 | 안양서 | 251 |
| 김진식 | 종로서 | 209 |
| 김진식 | 보령서 | 334 |
| 김진아 | 기재부 | 68 |
| 김진아 | 강서서 | 162 |
| 김진아 | 양천서 | 196 |
| 김진아 | 은평서 | 204 |
| 김진아 | 인천서 | 291 |
| 김진아 | 김포서 | 299 |
| 김진아 | 포천서 | 315 |
| 김진아 | 세종서 | 339 |
| 김진아 | 부산강서 | 449 |
| 김진아 | 광주세관 | 504 |
| 김진아 | 조세재정 | 509 |
| 김진업 | 대구청 | 397 |
| 김진업 | 대구청 | 399 |
| 김진업 | 대구청 | 400 |
| 김진열 | 제주서 | 479 |
| 김진영 | 기재부 | 79 |
| 김진영 | 금감원 | 96 |
| 김진영 | 국세청 | 109 |
| 김진영 | 국세청 | 110 |
| 김진영 | 서울청 | 146 |
| 김진영 | 춘천서 | 272 |
| 김진영 | 북대전서 | 326 |
| 김진영 | 해남서 | 382 |
| 김진영 | 부산청 | 441 |
| 김진영 | 김해서 | 467 |
| 김진옥 | 평택서 | 256 |
| 김진우 | 시흥서 | 242 |
| 김진우 | 동안양서 | 234 |
| 김진우 | 동안양서 | 235 |
| 김진우 | 인천서 | 281 |
| 김진우 | 인천서 | 291 |
| 김진우 | 순천서 | 379 |
| 김진우 | 상주서 | 423 |
| 김진웅 | 제천서 | 352 |
| 김진원 | 포항서 | 298 |
| 김진원 | 법무대륜 | 45 |
| 김진재 | 순천서 | 378 |
| 김진주 | 서울청 | 146 |
| 김진주 | 의정부서 | 311 |
| 김진주 | 대전청 | 321 |
| 김진철 | 군산서 | 385 |
| 김진태 | 용인서 | 253 |
| 김진태 | 서현회계 | 7 |
| 김진하 | 포항서 | 431 |
| 김진현 | 국세청 | 120 |
| 김진현 | 삼정회계 | 18 |
| 김진형 | 시흥서 | 242 |
| 김진형 | 천안서 | 344 |
| 김진호 | 삼성서 | 185 |
| 김진호 | 서초서 | 196 |
| 김진호 | 평택서 | 257 |
| 김진호 | 광산서 | 366 |
| 김진호 | 제주서 | 479 |
| 김진홍 | 기재부 | 68 |
| 김진홍 | 기재부 | 70 |
| 김진홍 | 금융위 | 86 |
| 김진홍 | 국세청 | 112 |
| 김진화 | 서부산서 | 453 |
| 김진화 | 동화성서 | 259 |
| 김진환 | 강남서 | 159 |
| 김진환 | 경기광주 | 245 |
| 김진환 | 동화성서 | 258 |
| 김진환 | 천안서 | 345 |
| 김진환 | 남대구서 | 404 |
| 김진희 | 국세청 | 122 |
| 김진희 | 서울청 | 140 |
| 김진희 | 서울청 | 155 |
| 김진희 | 관악서 | 164 |
| 김진희 | 동작서 | 178 |
| 김진희 | 반포서 | 183 |
| 김진희 | 용인서 | 252 |
| 김진희 | 삼척서 | 264 |
| 김진희 | 서대전서 | 329 |
| 김차남 | 여수서 | 380 |
| 김찬 | 수성서 | 412 |
| 김찬 | 하나세무 | 39 |
| 김찬규 | 은평서 | 205 |
| 김찬기 | 예산서 | 247 |
| 김찬섭 | 삼일회계 | 343 |
| 김찬섭 | 동화성서 | 17 |
| 김찬수 | 금천서 | 259 |
| 김찬수 | 감사원 | 169 |
| 김찬수 | 용인서 | 222 |
| 김찬수 | 마포서 | 62 |
| 김찬웅 | 반포서 | 252 |
| 김찬일 | 노원서 | 181 |
| 김찬일 | 경정서 | 183 |
| 김찬주 | 역삼서 | 173 |
| 김찬중 | 서부산서 | 442 |
| 김찬순 | 파주서 | 199 |
| 김찬진 | 해운대서 | 306 |
| 김창구 | 제주서 | 453 |
| 김창권 | 북대구서 | 312 |
| 김창근 | 한영 | 459 |
| 김창근 | 국세청 | 478 |
| 김창녕 | 남대문서 | 408 |
| 김창미 | 서울청 | 12 |
| 김창민 | 천안서 | 123 |
| 김창범 | 삼성서 | 106 |
| 김창섭 | 예일세무 | 171 |
| 김창수 | 금천서 | 138 |
| 김창수 | 동울산서 | 345 |
| 김창순 | 영동서 | 294 |
| 김창신 | 북대구서 | 184 |
| 김창오 | 군산서 | 40 |
| 김창오 | 현대회계 | 168 |
| 김창옥 | 시흥서 | 460 |
| 김창욱 | 중부청 | 461 |
| 김창윤 | 부산청 | 351 |
| 김창일 | 세림세무 | 409 |
| 김창현 | 광주서 | 434 |
| 김창현 | 남동서 | 28 |
| 김창현 | 진주세관 | 385 |
| 김창호 | 용산서 | 253 |
| 김창호 | 법무세종 | 243 |
| 김창환 | 상주서 | 222 |
| 김창환 | 해남서 | 439 |
| 김창희 | 국세청 | 169 |
| 김채린 | 평택서 | 369 |
| 김채아 | 법무광장 | 287 |
| 김채영 | 동화성서 | 364 |
| 김채은 | 중랑서 | 472 |
| 김채현 | 경산서 | 203 |
| 김채현 | 강남서 | 287 |
| 김천섭 | 원주서 | 271 |
| 김천희 | 조세심판 | 507 |
| 김철 | 마포서 | 181 |
| 김철권 | 딜로이트 | 13 |
| 김철민 | 서울청 | 164 |
| 김철민 | 서초서 | 144 |
| 김철수 | 남원서 | 189 |
| 김철영 | 상주서 | 481 |
| 김철우 | 김감원 | 386 |
| 김철웅 | 중기회 | 422 |
| 김철중 | 청주서 | 98 |
| 김철태 | 대구세관 | 103 |
| 김철태 | 부산진서 | 355 |
| 김철호 | 동작서 | 500 |
| 김철호 | 청주서 | 446 |
| 김철호 | 금감원 | 178 |
| 김철호 | 동안산서 | 355 |
| 김철호 | 홍천서 | 100 |
| 김철호 | 광주청 | 249 |
| 김철호 | 북광주서 | 275 |
| 김철홍 | 예일세무 | 364 |
| 김철홍 | 동작서 | 371 |
| 김철홍 | 강남서 | 40 |
| 김철홍 | 기재부 | 80 |
| 김청희 | 인천청 | 179 |
| 김초롱 | 서초서 | 159 |
| 김초아 | 성북서 | 279 |
| 김초원 | 수영서 | 189 |
| 김초인 | 남원서 | 193 |
| 김초현 | 서광주서 | 386 |
| 김춘경 | 평택서 | 454 |
| 김춘광 | 잠실서 | 455 |
| 김춘동 | 남원서 | 372 |
| 김준례 | 반포서 | 256 |
| 김충만 | 북전주서 | 206 |
| 김충국 | 신승회계 | 386 |
| 김충배 | 이천서 | 301 |
| 김충상 | 용산서 | 472 |
| 김충순 | 인천청 | 182 |
| 김충일 | 진주서 | 389 |
| 김충현 | 관악서 | 21 |
| 김치우 | 영동서 | 153 |
| 김치태 | 반포서 | 254 |
| 김치호 | 인천청 | 255 |
| 김칠현 | 이촌회계 | 202 |
| 김탁현 | 감사원 | 277 |
| 김태건 | 대전청 | 281 |
| 김태경 | 국회재정 | 473 |
| 김태경 | 기재부 | 165 |
| 김태경 | 남양주서 | 181 |
| 김태경 | 삼척서 | 350 |
| 김태경 | 순천서 | 183 |
| 김태경 | 창원서 | 24 |
| 김태경 | 딜로이트 | 62 |
| 김태규 | 법무광장 | 319 |
| 김태규 | 남동서 | 55 |
| 김태규 | 부천서 | 68 |
| 김태균 | 천안서 | 68 |
| 김태균 | 성동서 | 191 |
| 김태균 | 성동서 | 230 |
| 김태균 | 충주서 | 265 |
| 김태근 | 세림세무 | 378 |
| 김태근 | 광주서 | 13 |
| 김태근 | 남동서 | 49 |
| 김태기 | 금감원 | 286 |
| 김태기 | 정읍서 | 304 |
| 김태기 | 딜로이트 | 345 |
| 김태랑 | 국회재정 | 190 |
| 김태룡 | 삼성서 | 191 |
| 김태린 | 남대구서 | 357 |
| 김태민 | 가서서 | 476 |
| 김태민 | 삼척서 | 52 |
| 김태범 | 중부청 | 94 |
| 김태서 | 원주서 | 469 |
| 김태석 | 대전청 | 394 |
| 김태석 | 국세청 | 111 |
| 김태석 | 서울청 | 137 |
| 김태선 | 영등포서 | 200 |
| 김태섭 | 서울청 | 148 |
| 김태성 | 감사원 | 62 |
| 김태성 | 구로서 | 166 |
| 김태성 | 수영서 | 455 |
| 김태성 | 진주서 | 472 |
| 김태수 | 연수서 | 308 |
| 김태수 | 예산서 | 342 |
| 김태순 | 통영서 | 477 |
| 김태순 | 대전청 | 320 |
| 김태순 | 북부산서 | 450 |
| 김태식 | 구로서 | 166 |
| 김태연 | 진주서 | 473 |
| 김태언 | 서울청 | 151 |
| 김태연 | 기재부 | 67 |
| 김태연 | 강남서 | 159 |
| 김태연 | 잠실서 | 206 |
| 김태연 | 경기광주 | 244 |
| 김태연 | 인천세관 | 490 |
| 김태영 | 기재부 | 370 |
| 김태영 | 기재부 | 76 |
| 김태영 | 기재부 | 77 |
| 김태영 | 국세청 | 113 |
| 김태영 | 도봉서 | 174 |
| 김태영 | 서초서 | 189 |
| 김태영 | 분당서 | 237 |
| 김태영 | 화성서 | 261 |
| 김태영 | 김포서 | 298 |
| 김태영 | 대구청 | 401 |
| 김태영 | 동래서 | 444 |
| 김태오 | 강서서 | 163 |
| 김태완 | 기재부 | 65 |
| 김태완 | 국세청 | 102 |
| 김태완 | 국세청 | 111 |
| 김태완 | 서인천서 | 289 |
| 김태완 | 대구청 | 400 |
| 김태완 | 동울산서 | 461 |
| 김태완 | 중부청 | 217 |
| 김태용 | 인천청 | 280 |
| 김태용 | 부산세관 | 496 |
| 김태우 | 감사원 | 61 |
| 김태우 | 감사원 | 62 |
| 김태우 | 강동서 | 161 |
| 김태우 | 양천서 | 251 |
| 김태우 | 포천서 | 314 |
| 김태우 | 서대구서 | 411 |
| 김태욱 | 양산서 | 471 |
| 김태운 | 법무광장 | 49 |
| 김태운 | 금감원 | 93 |
| 김태운 | 서울청 | 146 |
| 김태운 | 국세청 | 106 |
| 김태운 | 계양서 | 293 |
| 김태원 | 국세청 | 110 |
| 김태원 | 인천청 | 284 |
| 김태원 | 여수서 | 380 |
| 김태원 | 부산진서 | 447 |
| 김태윤 | 관악서 | 165 |
| 김태유 | 성동서 | 191 |
| 김태은 | 강동서 | 161 |
| 김태은 | 잠실서 | 207 |
| 김태은 | 이천서 | 252 |
| 김태은 | 평택서 | 254 |
| 김태은 | 평택서 | 257 |
| 김태은 | 동청주서 | 349 |
| 김태은 | 부산강서 | 434 |
| 김태은 | 조세재정 | 508 |
| 김태익 | 기재부 | 79 |
| 김태익 | 감사원 | 63 |
| 김태인 | 부산강서 | 448 |
| 김태정 | 김해서 | 467 |
| 김태준 | 삼정회계 | 19 |
| 김태준 | 광주청 | 360 |
| 김태중 | 기재부 | 77 |
| 김태진 | 구리서 | 226 |
| 김태진 | 분당서 | 237 |
| 김태진 | 강릉서 | 262 |
| 김태진 | 인천청 | 283 |
| 김태철 | 마산서 | 468 |
| 김태철 | 대전청 | 318 |
| 김태헌 | 수영서 | 455 |
| 김태헌 | 서울청 | 138 |
| 김태현 | 강동서 | 152 |
| 김태현 | 강동서 | 161 |
| 김태현 | 시흥서 | 242 |
| 김태형 | 기재부 | 71 |
| 김태형 | 국세청 | 109 |
| 김태형 | 서울청 | 135 |
| 김태형 | 삼성서 | 185 |
| 김태형 | 중부청 | 222 |
| 김태형 | 고양서 | 295 |
| 김태형 | 대구서 | 398 |
| 김태형 | 대구서 | 399 |
| 김태형 | 법무지평 | 51 |
| 김태형 | 기재부 | 77 |
| 김태호 | 노원서 | 172 |
| 김태호 | 북대구서 | 409 |
| 김태호 | 마산서 | 469 |
| 김태화 | 양산서 | 471 |
| 김태환 | 충주서 | 357 |
| 김태환 | 익산서 | 391 |
| 김태환 | 파주서 | 312 |
| 김태환 | 충주서 | 357 |
| 김태환 | 진주서 | 472 |
| 김태환 | 제주서 | 478 |
| 김태환 | 법무광장 | 48 |
| 김태효 | 중부청 | 220 |
| 김태훈 | 기재부 | 78 |
| 김태훈 | 금감원 | 92 |
| 김태훈 | 국세청 | 117 |
| 김태훈 | 관악서 | 165 |
| 김태훈 | 마포서 | 180 |
| 김태훈 | 송파서 | 194 |
| 김태훈 | 중부청 | 224 |
| 김태훈 | 인천서 | 290 |
| 김태훈 | 고양서 | 294 |
| 김태훈 | 대전청 | 318 |
| 김태훈 | 영주서 | 428 |
| 김태훈 | 포항서 | 431 |
| 김태훈 | 수영서 | 455 |
| 김태훈 | 김해서 | 467 |
| 김태훈 | 통영서 | 476 |
| 김태훈 | 광주세관 | 504 |
| 김태훈 | 법무광장 | 49 |
| 김태훈 | 삼일회계 | 16 |
| 김태희 | 국세청 | 131 |
| 김태희 | 송파서 | 195 |
| 김태희 | 남동서 | 287 |
| 김태희 | 남동서 | 287 |
| 김태희 | 김포서 | 298 |
| 김태희 | 서대구서 | 411 |
| 김태희 | 상주서 | 422 |
| 김태희 | 울산서 | 462 |
| 김택근 | 서울청 | 157 |
| 김택수 | 기재부 | 78 |
| 김택우 | 부평서 | 306 |
| 김택우 | 제주서 | 479 |
| 김택준 | 시흥서 | 242 |
| 김판신 | 서산서 | 336 |
| 김판순 | 부산청 | 435 |
| 김판술 | 강서서 | 162 |
| 김평강 | 조세재정 | 510 |
| 김평섭 | 중부청 | 213 |
| 김평섭 | 부산청 | 440 |
| 김평화 | 조세재정 | 509 |
| 김평화 | 북광주서 | 370 |
| 김표름솔 | 제주서 | 109 |
| 김푸름 | 서울청 | 142 |
| 김풍겸 | 김해서 | 466 |
| 김필곤 | 울산서 | 462 |
| 김필선 | 삼척서 | 264 |
| 김필순 | 광주서 | 368 |
| 김필식 | 대전청 | 320 |
| 김필심 | 영등포서 | 200 |
| 김하강 | 수원서 | 240 |
| 김하경 | 전주서 | 392 |
| 김하경 | 연수서 | 309 |
| 김하나 | 북대구서 | 408 |
| 김하나 | 서울청 | 136 |
| 김하늘 | 시흥서 | 242 |
| 김하린 | 기재부 | 77 |
| 김하림 | 양천서 | 197 |
| 김하양 | 대구서 | 406 |
| 김하양 | 인천청 | 279 |
| 김하연 | 국세청 | 111 |
| 김하연 | 국세청 | 120 |
| 김하연 | 마포서 | 181 |
| 김하영 | 서현회계 | 7 |
| 김하영 | 안양서 | 251 |
| 김하영 | 서대구서 | 410 |
| 김하영 | 광주세관 | 504 |
| 김하영 | 광주세관 | 505 |
| 김하영 | 예일세무 | 40 |
| 김하운 | 택스홈 | 38 |
| 김하원 | 서인천서 | 288 |
| 김하원 | 서인천서 | 288 |

| 이름 | 소속 | 번호 |
|---|---|---|
| 김하은 | 성동서 | 190 |
| 김하은 | 경기광주 | 244 |
| 김하은 | 원주서 | 271 |
| 김하중 | 조세심판 | 507 |
| 김학규 | 김포서 | 298 |
| 김학렬 | 인천세관 | 490 |
| 김학민 | 광주청 | 364 |
| 김학선 | 서울청 | 134 |
| 김학송 | 중부청 | 218 |
| 김학수 | 북전주서 | 388 |
| 김학수 | 서현회계 | 6 |
| 김학연 | 성현회계 | 11 |
| 김학주 | 김앤장 | 47 |
| 김학주 | 삼정회계 | 18 |
| 김학진 | 안산서 | 247 |
| 김학진 | 서산서 | 336 |
| 김학현 | 현대회계 | 28 |
| 김한결 | 서울청 | 144 |
| 김한경 | 광주세관 | 504 |
| 김한규 | 서초서 | 188 |
| 김한근 | 국세청 | 117 |
| 김한기 | 중부청 | 217 |
| 김한기 | 딜로이트 | 13 |
| 김한나 | 인천청 | 278 |
| 김한나 | 인천청 | 280 |
| 김한림 | 광주청 | 365 |
| 김한범 | 인천청 | 278 |
| 김한별 | 마포서 | 180 |
| 김한비 | 정읍서 | 395 |
| 김한상 | 구리서 | 226 |
| 김한석 | 국세청 | 131 |
| 김한석 | 서부산서 | 452 |
| 김한선 | 화성서 | 261 |
| 김한성 | 반포서 | 182 |
| 김한솔 | 광명서 | 297 |
| 김한솔 | 의정부서 | 310 |
| 김한솔 | 군산서 | 384 |
| 김한솔 | 서부산서 | 453 |
| 김한수 | 인천지방 | 33 |
| 김한슬 | 마포서 | 180 |
| 김한식 | 다솔세무 | 35 |
| 김한식 | 다솔세무 | 35 |
| 김한식 | 다솔세무 | 35 |
| 김한신 | 서부산서 | 452 |
| 김한오 | 관악서 | 164 |
| 김한울 | 김포서 | 298 |
| 김한용 | 북대전서 | 327 |
| 김한울 | 파주서 | 313 |
| 김한일 | 삼성서 | 184 |
| 김한준 | 기재부 | 82 |
| 김한준 | 법무광장 | 48 |
| 김한진 | 중부청 | 221 |
| 김한진 | 인천청 | 283 |
| 김한진 | 부평서 | 306 |
| 김한진 | 대구세관 | 499 |
| 김한진 | 대구세관 | 500 |
| 김한태 | 강서서 | 162 |
| 김한필 | 기재부 | 75 |
| 김항로 | 중부청 | 221 |
| 김항범 | 서울청 | 140 |
| 김항중 | 인천서 | 291 |
| 김해 | 광주세관 | 505 |
| 김해강 | 전주서 | 393 |
| 김해리 | 용산서 | 202 |
| 김해리 | 인천서 | 290 |
| 김해림 | 송파서 | 195 |
| 김해미 | 국세청 | 121 |
| 김해아 | 부천서 | 305 |
| 김해영 | 서울청 | 137 |
| 김해옥 | 인천청 | 112 |
| 김해운 | 국세청 | 128 |
| 김해인 | 부산진서 | 447 |
| 김해진 | 서울청 | 142 |
| 김해진 | 영등포서 | 201 |
| 김해진 | 서산서 | 225 |
| 김해철 | 법무광장 | 49 |
| 김햇님 | 중부청 | 217 |
| 김햇살 | 남양주서 | 230 |
| 김행곤 | 순천서 | 378 |
| 김행복 | 중부서 | 212 |
| 김행순 | 양천서 | 196 |
| 김행엄 | 진주서 | 472 |
| 김향미 | 춘천서 | 273 |
| 김향숙 | 서울청 | 145 |
| 김향숙 | 인천서 | 290 |
| 김향연 | 연수서 | 309 |
| 김향일 | 강릉서 | 263 |
| 김향주 | 인천청 | 281 |
| 김헌국 | 강동서 | 160 |
| 김헌우 | 김포서 | 298 |
| 김헌우 | 성남서 | 238 |
| 김혁 | | |
| 김혁동 | 영등포서 | 201 |
| 김혁준 | 부산청 | 441 |
| 김혁준 | 조세심판 | 506 |
| 김혁희 | 역삼서 | 198 |
| 김현 | 용산서 | 203 |
| 김현 | 북전주서 | 389 |
| 김현경 | 동울산서 | 460 |
| 김현경 | 국세청 | 131 |
| 김현경 | 구로서 | 167 |
| 김현경 | 평택서 | 256 |
| 김현경 | 인천청 | 283 |
| 김현곤 | 광주세관 | 505 |
| 김현근 | 금천서 | 168 |
| 김현기 | 김해서 | 466 |
| 김현기 | 반포서 | 182 |
| 김현기 | 평택서 | 256 |
| 김현기 | 남부천서 | 302 |
| 김현기 | 현대회계 | 28 |
| 김현도 | 울산서 | 463 |
| 김현돈 | 금감원 | 91 |
| 김현두 | 북대구서 | 408 |
| 김현두 | 안산서 | 467 |
| 김현록 | 기재부 | 71 |
| 김현목 | 제주서 | 479 |
| 김현미 | 안산서 | 246 |
| 김현미 | 평택서 | 257 |
| 김현미 | 동화성서 | 258 |
| 김현미 | 창원서 | 443 |
| 김현민 | 기재부 | 79 |
| 김현민 | 역삼서 | 198 |
| 김현민 | 남동서 | 287 |
| 김현배 | 창원서 | 474 |
| 김현배 | 성남서 | 238 |
| 김현배 | 중부산서 | 456 |
| 김현서 | 고시회 | 30 |
| 김현서 | 중부산서 | 456 |
| 김현서 | 동안양서 | 234 |
| 김현서 | 동고양서 | 301 |
| 김현석 | 국세청 | 117 |
| 김현석 | 성남서 | 238 |
| 김현석 | 동화성서 | 259 |
| 김현석 | 마산서 | 469 |
| 김현석 | 관세청 | 482 |
| 김현선 | 법무바른 | 1 |
| 김현선 | 서울청 | 134 |
| 김현섭 | 구로서 | 167 |
| 김현섭 | 송파서 | 195 |
| 김현섭 | 국세청 | 119 |
| 김현성 | 이천서 | 254 |
| 김현성 | 속초서 | 267 |
| 김현성 | 광주서 | 363 |
| 김현수 | 해남서 | 382 |
| 김현수 | 울산서 | 463 |
| 김현수 | 반포서 | 183 |
| 김현수 | 서대구서 | 411 |
| 김현수 | 구미서 | 418 |
| 김현수 | 거창서 | 465 |
| 김현수 | 삼덕회계 | 15 |
| 김현수 | 예일회계 | 22 |
| 김현수 | 광주서 | 213 |
| 김현숙 | 중부청 | 219 |
| 김현숙 | 화성서 | 261 |
| 김현숙 | 의정부서 | 311 |
| 김현숙 | 북대전서 | 326 |
| 김현숙 | 청주서 | 354 |
| 김현숙 | 광산서 | 366 |
| 김현숙 | 대구청 | 398 |
| 김현숙 | 경주서 | 416 |
| 김현숙 | 구미서 | 418 |
| 김현숙 | 서부산서 | 453 |
| 김현정 | 조세재정 | 510 |
| 김현승 | 국세청 | 107 |
| 김현승 | 화성서 | 261 |
| 김현아 | 기재부 | 71 |
| 김현아 | 서대문서 | 186 |
| 김현아 | 용산서 | 202 |
| 김현아 | 대전청 | 320 |
| 김현아 | 천안서 | 345 |
| 김현아 | 울산서 | 462 |
| 김현아 | 광주세관 | 505 |
| 김현아 | 조세재정 | 509 |
| 김현영 | 기재부 | 76 |
| 김현영 | 강동서 | 161 |
| 김현옥 | 잠실서 | 207 |
| 김현옥 | 강동서 | 386 |
| 김현우 | 다솔세무 | 35 |
| 김현우 | 서울청 | 154 |
| 김현우 | 관악서 | 164 |
| 김현우 | 성동서 | 190 |
| 김현욱 | 진주서 | 473 |
| 김현웅 | 안동서 | 424 |
| 김현웅 | 국세청 | 123 |
| 김현일 | 대전청 | 318 |
| 김현일 | 중부청 | 221 |
| 김현자 | 예일회계 | 22 |
| 김현재 | 북광주서 | 371 |
| 김현재 | 서울청 | 143 |
| 김현정 | 남원서 | 386 |
| 김현정 | 국회정무 | 60 |
| 김현정 | 금감원 | 93 |
| 김현정 | 서울청 | 136 |
| 김현정 | 서울청 | 152 |
| 김현정 | 강동서 | 160 |
| 김현정 | 강서서 | 163 |
| 김현정 | 금천서 | 169 |
| 김현정 | 노원서 | 173 |
| 김현정 | 동대문서 | 176 |
| 김현정 | 마포서 | 180 |
| 김현정 | 마포서 | 180 |
| 김현정 | 서대문서 | 186 |
| 김현정 | 중랑서 | 210 |
| 김현정 | 분당서 | 236 |
| 김현정 | 수원서 | 240 |
| 김현정 | 시흥서 | 243 |
| 김현정 | 강릉서 | 262 |
| 김현정 | 파주서 | 312 |
| 김현정 | 나주서 | 375 |
| 김현정 | 순천서 | 378 |
| 김현정 | 대구청 | 403 |
| 김현정 | 남대구서 | 404 |
| 김현정 | 북부산서 | 450 |
| 김현정 | 서부산서 | 452 |
| 김현정 | 마산서 | 469 |
| 김현정 | 마산서 | 469 |
| 김현정 | 관세청 | 482 |
| 김현정 | 광주세관 | 505 |
| 김현종 | 국세청 | 124 |
| 김현주 | 서울청 | 151 |
| 김현주 | 강동서 | 161 |
| 김현주 | 역삼서 | 199 |
| 김현주 | 성동서 | 191 |
| 김현주 | 광주청 | 363 |
| 김현주 | 순천서 | 378 |
| 김현주 | 북전주서 | 389 |
| 김현주 | 부산서 | 436 |
| 김현주 | 진주서 | 472 |
| 김현주 | 창원서 | 474 |
| 김현준 | 반포서 | 183 |
| 김현준 | 은평서 | 204 |
| 김현준 | 화성서 | 260 |
| 김현준 | 북부산서 | 450 |
| 김현준 | 김해서 | 466 |
| 김현중 | 국회재정 | 55 |
| 김현중 | 금감원 | 92 |
| 김현중 | 아산서 | 341 |
| 김현지 | 국세청 | 114 |
| 김현지 | 국세청 | 118 |
| 김현지 | 국세청 | 124 |
| 김현지 | 국세청 | 125 |
| 김현지 | 예산서 | 343 |
| 김현지 | 기재부 | 83 |
| 김현진 | 국세청 | 110 |
| 김현진 | 국세청 | 120 |
| 김현진 | 서울청 | 154 |
| 김현진 | 노원서 | 173 |
| 김현진 | 동화성서 | 258 |
| 김현진 | 광주청 | 360 |
| 김현진 | 광산서 | 366 |
| 김현진 | 광주서 | 368 |
| 김현진 | 순천서 | 379 |
| 김현진 | 북대구서 | 408 |
| 김현진 | 울산서 | 462 |
| 김현진 | 법무세종 | 50 |
| 김현진 | 택스홀 | 38 |
| 김현진 | 감사원 | 62 |
| 김현철 | 삼성서 | 185 |
| 김현철 | 광산서 | 367 |
| 김현철 | 목포서 | 377 |
| 김현철 | 금정서 | 442 |
| 김현철 | 해운대서 | 458 |
| 김현태 | 관악서 | 165 |
| 김현태 | 대전청 | 319 |
| 김현태 | 서산서 | 336 |
| 김현표 | 감사원 | 63 |
| 김현하 | 국세청 | 109 |
| 김현하 | 서울청 | 134 |
| 김현호 | 강릉서 | 263 |
| 김현호 | 북대구서 | 408 |
| 김현환 | 김앤장 | 47 |
| 김현후 | 기재부 | 73 |
| 김현희 | 국세청 | 128 |
| 김현희 | 서대문서 | 186 |
| 김현희 | 서초서 | 188 |
| 김현희 | 양산서 | 471 |
| 김형걸 | 동울산서 | 460 |
| 김형곤 | 삼정회계 | 22 |
| 김형국 | 서광주서 | 372 |
| 김형규 | 포항서 | 431 |
| 김형기 | 경기광주 | 244 |
| 김형기 | 천안서 | 345 |
| 김형남 | 서현회계 | 7 |
| 김형래 | 서울청 | 469 |
| 김형래 | 서울청 | 135 |
| 김형래 | 강남서 | 158 |
| 김형래 | 부산청 | 434 |
| 김형만 | 익산서 | 391 |
| 김형미 | 강남서 | 159 |
| 김형미 | 대전청 | 320 |
| 김형민 | 동화성서 | 258 |
| 김형석 | 해서 | 467 |
| 김형석 | 광명서 | 297 |
| 김형석 | 서울청 | 150 |
| 김형석 | 삼성서 | 185 |
| 김형선 | 광주세관 | 505 |
| 김형선 | 기재부 | 74 |
| 김형섭 | 은평서 | 205 |
| 김형섭 | 해서 | 467 |
| 김형수 | 양산서 | 471 |
| 김형수 | 서울청 | 154 |
| 김형수 | 원주서 | 271 |
| 김형수 | 해서 | 463 |
| 김형숙 | 북광주서 | 370 |
| 김형식 | 동안양서 | 235 |
| 김형완 | 종로서 | 208 |
| 김형우 | 강동서 | 160 |
| 김형우 | 택스홀 | 51 |
| 김형욱 | 기재부 | 72 |
| 김형욱 | 마포서 | 180 |
| 김형욱 | 중부청 | 217 |
| 김형운 | 남대구서 | 405 |
| 김형운 | 택스홀 | 38 |
| 김형익 | 기재부 | 70 |
| 김형익 | 제주서 | 479 |
| 김형일 | 북부산서 | 182 |
| 김형종 | 동래서 | 445 |
| 김형주 | 반포서 | 182 |
| 김형주 | 중부서 | 213 |
| 김형주 | 안양서 | 250 |
| 김형주 | 광주서 | 364 |
| 김형준 | 기재부 | 82 |
| 김형준 | 서울청 | 154 |
| 김형준 | 중부청 | 221 |
| 김형준 | 남양주서 | 230 |
| 김형준 | 동화성서 | 259 |
| 김형준 | 구로서 | 167 |
| 김형진 | 부산청 | 434 |
| 김형천 | 북부산서 | 450 |
| 김형태 | 국세청 | 117 |
| 김형태 | 서울청 | 139 |
| 김형태 | 마포서 | 181 |
| 김형태 | 김앤장 | 47 |
| 김형태 | 서울지방 | 32 |
| 김형태 | 고시회 | 30 |
| 김형훈 | 서울청 | 154 |
| 김혜경 | 부산청 | 438 |
| 김혜경 | 용산서 | 253 |
| 김혜경 | 동화성서 | 258 |
| 김혜경 | 포천서 | 314 |
| 김혜경 | 대전청 | 323 |
| 김혜경 | 여수서 | 380 |
| 김혜경 | 동대구서 | 406 |
| 김혜경 | 부산진서 | 448 |
| 김혜란 | 남대문서 | 170 |
| 김혜란 | 동수원서 | 232 |
| 김혜란 | 순천서 | 379 |
| 김혜랑 | 송파서 | 195 |
| 김혜령 | 조세재정 | 510 |
| 김혜령 | 중부청 | 216 |
| 김혜령 | 중부청 | 223 |
| 김혜령 | 남부천서 | 302 |
| 김혜리 | 서울청 | 143 |
| 김혜리 | 서대전서 | 328 |
| 김혜리 | 서산서 | 453 |
| 김혜리 | 기재부 | 70 |
| 김혜린 | 인천서 | 291 |
| 김혜린 | 마산서 | 469 |
| 김혜림 | 강남서 | 158 |
| 김혜림 | 대구청 | 403 |
| 김혜림 | 영주서 | 428 |
| 김혜림 | 제주서 | 479 |
| 김혜미 | 조세재정 | 508 |
| 김혜미 | 국세청 | 113 |
| 김혜미 | 서울청 | 151 |
| 김혜미 | 역삼서 | 199 |
| 김혜미 | 청주서 | 354 |
| 김혜미 | 서초서 | 188 |
| 김혜민 | 대전청 | 320 |
| 김혜민 | 광주서 | 368 |
| 김혜빈 | 서울청 | 151 |
| 김혜빈 | 노원서 | 173 |
| 김혜빈 | 인천서 | 290 |
| 김혜빈 | 창원서 | 474 |
| 김혜선 | 금감원 | 99 |
| 김혜선 | 평택서 | 256 |
| 김혜선 | 관악서 | 164 |
| 김혜성 | 인천청 | 281 |
| 김혜성 | 포천서 | 314 |
| 김혜숙 | 서울청 | 137 |
| 김혜숙 | 도봉서 | 174 |
| 김혜숙 | 북부산서 | 452 |
| 김혜식 | 잠실서 | 206 |
| 김혜연 | 양천서 | 197 |
| 김혜연 | 성남서 | 239 |
| 김혜연 | 인천청 | 282 |
| 김혜연 | 부천서 | 304 |
| 김혜영 | 기재부 | 72 |
| 김혜영 | 서울청 | 156 |
| 김혜영 | 구로서 | 166 |
| 김혜영 | 남대문서 | 171 |
| 김혜영 | 노원서 | 172 |
| 김혜영 | 구리서 | 226 |
| 김혜영 | 수원서 | 240 |
| 김혜영 | 광주청 | 362 |
| 김혜영 | 남대구서 | 405 |
| 김혜영 | 북대구서 | 408 |
| 김혜영 | 부산청 | 437 |
| 김혜영 | 북부산서 | 450 |
| 김혜영 | 중부산서 | 457 |
| 김혜원 | 성동서 | 190 |
| 김혜원 | 송파서 | 194 |
| 김혜원 | 양천서 | 197 |
| 김혜원 | 중부청 | 217 |
| 김혜원 | 계양서 | 292 |
| 김혜원 | 고양서 | 295 |
| 김혜원 | 광주청 | 365 |
| 김혜원 | 부산청 | 440 |
| 김혜윤 | 인천청 | 280 |
| 김혜은 | 순천서 | 379 |
| 김혜은 | 동래서 | 444 |
| 김혜인 | 관악서 | 164 |
| 김혜인 | 동화성서 | 258 |
| 김혜인 | 군산서 | 384 |
| 김혜인 | 북대구서 | 408 |
| 김혜인 | 북대구서 | 409 |
| 김혜정 | 국세청 | 117 |
| 김혜정 | 서울청 | 148 |
| 김혜정 | 강동서 | 160 |
| 김혜정 | 강서서 | 162 |
| 김혜정 | 금천서 | 169 |
| 김혜정 | 서초서 | 188 |
| 김혜정 | 영등포서 | 200 |
| 김혜정 | 계양서 | 292 |
| 김혜정 | 광산서 | 366 |
| 김혜정 | 서광주서 | 372 |
| 김혜정 | 서대구서 | 410 |
| 김혜정 | 서부산서 | 452 |
| 김혜정 | 광주세관 | 505 |
| 김혜지 | 경주서 | 416 |
| 김혜지 | 기재부 | 72 |
| 김혜진 | 국세청 | 110 |
| 김혜진 | 구로서 | 166 |
| 김혜진 | 노원서 | 172 |
| 김혜진 | 잠실서 | 207 |
| 김혜진 | 남양주서 | 230 |
| 김혜진 | 경기광주 | 245 |
| 김혜진 | 동안양서 | 248 |
| 김혜진 | 동안양서 | 249 |
| 김혜진 | 남동서 | 286 |
| 김혜진 | 대구청 | 399 |
| 김혜진 | 부산청 | 441 |
| 김혜진 | 김해서 | 466 |
| 김혜진 | 창원서 | 475 |
| 김혜현 | 중랑서 | 210 |
| 김호 | 역삼서 | 199 |
| 김호 | 파주서 | 312 |
| 김호 | 부산청 | 434 |
| 김호 | 진주서 | 473 |
| 김호 | 제주서 | 478 |

| 이름 | 소속 | 페이지 | | 이름 | 소속 | 페이지 |
|---|---|---|---|---|---|---|
| 김호겸 | 논산서 | 332 | | 김효정 | 이천서 | 254 |
| 김호경 | 강남서 | 159 | | 김효정 | 아산서 | 340 |
| 김호근 | 국세청 | 130 | | 김효정 | 여수서 | 381 |
| 김호서 | 용산서 | 203 | | 김효정 | 중부산서 | 456 |
| 김호승 | 북대구서 | 408 | | 김효정 | 광주세관 | 505 |
| 김호승 | 부산청 | 436 | | 김효주 | 광주세관 | 504 |
| 김호업 | 하나세무 | 39 | | 김효주 | 기재부 | 72 |
| 김호열 | 기재부 | 83 | | 김효진 | 기재부 | 76 |
| 김호영 | 서울청 | 141 | | 김효진 | 국세청 | 112 |
| 김호영 | 성남서 | 239 | | 김효진 | 서울청 | 136 |
| 김호영 | 광주세관 | 505 | | 김효진 | 서울청 | 136 |
| 김호준 | 속초서 | 267 | | 김효진 | 동작서 | 179 |
| 김호진 | 송파서 | 195 | | 김효진 | 마포서 | 180 |
| 김호찬 | 부산진서 | 447 | | 김효진 | 서울청 | 192 |
| 김호현 | 남동서 | 286 | | 김효진 | 중부청 | 221 |
| 김호현 | 동수원서 | 232 | | 김효진 | 인천청 | 283 |
| 김홍경 | 계양서 | 292 | | 김효진 | 부천서 | 305 |
| 김홍경 | 구미서 | 418 | | 김효진 | 보령서 | 334 |
| 김홍균 | 중부청 | 216 | | 김효진 | 익산서 | 391 |
| 김홍기 | 대전청 | 319 | | 김효진 | 부산청 | 435 |
| 김홍기 | 국세청 | 110 | | 김효진 | 통영서 | 477 |
| 김홍란 | 동울산서 | 461 | | 김효진 | 해남서 | 382 |
| 김홍란 | 대전청 | 320 | | 김후영 | 부산진서 | 447 |
| 김홍래 | 서초서 | 188 | | 김후희 | 부천서 | 304 |
| 김홍석 | 기재부 | 82 | | 김훈 | 평택서 | 257 |
| 김홍석 | 마산서 | 469 | | 김훈 | 인천청 | 284 |
| 김홍석 | 다올세무 | 35 | | 김훈 | 순천서 | 379 |
| 김홍수 | 양산서 | 470 | | 김훈 | 동대구서 | 407 |
| 김홍식 | 인천청 | 282 | | 김훈 | 부산세관 | 496 |
| 김홍용 | 국세청 | 125 | | 김훈구 | 국세청 | 129 |
| 김홍현 | 삼일회계 | 17 | | 김훈기 | 중부청 | 218 |
| 김화경 | 북광주서 | 370 | | 김훈민 | 속초서 | 266 |
| 김화도 | 성동서 | 190 | | 김훈중 | 예일세무 | 335 |
| 김화선 | 서부산서 | 453 | | 김훈중 | 예일세무 | 40 |
| 김화숙 | 서울청 | 134 | | 김훈태 | 분당서 | 237 |
| 김화숙 | 역삼서 | 199 | | 김휘민 | 국세청 | 106 |
| 김화영 | 서울청 | 140 | | 김휘영 | 속초서 | 266 |
| 김화영 | 광주청 | 361 | | 김흥곤 | 서울청 | 158 |
| 김화영 | 진주서 | 473 | | 김흥기 | 인천공항 | 493 |
| 김화완 | 춘천서 | 272 | | 김흥기 | 은평서 | 205 |
| 김화준 | 인천청 | 279 | | 김희겸 | 서울청 | 150 |
| 김화진 | 서울청 | 152 | | 김희경 | 동울산서 | 461 |
| 김회경 | 수영서 | 455 | | 김희경 | 서광주서 | 372 |
| 김환 | 시흥서 | 243 | | 김희관 | 대구세관 | 500 |
| 김환 | 광주청 | 360 | | 김희권 | 대구서 | 164 |
| 김환국 | 북광주서 | 371 | | 김희대 | 대전청 | 319 |
| 김환규 | 동작서 | 178 | | 김희란 | 북부산서 | 450 |
| 김환옥 | 북전주서 | 389 | | 김희련 | 의정부서 | 310 |
| 김환중 | 통영서 | 476 | | 김희명 | 통영서 | 477 |
| 김환진 | 분당서 | 236 | | 김희문 | 북부산서 | 451 |
| 김환진 | 거창서 | 465 | | 김희범 | 광주청 | 364 |
| 김환진 | 연수서 | 308 | | 김희봉 | 광주청 | 365 |
| 김황경 | 천안서 | 344 | | 김희선 | 성동포서 | 191 |
| 김회광 | 북전주서 | 389 | | 김희선 | 용산서 | 200 |
| 김회숙 | 동작서 | 178 | | 김희선 | 중부청 | 203 |
| 김회정 | 김해서 | 466 | | 김희선 | 포천서 | 220 |
| 김효경 | 기재부 | 79 | | 김희선 | 부산청 | 315 |
| 김효경 | 국세청 | 131 | | 김희선 | 부산서 | 439 |
| 김효경 | 대구청 | 399 | | 김희성 | 고양서 | 300 |
| 김효근 | 서광주서 | 373 | | 김희수 | 광명서 | 297 |
| 김효남 | 구로서 | 166 | | 김희숙 | 서울청 | 135 |
| 김효남 | 조세심판 | 506 | | 김희숙 | 수원서 | 233 |
| 김효동 | 국세청 | 117 | | 김희숙 | 광주청 | 362 |
| 김효동 | 성북서 | 192 | | 김희승 | 익산서 | 391 |
| 김효림 | 조세재정 | 509 | | 김희애 | 북광주서 | 370 |
| 김효림 | 삼성서 | 185 | | 김희애 | 서울청 | 142 |
| 김효미 | 남부천서 | 302 | | 김희연 | 동울산서 | 460 |
| 김효민 | 울산서 | 463 | | 김희연 | 성동서 | 160 |
| 김효삼 | 영주서 | 428 | | 김희영 | 성동서 | 190 |
| 김효상 | 성북서 | 193 | | 김희영 | 동울산서 | 238 |
| 김효상 | 송파서 | 194 | | 김희원 | 금감원 | 96 |
| 김효섭 | 역삼서 | 198 | | 김희원 | 고양서 | 294 |
| 김효숙 | 광주청 | 363 | | 김희윤 | 대전청 | 321 |
| 김효숙 | 수원서 | 240 | | 김희운 | 기재부 | 82 |
| 김효숙 | 여수서 | 380 | | 김희원 | 천안서 | 344 |
| 김효숙 | 수영서 | 454 | | 김희유 | 역삼서 | 199 |
| 김효순 | 대전청 | 318 | | 김희은 | 구로서 | 166 |
| 김효영 | 성동서 | 190 | | 김희은 | 논산서 | 332 |
| 김효영 | 동안산서 | 249 | | 김희은 | 기재부 | 77 |
| 김효영 | 성현회계 | 11 | | 김희재 | 이천서 | 254 |
| 김효원 | 종로서 | 209 | | 김희재 | 북대전서 | 326 |
| 김효은 | 부평서 | 307 | | 김희정 | 서울청 | 139 |
| 김효은 | 서대구서 | 411 | | 김희정 | 강남서 | 158 |
| 김효인 | 안양서 | 251 | | 김희정 | 강남서 | 174 |
| 김효일 | 서울청 | 134 | | 김희정 | 성북서 | 193 |
| 김효정 | 구로서 | 166 | | 김희정 | 구리서 | 226 |
| 김효정 | 반포서 | 183 | | 김희정 | 수원서 | 240 |
| 김효정 | 반포서 | 183 | | 김희정 | 파주서 | 312 |
| 김효정 | 삼성서 | 185 | | 김희정 | 북광주서 | 371 |
| 김효정 | 서초서 | 188 | | | | |
| 김효정 | 중부서 | 212 | | | | |

| 이름 | 소속 | 페이지 | | 이름 | 소속 | 페이지 |
|---|---|---|---|---|---|---|
| 김희정 | 양산서 | 470 | | 나종태 | 관세청 | 482 |
| 김희정 | 신한관세 | 44 | | 나종현 | 동작서 | 179 |
| 김희주 | 포천서 | 152 | | 나지수 | 조세재정 | 508 |
| 김희주 | 포천서 | 315 | | 나지윤 | 경주서 | 417 |
| 김희준 | 익산서 | 390 | | 나진순 | 서울청 | 155 |
| 김희준 | 기재부 | 81 | | 나진희 | 서울청 | 134 |
| 김희준 | 역삼서 | 198 | | 나진희 | 남원서 | 386 |
| 김희준 | 창원서 | 474 | | 나진희 | 조세재정 | 509 |
| 김희중 | 기재부 | 70 | | 나찬주 | 남동서 | 286 |
| 김희중 | 중기회 | 102 | | 나채린 | 기재부 | 71 |
| 김희중 | 서울청 | 154 | | 나채용 | 여수서 | 381 |
| 김희진 | 서대문서 | 187 | | 나채원 | 기재부 | 73 |
| 김희진 | 광산서 | 367 | | 나철호 | 재정회계 | 33 |
| 김희찬 | 국세청 | 131 | | 나태용 | 인천서 | 290 |
| 김희창 | 서인천서 | 288 | | 나태현 | 하나세무 | 39 |
| 김희창 | 제천서 | 353 | | 나하은 | 기흥서 | 228 |
| 김희창 | 서광주서 | 372 | | 나한결 | 관악서 | 165 |
| 김희철 | 고시회 | 47 | | 나한태 | 서광주서 | 372 |
| 김희철 | 기재부 | 30 | | 나혁균 | 제주서 | 478 |
| 김희태 | 북전주서 | 78 | | 나현구 | 분당서 | 237 |
| 김희태 | 한올회계 | 389 | | 나현수 | 삼일회계 | 16 |
| 김희태 | 중부청 | 27 | | 나현숙 | 북대구서 | 408 |
| 김희화 | 중부청 | 218 | | 나형배 | 여수서 | 380 |
| | | | | 나형욱 | 동화성서 | 258 |
| **ㄴ** | | | | 나형원 | 순천서 | 379 |
| | | | | 나혜경 | 광산서 | 367 |
| 나가영 | 서울청 | 135 | | 나혜빈 | 국회정무 | 59 |
| 나경미 | 북대전서 | 326 | | 나혜영 | 남양주서 | 184 |
| 나경아 | 양천서 | 196 | | 나혜정 | 익산서 | 390 |
| 나경영 | 서울청 | 138 | | 나환영 | 남양주서 | 230 |
| 나경태 | 동안산서 | 249 | | 나환용 | 남양주서 | 158 |
| 나경훈 | 파주서 | 313 | | 나희선 | 중부청 | 221 |
| 나경희 | 목포서 | 376 | | 나희영 | 은평서 | 205 |
| 나기석 | 동화성서 | 259 | | 남건욱 | 광주세관 | 504 |
| 나기홍 | 광주세관 | 504 | | 남경 | 예산서 | 343 |
| 나길제 | 동고양서 | 300 | | 남경민 | 구로서 | 166 |
| 나단비 | 북부산서 | 450 | | 남경아 | 충주서 | 357 |
| 나덕욱 | 서울청 | 146 | | 남경자 | 양천서 | 196 |
| 나동일 | 국세청 | 123 | | 남경자 | 양천서 | 197 |
| 나명균 | 국세청 | 121 | | 남경희 | 동울산서 | 461 |
| 나명호 | 서울청 | 112 | | 남경희 | 중부청 | 218 |
| 나명호 | 서울청 | 151 | | 남관길 | 용인서 | 252 |
| 나미선 | 북광주서 | 370 | | 남관민 | 인천청 | 440 |
| 나민수 | 국세청 | 108 | | 남궁민아 | 서울청 | 279 |
| 나병진 | 광주세관 | 504 | | 남궁서정 | 광명서 | 296 |
| 나상원 | 성현회계 | 11 | | 남궁재옥 | 동대문서 | 176 |
| 나상일 | 경주서 | 417 | | 남궁재옥 | 춘천서 | 272 |
| 나선환 | 평택서 | 256 | | 남궁향 | 성북서 | 193 |
| 나선환 | 삼정회계 | 18 | | 남궁화순 | 안양서 | 250 |
| 나선일 | 남원서 | 386 | | 남기범 | 기재부 | 77 |
| 나선호 | 고양서 | 294 | | 남기범 | 광주서 | 369 |
| 나성빈 | 관악서 | 298 | | 남기선 | 천안서 | 344 |
| 나세준 | 금감원 | 165 | | 남기영 | 성남서 | 238 |
| 나세준 | 목포서 | 90 | | 남기은 | 강서서 | 162 |
| 나소영 | 삼일회계 | 376 | | 남기의 | 부천서 | 305 |
| 나승운 | 국세청 | 16 | | 남기인 | 연수서 | 308 |
| 나승호 | 해남서 | 110 | | 남기인 | 기재부 | 71 |
| 나승영 | 부평서 | 382 | | 남기정 | 인천청 | 278 |
| 나영 | 조세재정 | 306 | | 남기태 | 목포서 | 376 |
| 나영미 | 중부서 | 511 | | 남기현 | 동청주서 | 348 |
| 나영수 | 경기광주 | 213 | | 남기현 | 중부청 | 220 |
| 나영희 | 반포서 | 244 | | 남기형 | 강서서 | 230 |
| 나예영 | 정읍서 | 182 | | 남기홍 | 남양주서 | 300 |
| 나용선 | 동안양서 | 394 | | 남기환 | 동고양서 | 145 |
| 나용호 | 국세청 | 235 | | 남기훈 | 서울청 | 171 |
| 나우영 | 동청주서 | 128 | | 남꽃별 | 국세청 | 148 |
| 나우정 | 강동서 | 349 | | 남나은 | 평택서 | 463 |
| 나유림 | 기재부 | 160 | | 남다영 | 국세청 | 110 |
| 나유민 | 고양서 | 84 | | 남도경 | 인천청 | 256 |
| 나유숙 | 나주서 | 295 | | 남도영 | 화성서 | 280 |
| 나유진 | 대전청 | 374 | | 남도현 | 국세청 | 261 |
| 나윤미 | 대전서 | 319 | | 남동국 | 강동서 | 112 |
| 나윤수 | 북광주서 | 325 | | 남동완 | 관악서 | 160 |
| 나윤정 | 중부청 | 371 | | 남동우 | 부천서 | 36 |
| 나은경 | 용산서 | 224 | | 남동현 | 금융위 | 164 |
| 나은비 | 안양서 | 76 | | 남동현 | 기재부 | 305 |
| 나은주 | 동청주서 | 202 | | 남동훈 | 창원서 | 86 |
| 나인애 | 광주청 | 250 | | 남만우 | 삼성서 | 398 |
| 나인엽 | 남양주서 | 349 | | 남명기 | 남대문서 | 71 |
| 나정학 | 제천서 | 203 | | 남명자 | 김포서 | 474 |
| 나정현 | 광산서 | 363 | | 남무정 | 중부청 | 299 |
| 나종서 | 광산서 | 231 | | 남미라 | 남부천서 | 218 |
| 나종엽 | 조세심판 | 353 | | 남민기 | 은평서 | 302 |
| 나종엽 | 광산서 | 366 | | 남민숙 | 대구서 | 204 |
| 나종엽 | 조세심판 | 506 | | 남민기 | 국세청 | 119 |

| 이름 | 소속 | 페이지 |
|---|---|---|
| 남보영 | 동고양서 | 300 |
| 남봉근 | 강남서 | 158 |
| 남상균 | 국세청 | 123 |
| 남상웅 | 중부청 | 224 |
| 남상준 | 여수서 | 380 |
| 남상헌 | 대구청 | 401 |
| 남상훈 | 북광주서 | 370 |
| 남석주 | 대전서 | 324 |
| 남선애 | 고양서 | 294 |
| 남성윤 | 국세청 | 122 |
| 남성호 | 마포서 | 181 |
| 남세기 | 국세청 | 110 |
| 남세라 | 부산세관 | 497 |
| 남소정 | 국세청 | 111 |
| 남송이 | 광주세관 | 504 |
| 남송이 | 서울청 | 156 |
| 남수경 | 창원서 | 475 |
| 남수빈 | 기재부 | 82 |
| 남수주 | 금정서 | 442 |
| 남숙경 | 도봉서 | 174 |
| 남승규 | 동안산서 | 248 |
| 남승오 | 양천서 | 197 |
| 남승원 | 조세재정 | 511 |
| 남승호 | 나주서 | 374 |
| 남승훈 | 서대문서 | 187 |
| 남아숙 | 동화성서 | 258 |
| 남연경 | 서울청 | 144 |
| 남연주 | 목포서 | 377 |
| 남영민 | 이천서 | 254 |
| 남영안 | 북부산서 | 450 |
| 남영우 | 금감원 | 98 |
| 남영철 | 국세청 | 123 |
| 남영탁 | 중부청 | 213 |
| 남영호 | 파주서 | 313 |
| 남예원 | 중랑서 | 210 |
| 남예진 | 인천청 | 290 |
| 남옥희 | 남대구서 | 404 |
| 남용석 | 부평서 | 307 |
| 남용준 | 남양주서 | 230 |
| 남용훈 | 포항서 | 430 |
| 남우석 | 중부청 | 222 |
| 남우점 | EY한영 | 12 |
| 남우창 | 노원서 | 173 |
| 남우창 | 감사원 | 16 |
| 남원우 | 삼일회계 | 63 |
| 남유승 | 인천청 | 277 |
| 남유진 | 인천청 | 279 |
| 남윤석 | 이천서 | 280 |
| 남윤수 | 동양양서 | 68 |
| 남윤종 | 부산청 | 254 |
| 남윤희 | 서대문서 | 235 |
| 남은빈 | 세종서 | 267 |
| 남은영 | 강서서 | 441 |
| 남은정 | 구로서 | 187 |
| 남은종 | 인천청 | 162 |
| 남자세 | 광주세관 | 166 |
| 남장우 | 인천청 | 255 |
| 남장현 | 인천청 | 504 |
| 남전우 | 택스홀 | 280 |
| 남정근 | 영등포서 | 338 |
| 남정도 | 영주서 | 200 |
| 남정형 | 구미서 | 429 |
| 남정현 | 인천청 | 419 |
| 남주호 | 성동서 | 291 |
| 남중현 | 금감원 | 273 |
| 남지윤 | 익산서 | 190 |
| 남지은 | 국세청 | 97 |
| 남지현 | 경기광주 | 390 |
| 남지형 | 서대문서 | 124 |
| 남창현 | 성동서 | 245 |
| 남창훈 | 조세재정 | 186 |
| 남창훈 | 부산청 | 190 |
| 남채용 | 국세청 | 510 |
| 남태연 | 부산세관 | 68 |
| 남택원 | 상주서 | 436 |
| 남학진 | 김앤장 | 112 |
| 남학진 | 부산세관 | 496 |
| 남창훈 | 상주서 | 423 |
| 남채용 | 김앤장 | 302 |
| 남태연 | 대전청 | 47 |
| 남택원 | 대전청 | 318 |
| 남학진 | 은평서 | 448 |
| 남한샘 | 기재부 | 69 |
| 남해용 | 경산서 | 414 |

| 이름 | 관서 | 번호 |
|---|---|---|
| 남현우 | 동청주서 | 349 |
| 남현정 | 경기광주 | 244 |
| 남현주 | 성남서 | 239 |
| 남현준 | 광명서 | 296 |
| 남현철 | 남대문서 | 170 |
| 남현희 | 인천청 | 284 |
| 남형석 | 국세청 | 111 |
| 남형수 | 삼일회계 | 16 |
| 남혜윤 | 김포서 | 299 |
| 남혜진 | 국세청 | 107 |
| 남호규 | 도봉서 | 174 |
| 남호성 | 춘천포서 | 273 |
| 남호철 | 영등포서 | 201 |
| 남화영 | 종로서 | 209 |
| 남효우 | 파주서 | 312 |
| 남효정 | 신한관세 | 44 |
| 남훈병 | 안양서 | 251 |
| 남희욱 | 안동서 | 425 |
| 납보민 | 이천서 | 254 |
| 납정보 | 포항서 | 430 |
| 노가영 | 국세청 | 110 |
| 노강래 | 국세청 | 110 |
| 노건호 | 마산서 | 468 |
| 노경록 | 마포서 | 180 |
| 노경민 | 청주서 | 355 |
| 노경수 | 금감원 | 90 |
| 노경환 | 마포서 | 181 |
| 노경환 | 원주서 | 270 |
| 노계연 | 서초서 | 189 |
| 노관우 | 부산진서 | 447 |
| 노광래 | 부산세관 | 497 |
| 노광수 | 현대회계 | 28 |
| 노규현 | 서울청 | 152 |
| 노근석 | 보령서 | 334 |
| 노기란 | 광주세관 | 505 |
| 노기숙 | 통영서 | 477 |
| 노기우 | 고양서 | 295 |
| 노기원 | 동래서 | 445 |
| 노기훈 | 인천세관 | 490 |
| 노길현 | 분당서 | 236 |
| 노남규 | 국세청 | 128 |
| 노남종 | 북대전서 | 326 |
| 노다혜 | 인천지방 | 33 |
| 노동균 | 포천서 | 315 |
| 노동렬 | 조세재정 | 511 |
| 노동섭 | 서울청 | 154 |
| 노동승 | 북광주서 | 371 |
| 노동영 | 시흥서 | 242 |
| 노동호 | 익산서 | 390 |
| 노마로 | 국세청 | 116 |
| 노명진 | 서울청 | 141 |
| 노명환 | 부산세관 | 497 |
| 노명희 | 역삼서 | 198 |
| 노미경 | 북대구서 | 409 |
| 노미란 | 울산서 | 462 |
| 노미선 | 익산서 | 390 |
| 노미해 | 인천서 | 290 |
| 노미향 | 전주서 | 393 |
| 노민경 | 평택서 | 256 |
| 노민경 | 잠실서 | 207 |
| 노민욱 | 해남서 | 383 |
| 노민정 | 남대문서 | 170 |
| 노병현 | 성동서 | 190 |
| 노상우 | 원주서 | 475 |
| 노석봉 | 북부산서 | 450 |
| 노성 | 송파서 | 195 |
| 노세영 | 양천서 | 197 |
| 노세현 | 종로서 | 208 |
| 노수경 | 목포서 | 377 |
| 노수연 | 동울산서 | 461 |
| 노수정 | 서대문서 | 187 |
| 노수지 | 금천서 | 168 |
| 노수진 | 남동서 | 286 |
| 노수현 | 잠실서 | 206 |
| 노순정 | 서울청 | 360 |
| 노승규 | 연수서 | 309 |
| 노승미 | 금정서 | 442 |
| 노승옥 | 조세재정 | 508 |
| 노승환 | 서울청 | 154 |
| 노시열 | 은평서 | 205 |
| 노신남 | 동화성서 | 258 |
|  | 경기광주 | 245 |
|  | 광주서 | 368 |
|  | 순천서 | 379 |
|  | 구리서 | 227 |
|  | 동안양서 | 235 |
|  | 중랑서 | 210 |
|  | 순천서 | 378 |
|  | 중부청 | 223 |
|  | 강남서 | 159 |

| 이름 | 관서 | 번호 |
|---|---|---|
| 노아영 | 삼성서 | 184 |
| 노연섭 | 인천서 | 290 |
| 노연숙 | 삼성서 | 185 |
| 노연돈 | 서광주서 | 372 |
| 노영래 | 서울청 | 142 |
| 노영배 | 삼일회계 | 16 |
| 노영실 | 홍성서 | 347 |
| 노영예 | 국세청 | 117 |
| 노영일 | 양산서 | 471 |
| 노영후 | 금동서 | 351 |
| 노영준 | 금감원 | 90 |
| 노영훈 | 남부천서 | 302 |
| 노영희 | 기재부 | 196 |
| 노예순 | 대전청 | 78 |
| 노용래 | 광산서 | 321 |
| 노용성 | 김포서 | 217 |
| 노용현 | 광산서 | 298 |
| 노우성 | 국세청 | 366 |
| 노우정 | 양산서 | 111 |
| 노운성 | 분당서 | 470 |
| 노원준 | 국세청 | 236 |
| 노원철 | 수영서 | 123 |
| 노유경 | 국세청 | 368 |
| 노유승 | 수영서 | 455 |
| 노윤희 | 금정서 | 442 |
| 노윤주 | 기재부 | 321 |
| 노은아 | 대전청 | 311 |
| 노은영 | 의정부서 | 362 |
| 노은지 | 국세청 | 128 |
| 노은지 | 영등포서 | 200 |
| 노은호 | 역삼서 | 192 |
| 노이주 | 동작서 | 199 |
| 노익완 | 은평서 | 179 |
| 노인선 | 제주서 | 204 |
| 노인섭 | 정부처 | 478 |
| 노일호 | 잠실서 | 311 |
| 노재윤 | 노원서 | 206 |
| 노재진 | 이촌회계 | 172 |
| 노재현 | 동작서 | 477 |
| 노재호 | 인천청 | 24 |
| 노재훈 | 국세청 | 178 |
| 노재희 | 중부청 | 279 |
| 노정민 | 더택스 | 118 |
| 노정석 | 남대문서 | 223 |
| 노정석 | 광주청 | 272 |
| 노정애 | 삼성서 | 36 |
| 노정운 | 동래서 | 139 |
| 노정택 | 인천서 | 171 |
| 노정화 | 국세청 | 363 |
| 노정환 | 중부청 | 257 |
| 노정환 | 거창서 | 185 |
| 노정훈 | 남부천서 | 444 |
| 노종근 | 서울청 | 199 |
| 노종옥 | 송파서 | 356 |
| 노주아 | 국세청 | 27 |
| 노주연 | 국세청 | 464 |
| 노주현 | 중부청 | 303 |
| 노준호 | 대구전서 | 154 |
| 노중권 | 화성서 | 194 |
| 노지선 | 관세청 | 106 |
| 노지영 | 조세재정 | 228 |
| 노지원 | 부산청 | 115 |
| 노지은 | 구로서 | 217 |
| 노지현 | 관악서 | 326 |
| 노지형 | 송파서 | 261 |
| 노지혜 | 영등포서 | 483 |
| 노진명 | 해운대서 | 509 |
| 노진철 | 구미서 | 439 |
| 노진헌 | 동고양서 | 166 |
| 노충모 | 금정서 | 164 |
| 노충환 | 중부청 | 195 |
| 노태송 | 북대전서 | 201 |
| 노태순 | 서울청 | 458 |
| 노태천 | 기재부 | 419 |
| 노판열 | 강서서 | 504 |
| 노하진 | 아산서 | 301 |
| 노학종 | 수영서 | 442 |
| 노현우 | 남대구서 | 405 |

| 이름 | 관서 | 번호 |
|---|---|---|
| 노현민 | 중부청 | 220 |
| 노현선 | 중부청 | 219 |
| 노현선 | 성동서 | 191 |
| 노현우 | 국세청 | 130 |
| 노현정 | 국회재정 | 55 |
| 노현정 | 잠실서 | 206 |
| 노현정 | 국세청 | 374 |
| 노현주 | 기재부 | 428 |
| 노현주 | 이천서 | 74 |
| 노현주 | 서인천서 | 255 |
| 노현지 | 국세청 | 288 |
| 노현탁 | 북대구서 | 115 |
| 노현탁 | 광주청 | 409 |
| 노혜란 | 광주청 | 359 |
| 노혜리 | 조세심판 | 365 |
| 노혜림 | 성북서 | 506 |
| 노혜원 | 송파서 | 193 |
| 노혜정 | 용인서 | 194 |
| 노희구 | 보령서 | 252 |
| 노희옥 | 청주서 | 335 |
|  | 북전주서 | 355 |
|  | 다솔세무 | 388 |
|  | 김해서 | 35 |
|  |  | 466 |

## ㄷ

| 이름 | 관서 | 번호 |
|---|---|---|
| 당만기 | 잠실서 | 201 |
| 도강현 | 서울세관 | 13 |
| 도경민 | 동작서 | 207 |
| 도기봉 | 용산서 | 485 |
| 도림봉 | 천안서 | 486 |
| 도명준 | 대구청 | 178 |
| 도미선 | 서울청 | 202 |
| 도미영 | 동대구서 | 344 |
| 도민지 | 구로서 | 146 |
| 도상옥 | 남동서 | 398 |
| 도성희 | 대전청 | 156 |
| 도세영 | 서대문서 | 412 |
| 도승정 | 부평서 | 406 |
| 도아라 | 국세청 | 167 |
| 도연정 | 대전청 | 286 |
| 도연림 | 서대문서 | 320 |
| 도연만 | 부평서 | 411 |
| 도영수 | 서울청 | 186 |
| 도예린 | 성남서 | 307 |
| 도유정 | 대구청 | 91 |
| 도이광 | 기재부 | 119 |
| 도인현 | 평택서 | 147 |
| 도종록 | 은평서 | 338 |
| 도주현 | 춘천서 | 239 |
| 도주희 | 양천서 | 399 |
| 도준혁 | 마산서 | 399 |
| 도지회 | 서대구서 | 67 |
| 도진현 | 부산진서 | 256 |
| 도창현 | 서울청 | 204 |
| 도하정 | 남원서 | 273 |
| 도해민 | 예산서 | 196 |
| 도헌수 | 경산서 | 469 |
| 도현종 | 서현회계 | 411 |
| 도형우 | 성북서 | 447 |
| 도혜숙 | 서대전서 | 134 |
| 도호선 | 기재부 | 387 |
| 도훈태 | 법무세종 | 342 |
| 동남일 | 강남서 | 415 |
| 동소연 | 국세청 | 7 |
| 동철호 | 송파서 | 445 |
| 두영배 | 거창서 | 192 |
| 두준철 | 성북서 | 187 |
| 두진국 | 아산서 | 82 |
| 두채린 | 금천서 | 50 |

## ㄹ

| 이름 | 관서 | 번호 |
|---|---|---|
| 라기정 | 대전서 | 324 |
| 라성하 | 금감원 | 98 |
| 라영채 | 중부청 | 218 |

| 이름 | 관서 | 번호 |
|---|---|---|
| 라원선 | 국세청 | 110 |
| 라유성 | 대전청 | 320 |
| 라유상 | 서인천서 | 289 |
| 라지영 | 용산서 | 203 |
| 라현주 | 한울회계 | 27 |
| 류가향 | 반포서 | 183 |
| 류경남 | 국세청 | 130 |
| 류경옥 | 인천청 | 279 |
| 류경철 | 광주세관 | 504 |
| 류경탁 | 잠실서 | 496 |
| 류계영 | 국세청 | 206 |
| 류관석 | 남대구서 | 118 |
| 류광오 | 서울청 | 202 |
| 류광현 | 성동서 | 405 |
| 류기수 | 도봉서 | 154 |
| 류기현 | 남대구서 | 159 |
| 류기환 | 금감원 | 190 |
| 류길상 | 영등포서 | 175 |
| 류남욱 | 기재부 | 409 |
| 류대현 | 동안양서 | 100 |
| 류대훈 | 서울청 | 201 |
| 류동균 | 대구청 | 80 |
| 류동현 | 국세청 | 234 |
| 류득현 | 예일세무 | 184 |
| 류득현 | 예일세무 | 135 |
| 류명옥 | 대구청 | 211 |
| 류명지 | 국세청 | 253 |
| 류문희 | 동작서 | 189 |
| 류민진 | 남부천서 | 40 |
| 류민경 | 용인서 | 188 |
| 류민하 | 양천서 | 401 |
| 류병호 | 논산서 | 111 |
| 류서현 | 창원서 | 178 |
| 류선아 | 김해서 | 303 |
| 류선아 | 대전서 | 253 |
| 류성권 | 청주서 | 83 |
| 류성무 | 삼일회계 | 197 |
| 류성백 | 여수서 | 333 |
| 류성열 | 광주세관 | 474 |
| 류성재 | 금융위 | 204 |
| 류성현 | 법무광장 | 467 |
| 류세경 | 부산강서 | 325 |
| 류세진 | 다솔세무 | 354 |
| 류소연 | 광주세관 | 16 |
| 류소윤 | 기재부 | 381 |
| 류송 | 삼정회계 | 505 |
| 류수석 | 서울청 | 77 |
| 류수연 | 중부청 | 87 |
| 류수현 | 용산서 | 378 |
| 류수현 | 남동서 | 49 |
| 류순영 | 순천서 | 448 |
| 류승남 | 강남서 | 35 |
| 류승우 | 동화성서 | 505 |
| 류승진 | 포항서 | 78 |
| 류승혜 | 파주서 | 307 |
| 류승화 | 서울청 | 19 |
| 류시철 | 분당서 | 155 |
| 류시현 | 통영서 | 220 |
| 류신우 | 조세심판 | 202 |
| 류아은 | 양천서 | 287 |
| 류양훈 | 군산서 | 378 |
| 류여경 | 조세심판 | 158 |
| 류영길 | 서인천서 | 191 |
| 류영상 | 청주서 | 259 |
| 류영선 | 김포서 | 430 |
| 류영호 | 동청주서 | 114 |
| 류오진 | 원주서 | 312 |
| 류옥회 | 금감원 | 145 |
| 류용운 | 서울청 | 258 |
| 류용현 | 부산강서 | 236 |
| 류원석 | 삼정회계 | 476 |
| 류윤정 | 서울청 | 507 |
| 류은선 | 청천서 | 196 |
| 류은영 | 대전청 | 384 |
| 류인용 | 용산서 | 506 |

| 이름 | 관서 | 번호 |
|---|---|---|
| 류임정 | 부산진서 | 446 |
| 류자영 | 포천서 | 315 |
| 류장식 | 동울산서 | 461 |
| 류장훈 | 정읍서 | 395 |
| 류재리 | 북대구서 | 408 |
| 류재성 | 동안산서 | 248 |
| 류재철 | 김앤장 | 47 |
| 류재희 | 인천공항 | 492 |
| 류정란 | 동화성서 | 259 |
| 류정모 | 반포서 | 183 |
| 류정미 | 수영서 | 455 |
| 류정윤 | 경주서 | 416 |
| 류정희 | 남양주서 | 230 |
| 류제성 | 북부산서 | 451 |
| 류제형 | 국세청 | 116 |
| 류제형 | 성남서 | 238 |
| 류종규 | 나주서 | 374 |
| 류종수 | 군산서 | 384 |
| 류중재 | 북수원서 | 233 |
| 류지상 | 기재부 | 79 |
| 류지용 | 서울청 | 149 |
| 류지윤 | 금감원 | 90 |
| 류지은 | 광주서 | 369 |
| 류지헌 | 삼성서 | 185 |
| 류지혜 | 서울청 | 136 |
| 류지호 | 국세청 | 151 |
| 류지화 | 국세청 | 118 |
| 류지훈 | 종로서 | 208 |
| 류진 | 택스홈 | 38 |
| 류진구 | 서광주서 | 372 |
| 류진수 | 국세청 | 119 |
| 류진영 | 광주청 | 362 |
| 류진희 | 서울청 | 147 |
| 류춘식 | 김해서 | 466 |
| 류충선 | 울산서 | 463 |
| 류치선 | 북광주서 | 370 |
| 류태경 | 기흥서 | 228 |
| 류태순 | 대구청 | 401 |
| 류태열 | 국세청 | 111 |
| 류풍년 | 김포서 | 299 |
| 류필수 | 진주서 | 473 |
| 류하선 | 서부산서 | 452 |
| 류한나 | 금감원 | 97 |
| 류한상 | 딜로이트 | 13 |
| 류한은 | 익산서 | 390 |
| 류해경 | 인천세관 | 490 |
| 류현수 | 청주서 | 355 |
| 류현빈 | 성북서 | 193 |
| 류현철 | 금감원 | 90 |
| 류형근 | 전주서 | 392 |
| 류혜미 | 의정부서 | 311 |
| 류호균 | 용산서 | 143 |
| 류호림 | 부산강서 | 448 |
| 류호영 | 다솔세무 | 35 |
| 류호진 | 현대회계 | 28 |
| 류훈민 | 부산청 | 439 |
| 류희리 | 국세청 | 114 |
| 류희열 | 동래서 | 445 |
| 류희정 | 삼성서 | 184 |
|  | 남양주서 | 231 |
|  | 목포서 | 376 |
|  | 강동서 | 161 |
|  | 충주서 | 356 |
|  | 수성서 | 412 |
|  | 노원서 | 172 |

## ㅁ

| 이름 | 관서 | 번호 |
|---|---|---|
| 마경진 | 중부서 | 212 |
| 마동우 | 동화성서 | 258 |
| 마명희 | 서대구서 | 410 |
| 마미화 | 송파서 | 195 |
| 마삼호 | 서대전서 | 329 |
| 마선희 | 잠실서 | 206 |
| 마성혜 | 동대구서 | 406 |
| 마숙룡 | 서현회계 | 7 |
| 마숙릉 | 서현회계 | 7 |
| 마숙연 | 천안서 | 345 |
| 마숙희 | 마산서 | 468 |
| 마순덕 | 관세청 | 482 |
| 마순득 | 금정서 | 443 |
| 마승진 | 공주서 | 330 |
| 마옥현 | 법무광장 | 48 |
| 마용재 | 기재부 | 80 |
| 마일명 | 구미서 | 418 |
| 마재성 | 김포서 | 299 |
| 마재희 | 기재부 | 71 |

| 이름 | 소속 | 쪽 | 이름 | 소속 | 쪽 |
|---|---|---|---|---|---|
| 마정윤 | 양천서 | 196 | 문보라 | 역삼서 | 199 |
| 마준호 | 문일세 | 128 | 문삼여 | 국세청 | 295 |
| 마현주 | 광산서 | 366 | 문상묵 | 조세심판 | 130 |
| 마효민 | 부산청 | 438 | 문상석 | 강남원 | 507 |
| 맹선영 | 강남서 | 158 | 문상영 | 서울청 | 91 |
| 맹지언 | 양천서 | 196 | 문상익 | 고시회 | 466 |
| 맹창호 | 택스홈 | 38 | 문상철 | 예일회계 | 30 |
| 맹황준 | 북대전서 | 326 | 문상철 | 기재부 | 153 |
| 명거동 | 구로서 | 166 | 문서림 | 부산청 | 22 |
| 명경자 | 시흥서 | 243 | 문서연 | 국세청 | 72 |
| 명경철 | 서울청 | 134 | 문석빈 | 남대문서 | 324 |
| 명국빈 | 중부청 | 221 | 문선기 | 금감원 | 435 |
| 명기룡 | 포천서 | 314 | 문선미 | 서초서 | 114 |
| 명기영 | 순천서 | 378 | 문선영 | 전주서 | 171 |
| 명상희 | 대구청 | 398 | 문선택 | 서초서 | 94 |
| 명영빈 | 금감원 | 93 | 문선택 | 전주서 | 304 |
| 명영준 | 부산강서 | 449 | 문성배 | 창원서 | 188 |
| 명인범 | 통영서 | 477 | 문성운 | 경주청 | 392 |
| 명진아 | 다슬세무 | 35 | 문성원 | 금천서 | 242 |
| 명현욱 | 서울청 | 155 | 문성윤 | 해남서 | 474 |
| 명혜란 | 서부산서 | 452 | 문성인 | 포천서 | 417 |
| 모규인 | 마포서 | 181 | 문성준 | 의정부서 | 220 |
| 모두열 | 제천서 | 352 | 문성진 | 충주서 | 168 |
| 모상용 | 진주서 | 473 | 문성철 | 기재부 | 382 |
| 모성하 | 서울청 | 155 | 문성호 | 서울청 | 314 |
| 모옥순 | 양천서 | 196 | 문성환 | 인천청 | 310 |
| 모재완 | 목포서 | 376 | 문성희 | 기재부 | 357 |
| 모충서 | 남원서 | 386 | 문소영 | 인천청 | 76 |
| 모희연 | 부산세관 | 495 | 문소웅 | 서울청 | 134 |
| 모희산 | 조세심판 | 507 | 문소현 | 거창서 | 455 |
| 목완수 | 의정부서 | 310 | 문수미 | 서광주서 | 123 |
| 목우주 | 시흥서 | 242 | 문수빈 | 국세청 | 344 |
| 문가나 | 성동서 | 191 | 문수영 | 서울청 | 493 |
| 문가영 | 정읍서 | 394 | 문수원 | 부산청 | 84 |
| 문가현 | 서울청 | 135 | 문숙자 | 중부산서 | 281 |
| 문강민 | 군산서 | 385 | 문숙현 | 서울청 | 504 |
| 문강수 | 전주서 | 393 | 문승구 | 목포서 | 140 |
| 문경 | 동울산서 | 460 | 문승민 | 부산강서 | 464 |
| 문경덕 | 수영서 | 455 | 문승식 | 서울청 | 368 |
| 문경아 | 서산서 | 336 | 문승진 | 반포서 | 372 |
| 문경애 | 상주서 | 232 | 문시현 | 분당서 | 356 |
| 문경준 | 금정서 | 423 | 문식 | 수영청 | 41 |
| 문경호 | 동구서 | 442 | 문아연 | 역삼서 | 417 |
| 문경희 | 광주청 | 179 | 문아현 | 김해서 | 468 |
| 문관덕 | 동작서 | 365 | 문영건 | 잠실서 | 110 |
| 문광섭 | 광주서 | 178 | 문영규 | 기흥서 | 138 |
| 문교병 | 기재부 | 369 | 문영미 | 안양서 | 135 |
| 문교현 | 부산진서 | 83 | 문영배 | 국세청 | 437 |
| 문권선 | 국세청 | 446 | 문영수 | 한울회계 | 223 |
| 문권도 | 종로서 | 123 | 문영신 | 제주서 | 147 |
| 문규환 | 전주서 | 208 | 문영임 | 강남서 | 376 |
| 문극필 | 서울청 | 392 | 문영한 | 세종서 | 448 |
| 문근나 | 중부산서 | 153 | 문영희 | 성동서 | 183 |
| 문다인 | 김해서 | 456 | 문예린 | 기재부 | 237 |
| 문다희 | 중부청 | 466 | 문예지 | 부천서 | 361 |
| 문대우 | 관악청 | 218 | 문용식 | 종로서 | 198 |
| 문도연 | 제주서 | 164 | 문용원 | 동울산서 | 467 |
| 문동배 | 노원서 | 146 | 문원인 | 관악서 | 207 |
| 문동호 | 법무바른 | 479 | 문원수 | 국세청 | 228 |
| 문두열 | 예일세무 | 173 | 문유선 | 국회재정 | 251 |
| 문명선 | 서울청 | 1 | 문윤정 | 해운대서 | 363 |
| 문명식 | 국세청 | 40 | 문윤진 | 도봉서 | 108 |
| 문명진 | 서광주서 | 372 | 문윤호 | 광주청 | 284 |
| 문묘연 | 금정서 | 153 | 문은서 | 강동서 | 27 |
| 문무영 | 잠실서 | 106 | 문은성 | 광주서 | 479 |
| 문미나 | 이천서 | 373 | 문은수 | 익산서 | 304 |
| 문미라 | 강남서 | 473 | 문은식 | 현대회계 | 159 |
| 문미선 | 북전주서 | 67 | 문은주 | 중부청 | 28 |
| 문미영 | 강남서 | 442 | 문은하 | 익산서 | 225 |
| 문미진 | 수여서 | 207 | 문은희 | 익산서 | 391 |
| 문미희 | 북대전서 | 155 | | | |
| 문민규 | 대전청 | 389 | | | |
| 문민숙 | 남대문서 | 158 | | | |
| 문민지 | 북대전서 | 381 | | | |
| 문민지 | 부산진서 | 326 | | | |
| 문민회 | 성남서 | 446 | | | |
| 문병갑 | 제주서 | 238 | | | |
| 문병국 | 기흥서 | 478 | | | |
| 문병남 | 국세청 | 229 | | | |
| 문병주 | 동안양서 | 123 | | | |
| 문병찬 | 서울세관 | 235 | | | |
| 문보경 | 부산강서 | 485 | | | |

| 이름 | 소속 | 쪽 | 이름 | 소속 | 쪽 | 이름 | 소속 | 쪽 |
|---|---|---|---|---|---|---|---|---|
| 문인섭 | 인천청 | 284 | 문혜경 | 중부청 | 219 | 민정홍 | 한울회계 | 27 |
| 문장환 | 양천서 | 196 | 문혜리 | 북부산서 | 450 | 민종권 | 남동서 | 287 |
| 문재식 | 한울회계 | 27 | 문혜림 | 화성서 | 183 | 민주원 | 기재부 | 77 |
| 문재창 | 국세청 | 130 | 문혜미 | 천안서 | 260 | 민주원 | 국세청 | 122 |
| 문재희 | 기재부 | 66 | 문혜영 | 남대문서 | 345 | 민주원 | 국세청 | 123 |
| 문전안 | 서울청 | 140 | 문혜정 | 제주서 | 171 | 민준기 | 광주청 | 124 |
| 문정기 | 구리서 | 227 | 문혜진 | 금정서 | 478 | 민지원 | 택스홈 | 361 |
| 문정민 | 대전청 | 318 | 문호균 | 동안양서 | 442 | 민지현 | 금천서 | 38 |
| 문정식 | 다슬세무 | 35 | 문호승 | 반포서 | 235 | 민지혜 | 서초서 | 169 |
| 문정오 | 기재부 | 392 | 문호영 | 서대전서 | 182 | 민지호 | 광주청 | 188 |
| 문정오 | 중랑서 | 71 | 문홍규 | 상주서 | 329 | 민진기 | 송파서 | 298 |
| 문정현 | 잠실서 | 238 | 문홍배 | 서울청 | 422 | 민차형 | 서울청 | 361 |
| 문정혁 | 조세심판 | 211 | 문홍섭 | 해운대서 | 156 | 민찬근 | 보령서 | 195 |
| 문정희 | 수성서 | 207 | 문홍승 | 용인서 | 365 | 민천일 | 중부청 | 334 |
| 문정희 | 금정서 | 506 | 문효승 | 구미서 | 459 | 민태규 | 주안서 | 217 |
| 문종구 | 역삼서 | 413 | 문효호 | 부산세관 | 252 | 민택기 | 구미서 | 422 |
| 문종빈 | 남부천서 | 443 | 문희원 | 부산세관 | 419 | 민현순 | 동안산서 | 419 |
| 문주경 | 국세청 | 198 | 문희제 | 기재부 | 495 | 민현숙 | 서울청 | 248 |
| 문주란 | 잠실서 | 232 | 문희준 | 익산서 | 497 | 민혜민 | 남원서 | 135 |
| 문주연 | 광주청 | 302 | 문희진 | 수원서 | 76 | 민혜선 | 기재부 | 387 |
| 문주환 | 금감원 | 172 | 문갑승 | 양산서 | 390 | 민혜수 | 남원서 | 159 |
| 문주현 | 원주서 | 128 | 민강 | 부산청 | 241 | 민호성 | 기재부 | 81 |
| 문준검 | 천안서 | 206 | 민경삼 | 대구청 | 470 | 민홍기 | 남원서 | 387 |
| 문준규 | 광주청 | 361 | 민경서 | 논산서 | 439 | 민홍기 | 기재부 | 134 |
| 문준빈 | 국세청 | 94 | 민경석 | 부천서 | 402 | 민홍준 | 기재부 | 72 |
| 문준희 | 삼척서 | 271 | 민경설 | 남대문서 | 332 | 민효정 | 세종서 | 84 |
| 문지만 | 중부서 | 168 | 민경숙 | 김앤장 | 305 | 민훈기 | 전주서 | 125 |
| 문지성 | 중부청 | 365 | 민경설 | 중부청 | 171 | 민희 | 인천공항 | 338 |
| 문지영 | 기재부 | 126 | 민경옥 | 기재부 | 47 | 민희 | 인천공항 | 491 |
| 문지웅 | 고양서 | 264 | 민경은 | 여수서 | 224 | 민희망 | 인천공항 | 492 |
| 문지원 | 조세재정 | 106 | 민경준 | 국세청 | 77 | 민희망 | 기재부 | 80 |
| 문지현 | 충주서 | 220 | 민경진 | 반포서 | 78 | 민희망 | 남부천서 | 302 |
| 문지현 | 상주서 | 225 | 민경찬 | 남동서 | 74 | | | |
| 문지혜 | 영등포서 | 78 | 민경훈 | 양천서 | 381 | | | |
| 문지홍 | 마포서 | 201 | 민경희 | 화성서 | 110 | | | |
| 문진선 | 영주서 | 181 | 민규원 | 중부청 | 182 | | | |
| 문진영 | 국세청 | 428 | 민규홍 | 양산서 | 286 | | | |
| 문진혁 | 고양서 | 114 | 민근혜 | 서울청 | 313 | | | |
| 문진희 | 동래서 | 295 | 민기원 | 강동서 | 241 | | | |
| 문진희 | 북대전서 | 445 | 민다연 | 광주청 | 460 | | | |
| 문찬범 | 서인천서 | 326 | 민동준 | 의정부서 | 1 | | | |
| 문찬우 | 서울청 | 140 | 민백기 | 국세청 | 174 | | | |
| 문찬규 | 고양서 | 289 | 민병덕 | 부산세관 | 391 | | | |
| 문창수 | 논산서 | 295 | 민병력 | 울산서 | 197 | | | |
| 문창오 | 북전주서 | 332 | 민병조 | 서초서 | 260 | | | |
| 문창전 | 인천청 | 388 | 민병조 | 기재부 | 221 | | | |
| 문창환 | 국세청 | 110 | 민상원 | 부산청 | 470 | | | |
| 문채상 | 동화성서 | 258 | 민샘 | 남부천서 | 146 | | | |
| 문철범 | 조세재정 | 510 | 민선미 | 강동서 | 160 | | | |
| 문태정 | 중부청 | 511 | 민선희 | 인천청 | 68 | | | |
| 문태형 | 평택서 | 217 | 민성기 | 청주서 | 363 | | | |
| 문태휘 | 청주서 | 256 | 민성림 | 광주서 | 310 | | | |
| 문하나 | 동안양서 | 355 | 민소윤 | 북부산서 | 60 | | | |
| 문하림 | 서울청 | 102 | 민수진 | 대전청 | 107 | | | |
| 문하영 | 노원서 | 235 | 민수호 | 수영서 | 496 | | | |
| 문학기 | 용인서 | 154 | 민순기 | 동래서 | 463 | | | |
| 문한별 | 서인천서 | 143 | 민승기 | 연수서 | 188 | | | |
| 문한솔 | 부산청 | 173 | 민양연 | 천안서 | 188 | | | |
| 문해령 | 한울회계 | 27 | 민연배 | 의정부서 | 84 | | | |
| 문해웅 | 성남서 | 239 | 민예지 | 삼정회계 | 439 | | | |
| 문행용 | 순천서 | 379 | 민옥자 | 삼정회계 | 303 | | | |
| 문행용 | 동고양서 | 300 | 민옥정 | 역삼서 | 161 | | | |
| 문헌 | 북광주서 | 370 | 민우우 | 삼정회계 | 19 | | | |
| 문현석 | 부산세관 | 495 | 민우기 | 삼정회계 | 19 | | | |
| 문현국 | 부산세관 | 497 | 민우빈 | 현대회계 | 199 | | | |
| 문현완 | 인천청 | 253 | 민웅기 | 딜로이트 | 28 | | | |
| 문형민 | 구리서 | 280 | 민윤선 | 서대문서 | 13 | | | |
| 문형민 | 제주서 | 226 | 민윤식 | 반포서 | 181 | | | |
| 문형민 | 기재부 | 478 | 민인녀 | 중부청 | 186 | | | |
| 문형민 | 노원서 | 79 | 민재영 | 남대구서 | 182 | | | |
| 문형빈 | 서대문서 | 173 | 민재영 | 수영서 | 221 | | | |
| 문형석 | 반포서 | 182 | 민정 | 의정부서 | 404 | | | |
| 문형일 | 중부청 | 221 | 민정기 | 부산세관 | 454 | | | |
| 문형진 | 남대구서 | 404 | 민정기 | 부산세관 | 311 | | | |
| | | | 민정대 | 서울청 | 495 | | | |
| | | | 민정은 | 서울청 | 496 | | | |

# ㅂ

| 이름 | 소속 | 쪽 |
|---|---|---|
| 박가람 | 동대구서 | 407 |
| 박가람 | 서부산서 | 452 |
| 박가영 | 서부산서 | 452 |
| 박가은 | 기재부 | 74 |
| 박가향 | 익산서 | 390 |
| 박강수 | 부산청 | 437 |
| 박건 | 구로서 | 167 |
| 박건규 | 서초서 | 356 |
| 박건대 | 서대문서 | 189 |
| 박건우 | 남부천서 | 186 |
| 박건우 | 금정서 | 439 |
| 박건웅 | 부산진서 | 302 |
| 박건준 | 기재부 | 443 |
| 박건태 | 강동서 | 441 |
| 박건혜 | 중부청 | 72 |
| 박경단 | 북광주서 | 72 |
| 박경란 | 서광주서 | 221 |
| 박경란 | 강동서 | 161 |
| 박경렬 | 광산서 | 62 |
| 박경록 | 마포서 | 223 |
| 박경미 | 국세청 | 451 |
| 박경미 | 잠실서 | 370 |
| 박경미 | 중기회 | 153 |
| 박경미 | 춘천서 | 372 |
| 박경민 | 광주서 | 160 |
| 박경민 | 대구청 | 366 |
| 박경민 | 남양주서 | 400 |
| 박경빈 | 부산강서 | 180 |
| 박경빈 | 기재부 | 119 |
| 박경수 | 역삼서 | 206 |
| 박경수 | 마포서 | 102 |
| 박경수 | 중부청 | 273 |
| 박경수 | 나주서 | 369 |
| 박경수 | 양산서 | 400 |
| 박경수 | 연수서 | 231 |
| 박경숙 | 광주세관 | 449 |
| 박경아 | 남양주서 | 462 |
| 박경연 | 잠실서 | 190 |
| 박경엽 | 택스홈 | 76 |
| 박경오 | 예일세무 | 180 |
| 박경오 | 성동서 | 224 |

| 이름 | 소속 | 페이지 |
| --- | --- | --- |
| 박경옥 | 중부청 | 224 |
| 박경완 | 인천서 | 290 |
| 박경은 | 서울청 | 136 |
| 박경은 | 서울청 | 140 |
| 박경일 | 인천서 | 290 |
| 박경주 | 시흥서 | 242 |
| 박경주 | 시흥서 | 242 |
| 박경진 | 부산서 | 439 |
| 박경진 | 용인서 | 252 |
| 박경찬 | 기재부 | 69 |
| 박경춘 | 대구청 | 403 |
| 박경태 | 국세청 | 128 |
| 박경태 | 국세청 | 130 |
| 박경태 | 김천서 | 420 |
| 박경호 | 해남서 | 382 |
| 박경호 | 영덕서 | 426 |
| 박경화 | 강서서 | 163 |
| 박경화 | 북부산서 | 450 |
| 박경환 | 서대전서 | 328 |
| 박경휘 | 동안산서 | 249 |
| 박경희 | 국세청 | 106 |
| 박경희 | 국세청 | 118 |
| 박계희 | 성북서 | 193 |
| 박관석 | 포항서 | 430 |
| 박관우 | 금감원 | 98 |
| 박관중 | 평택서 | 256 |
| 박광 | 금융위 | 86 |
| 박광 | 금융위 | 86 |
| 박광덕 | 서울청 | 134 |
| 박광룡 | 부산강서 | 448 |
| 박광석 | 중부청 | 222 |
| 박광수 | 서산서 | 336 |
| 박광식 | 동작서 | 178 |
| 박광용 | 영등포서 | 201 |
| 박광욱 | 연수서 | 308 |
| 박광종 | 광주청 | 359 |
| 박광종 | 광주청 | 360 |
| 박광진 | 삼일회계 | 17 |
| 박광천 | 여수서 | 381 |
| 박광춘 | 금천서 | 169 |
| 박광태 | 시흥서 | 243 |
| 박구슬 | 마산서 | 469 |
| 박구영 | 강동서 | 161 |
| 박권조 | 서울청 | 149 |
| 박권진 | 광주서 | 368 |
| 박귀숙 | 여수서 | 381 |
| 박귀숙 | 금감원 | 91 |
| 박귀자 | 광주청 | 362 |
| 박귀화 | 성동서 | 191 |
| 박규동 | 대구청 | 398 |
| 박규미 | 서울청 | 143 |
| 박규빈 | 서울청 | 143 |
| 박규빈 | 부평서 | 306 |
| 박규서 | 홍성서 | 346 |
| 박규선 | 광주세관 | 504 |
| 박규송 | 서울청 | 152 |
| 박규옥 | 한울회계 | 27 |
| 박규진 | 영주서 | 428 |
| 박규철 | 대구서 | 407 |
| 박규하 | 평택서 | 257 |
| 박균득 | 서울청 | 148 |
| 박균택 | 국회법제 | 58 |
| 박근식 | 양천서 | 196 |
| 박근애 | 의정부서 | 310 |
| 박근엽 | 인천청 | 284 |
| 박근영 | 영등포서 | 201 |
| 박근영 | 북대구서 | 408 |
| 박근용 | 분당서 | 236 |
| 박근우 | 삼정회계 | 18 |
| 박근태 | 금감원 | 91 |
| 박근형 | 기재부 | 72 |
| 박근호 | 파주서 | 313 |
| 박근호 | 여수서 | 380 |
| 박금배 | 강동서 | 161 |
| 박금복 | 분당서 | 237 |
| 박금숙 | 동대문서 | 177 |
| 박금숙 | 아산서 | 340 |
| 박금아 | 서광주서 | 372 |
| 박금옥 | 서울청 | 143 |
| 박금옥 | 광산서 | 366 |
| 박금지 | 성동서 | 191 |
| 박금지 | 신한관세 | 44 |
| 박금찬 | 송파서 | 194 |
| 박금철 | 기재부 | 68 |
| 박금철 | 용인서 | 253 |
| 박금희 | 포항서 | 431 |
| 박기룡 | 김포서 | 299 |
| 박기민 | 아산서 | 340 |
| 박기백 | 평택서 | 256 |
| 박기범 | 부천서 | 304 |
| 박기범 | 법무세종 | 50 |
| 박기식 | 울산서 | 462 |
| 박기영 | 경주서 | 416 |
| 박기오 | 기재부 | 84 |
| 박기우 | 중부청 | 224 |
| 박기운 | 삼일회계 | 16 |
| 박기정 | 도봉서 | 174 |
| 박기정 | 대전청 | 318 |
| 박기탁 | 구미서 | 419 |
| 박기태 | 영등포서 | 267 |
| 박기택 | 속초서 | 260 |
| 박기현 | 금감원 | 97 |
| 박기현 | 남동서 | 286 |
| 박기형 | EY한영 | 12 |
| 박기호 | 광주서 | 365 |
| 박기호 | 수성서 | 413 |
| 박기홍 | 동작서 | 368 |
| 박기환 | 동작서 | 179 |
| 박길대 | 창원서 | 474 |
| 박길수 | 국세청 | 126 |
| 박길원 | 서대전서 | 329 |
| 박길훈 | 제주서 | 478 |
| 박나리 | 강동서 | 160 |
| 박나영 | 경기광주 | 244 |
| 박나슬 | 화성서 | 412 |
| 박나혜 | 구리서 | 226 |
| 박남규 | 강서서 | 162 |
| 박남문 | 국회정무 | 60 |
| 박남숙 | 동화성서 | 258 |
| 박남중 | 광주청 | 363 |
| 박남진 | 해남서 | 382 |
| 박노성 | 동대구서 | 406 |
| 박노성 | 김해서 | 28 |
| 박노승 | 동고양서 | 466 |
| 박노욱 | 포항서 | 300 |
| 박노욱 | 조세재정 | 321 |
| 박노준 | 의정부서 | 509 |
| 박노진 | 영주서 | 311 |
| 박노철 | 김천서 | 431 |
| 박노헌 | 금천서 | 168 |
| 박노훈 | 국세청 | 112 |
| 박누리 | 북대구서 | 380 |
| 박다겸 | 중부청 | 408 |
| 박다빈 | 대전청 | 221 |
| 박다슬 | 대구서 | 171 |
| 박다인 | 경기광주 | 245 |
| 박다인 | 창원서 | 293 |
| 박다정 | 서광주서 | 474 |
| 박다현 | 청주서 | 373 |
| 박달영 | 포천서 | 336 |
| 박대순 | 성동서 | 315 |
| 박대영 | 은평서 | 191 |
| 박대영 | 국세청 | 204 |
| 박대출 | 국회재정 | 122 |
| 박대헌 | 서울청 | 56 |
| 박대현 | 부천서 | 220 |
| 박대현 | 남부천서 | 305 |
| 박대협 | 국세청 | 302 |
| 박대희 | 중부청 | 111 |
| 박도영 | 역삼서 | 380 |
| 박도윤 | 김해서 | 199 |
| 박도현 | 조세재정 | 467 |
| 박동국 | 동작서 | 510 |
| 박동규 | 경기광주 | 30 |
| 박동균 | 중부산서 | 178 |
| 박동기 | 관세사회 | 245 |
| 박동민 | 분당서 | 457 |
| 박동수 | 서울청 | 42 |
| 박동열 | 북대구서 | 237 |
| 박동완 | 중부청 | 141 |
| 박동원 | 금감원 | 213 |
| 박동원 | 경기광주 | 408 |
| 박동일 | 천안서 | 100 |
| 박동진 | 순천서 | 245 |
| 박동찬 | 고양서 | 295 |
| 박동철 | 서부산서 | 453 |
| 박동철 | 기재부 | 74 |
| 박동현 | 안양서 | 250 |
| 박동훈 | 딜로이트 | 469 |
| 박동환 | 예산서 | 13 |
| 박두용 | 인천서 | 343 |
| 박두주 | 인천 | 291 |
| 박두제 | 부산청 | 434 |
| 박득서 | 감사원 | 63 |
| 박득연 | 서광주서 | 372 |
| 박란영 | 경기광주 | 244 |
| 박란영 | 광주청 | 198 |
| 박란희 | 원주서 | 360 |
| 박래인 | 삼성서 | 270 |
| 박마래 | 동대문서 | 184 |
| 박만경 | 평택서 | 176 |
| 박만기 | 중부청 | 256 |
| 박만용 | 서대구서 | 219 |
| 박만욱 | 종로서 | 410 |
| 박명규 | 신한관세 | 208 |
| 박명수 | 시흥서 | 44 |
| 박명수 | 해남서 | 242 |
| 박명식 | 역삼서 | 376 |
| 박명열 | 대구서 | 383 |
| 박명진 | 삼성서 | 199 |
| 박명철 | 북광주서 | 410 |
| 박명하 | 성동서 | 184 |
| 박명화 | 분당서 | 370 |
| 박명희 | 잠실서 | 190 |
| 박모린 | 서인천서 | 236 |
| 박모영 | 서부산서 | 207 |
| 박무성 | 인천서 | 289 |
| 박무성 | 나주서 | 453 |
| 박문상 | 광주서 | 290 |
| 박문수 | 서울청 | 375 |
| 박문수 | 대전서 | 368 |
| 박문수 | 영덕서 | 144 |
| 박문숙 | 서대문서 | 324 |
| 박문영 | 김해서 | 426 |
| 박문주 | 용산서 | 187 |
| 박문철 | 포항서 | 139 |
| 박문호 | 기재부 | 466 |
| 박미경 | 경기광주 | 202 |
| 박미경 | 대전청 | 84 |
| 박미경 | 포천서 | 244 |
| 박미경 | 북대전서 | 315 |
| 박미나 | 여수서 | 320 |
| 박미라 | 울산서 | 326 |
| 박미라 | 기재부 | 307 |
| 박미란 | 역삼서 | 462 |
| 박미란 | 동화성서 | 83 |
| 박미래 | 부평서 | 198 |
| 박미리 | 중부청 | 348 |
| 박미리 | 서인천서 | 306 |
| 박미림 | 동화성서 | 224 |
| 박미선 | 중부청 | 289 |
| 박미선 | 분당서 | 258 |
| 박미선 | 광주청 | 224 |
| 박미선 | 남원서 | 236 |
| 박미선 | 서대구서 | 361 |
| 박미소 | 금정서 | 387 |
| 박미숙 | 연수서 | 410 |
| 박미숙 | 국세청 | 443 |
| 박미숙 | 중부청 | 309 |
| 박미숙 | 의정부서 | 108 |
| 박미숙 | 북대전서 | 219 |
| 박미숙 | 마산서 | 310 |
| 박미애 | 목포서 | 326 |
| 박미연 | 서울청 | 468 |
| 박미연 | 구로서 | 376 |
| 박미연 | 김포서 | 149 |
| 박미영 | 김해서 | 167 |
| 박미영 | 역삼서 | 299 |
| 박미영 | 중부서 | 466 |
| 박미영 | 경기광주 | 198 |
| 박미영 | 남동서 | 213 |
| 박미영 | 계양서 | 244 |
| 박미영 | 포천서 | 286 |
| 박미영 | 부산진서 | 293 |
| 박미영 | 서부산서 | 314 |
| 박미영 | 울산서 | 453 |
| 박미정 | 기재부 | 457 |
| 박미정 | 서울청 | 462 |
| 박미정 | 강남서 | 82 |
| 박미정 | 강릉서 | 157 |
| 박미정 | 청주서 | 159 |
| 박미정 | 북대구서 | 263 |
| 박미정 | 마산서 | 354 |
| 박미정 | 강서서 | 408 |
| 박미주 | 국세청 | 468 |
| 박미진 | 강남서 | 163 |
| 박미진 | 마포서 | 109 |
| 박미진 | 인천청 | 159 |
| 박미진 | 아산서 | 180 |
| 박미진 | 인천청 | 284 |
| 박미진 | 아산서 | 341 |
| 박미진 | 청주서 | 354 |
| 박미진 | 전주서 | 392 |
| 박미현 | 중부청 | 221 |
| 박미현 | 천안서 | 345 |
| 박미혜 | 거창서 | 465 |
| 박미화 | 서부산서 | 453 |
| 박미희 | 분당서 | 236 |
| 박미희 | 성남서 | 238 |
| 박미희 | 부산서 | 439 |
| 박민 | 순천서 | 379 |
| 박민국 | 국세청 | 109 |
| 박민규 | 수원서 | 241 |
| 박민규 | 김포서 | 298 |
| 박민규 | 파주서 | 313 |
| 박민기 | 청주서 | 354 |
| 박민기 | 동래서 | 444 |
| 박민서 | 남대문서 | 171 |
| 박민서 | 포천서 | 315 |
| 박민선 | 서초서 | 188 |
| 박민선 | 안양서 | 250 |
| 박민솔 | 잠실서 | 367 |
| 박민수 | 잠실서 | 206 |
| 박민아 | 강남서 | 158 |
| 박민아 | 수원서 | 345 |
| 박민영 | 금정서 | 442 |
| 박민영 | 부산강서 | 449 |
| 박민우 | 동대문서 | 176 |
| 박민우 | 종로서 | 209 |
| 박민우 | 대전청 | 318 |
| 박민우 | 금정서 | 443 |
| 박민욱 | 평택서 | 257 |
| 박민원 | 서초서 | 189 |
| 박민재 | 목포서 | 377 |
| 박민재 | 잠실서 | 206 |
| 박민정 | 도봉서 | 73 |
| 박민정 | 금감원 | 98 |
| 박민정 | 성동서 | 191 |
| 박민정 | 대전서 | 240 |
| 박민정 | 부산강서 | 448 |
| 박민정 | 서부산서 | 453 |
| 박민주 | 관악서 | 164 |
| 박민주 | 광주청 | 363 |
| 박민주 | 대구서 | 403 |
| 박민주 | 수영서 | 455 |
| 박민중 | 택스홈 | 38 |
| 박민중 | 도봉서 | 174 |
| 박민채 | 공주서 | 331 |
| 박민혁 | 국회정무 | 96 |
| 박민호 | 금감원 | 59 |
| 박민호 | 기재부 | 80 |
| 박민호 | 천안서 | 345 |
| 박민희 | 양천서 | 196 |
| 박배근 | 삼성서 | 184 |
| 박배열 | 서초서 | 188 |
| 박범규 | 마포서 | 180 |
| 박범석 | 서울청 | 146 |
| 박범석 | 천안서 | 228 |
| 박범석 | 연수서 | 345 |
| 박범수 | 연수서 | 309 |
| 박범우 | 삼성서 | 390 |
| 박범웅 | 기재부 | 184 |
| 박범진 | 국세청 | 76 |
| 박범진 | 국세청 | 118 |
| 박범진 | 잠실서 | 123 |
| 박법무정 | 예일세무 | 40 |
| 박병곤 | 인천서 | 206 |
| 박병관 | 제주서 | 291 |
| 박병국 | 기재부 | 252 |
| 박병규 | 진주서 | 478 |
| 박병남 | 시흥서 | 73 |
| 박병민 | 김포서 | 325 |
| 박병민 | 해남서 | 473 |
| 박병선 | 안산서 | 243 |
| 박병영 | 북대전서 | 299 |
| 박병용 | EY한영 | 383 |
| 박병일 | 금감원 | 68 |
| 박병일 | 광산서 | 246 |
| 박병정 | 다솔세무 | 327 |
| 박병주 | 국세청 | 177 |
| 박병주 | 관악서 | 12 |
| 박병진 | 금정서 | 93 |
| 박병진 | 부산진서 | 366 |
| 박병철 | 서울세관 | 35 |
| 박병주 | 국세청 | 125 |
| 박병주 | 관악서 | 164 |
| 박병진 | 금정서 | 443 |
| 박병진 | 부산진서 | 446 |
| 박병철 | 서울세관 | 487 |
| 박병태 | 남부천서 | 303 |
| 박병태 | 서부산서 | 452 |
| 박병현 | 김앤장 | 47 |
| 박병호 | 감사원 | 63 |
| 박병환 | 광산서 | 366 |
| 박병훈 | 중부청 | 218 |
| 박보경 | 국세청 | 106 |
| 박보경 | 국세청 | 116 |
| 박보경 | 서울청 | 149 |
| 박보경 | 안양서 | 251 |
| 박보민 | 의정부서 | 310 |
| 박보영 | 시흥서 | 242 |
| 박보중 | 창원서 | 475 |
| 박보화 | 잠실서 | 206 |
| 박복심 | 서광주서 | 372 |
| 박복영 | 은평서 | 204 |
| 박복자 | 동울산서 | 460 |
| 박복근 | 전주서 | 393 |
| 박봉선 | 정읍서 | 394 |
| 박봉순 | 원주서 | 270 |
| 박봉주 | 목포서 | 376 |
| 박봉철 | 수원서 | 241 |
| 박봉현 | 목포서 | 377 |
| 박부열 | 인천공항 | 493 |
| 박삼재 | 나주서 | 375 |
| 박상재 | 현대회계 | 28 |
| 박상경 | 영동서 | 351 |
| 박상곤 | 예산서 | 343 |
| 박상경 | 경주서 | 416 |
| 박상규 | 서인천서 | 288 |
| 박상기 | 국세청 | 107 |
| 박상기 | 국세청 | 107 |
| 박상기 | 서초서 | 188 |
| 박상길 | 삼성서 | 184 |
| 박상도 | 삼척서 | 264 |
| 박상돈 | 연수서 | 308 |
| 박상만 | 금감원 | 90 |
| 박상미 | 서초서 | 188 |
| 박상미 | 잠실서 | 207 |
| 박상민 | 동안양서 | 235 |
| 박상민 | 이천서 | 255 |
| 박상민 | 천안서 | 344 |
| 박상배 | 국세청 | 126 |
| 박상범 | 해남서 | 383 |
| 박상범 | 동안산서 | 248 |
| 박상봉 | 서울청 | 144 |
| 박상봉 | 고양서 | 294 |
| 박상선 | 춘천서 | 272 |
| 박상선 | 부천서 | 305 |
| 박상언 | 중랑서 | 211 |
| 박상언 | 삼척서 | 265 |
| 박상언 | 택스홈 | 38 |
| 박상옥 | 계양서 | 293 |
| 박상용 | 대전청 | 319 |
| 박상용 | 국세청 | 128 |
| 박상용 | 중부산서 | 457 |
| 박상우 | 기재부 | 74 |
| 박상우 | 중부청 | 220 |
| 박상우 | 안산서 | 247 |
| 박상우 | 이천서 | 254 |
| 박상우 | 창원서 | 474 |
| 박상욱 | 현대회계 | 28 |
| 박상욱 | 대전청 | 322 |
| 박상용 | 남대구서 | 404 |
| 박상원 | 기재부 | 70 |
| 박상원 | 금감원 | 89 |
| 박상원 | 동대문서 | 176 |
| 박상원 | 삼정회계 | 18 |
| 박상율 | 서울청 | 144 |
| 박상율 | 해남서 | 383 |
| 박상인 | 북광주서 | 370 |
| 박상인 | 금천서 | 168 |
| 박상정 | 서광주서 | 373 |
| 박상정 | 서대문서 | 187 |
| 박상주 | 정읍서 | 394 |
| 박상주 | 중부청 | 75 |
| 박상준 | 기재부 | 100 |
| 박상준 | 금감원 | 123 |
| 박상준 | 국세청 | 178 |
| 박상준 | 동작서 | 221 |
| 박상준 | 중부청 | 475 |
| 박상준 | 창원서 | 485 |
| 박상준 | 서울세관 | 490 |
| 박상준 | 인천세관 | 267 |
| 박상태 | 속초서 | 60 |
| 박상혁 | 국회정무 | 402 |
| 박상혁 | 대구청 | 38 |
| 박상혁 | 택스홈 | 69 |
| 박상현 | 반포서 | 183 |
| 박상현 | 파주서 | 312 |

| 이름 | 소속 | 쪽 |
|---|---|---|
| 박상현 | 여수서 | 381 |
| 박상현 | 포항서 | 431 |
| 박상호 | 한울회계 | 27 |
| 박상호 | 택스홈 | 38 |
| 박상훈 | 서울청 | 154 |
| 박상훈 | 마포서 | 180 |
| 박상훈 | 구리서 | 227 |
| 박상훈 | 삼정회계 | 19 |
| 박상흠 | 평택서 | 257 |
| 박상희 | 마포서 | 181 |
| 박상희 | 평택서 | 257 |
| 박상희 | 영동서 | 350 |
| 박상희 | 여수서 | 381 |
| 박상희 | 영덕서 | 426 |
| 박새롬 | 기재부 | 74 |
| 박새별 | 남양주서 | 230 |
| 박새별 | 광산서 | 366 |
| 박샛별 | 역삼서 | 199 |
| 박서빈 | 서울청 | 152 |
| 박서연 | 서울청 | 142 |
| 박서연 | 서울청 | 148 |
| 박서연 | 용산서 | 203 |
| 박서연 | 동화성서 | 258 |
| 박서연 | 동화성서 | 259 |
| 박서연 | 부산청 | 437 |
| 박서연 | 해운대서 | 458 |
| 박서정 | 서울청 | 144 |
| 박서진 | 국세청 | 111 |
| 박서진 | 서울청 | 152 |
| 박서현 | 서울청 | 125 |
| 박서희 | 은평서 | 204 |
| 박서희 | 서대전서 | 328 |
| 박석신 | 조세심판 | 507 |
| 박석신 | 광주세관 | 505 |
| 박석영 | 국세청 | 130 |
| 박석이 | 관세청 | 482 |
| 박석현 | 영월서 | 269 |
| 박석환 | 광주청 | 364 |
| 박석홍 | 통영서 | 477 |
| 박석흠 | 수성서 | 412 |
| 박선경 | 기재부 | 77 |
| 박선경 | 광주세관 | 505 |
| 박선규 | 서울청 | 137 |
| 박선남 | 북부산서 | 450 |
| 박선례 | 반포서 | 183 |
| 박선미 | 강릉서 | 263 |
| 박선미 | 인천청 | 283 |
| 박선민 | 남부산서 | 303 |
| 박선범 | 북대전서 | 326 |
| 박선범 | 중부청 | 225 |
| 박선수 | 파주서 | 312 |
| 박선아 | 서울청 | 138 |
| 박선아 | 서울청 | 152 |
| 박선애 | 부산청 | 437 |
| 박선연 | 부산진서 | 446 |
| 박선열 | 중부청 | 222 |
| 박선영 | 기재부 | 67 |
| 박선영 | 기재부 | 67 |
| 박선영 | 기재부 | 70 |
| 박선영 | 국세청 | 108 |
| 박선영 | 서울청 | 154 |
| 박선영 | 구로서 | 167 |
| 박선영 | 마포서 | 180 |
| 박선영 | 성북서 | 192 |
| 박선영 | 양천서 | 197 |
| 박선영 | 은평서 | 204 |
| 박선영 | 동수원서 | 233 |
| 박선영 | 동안양서 | 235 |
| 박선영 | 서대전서 | 328 |
| 박선영 | 청주서 | 354 |
| 박선영 | 광주서 | 361 |
| 박선영 | 나주서 | 375 |
| 박선영 | 군산서 | 385 |
| 박선영 | 부산청 | 441 |
| 박선영 | 서부산서 | 452 |
| 박선영 | 조세재정 | 509 |
| 박선옥 | 구미서 | 419 |
| 박선용 | 노원서 | 173 |
| 박선욱 | 중부서 | 213 |
| 박선임 | 강동서 | 161 |
| 박선재 | 조세심판 | 507 |
| 박선재 | 광주세관 | 505 |
| 박선주 | 서울청 | 150 |
| 박선혜 | 수성서 | 412 |
| 박선호 | 서부산서 | 453 |
| 박선화 | 화성서 | 260 |
| 박선희 | 국세청 | 117 |
| 박선희 | 중부서 | 213 |
| 박선희 | 수성서 | 412 |
| 박선희 | 울산서 | 463 |
| 박설화 | 포항서 | 379 |
| 박설희 | 광주청 | 361 |
| 박성경 | 천안서 | 345 |
| 박성규 | 마산서 | 468 |
| 박성근 | 성동서 | 191 |
| 박성기 | 서울청 | 147 |
| 박성대 | 감사원 | 62 |
| 박성란 | 군산서 | 384 |
| 박성룡 | 대전청 | 321 |
| 박성만 | 법무세종 | 50 |
| 박성무 | 서울청 | 142 |
| 박성민 | 대전청 | 320 |
| 박성민 | 강서서 | 163 |
| 박성민 | 영등포서 | 201 |
| 박성민 | 부산청 | 435 |
| 박성배 | 포천서 | 314 |
| 박성수 | 송파서 | 195 |
| 박성수 | 종로서 | 208 |
| 박성수 | 전주서 | 392 |
| 박성신 | 성북서 | 193 |
| 박성애 | 법무대륜 | 45 |
| 박성애 | 서울청 | 156 |
| 박성영 | 광주서 | 368 |
| 박성용 | 금감원 | 95 |
| 박성용 | 중부청 | 223 |
| 박성용 | 예일회계 | 22 |
| 박성우 | 기재부 | 75 |
| 박성우 | 국세청 | 124 |
| 박성우 | 남대구서 | 405 |
| 박성욱 | 수영서 | 454 |
| 박성욱 | 안동서 | 424 |
| 박성원 | 동화성서 | 258 |
| 박성윤 | 군산서 | 384 |
| 박성은 | 국세청 | 110 |
| 박성은 | 국세청 | 123 |
| 박성은 | 중부청 | 221 |
| 박성은 | 분당서 | 237 |
| 박성의 | 화성서 | 260 |
| 박성일 | 노원서 | 172 |
| 박성일 | 아산서 | 341 |
| 박성자 | 강릉서 | 262 |
| 박성정 | 광주서 | 360 |
| 박성주 | 금감원 | 98 |
| 박성주 | 정읍서 | 395 |
| 박성준 | 기재부 | 75 |
| 박성준 | 국세청 | 116 |
| 박성준 | 강동서 | 161 |
| 박성준 | 강서서 | 162 |
| 박성준 | 중부청 | 219 |
| 박성준 | 마산서 | 469 |
| 박성진 | 진주서 | 473 |
| 박성진 | 광주청 | 363 |
| 박성진 | 북부산서 | 451 |
| 박성진 | 서부산서 | 453 |
| 박성진 | 조세재정 | 511 |
| 박성찬 | 강서서 | 163 |
| 박성찬 | 삼성서 | 184 |
| 박성찬 | 남동서 | 287 |
| 박성철 | 법무지평 | 51 |
| 박성철 | 서울청 | 178 |
| 박성태 | 동래서 | 445 |
| 박성하 | 은평서 | 204 |
| 박성하 | 한울회계 | 27 |
| 박성학 | 경산서 | 415 |
| 박성헌 | 경산서 | 164 |
| 박성현 | 딜로이트 | 13 |
| 박성현 | 법무광장 | 48 |
| 박성현 | 서울청 | 299 |
| 박성현 | 동수원서 | 233 |
| 박성현 | 마산서 | 469 |
| 박성호 | 신한관세 | 44 |
| 박성호 | 중부서 | 212 |
| 박성호 | 인천청 | 278 |
| 박성호 | 법무바른 | 1 |
| 박성환 | 부산진서 | 447 |
| 박성훈 | 국회재정 | 56 |
| 박성훈 | 기재부 | 76 |
| 박성훈 | 남양주서 | 230 |
| 박성훈 | 부산청 | 440 |
| 박성훈 | 조세재정 | 510 |
| 박성희 | 국세청 | 128 |
| 박성희 | 도봉서 | 175 |
| 박세건 | 전주서 | 392 |
| 박세국 | 예산서 | 342 |
| 박세령 | 서울청 | 141 |
| 박세린 | 강서서 | 162 |
| 박세림 | 창원서 | 474 |
| 박세민 | 역삼서 | 199 |
| 박세민 | 서울청 | 135 |
| 박세민 | 중부청 | 225 |
| 박세언 | 마산서 | 469 |
| 박세영 | 동화성서 | 258 |
| 박세영 | 경기광주 | 287 |
| 박세용 | 경기광주 | 245 |
| 박세웅 | 기재부 | 77 |
| 박세웅 | 송파서 | 195 |
| 박세웅 | 거창서 | 464 |
| 박세원 | 시흥서 | 242 |
| 박세윤 | 인천서 | 291 |
| 박세윤 | 인천공항 | 493 |
| 박세인 | 종로서 | 206 |
| 박세인 | 종로서 | 209 |
| 박세일 | 북광주서 | 371 |
| 박세일 | 서울청 | 135 |
| 박세일 | 구미서 | 419 |
| 박세준 | 서울청 | 439 |
| 박세진 | 서울청 | 155 |
| 박세진 | 서대전서 | 328 |
| 박세하 | 국세청 | 108 |
| 박세하 | 서울청 | 137 |
| 박세현 | 중부서 | 212 |
| 박세현 | 북부산서 | 451 |
| 박세환 | 서초서 | 188 |
| 박세환 | 대전청 | 319 |
| 박세희 | 국세청 | 121 |
| 박세희 | 북대전서 | 326 |
| 박소미 | 종로서 | 194 |
| 박소미 | 종로서 | 208 |
| 박소미 | 이천서 | 255 |
| 박소연 | 순천서 | 378 |
| 박소연 | 강서서 | 163 |
| 박소연 | 도봉서 | 175 |
| 박소연 | 반포서 | 182 |
| 박소연 | 역삼서 | 199 |
| 박소연 | 분당서 | 236 |
| 박소연 | 화성서 | 261 |
| 박소연 | 서대전서 | 329 |
| 박소연 | 세종서 | 338 |
| 박소연 | 북대구서 | 408 |
| 박소연 | 조세재정 | 511 |
| 박소연 | 김앤장 | 47 |
| 박소영 | 서울청 | 151 |
| 박소영 | 마포서 | 181 |
| 박소영 | 중부서 | 213 |
| 박소영 | 성남서 | 239 |
| 박소영 | 부천서 | 304 |
| 박소영 | 의정부서 | 310 |
| 박소영 | 광주서 | 368 |
| 박소영 | 정읍서 | 394 |
| 박소영 | 서대구서 | 411 |
| 박소영 | 김천서 | 420 |
| 박소영 | 부산청 | 437 |
| 박소영 | 제주서 | 478 |
| 박소윤 | 안양서 | 250 |
| 박소윤 | 반포서 | 183 |
| 박소정 | 기재부 | 79 |
| 박소정 | 성동서 | 191 |
| 박소정 | 용산서 | 202 |
| 박소정 | 서인천서 | 289 |
| 박소정 | 대구청 | 402 |
| 박소정 | 해운대서 | 459 |
| 박소진 | 기재부 | 76 |
| 박소현 | 용산서 | 202 |
| 박소현 | 기흥서 | 228 |
| 박소현 | 분당서 | 237 |
| 박소현 | 김포서 | 299 |
| 박소현 | 포천서 | 314 |
| 박소현 | 광주청 | 360 |
| 박소현 | 남원서 | 386 |
| 박소현 | 부산서 | 434 |
| 박소혜 | 남동서 | 286 |
| 박소희 | 서대문서 | 186 |
| 박소희 | 종로서 | 208 |
| 박소희 | 군산서 | 385 |
| 박송복 | 의정부서 | 310 |
| 박송빈 | 국세청 | 118 |
| 박송이 | 안양서 | 251 |
| 박송이 | 동고양서 | 300 |
| 박수경 | 수원서 | 241 |
| 박수경 | 의정부서 | 310 |
| 박수경 | 해운대서 | 458 |
| 박수경 | 해운대서 | 459 |
| 박수경 | 동울산서 | 460 |
| 박수련 | 화성서 | 261 |
| 박수미 | 서대문서 | 187 |
| 박수미 | 부평서 | 307 |
| 박수민 | 국회재정 | 56 |
| 박수민 | 진주서 | 472 |
| 박수민 | 수원서 | 241 |
| 박수범 | 대구청 | 400 |
| 박수복 | 인천청 | 277 |
| 박수복 | 인천청 | 278 |
| 박수빈 | 포항서 | 430 |
| 박수빈 | 부산진서 | 447 |
| 박수선 | 고시회 | 30 |
| 박수성 | 남대구서 | 404 |
| 박수성 | 진주서 | 473 |
| 박수아 | 동청주서 | 349 |
| 박수안 | 중부청 | 219 |
| 박수연 | 동작서 | 179 |
| 박수연 | 마포서 | 180 |
| 박수연 | 마포서 | 180 |
| 박수연 | 삼성서 | 184 |
| 박수연 | 충주서 | 357 |
| 박수열 | 삼일회계 | 17 |
| 박수열 | 평택서 | 257 |
| 박수영 | 국회재정 | 56 |
| 박수영 | 기재부 | 80 |
| 박수영 | 국세청 | 106 |
| 박수영 | 진주서 | 473 |
| 박수영 | 현대회계 | 28 |
| 박수완 | 마산서 | 468 |
| 박수용 | 기흥서 | 228 |
| 박수용 | 안양서 | 250 |
| 박수인 | 광주청 | 363 |
| 박수정 | 창원서 | 474 |
| 박수정 | 금감원 | 99 |
| 박수정 | 서울청 | 142 |
| 박수정 | 동고양서 | 300 |
| 박수정 | 익산서 | 391 |
| 박수정 | 김천서 | 420 |
| 박수지 | 서울청 | 151 |
| 박수지 | 성동서 | 190 |
| 박수지 | 수원서 | 241 |
| 박수지 | 고양서 | 295 |
| 박수지 | 광명서 | 297 |
| 박수진 | 기재부 | 79 |
| 박수진 | 기재부 | 80 |
| 박수진 | 서울청 | 156 |
| 박수진 | 안산서 | 247 |
| 박수진 | 안산서 | 247 |
| 박수진 | 인천청 | 282 |
| 박수진 | 파주서 | 313 |
| 박수진 | 청주서 | 354 |
| 박수진 | 해운대서 | 458 |
| 박수진 | 제주서 | 478 |
| 박수진 | 조세재정 | 508 |
| 박수진 | 법무대륜 | 45 |
| 박수철 | 포항서 | 430 |
| 박수춘 | 광명서 | 297 |
| 박수태 | 이천서 | 255 |
| 박수한 | 서울청 | 145 |
| 박수현 | 기재부 | 70 |
| 박수현 | 도봉서 | 175 |
| 박수현 | 중부청 | 217 |
| 박수현 | 동안양서 | 235 |
| 박수현 | 동청주서 | 348 |
| 박수현 | 익산서 | 391 |
| 박수현 | 포항서 | 430 |
| 박수혜 | 조세심판 | 507 |
| 박수호 | 서대구서 | 410 |
| 박수홍 | 금감원 | 92 |
| 박수홍 | 시흥서 | 243 |
| 박수환 | 기재부 | 67 |
| 박숙정 | 양천서 | 196 |
| 박숙정 | 국세청 | 110 |
| 박숙현 | 수영서 | 455 |
| 박숙현 | 강동서 | 160 |
| 박숙희 | 광주청 | 365 |
| 박순규 | 서산서 | 337 |
| 박순남 | 분당서 | 236 |
| 박순애 | 기재부 | 142 |
| 박순용 | 기재부 | 75 |
| 박순웅 | 중부청 | 216 |
| 박순이 | 서울청 | 137 |
| 박순주 | 구미서 | 418 |
| 박순준 | 성남서 | 239 |
| 박순찬 | 부산강서 | 449 |
| 박순찬 | 원주서 | 270 |
| 박순철 | 화성서 | 261 |
| 박순출 | 대구청 | 403 |
| 박순태 | 서울세관 | 486 |
| 박순희 | 강서서 | 162 |
| 박순희 | 광주서 | 369 |
| 박슬기 | 서울청 | 137 |
| 박슬기 | 도봉서 | 175 |
| 박슬기 | 인천청 | 281 |
| 박슬기 | 광주청 | 363 |
| 박슬기 | 포항서 | 431 |
| 박승권 | 대전청 | 321 |
| 박승권 | 충주서 | 356 |
| 박승문 | 국세청 | 122 |
| 박승연 | 기재부 | 192 |
| 박승연 | 기재부 | 84 |
| 박승용 | 목포서 | 377 |
| 박승용 | 북대구서 | 408 |
| 박승욱 | 안산서 | 246 |
| 박승윤 | 천안서 | 344 |
| 박승윤 | 순천서 | 378 |
| 박승재 | 반포서 | 183 |
| 박승종 | 삼일회계 | 16 |
| 박승종 | 중부산서 | 457 |
| 박승진 | 동안양서 | 235 |
| 박승찬 | 홍천서 | 275 |
| 박승찬 | 부산청 | 439 |
| 박승필 | 이천서 | 255 |
| 박승현 | 영등포서 | 200 |
| 박승현 | 경기광주 | 245 |
| 박승현 | 대전청 | 319 |
| 박승현 | 경산서 | 415 |
| 박승혜 | 성북서 | 192 |
| 박승호 | 서울청 | 136 |
| 박승호 | 강남서 | 158 |
| 박승호 | 포항서 | 431 |
| 박승효 | 서울청 | 147 |
| 박승훈 | 원주서 | 270 |
| 박승훈 | 익산서 | 390 |
| 박승훈 | 서울청 | 139 |
| 박승희 | 부산청 | 441 |
| 박시연 | 기재부 | 80 |
| 박시연 | 나주서 | 375 |
| 박시용 | 용산서 | 203 |
| 박시원 | 익산서 | 390 |
| 박시원 | 관세청 | 482 |
| 박시준 | 역삼서 | 198 |
| 박시현 | 분당서 | 237 |
| 박시현 | 대구청 | 399 |
| 박시현 | 김천서 | 421 |
| 박시현 | 마산서 | 468 |
| 박시형 | 동청주서 | 348 |
| 박시후 | 국세청 | 118 |
| 박신아 | 나주서 | 368 |
| 박신애 | 조세재정 | 509 |
| 박신애 | 관악서 | 155 |
| 박신영 | 관악서 | 165 |
| 박신영 | 대전청 | 320 |
| 박신영 | 전주서 | 393 |
| 박신우 | 인천청 | 281 |
| 박신우 | 해남서 | 382 |
| 박신정 | 대전청 | 170 |
| 박신정 | 강남서 | 321 |
| 박신해 | 강남서 | 158 |
| 박신희 | 북전주서 | 388 |
| 박아름 | 마포서 | 181 |
| 박아름 | 현대회계 | 28 |
| 박아연 | 성동서 | 137 |
| 박안나 | 삼성서 | 184 |
| 박안제라 | 서울청 | 136 |
| 박애경 | 중랑서 | 210 |
| 박애란 | 노원서 | 172 |
| 박애슬 | 영월서 | 269 |
| 박애자 | 서울청 | 139 |
| 박애주 | 영등포서 | 156 |
| 박양규 | 기재부 | 200 |
| 박양규 | 기재부 | 84 |
| 박양규 | 대구청 | 403 |
| 박양운 | 경기광주 | 245 |
| 박양희 | 노원서 | 173 |
| 박언영 | 국세청 | 128 |
| 박언준 | 기재부 | 70 |
| 박엘리 | 포항서 | 430 |
| 박여준 | 세종서 | 339 |
| 박연 | 수원서 | 240 |
| 박연미 | 광주청 | 360 |
| 박연서 | 분당서 | 237 |
| 박연수 | 여수서 | 381 |
| 박연옥 | 잠실서 | 206 |
| 박연우 | 춘천서 | 273 |
| 박연주 | 동청주서 | 349 |
| 박연주 | 이천서 | 255 |
| 박연주 | 성동서 | 191 |
| 박연진 | 영등포서 | 200 |
| 박영건 | 제주서 | 478 |
| 박영곤 | 강서서 | 163 |
| 박영규 | 국세청 | 116 |
| 박영규 | 용인서 | 440 |
| 박영규 | 성동서 | 253 |
| 박영길 | 진주서 | 473 |
| 박영광 | 법무광장 | 49 |
| 박영길 | 계양서 | 293 |
| 박영란 | 노원서 | 172 |

| 이름 | 소속 | 쪽 |
|---|---|---|
| 박영래 | 양천서 | 197 |
| 박영민 | 남부천서 | 302 |
| 박영민 | 아산서 | 341 |
| 박영민 | 전주서 | 392 |
| 박영민 | 해운대서 | 458 |
| 박영성 | 태평양 | 52 |
| 박영수 | 남부천서 | 302 |
| 박영수 | 서광주서 | 373 |
| 박영숙 | 순천서 | 379 |
| 박영순 | 금천서 | 168 |
| 박영순 | 금정서 | 443 |
| 박영식 | 기재부 | 66 |
| 박영식 | 서울청 | 141 |
| 박영실 | 안산서 | 246 |
| 박영아 | 서현회계 | 7 |
| 박영아 | 성현회계 | 11 |
| 박영애 | 구로서 | 166 |
| 박영애 | 종로서 | 208 |
| 박영언 | 수성서 | 412 |
| 박영우 | 포천서 | 315 |
| 박영우 | 기재부 | 78 |
| 박영욱 | 동작서 | 179 |
| 박영욱 | 법무광장 | 48 |
| 박영웅 | 중부청 | 217 |
| 박영은 | 분당서 | 236 |
| 박영은 | 경기광주 | 244 |
| 박영은 | 안산서 | 247 |
| 박영일 | 대전서 | 324 |
| 박영임 | 제천서 | 352 |
| 박영종 | 용인서 | 253 |
| 박영주 | 국세청 | 130 |
| 박영주 | 은평서 | 205 |
| 박영주 | 대전청 | 323 |
| 박영주 | 남대구서 | 404 |
| 박영주 | 광주세관 | 504 |
| 박영준 | 법무지평 | 51 |
| 박영준 | 금감원 | 95 |
| 박영진 | 국세청 | 121 |
| 박영진 | 동대구서 | 406 |
| 박영진 | 부산청 | 440 |
| 박영철 | 금정서 | 443 |
| 박영호 | 기재부 | 82 |
| 박영호 | 인천서 | 291 |
| 박영호 | 경산서 | 415 |
| 박영훈 | 동화성서 | 259 |
| 박영훈 | 창원서 | 475 |
| 박예규 | 동청주서 | 348 |
| 박예나 | 기재부 | 66 |
| 박예람 | 계양서 | 293 |
| 박예진 | 마포서 | 181 |
| 박예진 | 광산서 | 366 |
| 박예진 | 수성서 | 412 |
| 박옥길 | 대전청 | 321 |
| 박옥련 | 노원서 | 172 |
| 박옥임 | 동안산서 | 248 |
| 박옥주 | 영등포서 | 200 |
| 박옥진 | 중부서 | 212 |
| 박옥희 | 양천서 | 196 |
| 박완기 | 감사원 | 63 |
| 박완다 | 북대전서 | 326 |
| 박요안나 | 대전서 | 325 |
| 박요절 | 평택서 | 257 |
| 박요한 | 택스홈 | 38 |
| 박용 | 국세청 | 124 |
| 박용관 | 국세청 | 123 |
| 박용규 | 금정서 | 443 |
| 박용남 | 금정서 | 443 |
| 박용문 | 순천서 | 378 |
| 박용범 | 강릉서 | 262 |
| 박용병 | 국세청 | 110 |
| 박용석 | 역삼서 | 198 |
| 박용섭 | 진주서 | 472 |
| 박용섭업 | 동울산서 | 461 |
| 박용우 | 성동서 | 191 |
| 박용우 | 광산서 | 366 |
| 박용우 | 포항서 | 431 |
| 박용운 | 금감원 | 90 |
| 박용주 | 김포서 | 299 |
| 박용주 | 파주서 | 312 |
| 박용주 | 현대회계 | 28 |
| 박용준 | 감사원 | 63 |
| 박용진 | 서울청 | 148 |
| 박용철 | 동청주서 | 349 |
| 박용태 | 서울청 | 139 |
| 박용태 | 강동서 | 161 |
| 박용헌 | 분당서 | 237 |
| 박용호 | 서인천서 | 288 |
| 박용후 | 기흥서 | 229 |
| 박용희 | 김해서 | 466 |
| 박용희 | 목포서 | 376 |
| 박용희 | 진주서 | 473 |
| 박우경 | 역삼서 | 199 |
| 박우명 | 현대회계 | 28 |
| 박우성 | 은평서 | 204 |
| 박우영 | 파주서 | 313 |
| 박우정 | 국세청 | 110 |
| 박우현 | 금천서 | 169 |
| 박욱상 | 통영서 | 476 |
| 박욱현 | 부산청 | 437 |
| 박운규 | 금감원 | 99 |
| 박운영 | 국세청 | 119 |
| 박웅 | 서울청 | 146 |
| 박웅종 | 논산서 | 332 |
| 박원경 | 부산진서 | 439 |
| 박원경 | 기흥서 | 228 |
| 박원균 | 동수원서 | 232 |
| 박원균 | 안산서 | 246 |
| 박원균 | 이천서 | 254 |
| 박원기 | 서울청 | 157 |
| 박원기 | 안동서 | 267 |
| 박원기 | 광주세관 | 504 |
| 박원돈 | 안동서 | 424 |
| 박원석 | 광주청 | 362 |
| 박원영 | 영등포서 | 200 |
| 박원영 | 국세청 | 79 |
| 박원준 | 국세청 | 129 |
| 박원준 | 서울청 | 135 |
| 박원준 | 구리서 | 226 |
| 박원준 | 아산서 | 340 |
| 박원진 | 다슬세무 | 35 |
| 박원희 | 은평서 | 204 |
| 박월례 | 성남서 | 238 |
| 박유나 | 강서서 | 160 |
| 박유나 | 서광주서 | 372 |
| 박유라 | 수영서 | 455 |
| 박유리 | 인천청 | 282 |
| 박유리 | 목포서 | 377 |
| 박유리 | 금천서 | 169 |
| 박유리 | 마포서 | 180 |
| 박유리 | 계양서 | 292 |
| 박유림 | 고시회 | 30 |
| 박유미 | 부산진서 | 446 |
| 박유미 | 서울청 | 135 |
| 박유미 | 강서서 | 163 |
| 박유미 | 북광주서 | 371 |
| 박유미 | 조세재정 | 510 |
| 박유민 | 수성서 | 412 |
| 박유자 | 남대구서 | 404 |
| 박유정 | 서대전서 | 329 |
| 박유정 | 동대문서 | 177 |
| 박유준 | 화성서 | 261 |
| 박유진 | 기재부 | 82 |
| 박유진 | 순천서 | 378 |
| 박유진 | 부산진서 | 446 |
| 박유천 | 광주세관 | 505 |
| 박윤경 | 평택서 | 256 |
| 박윤규 | 동고양서 | 300 |
| 박윤규 | 마산서 | 469 |
| 박윤규 | 북전주서 | 389 |
| 박윤배 | 안산서 | 247 |
| 박윤석 | 남양주서 | 230 |
| 박윤우 | 포천서 | 181 |
| 박윤이 | 기재부 | 82 |
| 박윤이 | 성남서 | 238 |
| 박윤정 | 국세청 | 121 |
| 박윤정 | 동작서 | 179 |
| 박윤정 | 진주서 | 472 |
| 박윤주 | 북대전서 | 326 |
| 박윤지 | 국세청 | 117 |
| 박윤진 | 영등포서 | 200 |
| 박윤채 | 조세재정 | 511 |
| 박윤하 | 시흥서 | 242 |
| 박윤형 | 동고양서 | 301 |
| 박윤형 | 대구청 | 398 |
| 박윤희 | 관악서 | 165 |
| 박윤희 | 수영서 | 455 |
| 박으뜸 | 서울청 | 148 |
| 박은결 | 기재부 | 66 |
| 박은경 | 서울청 | 138 |
| 박은경 | 마산서 | 469 |
| 박은미 | 성북서 | 470 |
| 박은미 | 동화성서 | 193 |
| 박은미 | 동화성서 | 259 |
| 박은미 | 남부천서 | 302 |
| 박은미 | 세종서 | 338 |
| 박은비 | 중부청 | 225 |
| 박은비 | 동안산서 | 248 |
| 박은서 | 서초서 | 188 |
| 박은서 | 동화성서 | 258 |
| 박은선 | 서울청 | 156 |
| 박은숙 | 중부청 | 75 |
| 박은숙 | 수영서 | 219 |
| 박은실 | 청주서 | 454 |
| 박은심 | 기재부 | 354 |
| 박은아 | 중부청 | 74 |
| 박은영 | 서초서 | 218 |
| 박은영 | 북광주서 | 76 |
| 박은영 | 정읍서 | 188 |
| 박은영 | 북광주서 | 290 |
| 박은영 | 정읍서 | 370 |
| 박은영 | 금정서 | 371 |
| 박은정 | 국회법제 | 394 |
| 박은정 | 강남서 | 443 |
| 박은정 | 도봉서 | 360 |
| 박은정 | 종로서 | 58 |
| 박은정 | 중부청 | 159 |
| 박은정 | 분당서 | 160 |
| 박은정 | 화성서 | 175 |
| 박은정 | 대전청 | 208 |
| 박은정 | 세종서 | 224 |
| 박은정 | 동대구서 | 236 |
| 박은정 | 조세재정 | 260 |
| 박은주 | 대전청 | 321 |
| 박은주 | 세종서 | 339 |
| 박은주 | 동대구서 | 404 |
| 박은주 | 조세재정 | 509 |
| 박은주 | 동대문서 | 176 |
| 박은주 | 동작서 | 178 |
| 박은주 | 기흥서 | 228 |
| 박은주 | 부산청 | 287 |
| 박은지 | 송파서 | 435 |
| 박은지 | 경기광주 | 195 |
| 박은지 | 경기광주 | 244 |
| 박은지 | 동고양서 | 245 |
| 박은지 | 부평서 | 300 |
| 박은지 | 의정부서 | 306 |
| 박은지 | 목포서 | 311 |
| 박은진 | 금감원 | 377 |
| 박은혜 | 용산서 | 238 |
| 박은혜 | 잠실서 | 90 |
| 박은화 | 서울청 | 202 |
| 박은화 | 여수서 | 206 |
| 박은희 | 국세청 | 135 |
| 박은희 | 서울청 | 380 |
| 박은희 | 동작서 | 130 |
| 박은희 | 구로서 | 139 |
| 박은희 | 동화성서 | 148 |
| 박은희 | 광주세관 | 166 |
| 박의현 | 동안양서 | 259 |
| 박이진 | 전주서 | 304 |
| 박인 | 마포서 | 504 |
| 박인국 | 대전서 | 235 |
| 박인국 | 구로서 | 370 |
| 박인규 | 삼일회계 | 393 |
| 박인대 | 포천서 | 180 |
| 박인배 | 부평서 | 324 |
| 박인선 | 대전서 | 155 |
| 박인수 | 남동서 | 167 |
| 박인수 | 서광주서 | 17 |
| 박인숙 | 북전주서 | 315 |
| 박인숙 | 전주서 | 306 |
| 박인재 | 기재부 | 324 |
| 박인철 | 인천청 | 286 |
| 박인혁 | 안양서 | 373 |
| 박인혜 | 통영서 | 388 |
| 박인호 | 조세심판 | 392 |
| 박인홍 | 국세청 | 68 |
| 박인홍 | 용산서 | 283 |
| 박인홍 | 통영서 | 251 |
| 박인환 | 예산서 | 477 |
| 박인희 | 북광주서 | 507 |
| 박인희 | 중랑서 | 119 |
| 박인희 | 남양주서 | 203 |
| 박일동 | 서대문서 | 476 |
| 박일병 | 서울세관 | 342 |
| 박일수 | 인천청 | 371 |
| 박일수 | 서인천서 | 283 |
| 박일주 | 성현회계 | 11 |
| 박일호 | 평택서 | 257 |
| 박일호 | 강릉서 | 263 |
| 박일호 | 인천청 | 283 |
| 박일환 | 김해서 | 467 |
| 박일환 | 이천서 | 254 |
| 박임선 | 국세청 | 130 |
| 박자영 | 동작서 | 178 |
| 박자윤 | 경산서 | 414 |
| 박자임 | 송파서 | 194 |
| 박자임 | 남대구서 | 404 |
| 박장기 | 국세청 | 126 |
| 박장미 | 국세청 | 119 |
| 박장수 | 인천서 | 290 |
| 박장영 | 창원서 | 474 |
| 박장훈 | 아산서 | 341 |
| 박재관 | 서울청 | 145 |
| 박재광 | 대구청 | 399 |
| 박재규 | 대전청 | 320 |
| 박재근 | 역삼서 | 198 |
| 박재명 | 관세청 | 482 |
| 박재붕 | 동작서 | 47 |
| 박재석 | 인천세관 | 490 |
| 박재선 | 서울청 | 134 |
| 박재성 | 양천서 | 197 |
| 박재성 | 영덕서 | 426 |
| 박재성 | 창원서 | 474 |
| 박재숙 | 법무바른 | 1 |
| 박재신 | 국세청 | 121 |
| 박재억 | 하나세무 | 39 |
| 박재영 | 기재부 | 77 |
| 박재영 | 금감원 | 95 |
| 박재영 | 동대구서 | 176 |
| 박재영 | 성현회계 | 11 |
| 박재영 | 태평양 | 52 |
| 박재완 | 부산서 | 452 |
| 박재우 | 중부서 | 222 |
| 박재우 | 기흥서 | 229 |
| 박재우 | 대전청 | 321 |
| 박재우 | 통영서 | 477 |
| 박재우 | 한올회계 | 27 |
| 박재욱 | 아산서 | 340 |
| 박재원 | 서울청 | 134 |
| 박재원 | 남대구서 | 404 |
| 박재원 | 다슬세무 | 35 |
| 박재웅 | 동수원서 | 233 |
| 박재은 | 기재부 | 77 |
| 박재진 | 남대구서 | 405 |
| 박재찬 | 김앤장 | 47 |
| 박재철 | 국세청 | 114 |
| 박재춘 | 서울청 | 197 |
| 박재춘 | 해운대서 | 458 |
| 박재혁 | 현대회계 | 28 |
| 박재혁 | 현대회계 | 28 |
| 박재현 | 기재부 | 71 |
| 박재현 | 성동서 | 191 |
| 박재현 | 성남서 | 198 |
| 박재현 | 성남서 | 238 |
| 박재형 | 서초서 | 79 |
| 박재형 | 노원서 | 173 |
| 박재형 | 중부청 | 215 |
| 박재형 | 중부청 | 216 |
| 박재형 | 남양주서 | 231 |
| 박재형 | 남대구서 | 404 |
| 박재형 | 남부산서 | 457 |
| 박재호 | 대전서 | 318 |
| 박재홍 | 기재부 | 75 |
| 박재홍 | 서초서 | 80 |
| 박재홍 | 국세청 | 128 |
| 박재홍 | 강남서 | 158 |
| 박재홍 | 중부청 | 162 |
| 박재홍 | 중부청 | 224 |
| 박재홍 | 동대구서 | 324 |
| 박재홍 | 창원서 | 474 |
| 박재홍 | 김앤장 | 47 |
| 박재홍 | 택스홈 | 38 |
| 박재환 | 광주청 | 365 |
| 박재훈 | 금융위 | 86 |
| 박전호 | 기재부 | 75 |
| 박점숙 | 포항서 | 430 |
| 박정건 | 마포서 | 181 |
| 박정곤 | 성북서 | 192 |
| 박정국 | 북광주서 | 370 |
| 박정기 | 서울청 | 147 |
| 박정기 | 서초서 | 188 |
| 박정길 | 대구청 | 402 |
| 박정란 | 국세청 | 110 |
| 박정란 | 국세청 | 128 |
| 박정린 | 의정부서 | 310 |
| 박정미 | 국세청 | 124 |
| 박정민 | 기재부 | 72 |
| 박정민 | 강남서 | 158 |
| 박정민 | 관악서 | 165 |
| 박정민 | 구로서 | 167 |
| 박정민 | 동작서 | 179 |
| 박정민 | 중부청 | 216 |
| 박정민 | 중부청 | 223 |
| 박정민 | 시흥서 | 243 |
| 박정민 | 조세심판 | 506 |
| 박정민 | 삼정회계 | 20 |
| 박정배 | 포천서 | 314 |
| 박정배 | 북광주서 | 370 |
| 박정상 | 기재부 | 80 |
| 박정섭 | 강동서 | 161 |
| 박정성 | 수성서 | 412 |
| 박정수 | 속초서 | 266 |
| 박정수 | 북대전서 | 326 |
| 박정수 | 북대구서 | 408 |
| 박정수 | 부산청 | 437 |
| 박정수 | 다슬세무 | 35 |
| 박정숙 | 서울청 | 137 |
| 박정숙 | 서초서 | 188 |
| 박정숙 | 천안서 | 344 |
| 박정숙 | 군산서 | 384 |
| 박정숙 | 김천서 | 420 |
| 박정순 | 강서서 | 162 |
| 박정순 | 양천서 | 196 |
| 박정순 | 목포서 | 376 |
| 박정식 | 광주서 | 369 |
| 박정식 | 중부산서 | 456 |
| 박정아 | 서초서 | 189 |
| 박정아 | 광주서 | 368 |
| 박정안 | 서초서 | 188 |
| 박정애 | 북광주서 | 370 |
| 박정연 | 동작서 | 178 |
| 박정연 | 대전서 | 325 |
| 박정연 | 동울산서 | 461 |
| 박정옥 | 마산서 | 468 |
| 박정옥 | 동안산서 | 249 |
| 박정용 | 수원서 | 241 |
| 박정우 | 국세청 | 415 |
| 박정우 | 종로서 | 131 |
| 박정우 | 법무광장 | 209 |
| 박정욱 | 수원서 | 48 |
| 박정욱 | 수원서 | 241 |
| 박정운 | 북광주서 | 241 |
| 박정운 | 서부산서 | 452 |
| 박정원 | 금융위 | 86 |
| 박정윤 | 부천서 | 305 |
| 박정윤 | 예일세무 | 40 |
| 박정은 | 기재부 | 69 |
| 박정은 | 성동서 | 190 |
| 박정은 | 은평서 | 205 |
| 박정은 | 인천청 | 283 |
| 박정은 | 북대구서 | 408 |
| 박정은 | 울산서 | 463 |
| 박정은 | 울산서 | 463 |
| 박정의 | 동울산서 | 461 |
| 박정인 | 부산진서 | 447 |
| 박정일 | 광주청 | 360 |
| 박정임 | 김앤장 | 47 |
| 박정임 | 서울청 | 149 |
| 박정재 | 양천서 | 197 |
| 박정준 | 북전주서 | 389 |
| 박정진 | 부산청 | 438 |
| 박정철 | 남동서 | 286 |
| 박정하 | 감사원 | 63 |
| 박정한 | 동래서 | 445 |
| 박정한 | 반포서 | 183 |
| 박정현 | 기재부 | 78 |
| 박정현 | 금감원 | 92 |
| 박정현 | 서울청 | 148 |
| 박정현 | 성동서 | 154 |
| 박정현 | 성동서 | 191 |
| 박정현 | 남양주서 | 231 |
| 박정현 | 파주서 | 312 |
| 박정현 | 금정서 | 442 |
| 박정현 | 중부산서 | 456 |
| 박정혜 | 중랑서 | 211 |
| 박정호 | 남부천서 | 195 |
| 박정호 | 부산진서 | 302 |
| 박정호 | 국세청 | 446 |
| 박정화 | 서울청 | 112 |
| 박정화 | 반포서 | 149 |
| 박정화 | 동래서 | 182 |
| 박정화 | 북부산서 | 445 |
| 박정화 | 광주서 | 450 |
| 박정환 | 여수서 | 368 |
| 박정환 | 동대구서 | 381 |
| 박정환 | 창원서 | 406 |
| 박정훈 | 동화성서 | 475 |
| 박정훈 | 조세재정 | 259 |
| 박정흠 | 조세재정 | 511 |
| 박정흠 | 조세재정 | 509 |

| 이름 | 소속 | 번호 |
|---|---|---|
| 박정희 | 남대문서 | 171 |
| 박정희 | 종로서 | 209 |
| 박정희 | 북광주서 | 371 |
| 박정희 | 대구청 | 398 |
| 박제린 | 중부청 | 221 |
| 박제상 | 화성서 | 261 |
| 박제영 | 동동주서 | 348 |
| 박제웅 | 춘천서 | 272 |
| 박조은 | 수원서 | 241 |
| 박종건 | 기재부 | 73 |
| 박종경 | 서울청 | 137 |
| 박종국 | 영덕서 | 426 |
| 박종국 | 해운대서 | 458 |
| 박종군 | 부산청 | 441 |
| 박종권 | 현대회계 | 28 |
| 박종권 | 광주청 | 360 |
| 박종근 | 북광주서 | 370 |
| 박종렬 | 강남서 | 158 |
| 박종렬 | 인천지방 | 33 |
| 박종류 | 고양서 | 294 |
| 박종무 | 동작서 | 179 |
| 박종무 | 부산청 | 438 |
| 박종민 | 서울청 | 148 |
| 박종민 | 서부산서 | 453 |
| 박종민 | 서현회계 | 462 |
| 박종민 | 서현회계 | 7 |
| 박종빈 | 북대전서 | 326 |
| 박종석 | 종로서 | 208 |
| 박종석 | 기재부 | 66 |
| 박종석 | 서울청 | 150 |
| 박종석 | 동수원서 | 232 |
| 박종석 | 인천청 | 282 |
| 박종성 | 금융위 | 85 |
| 박종성 | 국세청 | 112 |
| 박종성 | 연수서 | 309 |
| 박종성 | 대전청 | 320 |
| 박종수 | 동울산서 | 461 |
| 박종영 | 예산서 | 342 |
| 박종영 | 삼일회계 | 16 |
| 박종욱 | 포항서 | 430 |
| 박종욱 | 김해서 | 466 |
| 박종운 | 기재부 | 70 |
| 박종원 | 서인천서 | 289 |
| 박종원 | 군산서 | 384 |
| 박종원 | 대구청 | 403 |
| 박종윤 | 서초서 | 188 |
| 박종익 | 성북서 | 193 |
| 박종인 | 국세청 | 123 |
| 박종재 | 광주세관 | 504 |
| 박종주 | 남양주서 | 230 |
| 박종주 | 의정부서 | 311 |
| 박종진 | 김포서 | 299 |
| 박종찬 | 천안서 | 345 |
| 박종찬 | 송파서 | 195 |
| 박종태 | 대구세관 | 500 |
| 박종필 | 부산진서 | 446 |
| 박종현 | 국세청 | 112 |
| 박종현 | 동대문서 | 176 |
| 박종현 | 서광주서 | 372 |
| 박종현 | 부산청 | 436 |
| 박종현 | 조세심판 | 506 |
| 박종현 | 김앤장 | 47 |
| 박종호 | 금감원 | 98 |
| 박종호 | 서울청 | 157 |
| 박종호 | 성남서 | 239 |
| 박종호 | 삼척서 | 264 |
| 박종호 | 대전청 | 322 |
| 박종호 | 홍성서 | 346 |
| 박종호 | 익산서 | 391 |
| 박종화 | 성동서 | 191 |
| 박종화 | 중부청 | 217 |
| 박종환 | 북대전서 | 371 |
| 박종환 | 남양주서 | 231 |
| 박종훈 | 기재부 | 67 |
| 박종훈 | 금감원 | 100 |
| 박종훈 | 도봉서 | 174 |
| 박종훈 | 북대전서 | 326 |
| 박종희 | 국세청 | 124 |
| 박종희 | 국세청 | 125 |
| 박좌준 | 인천청 | 283 |
| 박주담 | 중부청 | 213 |
| 박주리 | 중부청 | 217 |
| 박주미 | 화성서 | 260 |
| 박주범 | 울산서 | 462 |
| 박주성 | 영주서 | 429 |
| 박주아 | 동울산서 | 460 |
| 박주언 | 기재부 | 80 |
| 박주언 | 수성서 | 412 |
| 박주연 | 종로서 | 209 |
| 박주연 | 연수서 | 309 |
| 박주열 | 경기광주 | 244 |
| 박주영 | 부산청 | 437 |
| 박주영 | 국세청 | 110 |
| 박중근 | 노원서 | 173 |
| 박주영 | 성동서 | 190 |
| 박주영 | 남부분서 | 302 |
| 박주영 | 거창서 | 464 |
| 박주영 | 광주세관 | 501 |
| 박주오 | 대전청 | 322 |
| 박주원 | 서울청 | 138 |
| 박주원 | 삼일회계 | 17 |
| 박주일 | 서현회계 | 7 |
| 박주일 | 서현회계 | 7 |
| 박주철 | 논산서 | 203 |
| 박주철 | 조세재정 | 509 |
| 박주항 | 진주서 | 473 |
| 박주현 | 기재부 | 81 |
| 박주현 | 서울청 | 139 |
| 박주현 | 성남서 | 184 |
| 박주현 | 북대구서 | 408 |
| 박주현 | 부산강서 | 448 |
| 박주현 | 북부산서 | 451 |
| 박주현 | 법무광장 | 48 |
| 박주현 | 전주서 | 393 |
| 박주혜 | 송파서 | 194 |
| 박주호 | 강서서 | 163 |
| 박주호 | 대구서 | 400 |
| 박주효 | 서울청 | 141 |
| 박주훈 | 중부청 | 224 |
| 박주훈 | 성현회계 | 11 |
| 박주희 | 서울청 | 145 |
| 박주희 | 인천청 | 278 |
| 박주희 | 부산청 | 434 |
| 박주희 | 동울산서 | 461 |
| 박주희 | 창원서 | 474 |
| 박주희 | 조세재정 | 508 |
| 박준규 | 삼일회계 | 17 |
| 박준규 | 서대문서 | 186 |
| 박준규 | 공주서 | 331 |
| 박준규 | 예산서 | 343 |
| 박준규 | 광산서 | 366 |
| 박준명 | 노원서 | 173 |
| 박준백 | 국세청 | 113 |
| 박준범 | 기재부 | 70 |
| 박준범 | 국세청 | 131 |
| 박준서 | 남양주서 | 231 |
| 박준서 | 서울청 | 149 |
| 박준서 | 남대문서 | 171 |
| 박준선 | 감사원 | 75 |
| 박준선 | 시흥서 | 242 |
| 박준성 | 충주서 | 357 |
| 박준성 | 성동서 | 191 |
| 박준수 | 대구세관 | 500 |
| 박준수 | 기재부 | 73 |
| 박준식 | 성동서 | 191 |
| 박준식 | 연수서 | 309 |
| 박준영 | 기재부 | 72 |
| 박준영 | 기재부 | 78 |
| 박준영 | 기재부 | 84 |
| 박준영 | 서울청 | 152 |
| 박준영 | 강릉서 | 263 |
| 박준영 | 연수서 | 309 |
| 박준영 | 파주서 | 312 |
| 박준영 | 포항서 | 430 |
| 박준용 | 부산청 | 434 |
| 박준용 | 강남서 | 159 |
| 박준용 | 노원서 | 173 |
| 박준우 | 해운대서 | 458 |
| 박준우 | 딜로이트 | 13 |
| 박준우 | 성북서 | 193 |
| 박준욱 | 감사원 | 63 |
| 박준욱 | 서대구서 | 411 |
| 박준원 | 서초서 | 189 |
| 박준태 | 이천서 | 254 |
| 박준태 | 국회법제 | 58 |
| 박준태 | 해운대서 | 459 |
| 박준하 | 기재부 | 84 |
| 박준현 | 성동서 | 190 |
| 박준현 | 영등포서 | 201 |
| 박준청 | 기재부 | 357 |
| 박준호 | 기재부 | 79 |
| 박준호 | 강동서 | 160 |
| 박준홍 | 감사원 | 63 |
| 박준홍 | 감사원 | 63 |
| 박준홍 | 서울청 | 138 |
| 박준환 | 서울청 | 142 |
| 박준환 | 삼일회계 | 17 |
| 박준희 | 광주서 | 369 |
| 박준희 | 은평서 | 204 |
| 박준희 | 화성서 | 260 |
| 박준희 | 연수서 | 308 |
| 박준희 | 해운대서 | 458 |
| 박중근 | 국세청 | 130 |
| 박중근 | 광주세관 | 505 |
| 박중기 | 시흥서 | 242 |
| 박중석 | 기재부 | 82 |
| 박중석 | 관세사회 | 42 |
| 박중업 | 광주서 | 416 |
| 박중석 | 광주세관 | 501 |
| 박중엽 | 현대회계 | 27 |
| 박중억 | 북전주서 | 389 |
| 박지명 | 현대회계 | 28 |
| 박지민 | 국세청 | 110 |
| 박지민 | 광명서 | 296 |
| 박지민 | 울산서 | 454 |
| 박지민 | 울산서 | 462 |
| 박지상 | 서초서 | 188 |
| 박지선 | 고양서 | 247 |
| 박지선 | 광산서 | 295 |
| 박지성 | 서초서 | 367 |
| 박지성 | 서초서 | 188 |
| 박지성 | 용인서 | 252 |
| 박지수 | 용인서 | 189 |
| 박지수 | 김포서 | 253 |
| 박지수 | 김포서 | 299 |
| 박지숙 | 서울청 | 156 |
| 박지숙 | 서초서 | 189 |
| 박지청 | 부천서 | 441 |
| 박지암 | 용인서 | 305 |
| 박지애 | 강서서 | 253 |
| 박지양 | 강서서 | 163 |
| 박지언 | 역삼서 | 199 |
| 박지언 | 구로서 | 382 |
| 박지연 | 광주서 | 167 |
| 박지연 | 서광주서 | 368 |
| 박지연 | 해남서 | 372 |
| 박지연 | 대구청 | 382 |
| 박지연 | 경산서 | 398 |
| 박지영 | 국세청 | 414 |
| 박지영 | 서울청 | 106 |
| 박지영 | 강남서 | 145 |
| 박지영 | 관악서 | 158 |
| 박지영 | 서초서 | 164 |
| 박지영 | 경기광주 | 188 |
| 박지영 | 동화성서 | 245 |
| 박지영 | 부산강서 | 258 |
| 박지영 | 부산진서 | 439 |
| 박지영 | 해운대서 | 446 |
| 박지영 | 관세청 | 458 |
| 박지예 | 김앤장 | 482 |
| 박지완 | 경기광주 | 47 |
| 박지용 | 남대구서 | 245 |
| 박지용 | 서현회계 | 171 |
| 박지우 | 분당서 | 7 |
| 박지우 | 이천서 | 237 |
| 박지우 | 마산서 | 255 |
| 박지우 | 조세재정 | 468 |
| 박지원 | 국회법제 | 508 |
| 박지원 | 반포서 | 182 |
| 박지원 | 용산서 | 202 |
| 박지원 | 중부청 | 221 |
| 박지원 | 광명서 | 297 |
| 박지원 | 익산서 | 390 |
| 박지원 | 수영서 | 454 |
| 박지원 | 부산세관 | 496 |
| 박지원 | 마포서 | 181 |
| 박지은 | 중부청 | 216 |
| 박지은 | 성남서 | 238 |
| 박지은 | 이천서 | 254 |
| 박지은 | 부평서 | 307 |
| 박지은 | 세종서 | 338 |
| 박지은 | 충주서 | 356 |
| 박지은 | 광주청 | 363 |
| 박지은 | 광주서 | 363 |
| 박지은 | 익산서 | 390 |
| 박지은 | 김해서 | 467 |
| 박지은 | 마산서 | 469 |
| 박지인 | 동안산서 | 248 |
| 박지향 | 영동동서 | 201 |
| 박지향 | 마산서 | 468 |
| 박지현 | 기재부 | 69 |
| 박지현 | 국세청 | 125 |
| 박지현 | 서울청 | 136 |
| 박지현 | 서울청 | 156 |
| 박지현 | 구리서 | 226 |
| 박지현 | 남양주서 | 230 |
| 박지현 | 화성서 | 261 |
| 박지현 | 북광주서 | 370 |
| 박지현 | 북광주서 | 371 |
| 박지현 | 전주서 | 392 |
| 박지현 | 부산진서 | 447 |
| 박지혜 | 김해서 | 466 |
| 박지혜 | 기재부 | 66 |
| 박지혜 | 강서서 | 162 |
| 박지혜 | 강서서 | 163 |
| 박지혜 | 노원서 | 172 |
| 박지혜 | 마포서 | 180 |
| 박지혜 | 동수원서 | 233 |
| 박지혜 | 용인서 | 253 |
| 박지혜 | 동화성서 | 259 |
| 박지혜 | 대전청 | 318 |
| 박지혜 | 세종서 | 338 |
| 박지혜 | 나주서 | 374 |
| 박지혜 | 남원서 | 386 |
| 박지혜 | 서부산서 | 453 |
| 박지혜 | 진주서 | 472 |
| 박지혜 | 광주세관 | 505 |
| 박지혜 | 조세심판 | 507 |
| 박지혜 | 조세심판 | 509 |
| 박지호 | 국세청 | 125 |
| 박지호 | 제주서 | 479 |
| 박지화 | 금천서 | 169 |
| 박지환 | 동작서 | 179 |
| 박지환 | 기재부 | 68 |
| 박지훈 | 기재부 | 81 |
| 박지훈 | 수영서 | 455 |
| 박지훈 | 진주서 | 472 |
| 박지훈 | 강서서 | 163 |
| 박지희 | 종로서 | 209 |
| 박지희 | 연수서 | 309 |
| 박지희 | 목포서 | 377 |
| 박지희 | 순천서 | 379 |
| 박진관 | 부산청 | 439 |
| 박진규 | 속초서 | 267 |
| 박진규 | 익산서 | 391 |
| 박진서 | 인천서 | 291 |
| 박진석 | 동화성서 | 258 |
| 박진석 | 남부천서 | 303 |
| 박진성 | 용산서 | 202 |
| 박진성 | 조세심판 | 507 |
| 박진성 | 조세심판 | 507 |
| 박진수 | 국세청 | 118 |
| 박진수 | 경기광주 | 244 |
| 박진수 | 포천서 | 314 |
| 박진수 | 수영서 | 454 |
| 박진숙 | 대전청 | 320 |
| 박진숙 | 대전청 | 322 |
| 박진숙 | 광주세관 | 505 |
| 박진숙 | 서울청 | 155 |
| 박진실 | 인천청 | 290 |
| 박진아 | 양천서 | 197 |
| 박진아 | 인천청 | 279 |
| 박진아 | 남대구서 | 303 |
| 박진아 | 남대구서 | 405 |
| 박진영 | 기재부 | 66 |
| 박진영 | 기재부 | 72 |
| 박진영 | 금감원 | 95 |
| 박진영 | 영등포서 | 200 |
| 박진영 | 용산서 | 203 |
| 박진영 | 분당서 | 236 |
| 박진영 | 용인서 | 252 |
| 박진영 | 대구청 | 398 |
| 박진영 | 부산진서 | 446 |
| 박진영 | 통영서 | 476 |
| 박진영 | 예일세무 | 40 |
| 박진영 | 현대회계 | 28 |
| 박진용 | 해운대서 | 459 |
| 박진우 | 국세청 | 109 |
| 박진우 | 국세청 | 115 |
| 박진우 | 역삼서 | 199 |
| 박진우 | 부산서 | 434 |
| 박진우 | 광주세관 | 504 |
| 박진우 | 조세재정 | 509 |
| 박진원 | 정읍서 | 394 |
| 박진원 | 감사원 | 62 |
| 박진원 | 제주서 | 479 |
| 박진원 | 광주청 | 361 |
| 박진하 | 금정서 | 443 |
| 박진혁 | 중부청 | 217 |
| 박진현 | 광명서 | 296 |
| 박진현 | 성북서 | 193 |
| 박진형 | 제주서 | 478 |
| 박진형 | 감사원 | 93 |
| 박진호 | 경기광주 | 244 |
| 박진호 | 광주서 | 369 |
| 박진호 | 부산청 | 434 |
| 박진홍 | 국세청 | 129 |
| 박진훈 | 기재부 | 74 |
| 박진훈 | 구리서 | 227 |
| 박진희 | 기재부 | 73 |
| 박진희 | 서울청 | 157 |
| 박진희 | 노원서 | 173 |
| 박진희 | 삼성서 | 184 |
| 박진희 | 분당서 | 237 |
| 박진희 | 대구청 | 401 |
| 박진희 | 부산서 | 435 |
| 박진희 | 인천세관 | 489 |
| 박진희 | 인천세관 | 490 |
| 박차석 | 서울지방 | 32 |
| 박찬경 | 영등포서 | 201 |
| 박찬녕 | 성동서 | 191 |
| 박찬녕 | 구미서 | 419 |
| 박찬만 | 서초서 | 189 |
| 박찬만 | 수영서 | 455 |
| 박찬민 | 강서서 | 163 |
| 박찬민 | 시흥서 | 242 |
| 박찬순 | 잠실서 | 206 |
| 박찬순 | 국세청 | 126 |
| 박찬승 | 평택서 | 257 |
| 박찬영 | 광주서 | 368 |
| 박찬영 | 춘천서 | 273 |
| 박찬오 | 아산서 | 341 |
| 박찬우 | 포천서 | 315 |
| 박찬우 | 서인천서 | 288 |
| 박찬욱 | 삼성서 | 185 |
| 박찬욱 | 송파서 | 195 |
| 박찬욱 | 대전청 | 317 |
| 박찬욱 | 대전청 | 319 |
| 박찬욱 | 대전청 | 320 |
| 박찬웅 | 국세청 | 107 |
| 박찬웅 | 서울청 | 155 |
| 박찬웅 | 속초서 | 267 |
| 박찬익 | 동울산서 | 460 |
| 박찬택 | 서울청 | 142 |
| 박찬혁 | 동고양서 | 300 |
| 박찬현 | 광주세관 | 504 |
| 박찬호 | 기재부 | 66 |
| 박찬호 | 서울청 | 146 |
| 박찬호 | 평택서 | 257 |
| 박찬후 | 남원서 | 386 |
| 박찬휘 | 송파서 | 194 |
| 박찬희 | 서초서 | 188 |
| 박찬희 | 동안양서 | 235 |
| 박창길 | 대전청 | 318 |
| 박창선 | 남부천서 | 302 |
| 박창선 | 종로서 | 209 |
| 박창수 | 동안산서 | 248 |
| 박창수 | 인천청 | 278 |
| 박창수 | 광명서 | 297 |
| 박창열 | 태평양 | 52 |
| 박창오 | 국세청 | 111 |
| 박창우 | 세종서 | 109 |
| 박창우 | 세종서 | 338 |
| 박창원 | 나주서 | 374 |
| 박창우 | 포천서 | 315 |
| 박창준 | 조세재정 | 510 |
| 박창환 | 동울산서 | 461 |
| 박창환 | 인천청 | 282 |
| 박채린 | 인천청 | 278 |
| 박채영 | 영동서 | 351 |
| 박채영 | 여수서 | 381 |
| 박채은 | 춘천서 | 272 |
| 박채은 | 성남서 | 238 |
| 박천수 | 조세심판 | 507 |
| 박천수 | 현대회계 | 28 |
| 박천왕 | 동수원서 | 232 |
| 박천호 | 관세청 | 482 |
| 박천호 | 순천서 | 378 |
| 박천호 | 조세심판 | 507 |
| 박철 | 성현회계 | 11 |
| 박철규 | 서초서 | 188 |
| 박철규 | 분당서 | 236 |
| 박철성 | 북광주서 | 370 |
| 박철수 | 국세청 | 115 |
| 박철수 | 안동서 | 425 |
| 박철완 | 강남서 | 159 |
| 박철용 | 부산세관 | 497 |
| 박철용 | 강남서 | 158 |
| 박철우 | 해남서 | 383 |
| 박철우 | 대구세관 | 500 |
| 박철웅 | 금감원 | 96 |
| 박철웅 | 동대문서 | 177 |
| 박철웅 | 기재부 | 84 |
| 박철원 | 기재부 | 74 |
| 박청진 | 대구청 | 402 |
| 박초아 | 강동서 | 161 |
| 박초호 | 택스홀 | 38 |
| 박추모 | 세종서 | 69 |
| 박춘영 | 동대구서 | 406 |
| 박충현 | 금감원 | 89 |

| 이름 | 소속 | 번호 |
| --- | --- | --- |
| 박치원 | 강서서 | 163 |
| 박치현 | 은평서 | 205 |
| 박치호 | 부산청 | 440 |
| 박태구 | 남양주서 | 231 |
| 박태구 | 대전서 | 324 |
| 박태신 | 북전주서 | 388 |
| 박태완 | 인천청 | 281 |
| 박태완 | 군산서 | 385 |
| 박태원 | 서부산서 | 453 |
| 박태윤 | 평택서 | 256 |
| 박태일 | 조세심판 | 507 |
| 박태정 | 홍성서 | 346 |
| 박태준 | 광주청 | 363 |
| 박태준 | 김해서 | 467 |
| 박태진 | 영월서 | 268 |
| 박태호 | 삼일회계 | 17 |
| 박태호 | 강남서 | 158 |
| 박태훈 | 국세청 | 112 |
| 박태훈 | 김포서 | 299 |
| 박태훈 | 북광주서 | 371 |
| 박태훈 | 부산진서 | 446 |
| 박판기 | 중부산서 | 456 |
| 박판식 | 동대구서 | 406 |
| 박평식 | 은평서 | 205 |
| 박푸른 | 서초서 | 188 |
| 박풍우 | 고시회 | 30 |
| 박필근 | 부산진서 | 447 |
| 박필종 | 김앤장 | 47 |
| 박하나 | 부산청 | 435 |
| 박하느 | 평택서 | 257 |
| 박하니 | 역삼서 | 199 |
| 박하니 | 북부산서 | 450 |
| 박하란 | 은평서 | 204 |
| 박하송 | 삼성서 | 185 |
| 박하얀 | 조세재정 | 509 |
| 박하영 | 대전청 | 320 |
| 박하영 | 조세재정 | 508 |
| 박하용 | 분당서 | 236 |
| 박하윤 | 남대문서 | 170 |
| 박하훈 | 동안양서 | 234 |
| 박하나 | 분당서 | 237 |
| 박한빛 | 노원서 | 172 |
| 박한상 | 마포서 | 181 |
| 박한석 | 대전청 | 318 |
| 박한수 | 보령서 | 334 |
| 박한승 | 남대문서 | 171 |
| 박한열 | 서인천서 | 289 |
| 박한용 | 광주세관 | 505 |
| 박한준 | 조세재정 | 508 |
| 박한중 | 서인천서 | 288 |
| 박한힘 | 기재부 | 71 |
| 박항신 | 금감원 | 97 |
| 박해경 | 창원서 | 475 |
| 박해근 | 용산서 | 202 |
| 박해연 | 목포서 | 376 |
| 박해영 | 서울청 | 133 |
| 박해영 | 서울청 | 148 |
| 박해영 | 서울청 | 149 |
| 박해영 | 서울청 | 150 |
| 박해영 | 서울청 | 151 |
| 박해욱 | 기재부 | 69 |
| 박해익 | 현대회계 | 28 |
| 박해정 | 기재부 | 67 |
| 박해정 | 서대구서 | 411 |
| 박해준 | 부산세관 | 495 |
| 박행옥 | 서부산서 | 453 |
| 박행진 | 북광주서 | 370 |
| 박향기 | 국세청 | 108 |
| 박향엽 | 잠실서 | 207 |
| 박향엽 | 서광주서 | 373 |
| 박헌숙 | 양산서 | 470 |
| 박헌욱 | 서울세관 | 486 |
| 박혁 | 기재부 | 76 |
| 박혁 | 여수서 | 380 |
| 박현열 | 춘천서 | 272 |
| 박현경 | 의정부서 | 311 |
| 박현경 | 마산서 | 469 |
| 박현민 | 강남서 | 159 |
| 박현빈 | 삼성서 | 185 |
| 박현서 | 원주서 | 270 |
| 박현석 | 기재부 | 78 |
| 박현선 | 성북서 | 192 |
| 박현수 | 국세청 | 120 |
| 박현수 | 서울청 | 149 |
| 박현수 | 중부청 | 220 |
| 박현수 | 안양서 | 251 |
| 박현수 | 의정부서 | 311 |
| 박현수 | 군산서 | 384 |
| 박현숙 | 성북서 | 192 |
| 박현숙 | 대전청 | 320 |
| 박현순 | 중부산서 | 456 |
| 박현아 | 익산서 | 390 |
| 박현애 | 기재부 | 69 |
| 박현영 | 서울청 | 141 |
| 박현옥 | 제주서 | 478 |
| 박현옥 | 조세재정 | 511 |
| 박현우 | 기재부 | 66 |
| 박현우 | 중부청 | 217 |
| 박현우 | 서인천서 | 288 |
| 박현우 | 광주세관 | 504 |
| 박현자 | 구로서 | 166 |
| 박현정 | 서울청 | 134 |
| 박현정 | 송파서 | 194 |
| 박현정 | 중부청 | 218 |
| 박현정 | 동수원서 | 232 |
| 박현정 | 남부천서 | 303 |
| 박현정 | 천안서 | 344 |
| 박현정 | 홍성서 | 346 |
| 박현정 | 광주세관 | 504 |
| 박현종 | 수원서 | 241 |
| 박현주 | 원주서 | 271 |
| 박현주 | 광주서 | 368 |
| 박현주 | 수성서 | 412 |
| 박현주 | 포항서 | 431 |
| 박현주 | 서부산서 | 453 |
| 박현주 | 수영서 | 455 |
| 박현준 | 성동서 | 191 |
| 박현준 | 중부청 | 223 |
| 박현진 | 국세청 | 130 |
| 박현진 | 송파서 | 195 |
| 박현철 | 은평서 | 204 |
| 박현하 | 대구청 | 400 |
| 박현희 | 구로서 | 167 |
| 박현희 | 광주서 | 369 |
| 박현희 | 제천서 | 352 |
| 박현희 | 광주서 | 304 |
| 박형기 | 중부청 | 224 |
| 박형민 | 기재부 | 80 |
| 박형민 | 삼성서 | 157 |
| 박형민 | 인천청 | 283 |
| 박형민 | 해남서 | 383 |
| 박형배 | 국세청 | 115 |
| 박형선 | 송파서 | 195 |
| 박형선 | 경산서 | 415 |
| 박형주 | 중부청 | 218 |
| 박형주 | 원주서 | 271 |
| 박형주 | 연수서 | 309 |
| 박형진 | 남원서 | 387 |
| 박형진 | 포천서 | 315 |
| 박형호 | 남대문서 | 171 |
| 박형희 | 동래서 | 444 |
| 박형희 | 서광주서 | 373 |
| 박형희 | 남대문서 | 171 |
| 박혜경 | 종로서 | 209 |
| 박혜경 | 수원서 | 241 |
| 박혜경 | 안산서 | 246 |
| 박혜경 | 천안서 | 345 |
| 박혜경 | 부산청 | 437 |
| 박혜경 | 수영서 | 454 |
| 박혜경 | 다솔세무 | 35 |
| 박혜경 | 용산서 | 202 |
| 박혜림 | 창원서 | 474 |
| 박혜미 | 종로서 | 208 |
| 박혜민 | 서광주서 | 373 |
| 박혜빈 | 북대전서 | 326 |
| 박혜선 | 국세청 | 129 |
| 박혜선 | 인천청 | 280 |
| 박혜선 | 통영서 | 476 |
| 박혜성 | 울산서 | 203 |
| 박혜숙 | 관악서 | 165 |
| 박혜숙 | 아산서 | 340 |
| 박혜숙 | 조세심판 | 506 |
| 박혜신 | 삼성서 | 185 |
| 박혜연 | 제주서 | 478 |
| 박혜연 | 평택서 | 257 |
| 박혜영 | 남대구서 | 404 |
| 박혜옥 | 동대문서 | 177 |
| 박혜옥 | 이천서 | 254 |
| 박혜인 | 북부산서 | 450 |
| 박혜인 | 고시회 | 30 |
| 박혜인 | 남양주서 | 231 |
| 박혜정 | 서인천서 | 289 |
| 박혜정 | 강동서 | 161 |
| 박혜정 | 종로서 | 208 |
| 박혜지 | 울산서 | 461 |
| 박혜진 | 국세청 | 122 |
| 박혜진 | 서울청 | 154 |
| 박혜진 | 구로서 | 165 |
| 박혜진 | 구로서 | 166 |
| 박혜진 | 서초서 | 188 |
| 박혜진 | 성북서 | 193 |
| 박혜진 | 동수원서 | 233 |
| 박혜진 | 분당서 | 236 |
| 박혜진 | 강릉서 | 262 |
| 박혜진 | 광주청 | 360 |
| 박혜현 | 부천서 | 304 |
| 박호빈 | 거창서 | 465 |
| 박호용 | 서울청 | 148 |
| 박호일 | 평택서 | 257 |
| 박홍규 | 종로서 | 209 |
| 박홍균 | 광주서 | 368 |
| 박홍근 | 국회재정 | 56 |
| 박홍기 | 기재부 | 66 |
| 박홍기 | 서산서 | 336 |
| 박홍립 | 국세청 | 130 |
| 박홍범 | 해남서 | 383 |
| 박홍일 | 광주서 | 368 |
| 박홍자 | 동안산서 | 249 |
| 박홍제 | 동래서 | 444 |
| 박홍희 | 기재부 | 75 |
| 박화경 | 서부산서 | 453 |
| 박화선 | 중기회 | 103 |
| 박화영 | 조세재정 | 510 |
| 박환 | 부산청 | 360 |
| 박환대 | 감사원 | 63 |
| 박환진 | 기재부 | 71 |
| 박환협 | 서대구서 | 411 |
| 박회경 | 포천서 | 314 |
| 박효경 | 중부청 | 217 |
| 박효선 | 의정부서 | 310 |
| 박효숙 | 성남서 | 238 |
| 박효열 | 광주서 | 368 |
| 박효은 | 기재부 | 67 |
| 박효은 | 인천청 | 281 |
| 박효임 | 남대구서 | 405 |
| 박효정 | 익산서 | 390 |
| 박효준 | 영등포서 | 201 |
| 박효준 | 관악서 | 165 |
| 박효진 | 송파서 | 194 |
| 박효진 | 군산서 | 384 |
| 박효진 | 동래서 | 444 |
| 박효진 | 한올회계 | 27 |
| 박효진 | 순천서 | 378 |
| 박후진 | 기흥서 | 228 |
| 박훈수 | 김해서 | 466 |
| 박훈철 | 부산청 | 221 |
| 박홍수 | 중부청 | 220 |
| 박희경 | 경기광주 | 245 |
| 박희경 | 고양서 | 295 |
| 박희근 | 여삼서 | 199 |
| 박희근 | 포천서 | 314 |
| 박희달 | 종로서 | 208 |
| 박희도 | 서울청 | 138 |
| 박희령 | 김해서 | 467 |
| 박희병 | 관세청 | 483 |
| 박희상 | 강서서 | 162 |
| 박희수 | 종로서 | 67 |
| 박희숙 | 조세심판 | 507 |
| 박희숙 | 강릉서 | 262 |
| 박희술 | 해운대서 | 458 |
| 박희연 | 동안양서 | 234 |
| 박희영 | 영월서 | 269 |
| 박희영 | 남대구서 | 405 |
| 박희자 | 국세청 | 118 |
| 박희정 | 서울청 | 140 |
| 박희정 | 세종서 | 339 |
| 박희정 | 천안서 | 344 |
| 박희종 | 부산진서 | 446 |
| 박희주 | 광주세관 | 504 |
| 박희주 | 서현회계 | 7 |
| 박희진 | 삼성서 | 185 |
| 박희진 | 북부산서 | 451 |
| 박희찬 | 제주서 | 478 |
| 박희창 | 제주서 | 478 |
| 박병권 | 제천서 | 352 |
| 반승민 | 경기광주 | 245 |
| 반승희 | 수영서 | 454 |
| 반아성 | 경산서 | 414 |
| 반장윤 | 성남서 | 238 |
| 반재욱 | 계양서 | 293 |
| 반정원 | 동안산서 | 248 |
| 반종복 | 성동서 | 190 |
| 반종찬 | 분당서 | 237 |
| 방경규 | 남원서 | 387 |
| 방경선 | 북대전서 | 326 |
| 방경섭 | 연수서 | 308 |
| 방귀섭 | 북전주서 | 388 |
| 방금자 | 울산서 | 462 |
| 방대성 | 광주세관 | 501 |
| 방대성 | 광주세관 | 502 |
| 방문용 | 서울청 | 148 |
| 방미경 | 양천서 | 197 |
| 방미숙 | 연수서 | 309 |
| 방미주 | 중부청 | 218 |
| 방미키 | 동대구서 | 406 |
| 방민식 | 중부청 | 223 |
| 방서주 | 이천서 | 254 |
| 방선아 | 부천서 | 304 |
| 방선아 | 국세청 | 117 |
| 방선윤 | 부산진서 | 447 |
| 방성자 | 연수서 | 308 |
| 방소희 | 공주서 | 330 |
| 방솔비 | 종로서 | 208 |
| 방수민 | 해운대서 | 459 |
| 방순연 | 안산서 | 247 |
| 방아현 | 서광주서 | 344 |
| 방양석 | 서광주서 | 372 |
| 방여진 | 구리서 | 227 |
| 방영화 | 제천서 | 383 |
| 방예진 | 동안산서 | 248 |
| 방용익 | 속초서 | 267 |
| 방우리 | 기재부 | 69 |
| 방원석 | 마포서 | 180 |
| 방유미 | 종로서 | 209 |
| 방유진 | 부산청 | 438 |
| 방윤미 | 인천청 | 281 |
| 방은미 | 화성서 | 261 |
| 방은정 | 종로서 | 208 |
| 방은혜 | 수영서 | 455 |
| 방재필 | 제천서 | 352 |
| 방정근 | 남양주서 | 231 |
| 방정원 | 전주서 | 393 |
| 방정원 | 광주청 | 393 |
| 방종호 | 서울청 | 154 |
| 방준석 | 천안서 | 345 |
| 방지선 | 기재부 | 70 |
| 방하준 | 중부청 | 223 |
| 방하준 | 국세청 | 368 |
| 방현정 | 북광주서 | 370 |
| 방혜선 | 강동서 | 161 |
| 방혜연 | 김포서 | 298 |
| 방휴연 | 춘천서 | 272 |
| 방희수 | 기재부 | 70 |
| 배건석 | 대구청 | 403 |
| 배경은 | 의정부서 | 311 |
| 배경자 | 서울청 | 154 |
| 배경화 | 기재부 | 77 |
| 배경환 | 동작서 | 179 |
| 배경희 | 대전청 | 319 |
| 배광한 | 마산서 | 469 |
| 배기득 | 김해서 | 467 |
| 배기연 | 국세청 | 126 |
| 배기윤 | 서부산서 | 452 |
| 배달환 | 부산청 | 437 |
| 배덕렬 | 송파서 | 195 |
| 배동노 | 안동서 | 425 |
| 배동환 | 도봉서 | 175 |
| 배동희 | 인천청 | 283 |
| 배두리 | 동대문서 | 177 |
| 배명선 | 의정부서 | 311 |
| 배명수 | 평택서 | 257 |
| 배명한 | 부산강서 | 448 |
| 배문경 | 서울청 | 139 |
| 배문수 | 보령서 | 335 |
| 배미경 | 서울청 | 136 |
| 배미영 | 창원서 | 474 |
| 배미영 | 고시회 | 30 |
| 배미일 | 서울청 | 148 |
| 배미현 | 기재부 | 84 |
| 배민경 | 서울청 | 415 |
| 배민예 | 광주청 | 361 |
| 배민우 | 기재부 | 81 |
| 배민우 | 도봉서 | 174 |
| 배민정 | 영등포서 | 201 |
| 배민정 | 서대구서 | 411 |
| 배민주 | 서초서 | 188 |
| 배민혜 | 세종서 | 338 |
| 배병관 | 기재부 | 75 |
| 배병석 | 중부청 | 222 |
| 배병윤 | 조세심판 | 506 |
| 배삼동 | 목포서 | 377 |
| 배상록 | 국세청 | 120 |
| 배상미 | 중랑서 | 211 |
| 배상용 | 경기광주 | 245 |
| 배상원 | 서울청 | 143 |
| 배상윤 | 화성서 | 162 |
| 배상철 | 영등포서 | 200 |
| 배석 | 국세청 | 106 |
| 배석관 | 영주서 | 428 |
| 배석환 | 서울청 | 135 |
| 배선경 | 마산서 | 468 |
| 배선미 | 김해서 | 467 |
| 배설희 | 원주서 | 271 |
| 배성관 | 광산서 | 366 |
| 배성수 | 인천청 | 282 |
| 배성심 | 계양서 | 292 |
| 배성연 | 서울청 | 139 |
| 배성원 | 서부산서 | 452 |
| 배성은 | 전주서 | 393 |
| 배성진 | 서울청 | 147 |
| 배성한 | 천안서 | 345 |
| 배성한 | 남대문서 | 171 |
| 배성현 | 기재부 | 76 |
| 배성혜 | 광명서 | 297 |
| 배성호 | 종로서 | 209 |
| 배성호 | 인천지방 | 33 |
| 배세령 | 경주서 | 417 |
| 배소언 | 해운대서 | 458 |
| 배소연 | 부산진서 | 447 |
| 배소영 | 대구청 | 400 |
| 배소희 | 동래서 | 445 |
| 배수일 | 성북서 | 192 |
| 배수지 | 관악서 | 164 |
| 배수진 | 북대구서 | 409 |
| 배수진 | 창원서 | 475 |
| 배숙희 | 순천서 | 378 |
| 배순출 | 서울청 | 140 |
| 배슬기 | 광주서 | 360 |
| 배승준 | 울산서 | 463 |
| 배승현 | 진주서 | 473 |
| 배시환 | 남대구서 | 404 |
| 배영섭 | 동수원서 | 233 |
| 배영애 | 울산서 | 463 |
| 배영옥 | 대구청 | 398 |
| 배영 | 진주서 | 472 |
| 배영태 | 북전주서 | 388 |
| 배영태 | 서부산서 | 452 |
| 배영호 | 창원서 | 474 |
| 배영현 | 남대구서 | 404 |
| 배옥현 | 금천서 | 168 |
| 배용현 | 수영서 | 455 |
| 배우리 | 잠실서 | 206 |
| 배원만 | 용산서 | 202 |
| 배원준 | 영월서 | 268 |
| 배원희 | 성동서 | 190 |
| 배유진 | 국세청 | 123 |
| 배윤정 | 인천청 | 279 |
| 배윤승 | 북전주서 | 388 |
| 배윤제 | 포항서 | 430 |
| 배은경 | 대전청 | 322 |
| 배은상 | 인천서 | 290 |
| 배은선 | 광주청 | 361 |
| 배은아 | 서울청 | 147 |
| 배은울 | 강서서 | 163 |
| 배은정 | 순천서 | 378 |
| 배은주 | 서대전서 | 329 |
| 배은지 | 김해서 | 466 |
| 배을주 | 용산서 | 202 |
| 배이화 | 마포서 | 180 |
| 배익준 | 북대구서 | 408 |
| 배인수 | 중부서 | 212 |
| 배인수 | 남동서 | 287 |
| 배인수 | 법무광장 | 49 |
| 배인순 | 국세청 | 109 |
| 배인애 | 파주서 | 313 |
| 배인희 | 이천서 | 255 |
| 배일난 | 속초서 | 266 |
| 배자강 | 안산서 | 246 |
| 배장완 | 중부서 | 213 |
| 배재연 | 부산청 | 435 |
| 배재학 | 평택서 | 257 |
| 배재현 | 동울산서 | 460 |
| 배재호 | 연수서 | 308 |
| 배재호 | 수성서 | 413 |
| 배재호 | 포항서 | 430 |
| 배재홍 | 삼성서 | 185 |
| 배재홍 | 대구청 | 398 |
| 배정미 | 부평서 | 307 |
| 배정민 | 안산서 | 247 |
| 배정숙 | 구리서 | 226 |
| 배정우 | 전주서 | 392 |
| 배정주 | 전주서 | 392 |
| 배정현 | 용산서 | 202 |
| 배정현 | 경기광주 | 245 |
| 배정화 | 국세청 | 128 |
| 배제섭 | 거창서 | 465 |
| 배종섭 | 서울청 | 134 |
| 배종진 | 익산서 | 390 |

| 이름 | 소속 | 쪽 |
|---|---|---|
| 배주섭 | 삼성서 | 184 |
| 배주애 | 광주청 | 363 |
| 배주원 | 수영서 | 455 |
| 배주현 | 관악서 | 165 |
| 배주환 | 서울청 | 144 |
| 배준 | 북대전서 | 327 |
| 배준영 | 광명서 | 296 |
| 배준용 | 파주서 | 312 |
| 배준철 | 진주서 | 473 |
| 배준형 | 기재부 | 75 |
| 배준혜 | 기재부 | 73 |
| 배준호 | 여수서 | 380 |
| 배준환 | 감사원 | 62 |
| 배중혁 | 중부청 | 222 |
| 배지민 | 동고양서 | 301 |
| 배지연 | 동안양서 | 235 |
| 배지영 | 용산서 | 203 |
| 배지원 | 국세청 | 107 |
| 배지원 | 해운대서 | 459 |
| 배지은 | 연수서 | 308 |
| 배지현 | 마산서 | 468 |
| 배지현 | 양산서 | 470 |
| 배지호 | 조세재정 | 510 |
| 배지홍 | 조세재정 | 511 |
| 배지환 | 마산서 | 469 |
| 배지환 | 의정부서 | 310 |
| 배지훈 | 현대회계 | 28 |
| 배진 | 중부청 | 225 |
| 배진경 | 구로서 | 166 |
| 배진근 | 서울청 | 145 |
| 배진령 | 중부청 | 223 |
| 배진만 | 서광주서 | 459 |
| 배진우 | 서광주서 | 372 |
| 배진우 | 구미서 | 419 |
| 배진오 | 금천서 | 240 |
| 배진호 | 금천서 | 168 |
| 배진희 | 대구청 | 402 |
| 배철숙 | 서울청 | 152 |
| 배태랑 | 기재부 | 67 |
| 배택현 | 다솔세무 | 35 |
| 배한솜 | 순천서 | 378 |
| 배현경 | 부산청 | 438 |
| 배현경 | 조세재정 | 508 |
| 배현옥 | 서광주서 | 372 |
| 배현우 | 국세청 | 164 |
| 배현정 | 도봉서 | 175 |
| 배현주 | 강남서 | 158 |
| 배현중 | 기재부 | 68 |
| 배현호 | 조세재정 | 508 |
| 배형수 | 포항서 | 430 |
| 배형은 | 동고양서 | 300 |
| 배형천 | 부천서 | 304 |
| 배형철 | 양산서 | 470 |
| 배혜원 | 강서서 | 163 |
| 배혜진 | 상주서 | 422 |
| 배호기 | 서현회계 | 7 |
| 배홍기 | 인천청 | 280 |
| 배효정 | 대전청 | 324 |
| 배희정 | 기재부 | 71 |
| 백가연 | 마포서 | 180 |
| 백가영 | 조세재정 | 509 |
| 백경령 | 서산서 | 336 |
| 백경모 | 경기광주 | 245 |
| 백경미 | 서울청 | 152 |
| 백경유 | 경주서 | 417 |
| 백경엽 | 동대구서 | 406 |
| 백경훈 | 서산서 | 189 |
| 백계민 | 광주청 | 359 |
| 백계민 | 광주청 | 362 |
| 백계현 | 광주청 | 363 |
| 백고은 | 국세청 | 129 |
| 백광민 | 금정서 | 442 |
| 백광호 | 광주서 | 368 |
| 백광환 | 인천공항 | 492 |
| 백귀순 | 속초서 | 266 |
| 백규현 | 보령서 | 334 |
| 백근민 | 동안양서 | 235 |
| 백근허 | 수성서 | 412 |
| 백기량 | 광주청 | 362 |
| 백기연 | 도봉서 | 175 |
| 백기현 | 다솔세무 | 35 |
| 백기호 | 순천서 | 378 |
| 백남중 | 순천서 | 378 |
| 백남훈 | 화성서 | 260 |
| 백남훈 | 도봉서 | 174 |
| 백누리 | 기재부 | 70 |
| 백다정 | 인천청 | 280 |
| 백도선 | 부산세관 | 495 |
| 백도선 | 부산세관 | 497 |
| 백동욱 | 중기회 | 102 |
| 백동욱 | 서울청 | 150 |
| 백동재 | 동울산서 | 461 |
| 백두산 | 분당서 | 237 |
| 백두열 | 성남서 | 239 |
| 백만리 | 도봉서 | 175 |
| 백미나 | 수원서 | 240 |
| 백미순 | 북대전서 | 326 |
| 백미연 | 춘천서 | 272 |
| 백미주 | 북대구서 | 409 |
| 백민경 | 김해서 | 467 |
| 백민웅 | 국세청 | 111 |
| 백민정 | 아산서 | 340 |
| 백보민 | 성동서 | 190 |
| 백상순 | 김해서 | 466 |
| 백상영 | 성동서 | 190 |
| 백상인 | 양산서 | 470 |
| 백상현 | 통영서 | 477 |
| 백상훈 | 부산청 | 436 |
| 백선기 | 북부산서 | 451 |
| 백선미 | 금정서 | 442 |
| 백선애 | 인천청 | 284 |
| 백선우 | 동래서 | 445 |
| 백선주 | 북대전서 | 326 |
| 백설희 | 중랑서 | 210 |
| 백성경 | 창원서 | 475 |
| 백성교 | 금감원 | 100 |
| 백성기 | 마포서 | 180 |
| 백성욱 | 동청주서 | 348 |
| 백성종 | 서울청 | 135 |
| 백성철 | 김천서 | 420 |
| 백성태 | 잠실서 | 207 |
| 백소이 | 수원서 | 240 |
| 백소희 | 동수원서 | 233 |
| 백송교 | 서울청 | 157 |
| 백수경 | 서울청 | 147 |
| 백수빈 | 연수서 | 308 |
| 백수아 | 대전청 | 320 |
| 백수지 | 수영서 | 454 |
| 백수희 | 역삼서 | 198 |
| 백순복 | 금정서 | 442 |
| 백순옥 | 서울청 | 137 |
| 백순종 | 부산진서 | 447 |
| 백승교 | 성현회계 | 11 |
| 백승권 | 중부청 | 216 |
| 백승목 | 삼정회계 | 19 |
| 백승민 | 예산서 | 343 |
| 백승범 | 서초서 | 189 |
| 백승아 | 북대전서 | 326 |
| 백승연 | 동울산서 | 460 |
| 백승옥 | 수영서 | 455 |
| 백승우 | 중부청 | 220 |
| 백승우 | 중부산서 | 457 |
| 백승우 | 현대회계 | 28 |
| 백승필 | 이안세무 | 41 |
| 백승학 | 금감원 | 90 |
| 백승학 | 마포서 | 181 |
| 백승한 | 익산서 | 391 |
| 백승현 | 서대문서 | 187 |
| 백승현 | 전주서 | 392 |
| 백승현 | 노원서 | 172 |
| 백승현 | 삼정회계 | 20 |
| 백승호 | 진주서 | 472 |
| 백승호 | 서울청 | 151 |
| 백승화 | 시흥서 | 242 |
| 백승훈 | 금정서 | 443 |
| 백승희 | 서현회계 | 6 |
| 백신기 | 국세청 | 123 |
| 백아름 | 국세청 | 120 |
| 백아영 | 부산진서 | 446 |
| 백연비 | 은평서 | 205 |
| 백연주 | 전주서 | 392 |
| 백연하 | 서울청 | 145 |
| 백연희 | 국세청 | 116 |
| 백영상 | 성동서 | 190 |
| 백영선 | 수영서 | 455 |
| 백영선 | 성동서 | 191 |
| 백영신 | 청주서 | 354 |
| 백영일 | 서울청 | 154 |
| 백영일 | 청주서 | 202 |
| 백오숙 | 청주서 | 354 |
| 백완수 | 김앤장 | 47 |
| 백우현 | 서울청 | 135 |
| 백우현 | 김앤장 | 47 |
| 백운기 | 중부산서 | 456 |
| 백원기 | 김앤장 | 47 |
| 백원길 | 익산서 | 391 |
| 백원철 | 강서서 | 163 |
| 백원철 | 전주서 | 393 |
| 백유기 | 구미서 | 419 |
| 백유림 | 국세청 | 109 |
| 백유영 | 종로서 | 209 |
| 백유진 | 동안양서 | 199 |
| 백유진 | 영월서 | 234 |
| 백윤웅 | 기재부 | 269 |
| 백윤정 | 서울청 | 82 |
| 백윤헌 | 원주서 | 271 |
| 백은호 | 현대회계 | 28 |
| 백은경 | 서울청 | 134 |
| 백은경 | 강남서 | 158 |
| 백은경 | 서울청 | 198 |
| 백은실 | 종로서 | 208 |
| 백은주 | 부산진서 | 447 |
| 백은혜 | 국세청 | 107 |
| 백은혜 | 중부청 | 220 |
| 백인수 | 제주서 | 478 |
| 백인일 | 국세청 | 322 |
| 백인정 | 대전청 | 318 |
| 백인혜 | 부산서 | 434 |
| 백인희 | 서인천서 | 237 |
| 백일홍 | 춘천서 | 273 |
| 백장미 | 서인천서 | 288 |
| 백재은 | 관세서 | 481 |
| 백정하 | 광명서 | 297 |
| 백정화 | 중부청 | 218 |
| 백정후 | 반포서 | 183 |
| 백제흠 | 울산서 | 463 |
| 백제흠 | 법무세종 | 50 |
| 백종덕 | 법무바른 | 1 |
| 백종렬 | 금정서 | 443 |
| 백종민 | 서울청 | 116 |
| 백종선 | 조세재정 | 509 |
| 백종욱 | 북부산서 | 451 |
| 백종현 | 전주서 | 392 |
| 백주현 | 부산청 | 436 |
| 백준호 | 세종서 | 339 |
| 백지연 | 기재부 | 77 |
| 백지연 | 성남서 | 238 |
| 백지연 | 경주서 | 416 |
| 백지원 | 노원서 | 173 |
| 백지원 | 광주서 | 360 |
| 백지원 | 동울산서 | 461 |
| 백지원 | 기재부 | 68 |
| 백지은 | 기재부 | 68 |
| 백지은 | 나주서 | 374 |
| 백지은 | 진주서 | 472 |
| 백지훈 | 국세청 | 125 |
| 백지훈 | 부산청 | 435 |
| 백진걸 | 광주세관 | 504 |
| 백진미 | 동래서 | 445 |
| 백진우 | 역삼서 | 199 |
| 백진이 | 동고양서 | 300 |
| 백진주 | 서초서 | 189 |
| 백진현 | 춘천서 | 272 |
| 백진현 | 평택서 | 257 |
| 백진호 | 인천청 | 279 |
| 백창원 | 기재부 | 82 |
| 백창욱 | 관세사회 | 42 |
| 백천욱 | 삼정회계 | 19 |
| 백철주 | 광주청 | 361 |
| 백태후 | 송파서 | 195 |
| 백태후 | 안양서 | 251 |
| 백하나 | 고양서 | 294 |
| 백하나 | 서울청 | 143 |
| 백현식 | 천안서 | 345 |
| 백현우 | 택스홈 | 38 |
| 백현주 | 관세사회 | 42 |
| 백혜정 | 청주서 | 355 |
| 백홍교 | 순천서 | 379 |
| 백효정 | 북대구서 | 408 |
| 백효희 | 대구청 | 398 |
| 백희태 | 경산서 | 414 |
| 범수희 | 나주서 | 374 |
| 범수만 | 용산서 | 203 |
| 범정옥 | 성동서 | 191 |
| 범지호 | 계양서 | 292 |
| 범진완 | 기재부 | 73 |
| 변경옥 | 조세재정 | 508 |
| 변경욱 | 국세청 | 128 |
| 변관우 | 제주서 | 478 |
| 변관률 | 창원서 | 475 |
| 변광호 | 중랑서 | 210 |
| 변광호 | 분당서 | 237 |
| 변다연 | 김앤장 | 47 |
| 변동석 | 구로서 | 167 |
| 변문건 | 동청주서 | 348 |
| 변민석 | 부산서 | 434 |
| 변민영 | 북대전서 | 327 |
| 변민정 | 제주서 | 478 |
| 변민정 | 조세재정 | 510 |
| 변병돈 | 영등포서 | 201 |
| 변상미 | 구리서 | 227 |
| 변상미 | 서산서 | 336 |
| 변상원 | 하나세무 | 39 |
| 변석영 | 광주세관 | 505 |
| 변선정 | 양천서 | 196 |
| 변성규 | 인천청 | 279 |
| 변성구 | 관악서 | 165 |
| 변성규 | 강서서 | 162 |
| 변성욱 | 서울청 | 137 |
| 변성익 | 성북서 | 192 |
| 변성희 | 고양서 | 294 |
| 변수미 | 강남서 | 158 |
| 변수영 | 경주서 | 416 |
| 변숙자 | 부산진서 | 446 |
| 변승무 | 금감원 | 92 |
| 변승철 | 익산서 | 391 |
| 변애정 | 남대문서 | 170 |
| 변연주 | 김천서 | 421 |
| 변영선 | 삼일회계 | 17 |
| 변영실 | 서울청 | 143 |
| 변영철 | 서대구서 | 411 |
| 변영훈 | 삼정회계 | 18 |
| 변우성 | 국세청 | 113 |
| 변우현 | 삼성서 | 185 |
| 변유슬 | 금천서 | 168 |
| 변유경 | 부산진서 | 447 |
| 변은지 | 익산서 | 390 |
| 변은진 | 기재부 | 67 |
| 변은희 | 국세청 | 129 |
| 변은희 | 마산서 | 469 |
| 변은희 | 조세재정 | 510 |
| 변이슬 | 안양서 | 250 |
| 변인영 | 기재부 | 77 |
| 변재만 | 광주청 | 365 |
| 변재만 | 경주서 | 417 |
| 변재완 | 금감원 | 91 |
| 변정 | 동작서 | 178 |
| 변정기 | 동대문서 | 176 |
| 변정안 | 구미서 | 418 |
| 변정연 | 남동서 | 286 |
| 변정은 | 기재부 | 69 |
| 변종철 | 아산서 | 340 |
| 변종희 | 평택서 | 256 |
| 변지냐 | 정읍서 | 395 |
| 변지야 | 서초서 | 188 |
| 변지연 | 기재부 | 81 |
| 변지현 | 서울청 | 144 |
| 변지흠 | 경주서 | 417 |
| 변진형 | 고양서 | 295 |
| 변철용 | 시흥서 | 242 |
| 변태민 | 남양주서 | 231 |
| 변한인 | 시흥서 | 243 |
| 변해일 | 동고양서 | 301 |
| 변행열 | 성동서 | 190 |
| 변혜림 | 성동서 | 191 |
| 변혜정 | 국세청 | 112 |
| 변혜정 | 서울청 | 113 |
| 변혜정 | 동울산서 | 460 |
| 변호현 | 구미서 | 419 |
| 변효정 | 서인천서 | 288 |
| 변희경 | 중부청 | 220 |
| 변희란 | 법무세종 | 50 |
| 변희정 | 보팀 | 86 |
| 복경아 | 금융위 | 168 |
| 복소정 | 구미서 | 419 |
| 복우현 | 도봉서 | 174 |
| 복지세 | 대전청 | 319 |
| 복지세 | 대전청 | 319 |
| 복지현 | 인천서 | 291 |
| 복현경 | 경주서 | 417 |
| 봉선영 | 파주서 | 313 |
| 봉선영 | 서울청 | 152 |
| 봉선현 | 조세재정 | 511 |
| 봉의지 | 거창서 | 465 |
| 봉재연 | 조세재정 | 510 |
| 봉지영 | 금감원 | 96 |
| 봉진영 | 국세청 | 110 |
| 부강석 | 양산서 | 470 |
| 부나리 | 은평서 | 205 |
| 부명현 | 서울청 | 137 |
| 부상석 | 제주서 | 478 |
| 부윤신 | 용산서 | 203 |
| 부정보 | 국세청 | 110 |
| 부혜숙 | 서울청 | 153 |
| 빅상길 | 부산진서 | 447 |
| 빈수진 | 강동서 | 161 |
| 빈효준 | 영등포서 | 201 |

## ㅅ

| 이름 | 소속 | 쪽 |
|---|---|---|
| 사명환 | 마포서 | 181 |
| 사혜원 | 구로서 | 166 |
| 상목 | 기재부 | 66 |
| 서가은 | 평택서 | 256 |
| 서가현 | 마산서 | 469 |
| 서강현 | 양천서 | 197 |
| 서강훈 | 금감원 | 91 |
| 서경국 | 현대회계 | 28 |
| 서경덕 | 남동서 | 287 |
| 서경무 | 해남서 | 383 |
| 서경복 | 부산세관 | 496 |
| 서경석 | 인천청 | 278 |
| 서경심 | 수영서 | 454 |
| 서경원 | 상주서 | 423 |
| 서경원 | 동작서 | 178 |
| 서경철 | 중부청 | 223 |
| 서경하 | 도봉서 | 175 |
| 서경하 | 세종서 | 338 |
| 서계영 | 관악서 | 164 |
| 서계주 | 수영서 | 455 |
| 서광기 | 대구청 | 400 |
| 서광렬 | 여수서 | 380 |
| 서광현 | 의정부서 | 310 |
| 서광환 | 양천서 | 196 |
| 서귀자 | 삼릉세무 | 37 |
| 서귀환 | 북부산서 | 450 |
| 서근석 | 서울청 | 135 |
| 서기열 | 서광주서 | 372 |
| 서기영 | 동울산서 | 460 |
| 서기원 | 파주서 | 312 |
| 서기원 | 화성서 | 260 |
| 서기원 | 동수원서 | 233 |
| 서기원 | 부산청 | 439 |
| 서기정 | 한솔회계 | 27 |
| 서기철 | 동명서 | 477 |
| 서기훈 | 금감원 | 91 |
| 서남일 | 김포서 | 298 |
| 서나나 | 서울청 | 140 |
| 서나나 | 조세재정 | 511 |
| 서대성 | 세종서 | 338 |
| 서대영 | 북대구서 | 408 |
| 서대현 | 조세재정 | 510 |
| 서덕영 | 시흥서 | 242 |
| 서덕원 | 김앤장 | 47 |
| 서돈건 | 국세청 | 128 |
| 서동경 | 성현회계 | 11 |
| 서동구 | 성남서 | 239 |
| 서동규 | 조세재정 | 510 |
| 서동민 | 아산서 | 341 |
| 서동선 | 동화성서 | 258 |
| 서동연 | 조세재정 | 508 |
| 서동옥 | 포천서 | 314 |
| 서동우 | 역삼서 | 198 |
| 서동욱 | 광명서 | 296 |
| 서동욱 | 감사원 | 62 |
| 서동영 | 속초서 | 266 |
| 서동인 | 안동서 | 424 |
| 서동정 | 여수서 | 380 |
| 서동진 | 익산서 | 390 |
| 서동현 | 포천서 | 314 |
| 서동현 | 북광주서 | 370 |
| 서두환 | 홍성서 | 347 |
| 서래훈 | 안산서 | 246 |
| 서만규 | 포천서 | 314 |
| 서명국 | 현대회계 | 28 |
| 서명권 | 인천청 | 283 |
| 서명옥 | 익산서 | 390 |
| 서명자 | 북대전서 | 326 |
| 서명준 | 광주세관 | 504 |
| 서명진 | 해운대서 | 458 |
| 서명진 | 서울청 | 145 |
| 서문경 | 반포서 | 183 |
| 서문교 | 부산청 | 437 |
| 서문영 | 부천서 | 305 |
| 서문지영 | 인천청 | 282 |
| 서미 | 중부서 | 213 |
| 서미경 | 남대문서 | 176 |
| 서미래 | 화성서 | 260 |
| 서미리 | 반포서 | 183 |
| 서미선 | 서울청 | 138 |
| 서미선 | 성동서 | 190 |

| 이름 | 소속 | 번호 | 이름 | 소속 | 번호 | 이름 | 소속 | 번호 | 이름 | 소속 | 번호 | 이름 | 소속 | 번호 |
|---|---|---|---|---|---|---|---|---|---|---|---|---|---|---|
| 서미선 | 마산서 | 468 | 서영호 | 중랑서 | 210 | 서정우 | 서울청 | 148 | 서효정 | 양천서 | 197 | 성기동 | 중기회 | 102 |
| 서미순 | 여수서 | 380 | 서영환 | 기재부 | 76 | 서정우 | 경기광주 | 245 | 서효진 | 통영서 | 477 | 성기영 | 종로서 | 208 |
| 서미애 | 동고양서 | 300 | 서예림 | 서울서 | 136 | 서정욱 | 구미서 | 419 | 서귀희 | 안동서 | 424 | 성기영 | 금천서 | 169 |
| 서미연 | 국세청 | 109 | 서예빈 | 화성서 | 260 | 서정은 | 기재부 | 77 | 서대겸 | 서부산서 | 452 | 성기웅 | 기재부 | 81 |
| 서미영 | 강서서 | 163 | 서예원 | 서부산서 | 453 | 서정은 | 진주서 | 473 | 석민 | 기재부 | 77 | 성기일 | 국세청 | 116 |
| 서미영 | 송파서 | 195 | 서예주 | 서부산서 | 453 | 서정원 | 북대전서 | 326 | 석민구 | 국세청 | 128 | 성기일 | 금정서 | 443 |
| 서미영 | 부산청 | 435 | 서예진 | 양산서 | 471 | 서정원 | 아산서 | 341 | 석산호 | 김포서 | 299 | 성기창 | 중기회 | 103 |
| 서미영 | 북부산서 | 451 | 서옥배 | 기재부 | 335 | 서정은 | 반포서 | 183 | 석상훈 | 기재부 | 80 | 성낙진 | 김해서 | 466 |
| 서미정 | 수성서 | 412 | 서용범 | 삼일회계 | 17 | 서정은 | 대전청 | 319 | 석수현 | 북대구서 | 408 | 성낙진 | 다솔세무 | 35 |
| 서민경 | 송파서 | 194 | 서용석 | 국세청 | 109 | 서정은 | 반포서 | 182 | 석영일 | 이천서 | 254 | 성대진 | 천안서 | 304 |
| 서민재 | 공주서 | 330 | 서용준 | 통영서 | 477 | 서정주 | 광주세관 | 505 | 석용길 | 구미서 | 418 | 성대경 | 은평서 | 205 |
| 서민덕 | 대전서 | 325 | 서용준 | 역삼서 | 199 | 서정헌 | 중기회 | 102 | 석용훈 | 중부청 | 217 | 성대경 | 중부산서 | 457 |
| 서민성 | 평택서 | 256 | 서용택 | 인천공항 | 492 | 서정호 | 서울청 | 144 | 석원영 | 대전청 | 321 | 성도현 | 서광주서 | 372 |
| 서민수 | 서울청 | 142 | 서용하 | 대전서 | 323 | 서정훈 | 안산서 | 247 | 석이선 | 부산청 | 437 | 성동연 | 강남서 | 159 |
| 서민수 | 대구청 | 402 | 서용현 | 서울청 | 152 | 서정훈 | 광주세관 | 505 | 석장수 | 서울청 | 217 | 성명은 | 광주청 | 364 |
| 서민아 | 딜로이트 | 13 | 서용훈 | 안산서 | 246 | 서정희 | 동래서 | 445 | 석재승 | 금감원 | 94 | 성명재 | 북부주서 | 389 |
| 서민아 | 기재부 | 76 | 서우형 | 영덕서 | 427 | 서종율 | 동래서 | 444 | 석정훈 | 이천서 | 254 | 성명경 | 통영서 | 477 |
| 서민우 | 서울청 | 147 | 서운용 | 동작서 | 179 | 서주아 | 노원서 | 173 | 석정훈 | 현대회계 | 28 | 성미로 | 파주서 | 312 |
| 서민원 | 청주서 | 354 | 서원상 | 화성서 | 260 | 서주영 | 김해서 | 467 | 석종국 | 북대구서 | 409 | 성미숙 | 마포서 | 180 |
| 서민자 | 서울청 | 148 | 서원주 | 광명서 | 297 | 서주영 | 조세재정 | 508 | 석종훈 | 남양주서 | 231 | 성민규 | 양산서 | 250 |
| 서민재 | 해운대서 | 458 | 서원주 | 광주세관 | 504 | 서주현 | 서울청 | 154 | 석지영 | 서울청 | 152 | 성민수 | 동래서 | 445 |
| 서민정 | 도봉서 | 174 | 서원철 | 중기회 | 102 | 서주희 | 인천청 | 278 | 석지원 | 기재부 | 74 | 성민지 | 영주서 | 428 |
| 서민정 | 창원서 | 474 | 서원희 | 공주서 | 331 | 서주희 | 김해서 | 466 | 석지원 | 화성서 | 260 | 성병규 | 주천서 | 355 |
| 서민지 | 부천서 | 305 | 서위숙 | 서인천서 | 288 | 서준 | 평택서 | 256 | 석지윤 | 남대문서 | 171 | 성병규 | 부산청 | 440 |
| 서민철 | 국세청 | 128 | 서유리 | 부산지서 | 446 | 서준석 | 국세청 | 108 | 석지훈 | 대전서 | 324 | 성병모 | 중부청 | 221 |
| 서민하 | 광주청 | 360 | 서유미 | 해남서 | 130 | 서준영 | 김해서 | 467 | 석진백 | 북부산서 | 451 | 성보장 | 광주청 | 297 |
| 서백영 | 삼일회계 | 16 | 서유빈 | 양산서 | 470 | 서준영 | 김해서 | 467 | 석진안 | 서대전서 | 328 | 성봉주 | 강동서 | 160 |
| 서범석 | 국세청 | 121 | 서유식 | 중부서 | 217 | 서준익 | 기재부 | 75 | 석진영 | 대전청 | 321 | 성봉준 | 금정서 | 443 |
| 서병관 | 기재부 | 78 | 서유진 | 인천청 | 281 | 서준호 | 광주세관 | 505 | 석진연 | 춘천서 | 198 | 성상용 | 조세재정 | 27 |
| 서병희 | 해남서 | 383 | 서유진 | 김해서 | 467 | 서지나 | 대구청 | 402 | 석진호 | 화성서 | 261 | 성상진 | 서부산서 | 453 |
| 서보경 | 익산서 | 390 | 서유진 | 삼정회계 | 19 | 서지민 | 국세청 | 121 | 석창휴 | 인천세관 | 490 | 성상현 | 남부수원서 | 303 |
| 서보림 | 광명서 | 297 | 서유진 | 삼정회계 | 19 | 서지상 | 분당서 | 237 | 석하경 | 관악서 | 194 | 성수미 | 동작서 | 232 |
| 서보미 | 관악서 | 165 | 서유희 | 부산청 | 434 | 서지아 | 속초서 | 267 | 석해수 | 아산서 | 340 | 성수민 | 광주세관 | 178 |
| 서봉규 | 김앤장 | 47 | 서유경 | 마산서 | 468 | 서지연 | 기재부 | 72 | 석혜숙 | 부산진서 | 447 | 성수지 | 진주서 | 505 |
| 서봉수 | 예일세무 | 40 | 서윤식 | 은평서 | 205 | 서지영 | 국세청 | 110 | 석혜원 | 용인서 | 252 | 성승민 | 인천청 | 473 |
| 서삼미 | 국세청 | 194 | 서윤식 | 다솔세무 | 35 | 서지영 | 서울청 | 137 | 석혜조 | 서울청 | 155 | 성시일 | 김천서 | 280 |
| 서상범 | 순천서 | 379 | 서윤식 | 다솔세무 | 35 | 서지용 | 조세심판 | 507 | 석호정 | 관악서 | 164 | 성시준 | 삼일회계 | 17 |
| 서상순 | 대구청 | 401 | 서윤정 | 기재부 | 69 | 서지용 | 조세심판 | 507 | 석호정 | 노원서 | 173 | 성시현 | 예일세무 | 40 |
| 서상순 | 북대구서 | 409 | 서윤희 | 중부청 | 218 | 서지우 | 김포서 | 299 | 선가희 | 동수원서 | 232 | 성아림 | 기재부 | 78 |
| 서상우 | 광주세관 | 504 | 서은애 | 김남서 | 239 | 서지웅 | 광주세관 | 502 | 선경미 | 정읍서 | 395 | 성아영 | 국세청 | 115 |
| 서상율 | 창원서 | 475 | 서은영 | 연수서 | 308 | 서지원 | 중부산서 | 456 | 선경식 | 의정부서 | 311 | 성연일 | 서초서 | 189 |
| 서상호 | 광주서 | 369 | 서은우 | 동청주서 | 348 | 서지현 | 성남서 | 239 | 선광재 | 남대구서 | 404 | 성영수 | 한올회계 | 27 |
| 서석제 | 기재부 | 67 | 서은정 | 경주서 | 416 | 서지현 | 경산서 | 414 | 선규성 | 나주서 | 374 | 성영제 | 안동서 | 424 |
| 서석준 | EY한영 | 12 | 서은정 | 삼성서 | 185 | 서지형 | 남동서 | 287 | 선명우 | 예산서 | 343 | 성용준 | 김감원 | 98 |
| 서석현 | 연수서 | 309 | 서은정 | 마포서 | 181 | 서지훈 | 대구청 | 402 | 선민규 | 삼일회계 | 17 | 성용훈 | 서울청 | 149 |
| 서선 | 양천서 | 196 | 서은주 | 마포서 | 181 | 서지희 | 인천청 | 280 | 선민준 | 춘천서 | 272 | 성원영 | 대구청 | 402 |
| 서성덕 | 마산서 | 468 | 서은주 | 광주세관 | 504 | 서진 | 국세청 | 128 | 선민호 | 김해서 | 466 | 성유경 | 조세재정 | 508 |
| 서성철 | 동안양서 | 234 | 서은지 | 서울청 | 290 | 서진형 | 동래서 | 445 | 선병오 | 삼일회계 | 16 | 성유미 | 평택서 | 256 |
| 서성현 | 국세청 | 111 | 서은지 | 해남서 | 383 | 서진호 | 서초서 | 188 | 선봉관 | 영등포서 | 201 | 성유빈 | 분당서 | 236 |
| 서성현 | 국세청 | 120 | 서은철 | 서울청 | 135 | 서진호 | 영등포서 | 201 | 선소임 | 동수원서 | 233 | 성유진 | 국세청 | 106 |
| 서세형 | 서인천서 | 288 | 서은혜 | 기재부 | 68 | 서진희 | 세종서 | 338 | 선승근 | 광주세관 | 502 | 성은경 | 동대구서 | 206 |
| 서소담 | 구미서 | 418 | 서은혜 | 남대구서 | 404 | 서창덕 | 인천청 | 279 | 선승민 | 이천서 | 255 | 성은애 | 양천서 | 196 |
| 서소진 | 서대구서 | 411 | 서은혜 | 부산서 | 438 | 서창영 | 금감원 | 90 | 선양기 | 목포서 | 377 | 성인섭 | 국세청 | 131 |
| 서슬지 | 거창서 | 465 | 서은혜 | 조세재정 | 510 | 서창영 | 서산서 | 337 | 선연자 | 서울청 | 134 | 성인영 | 기재부 | 79 |
| 서수빈 | 동래서 | 444 | 서은호 | 수성서 | 413 | 서창우 | 김앤장 | 47 | 선우영진 | 분당서 | 237 | 성재영 | 안양서 | 251 |
| 서수아 | 동안양서 | 235 | 서은화 | 남동서 | 286 | 서채호 | 이천서 | 254 | 선은미 | 김해서 | 466 | 성재영 | 인천청 | 283 |
| 서수정 | 진주서 | 473 | 서의성 | 속초서 | 266 | 서철호 | 서울청 | 146 | 선종국 | 강동서 | 160 | 성정민 | 익산서 | 390 |
| 서수현 | 성북서 | 192 | 서이현 | 동대구서 | 407 | 서철석 | 부산청 | 436 | 선지혜 | 인천청 | 281 | 성정현 | 김포서 | 472 |
| 서수현 | 부산청 | 436 | 서익준 | 남대문서 | 171 | 서태웅 | 시흥서 | 242 | 선창규 | 광주세관 | 504 | 성종만 | 김포서 | 299 |
| 서순기 | 순천서 | 378 | 서인숙 | 성북서 | 192 | 서하영 | 도봉서 | 174 | 선평가 | 금감원 | 93 | 성종훈 | 삼덕회계 | 15 |
| 서순연 | 동울산서 | 460 | 서인창 | 경기광주 | 245 | 서학근 | 통영서 | 477 | 선형렬 | 동안산서 | 249 | 성주경 | 국세청 | 108 |
| 서승민 | 국세청 | 111 | 서인영 | 대구청 | 398 | 서학슬 | 영등포서 | 200 | 선화영 | 용인서 | 253 | 성주석 | 조세재정 | 511 |
| 서승원 | 서초서 | 189 | 서자영 | 북부산서 | 451 | 서혁진 | 성동서 | 190 | 선희 | 연수서 | 309 | 성주성 | 관세청 | 482 |
| 서승원 | 파주서 | 313 | 서자원 | 북부산서 | 451 | 서혁진 | 서울청 | 145 | 선희숙 | 정읍서 | 394 | 성주호 | 용산서 | 202 |
| 서승원 | 삼일회계 | 16 | 서장철 | 대구청 | 398 | 서현경 | 제주서 | 479 | 선희숙 | 국세청 | 126 | 성주희 | 경산서 | 415 |
| 서승원 | 태평양 | 52 | 서장철 | 법무바른 | 1 | 서현덕 | 광주세관 | 505 | 설도환 | 부산청 | 437 | 성준범 | 국세청 | 116 |
| 서승의 | 북대전서 | 326 | 서재균 | 금정서 | 443 | 서현영 | 순천서 | 378 | 설미수 | 서울청 | 169 | 성준수 | 한올회계 | 27 |
| 서승현 | 송파서 | 194 | 서재기 | 은평서 | 205 | 서현재 | 금감원 | 90 | 설미현 | 국세청 | 118 | 성준혁 | 기재부 | 82 |
| 서승혜 | 강서서 | 162 | 서재민 | 인천공항 | 491 | 서현준 | 중부청 | 222 | 설병환 | 김포서 | 298 | 성준희 | 강동서 | 160 |
| 서승화 | 안산서 | 247 | 서재용 | 인천공항 | 493 | 서현지 | 반포서 | 182 | 설영태 | 목포서 | 377 | 성지연 | 동화성서 | 191 |
| 서승희 | 국세청 | 130 | 서재우 | 아산서 | 340 | 서현지 | 남부천서 | 303 | 설재혁 | 삼정회계 | 18 | 성지은 | 통영서 | 258 |
| 서신자 | 국세청 | 74 | 서재운 | 역삼서 | 199 | 서형희 | 서울청 | 145 | 설재형 | 남대구서 | 404 | 성지임 | 기재부 | 74 |
| 서애경 | 현대회계 | 28 | 서재은 | 울산서 | 463 | 서형렬 | 이천서 | 254 | 설전 | 강남서 | 159 | 성지연 | 창원서 | 474 |
| 서여진 | 동작서 | 178 | 서재익 | 예일세무 | 40 | 서형선 | 진주서 | 473 | 설정란 | 통영서 | 476 | 성지환 | 대전서 | 325 |
| 서연정 | 삼일회계 | 16 | 서재창 | 전주서 | 392 | 서형조 | 마산서 | 468 | 설종훈 | 역삼서 | 199 | 성진아 | 충주서 | 70 |
| 서연진 | 국세청 | 126 | 서재훈 | 김앤장 | 168 | 서형주 | 광주세관 | 505 | 설지수 | 국세청 | 129 | 성창석 | 삼일회계 | 16 |
| 서영교 | 국회법제 | 58 | 서재필 | 창원서 | 474 | 서형준 | 현대회계 | 28 | 설진 | 조세재정 | 509 | 성창성 | 시흥서 | 357 |
| 서영교 | 수성서 | 412 | 서재혁 | 광주세관 | 505 | 서혜경 | 기재부 | 81 | 설진우 | 복전주서 | 389 | 성창화 | 서대문서 | 187 |
| 서영미 | 서울청 | 146 | 서재훈 | 국세청 | 47 | 서혜란 | 서울청 | 156 | 설진우 | 경주서 | 416 | 성태곤 | 관세사회 | 243 |
| 서영빈 | 조세재정 | 511 | 서정규 | 국세청 | 107 | 서혜수 | 동화성서 | 258 | 설진환 | 군산서 | 384 | 성현기 | 서부산서 | 42 |
| 서영삼 | 국세청 | 109 | 서정균 | 부산청 | 438 | 서혜숙 | 청주서 | 354 | 섭지수 | 광주세관 | 504 | 성현리 | 부천서 | 452 |
| 서영상 | 강동서 | 160 | 서정미 | 수영서 | 454 | 서혜영 | 기재부 | 75 | 성감독 | 인천청 | 280 | 성현일 | 양산서 | 305 |
| 서영순 | 서대문서 | 186 | 서정민 | 강릉서 | 262 | 서혜원 | 기재부 | 66 | 성경규 | 금감원 | 190 | 성현주 | 조세심판 | 470 |
| 서영우 | 광주청 | 364 | 서정보 | 금감원 | 100 | 서호성 | 부산청 | 435 | 성경옥 | 김앤장 | 93 | 성현진 | 용산서 | 506 |
| 서영일 | 상주서 | 423 | 서정숙 | 동작서 | 178 | 서홍석 | 기흥서 | 228 | 성경진 | 금천서 | 47 | 성현진 | 국세청 | 203 |
| 서영조 | 광주청 | 360 | 서정숙 | 광산서 | 366 | 서화영 | 북부산서 | 451 | 성광민 | 서초서 | 168 | 성현진 | 국세청 | 114 |
| 서영주 | 현대회계 | 28 | 서정연 | 해남서 | 382 | 서효연 | 경기광주 | 245 | 성광민 | 안산서 | 189 | | | |
| 서영준 | 국세청 | 122 | 서정연 | 송파서 | 195 | 서효일 | 이천서 | 254 | 성광민 | 안산서 | 246 | | | |
| 서영지 | 대구청 | 400 | 서정용 | 신한관세 | 44 | 서효일 | 경산서 | 414 | | | | | | |
| 서영진 | 신한관세 | 44 | 서정용 | 신한관세 | 44 | | | | | | | | | |
| 서영준 | 동안산서 | 248 | | | | | | | | | | | | |

540

| 이름 | 소속 | 페이지 |
|---|---|---|
| 성현진 | 금정서 | 442 |
| 성혜리 | 서부산서 | 453 |
| 성혜원 | 포항서 | 430 |
| 성혜전 | 노원서 | 173 |
| 성호승 | 조세심판 | 507 |
| 소규철 | 시흥서 | 242 |
| 소기형 | 용인서 | 253 |
| 소득정 | 국세청 | 110 |
| 소미현 | 화성서 | 261 |
| 소민 | 서울청 | 145 |
| 소병욱 | 조세재정 | 510 |
| 소병화 | 기재부 | 80 |
| 소보운 | 기재부 | 83 |
| 소선희 | 수원서 | 240 |
| 소섭 | 포천서 | 314 |
| 소수정 | 안산서 | 247 |
| 소수현 | 국세청 | 129 |
| 소수혜 | 전주서 | 392 |
| 소영석 | 영등포서 | 200 |
| 소윤지 | 군산서 | 384 |
| 소윤지 | 동작서 | 178 |
| 소은석 | 금감원 | 95 |
| 소재준 | 서울청 | 155 |
| 소재찬 | 기재부 | 70 |
| 소정선 | 부산강서 | 448 |
| 소종태 | 국세청 | 130 |
| 소주현 | 삼일회계 | 17 |
| 소진영 | 부평서 | 306 |
| 소찬희 | 나주서 | 374 |
| 소충섭 | 안동서 | 424 |
| 소현아 | 부산청 | 435 |
| 손가영 | 용인서 | 252 |
| 손가영 | 대구청 | 401 |
| 손가희 | 서초서 | 188 |
| 손경근 | 목포서 | 377 |
| 손경미 | 평택서 | 256 |
| 손경선 | 남부천서 | 302 |
| 손경숙 | 서대전서 | 328 |
| 손경아 | 세종서 | 338 |
| 손경진 | 서울청 | 142 |
| 손광민 | 북광주서 | 370 |
| 손광섭 | 양천서 | 197 |
| 손국 | 남대문서 | 171 |
| 손권호 | 충주서 | 357 |
| 손금희 | 대구청 | 398 |
| 손금주 | 분당서 | 236 |
| 손기만 | 분당서 | 237 |
| 손기봉 | 역삼서 | 198 |
| 손기숙 | 금감원 | 97 |
| 손기혜 | 강남서 | 158 |
| 손길진 | 종로서 | 209 |
| 손다솜 | 광명서 | 296 |
| 손다윤 | 북부산서 | 451 |
| 손다혜 | 기재부 | 79 |
| 손다희 | 광명서 | 297 |
| 손대균 | 조세심판 | 506 |
| 손동민 | 대구청 | 400 |
| 손동선 | 포천서 | 315 |
| 손동우 | 국세청 | 106 |
| 손동주 | 금정서 | 442 |
| 손동화 | 광주세관 | 504 |
| 손동춘 | 조세재정 | 511 |
| 손동칠 | 고양서 | 294 |
| 손명 | 의정부서 | 311 |
| 손명숙 | 부산청 | 437 |
| 손명주 | 포항서 | 430 |
| 손명희 | 순천서 | 379 |
| 손미랑 | 양천서 | 196 |
| 손미숙 | 국세청 | 121 |
| 손미석 | 서부산서 | 452 |
| 손민숙 | 중부청 | 225 |
| 손민선 | 삼성서 | 184 |
| 손민영 | 천안서 | 344 |
| 손민자 | 삼성서 | 184 |
| 손민정 | 국세청 | 109 |
| 손민정 | 서울청 | 135 |
| 손민정 | 북부산서 | 451 |
| 손민지 | 김해서 | 466 |
| 손민호 | 기재부 | 69 |
| 손병수 | 북대전서 | 326 |
| 손병수 | 강남서 | 159 |
| 손병수 | 강서서 | 162 |
| 손병양 | 국세청 | 131 |
| 손병열 | 창원서 | 475 |
| 손병준 | 법무광장 | 48 |
| 손병중 | 구리서 | 227 |
| 손보경 | 부산청 | 434 |
| 손보예 | 수영서 | 454 |
| 손삼락 | 법무바른 | 1 |
| 손삼석 | 광주서 | 369 |
| 손상영 | 양천서 | 197 |
| 손상익 | 영등포서 | 201 |
| 손상빈 | 광산서 | 366 |
| 손상현 | 서울청 | 143 |
| 손새봄 | 천안서 | 344 |
| 손석임 | 동울산서 | 460 |
| 손석임 | 국세청 | 109 |
| 손석주 | 부산청 | 439 |
| 손석호 | 이천서 | 255 |
| 손석호 | 포항서 | 431 |
| 손선미 | 중랑서 | 210 |
| 손선미 | 남원서 | 386 |
| 손선수 | 원주서 | 271 |
| 손선영 | 안양서 | 250 |
| 손선영 | 금정서 | 443 |
| 손성곤 | 신한관세 | 44 |
| 손성국 | 영등포서 | 201 |
| 손성규 | 국세청 | 108 |
| 손성기 | 금감원 | 93 |
| 손성락 | 금정서 | 442 |
| 손성수 | 의정부서 | 310 |
| 손성수 | 관세청 | 483 |
| 손성웅 | 부산진서 | 447 |
| 손성원 | 중기회 | 103 |
| 손성인 | 통영서 | 476 |
| 손성임 | 서울청 | 149 |
| 손성주 | 마산서 | 469 |
| 손성탁 | 강동서 | 160 |
| 손소희 | 순천서 | 378 |
| 손수아 | 대구청 | 402 |
| 손세규 | 여수서 | 381 |
| 손세영 | 군산서 | 385 |
| 손세종 | 용인서 | 253 |
| 손소희 | 구미서 | 418 |
| 손수정 | 순천서 | 378 |
| 손수정 | 관악서 | 164 |
| 손승재 | 서울청 | 144 |
| 손승진 | 북광주서 | 371 |
| 손승희 | 강남서 | 152 |
| 손승희 | 의정부서 | 310 |
| 손신혜 | 대전청 | 321 |
| 손신혜 | 동대구서 | 407 |
| 손안상 | 북전주서 | 389 |
| 손영대 | 울산서 | 462 |
| 손영대 | 국세청 | 123 |
| 손영란 | 서울청 | 144 |
| 손영만 | 구로서 | 167 |
| 손영미 | 성남서 | 239 |
| 손영미 | 김해서 | 466 |
| 손영미 | 강남서 | 168 |
| 손영주 | 구리서 | 226 |
| 손영준 | 세종서 | 339 |
| 손영준 | 서울청 | 152 |
| 손영준 | 인천서 | 290 |
| 손영화 | 충주서 | 356 |
| 손영환 | 광주세관 | 504 |
| 손영환 | 북부산서관 | 495 |
| 손영희 | 부산세관 | 497 |
| 손예린 | 공산서 | 330 |
| 손예정 | 서대구서 | 462 |
| 손옥석 | 서대구서 | 410 |
| 손옥주 | 광주청 | 363 |
| 손완수 | 서울청 | 140 |
| 손완성 | 서대구서 | 462 |
| 손우석 | 기재부 | 73 |
| 손우호 | 진주서 | 472 |
| 손원우 | 인천공항 | 492 |
| 손원우 | 서울청 | 148 |
| 손유승 | 국세청 | 110 |
| 손유진 | 국세청 | 111 |
| 손유진 | 도봉서 | 175 |
| 손윤섭 | 대전청 | 130 |
| 손은숙 | 대전청 | 320 |
| 손윤정 | 시흥서 | 243 |
| 손은경 | 대구청 | 169 |
| 손은경 | 진주서 | 473 |
| 손은경 | 광주세관 | 504 |
| 손은정 | 대구청 | 399 |
| 손은식 | 포항서 | 431 |
| 손은정 | 마포서 | 180 |
| 손은채 | 동청주서 | 348 |
| 손은태 | 서대문서 | 186 |
| 손은하 | 성남서 | 239 |
| 손의철 | 서인천서 | 288 |
| 손이슬 | 울산서 | 462 |
| 손윤준 | 성남서 | 236 |
| 손인호 | 금감원 | 99 |
| 손장식 | 기재부 | 71 |
| 손재명 | 광주서 | 288 |
| 손재원 | 광주서 | 368 |
| 손재원 | 연수서 | 309 |
| 손재하 | 양천서 | 197 |
| 손정아 | 서울청 | 146 |
| 손정아 | 남양주서 | 230 |
| 손정아 | 기재부 | 354 |
| 손정완 | 영덕서 | 426 |
| 손정욱 | 강서서 | 163 |
| 손정준 | 기재부 | 81 |
| 손정혁 | 전주서 | 392 |
| 손정현 | 대전청 | 322 |
| 손정화 | 금정서 | 442 |
| 손정준 | 현대회계 | 28 |
| 손정훈 | 대구청 | 403 |
| 손종어 | 인천청 | 282 |
| 손주영 | 광주청 | 361 |
| 손주영 | 고양서 | 294 |
| 손주영 | 법무바른 | 1 |
| 손주형 | 금융위 | 86 |
| 손주희 | 마포서 | 180 |
| 손주희 | 동울산서 | 461 |
| 손준성 | 마포서 | 180 |
| 손준호 | 남대구서 | 404 |
| 손준혁 | 국세청 | 124 |
| 손증영 | 영주서 | 428 |
| 손증평 | 서울청 | 141 |
| 손지나 | 송파서 | 195 |
| 손지아 | 중부청 | 218 |
| 손지영 | 하나세무 | 39 |
| 손지원 | 국세청 | 164 |
| 손지혜 | 동울산서 | 461 |
| 손지화 | 국세정무 | 59 |
| 손진락 | 동울산서 | 460 |
| 손진서 | 서울청 | 153 |
| 손진욱 | 예산서 | 343 |
| 손찬희 | 서대구서 | 459 |
| 손창수 | 양천서 | 197 |
| 손창열 | 남양주서 | 230 |
| 손채령 | 서울청 | 112 |
| 손채원 | 국세청 | 115 |
| 손채원 | 파주서 | 312 |
| 손채원 | 포항서 | 430 |
| 손채원 | 수영서 | 454 |
| 손충식 | 남대구서 | 404 |
| 손충식 | 광주서 | 360 |
| 손태빈 | 서울청 | 146 |
| 손태영 | 인천서 | 290 |
| 손태우 | 수성서 | 413 |
| 손태욱 | 동작서 | 178 |
| 손태욱 | 포항서 | 431 |
| 손태희 | 북대전서 | 326 |
| 손필영 | 안양서 | 251 |
| 손한준 | 서울청 | 145 |
| 손한준 | 국세청 | 117 |
| 손해진 | 국세청 | 452 |
| 손현명 | 진주서 | 472 |
| 손현영 | 부천서 | 304 |
| 손현정 | 구로서 | 166 |
| 손현정 | 부산강서 | 449 |
| 손현정 | 북전주서 | 388 |
| 손현지 | 부평서 | 306 |
| 손현진 | 서인천서 | 288 |
| 손현희 | 북전주서 | 389 |
| 손형구 | 광주청 | 363 |
| 손혜림 | 국세청 | 115 |
| 손혜민 | 조세심판 | 507 |
| 손혜민 | 울산서 | 463 |
| 손혜연 | 해남서 | 382 |
| 손혜정 | 구리서 | 226 |
| 손혜정 | 서울청 | 135 |
| 손혜정 | 동화성서 | 259 |
| 손호근 | 삼덕회계 | 15 |
| 손호익 | 부평서 | 306 |
| 손홍필 | 잠실서 | 206 |
| 손화승 | 예산서 | 343 |
| 손효빈 | 포항서 | 430 |
| 손효정 | 국세청 | 129 |
| 손효현 | 국세청 | 110 |
| 손희경 | 부산진서 | 447 |
| 손희원 | 창원서 | 475 |
| 손희회 | 금감원 | 97 |
| 손희정 | 중부청 | 220 |
| 송건우 | 성동서 | 191 |
| 송경령 | 파주서 | 312 |
| 송경아 | 강남서 | 158 |
| 송경원 | 강남서 | 158 |
| 송경주 | 광주세관 | 504 |
| 송경학 | 동청주서 | 349 |
| 송경호 | 다솔세무 | 35 |
| 송경호 | 조세재정 | 510 |
| 송경호 | 조세재정 | 510 |
| 송경희 | 강동서 | 55 |
| 송고운 | 강남서 | 370 |
| 송광선 | 서울청 | 160 |
| 송광혁 | 법무세종 | 134 |
| 송권호 | 국세청 | 50 |
| 송규호 | 반포서 | 11 |
| 송근우 | 국세청 | 130 |
| 송기동 | 잠실서 | 182 |
| 송기선 | 기재부 | 207 |
| 송기선 | 포천서 | 76 |
| 송기영 | 조세심판 | 314 |
| 송기원 | 구로서 | 506 |
| 송기화 | 서울청 | 166 |
| 송길웅 | 인천서 | 134 |
| 송나연 | 동고양서 | 300 |
| 송나영 | 서인천서 | 288 |
| 송남영 | 김포서 | 298 |
| 송노화 | 조세재정 | 510 |
| 송다영 | 평택서 | 256 |
| 송다은 | 부산강서 | 448 |
| 송대섭 | 국세청 | 394 |
| 송대섭 | 마산서 | 123 |
| 송도관 | 동대문서 | 129 |
| 송도영 | 영등포서 | 177 |
| 송동원 | 남대문서 | 468 |
| 송동준 | 부평서 | 201 |
| 송동훈 | 기재부 | 171 |
| 송동훈 | 기재부 | 306 |
| 송명례 | 국회정무 | 75 |
| 송명림 | 잠실서 | 74 |
| 송명섭 | 금융위 | 206 |
| 송명섭 | 안양서 | 250 |
| 송명준 | 대전청 | 320 |
| 송명철 | 상주서 | 90 |
| 송문주 | 세종서 | 422 |
| 송미나 | 예산서 | 338 |
| 송미소 | 익산서 | 342 |
| 송미정 | 마산서 | 390 |
| 송미화 | 동울산서 | 468 |
| 송민국 | 중부청 | 460 |
| 송민나 | 부산청 | 184 |
| 송민석 | 조세재정 | 434 |
| 송민섭 | 경기광주 | 510 |
| 송민수 | 강서서 | 245 |
| 송민영 | 평택서 | 163 |
| 송민지 | 영주서 | 257 |
| 송민철 | 경산서 | 428 |
| 송방의 | 중부청 | 414 |
| 송백호 | 광주청 | 222 |
| 송병섭 | 영등포서 | 360 |
| 송병호 | 서울청 | 201 |
| 송병호 | 인천청 | 157 |
| 송보경 | 경기광주 | 190 |
| 송보섭 | 시흥서 | 278 |
| 송보혜 | 동안양서 | 242 |
| 송보화 | 노원서 | 235 |
| 송봉근 | 부산진서 | 173 |
| 송봉선 | 광주청 | 446 |
| 송상억 | 기재부 | 365 |
| 송상민 | 수원서 | 76 |
| 송상우 | 동안산서 | 241 |
| 송상욱 | 금감원 | 249 |
| 송상율 | 수원서 | 98 |
| 송석준 | 국회법제 | 240 |
| 송석중 | 청주서 | 58 |
| 송석철 | 계양서 | 354 |
| 송석희 | 기재부 | 292 |
| 송선영 | 경기광주 | 68 |
| 송선영 | 고양서 | 245 |
| 송선성 | 국세청 | 294 |
| 송선주 | 인천청 | 117 |
| 송선태 | 서울청 | 279 |
| 송설희 | 동대문서 | 148 |
| 송성권 | 딜로이트 | 176 |
| 송성근 | 구미서 | 13 |
| 송성일 | 기재부 | 419 |
| 송성철 | 양천서 | 450 |
| 송성철 | 양천서 | 196 |
| 송성호 | 청주서 | 355 |
| 송성환 | 신한관세 | 44 |
| 송성희 | 동안산서 | 248 |
| 송세미 | 김해서 | 466 |
| 송송이 | 북전주서 | 388 |
| 송수빈 | 동대문서 | 177 |
| 송수은 | 서대전서 | 329 |
| 송수인 | 충무서 | 357 |
| 송수자 | 삼성서 | 185 |
| 송수현 | 강남서 | 158 |
| 송수희 | 삼성서 | 185 |
| 송순례 | 중부산서 | 456 |
| 송숭 | 인천청 | 280 |
| 송승리 | 마산서 | 468 |
| 송승언 | 광주세관 | 502 |
| 송승용 | 서인천서 | 288 |
| 송승원 | 마포서 | 181 |
| 송승윤 | 논산서 | 333 |
| 송승재 | 이천서 | 255 |
| 송승한 | 시흥서 | 242 |
| 송시운 | 고양서 | 295 |
| 송애림 | 아산서 | 340 |
| 송양미 | 남대구서 | 404 |
| 송언석 | 순천서 | 378 |
| 송언서 | 광주세관 | 504 |
| 송연옥 | 국회재정 | 55 |
| 송연주 | 국회재정 | 56 |
| 송연호 | 서산서 | 336 |
| 송영석 | 창원서 | 474 |
| 송영석 | 중랑서 | 210 |
| 송영영 | 김해서 | 466 |
| 송영재 | 제천서 | 352 |
| 송영지 | 용산서 | 202 |
| 송영진 | 중부서 | 222 |
| 송영채 | 서현회계 | 7 |
| 송영춘 | 부산청 | 437 |
| 송영태 | 계양서 | 293 |
| 송영호 | 조세심판 | 506 |
| 송예린 | 금융위 | 298 |
| 송예은 | 안양서 | 257 |
| 송예진 | 대전청 | 199 |
| 송예체 | 중부청 | 219 |
| 송옥연 | 마포서 | 181 |
| 송옥현 | 세종서 | 339 |
| 송용기 | 중부서 | 213 |
| 송용직 | 김해서 | 466 |
| 송용경 | 수원서 | 241 |
| 송우락 | 수영서 | 455 |
| 송우람 | 서초서 | 188 |
| 송우진 | 동안양서 | 235 |
| 송원기 | 서울청 | 138 |
| 송원호 | 기재부 | 73 |
| 송유나 | 금감원 | 100 |
| 송유민 | 남동서 | 286 |
| 송유승 | 중부청 | 234 |
| 송유정 | 중부청 | 218 |
| 송유진 | 거창서 | 465 |
| 송윤민 | 부산진서 | 446 |
| 송윤선 | 이천서 | 254 |
| 송윤섭 | 중부청 | 223 |
| 송윤식 | 국세청 | 109 |
| 송윤정 | 광주청 | 365 |
| 송윤주 | 공주서 | 331 |
| 송윤태 | 기재부 | 68 |
| 송윤화 | 노원서 | 173 |
| 송윤희 | 반포서 | 182 |
| 송은선 | 서울청 | 152 |
| 송은영 | 국세청 | 110 |
| 송은우 | 광주청 | 360 |
| 송은아 | 영주서 | 428 |
| 송은영 | 평택서 | 256 |
| 송은욱 | 구리서 | 227 |
| 송은주 | 국세청 | 128 |
| 송은주 | 서울청 | 138 |
| 송은지 | 여수서 | 380 |
| 송은호 | 대전서 | 324 |
| 송은호 | 국세청 | 109 |
| 예일회계 | | 22 |
| 동래서 | | 444 |
| 남평서 | | 387 |
| 성남서 | | 238 |
| 서광주서 | | 373 |
| 북부산서 | | 450 |
| 강동서 | | 160 |
| 국세청 | | 106 |
| 광산서 | | 366 |
| 조세재정 | | 508 |
| 서울청 | | 135 |
| 남대구서 | | 405 |
| 중부청 | | 225 |

| 이름 | 소속 | 번호 | | 이름 | 소속 | 번호 |
|---|---|---|---|---|---|---|
| 송은희 | 시흥서 | 243 | | 송지훈 | 광명서 | 297 |
| 송의미 | 구로서 | 166 | | 송진경 | 광주세관 | 505 |
| 송의석 | 인천공항 | 491 | | 송진미 | 서울청 | 155 |
| 송의진 | 군산서 | 385 | | 송진민 | 조세재정 | 508 |
| 송익범 | 청주서 | 325 | | 송진모 | 영등포서 | 201 |
| 송인경 | 예산서 | 354 | | 송진욱 | 서초서 | 188 |
| 송인광 | 광명서 | 343 | | 송진용 | 동안산서 | 249 |
| 송인규 | 광명서 | 296 | | 송진욱 | 송파서 | 194 |
| 송인범 | 종로서 | 209 | | 송진호 | 부산진서 | 441 |
| 송인범 | 동울산서 | 461 | | 송진희 | 서광주서 | 373 |
| 송인섭 | 광주세관 | 505 | | 송진희 | 국세청 | 107 |
| 송인수 | 창원서 | 474 | | 송찬미 | 삼성서 | 184 |
| 송인숙 | 북부산서 | 450 | | 송찬주 | 성남서 | 238 |
| 송인옥 | 인천세관 | 490 | | 송창녕 | 서울청 | 154 |
| 송인순 | 포항서 | 430 | | 송창영 | 잠실서 | 207 |
| 송인용 | 서울청 | 142 | | 송창용 | 금융위 | 85 |
| 송인용 | 대전청 | 322 | | 송창인 | 서인천서 | 240 |
| 송인준 | 수성서 | 413 | | 송창훈 | 목포서 | 288 |
| 송인선 | 서울청 | 134 | | 송창훈 | 양산서 | 377 |
| 송인출 | 양산서 | 470 | | 송창훈 | 금정서 | 251 |
| 송인한 | 천안서 | 345 | | 송채성 | 김해서 | 442 |
| 송인화 | 고양서 | 295 | | 송채연 | 인천청 | 467 |
| 송인희 | 대전청 | 320 | | 송채연 | 김천서 | 335 |
| 송일남 | 기재부 | 70 | | 송채원 | 인천청 | 421 |
| 송일훈 | 파주서 | 313 | | 송채원 | 중부서 | 282 |
| 송자연 | 고양서 | 295 | | 송춘희 | 북전주서 | 213 |
| 송재경 | 기재부 | 80 | | 송충호 | 삼성서 | 388 |
| 송재경 | 부산진서 | 446 | | 송중호 | 부평서 | 153 |
| 송재덕 | 삼척서 | 264 | | 송치성 | 인천청 | 185 |
| 송재민 | 북대구서 | 409 | | 송칠선 | 남동서 | 306 |
| 송재봉 | 시흥서 | 243 | | 송태연 | 대전청 | 278 |
| 송재성 | 동안양서 | 234 | | 송태준 | 대전청 | 286 |
| 송재영 | 동대문서 | 176 | | 송평섭 | 구로서 | 321 |
| 송재원 | 인천지방 | 33 | | 송평재 | 부산청 | 322 |
| 송재윤 | 천안서 | 345 | | 송필재 | 영등포서 | 167 |
| 송재은 | 동안양서 | 362 | | 송하나 | 서현회계 | 437 |
| 송재은 | 대구서 | 235 | | 송하나 | 조세심판 | 200 |
| 송재준 | 광주청 | 400 | | 송하늘 | 조세심판 | 6 |
| 송재중 | 서울청 | 363 | | 송하은 | 기재부 | 506 |
| 송재천 | 의정부서 | 147 | | 송하준 | 제주서 | 507 |
| 송재철 | 천안서 | 310 | | 송해영 | 북전주서 | 79 |
| 송재하 | 대전서 | 344 | | 송향기 | 서울청 | 389 |
| 송재현 | 대전청 | 324 | | 송향진 | 김해서 | 153 |
| 송재호 | 기재부 | 319 | | 송현남 | 대전청 | 466 |
| 송정민 | 제주서 | 478 | | 송현수 | 서울지방 | 319 |
| 송정숙 | 용인서 | 252 | | 송현전 | 광주세관 | 32 |
| 송정아 | 관악서 | 164 | | 송현정 | 삼성서 | 502 |
| 송정은 | 구리서 | 226 | | 송현종 | 기재부 | 185 |
| 송정은 | 부평서 | 306 | | 송현주 | 분당서 | 81 |
| 송정하 | 평택서 | 257 | | 송현주 | 서울청 | 237 |
| 송정화 | 서울청 | 140 | | 송현주 | 원주서 | 145 |
| 송정화 | 서울청 | 134 | | 송현진 | 부산진서 | 270 |
| 송정희 | 목포서 | 376 | | 송현철 | 북광주서 | 446 |
| 송종면 | 한울회계 | 27 | | 송현철 | 금감원 | 370 |
| 송종민 | 성남서 | 238 | | 송현탁 | 경기광주 | 510 |
| 송종범 | 분당서 | 237 | | 송현호 | 조세심판 | 96 |
| 송종철 | 동대문서 | 177 | | 송현희 | 역삼서 | 244 |
| 송종호 | 서울청 | 134 | | 송형승 | 종로서 | 507 |
| 송종훈 | 서울청 | 145 | | 송형희 | 영동서 | 199 |
| 송주구 | 서울청 | 301 | | 송혜리 | 노원서 | 209 |
| 송주아 | 국회재정 | 55 | | 송혜연 | 삼정회계 | 351 |
| 송주은 | 동래서 | 444 | | 송혜원 | 서대전서 | 19 |
| 송주한 | 평택서 | 256 | | 송혜인 | 제천서 | 329 |
| 송주현 | 국세청 | 120 | | 송혜정 | 기재부 | 255 |
| 송주현 | 서울청 | 155 | | 송혜정 | 서울청 | 84 |
| 송주현 | 북대구서 | 409 | | 송호근 | 강남서 | 146 |
| 송주현 | 현대회계 | 28 | | 송호창 | 동대구서 | 368 |
| 송주현 | 인천서 | 291 | | 송호필 | 부산진서 | 158 |
| 송주형 | 안산서 | 247 | | 송환용 | 인천서 | 406 |
| 송준희 | 서울청 | 153 | | 송효영 | 제천서 | 446 |
| 송준식 | 기재부 | 71 | | 송효주 | 서부산서 | 290 |
| 송준호 | 안양서 | 250 | | 송효종 | 창원서 | 352 |
| 송중호 | 현대회계 | 28 | | 송희성 | 송파서 | 13 |
| 송지미 | 서울청 | 134 | | | | |
| 송지선 | 강동서 | 161 | | | | |
| 송지선 | 구리서 | 226 | | | | |
| 송지예 | 잠실서 | 207 | | | | |
| 송지우 | 삼성서 | 185 | | | | |
| 송지우 | 국세청 | 109 | | | | |
| 송지원 | 인천청 | 284 | | | | |
| 송지원 | 군산서 | 385 | | | | |
| 송지원 | 서울청 | 157 | | | | |
| 송지원 | 서울청 | 148 | | | | |
| 송지은 | 남양주서 | 231 | | | | |
| 송지온 | 대전청 | 234 | | | | |
| 송지인 | 동안양서 | 234 | | | | |
| 송지현 | 서울청 | 157 | | | | |
| 송지협 | 영월서 | 269 | | | | |
| 송지혜 | 영등포서 | 201 | | | | |
| 송지혜 | 종로서 | 208 | | | | |

| 이름 | 소속 | 번호 | | 이름 | 소속 | 번호 |
|---|---|---|---|---|---|---|
| 송희조 | 남원서 | 386 | | 신명식 | 대전청 | 321 |
| 송희진 | 광주청 | 364 | | 신명희 | 강릉서 | 263 |
| 송희진 | 부산진서 | 447 | | 신무성 | 광주청 | 368 |
| 수석부 | 금감원 | 89 | | 신문성 | 국세청 | 128 |
| 시종원 | 광주세관 | 505 | | 신문정 | 마포서 | 224 |
| 시진기 | 서울청 | 149 | | 신미경 | 경주서 | 416 |
| 시현기 | 구미서 | 418 | | 신미경 | 기재부 | 74 |
| 시현민 | 마포서 | 181 | | 신미경 | 마포서 | 180 |
| 신각성 | 속초서 | 266 | | 신미경 | 삼성서 | 184 |
| 신각성 | 부산세관 | 495 | | 신미덕 | 서부산서 | 452 |
| 신감독 | 부산세관 | 497 | | 신미란 | 마포서 | 181 |
| 신갑수 | 금감원 | 91 | | 신미란 | 국세청 | 115 |
| 신건묵 | 삼성서 | 185 | | 신미라 | 기재부 | 67 |
| 신경섭 | 고양서 | 295 | | 신미리 | 중부청 | 224 |
| 신경섭 | 금감원 | 422 | | 신미미 | 파주서 | 312 |
| 신경수 | 인천서 | 93 | | 신미선 | 남대문서 | 171 |
| 신경식 | 서대문서 | 290 | | 신미숙 | 광주청 | 362 |
| 신경아 | 기재부 | 186 | | 신미순 | 서울청 | 141 |
| 신경희 | 동고양서 | 128 | | 신미식 | 시흥서 | 243 |
| 신계희 | 예산서 | 71 | | 신미연 | 천안서 | 345 |
| 신관호 | 대전서 | 301 | | 신미영 | 국세청 | 113 |
| 신광호 | 부산청 | 342 | | 신미영 | 영등포서 | 351 |
| 신광철 | 보령서 | 324 | | 신미영 | 구미서 | 418 |
| 신구호 | 대전청 | 436 | | 신미옥 | 북부산서 | 451 |
| 신규유 | 송파서 | 335 | | 신미정 | 동울산서 | 461 |
| 신근모 | 정읍서 | 322 | | 신미정 | 광주세관 | 504 |
| 신근수 | 서울청 | 194 | | 신민규 | 관세사회 | 42 |
| 신기력 | 남대구서 | 395 | | 신민기 | 안산서 | 247 |
| 신기섭 | 딜로이트 | 144 | | 신민기 | 울산서 | 463 |
| 신기완 | 김포서 | 405 | | 신민섭 | 광명서 | 297 |
| 신기용 | 서인천서 | 13 | | 신민섭 | 진주서 | 472 |
| 신기준 | 반포서 | 298 | | 신민수 | 김해서 | 466 |
| 신기준 | 인천청 | 288 | | 신민아 | 안산서 | 247 |
| 신기철 | 김해서 | 182 | | 신민정 | 대전청 | 321 |
| 신기한 | 충주서 | 282 | | 신민지 | 창원서 | 475 |
| 신기환 | 진주서 | 467 | | 신민채 | 남대문서 | 171 |
| 신나리 | 기재부 | 356 | | 신민철 | 울산서 | 462 |
| 신나영 | 부천서 | 473 | | 신민철 | 서인천서 | 289 |
| 신나영 | 중랑서 | 67 | | 신민필 | 김포서 | 298 |
| 신나영 | 용인서 | 305 | | 신민호 | 광주세관 | 505 |
| 신나연 | 북광주서 | 211 | | 신민호 | 관세사회 | 440 |
| 신다솜 | 역삼서 | 252 | | 신반야 | 기재부 | 42 |
| 신담호 | 서울청 | 371 | | 신방인 | 기재부 | 73 |
| 신대수 | 제주서 | 198 | | 신범하 | 국세청 | 321 |
| 신대원 | 대전서 | 140 | | 신범호 | 중부산서 | 118 |
| 신대환 | 기재부 | 478 | | 신병준 | 화성서 | 457 |
| 신덕수 | 동대구서 | 325 | | 신병훈 | 부산서 | 463 |
| 신도현 | 군산서 | 81 | | 신보경 | 서울청 | 261 |
| 신동규 | 서부산서 | 406 | | 신보미 | 남대문서 | 438 |
| 신동근 | 서울청 | 385 | | 신복희 | 다솔세무 | 152 |
| 신동근 | 기재부 | 452 | | 신봉식 | 순천서 | 170 |
| 신동배 | 서대문서 | 143 | | 신봉일 | 대전청 | 35 |
| 신동복 | 서울청 | 66 | | 신봉일 | 금융위 | 379 |
| 신동용 | 서현회계 | 469 | | 신상덕 | 국세청 | 320 |
| 신동우 | 정읍서 | 187 | | 신상례 | 금융위 | 87 |
| 신동우 | 금감원 | 155 | | 신상록 | 국세청 | 117 |
| 신동욱 | 동청주서 | 6 | | 신상모 | 양천서 | 196 |
| 신동익 | 국세청 | 118 | | 신상수 | 동울산서 | 460 |
| 신동주 | 중부청 | 394 | | 신상우 | 서대구서 | 410 |
| 신동주 | 마포서 | 94 | | 신상우 | 서울세무 | 35 |
| 신동준 | 조세재정 | 349 | | 신상일 | 감사원 | 143 |
| 신동준 | 영등포서 | 220 | | 신상일 | 금융위 | 62 |
| 신동진 | 종로서 | 106 | | 신상훈 | 경기광주 | 87 |
| 신동진 | 노원서 | 181 | | 신상훈 | 대전청 | 245 |
| 신동혁 | 삼정회계 | 510 | | 신상희 | 강릉서 | 323 |
| 신동현 | 서대전서 | 19 | | 신새벽 | 송파서 | 263 |
| 신동현 | 성남서 | 329 | | 신새보미 | 전주서 | 194 |
| 신동호 | 제천서 | 239 | | 신서연 | 국세청 | 114 |
| 신동호 | 기재부 | 255 | | 신석균 | 반포서 | 392 |
| 신동호 | 서울청 | 84 | | 신선 | 서울북 | 182 |
| 신동호 | 마포서 | 146 | | 신선미 | 중부산서 | 456 |
| 신동화 | 서인천서 | 99 | | 신선혜 | 파주서 | 312 |
| 신동환 | 광주세관 | 136 | | 신선희 | 구미서 | 418 |
| 신동훈 | 국세청 | 288 | | 신성근 | 대전청 | 320 |
| 신동훈 | 서울청 | 505 | | 신성만 | 연수서 | 308 |
| 신동훈 | 파주서 | 131 | | 신성봉 | 강남서 | 159 |
| 신동훈 | 서부산서 | 151 | | 신성섭 | 수영서 | 454 |
| 신동희 | 서울청 | 452 | | 신성용 | 한울회계 | 151 |
| 신만호 | 제천서 | 137 | | 신성일 | 부산진서 | 27 |
| 신명곤 | 다솔세무 | 163 | | 신성환 | 마산서 | 447 |
| 신명관 | 성동서 | 35 | | 신성현 | 부산강서 | 469 |
| 신명섭 | 기재부 | 190 | | 신성일 | 강동서 | 448 |
| 신명섭 | 파주서 | 73 | | 신성철 | 동고양서 | 160 |
| 신명섭 | 기재부 | 72 | | 신성환 | 남원서 | 325 |
| 신명숙 | 남원서 | 312 | | 신세연 | 서울청 | 301 |
| 신명숙 | 고양서 | 179 | | 신세용 | 서울청 | 234 |
| 신명숙 | 기재부 | 77 | | 신세용 | 남원서 | 387 |
| 신명숙 | 고양서 | 294 | | 신소라 | 서울청 | 147 |
| | | | | 신소라 | 서울청 | 136 |

| 이름 | 소속 | 번호 |
|---|---|---|
| 신소영 | 금정서 | 442 |
| 신소희 | 동수원서 | 233 |
| 신솔지 | 여수서 | 380 |
| 신수경 | 용인서 | 252 |
| 신수미 | 금정서 | 443 |
| 신수미 | 조세재정 | 511 |
| 신수민 | 삼성서 | 184 |
| 신수연 | 파주서 | 312 |
| 신수빈 | 마포서 | 181 |
| 신수빈 | 안산서 | 246 |
| 신수영 | 중부서 | 212 |
| 신수용 | 동화성서 | 258 |
| 신수정 | 기재부 | 81 |
| 신수정 | 순천서 | 378 |
| 신수창 | 동작서 | 178 |
| 신숙희 | 대전청 | 323 |
| 신순영 | 아산서 | 340 |
| 신승구 | 영등포서 | 201 |
| 신승수 | 부천서 | 224 |
| 신승수 | 경기광주 | 244 |
| 신승애 | 성동서 | 190 |
| 신승연 | 서울청 | 152 |
| 신승우 | 파주서 | 312 |
| 신승진 | 청주서 | 355 |
| 신승태 | 김포서 | 298 |
| 신승학 | 대전청 | 321 |
| 신승현 | 법무광장 | 49 |
| 신승환 | 기재부 | 74 |
| 신승훈 | 중랑서 | 210 |
| 신시영 | 대전청 | 325 |
| 신아름 | 동래서 | 444 |
| 신아영 | 화성서 | 261 |
| 신언수 | 안산서 | 367 |
| 신여경 | 세종서 | 338 |
| 신연숙 | 화성서 | 260 |
| 신연경 | 북부산서 | 456 |
| 신연석 | 청주서 | 451 |
| 신열석 | 천안서 | 354 |
| 신영남 | 청주서 | 242 |
| 신영대 | 대구청 | 401 |
| 신영주 | 김해서 | 467 |
| 신영림 | 국세청 | 119 |
| 신영빈 | 서인천서 | 288 |
| 신영섭 | 논산서 | 332 |
| 신영순 | 기흥서 | 228 |
| 신영승 | 서인천서 | 288 |
| 신영심 | 천안서 | 352 |
| 신영아 | 광주청 | 365 |
| 신영우 | 국회재정 | 56 |
| 신영재 | 수원서 | 240 |
| 신영주 | 중부청 | 221 |
| 신영주 | 용인서 | 253 |
| 신영준 | 마포서 | 180 |
| 신영철 | 은평서 | 205 |
| 신영호 | 동안양서 | 235 |
| 신영화 | 마포서 | 180 |
| 신영희 | 대구세관 | 500 |
| 신예람 | 강릉서 | 263 |
| 신예민 | 부산강서 | 449 |
| 신예슬 | 영등포서 | 200 |
| 신예슬 | 목포서 | 376 |
| 신예진 | 홍천서 | 274 |
| 신예진 | 대구서 | 406 |
| 신옥미 | 동안양서 | 234 |
| 신옥희 | 북광주서 | 370 |
| 신요안 | 수성서 | 147 |
| 신용대 | 도봉서 | 413 |
| 신용도 | 구리서 | 175 |
| 신용문 | 용인서 | 226 |
| 신용범 | 서대문서 | 252 |
| 신용석 | 시흥서 | 242 |
| 신용석 | 서대문서 | 186 |
| 신용선 | 노원서 | 172 |
| 신용순 | 동화성서 | 259 |
| 신용식 | 인천서 | 125 |
| 신용안 | 국세청 | 379 |
| 신용업 | 의정부서 | 310 |
| 신용우 | 경산서 | 415 |
| 신용욱 | 중부청 | 218 |
| 신용대 | 해운대서 | 458 |
| 신용도 | 동울산서 | 460 |
| 신용문 | 국세청 | 130 |
| 신용범 | 서울청 | 147 |
| 신용석 | 구미서 | 136 |
| 신용석 | 구미서 | 419 |
| 신용선 | 서현회계 | 7 |
| 신용순 | 기재부 | 67 |
| 신용식 | 대전청 | 322 |
| 신용욱 | 의정부서 | 311 |

신용제 금감원 96
신용직 공주서 330
신용하 양산서 471
신용항 한울회계 27
신용현 중부산서 457
신용호 광주청 361
신우교 노원서 172
신우상 조세재정 510
신우열 충주서 357
신우영 목포서 376
신우용 홍천서 274
신웅기 금정서 442
신웅식 택스홈앤 239
신웅식 택스홈 38
신원경 남대구서 404
신원섭 남대문서 170
신원식 속초서 266
신원영 북대전서 326
신원정 동화성서 258
신유경 금천서 168
신유나 연수서 309
신유동 금천서 169
신유림 강서서 163
신유림 북대구서 408
신유미 중부청 224
신유정 서대구서 410
신유진 역삼서 199
신유진 마산서 468
신유현 대전서 325
신유환 안동서 425
신윤경 동작서 178
신윤섭 삼일회계 16
신윤숙 동대구서 407
신윤철 예일세무 40
신은경 서울청 134
신은송 북광주서 370
신은수 성동서 190
신은숙 금정서 442
신은정 북대구서 409
신은주 연수서 309
신은주 청주서 355
신은주 제주서 478
신은지 청주서 354
신은하 택스홈 38
신은화 북광주서 371
신이길 잠실서 207
신이나 도봉서 174
신익재 금감원 96
신익철 남대구서 404
신장규 EY한영 12
신장수 금융위 87
신장식 국회정무 60
신재봉 국세청 122
신재식 기재부 74
신재식 기재부 75
신재원 기재부 81
신재원 국세청 123
신재은 북대구서 408
신재준 성현회계 11
신재희 춘천서 272
신정곤 부산청 436
신정미 기재부 67
신정미 춘천서 272
신정민 구리서 227
신정석 수성서 412
신정숙 잠실서 207
신정식 서울청 146
신정아 서울청 146
신정아 해운대서 459
신정아 제주서 478
신정연 포항서 430
신정엽 국세청 130
신정용 나주서 374
신정원 기재부 77
신정원 동고양서 301
신정현 반포서 183
신정화 예일세무 40
신정환 시흥서 242
신정훈 중부청 221
신정훈 금정서 442
신정희 삼일회계 16
신종무 동화성서 259
신종식 목포서 377
신종웅 동작서 178
신종철 삼덕회계 15
신종필 광주세관 505
신종호 신한관세 44
신종훈 국세청 114
신주령 역삼서 198
신주영 대전청 320
신주영 남대구서 404
신주현 성북서 192
신주현 용산서 202
신주현 구리서 227
신준규 남양주서 231
신준철 강남서 159
신준호 송파서 195
신준호 남부천서 302
신중현 국세청 114
신중훈 고양서 294
신지명 논산서 332
신지선 평택서 256
신지성 잠실서 207
신지수 인천서 290
신지숙 중부서 212
신지아 계양서 292
신지애 구미서 419
신지연 관악서 165
신지연 마포서 181
신지연 삼성서 185
신지연 영덕서 426
신지영 중랑서 211
신지영 분당서 237
신지우 서울청 147
신지원 조세재정 508
신지은 인천청 284
신지은 파주서 312
신지현 삼성서 184
신지혜 서울청 154
신지혜 삼성서 185
신지혜 동울산서 460
신지호 기재부 72
신지환 남부천서 302
신지훈 시흥서 242
신지훈 서현회계 7
신지희 광주세관 504
신진규 중부청 220
신진섭 강릉서 262
신진아 예산서 343
신진연 구미서 419
신진우 동청주서 349
신진우 대구청 401
신진욱 기재부 68
신진주 광주세관 504
신찬호 순천서 378
신창영 인천청 284
신창현 금감원 98
신창환 딜로이트 13
신창환 딜로이트 13
신창훈 강남서 158
신채영 인천청 281
신채용 기재부 84
신채원 서인천서 288
신채희 관세청 481
신철원 국세청 123
신초일 광산서 366
신총괄 금감원 91
신충민 구리서 227
신치원 광명서 297
신치환 감사원 61
신태섭 기재부 78
신태섭 대구세관 500
신태환 기재부 84
신평화 북광주서 370
신하나금 금정서 442
신해규 동고양서 301
신해수 이촌회계 24
신향식 강서서 163
신헌철 국세청 115
신혁 충주서 356
신현경 양천서 197
신현구 기재부 67
신현국 국세청 130
신현국 마산서 469
신현범 다솔세무 35
신현삼 반포서 183
신현석 서울청 134
신현영 송파서 194
신현우 김포서 298
신현우 부산진서 446
신현우 부산진서 446
신현원 서인천서 289
신현일 국세청 121
신현주 중랑서 210
신현준 충주서 357
신현중 국세청 121
신현진 인천서 290
신현철 포천서 314
신현호 강동서 160
신형욱 성현회계 11
신형원 동청주서 349
신형철 현대회계 28
신혜경 서대구서 410
신혜란 인천청 279
신혜민 용인서 252
신혜선 서대전서 328
신혜숙 서울청 151
신혜인 동청주서 349
신혜정 화성서 261
신혜주 동고양서 300
신혜진 부산청 438
신호균 화성서 261
신호석 서현회계 7
신호석 서현회계 7
신호철 김해서 467
신홍영 서울청 146
신효경 국세청 130
신효경 부산청 438
신효상 속초서 267
신효상 인천공항 492
신효상 법무대륜 45
신희라 남동서 287
신희명 서인천서 288
신희범 국세청 118
신희선 기재부 78
신희섭 기재부 81
신희웅 서울청 156
신희정 아산서 340
심가현 광주세관 504
심경섭 서대문서 186
심경연 도봉서 175
심경자 기재부 77
심경희 기재부 81
심광식 계양서 292
심광흠 인천지방 33
심국보 아산서 340
심규민 동대구서 407
심규연 성동서 191
심규찬 태평양 52
심규현 광주세관 505
심기보 인천서 291
심낙순 한울회계 27
심단비 남양주서 231
심동보 광주세관 504
심란주 국세청 128
심미선 군산서 384
심미현 경기광주 244
심민경 중부서 213
심민기 국세청 108
심민정 동작서 178
심민정 중부청 222
심민정 세종서 339
심민준 기재부 72
심백교 조세재정 510
심별 구리서 227
심상길 거창서 465
심상미 동작서 179
심상우 성북서 193
심상운 구미서 418
심상원 목포서 376
심상형 김해서 466
심상희 강동서 160
심서연 금감원 98
심서현 금정서 442
심석인 EY한영 12
심선미 양천서 197
심선희 경기광주 245
심성연 북광주서 370
심성환 순천서 378
심소영 김포서 299
심수경 감사원 62
심수경 화성서 261
심수민 영등포서 201
심수빈 용산서 203
심수연 구로서 166
심수진 구리서 226
심수진 고양서 295
심수한 서울청 153
심수현 영월서 268
심수현 고양서 294
심수희 조세재정 511
심순보 창원서 474
심승미 기재부 75
심승현 기재부 77
심아미 서울청 148
심여희 금감원 95
심연수 강서서 163
심연주 창원서 474
심연택 강남서 159
심영일 이천서 255
심영주 동울산서 461
심완수 동안양서 234
심우돈 조세심판 507
심우성 기재부 80
심우용 부산청 439
심우진 기재부 66
심우택 동안산서 249
심욱기 서울청 133
심욱기 서울청 145
심욱기 서울청 146
심욱기 서울청 147
심유정 기재부 79
심유정 북광주서 371
심윤미 동작서 179
심윤보 삼성서 184
심윤상 김앤장 47
심윤성 국세청 120
심윤정 서울청 152
심은경 울산서 462
심은섭 금감원 91
심은정 북부산서 451
심은지 서인천서 288
심은진 서울청 155
심자민 서인천서 288
심재걸 강남서 159
심재경 조세재정 511
심재곤 감사원 63
심재광 금천서 169
심재도 서울청 134
심재옥 북전주서 388
심재용 순천서 379
심재용 고시회 30
심재운 순천서 379
심재은 계양서 293
심재인 세종서 339
심재진 대전청 321
심재진 법무광장 49
심재현 분당서 236
심재현 부산세관 495
심재현 부산세관 496
심재호 금감원 96
심재호 남양주서 230
심재훈 국세청 121
심재훈 경산서 414
심재희 서울청 134
심정규 국세청 120
심정미 부산청 435
심정민 기재부 71
심정보 서울청 142
심정보 해운대서 458
심정식 삼성서 185
심정연 고양서 295
심정은 김포서 299
심정희 울산서 463
심종기 홍천서 274
심종숙 영등포서 200
심주영 남대문서 171
심주용 인천청 278
심주호 동작서 178
심주희 현대회계 28
심준보 국세청 107
심준석 동청주서 348
심지섭 서울청 134
심지숙 국세청 123
심지애 기재부 70
심지은 성동서 191
심지은 중부서 212
심지현 분당서 237
심지혜 기재부 76
심진영 충주서 356
심진용 금천서 168
심창훈 수영서 454
심철수 다솔세무 35
심태섭 광산서 367
심태완 조세재정 509
심평식 서울세관 486
심한보 인천청 284
심현석 광주청 361
심현수 안산서 247
심현아 법무바른 1
심현우 기재부 77
심현주 부천서 304
심현주 광주서 369
심현희 도봉서 174
심형섭 삼덕회계 15
심혜원 충주서 356
심혜진 북전주서 388
심호정 강서서 163
심홍근 국세청 130
심홍채 남동서 286
심효섭 기재부 67
심희선 강서서 162
심희열 양천서 196
심희정 부평서 307
심희정 부산청 439
심희준 중부청 221


## ㅇ


안가혜 강동서 161
안건희 기재부 77
안경민 국세청 118
안경우 광명서 297
안경호 부산청 441
안경화 성동서 191
안광민 경기광주 244
안광선 기재부 78
안광승 감사원 63
안광식 용인서 252
안광용 감사원 63
안광원 국세청 115
안광인 성북서 193
안광혁 동안양서 234
안광훈 감사원 63
안구임 광주서 368
안국찬 서인천서 288
안규민 동대구서 406
안규상 성동서 190
안근옥 기재부 77
안기영 서울청 152
안기용 기재부 81
안기웅 군산서 384
안기호 충주서 357
안기회 중부청 217
안남진 동청주서 348
안대근 남대구서 405
안대엽 용산서 203
안대엽 중부청 223
안대인 대전청 320
안대철 창원서 475
안대협 중부산서 456
안대호 울산서 463
안덕수 국세청 116
안덕수 국세청 117
안도걸 국회재정 56
안도영 동래서 445
안도형 국세청 110
안동섭 구로서 166
안동숙 구리서 226
안동주 제주서 478
안래본 광주청 362
안만식 서현회계 7
안명환 광주세관 505
안모세 강남서 158
안무혁 은평서 204
안문철 구리서 227
안미경 인천청 283
안미경 동대구서 406
안미나 양천서 197
안미라 성동서 191
안미분 충주서 357
안미선 역삼서 198
안미영 삼성서 185
안미영 동고양서 301
안미진 기재부 74
안미진 성동서 191
안미진 광명서 297
안미혜 서울청 157
안미환 성남서 239
안미희 계양서 292
안민규 국세청 116
안민숙 여수서 381
안민지 성남서 239
안병남 금감원 91
안병만 통영서 476
안병선 기재부 72
안병수 경주서 416
안병옥 노원서 172
안병용 동안산서 248
안병욱 딜로이트 13
안병준 현대회계 28
안병태 강동서 161
안병현 서울청 146
안부환 부산청 441
안상숙 조세재정 508
안상숙 조세재정 510
안상순 반포서 182
안상언 양산서 470
안상열 기재부 80
안상열 기재부 81
안상욱 부평서 306

| 이름 | 소속 | 번호 |
|---|---|---|
| 안상욱 | 서울세관 | 487 |
| 안상재 | 김해서 | 467 |
| 안상진 | 동대문서 | 177 |
| 안상춘 | 서현회계 | 7 |
| 안상현 | 구로서 | 167 |
| 안새롬 | 계양서 | 292 |
| 안서윤 | 조세재정 | 510 |
| 안서윤 | 평택서 | 256 |
| 안서윤 | 포항서 | 430 |
| 안선미 | 김포서 | 298 |
| 안선일 | 대전청 | 319 |
| 안선표 | 익산서 | 390 |
| 안선희 | 구로서 | 167 |
| 안성경 | 인천청 | 279 |
| 안성국 | 부천서 | 305 |
| 안성기 | 삼정회계 | 18 |
| 안성덕 | 수성서 | 413 |
| 안성민 | 강서서 | 162 |
| 안성민 | 군산서 | 384 |
| 안성민 | 삼일회계 | 16 |
| 안성빈 | 강남서 | 158 |
| 안성선 | 구로서 | 251 |
| 안성열 | 대구청 | 400 |
| 안성원 | 금감원 | 90 |
| 안성은 | 서대문서 | 187 |
| 안성준 | 강남서 | 158 |
| 안성진 | 강서서 | 163 |
| 안성진 | 구로서 | 167 |
| 안성태 | 김해서 | 467 |
| 안성호 | 서울청 | 134 |
| 안성호 | 평택서 | 257 |
| 안성희 | 기재부 | 72 |
| 안성희 | 반포서 | 183 |
| 안성희 | 고시회 | 30 |
| 안세연 | 인천청 | 278 |
| 안세영 | 아산서 | 341 |
| 안세윤 | 연수서 | 308 |
| 안세희 | 부산청 | 441 |
| 안소라 | 구로서 | 167 |
| 안소연 | 삼성서 | 184 |
| 안소연 | 김포서 | 299 |
| 안소연 | 광주서 | 369 |
| 안소연 | 조세재정 | 510 |
| 안소영 | 중랑서 | 211 |
| 안소영 | 논산서 | 332 |
| 안소현 | 기재부 | 68 |
| 안소현 | 동안양서 | 234 |
| 안소현 | 연수서 | 308 |
| 안소형 | 서인천서 | 288 |
| 안수경 | 안동서 | 424 |
| 안수남 | 다솔세무 | 35 |
| 안수남 | 다솔세무 | 35 |
| 안수남 | 다솔세무 | 35 |
| 안수림 | 대전청 | 320 |
| 안수만 | 울산서 | 462 |
| 안수민 | 기재부 | 84 |
| 안수민 | 성남서 | 238 |
| 안수빈 | 서인천서 | 289 |
| 안수빈 | 김포서 | 298 |
| 안수아 | 서울청 | 152 |
| 안수안 | 서산서 | 336 |
| 안수연 | 국세청 | 115 |
| 안수용 | 충주서 | 356 |
| 안수지 | 고양서 | 295 |
| 안수진 | 천안서 | 344 |
| 안수진 | 통인서 | 477 |
| 안수현 | 용인서 | 252 |
| 안순주 | 수원서 | 240 |
| 안순헌 | 기재부 | 75 |
| 안순호 | 성동서 | 191 |
| 안슬기 | 북대전서 | 326 |
| 안승근 | 금감원 | 100 |
| 안승연 | 충주서 | 357 |
| 안승우 | 잠실서 | 207 |
| 안승우 | 국세청 | 110 |
| 안승우 | 진주서 | 472 |
| 안승진 | 서초서 | 189 |
| 안승현 | 기재부 | 73 |
| 안승현 | 노원서 | 173 |
| 안승현 | 부산강서 | 449 |
| 안승호 | 서울청 | 351 |
| 안승화 | 마산서 | 469 |
| 안승훈 | 대전서 | 324 |
| 안승희 | 서울청 | 150 |
| 안신의 | 금감원 | 93 |
| 안애선 | 동안양서 | 235 |
| 안양순 | 홍천서 | 275 |
| 안양현 | 해운대서 | 458 |
| 안언형 | 김해서 | 467 |
| 안연숙 | 중랑서 | 210 |
| 안연찬 | 김포서 | 299 |
| 안영성 | 해운대서 | 459 |
| 안영수 | 기재부 | 70 |
| 안영순 | 삼덕회계 | 15 |
| 안영순 | 동안양서 | 234 |
| 안영신 | 기재부 | 75 |
| 안영준 | 용산서 | 202 |
| 안영준 | 서울청 | 455 |
| 안영채 | 서울청 | 147 |
| 안영훈 | 기재부 | 65 |
| 안영훈 | 대전청 | 320 |
| 안영희 | 북대전서 | 326 |
| 안예지 | 국세청 | 129 |
| 안예지 | 구미서 | 418 |
| 안예지 | 상주서 | 422 |
| 안요한 | 목포서 | 377 |
| 안용 | 원주서 | 270 |
| 안용수 | 남양주서 | 230 |
| 안용수 | 안산서 | 345 |
| 안용환 | 영동서 | 351 |
| 안우형 | 북대구서 | 409 |
| 안원기 | 진주서 | 473 |
| 안원용 | 다솔세무 | 35 |
| 안유미 | 다솔세무 | 35 |
| 안유정 | 광주서 | 368 |
| 안유주 | 이천서 | 254 |
| 안유진 | 대전청 | 420 |
| 안유현 | 서울청 | 136 |
| 안유희 | 서울청 | 139 |
| 안윤미 | 부천서 | 304 |
| 안윤선 | 조세재정 | 510 |
| 안윤정 | 국세청 | 67 |
| 안윤혜 | 평택서 | 257 |
| 안은경 | 대전서 | 324 |
| 안은경 | 안산서 | 332 |
| 안은미 | 울산서 | 463 |
| 안은정 | 마포서 | 181 |
| 안은주 | 서울청 | 287 |
| 안은주 | 울산서 | 136 |
| 안은지 | 서대전서 | 462 |
| 안은지 | 대전청 | 328 |
| 안은향 | 대전청 | 320 |
| 안의진 | 동화성서 | 259 |
| 안이슬 | 광주서 | 363 |
| 안인기 | 중부청 | 225 |
| 안인영 | 국세청 | 144 |
| 안일근 | 해남서 | 110 |
| 안일찬 | 해남서 | 382 |
| 안자국 | 포천서 | 314 |
| 안재문 | 서산서 | 387 |
| 안재문 | 영덕서 | 426 |
| 안재영 | 서산서 | 336 |
| 안재영 | 기재부 | 72 |
| 안재진 | 동대구서 | 445 |
| 안재진 | 국세청 | 116 |
| 안재필 | 동래서 | 445 |
| 안재혁 | 김앤장 | 294 |
| 안재현 | 서초서 | 47 |
| 안재현 | 인천청 | 188 |
| 안재현 | 거창서 | 246 |
| 안재현 | 여수서 | 283 |
| 안재홍 | 고양서 | 465 |
| 안재홍 | 서울청 | 381 |
| 안재미 | 성동서 | 295 |
| 안정민 | 평택서 | 144 |
| 안정민 | 동화성서 | 190 |
| 안정민 | 군산서 | 257 |
| 안정성 | 동화성서 | 258 |
| 안정우 | 서울청 | 384 |
| 안정원 | 기재부 | 459 |
| 안정진 | 택스홈 | 155 |
| 안정화 | 한울회계 | 77 |
| 안정훈 | 서부산서 | 38 |
| 안정훈 | 마산서 | 204 |
| 안제은 | 나주서 | 453 |
| 안종규 | 부산강서 | 469 |
| 안종근 | 부천서 | 375 |
| 안종정 | 삼덕회계 | 449 |
| 안종호 | 동작서 | 15 |
| 안주영 | 기재부 | 178 |
| 안주환 | 청주서 | 142 |
| 안주훈 | 고양서 | 77 |
| 안주희 | 대전서 | 354 |
| 안준 | 계양서 | 295 |
| 안준 | | 325 |
| 안준 | | 293 |
| 안준건 | 부산청 | 439 |
| 안준수 | 서울청 | 136 |
| 안준연 | 중기회 | 102 |
| 안준영 | 기재부 | 66 |
| 안준원 | 수성서 | 413 |
| 안중관 | 조세심판 | 507 |
| 안중현 | 동안양서 | 235 |
| 안중호 | 서울청 | 144 |
| 안중훈 | 서울청 | 140 |
| 안지민 | 영동서 | 351 |
| 안지민 | 대구청 | 400 |
| 안지민 | 남대구서 | 405 |
| 안지선 | 파주서 | 313 |
| 안지섭 | 주청서 | 365 |
| 안지섭 | 대전청 | 320 |
| 안지연 | 대구청 | 403 |
| 안지연 | 수영서 | 454 |
| 안지영 | 국세청 | 112 |
| 안지영 | 국세청 | 128 |
| 안지영 | 송파서 | 195 |
| 안지영 | 남양주서 | 231 |
| 안지영 | 대전청 | 199 |
| 안지윤 | 의정부서 | 310 |
| 안지은 | 동대문서 | 176 |
| 안지은 | 중부청 | 216 |
| 안지은 | 구리서 | 226 |
| 안지은 | 경기광주 | 245 |
| 안지은 | 고양서 | 294 |
| 안지은 | 부천서 | 304 |
| 안지은 | 다솔세무 | 35 |
| 안지현 | 삼성서 | 185 |
| 안지현 | 동울산서 | 460 |
| 안지현 | 조세재정 | 511 |
| 안지혜 | 강서서 | 163 |
| 안지혜 | 인천서 | 290 |
| 안지혜 | 중부청 | 224 |
| 안지희 | 원주서 | 271 |
| 안진경 | 서초서 | 188 |
| 안진모 | 성북서 | 192 |
| 안진수 | 성북서 | 193 |
| 안진아 | 삼성서 | 184 |
| 안진영 | 노원서 | 173 |
| 안진영 | 광주서 | 369 |
| 안진영 | 동안양서 | 409 |
| 안진환 | 대구청 | 235 |
| 안진희 | 대구청 | 399 |
| 안찬송 | 여수서 | 223 |
| 안찬용 | 남대문서 | 170 |
| 안창남 | 북대구서 | 408 |
| 안창모 | 기재부 | 79 |
| 안창현 | 금정서 | 443 |
| 안순자 | 전주서 | 152 |
| 안춘자 | 경기광주 | 392 |
| 안태균 | 광명서 | 245 |
| 안태명 | 국세청 | 297 |
| 안태영 | 송파서 | 110 |
| 안태승 | 금감원 | 194 |
| 안태승 | 서부산서 | 91 |
| 안태영 | 예산서 | 453 |
| 안태유 | 북부산서 | 342 |
| 안태익 | 서울청 | 450 |
| 안태일 | 용인서 | 136 |
| 안태종 | 금감원 | 253 |
| 안태훈 | 국세청 | 95 |
| 안태훈 | 인천공항 | 122 |
| 안필명 | 국세청 | 493 |
| 안한솔 | 노원서 | 128 |
| 안해송 | 노원서 | 173 |
| 안해찬 | 평택서 | 257 |
| 안현수 | 대구청 | 400 |
| 안현수 | 동안양서 | 235 |
| 안현아 | 울산서 | 462 |
| 안현아 | 서울청 | 148 |
| 안현이 | 북광주서 | 371 |
| 안현자 | 중부청 | 221 |
| 안현준 | 국세청 | 128 |
| 안현창 | 광산서 | 366 |
| 안형민 | 국세청 | 107 |
| 안형민 | 부평서 | 307 |
| 안형숙 | 북전주서 | 388 |
| 안형자 | 기재부 | 81 |
| 안형준 | 하나세무 | 39 |
| 안형태 | 서울청 | 144 |
| 안혜림 | 부천서 | 304 |
| 안혜숙 | 국세청 | 436 |
| 안혜숙 | 양천서 | 124 |
| 안혜영 | 부산청 | 196 |
| 안혜영 | 고양서 | 435 |
| 안혜은 | 고양서 | 294 |
| 안혜은 | 국세청 | 111 |
| 안혜은 | 국세청 | 120 |
| 안혜정 | 국세청 | 117 |
| 안혜정 | 강남서 | 158 |
| 안혜정 | 북광주서 | 370 |
| 안혜진 | 서인천서 | 289 |
| 안혜진 | 고양서 | 294 |
| 안호선 | 감사원 | 63 |
| 안호정 | 광주청 | 360 |
| 안홍갑 | 남양주서 | 230 |
| 안홍서 | 상주서 | 422 |
| 안효성 | 구로서 | 166 |
| 안효진 | 송파서 | 195 |
| 안희성 | 중부서 | 213 |
| 안희옥 | 포천서 | 314 |
| 야문욱 | 이천서 | 255 |
| 양강진 | 고양서 | 295 |
| 양경모 | 기재부 | 68 |
| 양경목 | 기흥서 | 228 |
| 양경섭 | 서울지방 | 32 |
| 양경애 | 남동서 | 286 |
| 양경희 | 대전청 | 199 |
| 양고운 | 기재부 | 84 |
| 양광식 | 서대전서 | 329 |
| 양광준 | 중부청 | 193 |
| 양구철 | 서울청 | 220 |
| 양구현 | 중부산서 | 456 |
| 양규원 | 김앤장 | 47 |
| 양근영 | 역삼서 | 198 |
| 양금영 | 화성서 | 261 |
| 양기근 | 부산세관 | 495 |
| 양기근 | 부산세관 | 497 |
| 양기석 | EY한영 | 12 |
| 양기태 | 원주서 | 271 |
| 양기혁 | 동울산서 | 461 |
| 양기현 | 서울청 | 143 |
| 양기회 | 금정서 | 443 |
| 양길호 | 다솔세무 | 35 |
| 양길호 | 목포서 | 376 |
| 양나연 | 강동서 | 160 |
| 양다연 | 조세재정 | 511 |
| 양다영 | 전주서 | 392 |
| 양다은 | 중부청 | 124 |
| 양다희 | 중부청 | 218 |
| 양대성 | 금감원 | 97 |
| 양대식 | 예산서 | 343 |
| 양대헌 | 기재부 | 72 |
| 양도일 | 조세재정 | 511 |
| 양동구 | 국세청 | 110 |
| 양동구 | 안양서 | 251 |
| 양동규 | 서울청 | 154 |
| 양동규 | 남동서 | 239 |
| 양동범 | 성북서 | 192 |
| 양동욱 | 관악서 | 165 |
| 양동욱 | 서울청 | 141 |
| 양동준 | 삼성서 | 184 |
| 양동혁 | 영동서 | 134 |
| 양동혁 | 정읍서 | 395 |
| 양동훈 | 대전청 | 317 |
| 양동훈 | 예산서 | 318 |
| 양명숙 | 반포서 | 182 |
| 양명지 | 서대문서 | 187 |
| 양명경 | 대전청 | 345 |
| 양명회 | 광산서 | 366 |
| 양문혁 | 수영서 | 454 |
| 양미경 | 노원서 | 173 |
| 양미경 | 마포서 | 181 |
| 양미덕 | 서울청 | 424 |
| 양미례 | 남대구서 | 404 |
| 양미선 | 국세청 | 118 |
| 양미선 | 종로서 | 209 |
| 양미숙 | 성동서 | 191 |
| 양미영 | 노원서 | 172 |
| 양민영 | 역삼서 | 199 |
| 양민정 | 성북서 | 193 |
| 양병석 | 서산서 | 337 |
| 양병택 | 광주세관 | 502 |
| 양상미 | 구로서 | 167 |
| 양상원 | 동작서 | 178 |
| 양상원 | 아산서 | 341 |
| 양서영 | 기재부 | 69 |
| 양서영 | 김해서 | 467 |
| 양서용 | 중부청 | 222 |
| 양석영 | 화성서 | 261 |
| 양석진 | 화성서 | 261 |
| 양석범 | 목포서 | 376 |
| 양석재 | 금천서 | 169 |
| 양석재 | 제주서 | 478 |
| 양석진 | 서울청 | 148 |
| 양선미 | 안양서 | 250 |
| 양선미 | 대전청 | 319 |
| 양선미 | 김해서 | 466 |
| 양선숙 | 아산서 | 340 |
| 양성욱 | 서울청 | 135 |
| 양성봉 | 기재부 | 82 |
| 양성봉 | 이천서 | 254 |
| 양성숙 | 평택서 | 257 |
| 양성철 | 기재부 | 76 |
| 양성철 | 서인천서 | 288 |
| 양성철 | 익산서 | 390 |
| 양성현 | 태평양 | 52 |
| 양세영 | 대구청 | 399 |
| 양세영 | 홍성서 | 347 |
| 양소라 | 아산서 | 340 |
| 양소라 | 통영서 | 476 |
| 양소라 | 삼성서 | 185 |
| 양송이 | 성동서 | 191 |
| 양수빈 | 북전주서 | 388 |
| 양수정 | 부산청 | 441 |
| 양수정 | 잠실서 | 206 |
| 양숙진 | 인천청 | 282 |
| 양순관 | 해운대서 | 459 |
| 양순석 | 부산청 | 436 |
| 양순애 | 국세청 | 130 |
| 양순영 | 강남서 | 158 |
| 양순필 | 기재부 | 68 |
| 양술 | 송파서 | 194 |
| 양술 | 광주세관 | 502 |
| 양승규 | 수원서 | 241 |
| 양승민 | 해운대서 | 458 |
| 양승복 | 송파서 | 194 |
| 양승우 | 남양서 | 239 |
| 양승정 | 광주청 | 363 |
| 양승종 | 김앤장 | 47 |
| 양승철 | 동래서 | 444 |
| 양시범 | 구리서 | 227 |
| 양시준 | 해남서 | 382 |
| 양신 | 연수서 | 308 |
| 양심영 | 도봉서 | 175 |
| 양아람 | 종로서 | 209 |
| 양아열 | 정읍서 | 394 |
| 양연화 | 서울청 | 141 |
| 양영경 | 성남서 | 156 |
| 양영규 | 서울청 | 157 |
| 양영규 | 부천서 | 304 |
| 양영규 | 마포서 | 180 |
| 양영진 | 기재부 | 69 |
| 양영선 | 해운대서 | 459 |
| 양영선 | 국세청 | 122 |
| 양영진 | 동안양서 | 235 |
| 양영진 | 대전청 | 318 |
| 양영철 | 중랑서 | 210 |
| 양영택 | 중랑서 | 210 |
| 양영혁 | 제주서 | 479 |
| 양영희 | 북전주서 | 389 |
| 양영희 | 성동서 | 191 |
| 양예주 | 경주서 | 416 |
| 양예주 | 마산서 | 469 |
| 양옥서 | 서울청 | 138 |
| 양옥석 | 중기회 | 103 |
| 양옥선 | 서대문서 | 186 |
| 양용산 | 대전청 | 318 |
| 양용석 | 제주서 | 479 |
| 양용환 | 속초서 | 266 |
| 양용환 | 순천서 | 379 |
| 양용훈 | 북전주서 | 389 |
| 양용 | 해남서 | 382 |
| 양웅비 | 종로서 | 208 |
| 양웅비 | 영등포서 | 200 |
| 양원 | 익산서 | 390 |
| 양원석 | 삼성서 | 185 |
| 양원혁 | 제주서 | 479 |
| 양월숙 | 동안양서 | 235 |
| 양유나 | 포항서 | 430 |
| 양유미 | 서대전서 | 328 |
| 양유진 | 기재부 | 74 |
| 양유진 | 금감원 | 202 |
| 양유형 | 금감원 | 93 |
| 양유모 | 반포서 | 182 |
| 양윤선 | 서대문서 | 186 |
| 양윤성 | 목포서 | 377 |
| 양윤정 | 의정부서 | 310 |
| 양윤정 | 삼일회계 | 16 |
| 양은수 | 양산서 | 471 |
| 양은영 | 강동서 | 161 |
| 양은영 | 서초서 | 188 |
| 양은정 | 서울청 | 134 |
| 양은정 | 북광주서 | 371 |
| 양은주 | 창원서 | 474 |
| 양은지 | 의정부서 | 310 |

| 이름 | 소속 | 번호 |
|---|---|---|
| 양은지 | 양산서 | 470 |
| 양은진 | 광산서 | 367 |
| 양은혜 | 동고양서 | 300 |
| 양을수 | 인천공항 | 493 |
| 양이곤 | 인천청 | 281 |
| 양이지 | 남양주서 | 231 |
| 양인경 | 동대구서 | 177 |
| 양인병 | 삼일회계 | 16 |
| 양인애 | 부산진서 | 447 |
| 양인영 | 서울청 | 151 |
| 양인환 | 동대문서 | 177 |
| 양일환 | 동수원서 | 232 |
| 양재림 | 택스홈 | 38 |
| 양재연 | 현대회계 | 28 |
| 양재영 | 기재부 | 82 |
| 양재영 | 반포서 | 182 |
| 양재영 | 창원서 | 475 |
| 양재우 | 수원서 | 240 |
| 양재중 | 중랑서 | 211 |
| 양재한 | 춘천서 | 272 |
| 양재호 | 의정부서 | 311 |
| 양전옥 | 아산서 | 341 |
| 양정미 | 계양서 | 292 |
| 양정숙 | 한울회계 | 27 |
| 양정숙 | 북광주서 | 371 |
| 양정주 | 안산서 | 246 |
| 양정필 | 예일세무 | 40 |
| 양정희 | 광주서 | 368 |
| 양정희 | 익산서 | 391 |
| 양제문 | 제주서 | 478 |
| 양종렬 | 평택서 | 256 |
| 양종명 | 동안산서 | 249 |
| 양종선 | 관악서 | 164 |
| 양종열 | 용산서 | 203 |
| 양종현 | 보령서 | 334 |
| 양종현 | 국세청 | 130 |
| 양종훈 | 중부청 | 222 |
| 양주원 | 인천서 | 291 |
| 양주희 | 성남서 | 239 |
| 양주희 | 대전청 | 321 |
| 양준권 | 반포서 | 182 |
| 양준모 | 용인서 | 253 |
| 양준복 | 군산서 | 385 |
| 양준호 | 대구서 | 406 |
| 양지상 | 영등포서 | 200 |
| 양지선 | 부천서 | 304 |
| 양지연 | 기재부 | 75 |
| 양지연 | 북전주서 | 388 |
| 양지영 | 금감원 | 93 |
| 양지영 | 용인서 | 252 |
| 양지영 | 조세재정 | 508 |
| 양지유 | 동나산서 | 460 |
| 양지현 | 구리서 | 227 |
| 양지현 | 영동서 | 351 |
| 양지혜 | 상주서 | 423 |
| 양지호 | EY한영 | 12 |
| 양지희 | 기재부 | 76 |
| 양진석 | 용인서 | 252 |
| 양진숙 | 다솔세무 | 35 |
| 양진석 | 서인천서 | 288 |
| 양진혁 | 국세청 | 130 |
| 양진호 | 해남서 | 383 |
| 양찬영 | 금천서 | 168 |
| 양찬회 | 중기회 | 103 |
| 양창헌 | 나주서 | 374 |
| 양창혁 | 제주서 | 478 |
| 양창호 | 국세청 | 120 |
| 양천일 | 정읍서 | 394 |
| 양철웅 | 남대구서 | 405 |
| 양철웅 | 순천서 | 378 |
| 양철원 | 노원서 | 173 |
| 양철호 | 국세청 | 133 |
| 양태식 | 서울청 | 137 |
| 양태영 | 여수서 | 380 |
| 양한별 | 광산서 | 367 |
| 양한철 | 종로서 | 209 |
| 양해운 | 다솔세무 | 35 |
| 양해운 | 다솔세무 | 35 |
| 양해준 | 마포서 | 180 |
| 양행훈 | 광산서 | 366 |
| 양향열 | 군산서 | 385 |
| 양향임 | 포천서 | 314 |
| 양현모 | 국세청 | 123 |
| 양현석 | 기재부 | 71 |
| 양현우 | 김포서 | 298 |
| 양현우 | 송파서 | 195 |
| 양현정 | 부산청 | 437 |
| 양현준 | 국세청 | 130 |
| 양현준 | 잠실서 | 206 |
| 양현진 | 광산서 | 367 |
| 양현황 | 광주청 | 361 |
| 양형윤 | 다솔세무 | 35 |
| 양형민 | 경기광주 | 244 |
| 양혜선 | 기재부 | 75 |
| 양혜선 | 성북서 | 193 |
| 양혜성 | 남양주서 | 370 |
| 양혜진 | 김천서 | 420 |
| 양홍철 | 은평서 | 204 |
| 양홍철 | 인천청 | 281 |
| 양효진 | 순천서 | 379 |
| 양효진 | 공주서 | 331 |
| 양효진 | 해운대서 | 459 |
| 양효석 | 서울청 | 157 |
| 양희석 | 홍천서 | 275 |
| 양희승 | 종로서 | 209 |
| 양희연 | 대전청 | 321 |
| 양희승 | 대전청 | 357 |
| 양희연 | 강남서 | 159 |
| 양희재 | 광명서 | 296 |
| 양희정 | 포항서 | 430 |
| 양희정 | 아산서 | 340 |
| 어경윤 | 성북서 | 193 |
| 어기선 | 중랑서 | 210 |
| 어명진 | 용산서 | 202 |
| 어수임 | 중부청 | 224 |
| 어우주 | 기재부 | 81 |
| 어원경 | 부평서 | 306 |
| 어유제 | 남동서 | 252 |
| 어유필 | 부산청 | 438 |
| 어장규 | 은평서 | 204 |
| 어재경 | 서초서 | 188 |
| 어정아 | 고양서 | 294 |
| 어지환 | 기재부 | 76 |
| 어현서 | 구미서 | 259 |
| 엄경애 | 구미서 | 419 |
| 엄경화 | 남동서 | 175 |
| 엄기관 | 울산서 | 462 |
| 엄기동 | 상주서 | 422 |
| 엄기범 | 상주서 | 423 |
| 엄기범 | 청주서 | 355 |
| 엄기봉 | 대전회계 | 28 |
| 엄기홍 | 반포서 | 183 |
| 엄기황 | 동안산서 | 248 |
| 엄남식 | 경양서 | 292 |
| 엄명주 | 서울청 | 139 |
| 엄미라 | 수영서 | 455 |
| 엄민식 | 강남서 | 239 |
| 엄병섭 | 김해서 | 467 |
| 엄상섭 | 법무지평 | 51 |
| 엄상우 | 강남서 | 158 |
| 엄상원 | 해운대서 | 459 |
| 엄상정 | 경기광주 | 416 |
| 엄석찬 | 여수서 | 380 |
| 엄선호 | 용인서 | 253 |
| 엄세열 | 관세청 | 504 |
| 엄세영 | 안동서 | 424 |
| 엄세진 | 성북서 | 192 |
| 엄송미 | 택스홈 | 38 |
| 엄순영 | 부산진서 | 446 |
| 엄슬희 | 경산서 | 414 |
| 엄애화 | 기재부 | 70 |
| 엄애화 | 서부산서 | 452 |
| 엄연희 | 인천청 | 281 |
| 엄영석 | 남양주서 | 231 |
| 엄영옥 | 서울청 | 139 |
| 엄영진 | 중랑서 | 211 |
| 엄영환 | 영등포서 | 201 |
| 엄유선 | 북대구서 | 408 |
| 엄유환 | 보령서 | 334 |
| 엄의성 | 인천청 | 284 |
| 엄익동 | 성동서 | 190 |
| 엄인성 | 부산청 | 439 |
| 엄인영 | 평택서 | 257 |
| 엄일선 | 서울청 | 134 |
| 엄장원 | 서인천서 | 288 |
| 엄재연 | 북전주서 | 388 |
| 엄재희 | 서울청 | 152 |
| 엄정상 | 강남서 | 159 |
| 엄정임 | 국세청 | 123 |
| 엄제현 | 동울산서 | 461 |
| 엄주호 | 구리서 | 226 |
| 엄준호 | 통영서 | 477 |
| 엄준호 | 서울청 | 146 |
| 엄지원 | 김해서 | 467 |
| 엄지혜 | 목포서 | 377 |
| 엄지환 | 부산청 | 441 |
| 엄진숙 | 천안서 | 344 |
| 엄채연 | 대전청 | 321 |
| 엄태선 | 천안서 | 345 |
| 엄태선 | 동울산서 | 460 |
| 엄태영 | 동화성서 | 258 |
| 엄태자 | 영등포서 | 200 |
| 엄태준 | 양산서 | 471 |
| 엄태진 | 국세청 | 325 |
| 엄태현 | 부평서 | 306 |
| 엄하은 | 정읍서 | 395 |
| 엄해림 | 중부서 | 212 |
| 엄해림 | 다솔세무 | 35 |
| 엄형범 | 수원서 | 240 |
| 엄형태 | 서대문서 | 187 |
| 엄희정 | 마산서 | 468 |
| 업무 | 금감원 | 90 |
| 여가온 | 노원서 | 172 |
| 여경규 | 강서서 | 163 |
| 여길동 | 노원서 | 172 |
| 여동준 | 김앤장 | 47 |
| 여력제도 | 금감원 | 92 |
| 여명철 | 진주서 | 472 |
| 여미라 | 대전청 | 321 |
| 여민호 | 서대문서 | 186 |
| 여선 | 파주서 | 312 |
| 여성훈 | 국세청 | 116 |
| 여세영 | 영덕서 | 426 |
| 여소정 | 수성서 | 412 |
| 여수민 | 서인천서 | 288 |
| 여승구 | 인천서 | 291 |
| 여옥희 | 인천서 | 291 |
| 여우주 | 중부청 | 216 |
| 여원희 | 도봉서 | 174 |
| 여원선 | 안양서 | 250 |
| 여윤수 | 동청주서 | 348 |
| 여은수 | 용산서 | 203 |
| 여의주 | 인천청 | 283 |
| 여인순 | 대전청 | 318 |
| 여정민 | 진주서 | 473 |
| 여정보 | 국세심판 | 110 |
| 여정애 | 조세심판 | 507 |
| 여정재 | 관악서 | 164 |
| 여정주 | 서울청 | 145 |
| 여제현 | 영덕서 | 427 |
| 여종구 | 김포서 | 299 |
| 여종엽 | 영등포서 | 201 |
| 여주연 | 국세청 | 158 |
| 여주희 | 삼일회계 | 17 |
| 여주구 | 천안서 | 344 |
| 여지수 | 중부청 | 217 |
| 여지은 | 부산청 | 440 |
| 여지현 | 수원서 | 240 |
| 여진동 | 중부청 | 223 |
| 여진현 | 중부청 | 225 |
| 여창숙 | 북대구서 | 408 |
| 여태승 | 감사원 | 63 |
| 여태현 | 남대문서 | 171 |
| 여현정 | 인천청 | 278 |
| 여혜진 | 영등포서 | 201 |
| 여호순 | 성북서 | 192 |
| 여호철 | 서울청 | 149 |
| 여환수 | 광주세관 | 504 |
| 여준호 | 인천세관 | 490 |
| 여효정 | 서울청 | 154 |
| 여효정 | 해운대서 | 459 |
| 연경태 | 북부산서 | 450 |
| 연규빈 | 대전청 | 320 |
| 연근영 | 용인서 | 253 |
| 연덕현 | 서울청 | 156 |
| 연명희 | 평택서 | 257 |
| 연상유 | 동청주서 | 348 |
| 연상훈 | 서대구서 | 410 |
| 연성준 | 영동주서 | 200 |
| 연소정 | 동청주서 | 349 |
| 연송이 | 안산서 | 247 |
| 연수 | 금감원 | 90 |
| 연수민 | 대전청 | 321 |
| 연승현 | 다솔세무 | 35 |
| 연영민 | 기재부 | 66 |
| 연정은 | 기재부 | 74 |
| 연제석 | 대전청 | 322 |
| 연제열 | 수원서 | 240 |
| 연지열 | 영등포서 | 201 |
| 연지웅 | 기재부 | 72 |
| 연지원 | 시흥서 | 243 |
| 연태석 | 청주서 | 355 |
| 연혜정 | 기재부 | 78 |
| 염가연 | 중부청 | 222 |
| 염경진 | 성남서 | 238 |
| 염관진 | 수원서 | 241 |
| 염귀남 | 서울청 | 149 |
| 염나래 | 충주서 | 357 |
| 염대성 | 북전주서 | 389 |
| 염래경 | 나주서 | 374 |
| 염문환 | 국세청 | 110 |
| 염미숙 | 예산서 | 342 |
| 염미정 | 성동서 | 190 |
| 염보선 | 조세재정 | 509 |
| 염보름 | 전주서 | 393 |
| 염보희 | 나주서 | 375 |
| 염보희 | 서울청 | 143 |
| 염삼열 | 여수서 | 380 |
| 염선경 | 춘천서 | 272 |
| 염성희 | 서울청 | 134 |
| 염세영 | 국세청 | 120 |
| 염세환 | 예산서 | 154 |
| 염수정 | 하나세무 | 39 |
| 염수진 | 경기광주 | 244 |
| 염영숙 | 예산서 | 79 |
| 염시웅 | 국세청 | 130 |
| 염왕기 | 중부산서 | 456 |
| 염유섭 | 중부청 | 221 |
| 염은영 | 영등포서 | 200 |
| 염인균 | 거창서 | 465 |
| 염정식 | 중부청 | 221 |
| 염정은 | 고양서 | 295 |
| 염정환 | 서초서 | 376 |
| 염주선 | 국세청 | 109 |
| 염준호 | 국세청 | 108 |
| 염지명 | 광주청 | 361 |
| 염지혜 | 구미서 | 418 |
| 염태옥 | 용산서 | 203 |
| 염태섭 | 중부청 | 343 |
| 염현경 | EY한영 | 12 |
| 염현주 | 광주청 | 362 |
| 염혜송 | 국회정무 | 59 |
| 염혜윤 | 부천서 | 305 |
| 염효송 | 현대회계 | 28 |
| 염후배 | 동작서 | 179 |
| 염훈선 | 경주서 | 416 |
| 예동희 | 광주세관 | 504 |
| 예병찬 | 성현회계 | 11 |
| 예상우 | 부산청 | 437 |
| 예성미 | 용인서 | 252 |
| 예성진 | 수성서 | 412 |
| 예수빈 | 종로서 | 209 |
| 예신우 | 강남서 | 159 |
| 예정욱 | 북부산서 | 451 |
| 예종주 | 송파서 | 195 |
| 예찬순 | 조세재정 | 511 |
| 오가영 | 광산서 | 367 |
| 오가원 | 동대구서 | 407 |
| 오가은 | 감사원 | 63 |
| 오강규 | 삼일서 | 207 |
| 오건우 | 대전청 | 318 |
| 오건웅 | 기재부 | 72 |
| 오경미 | 서초서 | 341 |
| 오경민 | 강남서 | 158 |
| 오경선 | 광주세관 | 504 |
| 오경선 | 중부청 | 221 |
| 오경선 | 인천청 | 283 |
| 오경애 | 삼성서 | 185 |
| 오경언 | 해운대서 | 458 |
| 오경자 | 삼성서 | 184 |
| 오경태 | 광주청 | 360 |
| 오경택 | 용인서 | 253 |
| 오경환 | 남부천서 | 303 |
| 오경훈 | 서초서 | 189 |
| 오고은 | 김포서 | 299 |
| 오관수 | 국세청 | 129 |
| 오관택 | 금감원 | 91 |
| 오관택 | 파주서 | 313 |
| 오광석 | 동청주서 | 349 |
| 오광석 | 충주서 | 356 |
| 오광석 | 김앤장 | 47 |
| 오광운 | 노원서 | 172 |
| 오광철 | 관악서 | 164 |
| 오광현 | 이천서 | 254 |
| 오규열 | 경기광주 | 244 |
| 오규용 | 경주서 | 416 |
| 오규진 | 국세청 | 118 |
| 오규진 | 삼척서 | 264 |
| 오규철 | 수영서 | 454 |
| 오규태 | 역삼서 | 199 |
| 오근님 | 신한관세 | 44 |
| 오근수 | 나주서 | 374 |
| 오금탁 | 서광주서 | 373 |
| 오기범 | 익산서 | 391 |
| 오기일 | 중부청 | 221 |
| 오기철 | 파주서 | 313 |
| 오기형 | 다솔세무 | 35 |
| 오기현 | 국회재정 | 56 |
| 오길준 | 영동서 | 350 |
| 오나현 | 국세청 | 124 |
| 오나현 | 연수서 | 308 |
| 오남교 | 삼일회계 | 16 |
| 오남선 | 송파서 | 194 |
| 오다은 | 기재부 | 68 |
| 오다규 | 서현회계 | 6 |
| 오대근 | 조세심판 | 507 |
| 오대성 | 통영서 | 476 |
| 오대영 | 서울청 | 134 |
| 오대창 | 영등포서 | 201 |
| 오대철 | 성북서 | 192 |
| 오대환 | 기재부 | 72 |
| 오덕희 | 관악서 | 164 |
| 오도열 | 삼성서 | 184 |
| 오도훈 | 삼성서 | 185 |
| 오동구 | 의정부서 | 310 |
| 오동균 | 금감원 | 95 |
| 오동석 | 서초서 | 188 |
| 오동현 | 도봉서 | 174 |
| 오동호 | 분당서 | 237 |
| 오동현 | 남인천서 | 230 |
| 오동화 | 남광주서 | 370 |
| 오두환 | 광산서 | 366 |
| 오로라 | 서산서 | 337 |
| 오로지 | 연수서 | 308 |
| 오만석 | 서울청 | 153 |
| 오명식 | 서울세관 | 485 |
| 오명식 | 서울청 | 487 |
| 오명준 | 역삼서 | 199 |
| 오명장 | 김앤장 | 47 |
| 오문탁 | 국세청 | 109 |
| 오미경 | 익산서 | 391 |
| 오미라 | 기재부 | 72 |
| 오미순 | 국세청 | 108 |
| 오미영 | 기재부 | 68 |
| 오미정 | 남부천서 | 303 |
| 오미진 | 제주서 | 478 |
| 오미화 | 기재부 | 77 |
| 오민규 | 천안서 | 345 |
| 오민석 | 예일세무 | 40 |
| 오민석 | 강서서 | 163 |
| 오민선 | 중부청 | 223 |
| 오민수 | 목포서 | 377 |
| 오민숙 | 현대회계 | 28 |
| 오민철 | 중랑서 | 211 |
| 오배석 | 포천서 | 315 |
| 오백진 | 서울청 | 135 |
| 오병길 | 대전청 | 319 |
| 오병욱 | 평택서 | 257 |
| 오병세 | 안양서 | 250 |
| 오병훈 | 고양서 | 294 |
| 오병훈 | 기재부 | 73 |
| 오보람 | 부산진서 | 445 |
| 오상범 | 삼정회계 | 19 |
| 오상범 | 삼정회계 | 19 |
| 오상민 | 김포서 | 299 |
| 오상우 | 기재부 | 73 |
| 오상원 | 부평서 | 306 |
| 오상원 | 청주서 | 354 |
| 오상준 | 파주서 | 313 |
| 오상정 | 분당서 | 258 |
| 오상혁 | 기재부 | 76 |
| 오상훈 | 국세청 | 109 |
| 오상훈 | 국세청 | 122 |
| 오상훈 | 서울청 | 133 |
| 오상훈 | 서울청 | 137 |
| 오상훈 | 서울청 | 138 |
| 오상훈 | 서울청 | 139 |
| 오상휴 | 광주청 | 359 |
| 오상휴 | 광주청 | 363 |
| 오서연 | 광주청 | 364 |
| 오서영 | 종로서 | 208 |
| 오서영 | 관악서 | 165 |
| 오서정 | 부산진서 | 446 |
| 오서정 | 기재부 | 67 |
| 오서주 | 국세청 | 122 |
| 오서진 | 천안서 | 345 |
| 오석 | 현대회계 | 28 |
| 오석영 | 관세사회 | 42 |
| 오선경 | 동안산서 | 249 |
| 오선주 | 반포서 | 183 |
| 오선희 | 서울청 | 135 |
| 오선희 | 구로서 | 167 |
| 오성실 | 목포서 | 376 |
| 오성진 | 기재부 | 74 |

| 이름 | 소속 | 쪽 | 이름 | 소속 | 쪽 | 이름 | 소속 | 쪽 | 이름 | 소속 | 쪽 | 이름 | 소속 | 쪽 |
|---|---|---|---|---|---|---|---|---|---|---|---|---|---|---|
| 오성진 | 한울회계 | 27 | 오용락 | 서대전서 | 329 | 오지연 | 기재부 | 69 | 옥수빈 | 동래서 | 444 | 우재만 | 광산서 | 367 |
| 오성철 | 종로서 | 209 | 오용빈 | 종로서 | 35 | 오지연 | 마산서 | 468 | 옥영오 | 구미서 | 418 | 우재은 | 홍성서 | 346 |
| 오성태 | 기재부 | 73 | 오우진 | 종로서 | 209 | 오지윤 | 조세재정 | 509 | 옥영주 | 반포서 | 182 | 우재진 | 마산서 | 469 |
| 오성택 | 서울청 | 145 | 오우철 | 금감원 | 100 | 오지은 | 기재부 | 68 | 옥은주 | 부산진서 | 446 | 우정민 | 금감원 | 92 |
| 오성현 | 서울청 | 135 | 오원균 | 대전청 | 317 | 오지은 | 국세청 | 122 | 옥은영 | 중부산서 | 456 | 우정순 | 창원서 | 475 |
| 오성현 | 진주서 | 472 | 오원정 | 대전청 | 323 | 오지철 | 동청주서 | 349 | 옥지연 | 기재부 | 71 | 우정호 | 구리서 | 226 |
| 오성호 | 부산세관 | 496 | 오원화 | 이천서 | 254 | 오지현 | 서울청 | 134 | 옥지웅 | 충주서 | 357 | 우정회 | 안동서 | 424 |
| 오성환 | 기재부 | 76 | 오유나 | 청주서 | 354 | 오지현 | 동수원서 | 233 | 옥지현 | 서초서 | 189 | 우제경 | 동대구서 | 407 |
| 오세덕 | 청주서 | 355 | 오유미 | 경기광주 | 245 | 오지형 | 안산서 | 247 | 옥창용 | 마산서 | 468 | 우제선 | 국세청 | 116 |
| 오세두 | 부산청 | 436 | 오유빈 | 부천서 | 304 | 오지혜 | 서울청 | 156 | 옥혁규 | 남대문서 | 171 | 우주연 | 성남서 | 239 |
| 오세민 | 포천서 | 315 | 오유빈 | 국세청 | 129 | 오지환 | 삼일회계 | 17 | 옥호근 | 부산진서 | 447 | 우주형 | 동대구서 | 407 |
| 오세민 | 대구청 | 401 | 오유진 | 서울청 | 142 | 오지훈 | 동대문서 | 177 | 온상준 | 강서서 | 163 | 우지수 | 서울청 | 138 |
| 오세민 | 조세심판 | 506 | 오유진 | 북전주서 | 130 | 오지훈 | 기재부 | 81 | 왕기현 | 세종서 | 339 | 우지영 | 잠실서 | 207 |
| 오세영 | 남양주서 | 230 | 오윤라 | 성현회계 | 388 | 오진명 | 광주서 | 363 | 왕성국 | 다솔세무 | 35 | 우지완 | 기재부 | 68 |
| 오세윤 | 대전청 | 323 | 오윤미 | 동고양서 | 11 | 오진선 | 북대구서 | 408 | 왕수현 | 대전청 | 321 | 우지은 | 조세재정 | 510 |
| 오세인 | 익산서 | 390 | 오윤비 | 서인천서 | 300 | 오진성 | 동수원서 | 233 | 왕승현 | 조세재정 | 511 | 우지혜 | 국세청 | 109 |
| 오세정 | 국세청 | 111 | 오윤석 | 조세재정 | 289 | 오진성 | 대전청 | 323 | 왕아림 | 원주서 | 270 | 우지희 | 양산서 | 470 |
| 오세정 | 서울청 | 142 | 오윤정 | 조세재정 | 510 | 오진숙 | 부산청 | 436 | 왕윤미 | 화성서 | 261 | 우진영 | 평택서 | 256 |
| 오세정 | 천안서 | 344 | 오윤화 | 목포서 | 509 | 오진숙 | 동안산서 | 249 | 왕윤세 | 강서서 | 163 | 우진하 | 인천서 | 283 |
| 오세종 | 양천서 | 196 | 오은경 | 동고양서 | 376 | 오진용 | 청주서 | 355 | 왕지영 | 대전청 | 325 | 우창영 | 천안서 | 345 |
| 오세준 | 북대전서 | 326 | 오은경 | 서울청 | 300 | 오진욱 | 동안양서 | 235 | 왕지은 | 서울청 | 157 | 우창남 | 남대문서 | 171 |
| 오세찬 | 서울청 | 156 | 오은경 | 도봉서 | 145 | 오진택 | 부천서 | 304 | 왕태선 | 안산서 | 247 | 우창욱 | 노원서 | 172 |
| 오세천 | 금감원 | 97 | 오은비 | 경기광주 | 174 | 오진훈 | 법무광장 | 48 | 왕한길 | 고양서 | 295 | 우창제 | 금정서 | 333 |
| 오세철 | 광주서 | 361 | 오은숙 | 부천주서 | 244 | 오찬현 | 서현회계 | 7 | 왕혜연 | 서현회계 | 7 | 우창화 | 금정서 | 443 |
| 오세혁 | 노원서 | 173 | 오은영 | 은평서 | 409 | 오창걸 | 제주서 | 479 | 왕화 | 동화성서 | 259 | 우창훈 | 기재부 | 84 |
| 오소연 | 조세재정 | 510 | 오은정 | 북전주서 | 205 | 오창규 | 서울청 | 147 | 왕훈희 | 구미서 | 177 | 우철윤 | 안산서 | 280 |
| 오소은 | 포천서 | 314 | 오은정 | 국세청 | 388 | 오창화 | 중랑서 | 211 | 외환건전 | 금감원 | 95 | 우청진 | 영월서 | 268 |
| 오소진 | 청주서 | 354 | 오은주 | 서울청 | 110 | 오창기 | 금감원 | 95 | 용기획 | 양천서 | 196 | 우한솔 | 국세청 | 113 |
| 오소현 | 역삼서 | 198 | 오은지 | 나주서 | 145 | 오창주 | 충주서 | 357 | 용수화 | 삼성서 | 185 | 우해나 | 구리서 | 227 |
| 오소희 | 제주서 | 479 | 오은지 | 창원서 | 375 | 오철규 | 국세청 | 122 | 용승환 | 노원서 | 172 | 우현승 | 강남서 | 159 |
| 오송민 | 성현회계 | 11 | 오은진 | 관악서 | 475 | 오철민 | 울산서 | 463 | 용연주 | 송파서 | 194 | 우현지 | 북대구서 | 409 |
| 오색행 | 부산청 | 435 | 오은혜 | 인포서 | 165 | 오초롱 | 포항서 | 431 | 용연준 | 강남서 | 159 | 우현호 | 국세청 | 477 |
| 오수경 | 동안양서 | 235 | 오은희 | 동안양서 | 183 | 오춘식 | 북광주서 | 371 | 용옥선 | 인천청 | 284 | 우형기 | 부평서 | 306 |
| 오수미 | 인천청 | 279 | 오은희 | 조세재정 | 235 | 오춘택 | 현대회계 | 28 | 용진숙 | 금감원 | 95 | 우형래 | 국세청 | 114 |
| 오수빈 | 북대전서 | 327 | 오익수 | 동작서 | 509 | 오충헌 | 부평서 | 306 | 용총괄 | 수원서 | 241 | 우형수 | 중부청 | 216 |
| 오수연 | 인천서 | 126 | 오인석 | 남양주서 | 179 | 오태경 | 서울세관 | 485 | 용환희 | 관악서 | 165 | 우희영 | 중부청 | 218 |
| 오수연 | 양천서 | 197 | 오인화 | 계양서 | 230 | 오태완 | 서울청 | 134 | 우가람 | 부산진서 | 447 | 우희정 | 진주서 | 473 |
| 오수연 | 중부청 | 219 | 오임순 | 북부산서 | 293 | 오태진 | 인천청 | 283 | 우경화 | 서울청 | 139 | 우희준 | 기흥서 | 229 |
| 오수영 | 동안산서 | 249 | 오임순 | 조세심판 | 451 | 오푸른 | 역삼서 | 199 | 우금숙 | 부산청 | 440 | 원계연 | 동고양서 | 300 |
| 오수정 | 조세재정 | 509 | 오자영 | 삼성서 | 506 | 오하경 | 서울청 | 137 | 우나경 | 순천서 | 379 | 원규호 | 국세청 | 107 |
| 오수지 | 예일세무 | 40 | 오잔디 | 송파서 | 381 | 오하나 | 김해서 | 466 | 우남준 | 역삼서 | 199 | 원대로 | 강동서 | 161 |
| 오수진 | 금감원 | 94 | 오재경 | 아산서 | 340 | 오하라 | 대전청 | 319 | 우덕규 | 법무세종 | 50 | 원대연 | 대전청 | 319 |
| 오수진 | 국세청 | 129 | 오재란 | 국세청 | 130 | 오한솔 | 정읍서 | 394 | 우도훈 | 조세심판 | 507 | 원대한 | 국세청 | 112 |
| 오수진 | 광주청 | 362 | 오재열 | 서울청 | 204 | 오한영 | 기재부 | 78 | 우동근 | 부산청 | 436 | 원두진 | 인천공항 | 492 |
| 오수현 | 서초서 | 189 | 오재헌 | 강서서 | 162 | 오항우 | 중부청 | 217 | 우동윤 | 진주서 | 472 | 원모세 | 인천청 | 291 |
| 오수현 | 인천서 | 290 | 오재현 | 송파서 | 172 | 오해식 | 부산세관 | 495 | 우동호 | 동안산서 | 248 | 원범석 | 서울청 | 135 |
| 오승민 | 경기광주 | 245 | 오재홍 | 제천서 | 352 | 오해용 | 부산세관 | 497 | 우동희 | 동대구서 | 406 | 원병덕 | 성북서 | 192 |
| 오승민 | 조세재정 | 508 | 오재환 | 경산서 | 415 | 오해정 | 기재부 | 78 | 우명주 | 춘천서 | 272 | 원상숙 | 기재부 | 71 |
| 오승상 | 기재부 | 79 | 오점순 | 춘천서 | 272 | 오혁 | 은평서 | 204 | 우문연 | 마포서 | 180 | 원선재 | 기재부 | 69 |
| 오승섭 | 목포서 | 377 | 오정근 | 명함서 | 296 | 오혁기 | 법무광장 | 459 | 우미라 | 김해서 | 467 | 원선혜 | 기흥서 | 229 |
| 오승연 | 서울청 | 135 | 오정민 | 서울청 | 146 | 오현경 | 해운대서 | 76 | 우미라 | 김해서 | 286 | 원설업 | 동울산서 | 461 |
| 오승연 | 안양서 | 250 | 오정민 | 김해서 | 466 | 오현미 | 기재부 | 368 | 우미지 | 경기광주 | 245 | 원성택 | 강서서 | 162 |
| 오승연 | 부산강서 | 449 | 오정선 | 논산서 | 333 | 오현빈 | 조세재정 | 509 | 우병옥 | 영덕서 | 427 | 원수영 | 천안서 | 345 |
| 오승진 | 예산서 | 342 | 오정식 | 포천서 | 314 | 오현석 | 도봉서 | 175 | 우병철 | 동화성서 | 258 | 원순영 | 강서서 | 162 |
| 오승찬 | 분당서 | 237 | 오정열 | 역삼서 | 198 | 오현석 | 서대전서 | 329 | 우병호 | 남대구서 | 405 | 원시열 | 현대회계 | 28 |
| 오승철 | 구리서 | 226 | 오정웅 | 광주세관 | 505 | 오현섭 | 양천서 | 197 | 우보람 | 대구청 | 401 | 원영재 | 김해서 | 467 |
| 오승필 | 동고양서 | 300 | 오정윤 | 잠실서 | 207 | 오현식 | 경기광주 | 245 | 우상준 | 수성서 | 412 | 원욱 | 중부청 | 224 |
| 오승현 | 북부산서 | 451 | 오정은 | 남부천서 | 81 | 오현식 | 서울청 | 150 | 우성락 | 국세청 | 470 | 원유미 | 화성서 | 260 |
| 오승호 | 세종서 | 339 | 오정일 | 인천서 | 302 | 오현아 | 국세청 | 120 | 우성식 | 평택서 | 257 | 원은미 | 국세청 | 110 |
| 오승준 | 서초서 | 413 | 오정임 | 수영서 | 454 | 오현정 | 서울청 | 152 | 우성진 | 동울산서 | 461 | 원정보 | 국세청 | 110 |
| 오승희 | 국회재정 | 55 | 오정재 | 동대문서 | 324 | 오현정 | 안산서 | 246 | 우세진 | 평택서 | 256 | 원정보 | 강남서 | 159 |
| 오승희 | 대전청 | 323 | 오정현 | 강남서 | 177 | 오현주 | 서울청 | 195 | 우세훈 | 금정서 | 442 | 원정일 | 서초서 | 188 |
| 오시원 | 창원서 | 474 | 오정환 | 제주서 | 158 | 오현주 | 송파서 | 204 | 우수희 | 삼척서 | 264 | 원정재 | 원주서 | 271 |
| 오신형 | 동작서 | 179 | 오제곤 | 노원서 | 478 | 오현주 | 남대구서 | 260 | 우승수 | 딜로이트 | 13 | 원정희 | 법무광장 | 48 |
| 오아람 | 포천서 | 314 | 오제민 | 영주서 | 173 | 오현지 | 광산서 | 299 | 우승연 | EY한영 | 12 | 원종민 | 중부청 | 224 |
| 오애란 | 중부청 | 221 | 오조섭 | 서울지방 | 429 | 오현직 | 구미서 | 404 | 우승하 | 기재부 | 84 | 원종일 | 의정부서 | 311 |
| 오양금 | 중부산서 | 457 | 오종권 | 광주청 | 32 | 오현향 | 인천지방 | 367 | 우승형 | 대구청 | 399 | 원종영 | 조세재정 | 509 |
| 오연경 | 보령서 | 334 | 오종민 | 국세청 | 360 | 오형진 | 정읍서 | 418 | 우승형 | 포항서 | 431 | 원종혁 | 기재부 | 74 |
| 오연관 | 용인서 | 252 | 오종민 | 수영서 | 455 | 오형정 | 평택서 | 33 | 우신동 | 인천지방 | 39 | 원종화 | 서울청 | 148 |
| 오연승 | 삼일회계 | 16 | 오종수 | 목포서 | 377 | 오혜경 | 강남서 | 394 | 우신애 | 금천서 | 169 | 원종훈 | 서대구서 | 411 |
| 오연승 | 기재부 | 66 | 오종현 | 조세재정 | 508 | 오혜미 | 국세청 | 257 | 우연 | 광주세관 | 505 | 원지영 | 의정부서 | 310 |
| 오연정 | 진주서 | 472 | 오종화 | 삼정회계 | 18 | 오혜성 | 영등동서 | 159 | 우연희 | 서울청 | 139 | 원지영 | 세종서 | 338 |
| 오연호 | 서울청 | 136 | 오주경 | 딜로이트 | 13 | 오혜숙 | 제주서 | 123 | 우영만 | 서광주서 | 372 | 원지혜 | 기재부 | 81 |
| 오영 | 인천청 | 280 | 오주영 | 동래서 | 421 | 오혜영 | 삼일회계 | 16 | 우영재 | 대구청 | 398 | 원진희 | 서울청 | 149 |
| 오영권 | 진주서 | 472 | 오주원 | 중랑서 | 444 | 오혜정 | 대구청 | 399 | 우영철 | 예일세무 | 40 | 원진희 | 영주서 | 270 |
| 오영동 | 수영서 | 455 | 오주학 | 동울산서 | 210 | 오혜정 | 강남서 | 158 | 우왕현 | 국세청 | 130 | 원진희 | 영주서 | 428 |
| 오영빈 | 수성서 | 413 | 오준경 | 광명서 | 460 | 오호석 | 서울청 | 144 | 우운하 | 서울청 | 429 | 원상수 | 영주서 | 429 |
| 오영빈 | 삼정회계 | 19 | 오준오 | 국세청 | 296 | 오홍희 | | 109 | 우원준 | 평택서 | 257 | 원치형 | 신한관세 | 44 |
| 오영석 | 국세청 | 124 | 오지섭 | 남양주서 | 231 | 오화섭 | | 342 | 우윤중 | 창원서 | 475 | 원한규 | 삼일회계 | 17 |
| 오영섭 | 세종서 | 338 | | 경주서 | 416 | 오홍수 | | 311 | 우은서 | 인천청 | 282 | 원한수 | 분당서 | 236 |
| 오영우 | 세종서 | 339 | | 제주서 | 478 | 오희정 | | 248 | 우을숙 | 양산서 | 471 | 원형일 | 서울청 | 138 |
| 오영은 | 도봉서 | 175 | | | | 오희진 | | 474 | 우인식 | 계양서 | 293 | 원호선 | 법무대륜 | 45 |
| 오영은 | 관악서 | 164 | | | | | | 129 | 우인영 | 주천서 | 471 | 원효정 | 동안양서 | 235 |
| 오영주 | 강릉서 | 262 | | | | | | | 우인제 | 해남서 | 382 | 원효주 | 용인서 | 252 |
| 오영주 | 북부산서 | 450 | | | | | | | 우인호 | 포항서 | 430 | 위경진 | 경산서 | 415 |
| 오영주 | 서현회계 | 7 | | | | | | | | | | 위경화 | 금천서 | 168 |
| 오영철 | 수원서 | 240 | | | | | | | | | | 위광환 | 서울청 | 157 |
| 오예정 | 조세재정 | 511 | | | | | | | | | | 위다현 | 광주서 | 368 |
| 오옥석 | 대전서 | 325 | | | | | | | | | | | 용산서 | 203 |
| 오용규 | 예일세무 | 40 | | | | | | | | | | | | |

| 이름 | 소속 | 번호 | 이름 | 소속 | 번호 | 이름 | 소속 | 번호 | 이름 | 소속 | 번호 | 이름 | 소속 | 번호 |
|---|---|---|---|---|---|---|---|---|---|---|---|---|---|---|
| 위민국 | 국세청 | 126 | 유미라 | 반포서 | 183 | 유수향 | 대전청 | 320 | 유인선 | 서울청 | 155 | 유지혜 | 기재부 | 65 |
| 위부일 | 부산진서 | 447 | 유미선 | 서울청 | 136 | 유수현 | 강서서 | 162 | 유인성 | 서울청 | 152 | 유지혜 | 중부산서 | 457 |
| 위상영 | 한울회계 | 27 | 유미선 | 수원서 | 240 | 유수현 | 광산서 | 367 | 유인수 | 천안서 | 344 | 유지호 | 수원서 | 240 |
| 위승희 | 강서서 | 162 | 유미선 | 이천서 | 254 | 유수호 | 군산서 | 336 | 유인숙 | 국세청 | 129 | 유지화 | 여수서 | 380 |
| 위우주 | 기재부 | 69 | 유미성 | 고양서 | 294 | 유숙남 | 동대문서 | 384 | 유인숙 | 서대전서 | 329 | 유지환 | 분당서 | 237 |
| 위은혜 | 부평서 | 307 | 유미숙 | 서산서 | 336 | 유순자 | 서인천서 | 176 | 유인식 | 이천서 | 254 | 유지희 | 국세청 | 118 |
| 위장훈 | 동화성서 | 259 | 유미숙 | 서산서 | 336 | 유순희 | 동래서 | 289 | 유인혜 | 반포서 | 183 | 유지희 | 서울청 | 145 |
| 위정호 | 북대전서 | 327 | 유미영 | 남부천서 | 303 | 유순희 | 구로서 | 445 | 유인호 | 춘천서 | 272 | 유진 | 국세청 | 113 |
| 위종 | 성남서 | 238 | 유미영 | 중부청 | 221 | 유승명 | 동청주서 | 349 | 유자연 | 서광주서 | 372 | 유진 | 성동서 | 191 |
| 위주안 | 서울청 | 138 | 유미영 | 대전청 | 320 | 유승아 | 기재부 | 167 | 유장현 | 북대전서 | 327 | 유진목 | 기재부 | 80 |
| 위지혜 | 서광주서 | 373 | 유민경 | 대전청 | 111 | 유승연 | 중부청 | 81 | 유장현 | 동청주서 | 348 | 유진선 | 전주서 | 393 |
| 위지혜 | 북부산서 | 451 | 유민경 | 국세청 | 120 | 유승연 | 중랑서 | 216 | 유재곤 | 북광주서 | 371 | 유진선 | 북대구서 | 409 |
| 위진성 | 송파서 | 195 | 유민설 | 부평서 | 307 | 유승우 | 해남서 | 320 | 유재남 | 서산서 | 337 | 유진아 | 반포서 | 182 |
| 위찬필 | 서울청 | 152 | 유민설 | 마포서 | 255 | 유승주 | 부산청 | 440 | 유재덕 | 하나세무 | 39 | 유진아 | 시흥서 | 242 |
| 위평복 | 서울청 | 134 | 유민수 | 성현회계 | 181 | 유승주 | 해남서 | 382 | 유재랑 | 동래서 | 445 | 유진영 | 남동서 | 286 |
| 위현호 | 동안양서 | 234 | 유민수 | 성현회계 | 11 | 유승철 | 목포서 | 225 | 유재룡 | 광주청 | 360 | 유진우 | 영등포서 | 200 |
| 위형원 | 광주세관 | 504 | 유민자 | 부산진서 | 446 | 유승헌 | 국세청 | 376 | 유재민 | 광주세관 | 504 | 유진욱 | 포천서 | 315 |
| 유가량 | 강릉서 | 263 | 유민정 | 남대문서 | 170 | 유승현 | 중부청 | 124 | 유재민 | 조세재정 | 508 | 유진재 | 조세심판 | 506 |
| 유가연 | 대전청 | 318 | 유민호 | 진주서 | 473 | 유승현 | 기흥서 | 225 | 유재복 | 부평서 | 306 | 유진하 | 인천서 | 291 |
| 유가현 | 이천서 | 254 | 유민희 | 국세청 | 119 | 유승현 | 인천청 | 228 | 유재상 | 중부청 | 219 | 유진호 | 중기회 | 103 |
| 유강훈 | 양천서 | 197 | 유민희 | 반포서 | 183 | 유승희 | 조세재정 | 281 | 유재상 | 관세청 | 482 | 유진호 | 수원서 | 241 |
| 유경근 | 전주서 | 393 | 유민희 | 광주서 | 368 | 유시온 | 동대문서 | 177 | 유재식 | 남부천서 | 303 | 유진호 | 서울청 | 135 |
| 유경란 | 김앤장 | 47 | 유범상 | 아산서 | 341 | 유신혜 | 송파서 | 194 | 유재연 | 서울청 | 145 | 유진희 | 반포서 | 182 |
| 유경룡 | 공주서 | 330 | 유병길 | 동대구서 | 406 | 유신혜 | 안산서 | 247 | 유재웅 | 국세청 | 128 | 유진희 | 중부청 | 217 |
| 유경모 | 대전청 | 319 | 유병민 | 청주서 | 400 | 유아람 | 반포서 | 192 | 유재준 | 서초서 | 346 | 유진희 | 울산서 | 462 |
| 유경민 | 노원서 | 172 | 유병민 | 기재부 | 354 | 유아랑 | 성북서 | 182 | 유재준 | 중부청 | 215 | 유창경 | 부산청 | 438 |
| 유경선 | 서울청 | 154 | 유병선 | 동화성서 | 71 | 유연수 | 광주세관 | 164 | 유재준 | 중부청 | 221 | 유창연 | 포항서 | 430 |
| 유경숙 | 딜로이트 | 13 | 유병선 | 마포서 | 259 | 유연수 | 동래서 | 505 | 유재준 | 법무광장 | 222 | 유창우 | 현대회계 | 77 |
| 유경숙 | 기재부 | 70 | 유병수 | 현대회계 | 181 | 유연우 | 대전서 | 324 | 유재철 | 법무광장 | 48 | 유창우 | 기재부 | 28 |
| 유경숙 | 양천서 | 197 | 유병욱 | 동안양서 | 28 | 유연진 | 서울청 | 136 | 유재학 | 수영서 | 454 | 유창욱 | 중부청 | 220 |
| 유경열 | 대전서 | 324 | 유병욱 | 서울청 | 235 | 유연혁 | 예일세무 | 40 | 유재현 | 경주서 | 416 | 유창진 | 남대구서 | 405 |
| 유경원 | 서울청 | 142 | 유병임 | 남대구서 | 139 | 유영 | 관세사회 | 42 | 유재훈 | 국세청 | 130 | 유창현 | 택스홈 | 38 |
| 유경원 | 김해서 | 466 | 유병장 | 기재부 | 171 | 유영근 | 감사원 | 62 | 유정곤 | 딜로이트 | 13 | 유채원 | 대구서 | 324 |
| 유경진 | 동안양서 | 235 | 유병장 | 남대구서 | 66 | 유영미 | 수원서 | 240 | 유정림 | 동대문서 | 177 | 유채원 | 천안서 | 344 |
| 유경호 | 서울청 | 153 | 유보아 | 금감원 | 404 | 유영복 | 인천서 | 378 | 유정미 | 기재부 | 82 | 유채정 | 기재부 | 69 |
| 유경화 | 기재부 | 78 | 유상선 | 부산청 | 93 | 유영숙 | 동청주서 | 283 | 유정미 | 강남서 | 159 | 유철 | 남양주서 | 231 |
| 유경훈 | 원주서 | 271 | 유상욱 | 부천서 | 441 | 유영욱 | 고양서 | 348 | 유정선 | 기흥서 | 229 | 유철형 | 태평양 | 52 |
| 유경희 | 북대전서 | 327 | 유상욱 | 파주서 | 305 | 유영욱 | 북대구서 | 294 | 유정숙 | 진주서 | 472 | 유춘선 | 광주청 | 365 |
| 유고은 | 조세재정 | 510 | 유상원 | 해남서 | 312 | 유영준 | 기흥서 | 408 | 유정식 | 파주서 | 313 | 유치현 | 서부산서 | 452 |
| 유관식 | 북광주서 | 370 | 유상원 | 국세청 | 383 | 유영준 | 논산서 | 229 | 유정아 | 기재부 | 84 | 유탁균 | 남부천서 | 303 |
| 유관호 | 북대전서 | 327 | 유상호 | 법무바른 | 139 | 유영환 | 금융위 | 332 | 유정연 | 인천서 | 291 | 유태건 | 기재부 | 68 |
| 유광근 | 서인천서 | 289 | 유상화 | 경기광주 | 123 | 유영환 | 강동서 | 86 | 유정연 | 법무대륜 | 45 | 유태수 | 부산세관 | 495 |
| 유광선 | 홍천서 | 275 | 유상화 | 중부서 | 1 | 유영희 | 동래서 | 160 | 유정완 | 인천서 | 291 | 유태수 | 부산세관 | 496 |
| 유광열 | 연수서 | 309 | 유서진 | 기재부 | 245 | 유예림 | 국회정무 | 110 | 유정우 | 송파서 | 246 | 유태성 | 홍성서 | 347 |
| 유광호 | 광주서 | 369 | 유석모 | 기재부 | 213 | 유예림 | 서대구서 | 445 | 유정은 | 삼일회계 | 16 | 유태영 | 광주서 | 361 |
| 유귀운 | 조세재정 | 511 | 유석호 | 금감원 | 68 | 유예림 | 종로서 | 60 | 유정현 | 중부서 | 212 | 유태준 | 금천서 | 168 |
| 유규호 | 강서서 | 162 | 유석호 | 동화성서 | 73 | 유예진 | 구리서 | 410 | 유정현 | 법무광장 | 48 | 유태호 | 잠실서 | 207 |
| 유극종 | 동대문서 | 176 | 유선아 | 금감원 | 95 | 유예진 | 남동서 | 152 | 유정호 | 삼정회계 | 18 | 유판수 | 광주청 | 364 |
| 유근순 | 북전주서 | 388 | 유선애 | 동화성서 | 258 | 유오덕 | 국세청 | 227 | 유정화 | 송파서 | 194 | 유필립 | 삼성서 | 184 |
| 유기무 | 서울청 | 164 | 유선우 | 마포서 | 181 | 유용근 | 수영서 | 67 | 유정환 | 은평서 | 204 | 유하선 | 천안서 | 345 |
| 유기석 | 현대회계 | 28 | 유선정 | 제천서 | 306 | 유용환 | 북전주서 | 287 | 유정환 | 의정부서 | 311 | 유학승 | 강서서 | 163 |
| 유기연 | 동안양서 | 235 | 유선정 | 화성서 | 353 | 유원숙 | 서울청 | 130 | 유정훈 | 반포서 | 182 | 유한순 | 포천서 | 314 |
| 유길웅 | 파주서 | 312 | 유선화 | 인천서 | 261 | 유원재 | 홍천서 | 454 | 유정훈 | 서인천서 | 288 | 유한진 | 중랑서 | 210 |
| 유나연 | 기흥서 | 228 | 유선희 | 금천서 | 291 | 유원형 | 중랑서 | 389 | 유정희 | EY한영 | 12 | 유항수 | 원주서 | 270 |
| 유남렬 | 국세청 | 106 | 유선희 | 동대문서 | 168 | 유원형 | 인천공항 | 157 | 유정희 | 서울청 | 152 | 유해리 | 광주청 | 361 |
| 유다빈 | 기재부 | 71 | 유선희 | 기재부 | 176 | 유은경 | 국세청 | 249 | 유제근 | 용인서 | 253 | 유행철 | 전주서 | 392 |
| 유다영 | 기재부 | 76 | 유선희 | 서대전서 | 74 | 유은미 | 성남서 | 274 | 유제언 | 서초서 | 188 | 유향란 | 경주서 | 416 |
| 유다원 | 파주서 | 313 | 유성길 | 상주서 | 328 | 유은빈 | 기재부 | 210 | 유제언 | 전주서 | 393 | 유헌정 | 강남서 | 159 |
| 유다원 | 서대전서 | 329 | 유성만 | 관세청 | 422 | 유은숙 | 남대문서 | 492 | 유제연 | 수원서 | 240 | 유현 | 남양주서 | 249 |
| 유다정 | 마포서 | 180 | 유성문 | 중랑서 | 483 | 유은애 | 김포서 | 114 | 유제이 | 분당서 | 236 | 유현경 | 남양주서 | 230 |
| 유다형 | 북대전서 | 327 | 유성엽 | 포항서 | 210 | 유은영 | 강남서 | 239 | 유제이 | 이천서 | 254 | 유현민 | 안산서 | 247 |
| 유달나라 | 서울청 | 134 | 유성오 | 마포서 | 431 | 유은정 | 전주서 | 79 | 유종선 | 북전주서 | 388 | 유현상 | 인천청 | 389 |
| 유대현 | 인천청 | 282 | 유성운 | 마포서 | 180 | 유은정 | 대전청 | 170 | 유종일 | 서울청 | 135 | 유현수 | 북전주서 | 389 |
| 유도권 | 마산서 | 468 | 유성운 | 서울청 | 149 | 유은주 | 성남서 | 69 | 유종호 | 국세청 | 129 | 유현식 | 남대구서 | 405 |
| 유동균 | 서울청 | 136 | 유성주 | 동래서 | 136 | 유은주 | 국세청 | 299 | 유종호 | 국세청 | 125 | 유현아 | 서울청 | 152 |
| 유동균 | 강남서 | 158 | 유성춘 | 아산서 | 445 | 유은주 | 동작서 | 158 | 유주만 | 법무광장 | 49 | 유현아 | 중부서 | 213 |
| 유동민 | 서울청 | 153 | 유성훈 | 중부청 | 340 | 유은지 | 동안양서 | 392 | 유주미 | 인천공항 | 194 | 유현정 | 고양서 | 295 |
| 유동석 | 기재부 | 73 | 유세명 | 동안산서 | 225 | 유은지 | 김포서 | 323 | 유주미 | 남원서 | 387 | 유현정 | 역삼서 | 199 |
| 유동석 | 성남서 | 190 | 유세은 | 광명서 | 248 | 유은지 | 영동서 | 238 | 유주연 | 용산서 | 202 | 유현정 | 화성서 | 261 |
| 유동수 | 국회정무 | 60 | 유세종 | 인천청 | 297 | 유은지 | 양산서 | 108 | 유주희 | 강남서 | 159 | 유현주 | 속초서 | 267 |
| 유동완 | 국세청 | 128 | 유소열 | 삼성서 | 283 | 유은혜 | 금천서 | 178 | 유주희 | 서울청 | 134 | 유현주 | 조세재정 | 511 |
| 유동원 | 구로서 | 167 | 유소정 | 북부산서 | 184 | 유의상 | 조세재정 | 234 | 유주희 | 중부청 | 219 | 유현주 | 인천서 | 290 |
| 유동주 | 종로서 | 208 | 유소진 | 서울청 | 451 | 유의지 | 종로서 | 298 | 유준상 | 인천청 | 284 | 유현진 | 분당서 | 236 |
| 유동철 | 부산청 | 440 | 유소희 | 기재부 | 420 | 유이슬 | 김포서 | 510 | 유준오 | 조세재정 | 511 | 유현진 | 예산서 | 343 |
| 유동준 | 기재부 | 194 | 유송화 | 북부산서 | 181 | 유인경 | 광주서 | 209 | 유준호 | 서울청 | 140 | 유형근 | 북광주서 | 371 |
| 유동훈 | 기재부 | 73 | 유세은 | 김천서 | 145 | 유인경 | 예일세무 | 40 | 유준호 | 평택서 | 257 | 유형대 | 서울청 | 143 |
| 유득렬 | 중부청 | 224 | 유수경 | 서울청 | 75 | 유인근 | 현대회계 | 28 | 유준희 | 하나세무 | 39 | 유형래 | 마포서 | 181 |
| 유래경 | 파주서 | 313 | 유수권 | 기재부 | 162 | | | | 유지민 | 서울청 | 136 | 유형석 | 기재부 | 82 |
| 유래연 | 김포서 | 299 | 유수연 | 강서서 | 164 | | | | 유지선 | 동작서 | 179 | 유형세 | 기재부 | 74 |
| 유로아 | 강남서 | 159 | 유수정 | 관악서 | 196 | | | | 유지연 | 북광주서 | 370 | 유형우 | 남양주서 | 231 |
| 유리나 | 기재부 | 66 | 유소진 | 경기광주 | 245 | | | | 유지연 | 구미서 | 418 | 유형진 | 금감원 | 97 |
| 유명선 | 국세청 | 110 | 유소희 | 마산서 | 468 | | | | 유지영 | 용산서 | 203 | 유형진 | 중부청 | 222 |
| 유명신 | 금감원 | 90 | 유송화 | 동작서 | 136 | | | | 유지영 | 진주서 | 472 | 유혜경 | 국세청 | 108 |
| 유명옥 | 강남서 | 158 | 유수경 | 광주세관 | 179 | | | | 유지원 | 남양주서 | 231 | 유혜리 | 반포서 | 182 |
| 유명한 | 동안양서 | 234 | 유수권 | 기재부 | 504 | | | | 유지원 | 이천서 | 255 | 유혜민 | 기흥서 | 229 |
| 유명훈 | 익산서 | 390 | 유수연 | 고양서 | 76 | | | | 유지원 | 영등포서 | 201 | 유혜민 | 대전청 | 320 |
| 유무열 | 다솔세무 | 35 | 유수영 | 국세청 | 295 | | | | 유지은 | 서울청 | 147 | 유혜영 | 성남서 | 238 |
| 유문희 | 기재부 | 67 | 유수정 | 송파서 | 110 | | | | 유지향 | 창원서 | 474 | 유혜영 | 부평서 | 306 |
| 유미경 | 성동서 | 191 | 유수진 | 북평서 | 195 | | | | 유지현 | 대전청 | 308 | 유혜지 | 강동서 | 160 |
| 유미나 | 성동서 | 191 | 유수진 | 현대회계 | 306 | | | | 유지현 | 대전서 | 323 | | | |
| | | | 유수진 | | 28 | | | | 유지현 | 동울산서 | 461 | | | |

색인 (성명 | 소속 | 쪽)

| 성명 | 소속 | 쪽 | 성명 | 소속 | 쪽 | 성명 | 소속 | 쪽 |
|---|---|---|---|---|---|---|---|---|
| 유혜진 | 북대구서 | 409 | 윤난영 | 서인천서 | 288 | 윤샛별 | 동안산서 | 249 |
| 유호경 | 성동서 | 191 | 윤난희 | 부천서 | 305 | 윤서울 | 종로서 | 208 |
| 유호영 | 종로서 | 208 | 윤남식 | 기재부 | 84 | 윤서울 | 영등포서 | 201 |
| 유홍근 | 중부청 | 221 | 윤노숙 | 동울산서 | 460 | 윤서진 | 강동서 | 160 |
| 유홍재 | 화성서 | 261 | 윤다니엘 | 북광주서 | 370 | 윤석 | 기재부 | 141 |
| 유홍주 | 부산청 | 436 | 윤다솜 | 조세재정 | 510 | 윤석규 | 광주서 | 70 |
| 유회윤 | 동래서 | 444 | 윤다영 | 부천서 | 305 | 윤석길 | 해운대서 | 369 |
| 유화정 | 시흥서 | 301 | 윤다은 | 순천서 | 304 | 윤석배 | 동수원서 | 459 |
| 유화진 | 안산서 | 243 | 윤다희 | 서대문서 | 379 | 윤석영 | 전주서 | 233 |
| 유환 | 금감원 | 246 | 윤단비 | 동울산서 | 187 | 윤석우 | 용인서 | 393 |
| 유환동 | 화성서 | 91 | 윤달영 | 중부청 | 461 | 윤석우 | 금감원 | 253 |
| 유환성 | 파주서 | 260 | 윤대현 | 통영서 | 220 | 윤석주 | 현대회계 | 91 |
| 유환숙 | 금감원 | 312 | 윤덕호 | 동청주서 | 477 | 윤석중 | 성동서 | 28 |
| 유환일 | 김포서 | 89 | 윤덕현 | 구리서 | 348 | 윤석중 | 서부산서 | 190 |
| 유효정 | 조세재정 | 298 | 윤도란 | 기재부 | 453 | 윤석창 | 대전청 | 452 |
| 유효진 | 부산청 | 511 | 윤동건 | 국세청 | 226 | 윤석태 | 안동서 | 324 |
| 유후양 | 서대문서 | 437 | 윤동규 | 춘천서 | 299 | 윤석한 | 대구대문서 | 319 |
| 유훈식 | 국세청 | 186 | 윤동규 | 대전청 | 84 | 윤석헌 | 기재부 | 424 |
| 유훈주 | 광산서 | 128 | 윤동석 | 서울청 | 114 | 윤석현 | 광주청 | 176 |
| 유휘곤 | 서울청 | 366 | 윤동수 | 해운대서 | 273 | 윤석호 | 고양서 | 72 |
| 유희경 | 광주청 | 150 | 윤동숙 | 구리서 | 319 | 윤석호 | 기재부 | 365 |
| 유희경 | 부천서 | 360 | 윤동욱 | 기재부 | 144 | 윤석환 | 서울청 | 294 |
| 유희근 | 구리서 | 362 | 윤동우 | 인천공항 | 459 | 윤선기 | 동대문서 | 79 |
| 유희민 | 인천서 | 304 | 윤동주 | 인천공항 | 137 | 윤선영 | 평택서 | 80 |
| 유희봉 | 노원서 | 173 | 윤동준 | 성현회계 | 419 | 윤선영 | 서울청 | 156 |
| 유희수 | 구리서 | 290 | 윤동춘 | 국회정무 | 76 | 윤선영 | 김포서 | 176 |
| 유희정 | 기재부 | 227 | 윤동한 | 대전청 | 491 | 윤선우 | 반포서 | 257 |
| 유희정 | 은평서 | 66 | 윤동헌 | 기재부 | 492 | 윤선정 | 조세재정 | 152 |
| 유희준 | 금감원 | 205 | 윤동호 | 동작서 | 90 | 윤선중 | 다솔세무 | 298 |
| 유희진 | 서울청 | 91 | 윤동환 | 관악서 | 11 | 윤선태 | 딜로이트 | 182 |
| 유희태 | 분당서 | 145 | 윤만식 | 서울청 | 59 | 윤선희 | 금감원 | 510 |
| 육강일 | 부천청 | 237 | 윤명덕 | 분당서 | 320 | 윤선희 | 강서서 | 35 |
| 육경아 | 삼척서 | 223 | 윤명로 | 경기광주 | 71 | 윤설진 | 포천서 | 13 |
| 육근한 | 천안서 | 264 | 윤명자 | 인천서 | 273 | 윤성경 | 서울청 | 455 |
| 육근영 | 국세청 | 344 | 윤명준 | 국세청 | 178 | 윤성귀 | 기재부 | 98 |
| 육동선 | 서초서 | 111 | 윤명희 | 대전서 | 164 | 윤성규 | 종로서 | 162 |
| 육소연 | 성동서 | 189 | 윤문구 | 이안세무 | 159 | 윤성두 | 나주서 | 314 |
| 육송희 | 경기광주 | 191 | 윤문원 | 대전서 | 138 | 윤성미 | 국세청 | 141 |
| 육영란 | 동대문서 | 245 | 윤미 | 보령서 | 236 | 윤성민 | 중부서 | 73 |
| 육영찬 | 서울청 | 177 | 윤미경 | 강동서 | 370 | 윤성민 | 북전주서 | 208 |
| 육예연 | 서대전서 | 139 | 윤미경 | 남대문서 | 115 | 윤성열 | 국세청 | 446 |
| 육재하 | 서산서 | 328 | 윤미경 | 경기광주 | 325 | 윤성옥 | 현대회계 | 374 |
| 육정섭 | 대전청 | 336 | 윤미나 | 인천서 | 202 | 윤성욱 | 기재부 | 111 |
| 육종학 | 평택서 | 323 | 윤미성 | 성동서 | 41 | 윤성욱 | 김천서 | 110 |
| 육지원 | 홍천서 | 323 | 윤미숙 | 동문서 | 325 | 윤성준 | 동래서 | 213 |
| 육현수 | 기재부 | 256 | 윤미영 | 동대문서 | 334 | 윤성준 | 양천서 | 389 |
| 육혜연 | 남양주서 | 274 | 윤미자 | 남부서 | 161 | 윤성준 | 현대회계 | 407 |
| 윤가연 | 용산서 | 80 | 윤미현 | 강남서 | 125 | 윤성태 | 성남서 | 123 |
| 윤강로 | 서광주서 | 231 | 윤민경 | 분당서 | 170 | 윤성현 | 남동서 | 28 |
| 윤강훈 | 서대구서 | 202 | 윤민경 | 경기광주 | 237 | 윤성호 | 김포서 | 191 |
| 윤건주 | 안동서 | 372 | 윤민경 | 인천서 | 244 | 윤성호 | 용산서 | 287 |
| 윤겨경 | 속초서 | 411 | 윤민수 | 강동서 | 291 | 윤성호 | 중부청 | 473 |
| 윤견주 | 남원서 | 424 | 윤민숙 | 잠실서 | 160 | 윤성훈 | 조세재정 | 202 |
| 윤경 | 용인서 | 267 | 윤민오 | 목포서 | 116 | 윤성훈 | 강남서 | 217 |
| 윤경림 | 파주서 | 386 | 윤민정 | 동대문서 | 191 | 윤성훈 | 전주서 | 511 |
| 윤경선 | 부천서 | 253 | 윤민지 | 김포서 | 176 | 윤세영 | 광주세관 | 159 |
| 윤경옥 | 인천청 | 220 | 윤민호 | 기재부 | 260 | 윤세진 | 마산서 | 438 |
| 윤경출 | 부산진서 | 312 | 윤민희 | 평택서 | 177 | 윤소미 | 서울청 | 505 |
| 윤경현 | 이천서 | 304 | 윤범식 | 대전청 | 451 | 윤소영 | 은평서 | 469 |
| 윤경현 | 진주서 | 284 | 윤병준 | 도봉서 | 158 | 윤소영 | 제주서 | 152 |
| 윤경효 | 남양주서 | 446 | 윤병진 | 기재부 | 237 | 윤소영 | 서초서 | 205 |
| 윤경희 | 강남서 | 254 | 윤복원 | 광주청 | 244 | 윤소월 | 국세청 | 478 |
| 윤경희 | 동작서 | 472 | 윤보배 | 마포서 | 361 | 윤소정 | 노원서 | 189 |
| 윤경희 | 순천서 | 230 | 윤상건 | 청주서 | 181 | 윤소현 | 조세재정 | 109 |
| 윤공자 | 서대문서 | 145 | 윤상동 | 부산세관 | 245 | 윤소현 | 성동서 | 172 |
| 윤광섭 | 중부청 | 158 | 윤상목 | 서대문서 | 355 | 윤솔 | 서울청 | 509 |
| 윤광현 | 은평서 | 378 | 윤상섭 | 국세청 | 497 | 윤송희 | 영등포서 | 136 |
| 윤권욱 | 송파서 | 186 | 윤상용 | 부산진서 | 475 | 윤수빈 | 시흥서 | 191 |
| 윤근호 | 해운대서 | 223 | 윤상탁 | 중부청 | 186 | 윤수연 | 역삼서 | 201 |
| 윤근희 | 대구청 | 143 | 윤상필 | 국세청 | 106 | 윤수열 | 분당서 | 243 |
| 윤근희 | 조세심판 | 204 | 윤상호 | 성동서 | 447 | 윤수정 | 목포서 | 149 |
| 윤기덕 | 서울청 | 195 | | | 217 | 윤수정 | 강서서 | 236 |
| 윤기섭 | 서초서 | 459 | | | 116 | 윤수정 | 양천서 | 199 |
| 윤기성 | 성동서 | 402 | | | 441 | 윤수향 | 부평서 | 376 |
| 윤기송 | 보령서 | 507 | | | 190 | 윤수현 | 서울지방 | 162 |
| 윤기숙 | 성동서 | 148 | | | 136 | 윤수환 | 고시회 | 196 |
| 윤기순 | 수원서 | 189 | | | 321 | 윤수훈 | 은평서 | 306 |
| 윤기찬 | 국세청 | 190 | | | 455 | | | 32 |
| 윤기철 | 국세청 | 128 | | | 321 | | | 30 |
| 윤길남 | 북대구서 | 408 | | | | | | 205 |
| 윤길배 | 해남서 | 383 | | | | | | 168 |
| 윤길성 | 성현회계 | 11 | | | | | | 171 |
| 윤나영 | 동안양서 | 235 | | | | | | 321 |
| | 순천서 | 379 | | | | | | |
| | 서울청 | 136 | | | | | | |

| 성명 | 소속 | 쪽 | 성명 | 소속 | 쪽 | 성명 | 소속 | 쪽 | 성명 | 소속 | 쪽 |
|---|---|---|---|---|---|---|---|---|---|---|---|
| 윤숙현 | 종로서 | 208 | 김해서 | | 466 | 윤은수 | 원주서 | 270 |
| 윤순상 | 영동서 | 107 | 윤순영 | | 350 | 윤은지 | 강남서 | 158 |
| 윤순옥 | 양천서 | 196 | 윤은택 | 국세청 | 135 |
| 윤슬기 | 서울청 | 137 | 윤은지 | 서울청 | 318 |
| 윤슬 | 기재부 | 70 | 윤은택 | 대전청 | 340 |
| 윤슬기 | 광주서 | 369 | 윤이슬 | 아산서 | 139 |
| 윤승기 | 해운대서 | 459 | 윤인경 | 서울청 | 66 |
| 윤승미 | 김사원 | 62 | 윤인대 | 기재부 | 238 |
| 윤승미 | 해운대서 | 459 | 윤인자 | 성남서 | 496 |
| 윤승철 | 한울회계 | 27 | 윤인철 | 부산세관 | 419 |
| 윤승희 | 조세심판 | 507 | 윤일일식 | 구미서 | 222 |
| 윤승희 | 조세심판 | 507 | 윤일주 | 중부청 | 196 |
| 윤신애 | 잠실서 | 207 | 윤일호 | 양천서 | 167 |
| 윤아름 | 중부청 | 219 | 윤장원 | 구로서 | 257 |
| 윤애심 | 국회정무 | 279 | 윤장원 | 평택서 | 223 |
| 윤애진 | 기재부 | 59 | 윤재갑 | 북광주서 | 210 |
| 윤양호 | 기재부 | 82 | 윤재길 | 중랑서 | 147 |
| 윤여관 | 광주서 | 287 | 윤재도 | 서울청 | 376 |
| 윤여용 | 서울청 | 362 | 윤재두 | 목포서 | 322 |
| 윤여정 | 김앤장 | 354 | 윤재복 | 대전청 | 454 |
| 윤여중 | 고양서 | 47 | 윤재연 | 수영서 | 417 |
| 윤여진 | 아산서 | 295 | 윤재웅 | 경주서 | 222 |
| 윤여찬 | 서울청 | 340 | 윤재원 | 중부청 | 82 |
| 윤연갑 | 서초서 | 155 | 윤재원 | 기재부 | 218 |
| 윤연심 | 남동서 | 189 | 윤재헌 | 중부청 | 290 |
| 윤연원 | 조세재정 | 286 | 윤재현 | 고양서 | 294 |
| 윤연주 | 목포서 | 511 | 윤점점희 | 잠실서 | 207 |
| 윤영규 | 통영서 | 377 | 윤정기 | 인천청 | 283 |
| 윤영근 | 부산청 | 476 | 윤정도 | 서울지방 | 32 |
| 윤영길 | 구로서 | 341 | 윤정미 | 원주서 | 271 |
| 윤영란 | 중랑서 | 167 | 윤정미 | 영등포서 | 200 |
| 윤영민 | 조세재정 | 438 | 윤정민 | 거창서 | 464 |
| 윤영상 | 중부서 | 147 | 윤정민 | 국세청 | 106 |
| 윤영선 | 법무광장 | 224 | 윤정민 | 서초서 | 189 |
| 윤영섭 | 인천청 | 48 | 윤정열 | 서초서 | 189 |
| 윤영수 | 파주서 | 290 | 윤정욱 | 기재부 | 70 |
| 윤영순 | 거창서 | 313 | 윤정원 | 부평서 | 306 |
| 윤영식 | 강남서 | 79 | 윤정원 | 부산청 | 434 |
| 윤영우 | 서울청 | 465 | 윤정익 | 서울청 | 136 |
| 윤영원 | 중부청 | 158 | 윤정재 | 광주청 | 364 |
| 윤영재 | 인천청 | 139 | 윤정필 | 구리서 | 226 |
| 윤영준 | 김포서 | 224 | 윤정호 | 성동서 | 191 |
| 윤영준 | 국세청 | 279 | 윤정호 | 여수서 | 380 |
| 윤영준 | 화성서 | 298 | 윤정화 | 연수서 | 309 |
| 윤영진 | 성동서 | 121 | 윤정환 | 정읍서 | 393 |
| 윤영진 | 반포서 | 260 | 윤정환 | 금천서 | 395 |
| 윤영택 | 남원서 | 243 | 윤정희 | 경기광주 | 169 |
| 윤영현 | 동울산서 | 386 | 윤제현 | 김해서 | 244 |
| 윤예원 | 기재부 | 460 | 윤조아 | 용인서 | 466 |
| 윤옥진 | 삼일회계 | 344 | 윤종근 | 국세청 | 252 |
| 윤용 | 동울산서 | 66 | 윤종상 | 광주청 | 125 |
| 윤용구 | 북대전서 | 16 | 윤종혁 | 용인서 | 365 |
| 윤용호 | 강동서 | 461 | 윤종현 | 종로서 | 253 |
| 윤우식 | 삼정회계 | 327 | 윤종현 | 부산청 | 209 |
| 윤우찬 | 수원서 | 160 | 윤종호 | 계양서 | 438 |
| 윤웅정 | 대전청 | 172 | 윤종호 | 기재부 | 292 |
| 윤위상 | 이천서 | 19 | 윤종현 | 서울청 | 82 |
| 윤유라 | 인천청 | 241 | 윤주련 | 순천서 | 151 |
| 윤유순 | 여수서 | 322 | 윤주민 | 삼성서 | 379 |
| 윤유식 | 화성서 | 255 | 윤주영 | 부산강서 | 449 |
| 윤은구 | 국세청 | 151 | 윤주영 | 울산서 | 463 |
| 윤은미 | 인천청 | 408 | 윤주영 | 은평서 | 205 |
| 윤은미 | 성동서 | 131 | 윤주영 | 종로서 | 209 |
| 윤은미 | 화성서 | 283 | 윤주영 | 경기광주 | 244 |
| 윤은미 | 의정부서 | 103 | 윤주영 | 경기광주 | 245 |
| 윤은미 | 전주서 | 284 | 윤주현 | 인천청 | 279 |
| 윤은미 | 금정서 | 380 | 윤주현 | 관세청 | 483 |
| | | 260 | 윤주희 | 국세청 | 123 |
| | | 311 | 윤주휘 | 화성서 | 261 |
| | | 393 | 윤주희 | 삼성서 | 184 |
| | | 443 | 윤주희 | 상주서 | 422 |
| | | | 윤준범 | 목포서 | 376 |
| | | | 윤준근 | 서울청 | 138 |
| | | | 윤준식 | 광주서 | 368 |
| | | | 윤준웅 | 동안산서 | 248 |
| | | | 윤준영 | 중부청 | 218 |
| | | | 윤준희 | 시흥서 | 242 |
| | | | 윤중해 | 진주서 | 472 |
| | | | 윤중호 | 포항서 | 430 |
| | | | 윤지미 | 종로서 | 208 |
| | | | 윤지미 | 서초서 | 188 |
| | | | 윤지수 | 남양주서 | 123 |
| | | | 윤지연 | 동울산서 | 460 |
| | | | 윤지영 | 서울청 | 143 |
| | | | 윤지영 | 서울청 | 157 |
| | | | 윤지영 | 중부청 | 219 |
| | | | 윤지영 | 세종서 | 338 |

색인 페이지 (이름 | 소속 | 쪽)

| 이름 | 소속 | 쪽 |
|---|---|---|
| 윤지영 | 중부산서 | 457 |
| 윤지영 | 동일서 | 460 |
| 윤지예 | 삼일회계 | 16 |
| 윤지원 | 분당서 | 237 |
| 윤지원 | 서울청 | 150 |
| 윤지원 | 동작서 | 178 |
| 윤지윤 | 역삼서 | 198 |
| 윤지인 | 김포서 | 298 |
| 윤지인 | 강서서 | 162 |
| 윤지현 | 광주서 | 369 |
| 윤지현 | 송파서 | 195 |
| 윤지현 | 평택서 | 256 |
| 윤지현 | 인천청 | 283 |
| 윤지현 | 남부천서 | 302 |
| 윤지형 | 의정부서 | 310 |
| 윤지혜 | 서울청 | 139 |
| 윤지혜 | 금감원 | 97 |
| 윤지혜 | 서울청 | 146 |
| 윤지혜 | 중부청 | 216 |
| 윤지혜 | 인천공항 | 492 |
| 윤지환 | 국세청 | 124 |
| 윤지희 | 인천청 | 280 |
| 윤지희 | 대전청 | 321 |
| 윤진 | 기재부 | 67 |
| 윤진규 | 법무세종 | 50 |
| 윤진명 | 창원서 | 474 |
| 윤진아 | 광주세관 | 504 |
| 윤진우 | 삼성서 | 184 |
| 윤진일 | 동안산서 | 249 |
| 윤진주 | 송파서 | 194 |
| 윤진희 | 구로서 | 166 |
| 윤찬섭 | 광주세관 | 504 |
| 윤창복 | 인천청 | 277 |
| 윤창복 | 인천청 | 282 |
| 윤창복 | 양천서 | 197 |
| 윤창인 | 대전청 | 320 |
| 윤창중 | 거창서 | 465 |
| 윤철민 | 강동서 | 161 |
| 윤철원 | 홍성서 | 346 |
| 윤철연 | 용산서 | 203 |
| 윤철민 | 대전청 | 321 |
| 윤춘미 | 동안산서 | 249 |
| 윤태경 | 제천서 | 353 |
| 윤태영 | 포항서 | 431 |
| 윤태영 | 마산서 | 469 |
| 윤태영 | 예일회계 | 22 |
| 윤태우 | 대전서 | 324 |
| 윤태웅 | 동래서 | 444 |
| 윤태웅 | 광주세관 | 505 |
| 윤태원 | 국세청 | 130 |
| 윤태준 | 삼성서 | 185 |
| 윤태진 | 파주서 | 312 |
| 윤태철 | 다솔세무 | 35 |
| 윤태현 | 서대문서 | 109 |
| 윤태훈 | 서대문서 | 186 |
| 윤태희 | 북대구서 | 409 |
| 윤판호 | 북대구서 | 411 |
| 윤하서 | 제천서 | 352 |
| 윤하영 | 파주서 | 313 |
| 윤하정 | 강릉서 | 263 |
| 윤학섭 | 삼정회계 | 18 |
| 윤한 | 조세재정 | 511 |
| 윤한국 | 국세청 | 130 |
| 윤한나 | 기재부 | 72 |
| 윤한미 | 용인서 | 252 |
| 윤한빛 | 북전주서 | 389 |
| 윤한솔 | 서울청 | 136 |
| 윤한철 | 영월서 | 269 |
| 윤한홍 | 국회정무 | 59 |
| 윤한홍 | 국회정무 | 60 |
| 윤해욱 | 서울시청 | 487 |
| 윤현경 | 동작서 | 179 |
| 윤현경 | 서대문서 | 187 |
| 윤현경 | 기흥서 | 228 |
| 윤현곤 | 기재부 | 77 |
| 윤현구 | 국세청 | 109 |
| 윤현구 | 국세청 | 110 |
| 윤현미 | 기재부 | 67 |
| 윤현미 | 국세청 | 145 |
| 윤현미 | 반포서 | 183 |
| 윤현민 | 국세청 | 126 |
| 윤현상 | 신한관세 | 44 |
| 윤현숙 | 삼성서 | 185 |
| 윤현숙 | 성북서 | 193 |
| 윤현식 | 국세청 | 122 |
| 윤현식 | 김천서 | 420 |
| 윤현식 | 마산서 | 468 |
| 윤현아 | 부산강서 | 448 |
| 윤현웅 | 광산서 | 366 |
| 윤현조 | 한울회계 | 27 |
| 윤현주 | 구로서 | 167 |
| 윤현주 | 부산진서 | 446 |
| 윤현철 | 금융위 | 87 |
| 윤현철 | 예일회계 | 22 |
| 윤현택 | 현대회계 | 28 |
| 윤현화 | 마산서 | 469 |
| 윤형길 | 정읍서 | 394 |
| 윤형석 | 강남서 | 159 |
| 윤혜경 | 국세청 | 130 |
| 윤혜미 | 동래서 | 445 |
| 윤혜미 | 성동서 | 190 |
| 윤혜수 | 남동서 | 286 |
| 윤혜숙 | 국세청 | 118 |
| 윤혜숙 | 강서서 | 163 |
| 윤혜순 | 송파서 | 194 |
| 윤혜순 | 조세재정 | 508 |
| 윤혜순 | 조세재정 | 509 |
| 윤혜순 | 조세재정 | 509 |
| 윤혜영 | 파주서 | 312 |
| 윤혜원 | 안산서 | 246 |
| 윤혜원 | 강릉서 | 262 |
| 윤혜원 | 울산서 | 462 |
| 윤혜정 | 성남서 | 238 |
| 윤혜정 | 동래서 | 445 |
| 윤혜진 | 동수원서 | 232 |
| 윤호영 | 중부청 | 220 |
| 윤호중 | 동래서 | 444 |
| 윤호중 | 국회재정 | 56 |
| 윤호규 | 통영서 | 476 |
| 윤홍기 | 기재부 | 80 |
| 윤홍덕 | 대전청 | 319 |
| 윤환 | 기흥서 | 229 |
| 윤휘연 | 중부청 | 223 |
| 윤희겸 | 기재부 | 78 |
| 윤희경 | 광주청 | 360 |
| 윤희경 | 분당서 | 237 |
| 윤희경 | 평택서 | 256 |
| 윤희관 | 광주청 | 362 |
| 윤희문 | 제주서 | 479 |
| 윤희민 | 광주세관 | 505 |
| 윤희범 | 천안서 | 345 |
| 윤희상 | 서대구서 | 410 |
| 윤희연 | 이천서 | 255 |
| 윤희연 | 중부청 | 221 |
| 윤희연 | 고양서 | 295 |
| 윤희원 | 감사원 | 63 |
| 윤희정 | 송파서 | 195 |
| 윤희정 | 잠실서 | 206 |
| 윤희정 | 중부서 | 212 |
| 윤희정 | 광주세관 | 505 |
| 윤희창 | 대전청 | 322 |
| 은경례 | 북대구서 | 409 |
| 은기남 | 금감원 | 443 |
| 은성도 | 안산서 | 247 |
| 은종오 | 경주서 | 416 |
| 은지현 | 고양서 | 194 |
| 은진용 | 송파서 | 195 |
| 은혜민 | 서울청 | 155 |
| 은혜훈 | 동대구서 | 407 |
| 음일성 | 조세심판 | 506 |
| 응홍식 | 순천서 | 379 |
| 응총괄 | 금감원 | 99 |
| 응총괄 | 금감원 | 99 |
| 이가람 | 다솔세무 | 35 |
| 이가령 | 현대회계 | 28 |
| 이가영 | 수원서 | 241 |
| 이가영 | 잠실서 | 206 |
| 이가영 | 구로서 | 167 |
| 이가원 | 광주세관 | 504 |
| 이가원 | 광주세관 | 505 |
| 이가은 | 파주서 | 178 |
| 이가희 | 파주서 | 312 |
| 이강경 | 조세재정 | 510 |
| 이강산 | 서울청 | 153 |
| 이강석 | 노원서 | 172 |
| 이강석 | 중부청 | 218 |
| 이강석 | 수원서 | 241 |
| 이강석 | 대구청 | 402 |
| 이강식 | 조세재정 | 476 |
| 이강신 | 인천청 | 281 |
| 이강영 | 북대구서 | 370 |
| 이강오 | 다솔세무 | 37 |
| 이강욱 | 고시회 | 30 |
| 이강욱 | 김해서 | 467 |
| 이강욱 | 국세청 | 113 |
| 이강욱 | 부산청 | 440 |
| 이강원 | 충주서 | 357 |
| 이강열 | 반포서 | 183 |
| 이강일 | 국회정무 | 60 |
| 이강일 | 파주서 | 313 |
| 이강혁 | 고양서 | 294 |
| 이강현 | 대전청 | 320 |
| 이강혁 | 서부산서 | 108 |
| 이강호 | 법무바른 | 453 |
| 이강훈 | 구미서 | 1 |
| 이강희 | 경기광주 | 418 |
| 이건 | 아산서 | 340 |
| 이건구 | 경주서 | 416 |
| 이건도 | 서울청 | 195 |
| 이건미 | 평택서 | 154 |
| 이건빈 | 남동서 | 306 |
| 이건석 | 경기광주 | 287 |
| 이건술 | 서대구서 | 245 |
| 이건우 | 포항서 | 187 |
| 이건위 | 대전서 | 431 |
| 이건일 | 기재부 | 325 |
| 이건일 | 서울청 | 68 |
| 이건주 | 춘천서 | 147 |
| 이건준 | 광주청 | 272 |
| 이건태 | 국세청 | 360 |
| 이건필 | 금감원 | 128 |
| 이건호 | 반포서 | 94 |
| 이건호 | 천안서 | 183 |
| 이건호 | 정읍서 | 344 |
| 이건화 | 국회재정 | 55 |
| 이건후 | 법무광장 | 48 |
| 이건홍 | 대전청 | 323 |
| 이건희 | 기재부 | 84 |
| 이건희 | 잠실서 | 207 |
| 이걸 | 홍천서 | 275 |
| 이견재 | 분당서 | 298 |
| 이경 | 김포서 | 146 |
| 이경구 | 서울청 | 146 |
| 이경구 | 진주서 | 472 |
| 이경규 | 하나세무 | 39 |
| 이경규 | 동화성서 | 258 |
| 이경근 | 이안세무 | 41 |
| 이경노 | 아산서 | 341 |
| 이경달 | 기재부 | 67 |
| 이경란 | 삼성서 | 184 |
| 이경란 | 인천청 | 284 |
| 이경미 | 반포서 | 182 |
| 이경미 | 통영서 | 476 |
| 이경민 | 반포서 | 182 |
| 이경민 | 종로서 | 209 |
| 이경민 | 이천서 | 254 |
| 이경민 | 평택서 | 256 |
| 이경민 | 대구청 | 400 |
| 이경민 | 창원서 | 475 |
| 이경민 | 삼일회계 | 17 |
| 이경분 | 서울청 | 139 |
| 이경상 | 제주서 | 479 |
| 이경서 | 성동서 | 191 |
| 이경석 | 성북서 | 192 |
| 이경석 | 인천청 | 282 |
| 이경선 | 서울청 | 136 |
| 이경선 | 논산서 | 333 |
| 이경섭 | 전주서 | 393 |
| 이경수 | 기재부 | 78 |
| 이경수 | 강서서 | 163 |
| 이경수 | 성동서 | 190 |
| 이경수 | 영등포서 | 201 |
| 이경수 | 안산서 | 246 |
| 이경수 | 광주세관 | 505 |
| 이경수 | 서울지방 | 32 |
| 이경숙 | 고시회 | 66 |
| 이경숙 | 국세청 | 119 |
| 이경숙 | 반포서 | 182 |
| 이경숙 | 분당서 | 237 |
| 이경숙 | 대전청 | 410 |
| 이경숙 | 서대구서 | 154 |
| 이경순 | 대전청 | 318 |
| 이경순 | 제천서 | 353 |
| 이경순 | 동대구서 | 407 |
| 이경식 | 평택서 | 257 |
| 이경심 | 중부청 | 225 |
| 이경아 | 기재부 | 82 |
| 이경아 | 종로서 | 209 |
| 이경아 | 시흥서 | 242 |
| 이경아 | 예산서 | 343 |
| 이경아 | 대구청 | 398 |
| 이경애 | 동대문서 | 176 |
| 이경애 | 서대문서 | 186 |
| 이경열 | 원주서 | 271 |
| 이경옥 | 이안세무 | 41 |
| 이경옥 | 금천서 | 169 |
| 이경용 | 수성서 | 413 |
| 이경욱 | 중기회 | 102 |
| 이경원 | 대전청 | 319 |
| 이경원 | 이천서 | 254 |
| 이경은 | 서울청 | 150 |
| 이경이 | 광주세관 | 505 |
| 이경임 | 분당서 | 236 |
| 이경자 | 강동서 | 160 |
| 이경자 | 동작서 | 178 |
| 이경재 | 춘천서 | 273 |
| 이경재 | 감사원 | 63 |
| 이경재 | 동울산서 | 460 |
| 이경주 | 금천서 | 168 |
| 이경준 | 서대구서 | 410 |
| 이경진 | 영등포서 | 201 |
| 이경진 | 익산서 | 391 |
| 이경진 | 수영서 | 454 |
| 이경진 | 성현회계 | 11 |
| 이경철 | 삼일회계 | 16 |
| 이경택 | 삼일회계 | 203 |
| 이경표 | 종로서 | 208 |
| 이경하 | 국세청 | 114 |
| 이경행 | 삼일회계 | 17 |
| 이경향 | 북대구서 | 409 |
| 이경현 | 서울청 | 144 |
| 이경현 | 분당서 | 237 |
| 이경현 | 평택서 | 257 |
| 이경혜 | 연수서 | 309 |
| 이경호 | 강남서 | 159 |
| 이경호 | 중부서 | 213 |
| 이경화 | 서울청 | 68 |
| 이경화 | 국세청 | 119 |
| 이경환 | 광주서 | 372 |
| 이경훈 | 서부산서 | 453 |
| 이경훈 | 조세재정 | 509 |
| 이경훈 | 기재부 | 79 |
| 이경희 | 마포서 | 180 |
| 이경희 | 은평서 | 205 |
| 이경희 | 동화성서 | 258 |
| 이경희 | 광주서 | 368 |
| 이경희 | 서부산서 | 452 |
| 이경희 | 창원서 | 475 |
| 이경희 | 인천지방 | 33 |
| 이계봉 | 국세청 | 130 |
| 이계승 | 의정부서 | 311 |
| 이계현 | 삼일회계 | 16 |
| 이계홍 | 공주서 | 331 |
| 이계홍 | 서부산서 | 452 |
| 이고운 | 역삼서 | 199 |
| 이고운 | 기흥서 | 228 |
| 이고은 | 기재부 | 80 |
| 이고흥 | 삼성서 | 184 |
| 이공후 | 천안서 | 344 |
| 이관노 | 삼정회계 | 140 |
| 이관범 | 삼정회계 | 18 |
| 이관수 | 광주세관 | 505 |
| 이관수 | 아산서 | 341 |
| 이관열 | 구리서 | 226 |
| 이관재 | 인천서 | 290 |
| 이관호 | 서현회계 | 7 |
| 이관희 | 남양주서 | 230 |
| 이광 | 연수서 | 309 |
| 이광민 | 북대구서 | 408 |
| 이광선 | 전주서 | 392 |
| 이광섭 | 국세청 | 122 |
| 이광섭 | 부산진서 | 447 |
| 이광성 | 용산서 | 203 |
| 이광연 | 양천서 | 202 |
| 이광식 | 서울청 | 196 |
| 이광연 | 서울청 | 143 |
| 이광열 | 남대구서 | 393 |
| 이광오 | 대전청 | 321 |
| 이광용 | 제천서 | 353 |
| 이광우 | 동대구서 | 407 |
| 이광의 | 평택서 | 257 |
| 이광일 | 기재부 | 225 |
| 이광일 | 종로서 | 82 |
| 이광자 | 진주서 | 472 |
| 이광재 | 관악서 | 164 |
| 이광재 | 수성서 | 412 |
| 이광재 | 김해서 | 466 |
| 이광철 | 중부청 | 224 |
| 이광태 | 기재부 | 69 |
| 이광호 | 공주서 | 330 |
| 이광환 | 인천청 | 282 |
| 이광훈 | 기재부 | 67 |
| 이광희 | 이천서 | 255 |
| 이광희 | 동고양서 | 301 |
| 이교환 | 국세청 | 119 |
| 이구현 | 부산진서 | 451 |
| 이국근 | 광명서 | 297 |
| 이국성 | 용인서 | 253 |
| 이국희 | 기재부 | 73 |
| 이권승 | 서울청 | 142 |
| 이권식 | 서울청 | 146 |
| 이권호 | 서울청 | 140 |
| 이권호 | 국세청 | 130 |
| 이권홍 | 금감원 | 92 |
| 이권희 | 대전청 | 322 |
| 이귀병 | 잠실서 | 206 |
| 이귀영 | 동대문서 | 177 |
| 이규 | 전주서 | 392 |
| 이규림 | 서산서 | 336 |
| 이규미 | 삼성서 | 184 |
| 이규복 | 금감원 | 89 |
| 이규석 | 서울청 | 150 |
| 이규선 | 천안서 | 304 |
| 이규섭 | 평택서 | 257 |
| 이규수 | 하나세무 | 39 |
| 이규승 | 국세청 | 131 |
| 이규영 | 기재부 | 76 |
| 이규영 | 인천청 | 279 |
| 이규완 | 창원서 | 475 |
| 이규완 | 중부청 | 216 |
| 이규용 | 북대전서 | 327 |
| 이규웅 | 국세청 | 115 |
| 이규원 | 구로서 | 166 |
| 이규원 | 영등포서 | 200 |
| 이규의 | 강남서 | 158 |
| 이규종 | 인천청 | 283 |
| 이규철 | 서대문서 | 186 |
| 이규태 | 구로서 | 167 |
| 이규혁 | 서울청 | 138 |
| 이규현 | 부산강서 | 449 |
| 이규형 | 동작서 | 178 |
| 이규형 | 울산서 | 461 |
| 이규호 | 인천청 | 284 |
| 이규호 | 익산서 | 390 |
| 이규호 | 경주서 | 416 |
| 이규호 | 북부산서 | 450 |
| 이규화 | 중부청 | 47 |
| 이규화 | 대전청 | 320 |
| 이규활 | 국세청 | 123 |
| 이그린 | 포항서 | 431 |
| 이근수 | 분당서 | 236 |
| 이근우 | 영동서 | 351 |
| 이근애 | 동대구서 | 407 |
| 이근엽 | 성현회계 | 11 |
| 이근우 | 기재부 | 71 |
| 이근우 | 안양서 | 251 |
| 이근웅 | 서울청 | 18 |
| 이근원 | 예산서 | 152 |
| 이근호 | 인천청 | 342 |
| 이근호 | 대구청 | 278 |
| 이근환 | 김해서 | 400 |
| 이금대 | 조세심판 | 466 |
| 이금석 | 서울청 | 507 |
| 이금섭 | 양산서 | 137 |
| 이금석 | 성북서 | 471 |
| 이금순 | 기재부 | 193 |
| 이금순 | 역삼서 | 68 |
| 이금순 | 북전주서 | 199 |
| 이금옥 | 동대구서 | 388 |
| 이금조 | 홍천서 | 406 |
| 이금희 | 인천청 | 274 |
| 이기각 | 안동서 | 291 |
| 이기덕 | 강남서 | 424 |
| 이기돈 | 국세청 | 159 |
| 이기련 | 인천청 | 107 |
| 이기병 | 기재부 | 281 |
| 이기쁨 | 조세재정 | 509 |
| 이기수 | 구리서 | 226 |
| 이기수 | 인천청 | 283 |
| 이기수 | 논산서 | 332 |
| 이기숙 | 서울청 | 155 |
| 이기순 | 서울청 | 142 |
| 이기순 | 보령서 | 335 |

| 이름 | 소속 | 번호 |
| --- | --- | --- |
| 이기언 | 기흥서 | 228 |
| 이기연 | 분당서 | 237 |
| 이기연 | 서대구서 | 410 |
| 이기영 | 기재부 | 67 |
| 이기영 | 구로서 | 167 |
| 이기영 | 마산서 | 468 |
| 이기웅 | 기재부 | 70 |
| 이기웅 | 군산서 | 385 |
| 이기원 | 천안서 | 344 |
| 이기원 | 전주서 | 392 |
| 이기원 | 서현회계 | 7 |
| 이기원 | 서현회계 | 7 |
| 이기정 | 고양서 | 295 |
| 이기정 | 동울산서 | 460 |
| 이기주 | 국세청 | 111 |
| 이기주 | 서울청 | 142 |
| 이기중 | 중기회 | 103 |
| 이기진 | 인천지방 | 33 |
| 이기철 | 김포서 | 299 |
| 이기택 | 남동서 | 286 |
| 이기헌 | 서대문서 | 186 |
| 이기혁 | 경기광주 | 244 |
| 이기현 | 금천서 | 169 |
| 이기현 | 남양주서 | 230 |
| 이기활 | 영동서 | 351 |
| 이기활 | 제천서 | 352 |
| 이기훈 | 기재부 | 80 |
| 이기훈 | 안양서 | 250 |
| 이기훈 | 나주서 | 374 |
| 이길녀 | 안양서 | 251 |
| 이길재 | 양산서 | 470 |
| 이길채 | 중랑서 | 210 |
| 이길형 | 삼성서 | 184 |
| 이길호 | 경기광주 | 245 |
| 이나경 | 마포서 | 181 |
| 이나경 | 경주서 | 416 |
| 이나경 | 울산서 | 462 |
| 이나금 | 기재부 | 67 |
| 이나래 | 성동서 | 191 |
| 이나래 | EY한영 | 12 |
| 이나미 | 서산서 | 336 |
| 이나연 | 서부산서 | 453 |
| 이나영 | 양천서 | 196 |
| 이나영 | 부산청 | 439 |
| 이나영 | 동래서 | 444 |
| 이낙영 | 중부청 | 224 |
| 이난영 | 강남서 | 159 |
| 이난주 | 홍천서 | 275 |
| 이난희 | 서울청 | 149 |
| 이남경 | 서초서 | 189 |
| 이남경 | 동화성서 | 258 |
| 이남곤 | 중부청 | 224 |
| 이남규 | 조세재정 | 510 |
| 이남범 | 부산진서 | 446 |
| 이남선 | 삼일회계 | 16 |
| 이남정 | 충주서 | 357 |
| 이남주 | 동안산서 | 249 |
| 이남주 | 조세재정 | 510 |
| 이남주 | 법무세종 | 50 |
| 이남진 | 서부산서 | 452 |
| 이남형 | 마포서 | 181 |
| 이남호 | 춘천서 | 273 |
| 이남호 | 북부산서 | 451 |
| 이노을 | 삼덕회계 | 15 |
| 이녹영 | 남대문서 | 171 |
| 이다경 | 중랑서 | 211 |
| 이다경 | 남원서 | 386 |
| 이다빈 | 예산서 | 343 |
| 이다솜 | 용인서 | 253 |
| 이다슬 | 예일세무 | 40 |
| 이다영 | 기흥서 | 228 |
| 이다영 | 안양서 | 250 |
| 이다영 | 인천청 | 280 |
| 이다영 | 여수서 | 380 |
| 이다예 | 서대문서 | 186 |
| 이다예 | 광산서 | 367 |
| 이다운 | 남부천서 | 240 |
| 이다원 | 남부천서 | 302 |
| 이다원 | 대전서 | 324 |
| 이다은 | 수원서 | 240 |
| 이다은 | 포천서 | 315 |
| 이다인 | 울산서 | 462 |
| 이다인 | 동수원서 | 233 |
| 이다해 | 대전청 | 320 |
| 이다현 | 성동서 | 190 |
| 이다현 | 익산서 | 391 |
| 이다혜 | 기재부 | 80 |
| 이다혜 | 금천서 | 169 |
| 이다혜 | 의정부서 | 310 |
| 이다혜 | 전주서 | 393 |
| 이다훈 | 은평서 | 205 |
| 이달근 | 부산세관 | 497 |
| 이달근 | 서울청 | 140 |
| 이달순 | 창원서 | 474 |
| 이대권 | 기재부 | 79 |
| 이대규 | 택스홈 | 38 |
| 이대근 | 서울청 | 142 |
| 이대근 | 잠실서 | 206 |
| 이대식 | 서울청 | 154 |
| 이대연 | 서산서 | 337 |
| 이대일 | 포천서 | 315 |
| 이대정 | 역삼서 | 198 |
| 이대헌 | 남대구서 | 404 |
| 이대해 | 마산서 | 468 |
| 이대호 | 동대구서 | 406 |
| 이대훈 | 중부청 | 224 |
| 이대훈 | 화성서 | 260 |
| 이대희 | 서대전서 | 329 |
| 이덕순 | 서산서 | 336 |
| 이덕재 | EY한영 | 12 |
| 이덕종 | 강릉서 | 263 |
| 이덕주 | 대전청 | 321 |
| 이덕형 | 국회재정 | 55 |
| 이덕형 | 세종서 | 338 |
| 이덕화 | 서울청 | 157 |
| 이도경 | 인천청 | 282 |
| 이도경 | 파주서 | 313 |
| 이도경 | 북대구서 | 408 |
| 이도경 | 서부산서 | 452 |
| 이도연 | 동안양서 | 235 |
| 이도영 | 동화성서 | 258 |
| 이도영 | 북대구서 | 409 |
| 이도원 | 광주세관 | 505 |
| 이도원 | 군산서 | 384 |
| 이도헌 | 중부청 | 221 |
| 이도헌 | 제주서 | 479 |
| 이도현 | 구리서 | 227 |
| 이도현 | 포항서 | 431 |
| 이도형 | 구로서 | 167 |
| 이도형 | 광명서 | 296 |
| 이도혜 | 강서서 | 162 |
| 이도화 | 기재부 | 71 |
| 이돈구 | 기재부 | 80 |
| 이돈영 | 북광주서 | 370 |
| 이동각 | 기재부 | 72 |
| 이동건 | 도봉서 | 174 |
| 이동건 | 마포서 | 181 |
| 이동곤 | 국세청 | 116 |
| 이동곤 | 국세청 | 130 |
| 이동곤 | 김해서 | 467 |
| 이동관 | 분당서 | 236 |
| 이동광 | 남동서 | 287 |
| 이동광 | 서인천서 | 289 |
| 이동구 | 남양주서 | 231 |
| 이동구 | 서산서 | 337 |
| 이동규 | 금감원 | 95 |
| 이동규 | 국세청 | 118 |
| 이동규 | 김포서 | 298 |
| 이동규 | 대전청 | 318 |
| 이동규 | 전주서 | 393 |
| 이동규 | 대구청 | 399 |
| 이동규 | 마산서 | 469 |
| 이동균 | 대구청 | 399 |
| 이동근 | 기재부 | 78 |
| 이동근 | 고양서 | 294 |
| 이동근 | 아산서 | 340 |
| 이동기 | 대전청 | 318 |
| 이동락 | 인천청 | 278 |
| 이동렬 | 광주세관 | 504 |
| 이동면 | 부산청 | 437 |
| 이동명 | 경산서 | 415 |
| 이동목 | 중부산서 | 457 |
| 이동민 | 남대구서 | 405 |
| 이동민 | 동대구서 | 406 |
| 이동민 | 북대구서 | 453 |
| 이동백 | 영등포서 | 201 |
| 이동범 | 수성서 | 413 |
| 이동복 | 삼일회계 | 16 |
| 이동석 | 기재부 | 74 |
| 이동석 | 김포서 | 299 |
| 이동섭 | 이안세무 | 41 |
| 이동섭 | 충주서 | 356 |
| 이동수 | 기재부 | 77 |
| 이동수 | 서울청 | 150 |
| 이동수 | 분당서 | 237 |
| 이동연 | 구로서 | 167 |
| 이동열 | 강서서 | 163 |
| 이동열 | 삼일회계 | 17 |
| 이동엽 | 수원서 | 232 |
| 이동영 | 광주청 | 360 |
| 이동영 | 금감원 | 95 |
| 이동영 | 정읍서 | 394 |
| 이동우 | 강서서 | 163 |
| 이동우 | 북대구서 | 408 |
| 이동우 | 안동서 | 424 |
| 이동우 | 금정서 | 442 |
| 이동욱 | 금융위 | 85 |
| 이동욱 | 국세청 | 117 |
| 이동욱 | 강동서 | 160 |
| 이동욱 | 청주서 | 349 |
| 이동욱 | 포항서 | 431 |
| 이동욱 | 마산서 | 468 |
| 이동운 | 국세청 | 119 |
| 이동운 | 국세청 | 120 |
| 이동운 | 서초서 | 188 |
| 이동운 | 성현회계 | 11 |
| 이동원 | 금감원 | 94 |
| 이동원 | 양천서 | 197 |
| 이동원 | 대구청 | 399 |
| 이동운 | 부산강서 | 449 |
| 이동윤 | 기흥서 | 229 |
| 이동일 | 남대문서 | 170 |
| 이동일 | 대구청 | 399 |
| 이동재 | 금감원 | 92 |
| 이동주 | 강동서 | 161 |
| 이동주 | 목포서 | 376 |
| 이동주 | 경주서 | 416 |
| 이동준 | 국세청 | 109 |
| 이동준 | 성북서 | 192 |
| 이동준 | 중부청 | 217 |
| 이동준 | 청주서 | 354 |
| 이동준 | 북대구서 | 408 |
| 이동준 | 포항서 | 430 |
| 이동진 | 부산진서 | 447 |
| 이동진 | 서울청 | 136 |
| 이동진 | 북광주서 | 371 |
| 이동진 | 김포서 | 299 |
| 이동철 | 서부산서 | 452 |
| 이동출 | 부천서 | 305 |
| 이동한 | 서울청 | 410 |
| 이동한 | 서울청 | 136 |
| 이동혁 | 금감원 | 90 |
| 이동혁 | 서울청 | 434 |
| 이동현 | 국세청 | 106 |
| 이동현 | 마포서 | 181 |
| 이동현 | 중랑서 | 210 |
| 이동현 | 남양주서 | 230 |
| 이동현 | 광주청 | 363 |
| 이동현 | 금정서 | 442 |
| 이동현 | 양산서 | 470 |
| 이동형 | 부산진서 | 446 |
| 이동호 | 중부청 | 225 |
| 이동호 | 동대구서 | 406 |
| 이동호 | 인천공항 | 492 |
| 이동화 | 삼정회계 | 20 |
| 이동환 | 강릉서 | 262 |
| 이동환 | 봉성서 | 346 |
| 이동환 | 중부산서 | 457 |
| 이동환 | 기재부 | 74 |
| 이동호 | 기재부 | 81 |
| 이동훈 | 노원서 | 172 |
| 이동훈 | 반포서 | 182 |
| 이동훈 | 시흥서 | 243 |
| 이동훈 | 인천청 | 278 |
| 이동훈 | 동고양서 | 301 |
| 이동훈 | 나주서 | 375 |
| 이동훈 | 대구청 | 397 |
| 이동훈 | 대구청 | 400 |
| 이동훈 | 김천서 | 420 |
| 이동훈 | 김천서 | 421 |
| 이동훈 | 김해서 | 467 |
| 이동훈 | 광주세관 | 504 |
| 이동훈 | 하나세무 | 39 |
| 이동휘 | 기재부 | 77 |
| 이동희 | 서울청 | 147 |
| 이동희 | 서울청 | 152 |
| 이동희 | 통영서 | 477 |
| 이두원 | 국세청 | 119 |
| 이두원 | 국세청 | 121 |
| 이두원 | 광주세관 | 505 |
| 이두형 | 금감원 | 97 |
| 이두호 | 수원서 | 241 |
| 이득규 | 동고양서 | 300 |
| 이란희 | 화성서 | 260 |
| 이래경 | 서울청 | 151 |
| 이래하 | 국세청 | 129 |
| 이령조 | 수원서 | 240 |
| 이로아 | 의정부서 | 311 |
| 이루리 | 고양서 | 294 |
| 이류기 | 서울청 | 134 |
| 이류경 | 잠실서 | 206 |
| 이만식 | 이천서 | 254 |
| 이만준 | 천안서 | 345 |
| 이만호 | 국세청 | 120 |
| 이명건 | 삼성서 | 185 |
| 이명곤 | 남양주서 | 230 |
| 이명구 | 서울청 | 137 |
| 이명구 | 관세청 | 481 |
| 이명기 | 춘천서 | 272 |
| 이명규 | 강남서 | 158 |
| 이명규 | 국세청 | 129 |
| 이명례 | 중기회 | 103 |
| 이명문 | 부평서 | 307 |
| 이명석 | 대전서 | 325 |
| 이명수 | 동작서 | 179 |
| 이명수 | 강남서 | 239 |
| 이명수 | 서대구서 | 410 |
| 이명수 | 수원서 | 240 |
| 이명숙 | 춘천서 | 272 |
| 이명식 | 하나세무 | 39 |
| 이명용 | 서울청 | 231 |
| 이명욱 | 강서서 | 163 |
| 이명욱 | 분당서 | 236 |
| 이명원 | 영등포서 | 200 |
| 이명원 | 하나세무 | 39 |
| 이명인 | 조세재정 | 511 |
| 이명자 | 국회정무 | 59 |
| 이명재 | 국세청 | 122 |
| 이명재 | 안양서 | 250 |
| 이명주 | 국세청 | 33 |
| 이명준 | 북전주서 | 389 |
| 이명진 | 서현회계 | 7 |
| 이명진 | 서현회계 | 300 |
| 이명하 | 동수원서 | 233 |
| 이명하 | 대전청 | 326 |
| 이명한 | 서대전서 | 328 |
| 이명해 | 대전서 | 325 |
| 이명행 | 의정부서 | 310 |
| 이명호 | 중부산서 | 456 |
| 이명훈 | 평택서 | 257 |
| 이명훈 | 남대구서 | 287 |
| 이명희 | 서울청 | 156 |
| 이명희 | 반포서 | 183 |
| 이명희 | 영등포서 | 200 |
| 이명희 | 동안양서 | 234 |
| 이명희 | 수성서 | 413 |
| 이모성 | 아산서 | 341 |
| 이묘금 | 수영서 | 454 |
| 이묘진 | 서울청 | 136 |
| 이무황 | 예산서 | 343 |
| 이무훈 | 국세청 | 110 |
| 이문범 | 국회정무 | 59 |
| 이문석 | 충주서 | 356 |
| 이문수 | 중부서 | 212 |
| 이문영 | 포천서 | 314 |
| 이문영 | 중부청 | 219 |
| 이문원 | 예산서 | 342 |
| 이문진 | 서인천서 | 288 |
| 이문태 | 광주세관 | 505 |
| 이문태 | 포항서 | 431 |
| 이문형 | 인천청 | 281 |
| 이문호 | 김해서 | 466 |
| 이문환 | 서울청 | 141 |
| 이문환 | 수원서 | 240 |
| 이문희 | 동화성서 | 259 |
| 이미경 | 국정정무 | 112 |
| 이미경 | 서울청 | 139 |
| 이미경 | 강남서 | 159 |
| 이미경 | 성북서 | 193 |
| 이미경 | 용산서 | 203 |
| 이미경 | 동래서 | 444 |
| 이미경 | 울산서 | 462 |
| 이미남 | 동대구서 | 407 |
| 이미라 | 기재부 | 66 |
| 이미라 | 서울청 | 145 |
| 이미라 | 금천서 | 169 |
| 이미라 | 대전청 | 320 |
| 이미란 | 국세청 | 130 |
| 이미란 | 김포서 | 299 |
| 이미령 | 경기광주 | 245 |
| 이미선 | 구로서 | 167 |
| 이미선 | 동수원서 | 232 |
| 이미선 | 수원서 | 241 |
| 이미선 | 익산서 | 390 |
| 이미소 | 의정부서 | 310 |
| 이미숙 | 기재부 | 70 |
| 이미숙 | 역삼서 | 198 |
| 이미숙 | 잠실서 | 206 |
| 이미숙 | 서부산서 | 453 |
| 이미숙 | 양산서 | 470 |
| 이미애 | 서울청 | 156 |
| 이미애 | 계양서 | 293 |
| 이미애 | 북대구서 | 408 |
| 이미애 | 김해서 | 466 |
| 이미연 | 국세청 | 115 |
| 이미연 | 부산청 | 436 |
| 이미연 | 부산청 | 440 |
| 이미연 | 부산진서 | 446 |
| 이미영 | 서울청 | 134 |
| 이미영 | 서울청 | 148 |
| 이미영 | 대문서 | 176 |
| 이미영 | 남동서 | 286 |
| 이미영 | 부평서 | 307 |
| 이미영 | 대전청 | 321 |
| 이미영 | 남대구서 | 405 |
| 이미영 | 창원서 | 474 |
| 이미자 | 서광주서 | 372 |
| 이미자 | 안동서 | 424 |
| 이미정 | 강서서 | 162 |
| 이미정 | 동작서 | 178 |
| 이미정 | 용인서 | 253 |
| 이미정 | 북대구서 | 327 |
| 이미정 | 제천서 | 352 |
| 이미주 | 논산서 | 332 |
| 이미지 | 역삼서 | 198 |
| 이미지 | 용인서 | 252 |
| 이미진 | 동작서 | 178 |
| 이미진 | 기흥서 | 228 |
| 이미진 | 서인천서 | 289 |
| 이미진 | 연수서 | 309 |
| 이미진 | 울산서 | 463 |
| 이미향 | 중부산서 | 456 |
| 이미현 | 마포서 | 180 |
| 이미현 | 대전서 | 324 |
| 이미현 | 조세재정 | 509 |
| 이미형 | 서울청 | 134 |
| 이미화 | 노원서 | 173 |
| 이미화 | 성남서 | 238 |
| 이미희 | 중부청 | 222 |
| 이미희 | 공주서 | 330 |
| 이미희 | 거창서 | 464 |
| 이민경 | 중기회 | 103 |
| 이민경 | 마포서 | 181 |
| 이민경 | 양천서 | 196 |
| 이민경 | 포천서 | 314 |
| 이민경 | 북대전서 | 327 |
| 이민경 | 부산강서 | 448 |
| 이민구 | 송파서 | 194 |
| 이민규 | 금감원 | 93 |
| 이민규 | 성북서 | 193 |
| 이민규 | 김포서 | 298 |
| 이민규 | 천안서 | 345 |
| 이민상 | 조세재정 | 510 |
| 이민석 | 은평서 | 205 |
| 이민석 | 현대회계 | 28 |
| 이민선 | 중부청 | 219 |
| 이민섭 | 기재부 | 74 |
| 이민수 | 중부청 | 218 |
| 이민순 | 잠실서 | 206 |
| 이민아 | 양천서 | 197 |
| 이민아 | 광주세관 | 505 |
| 이민영 | 동작서 | 179 |
| 이민영 | 이천서 | 254 |
| 이민영 | 군산서 | 385 |
| 이민옥 | 해운대서 | 458 |
| 이민용 | 서초서 | 189 |
| 이민우 | 중부청 | 216 |
| 이민우 | 포항서 | 431 |
| 이민우 | 김해서 | 466 |
| 이민우 | 택스홈 | 38 |
| 이민욱 | 노원서 | 173 |
| 이민의 | 경기광주 | 244 |
| 이민재 | 강서서 | 162 |
| 이민재 | 성현회계 | 11 |
| 이민재 | 다솔세무 | 35 |
| 이민정 | 기재부 | 80 |
| 이민정 | 마포서 | 181 |
| 이민정 | 서초서 | 189 |
| 이민정 | 평택서 | 257 |
| 이민정 | 김포서 | 298 |
| 이민정 | 부평서 | 307 |
| 이민정 | 부산진서 | 447 |
| 이민주 | 기재부 | 71 |
| 이민주 | 평택서 | 256 |
| 이민주 | 동울산서 | 460 |
| 이민지 | 국세청 | 110 |
| 이민지 | 금천서 | 169 |
| 이민지 | 영등포서 | 201 |
| 이민지 | 인천청 | 283 |
| 이민지 | 고양서 | 295 |
| 이민지 | 동청주서 | 348 |
| 이민지 | 삼일회계 | 16 |
| 이민지 | 다솔세무 | 35 |
| 이민진 | 현대회계 | 28 |

| 이름 | 소속 | 번호 |
|---|---|---|
| 이민철 | 역삼서 | 199 |
| 이민철 | 안산서 | 247 |
| 이민철 | 부평서 | 306 |
| 이민해 | 경주서 | 417 |
| 이민형 | 택스홈 | 38 |
| 이민호 | 기재부 | 72 |
| 이민호 | 금감원 | 98 |
| 이민호 | 논산서 | 332 |
| 이민호 | 군산서 | 384 |
| 이민훈 | 국세청 | 106 |
| 이민희 | 국세청 | 123 |
| 이민희 | 중부청 | 223 |
| 이민희 | 동안양서 | 234 |
| 이민희 | 화성서 | 261 |
| 이민희 | 인천서 | 290 |
| 이민희 | 금감원 | 445 |
| 이방우 | 금감원 | 96 |
| 이방원 | 서울청 | 154 |
| 이배삼 | 해운대서 | 459 |
| 이배인 | 구미서 | 419 |
| 이백용 | 남원서 | 386 |
| 이백춘 | 서대구서 | 410 |
| 이범 | 동안양서 | 235 |
| 이범구 | 안동서 | 424 |
| 이범규 | 노원서 | 172 |
| 이범기 | 현대회계 | 28 |
| 이범석 | 남대문서 | 144 |
| 이범수 | 화성서 | 261 |
| 이범수 | 광주세관 | 504 |
| 이범승 | 금감원 | 93 |
| 이범용 | 기재부 | 80 |
| 이범재 | 관세사회 | 42 |
| 이범주 | 중부청 | 216 |
| 이범주 | 구리서 | 227 |
| 이범준 | 기재부 | 151 |
| 이범한 | 기재부 | 84 |
| 이법진 | 국세청 | 112 |
| 이병국 | 마산서 | 469 |
| 이병권 | 대전서 | 325 |
| 이병기 | 삼덕회계 | 15 |
| 이병노 | 고양서 | 294 |
| 이병노 | 부천서 | 305 |
| 이병만 | 용산서 | 200 |
| 이병석 | 포천서 | 315 |
| 이병수 | 진주서 | 191 |
| 이병숙 | 진주서 | 472 |
| 이병안 | 다솔세무 | 35 |
| 이병영 | 상주서 | 423 |
| 이병오 | 경기광주 | 244 |
| 이병옥 | 안양서 | 250 |
| 이병용 | 인천서 | 279 |
| 이병용 | 대전청 | 321 |
| 이병욱 | 대구세관 | 499 |
| 이병욱 | 충주서 | 357 |
| 이병재 | 익산서 | 391 |
| 이병조 | 북광주서 | 371 |
| 이병주 | 서울청 | 143 |
| 이병주 | 동작서 | 178 |
| 이병주 | 대구청 | 398 |
| 이병주 | 대구청 | 400 |
| 이병준 | 기재부 | 75 |
| 이병준 | 계양서 | 292 |
| 이병준 | 창원서 | 474 |
| 이병직 | 성북서 | 192 |
| 이병진 | 경기광주 | 245 |
| 이병철 | 현대회계 | 28 |
| 이병철 | 창원서 | 474 |
| 이병탁 | 영덕서 | 426 |
| 이병하 | 법무광장 | 49 |
| 이병현 | 분당서 | 236 |
| 이보라 | 국세청 | 124 |
| 이보라 | 서울청 | 151 |
| 이보라 | 동작서 | 178 |
| 이보라 | 양천서 | 197 |
| 이보라 | 삼척서 | 264 |
| 이보라 | 파주서 | 312 |
| 이보라 | 영동서 | 350 |
| 이보라 | 창원서 | 474 |
| 이보람 | 서울청 | 134 |
| 이보람 | 북광주서 | 371 |
| 이보람 | 광주세관 | 504 |
| 이보배 | 분당서 | 237 |
| 이보배 | 예일세무 | 40 |
| 이보영 | 기재부 | 78 |
| 이보영 | 북전주서 | 388 |
| 이보은 | 부산청 | 440 |
| 이보화 | 조세재정 | 510 |
| 이복자 | 서울청 | 139 |
| 이복재 | 부산청 | 437 |
| 이복현 | 금감원 | 89 |
| 이복희 | 금감원 | 90 |
| 이봉근 | 서울청 | 139 |
| 이봉림 | 서초서 | 188 |
| 이봉숙 | 시흥서 | 242 |
| 이봉숙 | 반포서 | 183 |
| 이봉숙 | 중부청 | 216 |
| 이봉열 | 광주세관 | 505 |
| 이봉철 | 김해서 | 466 |
| 이봉현 | 논산서 | 333 |
| 이봉형 | 경기광주 | 244 |
| 이봉화 | 창원서 | 474 |
| 이봉희 | 역삼서 | 199 |
| 이부경 | 통영서 | 476 |
| 이부자 | 조세재정 | 511 |
| 이부창 | 원주서 | 271 |
| 이부창 | 강서서 | 162 |
| 이부형 | 제주서 | 478 |
| 이비아 | 부천서 | 304 |
| 이빛나 | 경기광주 | 245 |
| 이사영 | 익산서 | 391 |
| 이삼기 | 안산서 | 246 |
| 이삼남 | 인천지방 | 33 |
| 이삼문 | 세무대학 | 11 |
| 이삼섭 | 동안산서 | 248 |
| 이상각 | 천안서 | 344 |
| 이상건 | 경주서 | 416 |
| 이상경 | 국세청 | 113 |
| 이상경 | 구미서 | 418 |
| 이상곤 | 서인천서 | 289 |
| 이상곤 | 광명서 | 297 |
| 이상곤 | 부산청 | 437 |
| 이상권 | 경주서 | 416 |
| 이상규 | 기재부 | 78 |
| 이상규 | 수원서 | 240 |
| 이상규 | 북대구서 | 408 |
| 이상균 | 국세청 | 130 |
| 이상근 | 남서 | 159 |
| 이상근 | 경기광주 | 245 |
| 이상근 | 수영서 | 454 |
| 이상근 | 공주서 | 330 |
| 이상기 | 서초서 | 188 |
| 이상기 | 법무광장 | 48 |
| 이상길 | 서울청 | 138 |
| 이상길 | 조세심판 | 506 |
| 이상길 | 삼정회계 | 18 |
| 이상길 | 삼정회계 | 19 |
| 이상덕 | 서울청 | 149 |
| 이상덕 | 남대문서 | 171 |
| 이상덕 | 수영서 | 455 |
| 이상도 | 해운대서 | 459 |
| 이상도 | 강남서 | 16 |
| 이상돈 | 금감원 | 98 |
| 이상락 | 정읍서 | 395 |
| 이상락 | 의정부서 | 310 |
| 이상락 | 남대구서 | 404 |
| 이상락 | 성현회계 | 11 |
| 이상명 | 금정서 | 442 |
| 이상무 | 광주서 | 368 |
| 이상무 | 삼정회계 | 18 |
| 이상무 | 삼정회계 | 19 |
| 이상무 | 서울청 | 155 |
| 이상묵 | 창원서 | 475 |
| 이상묵 | 김앤장 | 47 |
| 이상문 | 동작서 | 179 |
| 이상미 | 국세청 | 130 |
| 이상미 | 강서서 | 162 |
| 이상미 | 의정부서 | 310 |
| 이상미 | 구미서 | 418 |
| 이상미 | 창원서 | 474 |
| 이상민 | 기재부 | 67 |
| 이상민 | 금감원 | 95 |
| 이상민 | 구로서 | 166 |
| 이상민 | 중부청 | 219 |
| 이상민 | 인천청 | 281 |
| 이상민 | 계양서 | 293 |
| 이상민 | 아산서 | 340 |
| 이상민 | 북대구서 | 408 |
| 이상민 | 역삼서 | 412 |
| 이상민 | 거창서 | 465 |
| 이상민 | 창원서 | 475 |
| 이상범 | 평택서 | 256 |
| 이상봉 | 대전청 | 321 |
| 이상분 | 충주서 | 356 |
| 이상석 | 남대구서 | 404 |
| 이상석 | 대전청 | 323 |
| 이상선 | 광주세관 | 505 |
| 이상선 | 고양서 | 294 |
| 이상섭 | 기재부 | 67 |
| 이상수 | 인천청 | 279 |
| 이상수 | 대전청 | 320 |
| 이상숙 | 성동서 | 40 |
| 이상숙 | 서울청 | 191 |
| 이상언 | 서울청 | 150 |
| 이상언 | 도봉서 | 439 |
| 이상엽 | 도봉서 | 175 |
| 이상엽1 | 현대회계 | 28 |
| 이상엽2 | 현대회계 | 28 |
| 이상영 | 기재부 | 84 |
| 이상영 | 분당서 | 237 |
| 이상왕 | 화성서 | 261 |
| 이상왕 | 부천서 | 305 |
| 이상용 | 대전서 | 324 |
| 이상용 | 기재부 | 81 |
| 이상용 | 수원서 | 240 |
| 이상우 | 공주서 | 331 |
| 이상우 | 충주서 | 356 |
| 이상우 | 김앤장 | 47 |
| 이상욱 | 국세청 | 128 |
| 이상욱 | 동대문서 | 176 |
| 이상욱 | 동안산서 | 248 |
| 이상욱 | 대구서 | 400 |
| 이상욱 | 울산서 | 463 |
| 이상원 | 부산청 | 437 |
| 이상원 | 국세청 | 113 |
| 이상원 | 영주서 | 429 |
| 이상윤 | 기재부 | 76 |
| 이상윤 | 분당서 | 236 |
| 이상윤 | 경기광주 | 244 |
| 이상윤 | 이천서 | 254 |
| 이상윤 | 원주서 | 270 |
| 이상윤 | 평택서 | 257 |
| 이상은 | 해운대서 | 458 |
| 이상일 | 동수원서 | 232 |
| 이상일 | 금정서 | 442 |
| 이상재 | 국세청 | 123 |
| 이상재 | 아산서 | 341 |
| 이상재 | 기흥서 | 228 |
| 이상준 | 동청주서 | 348 |
| 이상준 | 광주청 | 360 |
| 이상준 | 부산청 | 441 |
| 이상직 | 성북서 | 193 |
| 이상진 | 금감원 | 92 |
| 이상진 | 남양주서 | 230 |
| 이상진 | 제주서 | 479 |
| 이상진 | 부산세관 | 496 |
| 이상철 | 광주청 | 363 |
| 이상탁 | 금감원 | 99 |
| 이상표 | 동인강서 | 449 |
| 이상필 | 강서서 | 163 |
| 이상헌 | 기재부 | 71 |
| 이상헌 | 국세청 | 130 |
| 이상헌 | 강서서 | 162 |
| 이상헌 | 대구청 | 398 |
| 이상헌 | 부산강서 | 449 |
| 이상혁 | 감사원 | 62 |
| 이상혁 | 수영서 | 454 |
| 이상현 | 동대문서 | 176 |
| 이상현 | 종로서 | 208 |
| 이상현 | 중부청 | 218 |
| 이상현 | 인천서 | 290 |
| 이상현 | 대전청 | 320 |
| 이상현 | 세종서 | 338 |
| 이상현 | 천안서 | 345 |
| 이상현 | 부산청 | 437 |
| 이상현 | 부산청 | 437 |
| 이상현 | 창원서 | 475 |
| 이상협 | 기재부 | 80 |
| 이상협 | 동대구서 | 406 |
| 이상호 | 서울청 | 135 |
| 이상호 | 노원서 | 172 |
| 이상호 | 대구청 | 399 |
| 이상호 | 서부산서 | 452 |
| 이상호 | 한울회계 | 27 |
| 이상홍 | 국회재정 | 55 |
| 이상홍 | 기재부 | 78 |
| 이상후 | 기재부 | 72 |
| 이상훈 | 서울청 | 134 |
| 이상훈 | 서울청 | 155 |
| 이상훈 | 강서서 | 162 |
| 이상훈 | 잠실서 | 206 |
| 이상훈 | 동안산서 | 451 |
| 이상훈 | 서광주서 | 372 |
| 이상훈 | 대구청 | 401 |
| 이상훈 | 부산청 | 439 |
| 이상훈 | 동래서 | 445 |
| 이상훈 | 북부산서 | 451 |
| 이상훈 | 광주세관 | 504 |
| 이상희 | 성남서 | 239 |
| 이상희 | 제주서 | 479 |
| 이서구 | 국세청 | 110 |
| 이서아 | 삼성서 | 184 |
| 이서연 | 성동서 | 191 |
| 이서연 | 분당서 | 236 |
| 이서영 | 남동서 | 286 |
| 이서영 | 동작서 | 179 |
| 이서영 | 서초서 | 189 |
| 이서원 | 도봉서 | 175 |
| 이서은 | 동작서 | 178 |
| 이서정 | 서광주서 | 372 |
| 이서준 | 관악서 | 164 |
| 이서진 | 강릉서 | 262 |
| 이서진 | 정읍서 | 394 |
| 이서행 | 중랑서 | 211 |
| 이서현 | 강남서 | 158 |
| 이서현 | 마포서 | 181 |
| 이서현 | 이천서 | 254 |
| 이서희 | 부천서 | 305 |
| 이석규 | 딜로이트 | 13 |
| 이석기 | 천안서 | 344 |
| 이석란 | 금융위 | 87 |
| 이석문 | 서울세관 | 485 |
| 이석문 | 서울세관 | 486 |
| 이석봉 | 남대문서 | 170 |
| 이석봉 | 역삼서 | 198 |
| 이석아 | 안산서 | 246 |
| 이석원 | 조세심판 | 506 |
| 이석임 | 이천서 | 255 |
| 이석재 | 송파서 | 194 |
| 이석재 | 대전청 | 321 |
| 이석정 | 고시회 | 30 |
| 이석주 | 금감원 | 91 |
| 이석중 | 잠실서 | 206 |
| 이석중 | 부산청 | 434 |
| 이석진 | 대구청 | 401 |
| 이석화 | 국세청 | 124 |
| 이선 | 인천청 | 279 |
| 이선 | 현대회계 | 28 |
| 이선경 | 서울청 | 135 |
| 이선경 | 삼성서 | 184 |
| 이선경 | 전주서 | 393 |
| 이선경 | 동래서 | 444 |
| 이선관 | 천안서 | 344 |
| 이선교 | 동울산서 | 460 |
| 이선구 | 반포서 | 182 |
| 이선구 | 부산청 | 441 |
| 이선림 | 익산서 | 390 |
| 이선미 | 국세청 | 129 |
| 이선미 | 강남서 | 158 |
| 이선미 | 금천서 | 169 |
| 이선미 | 반포서 | 182 |
| 이선미 | 대전서 | 324 |
| 이선미 | 경산서 | 414 |
| 이선민 | 서울청 | 137 |
| 이선민 | 노원서 | 173 |
| 이선민 | 서대문서 | 186 |
| 이선민 | 서초서 | 188 |
| 이선아 | 광주청 | 364 |
| 이선아 | 성동서 | 136 |
| 이선아 | 성동서 | 191 |
| 이선아 | 양천서 | 196 |
| 이선아 | 서인천서 | 288 |
| 이선아 | 김포서 | 299 |
| 이선애 | 남대구서 | 404 |
| 이선영 | 기재부 | 70 |
| 이선영 | 서울청 | 150 |
| 이선영 | 강남서 | 158 |
| 이선영 | 강남서 | 159 |
| 이선영 | 반포서 | 182 |
| 이선영 | 서대문서 | 187 |
| 이선영 | 성동서 | 190 |
| 이선영 | 영등포서 | 200 |
| 이선영 | 영등포서 | 201 |
| 이선영 | 대전청 | 319 |
| 이선영 | 대전청 | 324 |
| 이선영 | 남대구서 | 404 |
| 이선영 | 서대구서 | 410 |
| 이선영 | 경주서 | 417 |
| 이선영 | 하나세무 | 39 |
| 이선옥 | 경기광주 | 245 |
| 이선우 | 도봉서 | 174 |
| 이선우 | 김포서 | 299 |
| 이선우 | 부산청 | 434 |
| 이선우 | 양천서 | 197 |
| 이선육 | 상주서 | 422 |
| 이선유 | 서울청 | 140 |
| 이선의 | 대구청 | 399 |
| 이선이 | 기재부 | 79 |
| 이선재 | 구로서 | 167 |
| 이선정 | 서울청 | 139 |
| 이선정 | 김천서 | 421 |
| 이선주 | 국세청 | 115 |
| 이선주 | 구로서 | 167 |
| 이선주 | 성동서 | 191 |
| 이선주 | 양천서 | 196 |
| 이선주 | 예일세무 | 40 |
| 이선진 | 서울청 | 154 |
| 이선행 | 인천청 | 282 |
| 이선호 | 상주서 | 422 |
| 이선화 | 해남서 | 383 |
| 이선화 | 울산서 | 463 |
| 이선훈 | 하나세무 | 39 |
| 이선희 | 역삼서 | 198 |
| 이선희 | 서대구서 | 410 |
| 이설아 | 노원서 | 173 |
| 이설이 | 대전서 | 325 |
| 이설희 | 진주서 | 473 |
| 이섭 | 서울청 | 136 |
| 이성 | 노원서 | 173 |
| 이성 | 광주청 | 362 |
| 이성 | 광주청 | 363 |
| 이성 | 현대회계 | 28 |
| 이성경 | 강서서 | 162 |
| 이성구 | 부산서 | 182 |
| 이성국 | 기재부 | 77 |
| 이성규 | 서울청 | 150 |
| 이성규 | 잠실서 | 206 |
| 이성규 | 거창서 | 464 |
| 이성근 | 성동서 | 190 |
| 이성근 | 동울산서 | 460 |
| 이성글 | 부산청 | 434 |
| 이성금 | 서부산서 | 452 |
| 이성도 | 강동서 | 160 |
| 이성률 | 북광주서 | 370 |
| 이성묵 | 남원서 | 386 |
| 이성묵 | 남원서 | 387 |
| 이성민 | 기재부 | 79 |
| 이성민 | 서울청 | 145 |
| 이성민 | 구리서 | 227 |
| 이성민 | 남원서 | 386 |
| 이성민 | 수영서 | 454 |
| 이성민 | 제주서 | 478 |
| 이성복 | 금감원 | 94 |
| 이성복 | 구로서 | 166 |
| 이성복 | 동대문서 | 176 |
| 이성삼 | 춘천서 | 272 |
| 이성수 | 역삼서 | 198 |
| 이성수 | 분당서 | 237 |
| 이성식 | 정읍서 | 395 |
| 이성실 | 여수서 | 380 |
| 이성실 | 서울청 | 152 |
| 이성애 | 남대문서 | 170 |
| 이성용 | 예산서 | 343 |
| 이성용 | 서광주서 | 373 |
| 이성우 | 택스홈 | 38 |
| 이성욱 | 금감원 | 91 |
| 이성욱 | 삼정회계 | 19 |
| 이성욱 | 삼정회계 | 19 |
| 이성웅 | 김해서 | 467 |
| 이성원 | 기재부 | 71 |
| 이성원 | 서대문서 | 187 |
| 이성윤 | 국회법제 | 58 |
| 이성일 | 세종서 | 338 |
| 이성일 | 여수서 | 380 |
| 이성재 | 서울청 | 151 |
| 이성재 | 안양서 | 251 |
| 이성재 | 부산청 | 434 |
| 이성재 | 거창서 | 464 |
| 이성재 | 제주서 | 478 |
| 이성재 | 딜로이트 | 13 |
| 이성종 | 서초서 | 188 |
| 이성주 | 성동서 | 191 |
| 이성준 | 북전주서 | 388 |
| 이성준 | 해운대서 | 458 |
| 이성진 | 금감원 | 97 |
| 이성진 | 국세청 | 108 |
| 이성진 | 국세청 | 109 |
| 이성진 | 국세청 | 110 |
| 이성진 | 국세청 | 111 |
| 이성진 | 마포서 | 180 |
| 이성진 | 은평서 | 204 |
| 이성진 | 수원서 | 240 |
| 이성창 | 서광주서 | 372 |
| 이성철 | 금정서 | 442 |
| 이성태 | 삼정회계 | 18 |
| 이성태 | 삼정회계 | 20 |
| 이성택 | 기재부 | 80 |
| 이성필 | 송파서 | 194 |
| 이성한 | 북대구서 | 409 |
| 이성현 | 기흥서 | 228 |

| 이름 | 소속 | 쪽 |
| --- | --- | --- |
| 이성현 | 평택서 | 257 |
| 이성혜 | 동대문서 | 176 |
| 이성혜 | 삼성서 | 185 |
| 이성혜 | 진주서 | 472 |
| 이성호 | 금감원 | 97 |
| 이성호 | 서울청 | 144 |
| 이성호 | 동작서 | 179 |
| 이성호 | 안산서 | 248 |
| 이성호 | 대전청 | 320 |
| 이성호 | 세종서 | 338 |
| 이성호 | 천안서 | 345 |
| 이성호 | 순천서 | 379 |
| 이성호 | 부산청 | 441 |
| 이성환 | 서울청 | 147 |
| 이성환 | 대구청 | 401 |
| 이성환 | 거창서 | 464 |
| 이성훈 | 성북서 | 192 |
| 이성훈 | 인천서 | 291 |
| 이성훈 | 대구청 | 400 |
| 이성훈 | 부산강서 | 448 |
| 이성훈 | 마산서 | 469 |
| 이성희 | 금감원 | 94 |
| 이성희 | 중랑서 | 211 |
| 이성희 | 삼척서 | 264 |
| 이세나 | 국세청 | 111 |
| 이세나 | 국세청 | 120 |
| 이세라 | 순천서 | 379 |
| 이세란 | 중랑서 | 211 |
| 이세리 | 전주서 | 392 |
| 이세미 | 기재부 | 78 |
| 이세미 | 조세재정 | 508 |
| 이세민 | 서울청 | 143 |
| 이세비 | 기재부 | 66 |
| 이세연 | 서울청 | 155 |
| 이세연 | 안양서 | 250 |
| 이세용 | 금감원 | 91 |
| 이세은 | 의정부서 | 311 |
| 이세인 | 서울청 | 154 |
| 이세정 | 노원서 | 173 |
| 이세주 | 양천서 | 196 |
| 이세주 | 서울청 | 150 |
| 이세진 | 삼성서 | 185 |
| 이세풍 | 부산청 | 438 |
| 이세협 | 예일세무 | 40 |
| 이세호 | 제천서 | 352 |
| 이세호 | 양산서 | 471 |
| 이세환 | 기재부 | 81 |
| 이세훈 | 금감원 | 89 |
| 이세훈 | 마산서 | 469 |
| 이세희 | 인천서 | 290 |
| 이세희 | 통영서 | 476 |
| 이소라 | 기재부 | 81 |
| 이소라 | 시흥서 | 242 |
| 이소민 | 성동서 | 190 |
| 이소애 | 부산청 | 436 |
| 이소연 | 국세청 | 111 |
| 이소연 | 서초서 | 188 |
| 이소연 | 구리서 | 227 |
| 이소연 | 동안양서 | 234 |
| 이소연 | 부천서 | 305 |
| 이소연 | 광주청 | 365 |
| 이소연 | 남대구서 | 404 |
| 이소연 | 김천서 | 421 |
| 이소영 | 기재부 | 67 |
| 이소영 | 중부청 | 224 |
| 이소영 | 동안양서 | 234 |
| 이소영 | 대전청 | 319 |
| 이소영 | 북광주서 | 371 |
| 이소영 | 대구청 | 399 |
| 이소영 | 부산진서 | 446 |
| 이소영 | 동울산서 | 461 |
| 이소영 | 예일세무 | 40 |
| 이소원 | 국세청 | 110 |
| 이소은 | 군산서 | 385 |
| 이소은 | 창원서 | 474 |
| 이소정 | 노원서 | 173 |
| 이소정 | 성동서 | 191 |
| 이소정 | 인천서 | 290 |
| 이소정 | 경주서 | 416 |
| 이소정 | 해운대서 | 458 |
| 이소정 | 조세재정 | 508 |
| 이소진 | 국세청 | 128 |
| 이소진 | 의정부서 | 311 |
| 이소현 | 도봉서 | 174 |
| 이소희 | 서대구서 | 410 |
| 이솔 | 서울청 | 146 |
| 이솔 | 제천서 | 352 |
| 이솔지 | 종로서 | 209 |
| 이솔지 | 계양서 | 293 |
| 이송우 | 김해서 | 467 |
| 이송이 | 남양주서 | 230 |
| 이송이 | 안산서 | 246 |
| 이송이 | 인천서 | 290 |
| 이송하 | 기재부 | 77 |
| 이송하 | 서울청 | 140 |
| 이송향 | 종로서 | 208 |
| 이송화 | 금천서 | 168 |
| 이송희 | 역삼서 | 198 |
| 이수경 | 원주서 | 270 |
| 이수경 | 은평서 | 134 |
| 이수경 | 계양서 | 204 |
| 이수경 | 계양서 | 293 |
| 이수경 | 동대구서 | 406 |
| 이수경 | 부산진서 | 447 |
| 이수경 | 북부산서 | 450 |
| 이수길 | 김해서 | 467 |
| 이수덕 | 이천서 | 254 |
| 이수라 | 해남서 | 383 |
| 이수락 | 마포서 | 180 |
| 이수란 | 구로서 | 167 |
| 이수란 | 영동포서 | 200 |
| 이수미 | 국세청 | 123 |
| 이수미 | 대전서 | 325 |
| 이수미 | 김해서 | 466 |
| 이수민 | 동작서 | 178 |
| 이수민 | 반포서 | 183 |
| 이수민 | 은평서 | 204 |
| 이수민 | 화성서 | 260 |
| 이수민 | 김포서 | 298 |
| 이수민 | 대전청 | 318 |
| 이수복 | 북전주서 | 388 |
| 이수비 | 청주서 | 355 |
| 이수빈 | 기재부 | 82 |
| 이수빈 | 서울청 | 148 |
| 이수빈 | 서대문서 | 187 |
| 이수빈 | 구리서 | 226 |
| 이수빈 | 안산서 | 246 |
| 이수빈 | 원주서 | 271 |
| 이수빈 | 춘천서 | 273 |
| 이수빈 | 서산서 | 336 |
| 이수빈 | 충주서 | 357 |
| 이수빈 | 북광주서 | 371 |
| 이수안 | 부천서 | 305 |
| 이수연 | 의정부서 | 310 |
| 이수연 | 감사원 | 63 |
| 이수연 | 기재부 | 68 |
| 이수연 | 국세청 | 110 |
| 이수연 | 서울청 | 136 |
| 이수연 | 서울청 | 143 |
| 이수연 | 서울청 | 157 |
| 이수연 | 도봉서 | 175 |
| 이수연 | 시흥서 | 243 |
| 이수연 | 북대전서 | 327 |
| 이수연 | 북대구서 | 408 |
| 이수연 | 서부산서 | 453 |
| 이수연 | 수영서 | 455 |
| 이수연 | 해운대서 | 459 |
| 이수영 | 조세재정 | 509 |
| 이수영 | 북대전서 | 326 |
| 이수영 | 동청주서 | 349 |
| 이수영 | 부산강서 | 449 |
| 이수용 | 평택서 | 256 |
| 이수원 | 금정서 | 443 |
| 이수원 | 강남서 | 159 |
| 이수원 | 동래서 | 445 |
| 이수인 | 이천서 | 254 |
| 이수인 | 금감원 | 91 |
| 이수임 | 도봉서 | 175 |
| 이수정 | 서인천서 | 437 |
| 이수정 | 국세청 | 116 |
| 이수정 | 서울청 | 150 |
| 이수정 | 서울청 | 152 |
| 이수정 | 서울청 | 154 |
| 이수정 | 금천서 | 169 |
| 이수정 | 성북서 | 193 |
| 이수정 | 이천서 | 254 |
| 이수정 | 북부산서 | 450 |
| 이수지 | 기재부 | 68 |
| 이수지 | 강서서 | 162 |
| 이수지 | 분당서 | 237 |
| 이수지 | 동화성서 | 258 |
| 이수지 | 서대구서 | 410 |
| 이수진 | 국세청 | 112 |
| 이수진 | 국세청 | 113 |
| 이수진 | 서울청 | 150 |
| 이수진 | 서울청 | 152 |
| 이수진 | 서초서 | 188 |
| 이수진 | 분당서 | 237 |
| 이수진 | 계양서 | 292 |
| 이수진 | 부천서 | 304 |
| 이수진 | 광주청 | 365 |
| 이수진 | 광주서 | 368 |
| 이수진 | 군산서 | 384 |
| 이수진 | 목포서 | 438 |
| 이수철 | 금천서 | 168 |
| 이수택 | 기재부 | 79 |
| 이수현 | 국세청 | 107 |
| 이수현 | 동작서 | 178 |
| 이수현 | 의정부서 | 310 |
| 이수현 | 세종서 | 339 |
| 이수현 | 북광주서 | 370 |
| 이수현 | 익산서 | 391 |
| 이수현 | 정읍서 | 394 |
| 이수현 | 수성서 | 412 |
| 이수현 | 예일회계 | 22 |
| 이수형 | 중부청 | 222 |
| 이수형 | 부산청 | 437 |
| 이수호 | 기재부 | 78 |
| 이수호 | 안산서 | 247 |
| 이수호 | 광주세관 | 504 |
| 이수환 | 구로서 | 167 |
| 이수환 | 수원서 | 240 |
| 이수환 | 목포서 | 376 |
| 이숙 | 서울청 | 152 |
| 이숙경 | 기재부 | 82 |
| 이숙경 | 북광주서 | 370 |
| 이숙경 | 성동서 | 191 |
| 이숙정 | 동화성서 | 258 |
| 이숙희 | 북대전서 | 326 |
| 이숙희 | 대전청 | 404 |
| 이순기 | 구미서 | 418 |
| 이순길 | 천안서 | 344 |
| 이순민 | 계양서 | 293 |
| 이순민 | 중부청 | 220 |
| 이순복 | 중부청 | 223 |
| 이순아 | 화성서 | 261 |
| 이순엽 | 서울청 | 146 |
| 이순영 | 강동서 | 160 |
| 이순영 | 도봉서 | 175 |
| 이순영 | 예산서 | 343 |
| 이순옥 | 북부산서 | 450 |
| 이순옥 | 원주서 | 271 |
| 이순원 | 중부청 | 217 |
| 이순임 | 서현회계 | 7 |
| 이순철 | 서대구서 | 410 |
| 이순철 | 중부청 | 222 |
| 이순철 | 중부청 | 224 |
| 이순향 | 조세재정 | 510 |
| 이순화 | 서울청 | 139 |
| 이순희 | 서대문서 | 186 |
| 이슬 | 은평서 | 204 |
| 이슬 | 대전청 | 317 |
| 이슬 | 대전청 | 321 |
| 이슬 | 대구청 | 399 |
| 이슬 | 중부산서 | 456 |
| 이슬 | 조세재정 | 510 |
| 이슬기 | 종로서 | 148 |
| 이슬기 | 김포서 | 209 |
| 이슬기 | 조세재정 | 508 |
| 이슬린 | 서초서 | 189 |
| 이슬비 | 마포서 | 180 |
| 이슬비 | 인천청 | 282 |
| 이슬비 | 부천서 | 305 |
| 이슬이 | 용인서 | 252 |
| 이슝 | 금감원 | 98 |
| 이승걸 | 동울산서 | 460 |
| 이승곤 | 하나세무 | 39 |
| 이승광 | 대구청 | 398 |
| 이승구 | 중부청 | 219 |
| 이승규 | 창원서 | 474 |
| 이승근 | 광산서 | 366 |
| 이승근 | 경주서 | 416 |
| 이승렬 | 삼일회계 | 16 |
| 이승렬 | 택스홈 | 38 |
| 이승록 | 통영서 | 477 |
| 이승리 | 동안양서 | 235 |
| 이승모 | 포항서 | 430 |
| 이승미 | 중부청 | 218 |
| 이승민 | 기재부 | 72 |
| 이승민 | 양천서 | 197 |
| 이승민 | 성남서 | 239 |
| 이승민 | 김해서 | 466 |
| 이승민 | 평택서 | 256 |
| 이승배 | 동청주서 | 348 |
| 이승수 | 국세청 | 118 |
| 이승수 | 중부청 | 216 |
| 이승신 | 종로서 | 208 |
| 이승아 | 시흥서 | 243 |
| 이승아 | 서대구서 | 410 |
| 이승언 | 북대구서 | 408 |
| 이승연 | 광주세관 | 505 |
| 이승연 | 성동서 | 191 |
| 이승연 | 역삼서 | 198 |
| 이승완 | 광주청 | 364 |
| 이승용 | 군산서 | 385 |
| 이승우 | 역삼서 | 198 |
| 이승우 | 인천청 | 278 |
| 이승원 | 금감원 | 100 |
| 이승원 | 서대전서 | 329 |
| 이승은 | 대구청 | 403 |
| 이승은 | 남대구서 | 404 |
| 이승은 | 김천서 | 420 |
| 이승익 | 부산강서 | 448 |
| 이승일 | 서울청 | 191 |
| 이승일 | 전주서 | 393 |
| 이승재 | 동대문서 | 176 |
| 이승재 | 부산청 | 430 |
| 이승재 | 예일회계 | 22 |
| 이승종 | 서울청 | 150 |
| 이승주 | 동대문서 | 176 |
| 이승주 | 기재부 | 77 |
| 이승준 | 기재부 | 78 |
| 이승준 | 구로서 | 166 |
| 이승준 | 삼성서 | 184 |
| 이승준 | 광주서 | 364 |
| 이승준 | 서대구서 | 370 |
| 이승준 | 서대구서 | 411 |
| 이승준 | 국세청 | 434 |
| 이승준1 | 현대회계 | 28 |
| 이승진 | 삼성서 | 184 |
| 이승진 | 부산청 | 438 |
| 이승진 | 울산서 | 463 |
| 이승찬 | 국세청 | 129 |
| 이승찬 | 성남서 | 309 |
| 이승찬 | 충주서 | 357 |
| 이승찬 | 북광주서 | 371 |
| 이승철 | 국세청 | 124 |
| 이승택 | 대전청 | 323 |
| 이승택 | 수성서 | 412 |
| 이승필 | 성북서 | 192 |
| 이승필 | 인천세관 | 489 |
| 이승필 | 인천세관 | 490 |
| 이승하 | 서울청 | 148 |
| 이승하 | 익산서 | 391 |
| 이승학 | 노원서 | 172 |
| 이승학 | 다솔세무 | 35 |
| 이승한 | 기재부 | 74 |
| 이승한 | 서울청 | 109 |
| 이승현 | 성북서 | 192 |
| 이승현 | 강서서 | 162 |
| 이승현 | 양천서 | 196 |
| 이승현 | 광산서 | 367 |
| 이승현 | 서대구서 | 410 |
| 이승현 | 하나세무 | 39 |
| 이승형 | 부평서 | 307 |
| 이승호 | 국세청 | 122 |
| 이승호 | 서울청 | 148 |
| 이승호 | 도봉서 | 174 |
| 이승호 | 삼성서 | 185 |
| 이승호 | 성동서 | 191 |
| 이승호 | 인천서 | 290 |
| 이승호 | 익산서 | 390 |
| 이승호 | 조세심판 | 506 |
| 이승환 | 국세청 | 115 |
| 이승환 | 수원서 | 241 |
| 이승환 | 이천서 | 255 |
| 이승환 | 인천서 | 278 |
| 이승환 | 서인천서 | 289 |
| 이승환 | 서광주서 | 373 |
| 이승환 | 순천서 | 379 |
| 이승환 | 남대구서 | 404 |
| 이승환 | 북대구서 | 408 |
| 이승환 | 제주서 | 478 |
| 이승환 | 삼일회계 | 17 |
| 이승훈 | 금감원 | 98 |
| 이승훈 | 국세청 | 119 |
| 이승훈 | 서울청 | 144 |
| 이승훈 | 강남서 | 158 |
| 이승훈 | 동작서 | 178 |
| 이승훈 | 마포서 | 181 |
| 이승훈 | 삼성서 | 185 |
| 이승훈 | 성동서 | 191 |
| 이승훈 | 경기광주 | 245 |
| 이승훈 | 광주청 | 361 |
| 이승훈 | 나주서 | 374 |
| 이승훈 | 전주서 | 392 |
| 이승훈 | 부산청 | 436 |
| 이승훈 | 양산서 | 471 |
| 이승훈 | 광주세관 | 502 |
| 이승훈 | 조세심판 | 507 |
| 이승희 | 삼일회계 | 17 |
| 이승휘 | 대구청 | 399 |
| 이승희 | 동대문서 | 177 |
| 이승희 | 중부서 | 212 |
| 이승희 | 구리서 | 226 |
| 이승희 | 광주청 | 362 |
| 이승희 | 수영서 | 455 |
| 이승희 | 관세청 | 483 |
| 이시경 | 서울세관 | 486 |
| 이시열 | 원주서 | 271 |
| 이시우 | 기재부 | 75 |
| 이시은 | 반포서 | 182 |
| 이시형 | 광산서 | 367 |
| 이시호 | 해운대서 | 459 |
| 이시화 | 국세청 | 110 |
| 이신숙 | 인천청 | 284 |
| 이신애 | 수영서 | 455 |
| 이신열 | 공주서 | 331 |
| 이신영 | 청주서 | 354 |
| 이신정 | 삼척서 | 264 |
| 이신정 | 대전서 | 324 |
| 이신혜 | 고양서 | 295 |
| 이신호 | 딜로이트 | 13 |
| 이신화 | 역삼서 | 198 |
| 이신화 | 중부서 | 217 |
| 이아라 | 나주서 | 374 |
| 이아람 | 국세청 | 106 |
| 이아름 | 노원서 | 172 |
| 이아름 | 안산서 | 247 |
| 이아름 | 인천청 | 281 |
| 이아름 | 해운대서 | 458 |
| 이아름 | 마산서 | 468 |
| 이아름 | 조세재정 | 509 |
| 이아린 | 송파서 | 195 |
| 이아림 | 순천서 | 379 |
| 이아연 | 인천청 | 283 |
| 이안나 | 서울청 | 156 |
| 이안섭 | 남대구서 | 404 |
| 이안수 | 대전청 | 321 |
| 이안희 | 천안서 | 344 |
| 이애경 | 서울청 | 155 |
| 이애란 | 서울청 | 134 |
| 이애랑 | 양천서 | 196 |
| 이애신 | 도봉서 | 175 |
| 이양래 | 중부청 | 224 |
| 이양로 | 노원서 | 345 |
| 이양우 | 삼성서 | 185 |
| 이양호 | 청주서 | 355 |
| 이어루 | 기재부 | 69 |
| 이언우 | 북광주서 | 370 |
| 이언종 | 금천서 | 168 |
| 이여경 | 김포서 | 299 |
| 이여울 | 중부청 | 220 |
| 이여울 | 서울청 | 138 |
| 이여진 | 서울청 | 149 |
| 이연경 | 서인천서 | 288 |
| 이연경 | 남대구서 | 404 |
| 이연석 | 중부청 | 217 |
| 이연선 | 기재부 | 76 |
| 이연선 | 중부청 | 221 |
| 이연수 | 인천청 | 290 |
| 이연수 | 동울산서 | 460 |
| 이연숙 | 서대구서 | 410 |
| 이연옥 | 해운대서 | 458 |
| 이연우 | 영동포서 | 201 |
| 이연실 | 서산서 | 336 |
| 이연우 | 김천서 | 169 |
| 이연정 | 노원서 | 172 |
| 이연주 | 기재부 | 80 |
| 이연주 | 평택서 | 256 |
| 이연주 | 김포서 | 299 |
| 이연주 | 대전청 | 322 |
| 이연지 | 서울청 | 140 |
| 이연지 | 평택서 | 257 |
| 이연진 | 대구청 | 400 |
| 이연호 | 서울청 | 137 |
| 이연호 | 원주서 | 270 |
| 이연화 | 중부청 | 222 |
| 이연희 | 대전청 | 318 |
| 이연희 | 서광주서 | 373 |
| 이염휘 | 관세사회 | 42 |
| 이영 | 대전청 | 319 |
| 이영광 | 기재부 | 73 |
| 이영구 | 대전청 | 319 |
| 이영권 | 연수서 | 308 |
| 이영균 | 충주서 | 356 |
| 이영균 | 홍천서 | 275 |

| 이름 | 소속 | 쪽 | 이름 | 소속 | 쪽 | 이름 | 소속 | 쪽 | 이름 | 소속 | 쪽 | 이름 | 소속 | 쪽 |
|---|---|---|---|---|---|---|---|---|---|---|---|---|---|---|
| 이영근 | 동래서 | 444 | 이영호 | 논산서 | 333 | 이용출 | 군산서 | 385 | 이유선 | 금천서 | 168 | 이윤희 | 서울청 | 135 |
| 이영기 | 금감원 | 91 | 이영호 | 삼정회계 | 19 | 이용혁 | 딜로이트 | 13 | 이유선 | 성동서 | 190 | 이윤희 | 서울청 | 141 |
| 이영길 | 부평서 | 307 | 이영화 | 대전청 | 318 | 이용호 | 동대문서 | 177 | 이유선 | 청주서 | 354 | 이윤희 | 중부청 | 218 |
| 이영락 | 대전청 | 325 | 이영훈 | 화성서 | 260 | 이용환 | 대전서 | 324 | 이유안 | 구리서 | 227 | 이윤희 | 대전청 | 320 |
| 이영란 | 수영서 | 454 | 이영훈 | 기재부 | 74 | 이용환 | 수영서 | 454 | 이유영 | 강서서 | 163 | 이율배 | 인천청 | 282 |
| 이영롱 | 부천서 | 305 | 이영훈 | 마포서 | 181 | 이용후 | 국세청 | 122 | 이유영 | 구로서 | 167 | 이융건 | 서울청 | 156 |
| 이영미 | 국세청 | 109 | 이영훈 | 정읍서 | 394 | 이용훈 | 성남서 | 238 | 이유영 | 동수원서 | 233 | 이은 | 서울청 | 141 |
| 이영미 | 동화성서 | 259 | 이영휘 | 서인천서 | 289 | 이용휘 | 서인천서 | 289 | 이유영 | 계양서 | 292 | 이은 | 서울청 | 134 |
| 이영미 | 진주서 | 472 | 이영휘 | 부평서 | 307 | 이우경 | 남양주서 | 230 | 이유원 | 종로서 | 208 | 이은경 | 중랑서 | 210 |
| 이영미 | 이촌회계 | 24 | 이영희 | 금천서 | 168 | 이우근 | 반포서 | 182 | 이유정 | 서울청 | 145 | 이은경 | 동안양서 | 235 |
| 이영민 | 종로서 | 209 | 이영희 | 대전서 | 325 | 이우남 | 은평서 | 205 | 이유정 | 강서서 | 163 | 이은경 | 이천서 | 254 |
| 이영민 | 인천서 | 290 | 이영희 | 수영서 | 454 | 이우람 | 금감원 | 91 | 이유정 | 노원서 | 172 | 이은경 | 광명서 | 297 |
| 이영민 | 나주서 | 375 | 이예림 | 강릉서 | 263 | 이우리 | 기재부 | 78 | 이유정 | 기흥서 | 228 | 이은경 | 청주서 | 355 |
| 이영민 | 군산서 | 385 | 이예미 | 안산서 | 247 | 이우석 | 국세청 | 122 | 이유정 | 동화성서 | 259 | 이은경 | 목포서 | 377 |
| 이영민 | 광주세관 | 504 | 이예슬 | 서대문서 | 344 | 이우석 | 서울청 | 140 | 이유정 | 계양서 | 292 | 이은경 | 군산서 | 385 |
| 이영빈 | 반포서 | 182 | 이예슬 | 성동서 | 187 | 이우석 | 진주세관 | 473 | 이유정 | 천안서 | 344 | 이은경 | 조세재정 | 509 |
| 이영석 | 서울청 | 145 | 이예슬 | 성동서 | 190 | 이우석 | 광주세관 | 505 | 이유정 | 경산서 | 415 | 이은경 | 조세재정 | 509 |
| 이영석 | 구리서 | 227 | 이예슬 | 인천청 | 279 | 이우섭 | 평택서 | 257 | 이유정 | 수영서 | 454 | 이은혜 | 광주서 | 369 |
| 이영석 | 의정부서 | 311 | 이예슬 | 파주서 | 313 | 이우영 | 원주서 | 270 | 이유정 | 김해서 | 466 | 이은교 | 용인서 | 252 |
| 이영선 | 기재부 | 69 | 이예연 | 구리서 | 226 | 이우용 | 예산서 | 343 | 이유정 | 수성서 | 413 | 이은규 | 분당서 | 236 |
| 이영수 | 국세청 | 106 | 이예원 | 동래서 | 445 | 이우재 | 강서서 | 163 | 이유조 | 대구청 | 398 | 이은규 | 강릉서 | 262 |
| 이영수 | 구로서 | 166 | 이예은 | 충주서 | 356 | 이우재 | 용산서 | 203 | 이유지 | 기재부 | 69 | 이은규 | 춘천서 | 273 |
| 이영수 | 인천청 | 278 | 이예은 | 광주서 | 368 | 이우정 | 구리서 | 226 | 이유진 | 기재부 | 75 | 이은길 | 의정부서 | 311 |
| 이영수 | 수성서 | 412 | 이예지 | 강남서 | 159 | 이우정 | 북부산서 | 450 | 이유진 | 서울청 | 141 | 이은길 | 서대문서 | 187 |
| 이영수 | 창원서 | 474 | 이예지 | 강서서 | 163 | 이우준 | 관악서 | 164 | 이유진 | 마포서 | 180 | 이은미 | 영등포서 | 201 |
| 이영숙 | 기재부 | 66 | 이예지 | 관악서 | 164 | 이우진 | 강남서 | 159 | 이유진 | 삼성서 | 185 | 이은미 | 경기광주 | 245 |
| 이영숙 | 계양서 | 292 | 이예지 | 동대문서 | 177 | 이우철 | 역삼서 | 198 | 이유진 | 성동서 | 190 | 이은미 | 김해서 | 466 |
| 이영숙 | 연수서 | 309 | 이예지 | 안산서 | 247 | 이우태 | 기재부 | 80 | 이유진 | 중부청 | 216 | 이은미 | 진주서 | 472 |
| 이영순 | 의정부서 | 310 | 이예지 | 평택서 | 257 | 이우현 | 성남서 | 239 | 이유진 | 분당서 | 237 | 이은배 | 종로서 | 208 |
| 이영순 | 대전서 | 325 | 이예지 | 삼척서 | 264 | 이우현 | 논산서 | 332 | 이유진 | 속초서 | 266 | 이은범 | 동화성서 | 258 |
| 이영식 | 현대회계 | 28 | 이예지 | 서부산서 | 453 | 이우현 | 김해서 | 467 | 이유진 | 대전청 | 323 | 이은비 | 서울청 | 155 |
| 이영신 | 국세청 | 109 | 이예진 | 국세청 | 123 | 이우형 | 기재부 | 80 | 이유진 | 천안서 | 344 | 이은비 | 안동서 | 424 |
| 이영신 | 부산청 | 436 | 이예진 | 중랑서 | 210 | 이웅진 | 기재부 | 149 | 이유진 | 전주서 | 393 | 이은빈 | 포천서 | 314 |
| 이영실 | 삼일회계 | 16 | 이예함 | 양산서 | 470 | 이원경 | 기재부 | 79 | 이유진 | 수성서 | 413 | 이은상 | 서울청 | 138 |
| 이영실 | 중부청 | 281 | 이오나 | 구리서 | 169 | 이원경 | 국세청 | 129 | 이유진 | 안동서 | 424 | 이은상 | 성동서 | 190 |
| 이영아 | 안양서 | 251 | 이오령 | 동청주서 | 348 | 이원경 | 청주서 | 355 | 이유진 | 조세심판 | 507 | 이은상 | 거창서 | 465 |
| 이영아 | 동화성서 | 258 | 이오섭 | 안양서 | 251 | 이원교 | 군산서 | 385 | 이유화 | 동래서 | 444 | 이은상 | 마산서 | 469 |
| 이영애 | 남대문서 | 170 | 이오섭 | 이천서 | 254 | 이원구 | 강릉서 | 263 | 이윤경 | 강동서 | 161 | 이은상 | 평택서 | 257 |
| 이영애 | 북대구서 | 408 | 이오혁 | 이천서 | 255 | 이원구 | 대전청 | 323 | 이윤경 | 삼성서 | 185 | 이은서 | 아산서 | 340 |
| 이영옥 | 국세청 | 128 | 이오형 | 중부서 | 225 | 이원나 | 성북서 | 192 | 이윤경 | 은평서 | 204 | 이은석 | 북전주서 | 388 |
| 이영옥 | 서울청 | 152 | 이옥녕 | 국세청 | 118 | 이원도 | 잠실서 | 206 | 이윤경 | 남부천서 | 302 | 이은석 | 서울청 | 146 |
| 이영옥 | 인천청 | 279 | 이옥분 | 김포서 | 298 | 이원락 | 중부청 | 220 | 이윤경 | 부산진서 | 446 | 이은선 | 성북서 | 192 |
| 이영옥 | 수영서 | 455 | 이옥선 | 서울청 | 154 | 이원명 | 동대구서 | 406 | 이윤경 | 광주세관 | 504 | 이은선 | 중부청 | 225 |
| 이영우 | 양천서 | 197 | 이옥임 | 서부산서 | 452 | 이원민 | 기재부 | 73 | 이윤규 | 조세재정 | 510 | 이은선 | 하나세무 | 39 |
| 이영우 | 역삼서 | 199 | 이옥주 | 양산서 | 470 | 이원복 | 마포서 | 181 | 이윤길 | 금감원 | 96 | 이은선 | 인천지방 | 33 |
| 이영우 | 서대구서 | 410 | 이옥진 | 서광주서 | 373 | 이원복 | 동대구서 | 407 | 이윤노 | 강서서 | 163 | 이은설 | 계양서 | 293 |
| 이영우 | 광주세관 | 504 | 이온유 | 김포서 | 298 | 이원상 | 인천공항 | 491 | 이윤미 | 강동서 | 160 | 이은섭 | 광명서 | 297 |
| 이영욱 | 구로서 | 166 | 이완 | 금감원 | 93 | 이원상 | 인천공항 | 493 | 이윤미 | 성동서 | 190 | 이은성 | 동안양서 | 235 |
| 이영욱 | 파주서 | 313 | 이완배 | 영등포서 | 200 | 이원섭 | 중부청 | 222 | 이윤서 | 부산청 | 436 | 이은성 | 시흥서 | 243 |
| 이영은 | 수원서 | 240 | 이완표 | 대전청 | 322 | 이원영 | 서울청 | 148 | 이윤서 | 서울청 | 152 | 이은솔 | 조세재정 | 510 |
| 이영은 | 안양서 | 250 | 이완희 | 보령서 | 334 | 이원영 | 서울청 | 152 | 이윤석 | 삼일회계 | 17 | 이은수 | 구리서 | 227 |
| 이영은 | 광주청 | 363 | 이왕수 | 북대전서 | 327 | 이원일 | 국세청 | 110 | 이윤선 | 기재부 | 74 | 이은수 | 동화성서 | 259 |
| 이영일 | 금정서 | 442 | 이요섭 | 수원서 | 241 | 이원일 | 법무바른 | 1 | 이윤선 | 금감원 | 94 | 이은수 | 계양서 | 293 |
| 이영임 | 기재부 | 71 | 이요원 | 서울청 | 150 | 이원재 | 기재부 | 84 | 이윤선 | 삼성서 | 185 | 이은숙 | 의정부서 | 310 |
| 이영재 | 시흥서 | 243 | 이용광 | 삼일회계 | 16 | 이원재 | 기재부 | 84 | 이윤선 | 중부청 | 216 | 이은숙 | 서울청 | 147 |
| 이영재 | 계양서 | 293 | 이용광 | 강남서 | 159 | 이원정 | 동대문서 | 176 | 이윤선 | 동부서 | 395 | 이은숙 | 서대전서 | 328 |
| 이영재 | 보령서 | 335 | 이용문 | 동대구서 | 406 | 이원정 | 북광주서 | 370 | 이윤수 | 금융위 | 85 | 이은숙 | 논산서 | 333 |
| 이영재 | 남대구서 | 405 | 이용배 | 서울청 | 152 | 이원주 | 기재부 | 71 | 이윤수 | 인천청 | 282 | 이은순 | 진주서 | 472 |
| 이영재 | 부산청 | 440 | 이용석 | 포천서 | 314 | 이원준 | 국세청 | 121 | 이윤애 | 시흥서 | 243 | 이은실 | 국세청 | 106 |
| 이영재 | 해운대서 | 459 | 이용석 | 금감원 | 100 | 이원준 | 기재부 | 68 | 이윤우 | 인천청 | 284 | 이은실 | 성북서 | 192 |
| 이영정 | 국세청 | 112 | 이용선 | 이촌회계 | 24 | 이원진 | 고양서 | 294 | 이윤우 | 공주서 | 331 | 이은아 | 종로서 | 209 |
| 이영주 | 기재부 | 68 | 이용선 | 동고양서 | 300 | 이원형 | 국세청 | 122 | 이윤우 | 감사원 | 62 | 이은아 | 중부서 | 212 |
| 이영주 | 서울청 | 134 | 이용수 | 금정서 | 188 | 이원형 | 경산서 | 414 | 이윤재 | 서울청 | 150 | 이은아 | 광주서 | 369 |
| 이영주 | 동대문서 | 177 | 이용수 | 진주서 | 443 | 이원홍 | 금감원 | 95 | 이윤재 | 북대구서 | 408 | 이은아 | 동울산서 | 460 |
| 이영주 | 서산서 | 179 | 이용수 | 반포서 | 473 | 이원희 | 동대문서 | 177 | 이윤재 | 기재부 | 81 | 이은애 | 경기광주 | 244 |
| 이영주 | 역삼서 | 198 | 이용우 | 고양서 | 183 | 이원희 | 원주서 | 270 | 이윤정 | 서울청 | 157 | 이은애 | 금감원 | 97 |
| 이영주 | 광명서 | 296 | 이용우 | 고양서 | 295 | 이원희 | 인천서 | 290 | 이윤정 | 마포서 | 180 | 이은영 | 서울청 | 139 |
| 이영주 | 서산서 | 337 | 이용욱 | 반포서 | 182 | 이원희 | 수성서 | 413 | 이윤정 | 서초서 | 189 | 이은영 | 구로서 | 166 |
| 이영주 | 대구청 | 398 | 이용욱 | 경기광주 | 244 | 이위형 | 울산서 | 460 | 이윤정 | 중랑서 | 210 | 이은영 | 도봉서 | 174 |
| 이영주 | 부산청 | 435 | 이용욱 | 순천서 | 379 | 이유경 | 서울청 | 147 | 이윤정 | 용인서 | 253 | 이은영 | 동대문서 | 176 |
| 이영주 | 양산서 | 471 | 이용익 | 감사원 | 62 | 이유경 | 삼성서 | 185 | 이윤정 | 정읍서 | 394 | 이은영 | 동대문서 | 176 |
| 이영준 | 서현회계 | 7 | 이용재 | 중부청 | 219 | 이유나 | 인천서 | 290 | 이윤정 | 수성서 | 412 | 이은영 | 동안양서 | 249 |
| 이영지 | 동대구서 | 406 | 이용재 | 남동서 | 287 | 이유나 | 홍성서 | 346 | 이윤주 | 서울청 | 145 | 이은영 | 고양서 | 295 |
| 이영직 | 감사원 | 62 | 이용정 | 부산청 | 435 | 이유라 | 중부청 | 224 | 이윤주 | 강서서 | 162 | 이은영 | 파주서 | 313 |
| 이영직 | 충주서 | 357 | 이용제 | 반포서 | 182 | 이유리 | 서울청 | 138 | 이윤주 | 동작서 | 178 | 이은영 | 북대전서 | 327 |
| 이영진 | 서울청 | 147 | 이용주 | 기재부 | 68 | 이유림 | 기재부 | 69 | 이윤주 | 역삼서 | 199 | 이은영 | 동대구서 | 407 |
| 이영진 | 서울청 | 154 | 이용준 | 기재부 | 77 | 이유만 | 창원서 | 474 | 이윤주 | 중부청 | 221 | 이은영 | 영주서 | 429 |
| 이영진 | 인천청 | 283 | 이용중 | 광주세관 | 501 | 이유미 | 평택서 | 257 | 이윤주 | 남대구서 | 405 | 이은영 | 진주서 | 472 |
| 이영진 | 북부산서 | 450 | 이용지 | 법무광장 | 49 | 이유미 | 파주서 | 313 | 이윤주 | 역삼서 | 198 | 이은영 | 고양서 | 294 |
| 이영진 | 마산서 | 468 | 이용진 | 남대문서 | 170 | 이유미 | 중부청 | 224 | 이윤채 | 포항서 | 430 | 이은용 | 국세청 | 126 |
| 이영찬 | 대전청 | 323 | 이용진 | 서울청 | 179 | 이유민 | 고양서 | 295 | 이윤택 | 인천공항 | 493 | 이은우 | 기재부 | 74 |
| 이영철 | 수성서 | 413 | 이용진 | 북전주서 | 389 | 이유민 | 순천서 | 378 | 이윤하 | 구로서 | 166 | 이은우 | 안산서 | 202 |
| 이영태 | 중부청 | 225 | 이용진 | 부산청 | 439 | 이유택 | 하나세무 | 39 | 이윤행 | 중랑서 | 210 | 이은자 | 남부천서 | 303 |
| 이영태 | 동화성서 | 259 | 이용찬 | 딜로이트 | 13 | 이유빈 | 강서서 | 163 | 이윤행 | 춘천서 | 273 | 이은정 | 국세청 | 112 |
| 이영태 | 북광주서 | 370 | 이용철 | 서대전서 | 329 | 이유상 | 서울청 | 141 | 이윤호 | 고양서 | 295 | 이은정 | 서울청 | 136 |
| 이영태 | 해운대서 | 459 | 이용철 | 순천서 | 378 | 이유상 | 강동서 | 160 | 이윤호 | 광주서 | 369 | 이은정 | 서울청 | 155 |
| 이영택 | 부산청 | 439 | 이용출 | 감사원 | 62 | 이유상 | 인천서 | 290 | 이윤환 | 인천지방 | 33 | 이은정 | 구로서 | 166 |
| 이영호 | 기재부 | 84 | | | | 이유상 | 경주서 | 416 | | | | 이은정 | 구로서 | 166 |
| 이영호 | 서울청 | 150 | | | | | | | | | | 이은정 | 동대문서 | 176 |
| 이영호 | 구로서 | 166 | | | | | | | | | | 이은정 | 반포서 | 182 |

| 이름 | 소속 | 번호 |
|---|---|---|
| 이은정 | 영등포서 | 201 |
| 이은정 | 중부서 | 225 |
| 이은정 | 기흥서 | 229 |
| 이은정 | 기흥서 | 229 |
| 이은정 | 수원서 | 241 |
| 이은정 | 시흥서 | 242 |
| 이은정 | 용인서 | 253 |
| 이은정 | 인천청 | 280 |
| 이은정 | 대전청 | 320 |
| 이은정 | 김천서 | 420 |
| 이은정 | 포항서 | 430 |
| 이은정 | 울산서 | 462 |
| 이은제 | 관악서 | 164 |
| 이은중 | 시흥서 | 243 |
| 이은주 | 국세청 | 120 |
| 이은주 | 서울청 | 139 |
| 이은주 | 대구청 | 400 |
| 이은주 | 남대구서 | 405 |
| 이은주 | 부산청 | 439 |
| 이은주 | 창원서 | 474 |
| 이은준 | 서대문서 | 186 |
| 이은지 | 서울청 | 144 |
| 이은지 | 서초서 | 188 |
| 이은지 | 남양주서 | 230 |
| 이은지 | 남동서 | 287 |
| 이은지 | 고양서 | 295 |
| 이은지 | 남부천서 | 303 |
| 이은지 | 제천서 | 352 |
| 이은지 | 광주서 | 368 |
| 이은진 | 반포서 | 183 |
| 이은진 | 중랑서 | 210 |
| 이은진 | 구리서 | 227 |
| 이은진 | 계양서 | 293 |
| 이은진 | 순천서 | 378 |
| 이은진 | 수영서 | 454 |
| 이은창 | 기흥서 | 229 |
| 이은충 | 김앤장 | 47 |
| 이은하 | 조세심판 | 506 |
| 이은형 | 중부청 | 223 |
| 이은혜 | 금천서 | 169 |
| 이은혜 | 서초서 | 189 |
| 이은혜 | 천안서 | 344 |
| 이은혜 | 동청주서 | 349 |
| 이은호 | 영덕서 | 427 |
| 이은홍 | 태평양 | 52 |
| 이은화 | 기재부 | 71 |
| 이은희 | 강남서 | 158 |
| 이은희 | 남대문서 | 171 |
| 이은희 | 삼성서 | 184 |
| 이은희 | 중랑서 | 210 |
| 이은희 | 경주서 | 416 |
| 이은희 | 동울산서 | 461 |
| 이은희 | 창원서 | 474 |
| 이옹기 | 관악서 | 165 |
| 이응석 | 중기회소 | 102 |
| 이응석 | 서울청 | 153 |
| 이응선 | 도봉서 | 174 |
| 이응수 | 서울청 | 134 |
| 이응전 | 삼일회계 | 16 |
| 이응찬 | 조세재정 | 509 |
| 이응찬 | 동안양서 | 235 |
| 이의재 | 대구세관 | 500 |
| 이의태 | 남양주서 | 230 |
| 이이네 | 서울청 | 155 |
| 이익진 | 인천청 | 283 |
| 이익훈 | 강서서 | 162 |
| 이인권 | 서울청 | 146 |
| 이인권 | 해운대서 | 458 |
| 이인규 | 금감원 | 99 |
| 이인기 | 서대전서 | 329 |
| 이인기 | 예일세무 | 207 |
| 이인기 | 국회재정 | 56 |
| 이인선 | 서울청 | 145 |
| 이인섭 | 국세청 | 123 |
| 이인수 | 김앤장 | 47 |
| 이인숙 | 서울청 | 141 |
| 이인숙 | 용산서 | 202 |
| 이인숙 | 중부청 | 218 |
| 이인숙 | 대전서 | 325 |
| 이인숙 | 나주서 | 374 |
| 이인심 | 분당서 | 236 |
| 이인아 | 노원서 | 172 |
| 이인영 | 국회정무 | 60 |
| 이인우 | 이천서 | 254 |
| 이인우 | 서대구서 | 410 |
| 이인원 | 경주서 | 416 |
| 이인자 | 서대문서 | 186 |
| 이인재 | 삼성서 | 185 |
| 이인재 | 진주서 | 473 |
| 이인혁 | 국세청 | 106 |
| 이인형 | 법무광장 | 48 |
| 이인호 | 북부산서 | 450 |
| 이인희 | 동대구서 | 406 |
| 이일구 | 국회재정 | 55 |
| 이일권 | 중부산서 | 457 |
| 이일생 | 법무대륜 | 45 |
| 이일성 | 국세청 | 118 |
| 이일재 | 광명서 | 297 |
| 이일재 | 서울청 | 134 |
| 이임동 | 해남서 | 382 |
| 이임순 | 다솔세무 | 35 |
| 이자연 | 국세청 | 105 |
| 이자열 | 동안양서 | 234 |
| 이자영 | 인천세관 | 490 |
| 이장근 | 광명서 | 297 |
| 이장로 | 서광주서 | 373 |
| 이장석 | 기재부 | 84 |
| 이장석 | 기재부 | 83 |
| 이장석 | 통영서 | 476 |
| 이장원 | 성북서 | 192 |
| 이장원 | 광주청 | 362 |
| 이장준 | 금감원 | 96 |
| 이장호 | 창원서 | 475 |
| 이장환 | 대구청 | 402 |
| 이장환 | 양산서 | 470 |
| 이장훈 | 성동서 | 191 |
| 이장희 | 금감원 | 94 |
| 이재갑 | 현대회계 | 28 |
| 이재강 | 삼성서 | 184 |
| 이재경 | 울산서 | 463 |
| 이재곤 | 조세심판 | 506 |
| 이재관 | 중부청 | 218 |
| 이재관 | 통영서 | 476 |
| 이재국 | 조세재정 | 509 |
| 이재균 | 조세심판 | 507 |
| 이재남 | 서울청 | 134 |
| 이재남 | 동안양서 | 248 |
| 이재락 | 남서울서 | 360 |
| 이재룡 | 경기광주 | 244 |
| 이재만 | 국세청 | 107 |
| 이재명 | 대전서 | 325 |
| 이재민 | 금감원 | 92 |
| 이재민 | 수원서 | 240 |
| 이재민 | 인천서 | 291 |
| 이재민 | 예일회계 | 22 |
| 이재범 | 서초서 | 189 |
| 이재복 | 서울청 | 154 |
| 이재복 | 대구서 | 406 |
| 이재빈 | 중부산서 | 457 |
| 이재상 | 마포서 | 181 |
| 이재석 | 안양서 | 250 |
| 이재석 | 관악서 | 164 |
| 이재석 | 수영서 | 455 |
| 이재석 | 관세사회 | 42 |
| 이재선 | 조세재정 | 508 |
| 이재성 | 서울청 | 144 |
| 이재성 | 서초서 | 189 |
| 이재성 | 성동서 | 191 |
| 이재성 | 중부청 | 225 |
| 이재성 | 세종서 | 339 |
| 이재성 | 천안서 | 344 |
| 이재성 | 광주서 | 369 |
| 이재성 | 익산서 | 390 |
| 이재성 | 안동서 | 424 |
| 이재성 | 부산청 | 441 |
| 이재성 | 부산진서 | 447 |
| 이재숙 | 강남서 | 159 |
| 이재숙 | 논산서 | 351 |
| 이재순 | 인천지방 | 33 |
| 이재승 | 공주서 | 331 |
| 이재식 | 서울청 | 141 |
| 이재아 | 예산서 | 342 |
| 이재아 | 예산서 | 368 |
| 이재연 | 서울청 | 155 |
| 이재연 | 서초서 | 188 |
| 이재열 | 서초서 | 462 |
| 이재열 | 서울청 | 136 |
| 이재열 | 대전서 | 325 |
| 이재영 | 광주서 | 443 |
| 이재영 | 마산서 | 468 |
| 이재영 | 역삼서 | 199 |
| 이재영 | 영등포서 | 201 |
| 이재영 | 종로서 | 209 |
| 이재영 | 계양서 | 292 |
| 이재영 | 부산청 | 439 |
| 이재영 | 양산서 | 470 |
| 이재영 | 광주세관 | 505 |
| 이재영 | 조세재정 | 510 |
| 이재완 | 기재부 | 77 |
| 이재완 | 노원서 | 172 |
| 이재용 | 광주청 | 360 |
| 이재용 | 서울청 | 144 |
| 이재용 | 광주세관 | 504 |
| 이재우 | 딜로이트 | 13 |
| 이재욱 | 서울청 | 140 |
| 이재욱 | 동작서 | 179 |
| 이재욱 | 수원서 | 240 |
| 이재욱 | 청주서 | 354 |
| 이재욱 | 남대구서 | 404 |
| 이재웅 | 기재부 | 76 |
| 이재웅 | 마산서 | 469 |
| 이재원 | 기재부 | 69 |
| 이재원 | 기재부 | 78 |
| 이재원 | 삼성서 | 184 |
| 이재원 | 영등포서 | 200 |
| 이재원 | 중부서 | 212 |
| 이재원 | 순천서 | 378 |
| 이재원 | 순천서 | 378 |
| 이재원 | 남대구서 | 411 |
| 이재원 | 울산서 | 462 |
| 이재윤 | 마포서 | 180 |
| 이재은 | 국세청 | 117 |
| 이재준 | 남대문서 | 171 |
| 이재준 | 기흥서 | 229 |
| 이재준 | 화성서 | 260 |
| 이재준 | 의정부서 | 310 |
| 이재중 | 기재부 | 70 |
| 이재진 | 용인서 | 253 |
| 이재진 | 공주서 | 330 |
| 이재진 | 해운대서 | 458 |
| 이재철 | 기재부 | 73 |
| 이재철 | 국세청 | 123 |
| 이재철 | 중부산서 | 457 |
| 이재철 | 창원서 | 475 |
| 이재춘 | 인천청 | 282 |
| 이재춘 | 중부산서 | 457 |
| 이재택 | 동화성서 | 259 |
| 이재학 | 양천서 | 196 |
| 이재학 | 기재부 | 71 |
| 이재한 | 광명서 | 297 |
| 이재향 | 성동서 | 190 |
| 이재헌 | 기재부 | 76 |
| 이재헌 | 동작서 | 179 |
| 이재혁 | 잠실서 | 206 |
| 이재혁 | 중부청 | 218 |
| 이재혁 | 수원서 | 240 |
| 이재현 | 삼일회계 | 17 |
| 이재현 | 기재부 | 72 |
| 이재현 | 중부청 | 225 |
| 이재현 | 분당서 | 237 |
| 이재현 | 서대전서 | 329 |
| 이재현 | 동정주서 | 348 |
| 이재호 | 서울청 | 142 |
| 이재호 | 광주세관 | 504 |
| 이재홍 | 기재부 | 79 |
| 이재홍 | 연수서 | 308 |
| 이재홍 | 남대구서 | 405 |
| 이재홍 | 이촌회계 | 24 |
| 이재환 | 기재부 | 67 |
| 이재환 | 성동서 | 191 |
| 이재훈 | 금감원 | 91 |
| 이재훈 | 서초서 | 189 |
| 이재훈 | 인천청 | 279 |
| 이재훈 | 경주서 | 417 |
| 이재훈 | 인천공항 | 493 |
| 이재훈 | 딜로이트 | 13 |
| 이재희 | 동수원서 | 232 |
| 이재희 | 동안양서 | 235 |
| 이재희 | 논산서 | 332 |
| 이재희 | 정읍서 | 394 |
| 이재희 | 예일세무 | 40 |
| 이전봉 | 서울청 | 153 |
| 이전승 | 진주서 | 473 |
| 이점희 | 창원서 | 475 |
| 이점희 | 목포서 | 377 |
| 이정 | 나주서 | 374 |
| 이정걸 | 서울청 | 143 |
| 이정걸 | 울산서 | 462 |
| 이정관 | 정읍서 | 395 |
| 이정관 | 양산서 | 470 |
| 이정구 | 대구청 | 400 |
| 이정규 | 기재부 | 72 |
| 이정균 | 부산청 | 435 |
| 이정기 | 포천서 | 314 |
| 이정기 | 포천서 | 315 |
| 이정기 | 대전서 | 324 |
| 이정기 | EY한영 | 12 |
| 이정기 | EY한영 | 12 |
| 이정길 | 서산서 | 336 |
| 이정남 | 포항서 | 431 |
| 이정노 | 서울청 | 140 |
| 이정노 | 서대구서 | 410 |
| 이정례 | 진주서 | 473 |
| 이정로 | 영등포서 | 200 |
| 이정림 | 남대문서 | 171 |
| 이정만 | 금감원 | 94 |
| 이정모 | 종로서 | 208 |
| 이정문 | 국세정무 | 60 |
| 이정문 | 대전청 | 320 |
| 이정문 | 인천청 | 282 |
| 이정미 | 기재부 | 69 |
| 이정미 | 국세청 | 128 |
| 이정미 | 수원서 | 240 |
| 이정미 | 대전청 | 320 |
| 이정미 | 북광주서 | 370 |
| 이정미 | 조세재정 | 511 |
| 이정민 | 국세청 | 112 |
| 이정민 | 국세청 | 114 |
| 이정민 | 양천서 | 197 |
| 이정민 | 용산서 | 202 |
| 이정민 | 중부서 | 217 |
| 이정민 | 광주서 | 368 |
| 이정민 | 부산청 | 439 |
| 이정범 | 북대구서 | 409 |
| 이정복 | 광주청 | 362 |
| 이정선 | 국세청 | 110 |
| 이정선 | 대전청 | 321 |
| 이정선 | 서대구서 | 410 |
| 이정섭 | 삼륭세무 | 37 |
| 이정수 | 동안양서 | 235 |
| 이정수 | 북전주서 | 389 |
| 이정숙 | 동작서 | 178 |
| 이정숙 | 용산서 | 202 |
| 이정숙 | 관세서 | 445 |
| 이정숙 | 부산진서 | 447 |
| 이정순 | 국세청 | 121 |
| 이정순 | 수성서 | 412 |
| 이정아 | 기재부 | 68 |
| 이정아 | 국세청 | 118 |
| 이정아 | 국세청 | 121 |
| 이정아 | 남양주서 | 231 |
| 이정아 | 대전청 | 319 |
| 이정애 | 법무광장 | 48 |
| 이정애 | 군산서 | 384 |
| 이정애 | 부산청 | 437 |
| 이정애 | 동울산서 | 460 |
| 이정언 | 동화성서 | 259 |
| 이정연 | 반포서 | 183 |
| 이정연 | 딜로이트 | 13 |
| 이정용 | 중부서 | 220 |
| 이정우 | 서광주서 | 373 |
| 이정우 | 파주서 | 390 |
| 이정우 | 광주세관 | 504 |
| 이정욱 | 파주서 | 313 |
| 이정욱 | 안동서 | 424 |
| 이정운 | 금감원 | 90 |
| 이정운 | 천안서 | 345 |
| 이정웅 | 강남서 | 158 |
| 이정웅 | 부산청 | 434 |
| 이정원 | 이천서 | 255 |
| 이정원 | 세종서 | 339 |
| 이정윤 | 기재부 | 66 |
| 이정윤 | 이천서 | 148 |
| 이정윤 | 중부청 | 223 |
| 이정윤 | 의정부서 | 310 |
| 이정은 | 중부청 | 55 |
| 이정은 | 기재부 | 73 |
| 이정은 | 금감원 | 96 |
| 이정은 | 국세청 | 128 |
| 이정은 | 서울청 | 138 |
| 이정은 | 서울청 | 154 |
| 이정은 | 관악서 | 164 |
| 이정은 | 도봉서 | 174 |
| 이정은 | 남대문서 | 176 |
| 이정은 | 종로서 | 209 |
| 이정은 | 평택서 | 257 |
| 이정은 | 익산서 | 390 |
| 이정은 | 북대구서 | 408 |
| 이정인 | 조세재정 | 509 |
| 이정인 | 서인천서 | 288 |
| 이정인 | 조세재정 | 509 |
| 이정일 | 서울청 | 152 |
| 이정임 | 남양주서 | 231 |
| 이정임 | 대전청 | 323 |
| 이정자 | 국세청 | 131 |
| 이정주 | 국세청 | 109 |
| 이정주 | 은평서 | 204 |
| 이정주 | 대전서 | 325 |
| 이정택 | 국세청 | 110 |
| 이정표 | 기흥서 | 228 |
| 이정필 | 수영서 | 455 |
| 이정하 | 남양주서 | 230 |
| 이정학 | 기재부 | 72 |
| 이정학 | 서초서 | 188 |
| 이정헌 | 제주서 | 479 |
| 이정헌 | 현대회계 | 28 |
| 이정혁 | 기재부 | 71 |
| 이정현 | 서울청 | 135 |
| 이정현 | 인천서 | 290 |
| 이정현 | 파주서 | 313 |
| 이정현 | 경기광주 | 245 |
| 이정호 | 군산서 | 384 |
| 이정호 | 대구청 | 402 |
| 이정호 | 부산진서 | 447 |
| 이정호 | 중부산서 | 457 |
| 이정호 | 법무바른 | 1 |
| 이정화 | 국세청 | 110 |
| 이정화 | 마포서 | 180 |
| 이정화 | 고양서 | 295 |
| 이정화 | 정읍서 | 394 |
| 이정화 | 동울산서 | 461 |
| 이정화 | 조세심판 | 507 |
| 이정환 | 동안산서 | 249 |
| 이정환 | 북대전서 | 326 |
| 이정환 | 광산서 | 367 |
| 이정환 | 현대회계 | 28 |
| 이정훈 | 기재부 | 71 |
| 이정훈 | 국세청 | 120 |
| 이정훈 | 서울청 | 136 |
| 이정훈 | 금천서 | 169 |
| 이정훈 | 영등포서 | 200 |
| 이정훈 | 연수서 | 308 |
| 이정훈 | 대전청 | 318 |
| 이정훈 | 목포서 | 377 |
| 이정훈 | 수성서 | 412 |
| 이정훈 | 수성서 | 412 |
| 이정훈 | 거창서 | 465 |
| 이정훈 | 조세심판 | 506 |
| 이정휘 | 기재부 | 80 |
| 이정희 | 남대문서 | 171 |
| 이정희 | 양천서 | 197 |
| 이정희 | 삼척서 | 264 |
| 이정희 | 인천청 | 278 |
| 이정희 | 인천청 | 281 |
| 이정희 | 세종서 | 339 |
| 이제국 | 감사원 | 63 |
| 이제목 | 기재부 | 68 |
| 이제안 | 송파서 | 194 |
| 이제연 | 부산청 | 434 |
| 이제연 | 김앤장 | 47 |
| 이제욱 | 남대구서 | 404 |
| 이제일 | 서대문서 | 186 |
| 이제헌 | 성동서 | 190 |
| 이제헌 | 부산청 | 440 |
| 이제헌 | 예산서 | 342 |
| 이조은 | 강남서 | 159 |
| 이존열 | 도봉서 | 175 |
| 이종건 | 양산서 | 470 |
| 이종경 | 역삼서 | 198 |
| 이종경 | 역삼서 | 199 |
| 이종관 | 강서서 | 162 |
| 이종광 | 김앤장 | 47 |
| 이종국 | 부산진서 | 446 |
| 이종국 | 김앤장 | 47 |
| 이종권 | 택스홈 | 38 |
| 이종근 | 기재부 | 83 |
| 이종기 | 계양서 | 292 |
| 이종길 | 서대전서 | 328 |
| 이종남 | 안산서 | 246 |
| 이종록 | 동대문서 | 176 |
| 이종룡 | 중부서 | 213 |
| 이종률 | 목포서 | 376 |
| 이종만 | 광주세관 | 504 |
| 이종면 | 창원서 | 475 |
| 이종명 | 김앤장 | 47 |
| 이종명 | 국회정무 | 59 |
| 이종민 | 시흥서 | 243 |
| 이종민 | 춘천서 | 272 |

| 이름 | 소속 | 번호 |
| --- | --- | --- |
| 이종민 | 광명서 | 297 |
| 이종배 | 경산서 | 415 |
| 이종복 | 수영서 | 455 |
| 이종석 | 화성서 | 260 |
| 이종석 | 김포서 | 299 |
| 이종석 | 관세사회 | 42 |
| 이종섭 | 인천서 | 290 |
| 이종섭 | 기재부 | 68 |
| 이종수 | 서초서 | 188 |
| 이종수 | 기재부 | 69 |
| 이종숙 | 남대구서 | 404 |
| 이종순 | 성동서 | 190 |
| 이종신 | 대전청 | 322 |
| 이종승 | 중부청 | 225 |
| 이종영 | 세종서 | 338 |
| 이종완 | 안양서 | 250 |
| 이종용 | 충주서 | 357 |
| 이종우 | 서울청 | 156 |
| 이종우 | 수원서 | 241 |
| 이종우 | 서인천서 | 288 |
| 이종우 | 구미서 | 419 |
| 이종욱 | 국회재정 | 56 |
| 이종욱 | 서인천서 | 288 |
| 이종욱 | 창원서 | 474 |
| 이종욱 | 관세청 | 482 |
| 이종운 | 전주서 | 392 |
| 이종운 | 진주서 | 473 |
| 이종원 | 딜로이트 | 13 |
| 이종윤 | 김포서 | 299 |
| 이종인 | 서현회계 | 7 |
| 이종일 | 대전청 | 320 |
| 이종일 | 서울청 | 147 |
| 이종진 | 금감원 | 93 |
| 이종찬 | 광명서 | 296 |
| 이종찬 | 국세청 | 123 |
| 이종철 | 조세재정 | 508 |
| 이종탁 | 서울지방 | 32 |
| 이종태 | 충주서 | 357 |
| 이종태 | 이안세무 | 41 |
| 이종필 | 순천서 | 379 |
| 이종하 | 구리서 | 227 |
| 이종헌 | 법무지평 | 51 |
| 이종혁 | 기재부 | 68 |
| 이종혁 | 대전서 | 324 |
| 이종현 | 동고양서 | 300 |
| 이종현 | 정읍서 | 395 |
| 이종현 | 북대구서 | 408 |
| 이종현 | 수영서 | 454 |
| 이종현 | 태평양 | 52 |
| 이종형 | 삼일회계 | 17 |
| 이종호 | 북전주서 | 388 |
| 이종호 | 부산청 | 439 |
| 이종호 | 관세사회 | 42 |
| 이종훈 | 원주서 | 270 |
| 이종훈 | 인천서 | 290 |
| 이종훈 | 정읍서 | 395 |
| 이종훈 | 남대구서 | 404 |
| 이종휘 | 서대구서 | 410 |
| 이종희 | 충주서 | 357 |
| 이주경 | 서울청 | 137 |
| 이주경 | 성동서 | 191 |
| 이주경 | 진주서 | 473 |
| 이주경 | 조세재정 | 511 |
| 이주미 | 동안양서 | 235 |
| 이주미 | 평택서 | 256 |
| 이주빈 | 강서서 | 162 |
| 이주석 | 서울청 | 146 |
| 이주석 | 김천서 | 420 |
| 이주선 | 동대문서 | 176 |
| 이주섭 | 반포서 | 183 |
| 이주섭 | 기재부 | 84 |
| 이주성 | 남부천서 | 302 |
| 이주성 | 대전서 | 324 |
| 이주연 | 기재부 | 70 |
| 이주연 | 국세청 | 110 |
| 이주연 | 영등포서 | 201 |
| 이주연 | 중부청 | 218 |
| 이주연 | 수원서 | 241 |
| 이주연 | 경기광주 | 245 |
| 이주연 | 부평서 | 306 |
| 이주연 | 북대전서 | 327 |
| 이주연 | 서대전서 | 328 |
| 이주연 | 부산청 | 437 |
| 이주엽 | 양산서 | 470 |
| 이주영 | 금감원 | 96 |
| 이주영 | 노원서 | 172 |
| 이주영 | 삼성서 | 184 |
| 이주영 | 잠실서 | 207 |
| 이주영 | 구리서 | 227 |
| 이주영 | 강릉서 | 263 |
| 이주영 | 연수서 | 308 |
| 이주영 | 대전청 | 321 |
| 이주영 | 여수서 | 380 |
| 이주용 | 부산청 | 434 |
| 이주우 | 국세청 | 112 |
| 이주윤 | 국세청 | 129 |
| 이주윤 | 태평양 | 52 |
| 이주은 | 광명서 | 297 |
| 이주은 | 전주서 | 393 |
| 이주일 | 중부청 | 216 |
| 이주찬 | 기재부 | 73 |
| 이주하 | 남대구서 | 404 |
| 이주한 | 서울청 | 147 |
| 이주한 | 역삼서 | 199 |
| 이주한 | 김포서 | 299 |
| 이주한 | 대전청 | 318 |
| 이주한 | 대전서 | 324 |
| 이주혁 | 기재부 | 80 |
| 이주현 | 서울청 | 136 |
| 이주현 | 강동서 | 160 |
| 이주현 | 구리서 | 226 |
| 이주현 | 수원서 | 241 |
| 이주현 | 부천서 | 305 |
| 이주현 | 광주청 | 365 |
| 이주현 | 포항서 | 430 |
| 이주현 | 서부산서 | 453 |
| 이주현 | 김해서 | 467 |
| 이주현 | 광주세관 | 504 |
| 이주협 | 종로서 | 134 |
| 이주형 | 감사원 | 62 |
| 이주형 | 중부청 | 216 |
| 이주형 | 충주서 | 357 |
| 이주형 | 대구청 | 401 |
| 이주형 | 경주서 | 416 |
| 이주호 | 기재부 | 82 |
| 이주화 | 수원서 | 240 |
| 이주환 | 기재부 | 83 |
| 이주환 | 안양서 | 251 |
| 이주환 | 인천서 | 282 |
| 이주희 | 남대문서 | 171 |
| 이주희 | 삼성서 | 184 |
| 이주희 | 역삼서 | 199 |
| 이주희 | 종로서 | 208 |
| 이주희 | 중부청 | 224 |
| 이주희 | 서인천서 | 288 |
| 이주희 | 의정부서 | 311 |
| 이준건 | 남대구서 | 404 |
| 이준규 | 관악서 | 165 |
| 이준규 | 용인서 | 252 |
| 이준남 | 연수서 | 308 |
| 이준남 | 서울청 | 299 |
| 이준목 | 국세청 | 109 |
| 이준배 | 경기광주 | 245 |
| 이준범 | 서울청 | 136 |
| 이준범 | 기재부 | 70 |
| 이준석 | 예산서 | 106 |
| 이준석 | 대전서 | 324 |
| 이준석 | 국세청 | 67 |
| 이준성 | 중부청 | 217 |
| 이준성 | 조세재정 | 509 |
| 이준수 | 금감원 | 89 |
| 이준수 | 금감원 | 93 |
| 이준식 | 경주서 | 417 |
| 이준엽 | 김앤장 | 47 |
| 이준엽 | 안양서 | 251 |
| 이준영 | 고양서 | 295 |
| 이준영 | 파주서 | 312 |
| 이준영 | 현대회계 | 28 |
| 이준영 | 중부청 | 217 |
| 이준용 | 동수원서 | 233 |
| 이준우 | 부천서 | 304 |
| 이준우 | 해운대서 | 458 |
| 이준우 | 한울회계 | 27 |
| 이준원 | 서울세관 | 486 |
| 이준익 | 대구청 | 401 |
| 이준탁 | 서산서 | 337 |
| 이준표 | 성동서 | 191 |
| 이준배 | 산업은행 | 238 |
| 이준학 | 국세청 | 108 |
| 이준학 | 동수원서 | 232 |
| 이준한 | 수영서 | 455 |
| 이준혁 | 기재부 | 74 |
| 이준혁 | 송파서 | 195 |
| 이준혁 | 대전청 | 322 |
| 이준혁 | 동청주서 | 349 |
| 이준혁 | 해운대서 | 459 |
| 이준혁 | 광주세관 | 504 |
| 이준형 | 광주세관 | 505 |
| 이준형 | 대전청 | 318 |
| 이준호 | 인천청 | 278 |
| 이준호 | 국세청 | 114 |
| 이준호 | 성남서 | 238 |
| 이준호 | 용인서 | 252 |
| 이준호 | 인천서 | 291 |
| 이준호 | 양산서 | 470 |
| 이준홍 | 안양서 | 250 |
| 이준희 | 역삼서 | 199 |
| 이준희 | 인천청 | 281 |
| 이중구 | 대구청 | 401 |
| 이중석 | 국회정무 | 59 |
| 이중승 | 서울청 | 137 |
| 이중재 | 구리서 | 226 |
| 이중한 | 경기광주 | 245 |
| 이중헌 | 삼일회계 | 16 |
| 이중호 | 감사원 | 63 |
| 이중훈 | 서대문서 | 186 |
| 이지민 | 서울청 | 138 |
| 이지민 | 역삼서 | 154 |
| 이지민 | 부산청 | 438 |
| 이지민 | 부산청 | 439 |
| 이지민 | 동울산서 | 461 |
| 이지민 | 법무바른 | 1 |
| 이지상 | 강남서 | 159 |
| 이지석 | 국세청 | 128 |
| 이지선 | 서울청 | 134 |
| 이지선 | 서울청 | 137 |
| 이지선 | 중랑서 | 152 |
| 이지선 | 중랑서 | 211 |
| 이지선 | 인천서 | 291 |
| 이지수 | 국세청 | 128 |
| 이지수 | 서울청 | 155 |
| 이지수 | 남양주서 | 231 |
| 이지수 | 성남서 | 238 |
| 이지수 | 속초서 | 267 |
| 이지수 | 마산서 | 468 |
| 이지수 | 김앤장 | 47 |
| 이지숙 | 서울청 | 141 |
| 이지숙 | 서울청 | 144 |
| 이지숙 | 서울청 | 153 |
| 이지숙 | 서울청 | 154 |
| 이지숙 | 도봉서 | 174 |
| 이지숙 | 남동서 | 287 |
| 이지안 | 경주서 | 417 |
| 이지안 | 국회정무 | 59 |
| 이지연 | 국회정무 | 59 |
| 이지연 | 국세청 | 113 |
| 이지연 | 국세청 | 120 |
| 이지연 | 서울청 | 136 |
| 이지연 | 서울청 | 141 |
| 이지연 | 서울청 | 145 |
| 이지연 | 강남서 | 159 |
| 이지연 | 강동서 | 160 |
| 이지연 | 삼성서 | 185 |
| 이지연 | 중부청 | 225 |
| 이지연 | 동안양서 | 234 |
| 이지연 | 대전서 | 325 |
| 이지연 | 광산서 | 366 |
| 이지연 | 부산진서 | 446 |
| 이지연 | 서부산서 | 452 |
| 이지연 | 조세심판 | 506 |
| 이지영 | 기재부 | 70 |
| 이지영 | 국세청 | 118 |
| 이지영 | 서울청 | 134 |
| 이지영 | 서울청 | 150 |
| 이지영 | 강서서 | 162 |
| 이지영 | 삼성서 | 184 |
| 이지영 | 역삼서 | 198 |
| 이지영 | 안산서 | 246 |
| 이지영 | 평택서 | 257 |
| 이지영 | 동고양서 | 301 |
| 이지영 | 부평서 | 306 |
| 이지영 | 청주서 | 354 |
| 이지영 | 서광주서 | 373 |
| 이지영 | 정읍서 | 394 |
| 이지영 | 대구청 | 401 |
| 이지영 | 금정서 | 443 |
| 이지영 | 동래서 | 444 |
| 이지영 | 동울산서 | 460 |
| 이지영 | 양산서 | 470 |
| 이지우 | 분당서 | 237 |
| 이지우 | 시흥서 | 242 |
| 이지우 | 거창서 | 465 |
| 이지웅 | 감사원 | 63 |
| 이지원 | 기재부 | 80 |
| 이지원 | 국세청 | 122 |
| 이지원 | 강남서 | 158 |
| 이지원 | 강동서 | 161 |
| 이지원 | 서대문서 | 187 |
| 이지원 | 영등포서 | 201 |
| 이지원 | 종로서 | 208 |
| 이지원 | 기흥서 | 228 |
| 이지원 | 용인서 | 253 |
| 이지원 | 화성서 | 260 |
| 이지원 | 의정부서 | 311 |
| 이지유 | 영주서 | 428 |
| 이지유 | 동울산서 | 460 |
| 이지윤 | 송파서 | 195 |
| 이지윤 | 송파서 | 195 |
| 이지윤 | 청주서 | 354 |
| 이지율 | 중랑서 | 210 |
| 이지은 | 기재부 | 82 |
| 이지은 | 서울청 | 134 |
| 이지은 | 동작서 | 179 |
| 이지은 | 동작서 | 179 |
| 이지은 | 삼성서 | 185 |
| 이지은 | 서초서 | 188 |
| 이지은 | 삼척서 | 264 |
| 이지은 | 김포서 | 299 |
| 이지은 | 파주서 | 312 |
| 이지은 | 홍성서 | 346 |
| 이지은 | 광산서 | 366 |
| 이지은 | 나주서 | 375 |
| 이지은 | 북대구서 | 408 |
| 이지은 | 동울산서 | 461 |
| 이지은 | 동울산서 | 461 |
| 이지은 | 제주서 | 478 |
| 이지응 | 영등포서 | 201 |
| 이지하 | 남대구서 | 404 |
| 이지하 | 통영서 | 476 |
| 이지헌 | 국세청 | 109 |
| 이지헌 | 서울청 | 146 |
| 이지헌 | 기재부 | 66 |
| 이지현 | 서울청 | 142 |
| 이지현 | 구로서 | 166 |
| 이지현 | 동대문서 | 177 |
| 이지현 | 서초서 | 188 |
| 이지현 | 성북서 | 193 |
| 이지현 | 잠실서 | 207 |
| 이지현 | 분당서 | 237 |
| 이지현 | 수원서 | 240 |
| 이지현 | 안양서 | 250 |
| 이지현 | 평택서 | 257 |
| 이지현 | 남부천서 | 302 |
| 이지현 | 국세청 | 308 |
| 이지현 | 파주서 | 312 |
| 이지현 | 광산서 | 366 |
| 이지현 | 마산서 | 468 |
| 이지현 | 현대회계 | 28 |
| 이지형 | 서초서 | 189 |
| 이지혜 | 기재부 | 81 |
| 이지혜 | 서울청 | 153 |
| 이지혜 | 강서서 | 162 |
| 이지혜 | 노원서 | 173 |
| 이지혜 | 마포서 | 181 |
| 이지혜 | 중랑서 | 191 |
| 이지혜 | 중랑서 | 211 |
| 이지혜 | 원주서 | 270 |
| 이지혜 | 조세재정 | 511 |
| 이지호 | 서울청 | 151 |
| 이지호 | 역삼서 | 198 |
| 이지환 | 기재부 | 70 |
| 이지환 | 기재부 | 79 |
| 이지후 | 의정부서 | 310 |
| 이지훈 | 기재부 | 83 |
| 이지훈 | 성북서 | 193 |
| 이지훈 | 연수서 | 308 |
| 이지훈 | 현대회계 | 28 |
| 이지훈 | 중랑서 | 210 |
| 이지희 | 전주서 | 392 |
| 이지희 | 해운대서 | 458 |
| 이지희 | EY한영 | 12 |
| 이진 | 마포서 | 181 |
| 이진 | 대구청 | 398 |
| 이진경 | 예일세무 | 40 |
| 이진경 | 기재부 | 70 |
| 이진경 | 서울청 | 191 |
| 이진경 | 계양서 | 293 |
| 이진경 | 부산청 | 436 |
| 이진경 | 부산청 | 437 |
| 이진경 | 진주서 | 473 |
| 이진구 | 성동서 | 191 |
| 이진규 | 서울청 | 152 |
| 이진규 | 이천서 | 254 |
| 이진균 | 성동서 | 190 |
| 이진동 | 성동서 | 190 |
| 이진례 | 부평서 | 307 |
| 이진명 | 분당서 | 236 |
| 이진문 | 서울청 | 151 |
| 이진서 | 성동서 | 190 |
| 이진석 | 세종서 | 339 |
| 이진선 | 기재부 | 69 |
| 이진선 | 서인천서 | 289 |
| 이진선 | 제주서 | 478 |
| 이진섭 | 김해서 | 467 |
| 이진수 | 금융위 | 87 |
| 이진수 | 잠실서 | 207 |
| 이진수 | 분당서 | 236 |
| 이진수 | 의정부서 | 310 |
| 이진수 | 대전청 | 322 |
| 이진수 | 대전서 | 325 |
| 이진수 | 울산서 | 463 |
| 이진수 | 다솔세무 | 35 |
| 이진실 | 국세청 | 119 |
| 이진숙 | 인천서 | 290 |
| 이진승 | 기재부 | 72 |
| 이진실 | 도봉서 | 175 |
| 이진아 | 금감원 | 93 |
| 이진아 | 영등포서 | 200 |
| 이진아 | 영등포서 | 201 |
| 이진아 | 인천청 | 279 |
| 이진아 | 기재부 | 71 |
| 이진영 | 서울청 | 135 |
| 이진영 | 서울청 | 137 |
| 이진영 | 시흥서 | 243 |
| 이진영 | 이천서 | 255 |
| 이진영 | 원주서 | 271 |
| 이진영 | 부평서 | 306 |
| 이진영 | 부산서 | 437 |
| 이진우 | 법무광장 | 48 |
| 이진우 | 부산세관 | 496 |
| 이진우 | 금감원 | 94 |
| 이진우 | 인천청 | 282 |
| 이진우 | 의정부서 | 310 |
| 이진우 | 광주청 | 365 |
| 이진우 | 태평양 | 52 |
| 이진욱 | 서대구서 | 411 |
| 이진욱 | 김천서 | 421 |
| 이진재 | 삼정회계 | 19 |
| 이진재 | 반포서 | 183 |
| 이진재 | 목포서 | 376 |
| 이진주 | 기재부 | 70 |
| 이진주 | 기재부 | 84 |
| 이진주 | 국세청 | 118 |
| 이진주 | 서대문서 | 187 |
| 이진주 | 강릉서 | 262 |
| 이진주 | 부산진서 | 446 |
| 이진주 | 조세심판 | 506 |
| 이진태 | 금감원 | 93 |
| 이진택 | 광주청 | 363 |
| 이진행 | 부평서 | 307 |
| 이진혁 | 삼일회계 | 16 |
| 이진혁 | 서울청 | 141 |
| 이진호 | 금융위 | 87 |
| 이진호 | 서울청 | 151 |
| 이진호 | 중랑서 | 210 |
| 이진호 | 용인서 | 253 |
| 이진호 | 인천청 | 278 |
| 이진호 | 창원서 | 474 |
| 이진홍 | 북부산서 | 450 |
| 이진화 | 서울청 | 146 |
| 이진환 | 창원서 | 475 |
| 이진환 | 서광주서 | 373 |
| 이진희 | 창원서 | 475 |
| 이진희 | 국세청 | 123 |
| 이진희 | 중부서 | 213 |
| 이진희 | 분당서 | 237 |
| 이진희 | 용인서 | 252 |
| 이진희 | 울산서 | 462 |
| 이차웅 | 관세청 | 482 |
| 이찬 | 금융위 | 86 |
| 이찬 | 기재부 | 75 |
| 이찬 | 서울청 | 136 |
| 이찬 | 서울청 | 140 |
| 이찬무 | 구로서 | 167 |
| 이찬송 | 동고양서 | 300 |
| 이찬수 | 안양서 | 250 |
| 이찬우 | 남동서 | 287 |
| 이찬웅 | 구미서 | 418 |
| 이찬웅 | 연수서 | 308 |
| 이찬유 | 법무바른 | 1 |
| 이찬주 | 예일세무 | 40 |
| 이찬형 | 금천서 | 168 |
| 이찬호 | 중랑서 | 211 |
| 이찬호 | 기재부 | 79 |
| 이찬희 | 한울회계 | 27 |
| 이찬희 | 서울청 | 145 |
| 이창곤 | 계양서 | 293 |
| 이창권 | 법무광장 | 48 |
| 이창권 | 경산서 | 415 |
| 이창권 | 대전서 | 324 |

| 이름 | 소속 | 번호 |
|---|---|---|
| 이창규 | 안동서 | 424 |
| 이창남 | 서현회계 | 7 |
| 이창남 | 서울청 | 151 |
| 이창남 | 남대문서 | 170 |
| 이창렬 | 부산청 | 440 |
| 이창림 | 제주서 | 479 |
| 이창민 | 동작서 | 179 |
| 이창민 | 은평서 | 205 |
| 이창민 | 용인서 | 253 |
| 이창석 | 동고양서 | 301 |
| 이창석 | 하나세무 | 39 |
| 이창선 | 기재부 | 77 |
| 이창수 | 마포서 | 180 |
| 이창수 | 중부청 | 225 |
| 이창수 | 강릉서 | 262 |
| 이창언 | 대전청 | 319 |
| 이창언 | 서광주서 | 373 |
| 이창열 | 중부청 | 223 |
| 이창열 | 현대회계 | 28 |
| 이창오 | 서울청 | 144 |
| 이창우 | 남동서 | 287 |
| 이창우 | 광명서 | 296 |
| 이창우 | 대구청 | 403 |
| 이창욱 | 국세청 | 130 |
| 이창원 | 안산서 | 246 |
| 이창인 | 국세청 | 111 |
| 이창일 | 국세청 | 120 |
| 이창일 | 양산서 | 471 |
| 이창주 | 광주세관 | 504 |
| 이창주 | 여수서 | 381 |
| 이창주 | 통영서 | 476 |
| 이창준 | 기재부 | 81 |
| 이창준 | 서울청 | 149 |
| 이창준 | 서초서 | 189 |
| 이창준 | 평택서 | 256 |
| 이창준 | 대구세관 | 500 |
| 이창진 | 경기광주 | 245 |
| 이창학 | 인천청 | 283 |
| 이창한 | 경기광주 | 244 |
| 이창현 | 강서서 | 163 |
| 이창현 | 인천청 | 281 |
| 이창호 | 중기회 | 102 |
| 이창호 | 서울청 | 134 |
| 이창호 | 홍천서 | 275 |
| 이창호 | 동래서 | 444 |
| 이창호 | 조세재정 | 511 |
| 이창화 | 국세청 | 110 |
| 이창환 | 국세청 | 120 |
| 이창훈 | 강남서 | 158 |
| 이창훈 | 중부청 | 221 |
| 이창훈 | 북광주서 | 370 |
| 이창훈 | 북대구서 | 408 |
| 이창훈 | 삼정회계 | 19 |
| 이창훈 | 삼정회계 | 19 |
| 이창훈 | 현대회계 | 28 |
| 이창흠 | 중부서 | 213 |
| 이창희 | 중기회 | 102 |
| 이창희 | 안양서 | 234 |
| 이창희 | 통영서 | 476 |
| 이채곤 | 구로서 | 166 |
| 이채린 | 성남서 | 239 |
| 이채민 | 북대전서 | 326 |
| 이채민 | 포항서 | 430 |
| 이채빈 | 고양서 | 295 |
| 이채연 | 서울청 | 154 |
| 이채영 | 기재부 | 70 |
| 이채용 | 영등포서 | 200 |
| 이채윤 | 대전청 | 320 |
| 이채은 | 대구청 | 401 |
| 이채은 | 김해서 | 467 |
| 이채은 | 양산서 | 471 |
| 이채현 | 서인천서 | 289 |
| 이채현 | 광주청 | 363 |
| 이채호 | 거창서 | 464 |
| 이채호 | 거창서 | 465 |
| 이철 | 영월서 | 268 |
| 이철 | 순천서 | 379 |
| 이철규 | 기재부 | 72 |
| 이철민 | 국세청 | 111 |
| 이철민 | 서부산서 | 452 |
| 이철민 | 삼일회계 | 17 |
| 이철수 | 제주서 | 479 |
| 이철승 | 서대전서 | 372 |
| 이철영 | 기재부 | 70 |
| 이철용 | 국세청 | 129 |
| 이철우 | 서인천서 | 288 |
| 이철우 | 대전청 | 318 |
| 이철우 | 하나세무 | 39 |
| 이철웅 | 북광주서 | 371 |
| 이철원 | 국세청 | 110 |
| 이철원 | 경기광주 | 244 |
| 이철재 | 중부서 | 212 |
| 이하승 | 제주서 | 478 |
| 이철주 | 제천서 | 352 |
| 이철형 | 속초서 | 267 |
| 이철호 | 강동서 | 160 |
| 이철환 | 익산서 | 390 |
| 이철호 | 시흥서 | 243 |
| 이하준 | 논산서 | 333 |
| 이철훈 | 인천세관 | 489 |
| 이철훈 | 인천세관 | 490 |
| 이청림 | 순천서 | 461 |
| 이청엽 | 순천서 | 378 |
| 이청진 | 금감원 | 93 |
| 이준근 | 삼성서 | 185 |
| 이준복 | 북대구서 | 408 |
| 이춘형 | 광주서 | 369 |
| 이준오 | 원주서 | 271 |
| 이준희 | 북대구서 | 408 |
| 이충구 | 국세청 | 106 |
| 이충근 | 서대전서 | 328 |
| 이충섭 | 역삼서 | 199 |
| 이충오 | 서울청 | 142 |
| 이충원 | 성동서 | 190 |
| 이충원 | 부천서 | 305 |
| 이충인 | 평택서 | 257 |
| 이충일 | 국세청 | 126 |
| 이충형 | 경산서 | 415 |
| 이충호 | 북대구서 | 408 |
| 이충환 | 중부청 | 225 |
| 이치권 | 수영서 | 454 |
| 이치웅 | 안동서 | 424 |
| 이치웅 | 이천서 | 255 |
| 이치원 | 국세청 | 122 |
| 이치훈 | 해운대서 | 459 |
| 이탁수 | 성동서 | 190 |
| 이탁신 | 수산서 | 379 |
| 이탁희 | 김해서 | 466 |
| 이태경 | 은평서 | 205 |
| 이태경 | 중부서 | 213 |
| 이태경 | 예일회계 | 22 |
| 이태곤 | 용인서 | 253 |
| 이태균 | 국세청 | 116 |
| 이태상 | 강서서 | 213 |
| 이태순 | 동수원서 | 233 |
| 이태왕 | 기재부 | 71 |
| 이태용 | 부천서 | 305 |
| 이태용 | 조세재정 | 508 |
| 이태욱 | 국세청 | 112 |
| 이태원 | 잠실서 | 206 |
| 이태윤 | 기재부 | 77 |
| 이태자 | 기흥서 | 228 |
| 이태진 | 통영서 | 477 |
| 이태한 | 계양서 | 293 |
| 이태형 | 김해서 | 466 |
| 이태호 | 국세청 | 121 |
| 이태호 | 수영서 | 454 |
| 이태호 | 김해서 | 466 |
| 이태호 | 양산서 | 471 |
| 이태환 | 서울청 | 145 |
| 이태훈 | 국세청 | 106 |
| 이태훈 | 국세청 | 107 |
| 이태훈 | 서광주서 | 373 |
| 이태훈 | 부산세관 | 496 |
| 이태훈 | 국세청 | 115 |
| 이태훈 | 대구청 | 400 |
| 이택건 | 부산강서 | 449 |
| 이택수 | 평택서 | 307 |
| 이평년 | 관악서 | 165 |
| 이평재 | 경기광주 | 244 |
| 이평호 | 성동서 | 159 |
| 이평희 | 제천서 | 353 |
| 이푸르미 | 안산서 | 247 |
| 이푸름 | 성동서 | 414 |
| 이풍훈 | 성동서 | 191 |
| 이필 | 북광주서 | 213 |
| 이필용 | 북광주서 | 371 |
| 이하경 | 남동서 | 286 |
| 이하경 | 동청주서 | 348 |
| 이하경 | 해운대서 | 458 |
| 이하나 | 기재부 | 81 |
| 이하나 | 금천서 | 169 |
| 이하나 | 중부청 | 218 |
| 이하나 | 중부청 | 218 |
| 이하나 | 중부청 | 220 |
| 이하나 | 홍천서 | 275 |
| 이하나늘 | 북대구서 | 408 |
| 이하림 | 기재부 | 80 |
| 이하림 | 분당서 | 237 |
| 이하림 | 서인천서 | 289 |
| 이하섬 | 강서서 | 162 |
| 이하승 | 북전주서 | 388 |
| 이하연 | 서광주서 | 372 |
| 이하영 | 구미서 | 419 |
| 이하은 | 평택서 | 256 |
| 이하은 | 북전주서 | 388 |
| 이하준 | 다솔세무 | 35 |
| 이하준 | 기재부 | 81 |
| 이하현 | 광주청 | 365 |
| 이학보 | 관세청 | 483 |
| 이학보 | 서울세관 | 485 |
| 이학성 | 서울세관 | 487 |
| 이학성 | 현대회계 | 28 |
| 이학승 | 강릉서 | 263 |
| 이학승 | 전주서 | 393 |
| 이한결 | 양천서 | 71 |
| 이한기 | 대전청 | 322 |
| 이한나 | 서울청 | 142 |
| 이한나 | 성북서 | 192 |
| 이한나 | 평택서 | 257 |
| 이한나 | 아산서 | 341 |
| 이한나 | 법무세종 | 50 |
| 이한라 | 울산서 | 462 |
| 이한배울 | 잠실서 | 207 |
| 이한샘 | 서울청 | 156 |
| 이한샘 | 구미서 | 418 |
| 이한선 | 광주세관 | 501 |
| 이한선 | 이촌회계 | 24 |
| 이한설 | 용인서 | 253 |
| 이한성 | 대전청 | 319 |
| 이한솔 | 국세청 | 118 |
| 이한솔 | 포천서 | 314 |
| 이한솔 | 남대구서 | 405 |
| 이한솔 | 부산청 | 439 |
| 이한송 | 남대문서 | 170 |
| 이한승 | 기재부 | 66 |
| 이한승 | 서산서 | 336 |
| 이한아 | 마산서 | 468 |
| 이한이 | 여수서 | 381 |
| 이한일 | 군산서 | 385 |
| 이한준 | 부산청 | 437 |
| 이한택 | 인천청 | 278 |
| 이한희 | 시흥서 | 242 |
| 이해미 | 잠실서 | 207 |
| 이해봉 | 북대구서 | 408 |
| 이해석 | 강동서 | 161 |
| 이해석 | 남대구서 | 140 |
| 이해성 | 동작서 | 178 |
| 이해영 | 안양서 | 250 |
| 이해웅 | 서울청 | 137 |
| 이해웅 | 해운대서 | 459 |
| 이해인 | 기재부 | 75 |
| 이해인 | 기재부 | 78 |
| 이해인 | 서울청 | 141 |
| 이해자 | 화성서 | 261 |
| 이해진 | 안산서 | 246 |
| 이해진 | 대전청 | 319 |
| 이행정 | 광주세관 | 504 |
| 이행정 | 금감원 | 90 |
| 이향규 | 서울청 | 141 |
| 이향규 | 기재부 | 431 |
| 이향섭 | 경기광주 | 244 |
| 이향욱 | 대구청 | 402 |
| 이향주 | 경기광주 | 245 |
| 이향주 | 서울청 | 143 |
| 이향화 | 광주청 | 362 |
| 이향석 | 중부청 | 217 |
| 이헌수 | 택스홈 | 38 |
| 이헌인 | 국회정부 | 60 |
| 이헌진 | 천안서 | 344 |
| 이혁섭 | 동울산서 | 460 |
| 이혁재 | 파주서 | 313 |
| 이혁재 | 광주청 | 360 |
| 이현 | 강남서 | 159 |
| 이현 | 울산서 | 368 |
| 이현규 | 중부청 | 215 |
| 이현규 | 김포서 | 299 |
| 이현균 | 삼정회계 | 18 |
| 이현균 | 평택서 | 256 |
| 이현근 | 서울청 | 142 |
| 이현기 | 북전주서 | 388 |
| 이현도 | 세종서 | 338 |
| 이현동 | 울산서 | 462 |
| 이현만 | 부산청 | 437 |
| 이현무 | 중부청 | 217 |
| 이현문 | 중량산 | 210 |
| 이현미 | 송파서 | 195 |
| 이현상 | 부평서 | 307 |
| 이현상 | 대전청 | 319 |
| 이현상 | 대전청 | 322 |
| 이현석 | 강남서 | 159 |
| 이현석 | 고양서 | 295 |
| 이현석 | 서현회계 | 7 |
| 이현선 | 원주서 | 270 |
| 이현선 | 김포서 | 298 |
| 이현섭 | 인천지방 | 33 |
| 이현성 | 동작서 | 179 |
| 이현수 | 서울청 | 153 |
| 이현수 | 북대구서 | 408 |
| 이현숙 | 서울청 | 148 |
| 이현숙 | 강릉서 | 254 |
| 이현숙 | 강릉서 | 262 |
| 이현승 | 노원서 | 172 |
| 이현승 | 강릉서 | 262 |
| 이현승 | 창원서 | 474 |
| 이현승 | 성현회계 | 11 |
| 이현아 | 영등포서 | 300 |
| 이현아 | 중랑서 | 211 |
| 이현아 | 동고양서 | 300 |
| 이현아 | 중부산서 | 457 |
| 이현아 | 울산서 | 462 |
| 이현영 | 국세청 | 116 |
| 이현영 | 서초서 | 189 |
| 이현영 | 조세재정 | 508 |
| 이현영 | 조세재정 | 509 |
| 이현영 | 조세재정 | 510 |
| 이현우 | 국세청 | 109 |
| 이현우 | 서울청 | 145 |
| 이현우 | 청주서 | 354 |
| 이현우 | 마산서 | 469 |
| 이현우 | 진주서 | 472 |
| 이현우 | 조세심판 | 507 |
| 이현욱 | 종로서 | 208 |
| 이현익 | 서울청 | 139 |
| 이현일 | 중부청 | 223 |
| 이현재 | 금정서 | 442 |
| 이현재 | 부산서 | 456 |
| 이현정 | 중부청 | 223 |
| 이현정 | 역삼서 | 199 |
| 이현정 | 분당서 | 236 |
| 이현정 | 시흥서 | 242 |
| 이현정 | 경기광주 | 244 |
| 이현정 | 경기광주 | 245 |
| 이현정 | 용인서 | 253 |
| 이현정 | 북대전서 | 327 |
| 이현정 | 북대구서 | 409 |
| 이현정 | 울산서 | 462 |
| 이현정 | 창원서 | 475 |
| 이현정 | 통영서 | 477 |
| 이현정 | 제주서 | 479 |
| 이현종 | 영주서 | 428 |
| 이현종 | 광주세관 | 505 |
| 이현종 | 삼일회계 | 16 |
| 이현주 | 기재부 | 82 |
| 이현주 | 서울청 | 156 |
| 이현주 | 남대문서 | 171 |
| 이현주 | 영등포서 | 201 |
| 이현주 | 중부청 | 223 |
| 이현주 | 동안양서 | 235 |
| 이현주 | 성남서 | 238 |
| 이현주 | 이천서 | 254 |
| 이현주 | 고양서 | 295 |
| 이현주 | 충주서 | 357 |
| 이현주 | 군산서 | 384 |
| 이현주 | 북전주서 | 388 |
| 이현주 | 통영서 | 476 |
| 이현주 | 조세재정 | 508 |
| 이현준 | 분당서 | 237 |
| 이현준 | 시흥서 | 242 |
| 이현준 | 인천청 | 279 |
| 이현준 | 기재부 | 66 |
| 이현지 | 구로서 | 166 |
| 이현지 | 삼성서 | 184 |
| 이현지 | 영등포서 | 201 |
| 이현지 | 종로서 | 208 |
| 이현지 | 성남서 | 239 |
| 이현지 | 용인서 | 252 |
| 이현지 | 구미서 | 419 |
| 이현지 | 동울산서 | 461 |
| 이현지 | 마산서 | 468 |
| 이현지 | 고시회 | 30 |
| 이현지 | 국세청 | 109 |
| 이현지 | 역삼서 | 198 |
| 이현진 | 동안양서 | 234 |
| 이현진 | 동안양서 | 235 |
| 이현진 | 수원서 | 240 |
| 이현진 | 대전청 | 323 |
| 이현진 | 부산청 | 438 |
| 이현진 | 김해서 | 466 |
| 이현진 | 김해서 | 467 |
| 이현택 | 중부청 | 222 |
| 이현호 | 국세청 | 109 |
| 이현화 | 다솔세무 | 35 |
| 이현화 | 남대문서 | 171 |
| 이현희 | 고양서 | 294 |
| 이현희 | 강서서 | 162 |
| 이현희 | 부산청 | 438 |
| 이현희 | 창원서 | 475 |
| 이형구 | 제주서 | 478 |
| 이형렬 | 기재부 | 67 |
| 이형민 | 조세재정 | 508 |
| 이형배 | 국세청 | 107 |
| 이형석 | 삼척서 | 264 |
| 이형석 | 중부산서 | 457 |
| 이형섭 | 서울청 | 148 |
| 이형섭 | 홍성서 | 346 |
| 이형우 | 대구청 | 398 |
| 이형욱 | 동대구서 | 406 |
| 이형원 | 국세청 | 112 |
| 이형원 | 동작서 | 179 |
| 이형원 | 금융위 | 85 |
| 이형준 | 경주서 | 416 |
| 이형진 | 동안양서 | 234 |
| 이형철 | 기재부 | 69 |
| 이형철 | 김포서 | 299 |
| 이형훈 | 청주서 | 354 |
| 이혜경 | 연수서 | 309 |
| 이혜경 | 청주서 | 355 |
| 이혜경 | 광주청 | 362 |
| 이혜경 | 목포서 | 377 |
| 이혜경 | 북대구서 | 409 |
| 이혜경 | 창원서 | 475 |
| 이혜란 | 강동서 | 161 |
| 이혜란 | 대구청 | 398 |
| 이혜란 | 부산청 | 437 |
| 이혜령 | 부산강서 | 449 |
| 이혜령 | 서부산서 | 453 |
| 이혜리 | 구로서 | 167 |
| 이혜리 | 용산서 | 202 |
| 이혜리나 | 동화성서 | 258 |
| 이혜리 | 서울청 | 155 |
| 이혜린 | 대전청 | 320 |
| 이혜린 | 하나세무 | 39 |
| 이혜린 | 기재부 | 72 |
| 이혜미 | 인천서 | 290 |
| 이혜미 | 고양서 | 295 |
| 이혜미 | 서울청 | 152 |
| 이혜민 | 서초서 | 189 |
| 이혜민 | 안산서 | 246 |
| 이혜민 | 용인서 | 253 |
| 이혜민 | 보령서 | 334 |
| 이혜민 | 삼일회계 | 16 |
| 이혜서 | 안산서 | 247 |
| 이혜선 | 노원서 | 172 |
| 이혜선 | 반포서 | 183 |
| 이혜선 | 인천청 | 281 |
| 이혜선 | 서광주서 | 373 |
| 이혜선 | 현대회계 | 28 |
| 이혜수 | 금정서 | 442 |
| 이혜수 | 서초서 | 189 |
| 이혜승 | 마포서 | 180 |
| 이혜연 | 남대문서 | 171 |
| 이혜연 | 세종서 | 339 |
| 이혜영 | 국세청 | 117 |
| 이혜영 | 서울청 | 135 |
| 이혜영 | 서인천서 | 289 |
| 이혜영 | 광명서 | 297 |
| 이혜영 | 남대구서 | 404 |
| 이혜인 | 강남서 | 158 |
| 이혜인 | 기재부 | 72 |
| 이혜인 | 서울청 | 157 |
| 이혜인 | 강서서 | 162 |
| 이혜인 | 평택서 | 256 |
| 이혜인 | 부산강서 | 448 |
| 이혜전 | 영등포서 | 200 |
| 이혜정 | 기재부 | 67 |
| 이혜정 | 기재부 | 80 |
| 이혜정 | 서울청 | 139 |
| 이혜정 | 청주서 | 354 |
| 이혜정 | 부산청 | 440 |
| 이혜지 | 서초서 | 189 |
| 이혜지 | 김포서 | 299 |
| 이혜지 | 서울청 | 143 |
| 이혜진 | 서울청 | 155 |
| 이혜진 | 동안양서 | 234 |
| 이혜진 | 성남서 | 238 |
| 이혜진 | 시흥서 | 242 |
| 이혜진 | 평택서 | 257 |

| 이름 | 소속 | 쪽 |
|---|---|---|
| 이혜진 | 남부천서 | 302 |
| 이혜진 | 동청주서 | 348 |
| 이혜진 | 동래서 | 445 |
| 이호 | 서울청 | 148 |
| 이호 | 대전청 | 318 |
| 이호 | 청주서 | 354 |
| 이호 | 순천서 | 378 |
| 이호경 | 서울청 | 143 |
| 이호광 | 평택서 | 257 |
| 이호길 | 분당서 | 236 |
| 이호남 | 순천서 | 379 |
| 이호상 | 부산청 | 434 |
| 이호석 | 광주청 | 363 |
| 이호석 | 딜로이트 | 13 |
| 이호성 | 동작서 | 178 |
| 이호성 | 중부산서 | 457 |
| 이호성 | 현대회계 | 28 |
| 이호승 | 국세청 | 130 |
| 이호승 | 광산서 | 366 |
| 이호연 | 도봉서 | 174 |
| 이호열 | 서울청 | 134 |
| 이호영 | 영주서 | 428 |
| 이호영 | 논산서 | 332 |
| 이호영 | 양산서 | 470 |
| 이호은 | 서울청 | 147 |
| 이호재 | 안동서 | 424 |
| 이호남 | 성동서 | 191 |
| 이호정 | 남동서 | 286 |
| 이호제 | 대전서 | 325 |
| 이호준 | 국세청 | 119 |
| 이호준 | 고양서 | 295 |
| 이호준 | 삼정회계 | 18 |
| 이호진 | 딜로이트 | 13 |
| 이호철 | 여수서 | 380 |
| 이호태 | 법무광장 | 49 |
| 이호필 | 남대문서 | 171 |
| 이홍구 | 서부산서 | 452 |
| 이홍규 | 대구청 | 403 |
| 이홍범 | 조세재정 | 510 |
| 이홍비 | 성남서 | 238 |
| 이홍석 | 기재부 | 73 |
| 이홍석 | 삼일회계 | 16 |
| 이홍섭 | 기재부 | 72 |
| 이홍숙 | 반포서 | 182 |
| 이홍순 | 홍성서 | 346 |
| 이홍엽 | 북대구서 | 408 |
| 이홍욱 | 종로서 | 208 |
| 이홍조 | 대전청 | 319 |
| 이홍준 | 춘천서 | 272 |
| 이홍환 | 포항서 | 430 |
| 이회경 | 평택서 | 256 |
| 이회령 | 광주세관 | 504 |
| 이회선 | 충주서 | 357 |
| 이회선 | 은평서 | 204 |
| 이회섭 | 화성서 | 261 |
| 이회섭 | 해남서 | 382 |
| 이회영 | 광주세관 | 505 |
| 이회용 | 대전서 | 323 |
| 이회용 | 논산서 | 332 |
| 이회자 | 대전청 | 320 |
| 이회진 | 성북서 | 193 |
| 이회진 | 청주서 | 355 |
| 이회진 | 광주세관 | 504 |
| 이환 | 순천서 | 379 |
| 이환구 | 법무광장 | 49 |
| 이환권 | 금감원 | 99 |
| 이환규 | 대전청 | 322 |
| 이환선 | 통영서 | 476 |
| 이환수 | 삼성서 | 184 |
| 이환우 | 남양주서 | 230 |
| 이환웅 | 조세재정 | 509 |
| 이환주 | 포천서 | 315 |
| 이환희 | 국세청 | 116 |
| 이효경 | 중부청 | 218 |
| 이효나 | 서울청 | 253 |
| 이효림 | 기재부 | 79 |
| 이효선 | 서귀포서 | 373 |
| 이효선 | 정읍서 | 395 |
| 이효영 | 마산서 | 468 |
| 이효원 | 도봉서 | 174 |
| 이효원 | 분당서 | 236 |
| 이효원 | 법무세종 | 50 |
| 이효원 | 의정부서 | 311 |
| 이효정 | 국세청 | 109 |
| 이효정 | 서울청 | 140 |
| 이효정 | 역삼서 | 199 |
| 이효정 | 시흥서 | 242 |
| 이효정 | 광주세관 | 504 |
| 이효정 | 다솔세무 | 35 |
| 이효주 | 송파서 | 194 |
| 이효진 | 기재부 | 83 |
| 이효진 | 국세청 | 109 |
| 이효빈 | 서울청 | 134 |
| 이효진 | 마포서 | 181 |
| 이효진 | 구리서 | 226 |
| 이효진 | 대전청 | 320 |
| 이효진 | 아산서 | 340 |
| 이효진 | 경산서 | 414 |
| 이효진 | 삼일회계 | 442 |
| 이효진 | 서부산서 | 453 |
| 이효진 | 광주세관 | 504 |
| 이효진 | 삼일회계 | 17 |
| 이효철 | 국세청 | 129 |
| 이효철 | 다솔세무 | 35 |
| 이후건 | 광양서 | 210 |
| 이후림 | 평택서 | 257 |
| 이후림 | 강동서 | 160 |
| 이후인 | 천안서 | 345 |
| 이훈 | 금감원 | 100 |
| 이훈 | 노원서 | 173 |
| 이훈기 | 동안양서 | 234 |
| 이훈아 | 금감원 | 90 |
| 이훈용 | 기재부 | 66 |
| 이훈우 | 기재부 | 80 |
| 이훈희 | 동화성서 | 259 |
| 이훈희 | 남대구서 | 405 |
| 이훈희 | 김해서 | 467 |
| 이휴 | 대전청 | 318 |
| 이휴걸 | 기재부 | 75 |
| 이희경 | 잠실서 | 206 |
| 이희경 | 조세재정 | 509 |
| 이희곤 | 기재부 | 65 |
| 이희라 | 강동서 | 160 |
| 이희령 | 금정서 | 136 |
| 이희령 | 금정서 | 443 |
| 이희범 | 기재부 | 68 |
| 이희범 | 기재부 | 119 |
| 이희석 | 중부청 | 221 |
| 이희선 | 조세재정 | 508 |
| 이희성 | 금감원 | 94 |
| 이희숙 | 송파서 | 195 |
| 이희영 | 서울청 | 154 |
| 이희영 | 관악서 | 164 |
| 이희영 | 서대문서 | 186 |
| 이희욱 | 구미서 | 418 |
| 이희윤 | 국세청 | 129 |
| 이희윤 | 한울회계 | 27 |
| 이희정 | 제천서 | 233 |
| 이희정 | 경기광주 | 244 |
| 이희정 | 마산서 | 468 |
| 이희중 | 금감원 | 98 |
| 이희진 | 기재부 | 66 |
| 이희진 | 마포서 | 180 |
| 이희진 | 제천서 | 437 |
| 이희진 | 북부산서 | 450 |
| 이희창 | 관악서 | 154 |
| 이희창 | 관악서 | 164 |
| 이희한 | 기재부 | 81 |
| 이희환 | 동작서 | 178 |
| 익법인 | 국세청 | 110 |
| 인경훈 | 화성서 | 260 |
| 인길성 | 제천서 | 353 |
| 인길식 | 안산서 | 246 |
| 인소영 | 원주서 | 271 |
| 인영수 | 종로서 | 209 |
| 인용정 | 딜로이트 | 13 |
| 인정덕 | 삼성서 | 185 |
| 인한용 | 구리서 | 226 |
| 임강욱 | 이천서 | 254 |
| 임강혁 | 기재부 | 81 |
| 임거성 | 서울청 | 155 |
| 임건중 | 여수서 | 381 |
| 임경남 | 안산서 | 247 |
| 임경미 | 반포서 | 182 |
| 임경미 | 서울청 | 151 |
| 임경섭 | 종로서 | 208 |
| 임경섭 | 기재부 | 83 |
| 임경수 | 국세청 | 128 |
| 임경수 | 경기광주 | 244 |
| 임경순 | 원주서 | 270 |
| 임경순 | 마포서 | 290 |
| 임경옥 | 국세청 | 128 |
| 임경주 | 부산청 | 438 |
| 임경태 | 동고양서 | 300 |
| 임경희 | 금융위 | 86 |
| 임공주 | 포항서 | 431 |
| 임관수 | 동울산서 | 460 |
| 임관수 | 화성서 | 260 |
| 임관호 | 관악서 | 164 |
| 임광열 | 부평서 | 307 |
| 임광준 | 광산서 | 230 |
| 임광현 | 상주서 | 423 |
| 임광훈 | 국회재정 | 56 |
| 임규만 | 잠실서 | 206 |
| 임규진 | 반포서 | 182 |
| 임근만 | 광주세관 | 504 |
| 임근재 | 조세재정 | 511 |
| 임근재 | 국세청 | 110 |
| 임금자 | 역삼서 | 199 |
| 임기령 | 부산서 | 181 |
| 임기문 | 부산서 | 434 |
| 임기양 | 서울청 | 305 |
| 임기준 | 서울청 | 134 |
| 임길묵 | 익산서 | 390 |
| 임길수 | 대전청 | 322 |
| 임나경 | 강서서 | 162 |
| 임나영 | 수영서 | 454 |
| 임나영 | 중부청 | 216 |
| 임다림 | 서부산서 | 372 |
| 임다윗 | 동청주서 | 349 |
| 임다혜 | 광주서 | 369 |
| 임달순 | 영동서 | 136 |
| 임달윤 | 영동서 | 350 |
| 임담순 | 반포서 | 182 |
| 임대규 | 조세심판 | 506 |
| 임대근 | 용인서 | 253 |
| 임대한 | 태평양 | 52 |
| 임덕수 | 인천청 | 72 |
| 임도성 | 기재부 | 279 |
| 임도훈 | 부산청 | 69 |
| 임돈구 | 예산서 | 439 |
| 임동구 | 김앤장 | 343 |
| 임동엽 | 국세청 | 47 |
| 임동욱 | 서초서 | 123 |
| 임동욱 | 기재부 | 109 |
| 임동욱 | 국세청 | 189 |
| 임동욱 | 광주세관 | 84 |
| 임동욱 | 광주세관 | 83 |
| 임동준 | 현대회계 | 109 |
| 임동현 | 기재부 | 501 |
| 임동현 | 기재부 | 502 |
| 임득균 | 창원서 | 28 |
| 임명규 | 국세청 | 75 |
| 임명화 | 감사원 | 68 |
| 임무일 | 삼척서 | 475 |
| 임문일 | 삼성서 | 124 |
| 임문현 | 현대회계 | 63 |
| 임미라 | 서울청 | 264 |
| 임미선 | 목포서 | 184 |
| 임미선 | 용산서 | 28 |
| 임미선 | 부산청 | 138 |
| 임미애 | 반포서 | 377 |
| 임미영 | 종로서 | 202 |
| 임미영 | 동대문서 | 437 |
| 임미정 | 국세청 | 182 |
| 임미화 | 조세재정 | 209 |
| 임민경 | 동래서 | 172 |
| 임민구 | 기흥서 | 176 |
| 임민철 | 부산세관 | 111 |
| 임병석 | 동안양서 | 510 |
| 임병섭 | 현대회계 | 445 |
| 임병섭 | 남양주서 | 228 |
| 임병일 | 동울산서 | 495 |
| 임병주 | 평택서 | 234 |
| 임병호 | 북대구서 | 28 |
| 임병훈 | 서울청 | 230 |
| 임보금 | 부산청 | 461 |
| 임보나 | 부산청 | 142 |
| 임보라 | 국세청 | 257 |
| 임보람 | 마포서 | 409 |
| 임보현 | 은평서 | 152 |
| 임보화 | 동대문서 | 441 |
| 임봉근 | 중부청 | 306 |
| 임봉숙 | 감사원 | 116 |
| 임부은 | 부산청 | 438 |
| 임빛나 | 경기광주 | 244 |
| 임상규 | 의정부서 | 311 |
| 임상록 | 동고양서 | 301 |
| 임상만 | 진주서 | 473 |
| 임상미 | 조세재정 | 511 |
| 임상빈 | 국세청 | 109 |
| 임상빈 | 북대전서 | 326 |
| 임상조 | 통영서 | 476 |
| 임상진 | 강동서 | 160 |
| 임상진 | 성동서 | 191 |
| 임상진 | 경산서 | 415 |
| 임상헌 | 중부청 | 223 |
| 임상혁 | 감사원 | 63 |
| 임상현 | 서부산서 | 453 |
| 임상훈 | 중부청 | 222 |
| 임상훈 | 북대구서 | 223 |
| 임상희 | 구로서 | 409 |
| 임서현 | 중부청 | 167 |
| 임석봉 | 안양서 | 224 |
| 임석봉 | 중부청 | 250 |
| 임석현 | 국세청 | 218 |
| 임석호 | 서대문서 | 128 |
| 임선근 | 부산강서 | 305 |
| 임선기 | 부산강서 | 449 |
| 임선미 | 광주청 | 364 |
| 임선아 | 서울청 | 146 |
| 임선영 | 강남서 | 159 |
| 임선옥 | 북대전서 | 326 |
| 임선정 | 인천서 | 290 |
| 임선주 | 세종서 | 339 |
| 임선하 | 남양주서 | 230 |
| 임선하 | 동청주서 | 202 |
| 임선하 | 용인서 | 328 |
| 임성균 | 다솔세무 | 35 |
| 임성균 | 다솔세무 | 35 |
| 임성도 | 영등포서 | 201 |
| 임성미 | 잠실서 | 206 |
| 임성민 | 동래서 | 444 |
| 임성민 | 광주청 | 360 |
| 임성빈 | 금감원 | 100 |
| 임성연 | 화성서 | 114 |
| 임성연 | 용산서 | 260 |
| 임성옥 | 동청주서 | 202 |
| 임성준 | 부산강서 | 348 |
| 임성찬 | 잠실서 | 449 |
| 임성훈 | 대구청 | 206 |
| 임세실 | 중부청 | 403 |
| 임세영 | 중랑서 | 223 |
| 임세창 | 강남서 | 210 |
| 임세혁 | 인천청 | 159 |
| 임소연 | 익산서 | 283 |
| 임소영 | 성동서 | 391 |
| 임소영 | 고양서 | 191 |
| 임소영 | 서울청 | 294 |
| 임소현 | 포천서 | 149 |
| 임소희 | 조세재정 | 315 |
| 임송빈 | 보령서 | 511 |
| 임송빈 | 천안서 | 334 |
| 임수경 | 해남서 | 388 |
| 임수미 | 광주청 | 344 |
| 임수민 | 강남서 | 361 |
| 임수민 | 대전청 | 159 |
| 임수빈 | 순천서 | 257 |
| 임수연 | 경기광주 | 379 |
| 임수정 | 서울청 | 245 |
| 임수정 | 삼성서 | 154 |
| 임수진 | 중랑서 | 225 |
| 임수진 | 영산서 | 155 |
| 임수혁 | 중랑서 | 185 |
| 임수현 | 법무광장 | 198 |
| 임수현 | 국세청 | 210 |
| 임수현 | 기흥서 | 48 |
| 임수현 | 경기광주 | 109 |
| 임순이 | 수성서 | 228 |
| 임순종 | 평택서 | 244 |
| 임순수 | 남부천서 | 412 |
| 임슬기 | 세종서 | 256 |
| 임슬기 | 세종서 | 338 |
| 임승빈 | 중부청 | 222 |
| 임승섭 | 분당서 | 236 |
| 임승수 | 중부청 | 218 |
| 임승용 | 동화성서 | 258 |
| 임승종 | 중기회 | 103 |
| 임승하 | 관악서 | 164 |
| 임승록 | 안산서 | 246 |
| 임승환 | 예일세무 | 40 |
| 임식용 | 남부천서 | 302 |
| 임신희 | 강남서 | 159 |
| 임아련 | 익산서 | 390 |
| 임아름 | 평택서 | 257 |
| 임아연 | 은평서 | 204 |
| 임안나 | 서울청 | 136 |
| 임애리 | 중부청 | 224 |
| 임양건 | 삼성서 | 184 |
| 임양록 | 국세청 | 47 |
| 임양미 | 수원서 | 241 |
| 임양주 | 정읍서 | 394 |
| 임여경 | 국세청 | 109 |
| 임연빈 | 조세재정 | 509 |
| 임연하 | 서인천서 | 288 |
| 임연하 | 금감원 | 93 |
| 임업 | 마포서 | 180 |
| 임영교 | 기흥서 | 228 |
| 임영선 | 대전서 | 324 |
| 임영선 | 영월서 | 268 |
| 임영수 | 강동서 | 160 |
| 임영수 | 영월서 | 269 |
| 임영신 | 강동서 | 161 |
| 임영신 | 강서서 | 162 |
| 임영아 | 대전서 | 319 |
| 임영주 | 구로서 | 167 |
| 임영주 | 성현회계 | 11 |
| 임영주 | 중랑서 | 210 |
| 임영주 | 기재부 | 75 |
| 임영진 | 서대구서 | 84 |
| 임영진 | 기재부 | 410 |
| 임영희 | 해운대서 | 459 |
| 임예인 | 영주서 | 428 |
| 임예인 | 부천서 | 304 |
| 임옥경 | 성동서 | 190 |
| 임옥규 | 서인천서 | 289 |
| 임온순 | 분당서 | 236 |
| 임완수 | 경주서 | 416 |
| 임완진 | 전주서 | 393 |
| 임완진 | 중부산서 | 457 |
| 임용걸 | 도봉서 | 175 |
| 임용견 | 인천공항 | 493 |
| 임용규 | 서대구서 | 410 |
| 임용택 | 인천서 | 290 |
| 임우주 | 평택서 | 47 |
| 임우철 | 북전주서 | 388 |
| 임우창 | 중부청 | 474 |
| 임우현 | 서현회계 | 223 |
| 임원일 | 서현회계 | 7 |
| 임원주 | 중부청 | 148 |
| 임원호 | 기재부 | 76 |
| 임유란 | 진주서 | 472 |
| 임유리 | 공주서 | 330 |
| 임유리 | 평택서 | 256 |
| 임유미 | 대전서 | 324 |
| 임유선 | 기재부 | 71 |
| 임유영 | 수성서 | 412 |
| 임유진 | 서초서 | 189 |
| 임유진 | 마포서 | 180 |
| 임유하 | 용인서 | 252 |
| 임윤섭 | 강서서 | 163 |
| 임윤정 | 국회재정 | 55 |
| 임윤정 | 부산진서 | 447 |
| 임윤정 | 김해서 | 467 |
| 임윤종 | 조세심판 | 507 |
| 임은경 | 종로서 | 209 |
| 임은근 | 중랑서 | 211 |
| 임은택 | 충주서 | 356 |
| 임은경 | 기재부 | 67 |
| 임은미 | 제주서 | 478 |
| 임은식 | 인천청 | 283 |
| 임은주 | 중랑서 | 210 |
| 임은지 | 제주서 | 478 |
| 임은철 | 국세청 | 120 |
| 임은총 | 대전청 | 320 |
| 임은화 | 영등포서 | 200 |
| 임인규 | 택스홈 | 38 |
| 임인섭 | 부산강서 | 448 |
| 임인수 | 금감원 | 91 |
| 임인재 | 국세청 | 115 |
| 임인재 | 강서서 | 163 |
| 임인정 | 종로서 | 209 |

## ㅇ (임) (continued)

| 이름 | 소속 | 쪽 |
|---|---|---|
| 임인택 | 홍성서 | 346 |
| 임인택 | 동청주서 | 348 |
| 임일혁 | 평택서 | 257 |
| 임일훈 | 잠실서 | 206 |
| 임지혁 | 남동서 | 287 |
| 임잔디 | 중부청 | 95 |
| 임재규 | 금감원 | 222 |
| 임재동 | 중부청 | 97 |
| 임재미 | 화성서 | 225 |
| 임재빈 | 서울청 | 260 |
| 임재상 | 연수서 | 134 |
| 임재석 | 북전주서 | 308 |
| 임재성 | 원주서 | 389 |
| 임재승 | 고양서 | 271 |
| 임재은 | 기재부 | 295 |
| 임재정 | 국세청 | 80 |
| 임재주 | 대구청 | 131 |
| 임재학 | 중부청 | 401 |
| 임재혁 | 노원서 | 225 |
| 임재현 | 시흥서 | 173 |
| 임정경 | 대구청 | 243 |
| 임정관 | 국세청 | 399 |
| 임정미 | 송파서 | 125 |
| 임정미 | 광주청 | 194 |
| 임정민 | 익산서 | 365 |
| 임정석 | 서부산서 | 362 |
| 임정섭 | 기재부 | 391 |
| 임정숙 | 원주서 | 453 |
| 임정호 | 기재부 | 77 |
| 임정은 | 원주서 | 270 |
| 임정일 | 국세청 | 161 |
| 임정진 | 중부청 | 224 |
| 임정혁 | 부산청 | 435 |
| 임정혁 | 국세청 | 118 |
| 임정현 | 감사원 | 63 |
| 임정혜 | 중부청 | 225 |
| 임정호 | 조세재정 | 511 |
| 임정환 | 의정부서 | 310 |
| 임정환 | 대전청 | 321 |
| 임정훈 | 서울청 | 139 |
| 임정훈 | 춘천서 | 272 |
| 임종권 | 창원서 | 475 |
| 임종근 | 국세청 | 128 |
| 임종덕 | 포항서 | 430 |
| 임종민 | 북부산서 | 450 |
| 임종성 | 반포서 | 183 |
| 임종수 | 종로서 | 208 |
| 임종식 | 조세재정 | 511 |
| 임종안 | 동울산서 | 461 |
| 임종절 | 서울세관 | 487 |
| 임종찬 | 중랑서 | 210 |
| 임종철 | 부산세관 | 496 |
| 임종필 | 삼척서 | 264 |
| 임종헌 | 서울청 | 134 |
| 임종호 | 서울청 | 146 |
| 임종호 | 국세청 | 122 |
| 임종훈 | 남원서 | 386 |
| 임종훈 | 국세청 | 124 |
| 임종훈 | 기재부 | 437 |
| 임종희 | 북대전서 | 72 |
| 임주경 | 영주서 | 326 |
| 임주리 | 마산서 | 428 |
| 임주연 | 관악서 | 468 |
| 임주영 | 국세청 | 165 |
| 임주원 | 북대구서 | 110 |
| 임주현 | 서울서 | 408 |
| 임주현 | 경기광주 | 136 |
| 임주환 | 동울산서 | 244 |
| 임준빈 | 울산서 | 460 |
| 임준일 | 용산서 | 463 |
| 임준환 | 동래서 | 202 |
| 임지남 | 광주청 | 444 |
| 임지민 | 조세재정 | 363 |
| 임지민 | 금융위 | 508 |
| 임지수 | 제주서 | 86 |
| 임지숙 | 금천서 | 479 |
| 임지아 | 기재부 | 168 |
| 임지아 | 고양서 | 66 |
| 임지완 | 반포서 | 294 |
| | 북대구서 | 408 |
| | 구로서 | 167 |
| | 인천청 | 283 |
| | 고양서 | 295 |
| | 반포서 | 182 |
| | 마포서 | 181 |
| | 시흥서 | 242 |
| | 포항서 | 431 |
| | 반포서 | 182 |
| | 국세청 | 111 |
| | 국세청 | 120 |
| | 북대전서 | 326 |

| 이름 | 소속 | 쪽 |
|---|---|---|
| 임지윤 | 조세재정 | 511 |
| 임지은 | 구리서 | 226 |
| 임지은 | 안산서 | 247 |
| 임지은 | 경주서 | 416 |
| 임지은 | 부산청 | 441 |
| 임지현 | 파주서 | 313 |
| 임지현 | 성동서 | 190 |
| 임지현 | 수영서 | 454 |
| 임지형 | 통영서 | 477 |
| 임지혜 | 양천서 | 196 |
| 임지혜 | 기재부 | 78 |
| 임지혜 | 삼성서 | 185 |
| 임지혜 | 중부청 | 221 |
| 임지혜 | 홍성서 | 347 |
| 임지훈 | 마산서 | 469 |
| 임지훈 | 대전청 | 321 |
| 임진규 | 익산서 | 390 |
| 임진묵 | 딜로이트 | 13 |
| 임진아 | 서대전서 | 328 |
| 임진영 | 삼척서 | 265 |
| 임진옥 | 국세청 | 125 |
| 임진용 | 김포서 | 298 |
| 임진주 | 남대문서 | 171 |
| 임진혁 | 의정부서 | 310 |
| 임진호 | 동고양서 | 310 |
| 임진호 | 의정부서 | 310 |
| 임찬휘 | 국세청 | 130 |
| 임찬희 | 영등포서 | 346 |
| 임창규 | 인천청 | 201 |
| 임창진 | 기재부 | 281 |
| 임창빈 | 서울청 | 70 |
| 임창섭 | 용산서 | 150 |
| 임창수 | 목포서 | 203 |
| 임창현 | 서울청 | 354 |
| 임채경 | 서울청 | 376 |
| 임채수 | 창원서 | 135 |
| 임채수 | 대전서 | 143 |
| 임채열 | 원주서 | 154 |
| 임채영 | 부천서 | 134 |
| 임채현 | 가현택스 | 475 |
| 임채홍 | 가현택스 | 324 |
| 임철우 | 가현택스 | 477 |
| 임철진 | 서울세관 | 270 |
| 임청하 | 서울세관 | 304 |
| 임칠성 | 목포서 | 142 |
| 임태수 | 부산청 | 153 |
| 임태순 | 수영서 | 207 |
| 임태이 | 삼성서 | 485 |
| 임태일 | 다솔세무 | 487 |
| 임태호 | 반포서 | 376 |
| 임하경 | 계양서 | 440 |
| 임하나 | 영등포서 | 454 |
| 임하나 | 김해서 | 110 |
| 임한경 | 동대구서 | 328 |
| 임한나 | 반포서 | 414 |
| 임한섭 | 화성서 | 398 |
| 임한솔 | 법무광장 | 270 |
| 임한준 | 대전청 | 11 |
| 임해균 | 계양서 | 361 |
| 임해리 | 청주서 | 258 |
| 임해숙 | 남동서 | 372 |
| 임해영 | 서울세관 | 315 |
| 임행완 | 서울세관 | 472 |
| 임향숙 | 서울청 | 437 |
| 임헌진 | 순천서 | 184 |
| 임현경 | 대구서 | 35 |
| 임현석 | 충주서 | 185 |
| | 중랑서 | 182 |
| | 남양주서 | 292 |
| | 국세청 | 160 |
| | | 201 |
| | | 466 |
| | | 238 |
| | | 407 |
| | | 182 |
| | | 261 |
| | | 48 |
| | | 147 |
| | | 321 |
| | | 293 |
| | | 354 |
| | | 286 |
| | | 485 |
| | | 487 |
| | | 151 |
| | | 379 |
| | | 406 |
| | | 357 |
| | | 211 |
| | | 230 |
| | | 128 |

| 이름 | 소속 | 쪽 |
|---|---|---|
| 임현수 | 동청주서 | 348 |
| 임현수 | 이촌회계 | 24 |
| 임현우 | 영등포서 | 171 |
| 임현정 | 역삼서 | 201 |
| 임현주 | 중부청 | 198 |
| 임현지 | 경산서 | 304 |
| 임현진 | 서울청 | 222 |
| 임현진 | 통영서 | 414 |
| 임현철 | 대전청 | 148 |
| 임현택 | 순천서 | 476 |
| 임형걸 | 국세청 | 319 |
| 임형수 | 서대전서 | 378 |
| 임형용 | 광주서 | 131 |
| 임형준 | 안양서 | 329 |
| 임형철 | 서울청 | 511 |
| 임형태 | 기재부 | 369 |
| 임혜란 | 삼척서 | 251 |
| 임혜령 | 금정서 | 149 |
| 임혜빈 | 중부청 | 79 |
| 임혜연 | 서울청 | 168 |
| 임혜연 | 남대문서 | 264 |
| 임혜영 | 강동서 | 442 |
| 임혜영 | 시흥서 | 224 |
| 임혜정 | 기재부 | 148 |
| 임혜진 | 중부청 | 171 |
| 임호성 | 동래서 | 160 |
| 임홍기 | 양산서 | 242 |
| 임홍남 | 파주서 | 75 |
| 임홍철 | 서울청 | 219 |
| 임회춘 | 기재부 | 444 |
| 임효선 | 딜로이트 | 159 |
| 임효선 | 잠실서 | 470 |
| 임효정 | 성동서 | 312 |
| 임훈 | 국세청 | 135 |
| 임흥건 | 양천서 | 74 |
| 임희경 | EY한영 | 13 |
| 임희운 | 대구청 | 206 |
| 임희열 | 영등포서 | 191 |
| 임희인 | 경기광주 | 109 |
| 임희정 | 의정부서 | 196 |
| 임희택 | 도봉서 | 12 |
| | 화성서 | 400 |
| | 동대문서 | 200 |
| | 관악서 | 245 |
| | 북대구서 | 311 |
| | 중부청 | 174 |
| | 부산강서 | 261 |
| | | 511 |
| | | 177 |
| | | 164 |
| | | 408 |
| | | 224 |
| | | 449 |

## ㅈ

| 이름 | 소속 | 쪽 |
|---|---|---|
| 장건수 | 관악서 | 165 |
| 장건식 | 송파서 | 194 |
| 장건호 | 포천서 | 315 |
| 장경숙 | 수성서 | 413 |
| 장경애 | 안산서 | 246 |
| 장경일 | 원주서 | 270 |
| 장경태 | 국회법제 | 58 |
| 장경필 | 금감원 | 96 |
| 장경호 | 광주세관 | 504 |
| 장경화 | 국세청 | 109 |
| 장경화 | 서광주서 | 121 |
| 장경희 | 중부청 | 372 |
| 장경희 | 대구청 | 222 |
| 장광석 | 대전청 | 401 |
| 장광식 | 원주서 | 320 |
| 장광호 | 국세청 | 271 |
| 장규복 | 동울산서 | 128 |
| 장근철 | 서울청 | 460 |
| 장금희 | 대구청 | 137 |
| 장기승 | 경기광주 | 399 |
| 장기웅 | 인천서 | 245 |
| 장기원 | 정읍서 | 290 |
| 장기원 | 반포서 | 394 |
| 장기훈 | 국세청 | 183 |
| 장길희 | 분당서 | 334 |
| 장금희 | | 128 |
| 장낙원 | 조세재정 | 237 |
| 장난주 | 감사원 | 90 |
| 장남식 | 시흥서 | 510 |
| | | 63 |
| | | 242 |

| 이름 | 소속 | 쪽 |
|---|---|---|
| 장남운 | EY한영 | 12 |
| 장노기 | 김해서 | 466 |
| 장다와 | 조세재정 | 509 |
| 장다혜 | 북부산서 | 451 |
| 장대구 | 동안양서 | 235 |
| 장덕윤 | 서울청 | 155 |
| 장덕희 | 부산청 | 429 |
| 장도환 | 기재부 | 436 |
| 장동규 | 나주서 | 82 |
| 장동근 | 대전청 | 375 |
| 장동인 | 인천서 | 320 |
| 장동혁 | 강동서 | 291 |
| 장동환 | 국회법제 | 58 |
| 장동훈 | 동작서 | 179 |
| 장두수 | 경주서 | 187 |
| 장두영 | 노원서 | 416 |
| 장명섭 | 동안양서 | 172 |
| 장명수 | 부산청 | 444 |
| 장명숙 | 창원서 | 234 |
| 장명진 | 강서서 | 438 |
| 장명화 | 대구서 | 475 |
| 장명훈 | 서대전서 | 162 |
| 장문석 | 안산서 | 404 |
| 장문선 | 조세재정 | 328 |
| 장문정 | 기재부 | 247 |
| 장문수 | 제천서 | 193 |
| 장미랑 | 남원서 | 510 |
| 장미선 | 기재부 | 81 |
| 장미숙 | 서울청 | 82 |
| 장미영 | 경기광주 | 352 |
| 장미영 | 아산서 | 386 |
| 장미자 | 북전주서 | 135 |
| 장미진 | 전주서 | 134 |
| 장미혜 | 이천서 | 244 |
| 장민 | 동울산서 | 340 |
| 장민경 | 금천서 | 388 |
| 장민석 | 송파서 | 392 |
| 장민수 | 진주서 | 255 |
| 장민영 | 제주서 | 460 |
| 장민영 | 광주세관 | 162 |
| 장민우 | 중랑서 | 169 |
| 장민재 | 수원서 | 194 |
| 장민주 | 조세재정 | 194 |
| 장민혜 | 세종서 | 472 |
| 장민환 | 마산서 | 478 |
| 장바름 | 서울청 | 232 |
| 장백용 | 포천서 | 179 |
| 장병국 | 용인서 | 504 |
| 장병호 | 고시회 | 210 |
| 장병호 | 기재부 | 241 |
| 장보수 | 부천서 | 168 |
| 장보원 | 딜로이트 | 510 |
| 장보현 | 청주서 | 339 |
| 장복동 | 부산진서 | 461 |
| 장상록 | 서초서 | 468 |
| 장상우 | 서울청 | 140 |
| 장상진 | 강남서 | 315 |
| 장서라 | 광산서 | 414 |
| 장서영 | 북부산서 | 253 |
| 장서영 | 동작서 | 30 |
| 장서윤 | 서울청 | 74 |
| 장서현 | 동작서 | 314 |
| 장서현 | 부산청 | 13 |
| 장석만 | 국세청 | 355 |
| 장석문 | 대구청 | 446 |
| 장석민 | 중부청 | 188 |
| 장석안 | 중부청 | 148 |
| 장석오 | 기흥서 | 159 |
| 장석주 | 아산서 | 366 |
| 장석진 | 서대구서 | 451 |
| 장석현 | 광주서 | 178 |
| 장선균 | 동안산서 | 151 |
| 장선영 | 부산강서 | 179 |
| 장선영 | 인천청 | 269 |
| 장선우 | 강남서 | 436 |
| 장선영 | 광명서 | 509 |
| 장선희 | | 343 |
| 장선희 | | 219 |
| 장선희 | | 217 |
| | | 228 |
| | | 341 |
| | | 411 |
| | | 368 |
| | | 248 |
| | | 282 |
| | | 449 |
| | | 284 |
| | | 159 |
| | | 296 |

| 이름 | 소속 | 쪽 |
|---|---|---|
| 장선희 | 상주서 | 422 |
| 장설희 | 고양서 | 294 |
| 장성근 | 부산서 | 436 |
| 장성기 | 양산서 | 470 |
| 장성미 | 국세청 | 112 |
| 장성우 | 태평양 | 52 |
| 장성우 | 동청주서 | 348 |
| 장성재 | 성동서 | 191 |
| 장성진 | 영등포서 | 200 |
| 장성필 | 북전주서 | 388 |
| 장성환 | 서부산서 | 453 |
| 장세연 | 광주청 | 365 |
| 장세원 | 부평서 | 307 |
| 장세철 | 광주청 | 371 |
| 장소연 | 국세청 | 115 |
| 장소연 | 중부청 | 223 |
| 장소영 | 대전청 | 322 |
| 장소영 | 평택서 | 257 |
| 장소영 | 동울산서 | 461 |
| 장송이 | 시흥서 | 242 |
| 장수연 | EY한영 | 12 |
| 장수연 | 동대문서 | 177 |
| 장수연 | 구리서 | 227 |
| 장수원 | 수원서 | 240 |
| 장수정 | 부천서 | 305 |
| 장수정 | 제주서 | 479 |
| 장수진 | 송파서 | 194 |
| 장수현 | 강서서 | 162 |
| 장수환 | 광주청 | 361 |
| 장수희 | 동대구서 | 406 |
| 장숙영 | 부산서 | 438 |
| 장순남 | 해운대서 | 459 |
| 장순임 | 역삼서 | 199 |
| 장슬기 | 울산서 | 463 |
| 장슬비 | 강릉서 | 262 |
| 장승연 | 수성서 | 412 |
| 장승연 | 강남서 | 159 |
| 장승희 | 서울청 | 148 |
| 장승희 | 강남서 | 159 |
| 장시원 | 국세청 | 121 |
| 장시원 | 광산서 | 366 |
| 장시찬 | 현대회계 | 28 |
| 장신기 | 법무광장 | 49 |
| 장아론 | 동화성서 | 258 |
| 장아름미 | 동안양서 | 249 |
| 장아양 | 목포서 | 376 |
| 장엄지 | 남동서 | 286 |
| 장연경 | 영등포서 | 200 |
| 장연근 | 태평양 | 52 |
| 장연숙 | 의정부서 | 310 |
| 장연숙 | 진주서 | 472 |
| 장연호 | 신한관세 | 483 |
| 장영 | 동안양서 | 235 |
| 장영림 | 신한관세 | 44 |
| 장영석 | 목포서 | 377 |
| 장영섭 | 동대구서 | 407 |
| 장영수 | 대전청 | 323 |
| 장영심 | 조세재정 | 217 |
| 장영일 | 서울청 | 509 |
| 장영자 | 현대회계 | 153 |
| 장영석 | 인천청 | 28 |
| 장영안 | 의정부서 | 279 |
| 장영준 | 성동서 | 310 |
| 장영진 | 중부청 | 191 |
| 장영철 | 남대구서 | 216 |
| 장영태 | 용산서 | 405 |
| 장영환 | 법무광장 | 202 |
| 장예원 | 인천청 | 48 |
| 장완재 | 기재부 | 290 |
| 장외자 | 용산서 | 74 |
| 장용경 | 대전청 | 203 |
| 장용준 | 법무광장 | 319 |
| | 남원서 | 49 |
| | 금감원 | 386 |
| | 반포서 | 90 |
| | 중부청 | 182 |
| | 국세청 | 225 |
| | 청주서 | 130 |
| | 국세청 | 354 |
| | 청주서 | 126 |
| | 국세청 | 258 |
| | 북부산서 | 388 |
| | 용산서 | 126 |
| | 종로서 | 438 |
| | 동대구서 | 202 |
| | 울산서 | 209 |
| | 종로서 | 282 |
| | 인천청 | 385 |
| | 동대구서 | 406 |
| | 용산서 | 203 |
| | 전주서 | 393 |

| 성명 | 소속 | 쪽 |
|---|---|---|
| 장용호 | 관세청 | 482 |
| 장용희 | 기재부 | 79 |
| 장우석 | 국회재정 | 55 |
| 장우정 | 도봉서 | 175 |
| 장우혁 | 국세청 | 114 |
| 장운정 | 동대구서 | 406 |
| 장운정 | 조세재정 | 509 |
| 장운정 | 조세재정 | 510 |
| 장원대 | 부산서 | 438 |
| 장원미 | 고양서 | 295 |
| 장원석 | 인천서 | 291 |
| 장원식 | 국세청 | 109 |
| 장원용 | 강남서 | 159 |
| 장원주 | 시흥서 | 243 |
| 장원일 | 포항서 | 431 |
| 장원주 | 서울청 | 150 |
| 장원창 | 부산청 | 436 |
| 장유경 | 안양서 | 251 |
| 장유나 | 순천서 | 379 |
| 장유나 | 수성서 | 413 |
| 장유나 | 수영서 | 454 |
| 장유리 | 수원서 | 240 |
| 장유림 | 서인천서 | 289 |
| 장유민 | 예산서 | 343 |
| 장유석 | 기재부 | 70 |
| 장유용 | 광주세관 | 501 |
| 장유용 | 광주세관 | 502 |
| 장유정 | 계양서 | 292 |
| 장유정 | 광주세관 | 504 |
| 장유진 | 동고양서 | 301 |
| 장유진 | 동래서 | 445 |
| 장유진 | 울산서 | 462 |
| 장유진 | 광주세관 | 504 |
| 장윤규 | 논산서 | 332 |
| 장윤미 | 연수서 | 309 |
| 장윤서 | 잠실서 | 206 |
| 장윤정 | 기재부 | 81 |
| 장윤정 | 분당서 | 237 |
| 장윤정 | 수원서 | 241 |
| 장윤정 | 양산서 | 471 |
| 장윤지 | 조세재정 | 511 |
| 장윤호 | 서울청 | 148 |
| 장윤희 | 부평서 | 306 |
| 장윤희 | 반포서 | 183 |
| 장은경 | 남동서 | 287 |
| 장은경 | 구미서 | 419 |
| 장은경 | 부산서 | 437 |
| 장은경 | 광주세관 | 504 |
| 장은수 | 국세청 | 110 |
| 장은심 | 화성서 | 116 |
| 장은심 | 화성서 | 261 |
| 장은영 | 반포서 | 183 |
| 장은정 | 광주세관 | 504 |
| 장은정 | 금천서 | 169 |
| 장은정 | 동대문서 | 177 |
| 장은정 | 영등포서 | 177 |
| 장은정 | 조세재정 | 508 |
| 장은정 | 대전서 | 318 |
| 장은혜 | 예일세무 | 40 |
| 장의순 | 기재부 | 78 |
| 장이삭 | 국세청 | 110 |
| 장익성 | 영등포서 | 201 |
| 장익성 | 중부청 | 220 |
| 장익준 | 제주서 | 479 |
| 장인섭 | 국세청 | 130 |
| 장인섭 | 중부청 | 225 |
| 장인수 | 노원서 | 172 |
| 장인숙 | 부산청 | 437 |
| 장인영 | 서울청 | 155 |
| 장인철 | 동래서 | 444 |
| 장일영 | 기재부 | 73 |
| 장일영 | 광명서 | 296 |
| 장일웅 | 김포서 | 299 |
| 장재림 | 서울청 | 134 |
| 장재민 | 평택서 | 257 |
| 장재영 | 강서서 | 163 |
| 장재영 | 안산서 | 247 |
| 장재영 | 안양서 | 250 |
| 장재영 | 광주서 | 368 |
| 장재영 | 기재부 | 70 |
| 장재용 | 인천서 | 290 |
| 장재원 | 강서서 | 162 |
| 장재원 | 광주세관 | 505 |
| 장재윤 | 서부산서 | 453 |
| 장재익 | 금감원 | 100 |
| 장재필 | 서부산서 | 452 |
| 장재호 | 동안양서 | 235 |
| 장재훈 | 금감원 | 95 |
| 장재희 | 영등포서 | 201 |
| 장재희 | 원주서 | 270 |
| 장점선 | 고양서 | 295 |
| 장점자 | 여수서 | 380 |
| 장정수 | 남양주서 | 231 |
| 장정순 | 조세재정 | 286 |
| 장정순 | 조세재정 | 508 |
| 장정엽 | 파주서 | 313 |
| 장정욱 | 천안서 | 344 |
| 장정욱 | 파주서 | 312 |
| 장정윤 | 남양주서 | 231 |
| 장정은 | 조세재정 | 511 |
| 장정은 | 서울청 | 134 |
| 장정현 | 경산서 | 414 |
| 장정훈 | 금감원 | 96 |
| 장조희 | 중랑서 | 211 |
| 장종철 | 북대구서 | 408 |
| 장종현 | 금감원 | 99 |
| 장종희 | 안산서 | 246 |
| 장종희 | 부산세관 | 496 |
| 장주아 | 화성서 | 261 |
| 장주열 | 동고양서 | 300 |
| 장주영 | 기재부 | 78 |
| 장주영 | 원서 | 475 |
| 장주환 | 중부산서 | 457 |
| 장준 | 김해서 | 467 |
| 장준엽 | 북전주서 | 388 |
| 장준영 | 기재부 | 69 |
| 장준영 | 서부산서 | 453 |
| 장준영 | 홍성서 | 347 |
| 장준원 | 서초서 | 188 |
| 장준희 | 서대문서 | 186 |
| 장준희 | 조세재정 | 509 |
| 장지민 | 광주서 | 369 |
| 장지성 | 여수서 | 381 |
| 장지성 | 한울회계 | 27 |
| 장지안 | 익산서 | 390 |
| 장지영 | 택스홈 | 38 |
| 장지영 | 동작서 | 179 |
| 장지영 | 영월서 | 269 |
| 장지우 | 해운대서 | 458 |
| 장지우 | 남대문서 | 170 |
| 장지은 | 관악서 | 165 |
| 장지원 | 광주청 | 365 |
| 장지원 | 조세재정 | 511 |
| 장지원 | 현대회계 | 28 |
| 장지윤 | 서울청 | 143 |
| 장지윤 | 양산서 | 470 |
| 장지이 | 양산서 | 145 |
| 장지은 | 시흥서 | 242 |
| 장지은 | 동화성서 | 258 |
| 장지혜 | 서울청 | 138 |
| 장지혜 | 서울청 | 141 |
| 장지환 | 화성서 | 260 |
| 장지환 | 서인천서 | 288 |
| 장지훈 | 삼정회계 | 18 |
| 장진기 | 기재부 | 75 |
| 장진기 | 인천지방 | 33 |
| 장진덕 | 서울세관 | 485 |
| 장진아 | 서울세관 | 487 |
| 장진아 | 서인천서 | 288 |
| 장진영 | 삼성서 | 184 |
| 장진영 | 광주서 | 368 |
| 장진혁 | 고양서 | 295 |
| 장진혁 | 서광주서 | 372 |
| 장진화 | 세종서 | 338 |
| 장진화 | 다솔세무 | 35 |
| 장차휘 | 서초서 | 189 |
| 장찬순 | 기재부 | 67 |
| 장창월 | 홍성서 | 347 |
| 장창민 | 국세청 | 110 |
| 장창민 | 인천지방 | 33 |
| 장창하 | 중부서 | 223 |
| 장창호 | 북대구서 | 408 |
| 장창환 | 서울청 | 138 |
| 장철성 | 금천서 | 168 |
| 장철현 | 잠실서 | 207 |
| 장철현 | 상주서 | 422 |
| 장충규 | 강남서 | 159 |
| 장태성 | 예일세무 | 40 |
| 장태성 | 중부청 | 221 |
| 장태희 | 조세심판 | 506 |
| 장필효 | 인천서 | 291 |
| 장하영 | 익산서 | 390 |
| 장하영 | 마포서 | 180 |
| 장한별 | 국세청 | 110 |
| 장한별 | 서울청 | 144 |
| 장한슬 | 영주서 | 428 |
| 장한솔 | 국세청 | 108 |
| 장항필 | 금감원 | 91 |
| 장해리 | 부산청 | 438 |
| 장해성 | 서울청 | 152 |
| 장해성 | 화성서 | 261 |
| 장해순 | 안양서 | 251 |
| 장해준 | 송파서 | 195 |
| 장혁민 | 전주서 | 393 |
| 장혁배 | 포항서 | 431 |
| 장현기 | 평택서 | 235 |
| 장현기 | 대구청 | 257 |
| 장현기 | 남대구서 | 398 |
| 장현봉 | 수원서 | 405 |
| 장현성 | 금천서 | 240 |
| 장현수 | 계양서 | 169 |
| 장현수 | 세종서 | 252 |
| 장현수 | 군산서 | 292 |
| 장현수 | 용인서 | 338 |
| 장현숙 | 서울청 | 384 |
| 장현영 | 원주서 | 141 |
| 장현우 | 경산서 | 270 |
| 장현웅 | 광주세관 | 414 |
| 장현웅 | 화성서 | 505 |
| 장현정 | 남대구서 | 392 |
| 장현정 | 중부청 | 405 |
| 장현주 | 김포서 | 225 |
| 장현준 | 동안양서 | 298 |
| 장현준 | 삼일회계 | 234 |
| 장현중 | 서울청 | 16 |
| 장현진 | 양산서 | 79 |
| 장현진 | 서울청 | 145 |
| 장형구 | 서울청 | 470 |
| 장형순 | 남대구서 | 340 |
| 장형욱 | 목포서 | 151 |
| 장혜경 | 익산서 | 249 |
| 장혜경 | 성동서 | 404 |
| 장혜경 | 서울청 | 376 |
| 장혜란 | 천안서 | 391 |
| 장혜린 | 수원서 | 177 |
| 장혜미 | 금천서 | 190 |
| 장혜미 | 동화성서 | 344 |
| 장혜영 | 기재부 | 240 |
| 장혜정 | 서울청 | 168 |
| 장혜원 | 창원서 | 76 |
| 장혜정 | 이천서 | 137 |
| 장혜진 | 이천서 | 475 |
| 장혜진 | 반포서 | 255 |
| 장혜진 | 남양주서 | 255 |
| 장호강 | 해운대서 | 182 |
| 장호남 | 현대회계 | 189 |
| 장호욱 | 잠실서 | 231 |
| 장호정 | 경산서 | 458 |
| 장호철 | 동울산서 | 41 |
| 장홍정 | 금감원 | 28 |
| 장환생 | 서대구서 | 207 |
| 장환오 | 대전서 | 460 |
| 장효경 | 삼성서 | 474 |
| 장효선 | 조세심판 | 95 |
| 장효섭 | 기재부 | 80 |
| 장효숙 | 기재부 | 410 |
| 장효은 | 기재부 | 324 |
| 장훈 | 대전청 | 185 |
| 장훈희 | 김포서 | 298 |
| 장희석 | 관세사회 | 438 |
| 장희숙 | 역삼서 | 42 |
| 장희원 | 금천서 | 198 |
| 장희은 | 송파서 | 136 |
| 장희정 | 영등포서 | 168 |
| 장희정 | 동대구서 | 195 |
| 장희진 | 안산서 | 200 |
| 장희철 | 서울청 | 247 |
| 장희철 | 서울청 | 146 |
| 재정회 | 감사원 | 62 |
| 재정회 | 감사원 | 62 |
| 재해복구 | 광주세관 | 505 |
| 적관리 | 서울청 | 134 |
| 적관리 | 대전청 | 321 |
| 전가람 | 평택서 | 256 |
| 전갑수 | 포항서 | 430 |
| 전갑종 | 서원회계 | 7 |
| 전강식 | 국세청 | 113 |
| 전강희 | 중부청 | 221 |
| 전건호 | 파주서 | 313 |
| 전경란 | 강서서 | 162 |
| 전경선 | 동화성서 | 258 |
| 전경선 | 조세심판 | 506 |
| 전경옥 | 해운대서 | 458 |
| 전경일 | 광명서 | 297 |
| 전경호 | 의정부서 | 311 |
| 전광준 | 도봉서 | 175 |
| 전광현 | 중랑서 | 210 |
| 전광현 | 서울청 | 66 |
| 전광호 | 기재부 | 81 |
| 전광훈 | 청주서 | 354 |
| 전국화 | 양산서 | 471 |
| 전국휘 | 중부청 | 217 |
| 전근 | 금천서 | 418 |
| 전기승 | 중부청 | 169 |
| 전기희 | 삼성서 | 224 |
| 전다솜 | 용인서 | 185 |
| 전다영 | 구리서 | 253 |
| 전다인 | 국세청 | 226 |
| 전대원 | 강릉서 | 117 |
| 전대진 | 덕순서 | 262 |
| 전덕순 | 현대회계 | 462 |
| 전도영 | 은평서 | 28 |
| 전동길 | 국세청 | 205 |
| 전동표 | 삼척서 | 110 |
| 전동표 | 기재부 | 265 |
| 전만기 | 부산청 | 68 |
| 전명진 | 강동서 | 435 |
| 전명훈 | 대전청 | 160 |
| 전무열 | 성현회계 | 321 |
| 전문규 | 신한관세 | 11 |
| 전미경 | 해운대서 | 44 |
| 전미란 | 수원서 | 458 |
| 전미란 | 중부청 | 240 |
| 전미선 | 용산서 | 216 |
| 전미숙 | 북광주서 | 202 |
| 전미애 | 서초서 | 370 |
| 전미애 | 강서서 | 188 |
| 전미영 | 인천서 | 163 |
| 전미자 | 고양서 | 291 |
| 전미재 | 서대구서 | 294 |
| 전민정 | 마포서 | 410 |
| 전민정 | 국세청 | 181 |
| 전민지 | 서울청 | 118 |
| 전민채 | 중부서 | 140 |
| 전범수 | 분당서 | 195 |
| 전범준 | 청주서 | 212 |
| 전범철 | 춘천서 | 237 |
| 전병도 | 북부산서 | 355 |
| 전병무 | 광명서 | 273 |
| 전병영 | 은평서 | 451 |
| 전병일 | 안산서 | 297 |
| 전병진 | 금정서 | 204 |
| 전병헌 | 잠실서 | 246 |
| 전보람 | 서울청 | 442 |
| 전보현 | 기흥서 | 207 |
| 전봉내 | 대전청 | 228 |
| 전봉민 | 반포서 | 319 |
| 전봉철 | 양산서 | 76 |
| 전봉철 | 화성서 | 182 |
| 전부선 | 익산서 | 470 |
| 전상규 | 기재부 | 434 |
| 전상련 | 서대구서 | 390 |
| 전상배 | 동대구서 | 70 |
| 전상원 | 천안서 | 411 |
| 전상주 | 성현회계 | 406 |
| 전상호 | 안동서 | 345 |
| 전상훈 | 성북서 | 11 |
| 전샛별 | 강동서 | 424 |
| 전서연 | 동청주서 | 193 |
| 전선영 | 영동서 | 315 |
| 전선화 | 서울청 | 243 |
| 전선곤 | 강남서 | 160 |
| 전성민 | 동울산서 | 349 |
| 전성수 | 기재부 | 351 |
| 전성우 | 강서서 | 157 |
| 전성익 | 김천서 | 149 |
| 전성진 | 조세심판 | 158 |
| 전성준 | 기재부 | 461 |
| 전성훈 | 해남서 | 66 |
| 전세리 | 의정부서 | 163 |
| 전세림 | 부천서 | 421 |
| 전세연 | 성남서 | 238 |
| 전세영 | 구리서 | 226 |
| 전세정 | 삼성서 | 184 |
| 전세진 | 부천서 | 305 |
| 전세현 | 동래서 | 444 |
| 전세훈 | 마산서 | 468 |
| 전소민 | 아산서 | 341 |
| 전소연 | 성북서 | 192 |
| 전소율 | 계양서 | 292 |
| 전소정 | 파주서 | 313 |
| 전소현 | 원주서 | 270 |
| 전소희 | 중부청 | 221 |
| 전수미 | 세종서 | 338 |
| 전수미 | 역삼서 | 199 |
| 전수아 | 북부산서 | 451 |
| 전수연 | 현대회계 | 28 |
| 전수연 | 성동서 | 190 |
| 전수영 | 청주서 | 348 |
| 전수진 | 광주서 | 369 |
| 전수진 | 서대전서 | 329 |
| 전수현 | 경산서 | 414 |
| 전수현 | 금정서 | 442 |
| 전순호 | 금융위 | 86 |
| 전선화 | 익산서 | 391 |
| 전승욱 | 강동서 | 161 |
| 전승희 | 계양서 | 292 |
| 전승진 | 울산서 | 462 |
| 전승진 | 조세재정 | 511 |
| 전승현 | 서대문서 | 187 |
| 전승환 | 국세청 | 121 |
| 전승훈 | 서초서 | 189 |
| 전신희 | 서울청 | 145 |
| 전아라 | 화성서 | 185 |
| 전애진 | 국세청 | 260 |
| 전연주 | 서울청 | 142 |
| 전연진 | 인천청 | 156 |
| 전영래 | 조세심판 | 282 |
| 전영미 | 법무세종 | 506 |
| 전영수 | 서울청 | 50 |
| 전영심 | 김해서 | 152 |
| 전영우 | 해운대서 | 467 |
| 전영욱 | 금감원 | 459 |
| 전영의 | 연수서 | 89 |
| 전영준 | 부산진서 | 308 |
| 전영지 | 분당서 | 446 |
| 전영창 | 수원서 | 435 |
| 전영출 | 하나세무 | 236 |
| 전영현 | 진주서 | 241 |
| 전영호 | 김포서 | 39 |
| 전영훈 | 남대구서 | 473 |
| 전예은 | 해운대서 | 298 |
| 전예진 | 강서서 | 404 |
| 전옥선 | 북대구서 | 459 |
| 전왕기 | 춘천서 | 162 |
| 전요섭 | 인천청 | 409 |
| 전요섭 | 기재부 | 273 |
| 전용찬 | 대전청 | 279 |
| 전용수 | 역삼서 | 81 |
| 전용욱 | 강남서 | 290 |
| 전용준 | 동울산서 | 319 |
| 전용현 | 순천서 | 149 |
| 전용훈 | 동화성서 | 87 |
| 전우범 | 관악서 | 348 |
| 전우승 | 감사원 | 388 |
| 전우식 | 역삼서 | 145 |
| 전우식 | 부평서 | 17 |
| 전우정 | 안동서 | 159 |
| 전우찬 | 서초서 | 460 |
| 전운 | 안양서 | 378 |
| 전원실 | 삼일회계 | 258 |
| 전원진 | 부천서 | 164 |
| 전원광 | 인천서 | 63 |
| 전우나 | 양천서 | 198 |
| 전우리 | 서울청 | 306 |
| 전우림 | 국세청 | 424 |
| 전유림 | 중부청 | 189 |
| 전유빈 | 역삼서 | 261 |
| 전유석 | 광명서 | 250 |
| 전유연 | 기재부 | 17 |
| 전유완 | 인천청 | 305 |
| 전유진 | 예일세무 | 40 |

| 이름 | 관서 | 쪽 |
|---|---|---|
| 전유호 | 택스홈 | 38 |
| 전윤석 | 금천서 | 169 |
| 전윤아 | 동대문서 | 176 |
| 전윤지 | 창원서 | 475 |
| 전윤현 | 영덕서 | 426 |
| 전윤희 | 북대전서 | 326 |
| 전은미 | 한올회계 | 27 |
| 전은미 | 남대구서 | 404 |
| 전은상 | 관악서 | 165 |
| 전은상 | 나주서 | 374 |
| 전은선 | 파주서 | 313 |
| 전은수 | 서울청 | 134 |
| 전은영 | 동안산서 | 248 |
| 전은정 | 중부청 | 218 |
| 전은지 | 순천서 | 379 |
| 전의준 | 중기청 | 103 |
| 전이나 | 북전주서 | 388 |
| 전익선 | 영월서 | 269 |
| 전익성 | 안동서 | 424 |
| 전익수 | 기재부 | 70 |
| 전인경 | 서울청 | 146 |
| 전인석 | 울산서 | 462 |
| 전인아 | 동안양서 | 234 |
| 전인지 | 원주서 | 271 |
| 전인향 | 관악서 | 165 |
| 전일권 | 국세청 | 109 |
| 전일수 | 중부청 | 218 |
| 전자세 | 국세청 | 110 |
| 전재달 | 경주서 | 416 |
| 전재령 | 대전서 | 324 |
| 전재형 | 경기광주서 | 244 |
| 전재홍 | 동안양서 | 234 |
| 전재희 | 국세청 | 407 |
| 전정영 | 국세청 | 120 |
| 전정원 | 중랑서 | 211 |
| 전정오 | 서울청 | 143 |
| 전정호 | 평택서 | 256 |
| 전정훈 | 종로서 | 209 |
| 전종근 | 국세청 | 128 |
| 전종상 | 서울청 | 136 |
| 전종성 | 노원서 | 173 |
| 전종성 | 삼일회계 | 16 |
| 전종순 | 광명서 | 296 |
| 전종원 | 통영서 | 477 |
| 전종태 | 해남서 | 382 |
| 전종태 | 북부산서 | 451 |
| 전종현 | 기재부 | 78 |
| 전종호 | 서대전서 | 328 |
| 전종호 | 마산서 | 468 |
| 전종호 | 현대회계 | 28 |
| 전종희 | 감사원 | 63 |
| 전주석 | 서울청 | 148 |
| 전주현 | 포천서 | 315 |
| 전주화 | 서울청 | 137 |
| 전준고 | 여수서 | 381 |
| 전준고 | 기재부 | 70 |
| 전준일 | 기재부 | 70 |
| 전준일 | 잠실서 | 206 |
| 전준철 | 법무광장 | 49 |
| 전준형 | 기재부 | 72 |
| 전준오 | 인천청 | 282 |
| 전준희 | 국세청 | 117 |
| 전중원 | 세종청 | 339 |
| 전지민 | 서울청 | 148 |
| 전지민 | 통영서 | 476 |
| 전지선 | 북광주서 | 404 |
| 전지양 | 광주세관 | 504 |
| 전지연 | 잠실서 | 207 |
| 전지연 | 인천청 | 279 |
| 전지영 | 기재부 | 68 |
| 전지영 | 남부천서 | 303 |
| 전지용 | 북부산서 | 450 |
| 전지원 | 강서서 | 162 |
| 전지원 | 광명서 | 296 |
| 전지현 | 세종서 | 338 |
| 전지현 | 국세청 | 108 |
| 전지현 | 안산서 | 247 |
| 전지현 | 대전청 | 319 |
| 전지현 | 대전서 | 324 |
| 전지현 | 부산청 | 441 |
| 전지혜 | 동래서 | 444 |
| 전지희 | 북대구서 | 408 |
| 전진 | 홍천서 | 274 |
| 전진무 | 동안산서 | 249 |
| 전진수 | 종로서 | 209 |
| 전진아 | 강동서 | 160 |
| 전진우 | 삼일회계 | 16 |
| 전진철 | 평택서 | 257 |
| 전진효 | 부산청 | 436 |
| 전진효 | 역삼서 | 198 |
| 전찬범 | 동대구서 | 406 |
| 전찬익 | 기재부 | 80 |
| 전찬희 | 전주서 | 392 |
| 전창석 | 통영서 | 476 |
| 전창선 | 인천청 | 283 |
| 전창우 | 천안서 | 344 |
| 전창훈 | 경산서 | 414 |
| 전채환 | 동수원서 | 232 |
| 전철현 | 기재부 | 72 |
| 전철병 | 국세청 | 122 |
| 전태병 | 강동서 | 161 |
| 전태영 | 국세청 | 111 |
| 전태용 | 부산진서 | 446 |
| 전태용 | 구로서 | 167 |
| 전태호 | 광산서 | 367 |
| 전태호 | 나주서 | 374 |
| 전태희 | 창원서 | 474 |
| 전태훈 | 국세청 | 113 |
| 전하나 | 해운대서 | 459 |
| 전하연 | 중부청 | 223 |
| 전하돈 | 양천서 | 197 |
| 전하윤 | 중부청 | 220 |
| 전하준 | 서부산서 | 453 |
| 전학심 | 연수서 | 309 |
| 전한식 | 잠실서 | 206 |
| 전한준 | 성동서 | 190 |
| 전해만 | 김앤장 | 47 |
| 전해철 | 세무 | 35 |
| 전해철 | 기재부 | 68 |
| 전해열 | 나주서 | 374 |
| 전혜영 | 금감원 | 90 |
| 전현민 | 서부산서 | 452 |
| 전현숙 | 연수서 | 308 |
| 전현우 | 충무서 | 356 |
| 전현우 | 강서서 | 163 |
| 전현정 | 서울청 | 150 |
| 전현정 | 인천청 | 282 |
| 전현정 | 영동서 | 350 |
| 전현주 | 대구청 | 400 |
| 전현주 | 제천서 | 353 |
| 전현주 | 해운대서 | 458 |
| 전현혜 | 대구서 | 411 |
| 전현희 | 국세청 | 119 |
| 전현희 | 국회법제 | 58 |
| 전형민 | 영등포서 | 200 |
| 전형용 | 기재부 | 79 |
| 전형주 | 평택서 | 257 |
| 전형진 | 북대전서 | 327 |
| 전형진 | 삼일회계 | 16 |
| 전혜영 | 중기회 | 102 |
| 전혜영 | 서울청 | 223 |
| 전혜영 | 수원서 | 241 |
| 전혜정 | 대전청 | 319 |
| 전혜정 | 중부서 | 456 |
| 전혜정 | 용산서 | 202 |
| 전혜정 | 삼성서 | 366 |
| 전혜진 | 전주서 | 392 |
| 전호순 | 북대구서 | 409 |
| 전호종 | 대전청 | 318 |
| 전홍규 | 경산서 | 414 |
| 전홍근 | 기재부 | 77 |
| 전홍미 | 인천청 | 283 |
| 전홍미 | 마산서 | 469 |
| 전효율 | 북광주서 | 371 |
| 전화영 | 인천청 | 212 |
| 전환진 | 관악서 | 165 |
| 전효선 | 김앤장 | 47 |
| 전효진 | 기재부 | 79 |
| 전효준 | 기재부 | 70 |
| 전희라 | 역삼서 | 198 |
| 전희선 | 서초서 | 188 |
| 전희미 | 수원서 | 240 |
| 전희원 | 금정서 | 443 |
| 전희은 | 강남서 | 158 |
| 정가영 | 해운대서 | 459 |
| 정기희 | 인천청 | 246 |
| 정강미 | 중랑서 | 211 |
| 정건 | 시흥서 | 242 |
| 정건철 | 인천청 | 283 |
| 정건남 | 서광주서 | 372 |
| 정경돈 | 북부산서 | 450 |
| 정경미 | 대구청 | 398 |
| 정경미 | 남동서 | 286 |
| 정경민 | 대구청 | 399 |
| 정경민 | 남대구서 | 404 |
| 정경민 | 구리서 | 227 |
| 정경민 | 부산청 | 438 |
| 정경민 | 시흥서 | 243 |
| 정경민 | 부산진서 | 447 |
| 정경순 | 파주서 | 313 |
| 정경순 | 중랑서 | 211 |
| 정경식 | 여수서 | 381 |
| 정경식 | 구미서 | 419 |
| 정경영 | 마포서 | 180 |
| 정경윤 | 시흥서 | 242 |
| 정경임 | 동울산서 | 460 |
| 정경주 | 부산청 | 364 |
| 정경주 | 제주서 | 478 |
| 정경진 | 성남서 | 196 |
| 정경진 | 삼척서 | 264 |
| 정경철 | 성남서 | 238 |
| 정경택 | 강남서 | 159 |
| 정경화 | 구로서 | 167 |
| 정경화 | 원주서 | 270 |
| 정계승 | 조세재정 | 510 |
| 정광름 | 대전서 | 324 |
| 정광석 | 의정부서 | 310 |
| 정광진 | 딜로이트 | 13 |
| 정광진 | 김앤장 | 47 |
| 정광춘 | 하나세무 | 39 |
| 정광춘 | 광주세관 | 501 |
| 정광표 | 광주세관 | 502 |
| 정광호 | 서대전서 | 328 |
| 정광희 | 광주세관 | 504 |
| 정교민 | 강남서 | 159 |
| 정교필 | 서울청 | 137 |
| 정구진 | 삼일회계 | 17 |
| 정구천 | 관세청 | 483 |
| 정구휘 | 인천청 | 282 |
| 정국교 | 삼척서 | 264 |
| 정국일 | 동안양서 | 235 |
| 정권술 | 마산서 | 468 |
| 정규남 | 화성서 | 260 |
| 정규명 | 서울청 | 155 |
| 정규삼 | 대구서 | 403 |
| 정규식 | 서울청 | 189 |
| 정규옥 | 국세청 | 130 |
| 정규진 | 마산서 | 468 |
| 정규호 | 마포서 | 181 |
| 정근우 | 금천서 | 169 |
| 정근아 | 부평서 | 306 |
| 정기선 | 반포서 | 182 |
| 정기선 | 은평서 | 204 |
| 정기섭 | 인천청 | 283 |
| 정기섭 | 인천공항 | 491 |
| 정기숙 | 국세청 | 110 |
| 정기원 | 서울청 | 111 |
| 정기윤 | 동수원서 | 232 |
| 정기종 | 남원서 | 386 |
| 정기중 | 서인천서 | 289 |
| 정기중 | 광주서 | 369 |
| 정기환 | 동수원서 | 232 |
| 정길채 | 국세청 | 111 |
| 정길교 | 기재부 | 80 |
| 정나겸 | 서광주서 | 372 |
| 정나눔 | 영동서 | 351 |
| 정나임 | 동안양서 | 234 |
| 정난영 | 강릉서 | 262 |
| 정남숙 | 서울청 | 134 |
| 정남일 | 노원서 | 172 |
| 정남숙 | 기재부 | 84 |
| 정년숙 | 국세청 | 116 |
| 정녕현 | 남대구서 | 404 |
| 정노진 | 다솔세무 | 35 |
| 정다겸 | 국세청 | 115 |
| 정다빈 | 인천서 | 290 |
| 정다솔 | 안산서 | 247 |
| 정다영 | 강남서 | 159 |
| 정다영 | 영등포서 | 201 |
| 정다영 | 조세재정 | 510 |
| 정다운 | 시흥서 | 243 |
| 정다운 | 안산서 | 246 |
| 정다운 | 인천서 | 291 |
| 정다운 | 조세재정 | 508 |
| 정다운 | 조세재정 | 509 |
| 정다움 | 부평서 | 306 |
| 정다윈 | 부산청 | 434 |
| 정다은 | 잠실서 | 206 |
| 정다은 | 인천청 | 279 |
| 정다은 | 고양서 | 295 |
| 정다정 | 기재부 | 69 |
| 정다혜 | 동작서 | 178 |
| 정다혜 | 고양서 | 295 |
| 정다희 | 광주청 | 360 |
| 정다희 | 서광주서 | 372 |
| 정다희 | 광주세관 | 505 |
| 정대교 | 부산강서 | 448 |
| 정대성 | 대구청 | 399 |
| 정대수 | 동울산서 | 460 |
| 정대수 | 반포서 | 182 |
| 정대완 | 양천서 | 197 |
| 정대혁 | 서울청 | 151 |
| 정대홍 | 한울회계 | 27 |
| 정대화 | 김해서 | 467 |
| 정대환 | 홍천서 | 274 |
| 정덕균 | 마산서 | 468 |
| 정덕구 | 나주서 | 374 |
| 정덕현 | 기재부 | 73 |
| 정도식 | 국세청 | 128 |
| 정도식 | 동고양서 | 300 |
| 정도연 | 해운대서 | 458 |
| 정도영 | 연수서 | 309 |
| 정도진 | 북부산서 | 450 |
| 정도희 | 서인천서 | 288 |
| 정동기 | 서울청 | 146 |
| 정동욱 | 기흥서 | 228 |
| 정동욱 | 기재부 | 80 |
| 정동욱 | 관악서 | 165 |
| 정동원 | 남동서 | 287 |
| 정동재 | 포천서 | 211 |
| 정동재 | 창원서 | 123 |
| 정동준 | 창원서 | 474 |
| 정동진 | 김천서 | 420 |
| 정동혁 | 예일회계 | 22 |
| 정동현 | 서대구서 | 410 |
| 정동현 | 종로서 | 208 |
| 정동환 | 기재부 | 74 |
| 정두식 | 국세청 | 128 |
| 정두식 | 성북서 | 192 |
| 정란 | 예일세무 | 40 |
| 정류빈 | 국세청 | 382 |
| 정리나 | 노원서 | 173 |
| 정리나 | 나주서 | 374 |
| 정맘균 | 포천서 | 314 |
| 정맹헌 | 중부청 | 224 |
| 정명균 | 서현회계 | 7 |
| 정명기 | 목포서 | 377 |
| 정명린 | 동안산서 | 248 |
| 정명수 | 금천서 | 70 |
| 정명수 | 군산서 | 385 |
| 정명숙 | 국세청 | 108 |
| 정명숙 | 국세청 | 130 |
| 정명숙 | 북광주서 | 371 |
| 정명주 | 화성서 | 260 |
| 정명주 | 서초서 | 188 |
| 정명하 | 기재부 | 81 |
| 정명하 | 북부산서 | 226 |
| 정명환 | 노원서 | 450 |
| 정명훈 | 평택서 | 173 |
| 정문정 | 조세재정 | 257 |
| 정문제 | 남대구서 | 508 |
| 정문현 | 고양서 | 404 |
| 정문희 | 마포서 | 294 |
| 정미경 | 서울청 | 181 |
| 정미경 | 반포서 | 135 |
| 정미경 | 삼성서 | 182 |
| 정미금 | 중부서 | 184 |
| 정미나 | 상주서 | 213 |
| 정미라 | 동래서 | 422 |
| 정미라 | 부천서 | 445 |
| 정미란 | 광주청 | 304 |
| 정미란 | 서울청 | 363 |
| 정미려 | 동울산서 | 107 |
| 정미리 | 인천서 | 461 |
| 정미선 | 안산서 | 179 |
| 정미선 | 광산서 | 290 |
| 정미선 | 나주서 | 366 |
| 정미선 | 목포서 | 374 |
| 정미애 | 부산청 | 376 |
| 정미연 | 양산서 | 437 |
| 정미연 | 북광주서 | 470 |
| 정미연 | 남대구서 | 370 |
| 정미영 | 북부산서 | 405 |
| 정미영 | 서인천서 | 450 |
| 정미영 | 고양서 | 142 |
| 정미영 | 대전서 | 288 |
| 정미원 | 구로서 | 294 |
| 정미진 | 중부청 | 324 |
| 정미진 | 동작서 | 166 |
| 정미향 | 고양서 | 219 |
| 정미현 | 청주서 | 295 |
| 정미화 | 동안양서 | 360 |
| 정미화 | 양천서 | 355 |
| 정미희 | 충주서 | 197 |
| 정민 | 강서서 | 357 |
| 정민경 | 남양주서 | 162 |
| 정민경 | 부산청 | 230 |
| 정민경 | 부산청 | 438 |
| 정민경 | 해운대서 | 458 |
| 정민국 | 서울청 | 146 |
| 정민기 | 기재부 | 80 |
| 정민기 | 국세청 | 122 |
| 정민석 | 관악서 | 138 |
| 정민섭 | 부산강서 | 165 |
| 정민수 | 용산서 | 449 |
| 정민순 | 역삼서 | 203 |
| 정민영 | 삼일회계 | 198 |
| 정민욱 | 영등포서 | 16 |
| 정민재 | 해운대서 | 200 |
| 정민재 | 정읍서 | 459 |
| 정민주 | 시흥서 | 395 |
| 정민주 | 의정부서 | 242 |
| 정민지 | 기재부 | 310 |
| 정민철 | 관악서 | 70 |
| 정민철 | 서대구서 | 165 |
| 정민호 | 안동서 | 410 |
| 정민호 | 기재부 | 424 |
| 정민호 | 중부서 | 73 |
| 정병규 | 서인천서 | 212 |
| 정병록 | 중기회 | 289 |
| 정병문 | 삼성서 | 103 |
| 정병숙 | 성동서 | 185 |
| 정병식 | 인천공항 | 191 |
| 정병역 | 역삼서 | 493 |
| 정병주 | 김앤장 | 198 |
| 정병주 | 부천서 | 47 |
| 정병창 | 기재부 | 305 |
| 정병철 | 관세청 | 69 |
| 정병호 | 광주청 | 483 |
| 정보경 | 시흥서 | 361 |
| 정보경 | 중부청 | 242 |
| 정보경 | 순천서 | 219 |
| 정보근 | 원주서 | 379 |
| 정보기 | 인천청 | 270 |
| 정보라 | 울산서 | 280 |
| 정보람 | 서울청 | 462 |
| 정보령 | 송파서 | 136 |
| 정보름 | 북대전서 | 195 |
| 정보보안 | 서울청 | 326 |
| 정보보호 | 마포서 | 140 |
| 정보빈 | 인천청 | 181 |
| 정보성 | 서울청 | 280 |
| 정보영 | 마포서 | 143 |
| 정보현 | 조세재정 | 181 |
| 정복석 | 국세청 | 509 |
| 정봉균 | 국세청 | 111 |
| 정봉진 | 구리서 | 111 |
| 정봉철 | 이천서 | 227 |
| 정부교 | 파주서 | 254 |
| 정부교 | 서광주서 | 372 |
| 정부원 | 삼일회계 | 16 |
| 정빛나 | 구로서 | 167 |
| 정사랑 | 동수원서 | 232 |
| 정상건 | 기재부 | 73 |
| 정상기 | 송파서 | 195 |
| 정상덕 | 중기회 | 102 |
| 정상미 | 삼성서 | 184 |
| 정상미 | 동래서 | 304 |
| 정상봉 | 조세재정 | 508 |
| 정상수 | 서초서 | 78 |
| 정상수 | 북대전서 | 188 |
| 정상술 | 동작서 | 509 |
| 정상열 | 국세청 | 326 |
| 정상오 | 서울청 | 179 |
| 정상원 | 부산진서 | 123 |
| 정상원 | 청주서 | 150 |
| 정상천 | 성북서 | 434 |
| 정상헌 | 동대구서 | 137 |
| 정상화 | 중부청 | 354 |
| 정상훈 | 국세청 | 192 |
| 정새라 | 양천서 | 199 |
| 정샛별 | 보령서 | 406 |
| 정서빈 | 동작서 | 225 |
| 정서연 | 북부산서 | 130 |
| 정서영 | 전주서 | 196 |
| 정석규 | 북광주서 | 334 |
| 정석규 | 보령서 | 270 |
| 정석규 | 동작서 | 178 |
| 정석규 | 북부산서 | 451 |
| 정석규 | 전주서 | 392 |
| 정샛별 | 북광주서 | 370 |
| 정서빈 | 양천서 | 197 |
| 정서연 | 전주서 | 392 |
| 정서영 | 동대문서 | 177 |
| 정석규 | 현대회계 | 28 |
| 정석규 | 서울청 | 157 |
| 정석용 | 이촌회계 | 24 |
| 정석우 | 부산청 | 437 |

| 이름 | 관서 | 쪽 |
|---|---|---|
| 정석주 | 해운대서 | 459 |
| 정석철 | 기재부 | 81 |
| 정석호 | 김천서 | 420 |
| 정석환 | 춘천서 | 273 |
| 정석훈 | 남대문서 | 171 |
| 정석훈 | 반포서 | 183 |
| 정선경 | 수영서 | 454 |
| 정선군 | 대전청 | 319 |
| 정선두 | 부산청 | 438 |
| 정선례 | 고양서 | 294 |
| 정선아 | 평택서 | 257 |
| 정선영 | 남동서 | 286 |
| 정선옥 | 서광주서 | 373 |
| 정선인 | 금융위 | 87 |
| 정선재 | 서울청 | 139 |
| 정선재 | 고양서 | 294 |
| 정선태 | 광산서 | 367 |
| 정선현 | 중부청 | 218 |
| 정선호 | 이촌회계 | 24 |
| 정선화 | 성동서 | 190 |
| 정선흥 | 삼일회계 | 16 |
| 정설아 | 울산서 | 462 |
| 정성곤 | 평택부 | 256 |
| 정성구 | 기재부 | 73 |
| 정성규 | 국세청 | 110 |
| 정성균 | 다솔세무 | 35 |
| 정성만 | 부산청 | 434 |
| 정성모 | 충주서 | 356 |
| 정성무 | 청주서 | 355 |
| 정성문 | 광주청 | 369 |
| 정성민 | 동대문서 | 177 |
| 정성민 | 김천서 | 420 |
| 정성수 | 금정서 | 442 |
| 정성영 | 광산서 | 367 |
| 정성영 | 대전청 | 320 |
| 정성오 | 은평서 | 204 |
| 정성용 | 목포서 | 376 |
| 정성용 | 경주서 | 416 |
| 정성우 | 북부산서 | 451 |
| 정성욱 | 중부청 | 217 |
| 정성욱 | 통영서 | 477 |
| 정성욱 | 송파서 | 194 |
| 정성욱 | 마산서 | 468 |
| 정성윤 | 마산서 | 469 |
| 정성윤 | 기재부 | 73 |
| 정성은 | 포항서 | 431 |
| 정성은 | 창원서 | 474 |
| 정성은 | 중랑서 | 211 |
| 정성은 | 경기광주 | 245 |
| 정성의 | 연수서 | 309 |
| 정성의 | 목포서 | 376 |
| 정성익 | 부평서 | 307 |
| 정성일 | 연수서 | 308 |
| 정성주 | 부산진서 | 446 |
| 정성진 | 국세청 | 106 |
| 정성택 | 정읍서 | 394 |
| 정성학 | 현대회계 | 28 |
| 정성현 | 국세청 | 122 |
| 정성현 | 도봉서 | 175 |
| 정성호 | 국회재정 | 56 |
| 정성호 | 국세청 | 122 |
| 정성호 | 대구청 | 398 |
| 정성화 | 청주서 | 355 |
| 정성화 | 부산서 | 434 |
| 정성훈 | 국세청 | 106 |
| 정성훈 | 부산서 | 131 |
| 정성훈 | 관악서 | 165 |
| 정성훈 | 부평서 | 307 |
| 정성훈 | 북대문서 | 326 |
| 정성훈 | 부산청 | 437 |
| 정성훈 | 부산청 | 438 |
| 정성훈 | 서대구서 | 411 |
| 정성희 | 경산서 | 414 |
| 정세나 | 중부서 | 212 |
| 정세나 | 금정서 | 442 |
| 정세미 | 북광주서 | 370 |
| 정세미 | 북부산서 | 451 |
| 정세연 | 성북서 | 193 |
| 정세영 | 국세청 | 119 |
| 정세영 | 서울청 | 157 |
| 정세인 | 강남서 | 158 |
| 정세훈 | 나주서 | 375 |
| 정세희 | 조세재정 | 509 |
| 정소라 | 공주서 | 330 |
| 정소라 | 천안서 | 344 |
| 정소연 | 서울청 | 151 |
| 정소연 | 은평서 | 205 |
| 정소영 | 남양주서 | 231 |
| 정소영 | 서울청 | 136 |
| 정소영 | 마포서 | 181 |
| 정소영 | 잠실서 | 207 |
| 정소영 | 광주청 | 363 |
| 정소영 | 북전주서 | 388 |
| 정소영 | 대구청 | 401 |
| 정소영 | 수성서 | 413 |
| 정소윤 | 진주서 | 473 |
| 정소정 | 서초서 | 188 |
| 정소현 | 서대문서 | 187 |
| 정솔 | 삼룡세무 | 20 |
| 정수경 | 국세청 | 117 |
| 정수길 | 구리서 | 226 |
| 정수빈 | 역삼서 | 198 |
| 정수빈 | 남대구서 | 404 |
| 정수연 | 구리서 | 227 |
| 정수연 | 서대전서 | 329 |
| 정수연 | 동대구서 | 407 |
| 정수연 | 부산청 | 440 |
| 정수연 | 삼일회계 | 17 |
| 정수영 | 국세청 | 164 |
| 정수영 | 양천서 | 196 |
| 정수영 | 서인천서 | 288 |
| 정수영 | 부산강서 | 448 |
| 정수영 | 진주서 | 472 |
| 정수용 | 남대문서 | 170 |
| 정수인 | 용산서 | 203 |
| 정수인 | 성남서 | 239 |
| 정수인 | 북부산서 | 451 |
| 정수일 | 평택서 | 256 |
| 정수자 | 광주청 | 365 |
| 정수지 | 삼성서 | 184 |
| 정수진 | 기재부 | 83 |
| 정수진 | 서울청 | 144 |
| 정수진 | 은평서 | 205 |
| 정수진 | 부천서 | 304 |
| 정수진 | 부평서 | 307 |
| 정수진 | 부산청 | 437 |
| 정수철 | 창원서 | 475 |
| 정수빈 | 삼성서 | 242 |
| 정수현 | 광주청 | 365 |
| 정수현 | 서대구서 | 411 |
| 정수호 | 대구청 | 400 |
| 정수환 | 마산서 | 468 |
| 정숙연 | 울산서 | 463 |
| 정숙경 | 주서 | 368 |
| 정숙희 | 북부산서 | 450 |
| 정순범 | 화성서 | 260 |
| 정순삼 | 강남서 | 158 |
| 정순우 | 하나세무 | 39 |
| 정순우 | 강서서 | 162 |
| 정순욱 | 울산서 | 462 |
| 정순원 | 역삼서 | 198 |
| 정순임 | 영등포서 | 201 |
| 정순철 | 서울청 | 136 |
| 정슬기 | 원주서 | 270 |
| 정승갑 | 서울청 | 438 |
| 정승기 | 도봉서 | 174 |
| 정승기 | 평택서 | 256 |
| 정승기 | 남부천서 | 303 |
| 정승기 | 북광주서 | 370 |
| 정승미 | 성북서 | 193 |
| 정승미 | 금감원 | 97 |
| 정승식 | 역삼서 | 198 |
| 정승오 | 남대구서 | 405 |
| 정승오 | 국세청 | 118 |
| 정승용 | 중부청 | 221 |
| 정승우 | 대구청 | 399 |
| 정승욱 | 창원서 | 475 |
| 정승욱 | 다솔세무 | 35 |
| 정승원 | 금감원 | 92 |
| 정승원 | 서울청 | 137 |
| 정승재 | 홍성서 | 347 |
| 정승태 | 국세청 | 119 |
| 정승하 | 원주서 | 270 |
| 정승현 | 중부서 | 212 |
| 정승현 | 금정서 | 442 |
| 정승호 | 송파서 | 195 |
| 정승호 | 기재부 | 74 |
| 정승환 | 서울청 | 156 |
| 정승훈 | 인천청 | 278 |
| 정시영 | 서현회계 | 7 |
| 정시온 | 서광주서 | 372 |
| 정신애 | 분당서 | 237 |
| 정아람 | 중부서 | 213 |
| 정아름 | 삼성서 | 184 |
| 정아영 | 화성서 | 260 |
| 정아영 | 경기광주 | 244 |
| 정안석 | 금천서 | 169 |
| 정애라 | 동안산서 | 249 |
| 정애리 | 전주서 | 393 |
| 정애정 | 노원서 | 172 |
| 정애진 | 중랑서 | 211 |
| 정에녹 | 광주세관 | 505 |
| 정여원 | 광주청 | 360 |
| 정여정 | 양천서 | 197 |
| 정연경 | 기재부 | 77 |
| 정연경 | 충주서 | 190 |
| 정연교 | 광주세관 | 502 |
| 정연국 | 진주서 | 472 |
| 정연득 | 중부청 | 216 |
| 정연상 | 감사원 | 63 |
| 정연선 | 노원서 | 172 |
| 정연선 | 인천서 | 291 |
| 정연섭 | 서인천서 | 289 |
| 정연옥 | 부산세관 | 496 |
| 정연우 | 남대구서 | 404 |
| 정연우 | 삼정회계 | 18 |
| 정연욱 | 통영서 | 476 |
| 정연옹 | 서부산서 | 135 |
| 정연재 | 아산서 | 452 |
| 정연주 | 부산청 | 254 |
| 정연주 | 경주서 | 434 |
| 정연훈 | 경주서 | 416 |
| 정영건 | 경주서 | 212 |
| 정영교 | 감사원 | 62 |
| 정영균 | 현대회계 | 28 |
| 정영락 | 금감원 | 134 |
| 정영록 | 동울산서 | 92 |
| 정영록 | 남양주서 | 460 |
| 정영미 | 법무세종 | 310 |
| 정영민 | 남양주서 | 230 |
| 정영배 | 법무세종 | 50 |
| 정영석 | 남양주서 | 446 |
| 정영석 | 동안양서 | 235 |
| 정영석 | 딜로이트 | 341 |
| 정영선 | 국세청 | 13 |
| 정영선 | 동청주서 | 117 |
| 정영숙 | 대전청 | 349 |
| 정영식 | 광주청 | 323 |
| 정영숙 | 남구서 | 362 |
| 정영운 | 서울 | 203 |
| 정영운 | 삼척서 | 264 |
| 정영운 | 국세청 | 130 |
| 정영일 | 세종서 | 319 |
| 정영인 | 서인천서 | 338 |
| 정영일 | 남대구서 | 289 |
| 정영진 | 양천서 | 404 |
| 정영천 | 서광주서 | 197 |
| 정영현 | 경기광주 | 373 |
| 정영현 | 남원서 | 245 |
| 정영호 | 금정서 | 386 |
| 정영화 | 관악서 | 168 |
| 정영화 | 관세사회 | 442 |
| 정영훈 | 서울청 | 165 |
| 정영희 | 서울청 | 42 |
| 정영희 | 동래서 | 151 |
| 정예슬 | 광산서 | 135 |
| 정예슬 | 조세재정 | 444 |
| 정예지 | 조세재정 | 366 |
| 정오영 | 분당서 | 511 |
| 정옥상 | 북광주서 | 511 |
| 정옥선 | 진주서 | 237 |
| 정완규 | 광주청 | 370 |
| 정완수 | 평택서 | 472 |
| 정완준 | 삼성서 | 362 |
| 정옥숙 | 서울청 | 256 |
| 정용관 | 구로서 | 360 |
| 정용국 | 영주서 | 166 |
| 정용남 | 국세청 | 428 |
| 정용대 | 평택서 | 108 |
| 정용대 | 중부청 | 256 |
| 정용대 | 중부청 | 215 |
| 정용석 | 부산세관 | 219 |
| 정용석 | 금감원 | 220 |
| 정용선 | 중부청 | 96 |
| 정용섭 | 통영서 | 218 |
| 정용수 | 서울청 | 314 |
| 정용수 | 중부청 | 218 |
| 정용선 | 중부청 | 476 |
| 정용수 | 서울청 | 142 |
| 정용승 | 중부청 | 224 |
| 정용오 | 서울청 | 150 |
| 정용주 | 전주서 | 136 |
| 정용주 | | 392 |
| 정용협 | 논산서 | 332 |
| 정용효 | 의정부서 | 311 |
| 정우국 | 금천서 | 120 |
| 정우성 | 기재부 | 75 |
| 정우영 | 금정서 | 442 |
| 정우진 | 전주서 | 392 |
| 정우철 | 경주서 | 416 |
| 정운철 | 북광주서 | 371 |
| 정운월 | 제주서 | 478 |
| 정운형 | 서대구서 | 410 |
| 정운일 | 은평서 | 205 |
| 정원 | 인천세관 | 490 |
| 정원대 | 기재부 | 73 |
| 정원미 | 부산청 | 434 |
| 정원민 | 수영서 | 454 |
| 정원석 | 기재부 | 72 |
| 정원석 | 기재부 | 79 |
| 정원석 | 분당서 | 237 |
| 정원석 | 시흥서 | 243 |
| 정원석 | 이천서 | 254 |
| 정원석 | 창원서 | 475 |
| 정원선 | 광주세관 | 502 |
| 정원영 | 도봉서 | 174 |
| 정원영 | 서대구서 | 187 |
| 정원용 | 경주서 | 417 |
| 정원준 | 충주서 | 357 |
| 정원철 | 광산서 | 366 |
| 정월철 | 기재부 | 79 |
| 정월영 | 서울청 | 134 |
| 정월영 | 마산서 | 469 |
| 정월호 | 송파서 | 195 |
| 정유경 | 조세재정 | 511 |
| 정유나 | 광주청 | 504 |
| 정유나 | 대구청 | 399 |
| 정유라 | 기재부 | 81 |
| 정유리 | 서울청 | 154 |
| 정유리 | 북광주서 | 371 |
| 정유선 | 의정부서 | 311 |
| 정유석 | 현대회계 | 28 |
| 정유성 | 금정서 | 443 |
| 정유성 | 국세청 | 122 |
| 정유영 | 부산청 | 435 |
| 정유영 | 창원서 | 474 |
| 정유정 | 기재부 | 74 |
| 정유정 | 성북서 | 192 |
| 정유진 | 제천서 | 352 |
| 정유희 | 마포서 | 180 |
| 정유진 | 은평서 | 205 |
| 정유진 | 중부청 | 221 |
| 정유진 | 수원서 | 240 |
| 정유진 | 청주서 | 354 |
| 정유진 | 목포서 | 376 |
| 정유진 | 해운대서 | 459 |
| 정유진 | 울산서 | 462 |
| 정유진 | 마산서 | 468 |
| 정유진 | 진주서 | 472 |
| 정유진 | 광주세관 | 504 |
| 정유진 | 조세재정 | 510 |
| 정유철 | 포항서 | 431 |
| 정유현 | 성동서 | 191 |
| 정윤 | 중부청 | 224 |
| 정윤기 | 서광주서 | 373 |
| 정윤기 | 중기회 | 102 |
| 정윤모 | 금감원 | 99 |
| 정윤미 | 종로서 | 209 |
| 정윤선 | 중부청 | 221 |
| 정윤선 | 중부청 | 224 |
| 정윤수 | 대전서 | 325 |
| 정윤정 | 안산서 | 246 |
| 정윤정 | 대전청 | 319 |
| 정윤정 | 공주서 | 330 |
| 정윤지 | 울산서 | 463 |
| 정윤철 | 의정부서 | 310 |
| 정윤철 | 대구청 | 402 |
| 정윤홍 | 하나세무 | 39 |
| 정윤홍 | 기재부 | 79 |
| 정윤희 | 남동서 | 286 |
| 정윤희 | 성남서 | 238 |
| 정윤희 | 대전청 | 320 |
| 정율아 | 조세재정 | 511 |
| 정은경 | 조세재정 | 510 |
| 정은미 | 화성서 | 261 |
| 정은미 | 대전청 | 348 |
| 정은미 | 북부산서 | 451 |
| 정은미 | 진주서 | 472 |
| 정은선 | 잠실서 | 207 |
| 정은성 | 부산강서 | 448 |
| 정은숙 | 서울청 | 136 |
| 정은숙 | 동안양서 | 234 |
| 정은순 | 동안산서 | 249 |
| 정은아 | 서인천서 | 289 |
| 정은아 | 서인천서 | 289 |
| 정은연 | 세종서 | 338 |
| 정은연 | 서광주서 | 372 |
| 정은영 | 북광주서 | 371 |
| 정은영 | 제주서 | 478 |
| 정은유 | 청주서 | 354 |
| 정은이 | 동작서 | 178 |
| 정은재 | 김해서 | 466 |
| 정은재 | 남양주서 | 231 |
| 정은정 | 국세청 | 109 |
| 정은정 | 잠실서 | 206 |
| 정은정 | 인천청 | 284 |
| 정은정 | 금정서 | 442 |
| 정은주 | 기재부 | 76 |
| 정은주 | 기재부 | 79 |
| 정은주 | 화성서 | 260 |
| 정은주 | 파주서 | 313 |
| 정은주 | 세종서 | 339 |
| 정은주 | 구미서 | 419 |
| 정은지 | 국세청 | 121 |
| 정은지 | 용인서 | 253 |
| 정은진 | 북대구서 | 408 |
| 정은재 | 포천서 | 314 |
| 정은정 | 서울청 | 141 |
| 정은하 | 금천서 | 168 |
| 정은해 | 동수원서 | 232 |
| 정은희 | 국세청 | 130 |
| 정은희 | 수영서 | 454 |
| 정을영 | 중부청 | 219 |
| 정의범 | 기재부 | 67 |
| 정의선 | 동작서 | 178 |
| 정의성 | 동안산서 | 248 |
| 정의숙 | 속초서 | 267 |
| 정의웅 | 원주서 | 270 |
| 정의재 | 통영서 | 476 |
| 정의주 | 마포서 | 181 |
| 정의지 | 노원서 | 172 |
| 정의진 | 부산청 | 437 |
| 정의철 | 대전청 | 320 |
| 정이수 | 서울청 | 143 |
| 정이천 | 안양서 | 251 |
| 정인경 | 대구청 | 400 |
| 정인과 | 안산서 | 247 |
| 정인교 | 북부산서 | 450 |
| 정인교 | 중기회 | 103 |
| 정인 | 평택서 | 257 |
| 정인선 | 김해서 | 466 |
| 정인선 | 서울청 | 137 |
| 정인선 | 서울청 | 156 |
| 정인선 | 강서서 | 162 |
| 정인숙 | 관악서 | 164 |
| 정인순 | 삼룡세무 | 37 |
| 정인식 | 세종서 | 338 |
| 정인아 | 중부청 | 217 |
| 정인애 | 성남서 | 238 |
| 정인엽 | EY한영 | 12 |
| 정인영 | 성북서 | 193 |
| 정인영 | 대전청 | 321 |
| 정인월 | 서현회계 | 7 |
| 정인태 | 안산서 | 246 |
| 정인현 | 딜로이트 | 13 |
| 정인형 | 동작서 | 178 |
| 정인호 | 잠실서 | 206 |
| 정인환 | 국세청 | 130 |
| 정인희 | 동대구서 | 406 |
| 정인희 | 중부청 | 341 |
| 정일 | 법무대륜 | 145 |
| 정일범 | 순천서 | 378 |
| 정일상 | 경산서 | 415 |
| 정일영 | 성동서 | 191 |
| 정일영 | 기재부 | 74 |
| 정일영 | 순천서 | 379 |
| 정자단 | 동대문서 | 176 |
| 정장군 | 나주서 | 374 |
| 정장오 | 국회재정 | 56 |
| 정장환 | 역삼서 | 198 |
| 정재국 | EY한영 | 12 |
| 정재국 | 삼성서 | 185 |
| 정재기 | 종로서 | 209 |
| 정재남 | 광주청 | 362 |
| 정재성 | 광명서 | 296 |
| 정재수 | 아산서 | 341 |
| 정재승 | 삼일회계 | 17 |
| 정재기 | 경주서 | 416 |
| 정재남 | 대전청 | 318 |
| 정재성 | 기재부 | 70 |
| 정재수 | 서울청 | 133 |
| 정재승 | 서울청 | 134 |
| 정재승 | 금감원 | 99 |
| 정재열 | 관세사회 | 42 |

| 이름 | 소속 | 쪽 |
|---|---|---|
| 정재영 | 서울청 | 148 |
| 정재용 | 원주서 | 270 |
| 정재우 | 춘천서 | 273 |
| 정재욱 | 기재부 | 81 |
| 정재욱 | 중부서 | 222 |
| 정재웅 | 기재부 | 84 |
| 정재원 | 분당서 | 237 |
| 정재원 | 광주서 | 368 |
| 정재원 | 조세재정 | 511 |
| 정재윤 | 구리서 | 226 |
| 정재일 | 강남서 | 159 |
| 정재임 | 국세청 | 128 |
| 정재철 | 중부산서 | 456 |
| 정재필 | 딜로이트 | 13 |
| 정재하 | 인천공항 | 492 |
| 정재현 | 기재부 | 84 |
| 정재현 | 수성서 | 413 |
| 정재현 | 양산서 | 470 |
| 정재호 | 중부서 | 213 |
| 정재호 | 경산서 | 415 |
| 정재호 | 해운대서 | 459 |
| 정재호 | 조세재정 | 508 |
| 정재호 | 동울산서 | 460 |
| 정재훈 | 강남서 | 159 |
| 정재훈 | 화성서 | 261 |
| 정재훈 | 광산서 | 366 |
| 정재훈 | 광주서 | 368 |
| 정재훈 | 김앤장 | 47 |
| 정재훈 | 삼일회계 | 16 |
| 정재희 | 기재부 | 74 |
| 정재희 | 강동서 | 160 |
| 정재희 | 관악서 | 164 |
| 정재희 | 법무바른 | 1 |
| 정전화 | 부산서 | 436 |
| 정정민 | 국세청 | 111 |
| 정정민 | 동래서 | 445 |
| 정정섭 | 서인천서 | 289 |
| 정정오 | 경산서 | 414 |
| 정정우 | 고양서 | 294 |
| 정정하 | 대구청 | 400 |
| 정정호 | 현대회계 | 28 |
| 정정회 | 조세심판 | 507 |
| 정정훈 | 기재부 | 68 |
| 정정훈 | 기재부 | 69 |
| 정정희 | 강남서 | 158 |
| 정정희 | 부산청 | 437 |
| 정제득 | 다솔세무 | 35 |
| 정제유 | 현대회계 | 28 |
| 정제준 | 금천서 | 168 |
| 정종국 | 서울청 | 136 |
| 정종권 | 대구청 | 401 |
| 정종근 | 양산서 | 470 |
| 정종대 | 여수서 | 380 |
| 정종룡 | 국세청 | 106 |
| 정종만 | 삼일회계 | 16 |
| 정종순 | 세종서 | 338 |
| 정종식 | 금융위 | 87 |
| 정종오 | 계양서 | 292 |
| 정종우 | 인천서 | 290 |
| 정종욱 | 역삼서 | 198 |
| 정종원 | 구리서 | 227 |
| 정종원 | 이천서 | 254 |
| 정종은 | 광산서 | 367 |
| 정종천 | 인천청 | 278 |
| 정종철 | 국세청 | 124 |
| 정종필 | 광산서 | 367 |
| 정종현 | 역삼서 | 198 |
| 정종호 | 해남서 | 382 |
| 정주관 | 홍성서 | 347 |
| 정주리 | 동수원서 | 232 |
| 정주리 | 광산서 | 367 |
| 정주연 | 국세청 | 121 |
| 정주영 | 서울청 | 141 |
| 정주영 | 서울청 | 146 |
| 정주영 | 성동서 | 191 |
| 정주영 | 송파서 | 195 |
| 정주영 | 포항서 | 431 |
| 정주은 | 금감원 | 97 |
| 정주인 | 역삼서 | 199 |
| 정주현 | 종로서 | 209 |
| 정주희 | 남대문서 | 171 |
| 정주희 | 은평서 | 205 |
| 정주희 | 남양주서 | 231 |
| 정주희 | 대전청 | 319 |
| 정주희 | 광산서 | 367 |
| 정주희 | 광산서 | 463 |
| 정준 | 남원서 | 386 |
| 정준갑 | 창원서 | 474 |
| 정준규 | 진주서 | 473 |
| 정준기 | 부산청 | 441 |
| 정준모 | 김포서 | 299 |
| 정준영 | 강남서 | 159 |
| 정준영 | 평택서 | 257 |
| 정준용 | 울산서 | 462 |
| 정준채 | 강동서 | 160 |
| 정준호 | 마포서 | 180 |
| 정준호 | 삼성서 | 185 |
| 정준호 | 서초서 | 188 |
| 정준희 | 구리서 | 226 |
| 정준희 | 대전청 | 323 |
| 정중수 | 경산서 | 414 |
| 정중수 | 양천서 | 197 |
| 정중원 | 대구청 | 398 |
| 정중현 | 구로서 | 166 |
| 정지명 | 중부청 | 219 |
| 정지명 | 김포서 | 299 |
| 정지석 | 남대문서 | 170 |
| 정지석 | 세종서 | 339 |
| 정지선 | 국세청 | 119 |
| 정지숙 | 화성서 | 261 |
| 정지양 | 평택서 | 257 |
| 정지양 | 국세청 | 108 |
| 정지연 | 국회정무 | 59 |
| 정지연 | 강동서 | 161 |
| 정지연 | 인천청 | 282 |
| 정지연 | 남부천서 | 303 |
| 정지연 | 나주서 | 374 |
| 정지열 | 반포서 | 183 |
| 정지영 | 기재부 | 74 |
| 정지영 | 국세청 | 109 |
| 정지영 | 서울청 | 136 |
| 정지영 | 기흥서 | 228 |
| 정지영 | 김포서 | 299 |
| 정지영 | 천안서 | 344 |
| 정지영 | EY한영 | 12 |
| 정지예 | 서울청 | 144 |
| 정지완 | 국세청 | 126 |
| 정지우 | 강남서 | 159 |
| 정지우 | 기재부 | 69 |
| 정지운 | 인천서 | 290 |
| 정지운 | 순천서 | 379 |
| 정지원 | 성북서 | 192 |
| 정지원 | 동화성서 | 258 |
| 정지윤 | 인천서 | 291 |
| 정지윤 | 충주서 | 356 |
| 정지윤 | 조세재정 | 511 |
| 정지은 | 반포서 | 182 |
| 정지은 | 인천청 | 279 |
| 정지은 | 여수서 | 380 |
| 정지헌 | 시흥서 | 243 |
| 정지현 | 대구청 | 401 |
| 정지현 | 강서서 | 163 |
| 정지현 | 동화성서 | 259 |
| 정지현 | 김해서 | 466 |
| 정지혜 | 국세청 | 128 |
| 정지혜 | 성북서 | 192 |
| 정지혜 | 수원서 | 241 |
| 정지혜 | 동대구서 | 407 |
| 정지혜 | 서울지방 | 32 |
| 정지환 | 중부서 | 221 |
| 정지환 | 남대구서 | 404 |
| 정지훈 | 인천청 | 279 |
| 정지훈 | 대전청 | 320 |
| 정직한 | 강동서 | 160 |
| 정진 | 화성서 | 261 |
| 정진 | 인천공항 | 493 |
| 정진걸 | 국세청 | 123 |
| 정진미 | 북부주서 | 389 |
| 정진범 | 서울청 | 140 |
| 정진범 | 김포서 | 299 |
| 정진아 | 서초서 | 188 |
| 정진영 | 광주청 | 360 |
| 정진영 | 서울청 | 137 |
| 정진영 | 서울청 | 139 |
| 정진영 | 서울청 | 155 |
| 정진용 | 법무세종 | 50 |
| 정진욱 | 서울청 | 142 |
| 정진욱 | 국세청 | 152 |
| 정진욱 | 조세심판 | 506 |
| 정진원 | 수성서 | 412 |
| 정진원 | 김감원 | 96 |
| 정진원 | 국세청 | 119 |
| 정진주 | 남동서 | 146 |
| 정진주 | 남동서 | 286 |
| 정진택 | 서울청 | 137 |
| 정진학 | 국세청 | 117 |
| 정진혁 | 국세청 | 106 |
| 정진형 | 동안산서 | 248 |
| 정진호 | 국세청 | 115 |
| 정진호 | 광주세관 | 502 |
| 정진후 | 서울청 | 138 |
| 정진희 | 기미서 | 418 |
| 정진희 | 국세청 | 120 |
| 정찬구 | 분당서 | 237 |
| 정찬문 | 인천서 | 290 |
| 정찬석 | 구리서 | 226 |
| 정찬영 | 대전청 | 323 |
| 정찬우 | 조세재정 | 511 |
| 정찬우 | 광주서 | 369 |
| 정찬일 | 여수서 | 381 |
| 정창기 | 대구청 | 399 |
| 정창기 | 광주세관 | 504 |
| 정창용 | 한올회계 | 27 |
| 정창우 | 예일회계 | 22 |
| 정창원 | 부산서 | 436 |
| 정창재 | 창원서 | 475 |
| 정창훈 | 영동서 | 351 |
| 정채연 | 평택서 | 257 |
| 정채환 | 동대문서 | 177 |
| 정채환 | 기재부 | 73 |
| 정철 | 감사원 | 63 |
| 정철 | 성북서 | 193 |
| 정철 | 남동서 | 286 |
| 정철규 | 김해서 | 467 |
| 정철규 | 광주청 | 360 |
| 정철우 | 남대문서 | 171 |
| 정철중 | 인천청 | 281 |
| 정청래 | 국회법제 | 57 |
| 정청래 | 국회법제 | 58 |
| 정초희 | 광산서 | 366 |
| 정춘영 | 김해서 | 466 |
| 정치헌 | 연수서 | 308 |
| 정태경 | 국세청 | 111 |
| 정태경 | 중부청 | 225 |
| 정태민 | 계양서 | 292 |
| 정태성 | 삼성서 | 185 |
| 정태성 | 광주세관 | 502 |
| 정태식 | 경기광주 | 244 |
| 정태영 | 국세청 | 109 |
| 정태옥 | 해운대서 | 459 |
| 정태윤 | 강남서 | 159 |
| 정태윤 | 천안서 | 344 |
| 정태형 | 동화성서 | 259 |
| 정태호 | 광주청 | 362 |
| 정태환 | 관악서 | 165 |
| 정택주 | 거창서 | 465 |
| 정택주 | 경기광주 | 245 |
| 정판균 | 동수원서 | 233 |
| 정필경 | 서대전서 | 329 |
| 정필섭 | 군산서 | 384 |
| 정필영 | 북광주서 | 371 |
| 정필윤 | 논산서 | 333 |
| 정필윤 | 동화성서 | 258 |
| 정하경 | 서대구세관 | 500 |
| 정하덕 | 속초서 | 266 |
| 정하선 | 서초서 | 188 |
| 정하영 | 기재부 | 70 |
| 정하영 | 부산청 | 437 |
| 정하윤 | 기재부 | 82 |
| 정하윤 | 노원서 | 172 |
| 정하유 | 마산서 | 468 |
| 정학관 | 진주서 | 473 |
| 정학기 | 서광주서 | 372 |
| 정학순 | 대구청 | 402 |
| 정학식 | 서울청 | 155 |
| 정한길 | 마산서 | 468 |
| 정한나 | 군산서 | 384 |
| 정한나 | 수영서 | 240 |
| 정한록 | 수영서 | 454 |
| 정한신 | 북광주서 | 370 |
| 정한진 | 마포서 | 180 |
| 정해나 | 영삼서 | 199 |
| 정해란 | 중랑서 | 211 |
| 정해란 | 국세청 | 123 |
| 정해란 | 수원서 | 240 |
| 정해룡 | 용산서 | 252 |
| 정해리 | 양산서 | 470 |
| 정해리 | 동화성서 | 258 |
| 정해선 | 조세심판 | 506 |
| 정해시 | 부산진서 | 446 |
| 정해연 | 남부천서 | 302 |
| 정해연 | 국세청 | 128 |
| 정해연 | 부산강서 | 448 |
| 정해영 | 영덕서 | 426 |
| 정해영 | 다솔세무 | 35 |
| 정해원 | 강남서 | 159 |
| 정해은 | 대전서 | 324 |
| 정해진 | 상주서 | 423 |
| 정해정 | 금천서 | 169 |
| 정향우 | 기재부 | 70 |
| 정헌미 | 부산청 | 439 |
| 정헌정 | 홍성서 | 347 |
| 정혁철 | 안동서 | 424 |
| 정현 | 국세청 | 106 |
| 정현 | 남대구서 | 405 |
| 정현기 | 성북서 | 192 |
| 정현대 | 부평서 | 307 |
| 정현덕 | 강남서 | 224 |
| 정현명 | 김천서 | 421 |
| 정현미 | 기재부 | 82 |
| 정현미 | 서울청 | 379 |
| 정현민 | 강릉서 | 263 |
| 정현빈 | 경기광주 | 136 |
| 정현석 | 조세재정 | 511 |
| 정현수 | 성북서 | 193 |
| 정현수 | 서울청 | 219 |
| 정현숙 | 구로서 | 166 |
| 정현숙 | 성북서 | 192 |
| 정현승 | 종로서 | 208 |
| 정현아 | 해남서 | 382 |
| 정현엽 | 기재부 | 74 |
| 정현오 | 기재부 | 78 |
| 정현우 | 부산청 | 441 |
| 정현우 | 강동서 | 160 |
| 정현위 | 대전청 | 322 |
| 정현정 | 서초서 | 189 |
| 정현정 | 분당서 | 237 |
| 정현정 | 용인서 | 253 |
| 정현주 | 동화성서 | 258 |
| 정현주 | 인천청 | 279 |
| 정현주 | 경주서 | 416 |
| 정현주 | 창원서 | 475 |
| 정현주 | 국세청 | 110 |
| 정현주 | 국세청 | 118 |
| 정현주 | 중부청 | 219 |
| 정현주 | 안양서 | 251 |
| 정현주 | 북대전서 | 327 |
| 정현주 | 양산서 | 471 |
| 정현주 | 이천서 | 254 |
| 정현준 | 동고양서 | 300 |
| 정현준 | 대구청 | 401 |
| 정현중 | 인천공항 | 493 |
| 정현중 | 구로서 | 166 |
| 정현중 | 남대구서 | 404 |
| 정현직 | 금융위 | 280 |
| 정현진 | 노원서 | 172 |
| 정현진 | 잠실서 | 206 |
| 정현진 | 중부서 | 213 |
| 정현진 | 경주서 | 416 |
| 정현철 | 서울청 | 137 |
| 정현철 | 중부서 | 212 |
| 정현철 | 중부청 | 219 |
| 정현태 | 북광주서 | 370 |
| 정현표 | 평택서 | 257 |
| 정현호 | 금감원 | 93 |
| 정현호 | 종로서 | 209 |
| 정현호 | 광주청 | 362 |
| 정형 | 기재부 | 68 |
| 정형범 | 광명서 | 297 |
| 정형주 | 동고양서 | 301 |
| 정형주 | 서울청 | 145 |
| 정형준 | 서울청 | 136 |
| 정형준 | 북광주서 | 370 |
| 정형진 | 종로서 | 209 |
| 정형태 | 북대구서 | 408 |
| 정형평 | 국세청 | 367 |
| 정혜경 | 삼성서 | 185 |
| 정혜경 | 광주서 | 369 |
| 정혜경 | 광주서 | 462 |
| 정혜린 | 김포서 | 298 |
| 정혜린 | 서울청 | 137 |
| 정혜림 | 강서서 | 414 |
| 정혜미 | 서울청 | 147 |
| 정혜영 | 국세청 | 109 |
| 정혜영 | 서울청 | 139 |
| 정혜영 | 영등포서 | 200 |
| 정혜원 | 국세청 | 207 |
| 정혜원 | 용산서 | 120 |
| 정혜원 | 국세청 | 202 |
| 정혜원 | 남대구서 | 410 |
| 정혜원 | 부산서 | 435 |
| 정혜윤 | 관악서 | 164 |
| 정혜윤 | 서울청 | 190 |
| 정혜윤 | 기흥서 | 229 |
| 정혜인 | 광명서 | 297 |
| 정혜정 | 강남서 | 158 |
| 정혜정 | 구로서 | 167 |
| 정혜정 | 수원서 | 241 |
| 정혜정 | 동화성서 | 258 |
| 정혜정 | 관악서 | 165 |
| 정혜진 | 기재부 | 80 |
| 정혜진 | 서울청 | 152 |
| 정혜진 | 대전서 | 325 |
| 정혜진 | 광산서 | 366 |
| 정혜진 | 해남서 | 382 |
| 정혜진 | 대구청 | 399 |
| 정혜진 | 동래서 | 444 |
| 정혜진 | 조세재정 | 511 |
| 정혜화 | 광주청 | 361 |
| 정호근 | 원주서 | 271 |
| 정호남 | 부산세관 | 496 |
| 정호녕 | 기재부 | 79 |
| 정호석 | 천안서 | 345 |
| 정호석 | 대구청 | 399 |
| 정호성 | 수원서 | 241 |
| 정호성 | 인천서 | 291 |
| 정호성 | 부산청 | 438 |
| 정호식 | 경기광주 | 245 |
| 정호영 | 삼성서 | 184 |
| 정호영 | 인천청 | 278 |
| 정호영 | 서광주서 | 372 |
| 정호용 | 수성서 | 413 |
| 정호진 | 기재부 | 68 |
| 정호진 | 부산강서 | 449 |
| 정호진 | 관세사회 | 42 |
| 정호철 | 반포서 | 182 |
| 정호태 | 북대구서 | 409 |
| 정호혁 | 역삼서 | 199 |
| 정홍석 | 구리서 | 226 |
| 정홍선 | 삼척서 | 264 |
| 정홍우 | 계양서 | 293 |
| 정홍선 | 송파서 | 194 |
| 정홍승 | 영등포서 | 200 |
| 정회영 | 노원서 | 172 |
| 정회자 | 남동서 | 286 |
| 정환국 | 딜로이트 | 13 |
| 정환국 | 구미서 | 418 |
| 정환철 | 의정부서 | 311 |
| 정회국 | 삼륜세무 | 37 |
| 정회연 | 광주세관 | 504 |
| 정회영 | 동래서 | 445 |
| 정회재 | 기재부 | 68 |
| 정회정 | 경기광주 | 244 |
| 정회창 | 이천서 | 254 |
| 정회훈 | 안양서 | 250 |
| 정효경 | 기재부 | 81 |
| 정효림 | 조세재정 | 509 |
| 정효림 | 평택서 | 257 |
| 정효상 | 기재부 | 82 |
| 정효선 | 부천서 | 305 |
| 정효숙 | 국세청 | 112 |
| 정효영 | 성동서 | 137 |
| 정효영 | 성동서 | 191 |
| 정효준 | 금천서 | 168 |
| 정효중 | 평택서 | 257 |
| 정훈 | 국세청 | 112 |
| 정훈 | 평택서 | 257 |
| 정훈 | 삼일회계 | 17 |
| 정훈섭 | 중부청 | 225 |
| 정휘언 | 대전서 | 324 |
| 정흥기 | 익산서 | 391 |
| 정흥용 | 북전주서 | 389 |
| 정흥자 | 노원서 | 172 |
| 정희강 | 중부청 | 222 |
| 정희경 | 광주청 | 361 |
| 정희남 | 대전서 | 324 |
| 정희라 | 서울청 | 137 |
| 정희봉 | 통영서 | 476 |
| 정희석 | 대구청 | 400 |
| 정희선 | 성동서 | 191 |
| 정희선 | 부천서 | 305 |
| 정희선 | 북부산서 | 451 |
| 정희선 | 서울청 | 136 |
| 정희섭 | 광주청 | 363 |
| 정희수 | 경기광주 | 296 |
| 정희숙 | 종로서 | 208 |
| 정희숙 | 금정서 | 443 |
| 정희숙 | 삼성서 | 185 |
| 정희연 | 중부서 | 213 |
| 정희옥 | 영동서 | 350 |
| 정희은 | 부천서 | 305 |
| 정희은 | 서초서 | 189 |
| 정희재 | 도봉서 | 175 |
| 정희정 | 경기광주 | 245 |
| 정희종 | 부산청 | 439 |
| 정희진 | 기재부 | 71 |

| 성명 | 소속 | 쪽 | 성명 | 소속 | 쪽 | 성명 | 소속 | 쪽 | 성명 | 소속 | 쪽 | 성명 | 소속 | 쪽 |
|---|---|---|---|---|---|---|---|---|---|---|---|---|---|---|
| 정희진 | 국세청 | 121 | 조무연 | 태평양 | 52 | 조석주 | 서부산서 | 453 | 조수정 | 성동서 | 190 | 조예현 | 강릉서 | 262 |
| 정희진 | 용산서 | 202 | 조문경 | 기재부 | 81 | 조석훈 | 감사원 | 63 | 조수지 | 기재부 | 74 | 조예훈 | 관악서 | 164 |
| 정희태 | 성남서 | 238 | 조문균 | 기재부 | 69 | 조석훈 | 삼덕회계 | 15 | 조수진 | 중부청 | 225 | 조완문 | 북광주서 | 371 |
| 제갈용 | 중부서 | 213 | 조문수 | 금감원 | 98 | 조선경 | 광주청 | 362 | 조수현 | 삼성서 | 185 | 조왜숙 | 부산청 | 437 |
| 제갈형 | 김해서 | 467 | 조문현 | 서초서 | 189 | 조선덕 | 서울청 | 147 | 조수현 | 양천서 | 196 | 조요한 | 국세청 | 120 |
| 제갈진진 | 서울청 | 146 | 조미 | 목포서 | 376 | 조선미 | 수원서 | 241 | 조숙연 | 서울청 | 152 | 조요안 | 기재부 | 70 |
| 제민경 | 북부산서 | 450 | 조미겸 | 동청주서 | 349 | 조선영 | 대전청 | 318 | 조숙영 | 강릉서 | 263 | 조용감 | 서현회계 | 7 |
| 제민지 | 부산진서 | 446 | 조미경 | 동수원서 | 232 | 조선영 | 대전청 | 322 | 조숙현 | 울산서 | 462 | 조용관 | 서인천서 | 288 |
| 제범모 | 양산서 | 470 | 조미경 | 북대구서 | 408 | 조선영 | 서부산서 | 452 | 조순행 | 안동서 | 424 | 조용권 | 기재부 | 68 |
| 제병민 | 인천청 | 284 | 조미란 | 국세청 | 106 | 조선영 | 광주세관 | 504 | 조슬기 | 중부서 | 212 | 조용래 | 제주서 | 478 |
| 제상훈 | 부산청 | 435 | 조미성 | 강서서 | 162 | 조선제 | 수영서 | 455 | 조승래 | 국회정무 | 60 | 조용민 | 조세심판 | 507 |
| 제우성 | 용산서 | 203 | 조미애 | 중부서 | 212 | 조선진 | 역삼서 | 198 | 조승모 | 도봉서 | 175 | 조용범 | 기재부 | 71 |
| 제은아 | 송파서 | 195 | 조미애 | 김해서 | 466 | 조선희 | 기재부 | 70 | 조승연 | 서부산서 | 453 | 조용범 | 기재부 | 72 |
| 제재호 | 울산서 | 462 | 조미영 | 서울청 | 136 | 조선희 | 기재부 | 77 | 조승현 | 경산서 | 414 | 조용석 | 서울청 | 135 |
| 제현종 | 서울청 | 142 | 조미영 | 동화성서 | 258 | 조선희 | 강남서 | 159 | 조승호 | 기재부 | 72 | 조용석 | 서울청 | 154 |
| 제홍주 | 양산서 | 470 | 조미옥 | 예산서 | 343 | 조선희 | 구로서 | 204 | 조식 | 해남서 | 382 | 조용수 | 남부천서 | 303 |
| 조가연 | 분당서 | 236 | 조미옥 | 중부청 | 220 | 조성경 | 서울청 | 144 | 조아라 | 관악서 | 164 | 조용식 | 전주서 | 393 |
| 조가율 | 서광주서 | 373 | 조미욱 | 북전주서 | 388 | 조성광 | 금천서 | 169 | 조아라 | 도봉서 | 174 | 조용식 | 광주세관 | 504 |
| 조가을 | 영등포서 | 201 | 조미주 | 해운대서 | 459 | 조성구 | 춘천서 | 272 | 조아라 | 성동서 | 191 | 조용우 | 충주서 | 357 |
| 조강래 | 거창서 | 465 | 조미진 | 남부천서 | 302 | 조성권 | 김앤장 | 47 | 조아라 | 중부청 | 222 | 조용재 | 부산청 | 216 |
| 조강우 | 화성서 | 261 | 조미현 | 부평서 | 306 | 조성근 | 강동서 | 160 | 조아라 | 분당서 | 236 | 조용진 | 춘천서 | 273 |
| 조강호 | 감사원 | 63 | 조미화 | 서울청 | 154 | 조성덕 | 인천청 | 278 | 조아라 | 평택서 | 257 | 조용택 | 부산청 | 438 |
| 조강호 | 구미서 | 419 | 조미희 | 중부서 | 213 | 조성래 | 국세청 | 121 | 조아로미 | 택스홈 | 38 | 조용호 | 김앤장 | 47 |
| 조강훈 | 금감원 | 91 | 조미희 | 마산서 | 469 | 조성래 | 대구청 | 397 | 조아라 | 광명서 | 297 | 조용환 | 한울회계 | 27 |
| 조강훈 | 부산청 | 434 | 조민 | 국세청 | 130 | 조성래 | 대구청 | 402 | 조아름 | 남양주서 | 230 | 조우성 | 서초서 | 189 |
| 조강희 | 대전서 | 318 | 조민경 | 반포서 | 182 | 조성래 | 대구청 | 403 | 조안나 | 서대구서 | 187 | 조우영 | 기재부 | 79 |
| 조건익 | 인천세관 | 490 | 조민경 | 인천서 | 290 | 조성래 | 양산서 | 470 | 조애정 | 용산서 | 203 | 조우영 | 경주서 | 417 |
| 조건훈 | 다솔세무 | 35 | 조민경 | 마산서 | 469 | 조성리 | 서인천서 | 289 | 조양선 | 포천서 | 314 | 조우영 | 광산서 | 366 |
| 조경민 | 서울청 | 145 | 조민규 | 기재부 | 70 | 조성목 | 다솔세무 | 35 | 조여경 | 구미서 | 418 | 조우지 | 천안서 | 344 |
| 조경배 | 해운대서 | 459 | 조민규 | 서부산서 | 453 | 조성문 | 구로서 | 166 | 조연 | 보령서 | 334 | 조운학 | 종로서 | 209 |
| 조경숙 | 해운대서 | 458 | 조민석 | 서울청 | 144 | 조성문 | 남양주서 | 231 | 조연상 | 서초서 | 172 | 조원석 | 인천청 | 282 |
| 조경아 | 삼성서 | 184 | 조민석 | 동안양서 | 234 | 조성민 | 딜로이트 | 13 | 조연수 | 북부산서 | 450 | 조원영 | 서울청 | 150 |
| 조경아 | 현대회계 | 28 | 조민성 | 국세청 | 107 | 조성민 | 대구청 | 401 | 조연숙 | 대전청 | 318 | 조원영 | 딜로이트 | 13 |
| 조경일 | 기재부 | 72 | 조민성 | 서울청 | 138 | 조성빈 | 대전청 | 321 | 조연우 | 북부산서 | 453 | 조원준 | 양천서 | 196 |
| 조경제 | 북전주서 | 388 | 조민수 | 노원서 | 173 | 조성수 | 서초서 | 224 | 조연종 | 북광주서 | 371 | 조원준 | 예일세무 | 40 |
| 조경진 | 중부서 | 212 | 조민숙 | 용산서 | 202 | 조성수 | 중부청 | 225 | 조연주 | 부산강서 | 449 | 조원절 | 영월서 | 268 |
| 조경태 | 강서서 | 162 | 조민영 | 삼성서 | 184 | 조성수 | 의정부서 | 311 | 조연호 | 대문서 | 70 | 조원재 | 마산서 | 469 |
| 조경혜 | 통영서 | 476 | 조민영 | 대전서 | 325 | 조성아 | 동대문서 | 177 | 조연화 | 인천청 | 280 | 조위영 | 서울청 | 152 |
| 조경호 | 분당서 | 237 | 조민재 | 구로서 | 167 | 조성애 | 목포서 | 376 | 조영규 | 수서서 | 380 | 조유리 | 광산서 | 366 |
| 조경화 | 연수서 | 308 | 조민정 | 논산서 | 332 | 조성연 | 서초서 | 308 | 조영기 | 인천서 | 291 | 조유영 | 부평서 | 306 |
| 조계호 | 평택서 | 257 | 조민주 | 익산서 | 390 | 조성오 | 종로서 | 209 | 조영기 | 삼일회계 | 16 | 조유정 | 해남서 | 382 |
| 조광래 | 서초서 | 188 | 조민지 | 구로서 | 166 | 조성용 | 서울청 | 143 | 조영두 | 목포서 | 377 | 조유진 | 논산서 | 333 |
| 조광선 | 관세청 | 482 | 조민지 | 역삼서 | 198 | 조성용 | 동작서 | 179 | 조영득 | 한울회계 | 27 | 조유진 | 광주세관 | 505 |
| 조광제 | 성남서 | 238 | 조민호 | 인천청 | 278 | 조성용 | 거창서 | 464 | 조영란 | 나주서 | 374 | 조유흠 | 서울청 | 138 |
| 조광호 | 도봉서 | 175 | 조민희 | 금감원 | 92 | 조성우 | 구리서 | 226 | 조영란 | 중부청 | 223 | 조윤경 | 남동서 | 287 |
| 조광희 | 강릉서 | 263 | 조민희 | 중부청 | 220 | 조성우 | 익산서 | 390 | 조영록 | 원주서 | 271 | 조윤경 | 인천서 | 290 |
| 조구영 | 용산서 | 202 | 조민희 | 진주서 | 473 | 조성욱 | 국세청 | 110 | 조영문 | 인천지방 | 33 | 조윤경 | 목포서 | 376 |
| 조규범 | 딜로이트 | 13 | 조배숙 | 국회법제 | 58 | 조성욱 | 삼일회계 | 16 | 조영미 | 구로서 | 167 | 조윤나 | 감사원 | 63 |
| 조규봉 | 광주서 | 369 | 조범수 | 서초서 | 189 | 조성원 | 서초서 | 188 | 조영미 | 구리서 | 226 | 조윤미 | 국세청 | 128 |
| 조규산 | 기재부 | 72 | 조범제 | 포항서 | 431 | 조성원 | 평택서 | 257 | 조영미 | 삼척서 | 265 | 조윤민 | 논산서 | 333 |
| 조규창 | 중부서 | 213 | 조병길 | 대전서 | 324 | 조성윤 | 강남서 | 158 | 조영미 | 동래서 | 444 | 조윤방 | 삼척서 | 265 |
| 조근비 | 부산강서 | 449 | 조병녕 | 부산진서 | 446 | 조성윤 | 남양주서 | 230 | 조영미 | 김해서 | 466 | 조윤서 | 잠실서 | 206 |
| 조금식 | 화성서 | 261 | 조병덕 | 김포서 | 298 | 조성익 | 감사원 | 63 | 조영범 | 금감원 | 91 | 조윤서 | 부산진서 | 447 |
| 조금옥 | 포항서 | 431 | 조병만 | 금천서 | 169 | 조성익 | 노원서 | 173 | 조영빈 | 광산서 | 367 | 조윤서 | 국세청 | 128 |
| 조기현 | 진주서 | 473 | 조병민 | 강남서 | 159 | 조성인 | 중부청 | 225 | 조영삼 | 기재부 | 66 | 조윤수 | 성북서 | 192 |
| 조길현 | 중부서 | 138 | 조병섭 | 시흥서 | 242 | 조성재 | 정읍서 | 394 | 조영석 | 서울세관 | 486 | 조윤아 | 용산서 | 203 |
| 조길현 | 전주서 | 393 | 조병옥 | 관악서 | 165 | 조성조 | 의정부서 | 311 | 조영석 | 금감원 | 90 | 조윤영 | 삼성서 | 238 |
| 조나래 | 경기광주 | 245 | 조병옥 | 평택서 | 257 | 조성주 | 광주세관 | 505 | 조영성 | 관악서 | 164 | 조윤영 | 남동서 | 287 |
| 조남건 | 북대구서 | 146 | 조병욱 | 용인서 | 252 | 조성중 | 삼성서 | 184 | 조영수 | 서초서 | 188 | 조윤정 | 국세청 | 125 |
| 조남규 | 북대구서 | 409 | 조병욱 | 국세청 | 113 | 조성중 | 기재부 | 75 | 조영수 | 동수원서 | 232 | 조윤정 | 삼성서 | 134 |
| 조남명 | 부천서 | 304 | 조병준 | 서초서 | 188 | 조성진 | 마포서 | 180 | 조영숙 | 국세청 | 123 | 조윤주 | 북대구서 | 408 |
| 조남복 | 다솔세무 | 35 | 조병철 | 국세청 | 129 | 조성진 | 다솔세무 | 35 | 조영숙 | 북광주서 | 370 | 조윤주 | 진주서 | 473 |
| 조남욱 | 국세청 | 129 | 조병호 | 예일세무 | 40 | 조성찬 | 도봉서 | 175 | 조영순 | 김포서 | 299 | 조윤철 | 기재부 | 76 |
| 조남철 | 대구청 | 400 | 조병환 | 김해서 | 466 | 조성현 | 기재부 | 79 | 조영우 | 공주서 | 331 | 조윤호 | 시흥서 | 243 |
| 조다인 | 인천청 | 281 | 조보연 | 동대문서 | 177 | 조성현 | 서울청 | 197 | 조영욱 | 기재부 | 82 | 조윤희 | 잠실서 | 207 |
| 조다혜 | 의정부서 | 310 | 조복환 | 보령서 | 334 | 조성현 | 군산서 | 384 | 조영일 | 기흥서 | 228 | 조은경 | 대구청 | 399 |
| 조대규 | 동고양서 | 301 | 조봉경 | 평택서 | 256 | 조성호 | 중부서 | 212 | 조영일 | 부산진서 | 447 | 조은기 | 도봉서 | 175 |
| 조대연 | 국세청 | 108 | 조봉기 | 연수서 | 308 | 조성환 | 광주세관 | 505 | 조영자 | 영동서 | 351 | 조은나 | 진주서 | 472 |
| 조대현 | 서울청 | 149 | 조사세원 | 진주서 | 473 | 조성훈 | 국세청 | 106 | 조영재 | 삼일회계 | 16 | 조은덕 | 서울청 | 145 |
| 조대훈 | 서초서 | 188 | 조상래 | 수영서 | 455 | 조성훈 | 국세청 | 145 | 조영종 | 고양서 | 294 | 조은미 | 경주서 | 416 |
| 조덕상 | 이천서 | 254 | 조상미 | 국세청 | 108 | 조성훈 | 안산서 | 246 | 조영주 | 영등포서 | 201 | 조은비 | 도봉서 | 174 |
| 조동관 | 하나세무 | 39 | 조상미 | 삼척서 | 264 | 조성훈 | 북전주서 | 388 | 조영주 | 영동서 | 351 | 조은비 | 안산서 | 246 |
| 조동연 | 금감원 | 100 | 조상미 | 전주서 | 392 | 조성훈 | 삼덕회계 | 15 | 조영춘 | 중부청 | 217 | 조은비 | 동화성서 | 259 |
| 조동진 | 역삼서 | 199 | 조상우 | 목포서 | 377 | 조성희 | 국세청 | 110 | 조영진 | 부천서 | 305 | 조은비 | 천안서 | 440 |
| 조동표 | 서초서 | 188 | 조상우 | 기재부 | 71 | 조세영 | 동울산서 | 461 | 조영진 | 부산진서 | 447 | 조은비 | 북부산서 | 450 |
| 조동혁 | 서울청 | 134 | 조상운 | 수영서 | 454 | 조세미 | 남동서 | 286 | 조영탁 | 서울청 | 138 | 조은빈 | 중부청 | 220 |
| 조란 | 북전주서 | 388 | 조상준 | 청주서 | 355 | 조세희 | 광주세관 | 505 | 조영탁 | 서울청 | 154 | 조은빛 | 조세재정 | 510 |
| 조래성 | 서대구서 | 411 | 조상진 | 광주주서 | 371 | 조소연 | 해운대서 | 458 | 조영태 | 서대구서 | 411 | 조은상 | 수원서 | 241 |
| 조래혁 | 기재부 | 72 | 조상현 | 기재부 | 66 | 조소연 | 평택서 | 257 | 조영혁 | 국세청 | 113 | 조은서 | 충주서 | 357 |
| 조래현 | 국세청 | 106 | 조상현 | 시흥서 | 242 | 조소윤 | 시흥서 | 242 | 조영혁 | 역삼서 | 199 | 조은서 | 부산청 | 436 |
| 조만희 | 기재부 | 68 | 조상현 | 삼정회계 | 19 | 조소연 | 부산진서 | 447 | 조영현 | 성동서 | 190 | 조은솔 | 잠실서 | 206 |
| 조명근 | 중랑서 | 211 | 조상현 | 고시외 | 30 | 조소희 | 서울청 | 142 | 조영호 | 노원서 | 172 | 조은애 | 고양서 | 294 |
| 조명기 | 의정부서 | 310 | 조상훈 | 국세청 | 121 | 조송화 | 고양서 | 294 | 조영호 | 파주서 | 313 | 조은애 | 대전청 | 323 |
| 조명상 | 북대전서 | 212 | 조상희 | 이천서 | 254 | 조수경 | 종로서 | 209 | 조영호 | 현대회계 | 28 | 조은애 | 북대전서 | 326 |
| 조명상 | 북대전서 | 327 | 조서연 | 경기광주 | 245 | 조수경 | 금감원 | 93 | 조예리 | 관악서 | 165 | 조은영 | 동안양서 | 234 |
| 조명석 | 대구청 | 399 | 조서현 | 금천서 | 169 | 조수빈 | 금천서 | 168 | 조예린 | 도봉서 | 174 | 조은영 | 대구청 | 400 |
| 조명순 | 서울청 | 320 | 조서혜 | 노원서 | 172 | 조수빈 | 노원서 | 243 | 조예림 | 삼성서 | 185 | 조은영 | 광주세관 | 505 |
| 조명완 | 서울청 | 156 | 조석권 | 수영서 | 454 | 조수연 | 동고양서 | 301 | 조예술 | 창원서 | 475 | 조은주 | 다솔세무 | 35 |
| 조명익 | 부산청 | 437 | 조석균 | 고양서 | 295 | 조수연 | 대전청 | 320 | 조예언 | 김해서 | 467 |  |  |  |
| 조무건 | 속초서 | 267 | 조석일 | EY한영 | 12 | 조수영 | 파주서 | 313 |  |  |  |  |  |  |

| 이름 | 소속 | 쪽 | 이름 | 소속 | 쪽 | 이름 | 소속 | 쪽 | 이름 | 소속 | 쪽 | 이름 | 소속 | 쪽 |
|---|---|---|---|---|---|---|---|---|---|---|---|---|---|---|
| 조은욱 | 화성서 | 260 | 조종읍 | 조세재정 | 511 | 조해정 | 광주청 | 363 | 조희성 | 강남서 | 159 | 주윤숙 | 강동서 | 161 |
| 조은용 | 중부청 | 222 | 조종필 | 광주청 | 360 | 조행순 | 안산서 | 246 | 조희원 | 강남서 | 158 | 주윤정 | 광산서 | 203 |
| 조은정 | 성북서 | 192 | 조종호 | 동안양서 | 234 | 조헌일 | 역삼서 | 199 | 조희정 | 중부청 | 217 | 주윤호 | 기재부 | 70 |
| 조은지 | 나주서 | 374 | 조주경 | 서울청 | 140 | 조현 | 경주서 | 416 | 조희정 | 이천서 | 255 | 주은미 | 중부청 | 221 |
| 조은하 | 동래서 | 444 | 조주현 | 동화성서 | 258 | 조현경 | 안산서 | 390 | 조희정 | 동화성서 | 258 | 주은상 | 순천서 | 379 |
| 조은해 | 김해서 | 466 | 조주형 | 서인천서 | 288 | 조현관 | 법무바른 | 1 | 조희정 | 진주서 | 473 | 주은영 | 서광주서 | 372 |
| 조은향 | 나주서 | 374 | 조주주 | 서울청 | 440 | 조현구 | 잠실서 | 207 | 조희주 | 해남서 | 382 | 주은화 | 부산청 | 436 |
| 조은희 | 국세청 | 129 | 조주환 | 서울청 | 152 | 조현구 | 대전청 | 320 | 조희진 | 서울청 | 155 | 주은희 | 삼성서 | 184 |
| 조은희 | 서대문 | 137 | 조주희 | 서울청 | 151 | 조현국 | 인천청 | 284 | 조희진 | 중부청 | 221 | 주은희 | 광주세관 | 504 |
| 조은희 | 동대문서 | 176 | 조주희 | 삼성서 | 184 | 조현국 | 광산서 | 366 | 종만 | 종합 | 333 | 주인규 | 국세청 | 124 |
| 조은희 | 성동서 | 190 | 조준 | 마포서 | 180 | 조현덕 | 대구청 | 402 | 좌길훈 | 춘천서 | 273 | 주인영 | 중부청 | 224 |
| 조은희 | 화성서 | 260 | 조준구 | 국세청 | 114 | 조현미 | 동안산서 | 249 | 좌용준 | 제주서 | 478 | 주재명 | 조세재정 | 510 |
| 조은희 | 서인천서 | 288 | 조준기 | 대전서 | 273 | 조현선 | 국세청 | 122 | 좌현미 | 안산서 | 232 | 주재민 | 도봉서 | 174 |
| 조은희 | 동고양서 | 301 | 조준수 | 영주서 | 429 | 조현성 | 동안양서 | 235 | 주강석 | 조세심판 | 506 | 주재정 | 북광주서 | 371 |
| 조은희 | 세종서 | 338 | 조준수 | 삼일회계 | 16 | 조현수 | 서울청 | 196 | 주경섭 | 수원서 | 241 | 주재철 | 대전청 | 320 |
| 조이은 | 포항서 | 430 | 조준영 | 익산서 | 391 | 조현숙 | 강릉서 | 262 | 주경섭 | 서울청 | 145 | 주재현 | 국세청 | 109 |
| 조익제 | 금감원 | 93 | 조준영 | 국세청 | 120 | 조현승 | 국세청 | 106 | 주경탁 | 영등포서 | 201 | 주정권 | 공주서 | 330 |
| 조안국 | 금정서 | 442 | 조준영 | 국세청 | 131 | 조현아 | 동작서 | 179 | 주광수 | 부산서 | 441 | 주종기 | 통영서 | 477 |
| 조안숙 | 전주서 | 392 | 조준우 | 금정서 | 443 | 조현아 | 김해서 | 466 | 주구종 | 국회재정 | 55 | 주지홍 | 부산청 | 437 |
| 조인순 | 수영서 | 454 | 조준우 | 부산청 | 436 | 조현용 | 하나세무 | 39 | 주규선 | 동화성서 | 259 | 주진훈 | 김해서 | 467 |
| 조인아 | 수성서 | 413 | 조준철 | 중기회 | 102 | 조현우 | 진주서 | 472 | 주기환 | 강천서 | 169 | 주진수 | 대전청 | 322 |
| 조인영 | 서대문서 | 186 | 조준호 | 부산청 | 439 | 조현우 | 은평서 | 204 | 주나라 | 마포서 | 180 | 주진아 | 안양서 | 250 |
| 조인영 | 영등포서 | 200 | 조준환 | 성동서 | 408 | 조현은 | 중부청 | 222 | 주남균 | 조세재정 | 509 | 주진우 | 국회법제 | 58 |
| 조인영 | 다솔세무 | 35 | 조중현 | 성동서 | 190 | 조현은 | 마포서 | 181 | 주대현 | 삼일회계 | 17 | 주철날 | 동래서 | 444 |
| 조인옥 | 구로서 | 166 | 조중현 | 남동서 | 286 | 조현정 | 동화성서 | 259 | 주동철 | 노원서 | 172 | 주충영 | 동화성서 | 259 |
| 조인정 | 서울지방 | 32 | 조지영 | 서울청 | 139 | 조현주 | 서울청 | 208 | 주명 | 대구청 | 400 | 주홍천 | 홍천서 | 275 |
| 조인정 | 고지회 | 30 | 조지영 | 광명서 | 296 | 조현준 | 국세청 | 111 | 주명진 | 통영서 | 476 | 주하나 | 수원서 | 241 |
| 조인찬 | 서울청 | 136 | 조지영 | 익산서 | 390 | 조현준 | 서인천서 | 282 | 주명환 | 서울청 | 139 | 주해인 | 기재부 | 68 |
| 조인혁 | 서울청 | 152 | 조지원 | 고양서 | 237 | 조현준 | 서인천서 | 289 | 주미균 | 서울청 | 467 | 주향미 | 경기광주 | 245 |
| 조인현 | 성현회계 | 11 | 조지윤 | 인천청 | 295 | 조현진 | 기재부 | 84 | 주미아 | 북부산서 | 450 | 주현경 | 마포서 | 181 |
| 조일성 | 국세청 | 111 | 조지현 | 천안서 | 344 | 조현진 | 서울청 | 145 | 주미영 | 전주서 | 393 | 주현경 | 서대문서 | 186 |
| 조일영 | 태평양 | 52 | 조진동 | 남동서 | 286 | 조현진 | 서대구서 | 410 | 주미진 | 기흥서 | 229 | 주현민 | 충주서 | 357 |
| 조일제 | 동수원서 | 232 | 조진현 | 구로서 | 167 | 조현진 | 부산서 | 438 | 주민석 | 국세청 | 123 | 주현수 | 동울산서 | 460 |
| 조일훈 | 용인서 | 253 | 조진숙 | 국세청 | 108 | 조현진 | 부산청 | 440 | 주민아 | 마산서 | 468 | 주현우 | 인천공항 | 493 |
| 조자현 | 기재부 | 84 | 조진형 | 중기회 | 103 | 조현진 | 부산청 | 441 | 주민희 | 남동서 | 286 | 주현식 | 금천서 | 169 |
| 조재규 | 대전서 | 325 | 조진회 | 조세심판 | 507 | 조현철 | 금감원 | 96 | 주민희 | 광명서 | 296 | 주현아 | 서울청 | 156 |
| 조재량 | 영등포서 | 200 | 조찬우 | 기재부 | 84 | 조현희 | 분당서 | 237 | 주법종 | 다솔세무 | 35 | 주현오 | 기재부 | 83 |
| 조재범 | 서울청 | 145 | 조창국 | 중부청 | 220 | 조현희 | 강릉서 | 263 | 주병욱 | 기재부 | 73 | 주현우 | 기재부 | 78 |
| 조재범 | 남대구서 | 405 | 조창권 | 경기광주 | 244 | 조형기 | 남양주서 | 231 | 주보성 | 인천청 | 282 | 주현정 | 북대구서 | 408 |
| 조재성 | 금정서 | 443 | 조창규 | 용산서 | 202 | 조형나 | 부산서 | 441 | 주보은 | 국세청 | 115 | 주현정 | 서울세관 | 487 |
| 조재성 | 북부산서 | 450 | 조창래 | 부산진서 | 447 | 조형석 | 영등포서 | 200 | 주상철 | 예일회계 | 22 | 주현주 | 대전청 | 320 |
| 조재성 | 현대회계 | 28 | 조창일 | 동안양서 | 235 | 조형석 | 익산서 | 435 | 주상희 | 서울청 | 80 | 주현진 | 창원서 | 474 |
| 조재승 | 부산청 | 436 | 조창일 | 분당서 | 445 | 조형오 | 익산서 | 390 | 주선돈 | 김해서 | 467 | 주현석 | 서울청 | 156 |
| 조재식 | 삼척서 | 264 | 조창호 | 삼일회계 | 16 | 조형준 | 부산서 | 440 | 주선영 | 광주청 | 362 | 주현석 | 부산청 | 438 |
| 조재연 | 서광주서 | 372 | 조채연 | 분당서 | 237 | 조형준 | 김포서 | 298 | 주선영 | 서울청 | 136 | 주현령 | 용산서 | 202 |
| 조재연 | 서울청 | 152 | 조천령 | 종로서 | 208 | 조형진 | 광주세관 | 505 | 주선영 | 서부산서 | 453 | 주현식 | 구로서 | 166 |
| 조재완 | 국세청 | 130 | 조철 | 부산세관 | 497 | 조혜리 | 성북서 | 193 | 주성렬 | 인천공항 | 493 | 주혜옥 | 의정부서 | 311 |
| 조재우 | 광주세관 | 504 | 조철호 | 동대구서 | 407 | 조혜리 | 영등포서 | 201 | 주성민 | 북부산서 | 451 | 주혜지 | 기재부 | 82 |
| 조재웅 | 계양서 | 292 | 조초히 | 인천청 | 52 | 조혜민 | 시흥서 | 243 | 주성숙 | 서울청 | 312 | 주혜진 | 기재부 | 72 |
| 조재용 | 법무광장 | 49 | 조춘 | 법무세종 | 50 | 조혜민 | 영동서 | 351 | 주성옥 | 서울청 | 139 | 주흥민 | 금융위 | 87 |
| 조재윤 | 금천서 | 169 | 조준상 | 국세청 | 128 | 조혜선 | 나주서 | 375 | 주성용 | 삼성서 | 185 | 주흥연 | 대구청 | 403 |
| 조재일 | 기재부 | 68 | 조치상 | 대전서 | 325 | 조혜연 | 서울청 | 135 | 주성재 | 서울청 | 162 | 주화연 | 역삼서 | 199 |
| 조재일 | 대구청 | 401 | 조치형 | 금감원 | 96 | 조혜영 | 대구서 | 355 | 주성준 | 태평양 | 52 | 주환욱 | 기재부 | 75 |
| 조재천 | 동울산서 | 461 | 조태복 | 법무광장 | 49 | 조혜원 | 북전주서 | 389 | 주성태 | 서초서 | 188 | 주환욱 | 기재부 | 76 |
| 조재평 | 동대문서 | 177 | 조태욱 | 포천서 | 315 | 조혜원 | 서울청 | 144 | 주성희 | 성동서 | 190 | 주희은 | 여수서 | 380 |
| 조재형 | 거창서 | 465 | 조태은 | 대원세무 | 155 | 조혜윤 | 중부산서 | 456 | 주세련 | 기재부 | 137 | 주희정 | 성북서 | 192 |
| 조재화 | 북부산서 | 451 | 조태은 | 대원세무 | 159 | 조혜인 | 김포서 | 298 | 주세훈 | 기재부 | 80 | 주희진 | 양천서 | 197 |
| 조재훈 | 남동서 | 174 | 조태희 | 기재부 | 81 | 조혜정 | 기재부 | 74 | 주소미 | 인천청 | 281 | 지광민 | 북부산서 | 450 |
| 조재희 | 남동서 | 287 | 조태희 | 서대전서 | 328 | 조혜정 | 국세청 | 113 | 주소희 | 인천청 | 250 | 지대현 | 서대문서 | 186 |
| 조전수 | 한일회계 | 27 | 조판규 | 중랑서 | 210 | 조혜정 | 은평서 | 205 | 주송현 | 광주청 | 361 | 지대현 | 세종서 | 339 |
| 조정대 | 세종서 | 339 | 조하나 | 인천청 | 281 | 조혜정 | 분당서 | 236 | 주수미 | 서초서 | 188 | 지만 | 서부산서 | 453 |
| 조정목 | 부산청 | 438 | 조학영 | 대전서 | 324 | 조혜정 | 부평서 | 307 | 주승연 | 인천청 | 220 | 지명수 | 법무지평 | 51 |
| 조정미 | 도봉서 | 174 | 조학래 | 부산청 | 436 | 조혜정 | 조세심판 | 506 | 주승윤 | 인천청 | 291 | 지명희 | 동대문서 | 176 |
| 조정미 | 송파서 | 194 | 조학래 | 태평양 | 52 | 조혜진 | 국세청 | 112 | 주승철 | 강릉서 | 263 | 지민경 | 용인서 | 252 |
| 조정미 | 동안산서 | 248 | 조학준 | 송파서 | 256 | 조혜진 | 동안양서 | 234 | 주시영 | 인천세관 | 489 | 지민영 | 동안양서 | 234 |
| 조정민 | 동래서 | 444 | 조한경 | 송파서 | 195 | 조혜진 | 분당서 | 236 | 주시경 | 인천세관 | 490 | 지민정 | 택스홈 | 38 |
| 조정선 | 마산서 | 468 | 조한구 | 대전청 | 323 | 조혜진 | 인천청 | 278 | 주아라 | 양산서 | 470 | 지방세입 | 광주세관 | 505 |
| 조정연 | 김포서 | 299 | 조한덕 | 서대문서 | 187 | 조혜진 | 서광주서 | 372 | 주아람 | 동고양서 | 300 | 지방행정 | 광주세관 | 505 |
| 조정운 | 다솔세무 | 35 | 조한민 | 서대전서 | 328 | 조혜진 | 전주서 | 392 | 주아름 | 송파서 | 195 | 지병근 | 고시회 | 30 |
| 조정은 | 고양서 | 294 | 조한솔 | 춘천서 | 110 | 조혜진 | 조세재정 | 508 | 주애란 | 고양서 | 295 | 지상근 | 강남서 | 158 |
| 조정은 | 파주서 | 313 | 조한송 | 노원서 | 173 | 조호연 | 북광주서 | 371 | 주애나 | 수원서 | 240 | 지상영 | 성동서 | 191 |
| 조정은 | 수영서 | 455 | 조한아 | 은평서 | 204 | 조호연 | 서대구서 | 410 | 주연봉 | 여수서 | 381 | 지상수 | 대전청 | 323 |
| 조정읍 | 조세재정 | 510 | 조한영 | 구로서 | 167 | 조호준 | 마포서 | 181 | 주연신 | 해운대서 | 458 | 지상영 | 대전청 | 322 |
| 조정주 | 대전청 | 323 | 조한우 | 남양주서 | 231 | 조호열 | 동작서 | 178 | 주영 | 기재부 | 70 | 지서연 | 성동서 | 191 |
| 조정진 | 역삼서 | 199 | 조한우 | 평택서 | 256 | 조호형 | 남원서 | 386 | 주영군 | 다솔세무 | 35 | 지석란 | 수원서 | 240 |
| 조정진 | 북대전서 | 327 | 조한영 | 광주세관 | 505 | 조홍규 | 부산청 | 440 | 주영상 | 성동서 | 190 | 지선영 | 동안양서 | 235 |
| 조정현 | 인천서 | 290 | 조한정 | 용인서 | 252 | 조홍기 | 동고양서 | 300 | 주영석 | 대전서 | 324 | 지성 | 부산청 | 433 |
| 조정현 | 나주서 | 374 | 조한진 | 관세청 | 482 | 조홍섭 | 분당서 | 237 | 주영석 | 삼성서 | 184 | 지성 | 부산청 | 440 |
| 조정화 | 송파서 | 194 | 조한철 | 삼일회계 | 16 | 조홍수 | 군산서 | 384 | 주영진 | 인천지방 | 33 | 지성 | 부산청 | 441 |
| 조정환 | 삼일회계 | 17 | 조항진 | 대전청 | 318 | 조홍식 | 성현회계 | 11 | 주영철 | 북대전서 | 326 | 지성근 | 서울세관 | 485 |
| 조정훈 | 광주청 | 363 | 조해린 | 포항서 | 430 | 조홍영 | 서울세관 | 487 | 주온슬 | 광주서 | 369 | 지성근 | 서울세관 | 487 |
| 조정훈 | 영등포서 | 201 | 조해미 | 북부산서 | 450 | 조홍영 | 서울청 | 149 | 주용태 | 금감원 | 98 | 지성대 | 관세청 | 482 |
| 조정훈 | 부산진서 | 447 | 조해영 | 노원서 | 172 | 조화경 | 나주서 | 375 | 주용승 | 성동서 | 190 | 지성수 | 서울청 | 156 |
| 조정훈 | 관세청 | 483 | 조해원 | 강릉서 | 262 | 조효숙 | 기재부 | 72 | 주용우 | 서울청 | 136 | 지성진 | 반포서 | 182 |
| 조정희 | 서울청 | 139 | 조해일 | 중부청 | 221 | 조효신 | 성남서 | 238 | 주우성 | 국세청 | 106 | 지소영 | 분당서 | 237 |
| 조종수 | 인천서 | 291 | 조해정 | 중부청 | 223 | 조훈연 | 청주서 | 354 | 주원숙 | 성남서 | 239 | 지소정 | 강남서 | 158 |
| 조종식 | 서인천서 | 288 |  |  |  | 조희근 | 분당서 | 237 | 주유미 | 국세청 | 110 | 지슬반 | 대전청 | 318 |
| 조종연 | 보령서 | 334 |  |  |  | 조희선 | 대구청 | 403 |  |  |  | 지승룡 | 전주서 | 393 |
| 조종읍 | 조세재정 | 508 |  |  |  |  |  |  |  |  |  | 지승환 | 국세청 | 110 |
| 조종읍 | 조세재정 | 509 |  |  |  |  |  |  |  |  |  | 지신영 | 은평서 | 205 |

| 이름 | 소속 | 쪽 |
|---|---|---|
| 지연우 | 강남서 | 158 |
| 지연주 | 부산청 | 435 |
| 지영미 | 기재부 | 78 |
| 지영주 | 구리서 | 226 |
| 지영환 | 동수원서 | 292 |
| 지영환 | 동수원서 | 232 |
| 지용권 | 동수원서 | 233 |
| 지우석 | 부산청 | 436 |
| 지유미 | 동안양서 | 235 |
| 지은섭 | 종로서 | 209 |
| 지은정 | 아산서 | 340 |
| 지은호 | 서광주서 | 372 |
| 지임구 | 성북구 | 192 |
| 지장근 | 국세청 | 128 |
| 지장근 | 조세심판 | 507 |
| 지재영 | 다솔세무 | 35 |
| 지점숙 | 경산서 | 414 |
| 지정국 | 서울청 | 139 |
| 지정호 | 광산서 | 366 |
| 지종상 | 기재부 | 73 |
| 지장익 | 인천지방 | 33 |
| 지충환 | 이천서 | 254 |
| 지행주 | 서산서 | 336 |
| 지행호 | 해남서 | 382 |
| 지현민 | 금감원 | 91 |
| 지현배 | 부산청 | 439 |
| 지현철 | 강서서 | 162 |
| 지혜림 | 제주서 | 479 |
| 지혜연 | 천안서 | 373 |
| 지희창 | 천안서 | 345 |
| 진경준 | 광명서 | 228 |
| 진경철 | 진주서 | 296 |
| 진경화 | 동대문서 | 473 |
| 진관수 | 용산서 | 286 |
| 진다래 | 분당서 | 177 |
| 진덕호 | 중부서 | 202 |
| 진동권 | 북전주서 | 236 |
| 진동욱 | 평택서 | 213 |
| 진문수 | 나주서 | 389 |
| 진미란 | 북대구서 | 256 |
| 진미선 | 종로서 | 374 |
| 진미주 | 현대회계 | 409 |
| 진민정 | 서울청 | 28 |
| 진민정 | 파주서 | 157 |
| 진민혜 | 구미서 | 312 |
| 진병국 | 삼일회계 | 418 |
| 진병관 | 도봉서 | 16 |
| 진병훈 | 은평서 | 174 |
| 진보람 | 춘천서 | 205 |
| 진봉재 | 삼일회계 | 273 |
| 진석주 | 마산서 | 272 |
| 진선근 | 삼일회계 | 17 |
| 진선미 | 원주서 | 17 |
| 진선애 | 울산서 | 270 |
| 진선주 | 경기광주 | 462 |
| 진선호 | 서초서 | 245 |
| 진선홍 | 광주세관 | 189 |
| 진성민 | 기재부 | 504 |
| 진성범 | 성북서 | 154 |
| 진성욱 | 삼성서 | 71 |
| 진성은 | 성북서 | 192 |
| 진성준 | 울산서 | 185 |
| 진세동 | 국회재정 | 193 |
| 진소미 | 금감원 | 463 |
| 진소영 | 조세재정 | 56 |
| 진소정 | 대전청 | 91 |
| 진소현 | 구미서 | 508 |
| 진솔 | 창원서 | 323 |
| 진솔민 | 구리서 | 418 |
| 진송은 | 화성서 | 474 |
| 진수민 | 국세청 | 227 |
| 진수민 | 광주세관 | 260 |
| 진수민 | 중부청 | 106 |
| 진수영 | 춘천서 | 504 |
| 진수정 | 군산서 | 217 |
| 진수진 | 국세청 | 273 |
| 진승연 | 양산서 | 339 |
| 진승철 | 서대문서 | 384 |
| 진승호 | 분당서 | 121 |
| 진승환 | 인천청 | 235 |
| 진실화 | 안양서 | 187 |
| 진언지 | 천안서 | 237 |
| 진언철 | 분당서 | 278 |
| 진언호 | 인천청 | 250 |
| 진영 | 천안서 | 344 |
| 진영화 | 김앤장 | 47 |
| 진언지 | 전주서 | 393 |
| 진언지 | 대구청 | 400 |
| 진영근 | 인천청 | 279 |
| 진영상 | | 250 |
| 진영석 | 남양주서 | 231 |
| 진영한 | 성남서 | 239 |
| 진영의 | 중부산서 | 456 |
| 진예슬 | 노원서 | 173 |
| 진예슬 | 전주서 | 392 |
| 진우형 | 국세청 | 471 |
| 진원용 | 서대전서 | 125 |
| 진유빈 | 포항서 | 328 |
| 진유신 | 창원서 | 430 |
| 진윤영 | 국세청 | 475 |
| 진윤영 | 원주서 | 115 |
| 진인경 | 용산서 | 271 |
| 진재화 | 영월서 | 202 |
| 진정 | 순천서 | 113 |
| 진정록 | 마포서 | 269 |
| 진정욱 | 서산서 | 379 |
| 진정호 | 역삼서 | 181 |
| 진종호 | 국세청 | 337 |
| 진종희 | 북부산서 | 198 |
| 진주원 | 남양주서 | 123 |
| 진주 | 화성서 | 450 |
| 진순식 | 제주서 | 231 |
| 진중구 | 북대구서 | 260 |
| 진채영 | 해운대서 | 478 |
| 진태호 | 조세재정 | 371 |
| 진한곤 | 광주세관 | 458 |
| 진한일 | 서울청 | 511 |
| 진향미 | 화성서 | 504 |
| 진향미 | 광주세관 | 137 |
| 진혁환 | 나주서 | 261 |
| 진현덕 | 창원서 | 505 |
| 진현서 | 성동서 | 375 |
| 진현진 | 부산강서 | 474 |
| 진형석 | 진주서 | 190 |
| 진혜진 | 은평서 | 448 |
| 진호근 | 부평서 | 472 |
| 진호범 | 통영서 | 204 |
| 진홍탁 | 동고양서 | 307 |
| 진훈미 | 강동서 | 477 |
| 진희성 | 해운대서 | 301 |
| 진희주 | 서울청 | 161 |
| | 김해서 | 459 |
| | 국세청 | 467 |
| | | 136 |
| | | 130 |

**大 (ㅊ)**

| 이름 | 소속 | 쪽 |
|---|---|---|
| 차건수 | 대전청 | 319 |
| 차경엽 | 감사원 | 62 |
| 차경진 | 서광주서 | 372 |
| 차광섭 | 공주서 | 330 |
| 차구근 | 국회재정 | 56 |
| 차규상 | 부산진서 | 446 |
| 차규현 | 세종서 | 338 |
| 차나리 | 천안서 | 344 |
| 차도식 | 금감원 | 97 |
| 차동희 | 서울청 | 146 |
| 차무경 | 서대문서 | 187 |
| 차무환 | 부산청 | 434 |
| 차미선 | 서울청 | 134 |
| 차미정 | 신한관세 | 44 |
| 차민성 | 통영서 | 476 |
| 차민식 | 대전청 | 323 |
| 차보라 | 부산청 | 439 |
| 차상진 | 국세청 | 125 |
| 차상훈 | 성북서 | 193 |
| 차선엽 | 용인서 | 253 |
| 차선주 | 기흥서 | 228 |
| 차성수 | 중부청 | 284 |
| 차세원 | 국세청 | 224 |
| 차수근 | 서울청 | 106 |
| 차수빈 | 남부천서 | 147 |
| 차수빈 | 분당서 | 303 |
| 차수현 | 영등포서 | 237 |
| 차수환 | 서울청 | 89 |
| 차순백 | 기재부 | 200 |
| 차순조 | 삼성서 | 137 |
| 차승원 | 중부청 | 194 |
| 차양양 | 부천서 | 70 |
| 차연수 | 서대문서 | 185 |
| 차연아 | 기재부 | 304 |
| 차연주 | | 187 |
| 차연호 | | 67 |
| 차영돈 | 금감원 | 93 |
| 차영석 | | 233 |
| 차영준 | 광산서 | 367 |
| 차용희 | 서대문서 | 186 |
| 차유곤 | 잠실서 | 206 |
| 차유라 | 순천서 | 379 |
| 차유미 | 서초서 | 189 |
| 차유해 | 구로서 | 166 |
| 차윤중 | 서부산서 | 213 |
| 차은규 | 구리서 | 452 |
| 차은실 | 서산서 | 227 |
| 차은정 | 남대구서 | 336 |
| 차은정 | 동대문서 | 404 |
| 차일규 | 서광주서 | 176 |
| 차일현 | 인천청 | 373 |
| 차재익 | 경산서 | 16 |
| 차정미 | 국세청 | 281 |
| 차정우 | 남양주서 | 414 |
| 차정은 | 대구청 | 196 |
| 차정환 | 국세청 | 106 |
| 차종언 | 고시회 | 231 |
| 차종일 | 성북서 | 351 |
| 차종협 | 동화성서 | 403 |
| 차지숙 | 구로서 | 30 |
| 차지여 | 서인천서 | 193 |
| 차지연 | 순천서 | 259 |
| 차지원 | 서초서 | 166 |
| 차지원 | 광명서 | 288 |
| 차지인 | 성남서 | 378 |
| 차지해 | 역삼서 | 188 |
| 차지현 | 북부산서 | 296 |
| 차지훈 | 서울청 | 238 |
| 차진선 | 춘천서 | 189 |
| 차한원 | 기재부 | 199 |
| 차현종 | 기재부 | 451 |
| 차현택 | 국세청 | 118 |
| 차호현 | 동청주서 | 272 |
| 차회윤 | 채가람 | 141 |
| 채경수 | 인천세관 | 70 |
| 채경미 | 다솔세무 | 66 |
| 채규산 | 부산강서 | 152 |
| 채규욱 | 마산서 | 128 |
| 채규일 | 광주청 | 349 |
| 채규화 | 남대문서 | 504 |
| 채남기 | 광주서 | 129 |
| 채남희 | 평택서 | 490 |
| 채동훈 | 서울청 | 474 |
| 채만식 | 순천서 | 35 |
| 채명석 | 대구청 | 449 |
| 채명우 | 국세청 | 469 |
| 채명훈 | 부천서 | 362 |
| 채문석 | 의정부서 | 191 |
| 채미연 | 북대구서 | 369 |
| 채미옥 | 인천청 | 35 |
| 채민기 | 아산서 | 257 |
| 채민석 | 평택서 | 153 |
| 채민재 | 시흥서 | 379 |
| 채민정 | 마포서 | 400 |
| 채민호 | 중랑서 | 126 |
| 채상윤 | 중부청 | 305 |
| 채상조 | 이천서 | 310 |
| 채상철 | 청주서 | 408 |
| 채상옥 | 광주세관 | 281 |
| 채성은 | 마포서 | 341 |
| 채성호 | 안산서 | 257 |
| 채수민 | 국세청 | 243 |
| 채수연 | 평택서 | 181 |
| 채수연 | 군산서 | 210 |
| 채수필 | 서초서 | 431 |
| 채수향 | 강동서 | 224 |
| 채숙영 | 광주서 | 254 |
| 채승우 | 해운대서 | 264 |
| 채승윤 | 태평양 | 355 |
| 채승원 | 해운대서 | 180 |
| 채영숙 | 부산청 | 247 |
| 채영정 | 종로서 | 290 |
| 채연식 | 중부청 | 122 |
| 채연주 | 용산서 | 256 |
| 채연학 | 파주서 | 312 |
| 채예림 | 금감원 | 90 |
| 채예빈 | 파주서 | 312 |
| 채용문 | 송파서 | 194 |
| 채용찬 | 도봉서 | 174 |
| 채우리 | 여수서 | 381 |
| 채우병 | 현대회계 | 28 |
| 채용중 | 익산서 | 391 |
| 채용식 | 김포서 | 298 |
| 채원형 | 기재부 | 77 |
| 채유진 | 의정부서 | 311 |
| 채은정 | 국세청 | 129 |
| 채은조 | 수성서 | 412 |
| 채정화 | 구리서 | 310 |
| 채정용 | 의정부서 | 155 |
| 채정훈 | 서울청 | 106 |
| 채종일 | 국세청 | 137 |
| 채종철 | 서울청 | 212 |
| 채준석 | 영등포서 | 200 |
| 채준형 | 전주서 | 393 |
| 채중석 | 수원서 | 241 |
| 채지웅 | 중부청 | 224 |
| 채지유 | 기재부 | 66 |
| 채진남 | 인천지방 | 33 |
| 채진우 | 역삼서 | 199 |
| 채칠용 | 부평서 | 306 |
| 채한기 | 국세청 | 106 |
| 채현석 | 중부청 | 225 |
| 채현지 | 부산진서 | 447 |
| 채현진 | 양천서 | 196 |
| 채혜란 | 예일회계 | 22 |
| 채혜미 | 마포서 | 181 |
| 채혜리 | 김포서 | 298 |
| 채혜정 | 남동서 | 286 |
| 채효철 | 중부청 | 221 |
| 채홍선 | 남대문서 | 171 |
| 채희문 | 안산서 | 247 |
| 채희율 | 대전청 | 318 |
| 채희주 | 인천청 | 283 |
| 채희준 | 수원서 | 240 |
| 채희천 | 국세청 | 118 |
| 천경주 | 천안서 | 345 |
| 천광필 | 목포서 | 377 |
| 천광진 | 영등포서 | 200 |
| 천기문 | 포천서 | 314 |
| 천만지 | 국세청 | 123 |
| 천명길 | 경주서 | 417 |
| 천명선 | 중부청 | 217 |
| 천명일 | 남동서 | 387 |
| 천미진 | 마포서 | 180 |
| 천민근 | 국세청 | 128 |
| 천민아 | 금천서 | 169 |
| 천병선 | 북전주서 | 389 |
| 천상미 | 부산강서 | 448 |
| 천상수 | 수원서 | 240 |
| 천서봉 | 동청주서 | 349 |
| 천서정 | 나주서 | 375 |
| 천선경 | 기재부 | 128 |
| 천세훈 | 국세청 | 129 |
| 천소진 | 원주서 | 271 |
| 천수현 | 청주서 | 354 |
| 천승려 | 성남서 | 238 |
| 천승민 | 구미서 | 418 |
| 천승연 | 진주서 | 472 |
| 천승현 | 통영서 | 477 |
| 천승환 | 포천서 | 315 |
| 천영익 | 포항서 | 430 |
| 천영환 | 삼일회계 | 16 |
| 천영현 | 삼성서 | 185 |
| 천영환 | 예일세무 | 40 |
| 천요안 | 영등포서 | 200 |
| 천용욱 | 의정부서 | 310 |
| 천우남 | 김천서 | 420 |
| 천원철 | 김해서 | 466 |
| 천은영 | 순천서 | 379 |
| 천인호 | 대전청 | 320 |
| 천일 | 연수서 | 308 |
| 천재돗 | 강남서 | 159 |
| 천재호 | 광주서 | 307 |
| 천정희 | 해운대서 | 458 |
| 천주헌 | 태평양 | 52 |
| 천주호 | 경산서 | 415 |
| 천준환 | 해운대서 | 458 |
| 천지연 | 부산청 | 436 |
| 천지영 | 종로서 | 208 |
| 천지연 | 중부서 | 220 |
| 천지영 | 용산서 | 203 |
| 천진해 | | 90 |
| 천태근 | 금감원 | 312 |
| 천하람 | 파주서 | 194 |
| 천하자 | 도봉서 | 174 |
| 천현식 | 여수서 | 381 |
| 천현창 | 현대회계 | 28 |
| 천혜란 | 익산서 | 391 |
| 천혜령 | 김포서 | 298 |
| 천혜린 | 의정부서 | 311 |
| 천혜빈 | 수성서 | 412 |
| 천혜원 | 구리서 | 310 |
| 천혜철 | 의정부서 | 155 |
| 천호철 | 체납관 | 106 |
| 천호순 | 체납관 | 137 |
| 천효순 | 영등포서 | 200 |
| 천종철 | 전주서 | 393 |
| 최가은 | 역삼서 | 198 |
| 최가현 | 동래서 | 445 |
| 최감순 | 국회재정 | 56 |
| 최강식 | 북대구서 | 408 |
| 최강호 | 계양서 | 293 |
| 최건호 | 서인천서 | 288 |
| 최경남 | 천안서 | 344 |
| 최경락 | 안양서 | 251 |
| 최경배 | 중부청 | 221 |
| 최경진 | 울산서 | 463 |
| 최경아 | 성동서 | 191 |
| 최경식 | 광주세관 | 504 |
| 최경남 | 국세청 | 120 |
| 최경락 | 부산강서 | 448 |
| 최경배 | 중부산서 | 456 |
| 최경진 | 서울청 | 134 |
| 최경초 | 대전청 | 321 |
| 최가은 | 동작서 | 178 |
| 최가현 | 해남서 | 382 |
| 최감순 | 부산진서 | 446 |
| 최강식 | 동래서 | 445 |
| 최건호 | 서인천서 | 288 |
| 최경남 | 기재부 | 67 |
| 최경락 | 국세청 | 117 |
| 최경민 | 포항서 | 430 |
| 최경배 | 익산서 | 390 |
| 최경숙 | 제주서 | 478 |
| 최경아 | 분당서 | 236 |
| 최경식 | 연수서 | 308 |
| 최경아 | 제본서 | 352 |
| 최경원 | 딜로이트 | 13 |
| 최경은 | 울산서 | 463 |
| 최경주 | 청주서 | 354 |
| 최경준 | 영월서 | 269 |
| 최경진 | 국세청 | 114 |
| 최경초 | 서초서 | 183 |
| 최경호 | 경기광주 | 244 |
| 최경화 | 청주서 | 354 |
| 최경화 | 서초서 | 189 |
| 최경화 | 춘천서 | 272 |
| 최경희 | 인천청 | 279 |
| 최경희 | 동대구서 | 407 |
| 최경희 | 동대문서 | 177 |
| 최고든 | 창원서 | 474 |
| 최고은 | 광산서 | 366 |
| 최고진 | 중부청 | 223 |
| 최관수 | 청정서 | 443 |
| 최광민 | 수영서 | 454 |
| 최광백 | 기재부 | 68 |
| 최광석 | 서인천서 | 289 |
| 최광신 | 태평양 | 52 |
| 최교신 | 충주서 | 356 |
| 최국주 | 양천서 | 197 |
| 최권호 | 광주세관 | 504 |
| 최규균 | 딜로이트 | 13 |
| 최규선 | 나주서 | 375 |
| 최규섭 | 택스홈 | 38 |
| 최규식 | 경기광주 | 244 |
| 최규진 | 감사원 | 63 |
| 최규철 | 노원서 | 173 |
| 최근수 | 기재부 | 456 |
| 최근한 | 인천서 | 74 |
| 최근식 | 국세청 | 290 |
| 최근영 | 국세청 | 118 |
| 최근재 | 부산청 | 434 |
| 최근창 | 하나세무 | 39 |
| 최근호 | 서대문서 | 186 |
| 최근호 | 서대구서 | 410 |
| 최금년 | 성동서 | 190 |
| 최금주 | 평택서 | 257 |
| 최금해 | 국세청 | 111 |
| 최기도 | 기흥서 | 228 |
| 최기상 | 조세재정 | 510 |
| 최기순 | 대전청 | 320 |
| 최기영 | 조세재정 | 511 |
| 최기웅 | 성동서 | 190 |
| 최기웅 | 국세정무 | 59 |
| 최기현 | 예산서 | 56 |
| 최기환 | 대구청 | 342 |
| 최기현 | 구미서 | 419 |
| 최기환 | 도봉서 | 174 |
| 최길만 | 성동서 | 191 |
| 최길섭 | 서부산서 | 452 |
| | 광명서 | 296 |
| | 양천서 | 196 |
| | 성동서 | 387 |
| | 서울청 | 156 |
| | 노원서 | 173 |

| 이름 | 부서 | 번호 |
|---|---|---|
| 최길성 | 금감원 | 100 |
| 최길숙 | 중부서 | 213 |
| 최나영 | 구리서 | 227 |
| 최나영 | 목포부 | 376 |
| 최나은 | 기재부 | 72 |
| 최낙상 | 해운대서 | 458 |
| 최남숙 | 순천서 | 379 |
| 최남원 | 포항서 | 431 |
| 최남철 | 영등포서 | 200 |
| 최노용 | 서울청 | 136 |
| 최누리 | 천안서 | 345 |
| 최다경 | 남양주서 | 231 |
| 최다솜 | 현대회계 | 28 |
| 최다영 | 공주서 | 331 |
| 최다영 | 기재부 | 70 |
| 최다예 | 안산서 | 247 |
| 최다인 | 동고양서 | 301 |
| 최다혜 | 인천서 | 290 |
| 최다혜 | 순천서 | 378 |
| 최달영 | 감사원 | 61 |
| 최대경 | 진주서 | 473 |
| 최대규 | 신한관세 | 44 |
| 최대규 | 신한관세 | 44 |
| 최대림 | 부산청 | 434 |
| 최대선 | 기재부 | 70 |
| 최대현 | 금정서 | 443 |
| 최대현 | 현대회계 | 28 |
| 최덕선 | 속초서 | 267 |
| 최덕희 | 기재부 | 79 |
| 최도석 | 서울청 | 151 |
| 최도영 | 영주서 | 429 |
| 최돈순 | 원주서 | 270 |
| 최돈건 | 중부청 | 221 |
| 최동건 | 기재부 | 78 |
| 최동석 | 홍천서 | 275 |
| 최동수 | 울산서 | 462 |
| 최동수 | 중랑서 | 211 |
| 최동완 | 국회재정 | 55 |
| 최동우 | 금감원 | 91 |
| 최동일 | 기재부 | 78 |
| 최동일 | 서초서 | 189 |
| 최동주 | 중부청 | 221 |
| 최동진 | 김앤장 | 47 |
| 최동찬 | 서산서 | 336 |
| 최동혁 | 기재부 | 73 |
| 최동혁 | 서울청 | 154 |
| 최동혁 | 영등포서 | 201 |
| 최동협 | 금감원 | 90 |
| 최동호 | 기재부 | 84 |
| 최동훈 | 대전서 | 325 |
| 최동휘 | 남양주서 | 231 |
| 최두이 | 동화성서 | 258 |
| 최두현 | 세종서 | 339 |
| 최두환 | 북부산서 | 450 |
| 최락진 | 중부청 | 223 |
| 최만석 | 국세청 | 111 |
| 최명길 | 해운대서 | 459 |
| 최명식 | 은평서 | 205 |
| 최명일 | 국세청 | 125 |
| 최명준 | 서울청 | 156 |
| 최명진 | 중부청 | 223 |
| 최명현 | 서울청 | 142 |
| 최명화 | 중부청 | 224 |
| 최명환 | 통영서 | 476 |
| 최명훈 | 서대문서 | 187 |
| 최모세 | 기재부 | 79 |
| 최문경 | 서초서 | 188 |
| 최문석 | 마포서 | 180 |
| 최문성 | 기재부 | 74 |
| 최문영 | 정읍서 | 395 |
| 최문자 | 서광주서 | 372 |
| 최미경 | 관악서 | 164 |
| 최미경 | 성동서 | 190 |
| 최미경 | 고양서 | 295 |
| 최미녀 | 김해서 | 466 |
| 최미란 | 서울청 | 157 |
| 최미란 | 안양서 | 250 |
| 최미란 | 익산서 | 390 |
| 최미리 | 동래서 | 444 |
| 최미리 | 서울청 | 137 |
| 최미리 | 종로서 | 208 |
| 최미선 | 국세청 | 154 |
| 최미선 | 조세재정 | 508 |
| 최미숙 | 의정부서 | 310 |
| 최미숙 | 대전청 | 323 |
| 최미순 | 양천서 | 196 |
| 최미영 | 국세청 | 131 |
| 최미영 | 역삼서 | 198 |
| 최미영 | 수원서 | 241 |
| 최미영 | 순천서 | 378 |
| 최미영 | 조세재정 | 508 |
| 최미영 | 조세재정 | 508 |
| 최미영 | 조세재정 | 508 |
| 최미옥 | 조세재정 | 508 |
| 최미옥 | 서초서 | 189 |
| 최미자 | 성남서 | 238 |
| 최미정 | 잠실서 | 207 |
| 최미정 | 중부청 | 218 |
| 최미정 | 용인서 | 252 |
| 최미진 | 서대문서 | 329 |
| 최미혜 | 광산서 | 366 |
| 최민 | 홍성서 | 346 |
| 최민경 | 영등포서 | 201 |
| 최민경 | 인천청 | 284 |
| 최민교 | 기재부 | 74 |
| 최민규 | 남양주서 | 191 |
| 최민규 | 금천서 | 302 |
| 최민석 | 대구서 | 169 |
| 최민석 | 금천서 | 399 |
| 최민수 | 성동서 | 191 |
| 최민식 | 동울산서 | 461 |
| 최민애 | 서초서 | 190 |
| 최민우 | 청주서 | 354 |
| 최민정 | 마포서 | 180 |
| 최민정 | 영등포서 | 200 |
| 최민정 | 전주서 | 392 |
| 최민정 | 조세재정 | 509 |
| 최민준 | 부산진서 | 446 |
| 최민지 | 강동서 | 160 |
| 최민지 | 북대전서 | 324 |
| 최민혜 | 수원서 | 241 |
| 최민희 | 잠실서 | 185 |
| 최방석 | 북광주서 | 371 |
| 최범식 | 광주세관 | 505 |
| 최범전 | 잠실서 | 206 |
| 최범곤 | 금감원 | 91 |
| 최병 | 인천지방 | 33 |
| 최병구 | 계양서 | 292 |
| 최병구 | 포항서 | 431 |
| 최병국 | 영등포서 | 201 |
| 최병국 | 동안산서 | 248 |
| 최병길 | 국회정무 | 59 |
| 최병길 | 안동서 | 425 |
| 최병례 | 기흥서 | 228 |
| 최병민 | 서초서 | 252 |
| 최병분 | 충주서 | 356 |
| 최병석 | 송파서 | 195 |
| 최병용 | 홍천서 | 202 |
| 최병용 | 홍천서 | 275 |
| 최병철 | 여수서 | 152 |
| 최병윤 | 여수서 | 380 |
| 최병재 | 인천청 | 278 |
| 최병준 | 대구청 | 398 |
| 최병철 | 부산청 | 438 |
| 최병태 | 서대문서 | 187 |
| 최병하 | 기재부 | 392 |
| 최병한 | 신한관세 | 44 |
| 최병훈 | 수원서 | 232 |
| 최병훈 | 광주세관 | 505 |
| 최보경 | 수영서 | 454 |
| 최보라 | 인천청 | 284 |
| 최보람 | 순천서 | 378 |
| 최보람 | 서현회계 | 7 |
| 최보령 | 기재부 | 125 |
| 최보미 | 강동서 | 161 |
| 최보미 | 노원서 | 172 |
| 최보미 | 인천서 | 287 |
| 최보선 | 택스홈 | 38 |
| 최보영 | 영등포서 | 200 |
| 최보영 | 청주청 | 365 |
| 최보윤 | 역삼서 | 198 |
| 최보윤 | 김포서 | 298 |
| 최보현 | 울산서 | 463 |
| 최복기 | 남대문서 | 170 |
| 최복기 | 현대회계 | 256 |
| 최봉락 | 현대회계 | 28 |
| 최봉렬 | 서울청 | 144 |
| 최봉수 | 기재부 | 74 |
| 최봉수 | 국세청 | 112 |
| 최봉순 | 양산서 | 470 |
| 최상권 | 양천서 | 197 |
| 최상권 | 서현회계 | 7 |
| 최상권 | 서현회계 | 7 |
| 최상덕 | 김천서 | 420 |
| 최상림 | 중부산서 | 457 |
| 최상만 | 구리서 | 226 |
| 최상목 | 국세청 | 108 |
| 최상목 | 기재부 | 65 |
| 최상미 | 분당서 | 237 |
| 최상복 | 대구청 | 400 |
| 최상아 | 금융위 | 87 |
| 최상연 | 중부서 | 213 |
| 최상연 | 인천청 | 282 |
| 최상영 | 순천서 | 379 |
| 최상운 | 기재부 | 76 |
| 최상웅 | 강릉서 | 262 |
| 최상원 | 삼림세무 | 37 |
| 최상임 | 종로서 | 208 |
| 최상자 | 중부청 | 217 |
| 최상채 | 잠실서 | 206 |
| 최상혁 | 나주서 | 375 |
| 최상형 | 영동서 | 350 |
| 최서나 | 반포서 | 182 |
| 최서연 | 기재부 | 78 |
| 최서연 | 서인천서 | 288 |
| 최서영 | 천안서 | 345 |
| 최서우 | 부산강서 | 448 |
| 최서윤 | 금천서 | 169 |
| 최서윤 | 진주서 | 472 |
| 최서진 | 성북서 | 192 |
| 최서진 | 북대전서 | 327 |
| 최서현 | 세종서 | 338 |
| 최석운 | 대전서 | 324 |
| 최석종 | 인천서 | 291 |
| 최선 | 중부청 | 219 |
| 최선경 | 순천서 | 379 |
| 최선규 | 해운대서 | 459 |
| 최선근 | 관악서 | 164 |
| 최선미 | 국세청 | 123 |
| 최선미 | 시흥서 | 117 |
| 최선우 | 국세청 | 242 |
| 최선우 | 서울청 | 130 |
| 최선이 | 동울산서 | 149 |
| 최선자 | 성동서 | 476 |
| 최선재 | 동울산서 | 190 |
| 최선재 | 조세심판 | 461 |
| 최선주 | 서울청 | 507 |
| 최선주 | 역삼서 | 156 |
| 최선혜 | 김포서 | 198 |
| 최선호 | 관악서 | 298 |
| 최선호 | 금천서 | 164 |
| 최선희 | 노원서 | 169 |
| 최선희 | 노원서 | 173 |
| 최선희 | 서대구서 | 173 |
| 최설향 | 역삼서 | 411 |
| 최설희 | 영등포서 | 199 |
| 최성관 | 익산서 | 201 |
| 최성국 | 광주세관 | 390 |
| 최성규 | 강남서 | 505 |
| 최성균 | 양천서 | 159 |
| 최성도 | 용인서 | 197 |
| 최성례 | 안양서 | 253 |
| 최성미 | 국세청 | 250 |
| 최성미 | 논산서 | 106 |
| 최성민 | 기재부 | 333 |
| 최성민 | 중부청 | 66 |
| 최성배 | 광주서 | 218 |
| 최성식 | 용산서 | 369 |
| 최성식 | 관세사회 | 202 |
| 최성실 | 수성서 | 42 |
| 최성열 | 영등포서 | 412 |
| 최성영 | 기재부 | 201 |
| 최성영 | 국세청 | 83 |
| 최성용 | 중부청 | 121 |
| 최성우 | 삼일회계 | 217 |
| 최성욱 | 기재부 | 17 |
| 최성욱 | 동대문서 | 66 |
| 최성은 | 조세재정 | 176 |
| 최성일 | 수원서 | 509 |
| 최성일 | 예일세무 | 241 |
| 최성일 | 울산서 | 40 |
| 최성준 | 울산서 | 462 |
| 최성지 | 원주서 | 463 |
| 최성진 | 기재부 | 270 |
| 최성찬 | 제천서 | 82 |
| 최성태 | 관세사회 | 352 |
| 최성현 | 삼척서 | 42 |
| 최성현 | 기재부 | 348 |
| 최성호 | 금감원 | 265 |
| 최성호 | 국세청 | 72 |
| 최성호 | 서울청 | 92 |
| 최성호 | 대전청 | 106 |
| 최성화 | 잠실서 | 137 |
| 최성환 | 부천서 | 323 |
| 최성화 | 잠실서 | 207 |
| 최성환 | 부천서 | 304 |
| 최성형 | 중부산서 | 457 |
| 최세라 | 삼성서 | 185 |
| 최세미 | 서울청 | 149 |
| 최세영 | 남양주서 | 230 |
| 최세준 | 진주서 | 473 |
| 최세은 | 안양서 | 250 |
| 최세진 | 강남서 | 159 |
| 최세진 | 성남서 | 239 |
| 최세진 | 동화성서 | 259 |
| 최세훈 | 삼정회계 | 18 |
| 최세희 | 중부서 | 213 |
| 최세희 | 나주서 | 374 |
| 최소라 | 도봉서 | 175 |
| 최소아 | 광산서 | 366 |
| 최소영 | 서초서 | 188 |
| 최소영 | 부산강서 | 448 |
| 최소윤 | 부산진서 | 446 |
| 최소율 | 은평서 | 204 |
| 최솔 | 서울청 | 143 |
| 최송엽 | 동화성서 | 258 |
| 최수경 | 의정부서 | 311 |
| 최수미 | 서울청 | 128 |
| 최수미 | 강동서 | 160 |
| 최수빈 | 순천서 | 378 |
| 최수빈 | 국세청 | 115 |
| 최수식 | 강동서 | 161 |
| 최수연 | 김해서 | 467 |
| 최수연 | 노원서 | 172 |
| 최수연 | 반포서 | 182 |
| 최수영 | 대전청 | 391 |
| 최수영 | 대전청 | 320 |
| 최수인 | 중부서 | 213 |
| 최수인 | 구리서 | 226 |
| 최수인 | 천안서 | 344 |
| 최수정 | 분당서 | 237 |
| 최수정 | 계양서 | 292 |
| 최수종 | 대전청 | 318 |
| 최수지 | 인천청 | 278 |
| 최수진 | 국세청 | 117 |
| 최수진 | 동대문서 | 176 |
| 최수현 | 천안서 | 420 |
| 최수현 | 송파서 | 195 |
| 최수현 | 원주서 | 271 |
| 최수현 | 기흥서 | 463 |
| 최숙경 | 부산청 | 440 |
| 최숙현 | 성동서 | 190 |
| 최순봉 | 기흥서 | 228 |
| 최순봉 | 김해서 | 467 |
| 최순희 | 광주서 | 369 |
| 최순희 | 동작서 | 178 |
| 최순희 | 군산서 | 384 |
| 최슬기 | 국세청 | 123 |
| 최슬기 | 서울청 | 145 |
| 최슬기 | 평택서 | 257 |
| 최슬기 | 아산서 | 340 |
| 최슬기 | 동청주서 | 348 |
| 최승규 | 남동서 | 287 |
| 최승록 | 금감원 | 99 |
| 최승민 | 서울청 | 134 |
| 최승빈 | 경기광주 | 244 |
| 최승식 | 세종서 | 246 |
| 최승식 | 천안서 | 345 |
| 최승오 | 기재부 | 80 |
| 최승우 | 보령서 | 334 |
| 최승웅 | 딜로이트 | 13 |
| 최승일 | 국세청 | 112 |
| 최승재 | 나주서 | 374 |
| 최승철 | 속초서 | 267 |
| 최승철 | 조세심판 | 506 |
| 최승필 | 김천서 | 421 |
| 최승현 | 강동서 | 160 |
| 최승현 | 영주서 | 424 |
| 최승훈 | 진주서 | 429 |
| 최승훈 | 진주서 | 472 |
| 최시영 | 조세재정 | 510 |
| 최시영 | 기재부 | 75 |
| 최시영 | 중랑서 | 210 |
| 최시원 | 조세재정 | 510 |
| 최시은 | 대전청 | 318 |
| 최시은 | 대전청 | 379 |
| 최신호 | 정읍서 | 394 |
| 최아라 | 부산진서 | 446 |
| 최아람 | 구로서 | 166 |
| 최아영 | 현대회계 | 28 |
| 최아현 | 종로서 | 209 |
| 최안욱 | 부산청 | 434 |
| 최안욱 | 역삼서 | 199 |
| 최연구 | 기재부 | 74 |
| 최연구 | 구리서 | 227 |
| 최연덕 | 동래서 | 445 |
| 최연수 | 해남서 | 382 |
| 최연욱 | 춘천서 | 272 |
| 최연욱 | 중부청 | 217 |
| 최연재 | 대구세관 | 500 |
| 최연정 | 중랑서 | 211 |
| 최연주 | 양산서 | 470 |
| 최연주 | 중부청 | 217 |
| 최연주 | 인천청 | 283 |
| 최연주 | 고양서 | 294 |
| 최연평 | 전주서 | 392 |
| 최연아 | 서울청 | 139 |
| 최연희 | 관악서 | 164 |
| 최연희 | 노원서 | 173 |
| 최연희 | 광산서 | 366 |
| 최연희 | 북광주서 | 370 |
| 최연희 | 용인서 | 252 |
| 최영 | 대전청 | 318 |
| 최영권 | 북전주서 | 389 |
| 최영덕 | 금감원 | 98 |
| 최영덕 | 대전청 | 320 |
| 최영락 | 기재부 | 80 |
| 최영란 | 조세재정 | 511 |
| 최영미 | 중부청 | 219 |
| 최영미 | 대전서 | 325 |
| 최영민 | 서울세관 | 485 |
| 최영민 | 서울세관 | 487 |
| 최영보 | 도봉서 | 174 |
| 최영봉 | 삼성서 | 185 |
| 최영석 | 금감원 | 91 |
| 최영선 | 부산청 | 434 |
| 최영선 | 서대문서 | 391 |
| 최영수 | 하나세무 | 39 |
| 최영숙 | 마포서 | 181 |
| 최영실 | 강서서 | 163 |
| 최영아 | 용산서 | 202 |
| 최영우 | 국세청 | 111 |
| 최영우 | 원주서 | 270 |
| 최영윤 | 삼정회계 | 20 |
| 최영은 | 대구청 | 398 |
| 최영은 | 성동서 | 191 |
| 최영의 | 동대구서 | 407 |
| 최영임 | 서울청 | 142 |
| 최영임 | 광주청 | 361 |
| 최영임 | 광산서 | 366 |
| 최영자 | 포천서 | 314 |
| 최영전 | 기재부 | 67 |
| 최영조 | 반포서 | 182 |
| 최영조 | 경기광주 | 245 |
| 최영주 | 금감원 | 94 |
| 최영주 | 광주청 | 363 |
| 최영주 | 서울세관 | 487 |
| 최영준 | 국세청 | 129 |
| 최영준 | 서울청 | 215 |
| 최영준 | 중부청 | 217 |
| 최영준 | 중부청 | 218 |
| 최영준 | 중부청 | 219 |
| 최영준 | 평택서 | 256 |
| 최영준 | 천안서 | 345 |
| 최영준 | 조세심판 | 506 |
| 최영진 | 강동서 | 160 |
| 최영진 | 동작서 | 179 |
| 최영진 | 성북서 | 193 |
| 최영진 | 화성서 | 261 |
| 최영철 | 국세청 | 107 |
| 최영철 | 서울청 | 153 |
| 최영철 | 포항서 | 430 |
| 최영학 | 부산서 | 456 |
| 최영학 | 서울청 | 149 |
| 최영현 | 강남서 | 158 |
| 최영현 | 성동서 | 190 |
| 최영호 | 국세청 | 125 |
| 최영호 | 금천서 | 169 |
| 최영호 | 은평서 | 205 |
| 최영호 | 평택서 | 256 |
| 최영호 | 북부산서 | 451 |
| 최영환 | 마포서 | 180 |
| 최영환 | 잠실서 | 207 |
| 최영환 | 성남서 | 239 |
| 최영환 | 광명서 | 296 |
| 최영훈 | 국세청 | 117 |
| 최예리 | 남양주서 | 371 |
| 최예영 | 부산강서 | 449 |
| 최예은 | 강동서 | 160 |
| 최오동 | 서울청 | 157 |
| 최오동 | 중부청 | 220 |
| 최완규 | 중부청 | 224 |
| 최완규 | 안산서 | 247 |
| 최완수 | 파주서 | 313 |
| 최용 | 남양주서 | 230 |
| 최용규 | 구로서 | 167 |
| 최용근 | 서울청 | 140 |
| 최용민 | 서대문서 | 186 |
| 최용복 | 충주서 | 356 |
| 최용세 | 서대전서 | 328 |
| 최용우 | 서울청 | 134 |

| 이름 | 소속 | 번호 | 이름 | 소속 | 번호 | 이름 | 소속 | 번호 | 이름 | 소속 | 번호 | 이름 | 소속 | 번호 |
|---|---|---|---|---|---|---|---|---|---|---|---|---|---|---|
| 최용준 | 동안산서 | 249 | 최윤선 | 국세청 | 128 | 최은희 | 동화성서 | 258 | 최정열 | 마포서 | 181 | 최지우 | 관악서 | 164 |
| 최용준 | 다솔세무 | 35 | 최윤성 | 진주서 | 472 | 최이진 | 서대전서 | 328 | 최정완 | 계양서 | 292 | 최지우 | 평택서 | 257 |
| 최용지 | 노원서 | 172 | 최윤수 | 분당서 | 237 | 최이진 | 인천서 | 291 | 최정우 | 삼성서 | 184 | 최지웅 | 남동서 | 287 |
| 최용진 | 고양서 | 294 | 최윤실 | 삼일회계 | 16 | 최이환 | 서울청 | 148 | 최정욱 | 광주청 | 363 | 최지원 | 기재부 | 80 |
| 최용철 | 북광주서 | 371 | 최윤실 | 대전청 | 320 | 최익수 | 경산서 | 136 | 최정웅 | 감사원 | 61 | 최지원 | 김해서 | 467 |
| 최용호 | 기재부 | 73 | 최윤영 | 해운대서 | 458 | 최익수 | 아산서 | 340 | 최정운 | 동래서 | 444 | 최지윤 | 국세청 | 117 |
| 최용호 | 동안산서 | 248 | 최윤영 | 중부서 | 213 | 최익훈 | 금천서 | 168 | 최정웅 | 부산진서 | 446 | 최지은 | 중부서 | 224 |
| 최용화 | 경산서 | 254 | 최윤영 | 동수원서 | 233 | 최인광 | 김포서 | 298 | 최정웅 | 노원서 | 172 | 최지은 | 동수원서 | 232 |
| 최용훈 | 성북서 | 304 | 최윤영 | 대구청 | 401 | 최인규 | 순천서 | 378 | 최정윤 | 강남서 | 159 | 최지은 | 원주서 | 270 |
| 최용훈 | 대구청 | 398 | 최윤영 | 남대구서 | 404 | 최인규 | 서대문서 | 186 | 최정은 | 용산서 | 202 | 최지은 | 세종서 | 338 |
| 최용훈 | 경산서 | 415 | 최윤영 | 울산서 | 462 | 최인규 | 서울청 | 144 | 최정은 | 중부청 | 219 | 최지은 | 동대구서 | 406 |
| 최우경 | 부산청 | 441 | 최윤용 | 조세재정 | 511 | 최인량 | 다솔세무 | 35 | 최정은 | 서대구서 | 410 | 최지은 | 부산진서 | 447 |
| 최우녕 | 고양서 | 192 | 최윤정 | 반포서 | 182 | 최인범 | 광주세관 | 505 | 최정이 | 정읍서 | 394 | 최지현 | 서울청 | 153 |
| 최우리 | 기재부 | 81 | 최윤정 | 시흥서 | 243 | 최인석 | 용인서 | 253 | 최정인 | 잠실서 | 207 | 최지현 | 구로서 | 167 |
| 최우석 | 금감원 | 91 | 최윤정 | 용인서 | 252 | 최인석 | 영등포서 | 200 | 최정인 | 삼척서 | 264 | 최지현 | 시흥서 | 242 |
| 최우석 | 동화성서 | 259 | 최윤정 | 남동서 | 286 | 최인수 | 기재부 | 71 | 최정인 | 강동서 | 160 | 최지현 | 동고양서 | 301 |
| 최우석 | 영월서 | 269 | 최윤정 | 충주서 | 357 | 최인순 | 감사원 | 62 | 최정주 | 수영서 | 455 | 최지현 | 의정부서 | 311 |
| 최우성 | 국세청 | 120 | 최윤정 | 통영서 | 477 | 최인순 | 서울지방 | 32 | 최정헌 | 시흥서 | 243 | 최지현 | 북광주서 | 370 |
| 최우성 | 수원서 | 240 | 최윤주 | 인천청 | 278 | 최인식 | 김해서 | 466 | 최정현 | 국세청 | 115 | 최지현 | 부산진서 | 446 |
| 최우신 | 경기광주 | 245 | 최윤주 | 북광주서 | 370 | 최인실 | 김해서 | 467 | 최정혜 | 경주서 | 416 | 최지현 | 통영서 | 476 |
| 최우영 | 경기광주 | 244 | 최윤진 | 서울청 | 152 | 최인아 | 남대문서 | 171 | 최정환 | 금감원 | 98 | 최지혜 | 금감원 | 95 |
| 최우영 | 예산서 | 343 | 최윤진 | 평택서 | 256 | 최인아 | 창원서 | 475 | 최정환 | 영등포서 | 201 | 최지혜 | 목포서 | 376 |
| 최우영 | 부산청 | 436 | 최윤혁 | 거창서 | 465 | 최인애 | 홍성서 | 346 | 최정훈 | 서부산서 | 452 | 최지혜 | 수영서 | 454 |
| 최우일 | 마포서 | 180 | 최윤형 | 경주서 | 416 | 최인영 | 서울청 | 146 | 최정훈 | 동울산서 | 461 | 최지훈 | 기재부 | 69 |
| 최우정 | 북대구서 | 408 | 최윤호 | 서울청 | 134 | 최인영 | 중부청 | 222 | 최정희 | 강남서 | 158 | 최지훈 | 대전청 | 321 |
| 최우진 | 대전청 | 322 | 최윤호 | 대전청 | 320 | 최인영 | 마산서 | 469 | 최정희 | 중부청 | 217 | 최지훈 | 광주청 | 364 |
| 최우현 | 중부서 | 221 | 최윤희 | 동화성서 | 259 | 최인옥 | 도봉서 | 174 | 최제욱 | 동울산서 | 460 | 최지희 | 대전청 | 320 |
| 최욱경 | 진주서 | 473 | 최윤희 | 기재부 | 69 | 최인옥 | 대전청 | 321 | 최제희 | 북광주서 | 371 | 최지희 | 북전주서 | 388 |
| 최운식 | 서울청 | 202 | 최윤희 | 서울청 | 157 | 최인탁 | 조세재정 | 508 | 최제희 | 창원서 | 475 | 최진 | 용산서 | 203 |
| 최운호 | 송파서 | 195 | 최은경 | 서울청 | 117 | 최인혁 | 조세재정 | 508 | 최종민 | 대구청 | 401 | 최진 | 기재부 | 72 |
| 최웅 | 성동서 | 191 | 최은경 | 동작서 | 178 | 최인혁 | 조세재정 | 508 | 최종민 | 서울청 | 139 | 최진경 | 경기광주 | 244 |
| 최웅 | 은평서 | 205 | 최은경 | 부산청 | 438 | 최인혜 | 예산서 | 342 | 최종민 | 광주서 | 368 | 최진관 | 통영서 | 476 |
| 최웅 | 동안양서 | 234 | 최은경 | 마산서 | 469 | 최인호 | 여수서 | 380 | 최종범 | 현대회계 | 28 | 최진규 | 법무광장 | 49 |
| 최웅렬 | 고양서 | 294 | 최은경 | 이안세무 | 41 | 최일 | 관악서 | 165 | 최종선 | 북광주서 | 371 | 최진규 | 기재부 | 68 |
| 최원경 | 성현회계 | 11 | 최은미 | 국세청 | 128 | 최임정 | 김앤장 | 47 | 최종수 | 역삼서 | 198 | 최진규 | 금천서 | 168 |
| 최원규 | 광주청 | 364 | 최은미 | 서울청 | 140 | 최장균 | 광주서 | 365 | 최종미 | 부천서 | 305 | 최진규 | 동수원서 | 232 |
| 최원길 | 경산서 | 203 | 최은미 | 동청주서 | 348 | 최장영 | 연수서 | 309 | 최종욱 | 천안서 | 344 | 최진남 | 동수원서 | 233 |
| 최원길 | 종로서 | 208 | 최은복 | 포천서 | 314 | 최장원 | 국세청 | 123 | 최종혁 | 송파서 | 195 | 최진미 | 부산서 | 134 |
| 최원봉 | 국세청 | 118 | 최은빈 | 수원서 | 454 | 최재강 | 용인서 | 252 | 최종혁 | 이촌회계 | 24 | 최진민 | 부산청 | 437 |
| 최원석 | 노원서 | 173 | 최은석 | 국회재정 | 56 | 최재광 | 화성서 | 260 | 최종현 | 현대회계 | 28 | 최진복 | 역삼서 | 198 |
| 최원석 | 김포서 | 299 | 최은석 | 화성서 | 261 | 최재규 | 서울청 | 142 | 최종호 | 삼성서 | 184 | 최진성 | 중부청 | 220 |
| 최원수 | 영주서 | 428 | 최은선 | 천안서 | 344 | 최재규 | 전주서 | 393 | 최종호 | 분당서 | 236 | 최진선 | 인천서 | 291 |
| 최원영 | 송파서 | 195 | 최은선 | 동대구서 | 407 | 최재규 | 대전서 | 324 | 최종환 | 성동서 | 190 | 최진숙 | 대전청 | 320 |
| 최원영 | 광산서 | 366 | 최은성 | 천안서 | 110 | 최재덕 | 관악서 | 165 | 최종환 | 평택서 | 257 | 최진숙 | 부산청 | 437 |
| 최원우 | 울산서 | 462 | 최은성 | 국세청 | 120 | 최재득 | 동작서 | 179 | 최주광 | 동고양서 | 300 | 최진숙 | 마산서 | 469 |
| 최원우 | 택스홈 | 38 | 최은수 | 역삼서 | 199 | 최재림 | 도봉서 | 174 | 최주연 | 양산서 | 471 | 최진식 | 서울청 | 139 |
| 최원익 | 평택서 | 257 | 최은수 | 중랑서 | 210 | 최재봉 | 대전청 | 323 | 최주영 | 북대구서 | 408 | 최진영 | 마포서 | 181 |
| 최원정 | 서광주서 | 372 | 최은수 | 화성서 | 260 | 최재봉 | 국세청 | 105 | 최주영 | 울산서 | 463 | 최진영 | 금감원 | 100 |
| 최원제 | 포항서 | 431 | 최은숙 | 국세청 | 109 | 최재석 | 딜로이트 | 13 | 최주현 | 법무바른 | 1 | 최진영 | 국세청 | 107 |
| 최원준 | 국세청 | 123 | 최은숙 | 서울청 | 143 | 최재석 | 삼륭세무 | 37 | 최주현 | 수원서 | 241 | 최진영 | 서대문서 | 187 |
| 최원진 | 북부산서 | 450 | 최은숙 | 안동서 | 424 | 최재성 | 동수원서 | 232 | 최주희 | 동작서 | 179 | 최진영 | 서인천서 | 288 |
| 최원태 | 부산진서 | 447 | 최은숙 | 금감원 | 92 | 최재성 | 구미서 | 418 | 최주희 | 수원서 | 240 | 최진영 | 수영서 | 455 |
| 최원현 | 국세청 | 107 | 최은애 | 성북서 | 193 | 최재성 | 기재부 | 73 | 최준 | 서울청 | 138 | 최진욱 | 대전청 | 318 |
| 최원회 | 중부서 | 212 | 최은애 | 대전청 | 320 | 최재영 | 삼성서 | 185 | 최준민 | 목포서 | 376 | 최진욱 | 수원서 | 240 |
| 최원희 | 도봉서 | 174 | 최은애 | 영주서 | 429 | 최재영 | 구미서 | 418 | 최준성 | 중부청 | 224 | 최진욱 | 중부서 | 212 |
| 최원희 | 성북서 | 192 | 최은양 | 진주서 | 472 | 최재영 | 김천서 | 420 | 최준성 | 북전주서 | 388 | 최진이 | 대전청 | 319 |
| 최유건 | 서울청 | 149 | 최은영 | 기재부 | 66 | 최재용 | 서부산서 | 453 | 최준영 | 송파서 | 195 | 최진철 | 강동서 | 160 |
| 최유나 | 동고양서 | 300 | 최은영 | 기재부 | 78 | 최재우 | 구미서 | 418 | 최준영 | 현대회계 | 28 | 최진혁 | 서대전서 | 328 |
| 최유나 | 남대구서 | 404 | 최은영 | 국세청 | 109 | 최재우 | 부산진서 | 446 | 최준완 | 중부청 | 223 | 최진혁 | 금감원 | 97 |
| 최유리 | 택스홈 | 38 | 최은영 | 서울청 | 152 | 최재원 | 기재부 | 77 | 최준재 | 종로서 | 209 | 최진현 | 조세심판 | 506 |
| 최유림 | 구로서 | 166 | 최은영 | 천안서 | 168 | 최재원 | 강남서 | 158 | 최준웅 | 부평서 | 306 | 최진현 | 중부청 | 225 |
| 최유림 | 부산진서 | 446 | 최은영 | 동대문서 | 176 | 최재은 | 북대구서 | 409 | 최준재 | 영덕서 | 427 | 최진희 | 국세청 | 114 |
| 최유림 | 조세재정 | 511 | 최은영 | 양천서 | 196 | 최재은 | 김해서 | 466 | 최준환 | 용인서 | 253 | 최진희 | 인천공항 | 493 |
| 최유미 | 인천청 | 277 | 최은영 | 계양서 | 293 | 최재천 | 경기광주 | 244 | 최중갑 | 조세재정 | 511 | 최차영 | 역삼서 | 198 |
| 최유미 | 인천청 | 278 | 최은영 | 고양서 | 295 | 최재혁 | 강서서 | 163 | 최중우 | 영월서 | 269 | 최찬규 | 국세청 | 125 |
| 최유미 | 경산서 | 415 | 최은영 | 구미서 | 419 | 최재표 | 삼일회계 | 16 | 최지경 | 서울청 | 135 | 최찬민 | 중부청 | 222 |
| 최유미 | 조세심판 | 506 | 최은영 | 삼정회계 | 18 | 최재해 | 감사원 | 61 | 최지나 | 김해서 | 466 | 최찬배 | 국세청 | 113 |
| 최유미 | 강릉서 | 262 | 최은옥 | 고양서 | 294 | 최재해 | 감사원 | 62 | 최지민 | 동대문서 | 176 | 최찬오 | 태평양 | 52 |
| 최유성 | 인천청 | 282 | 최은옥 | 서울청 | 137 | 최재혁 | 감사원 | 62 | 최지민 | 인천청 | 279 | 최창규 | 광주청 | 360 |
| 최유연 | 이천서 | 254 | 최은정 | 서울청 | 149 | 최재혁 | 고양서 | 294 | 최지선 | 군산서 | 298 | 최창선 | 기재부 | 71 |
| 최유영 | 평택서 | 256 | 최은정 | 용산서 | 203 | 최재혁 | 해남서 | 382 | 최지선 | 창원서 | 474 | 최창수 | 강남서 | 159 |
| 최유원 | 국세청 | 131 | 최은정 | 인천서 | 291 | 최재혁 | 동대구서 | 406 | 최지선 | 창원서 | 143 | 최창수 | 다솔세무 | 35 |
| 최유정 | 서산서 | 337 | 최은주 | 용인서 | 252 | 최재현 | 관악서 | 164 | 최지숙 | 대구청 | 400 | 최창열 | 계양서 | 293 |
| 최유진 | 서울청 | 134 | 최은지 | 서울청 | 138 | 최재협 | 남대구서 | 404 | 최지숙 | 남대구서 | 404 | 최창완 | 광주세관 | 504 |
| 최유진 | 파주서 | 312 | 최은지 | 원주서 | 270 | 최재형 | 서울청 | 153 | 최지연 | 동수원서 | 232 | 최창욱 | 부산청 | 436 |
| 최유철 | 대구서 | 400 | 최은진 | 관악서 | 164 | 최재화 | 북부산서 | 451 | 최지연 | 안양서 | 251 | 최창욱 | 광주청 | 363 |
| 최유철 | 대구청 | 399 | 최은진 | 동작서 | 179 | 최재화 | 수성서 | 413 | 최지영 | 기재부 | 66 | 최창욱 | 현대회계 | 28 |
| 최유철 | 삼일회계 | 16 | 최은진 | 구미서 | 419 | 최재화 | 제주서 | 479 | 최지영 | 기재부 | 78 | 최창주 | 조세심판 | 506 |
| 최윤경 | 부산청 | 434 | 최은진 | 마산서 | 468 | 최정규 | 용산서 | 203 | 최지영 | 기재부 | 84 | 최창현 | 동대문서 | 177 |
| 최윤경 | 대전청 | 323 | 최은진 | 딜로이트 | 13 | 최정림 | 중부서 | 212 | 최지영 | 국세청 | 124 | 최창현 | 금감원 | 97 |
| 최윤기 | 용인서 | 253 | 최은창 | 성남서 | 238 | 최정명 | 부천서 | 304 | 최지영 | 북대전서 | 327 | 최창현 | 남동서 | 287 |
| 최윤미 | 서대문서 | 139 | 최은철 | 북전주서 | 389 | 최정빈 | 기재부 | 84 | 최지영 | 보령서 | 335 | 최창호 | 동대문서 | 176 |
| 최윤미 | 서대문서 | 187 | 최은태 | 동래서 | 444 | 최정식 | 김해서 | 467 | 최지영 | 북대전서 | 388 | 최창호 | 수영서 | 455 |
| 최윤미 | 안양서 | 250 | 최은하 | 서울청 | 140 | 최정심 | 화성서 | 260 | 최지영 | 대구청 | 401 | 최창훈 | 국세청 | 111 |
| 최윤미 | 부산청 | 434 | 최은혜 | 서울청 | 155 | 최정아 | 강서서 | 162 | 최지영 | 부산서 | 438 | 최천식 | 제주서 | 478 |
| 최윤미 | 조세재정 | 510 | 최은혜 | 대전청 | 319 | 최정애 | 창원서 | 474 | 최지영 | 조세재정 | 511 | 최철규 | 인천공항 | 492 |
| 최윤서 | 서울청 | 148 | 최은호 | 대구청 | 402 | 최정연 | 화성서 | 261 | 최지영 | 조세재정 | 511 | 최철승 | 광산서 | 366 |
| 최윤석 | 분당서 | 236 | 최은호 | 진주서 | 472 | 최정연 | 군산서 | 384 | 최지용 | 동대문서 | 176 | 최청림 | 안양서 | 251 |
| 최윤석 | 동화성서 | 258 | 최은화 | 관악서 | 250 | 최정연 | 진주서 | 472 |  |  |  | 최초로 | 삼성서 | 184 |
| 최윤석 | 서인천서 | 288 | 최은화 | 금감원 | 92 |  |  |  |  |  |  | 최치권 | 삼성서 | 184 |
|  |  |  | 최은희 | 삼성서 | 185 |  |  |  |  |  |  | 최치연 | 금융위 | 87 |

| 이름 | 소속 | 쪽 |
|---|---|---|
| 최치환 | 국세청 | 118 |
| 최태민 | 금감원 | 95 |
| 최태영 | 부산진서 | 446 |
| 최태영 | 하나세무 | 39 |
| 최태용 | 삼성서 | 184 |
| 최태주 | 서대구서 | 410 |
| 최태전 | 마산서 | 468 |
| 최태주 | 성동서 | 190 |
| 최태진 | 용산서 | 202 |
| 최태현 | 삼척서 | 265 |
| 최태형 | 중부청 | 225 |
| 최태훈 | 김해서 | 466 |
| 최파란 | 인천청 | 284 |
| 최하나 | 구로서 | 166 |
| 최하나 | 노원서 | 172 |
| 최하나 | 서초서 | 188 |
| 최하나 | 동안산서 | 248 |
| 최하늘 | 택스홈 | 38 |
| 최하연 | 서울청 | 134 |
| 최하영 | 조세재정 | 509 |
| 최하은 | 김해서 | 466 |
| 최학규 | 대전청 | 320 |
| 최학선 | 수영서 | 455 |
| 최한근 | 서울청 | 145 |
| 최한나 | 기재부 | 72 |
| 최한미 | 국세청 | 128 |
| 최한솔 | 성남서 | 238 |
| 최한식 | 법무대륜 | 45 |
| 최한영 | 조세재정 | 509 |
| 최한호 | 동래서 | 445 |
| 최항호 | 동울산서 | 460 |
| 최해성 | 부산청 | 439 |
| 최해수 | 부산강서 | 448 |
| 최해영 | 동고양서 | 301 |
| 최해욱 | 청주서 | 354 |
| 최해철 | 강서서 | 163 |
| 최행용 | 충주서 | 356 |
| 최향 | 기재부 | 71 |
| 최향미 | 광주청 | 362 |
| 최향성 | 도봉서 | 175 |
| 최헌순 | 동고양서 | 301 |
| 최혁 | 춘천서 | 272 |
| 최혁진 | 평택서 | 257 |
| 최현 | 국회법제 | 58 |
| 최현 | 인천청 | 282 |
| 최현 | 서인천서 | 289 |
| 최현규 | 기재부 | 73 |
| 최현민 | 대전청 | 320 |
| 최현빈 | 법무지평 | 51 |
| 최현석 | 중부산서 | 456 |
| 최현석 | 마포서 | 180 |
| 최현석 | 영등포서 | 200 |
| 최현선 | 익산서 | 390 |
| 최현성 | 파주서 | 312 |
| 최현수 | 원주서 | 271 |
| 최현숙 | 동화성서 | 258 |
| 최현숙 | 광주세관 | 505 |
| 최현아 | 순천서 | 378 |
| 최현영 | 중랑서 | 210 |
| 최현영 | 동화성서 | 259 |
| 최현영 | 북부산서 | 389 |
| 최현오 | 부산세관 | 497 |
| 최현의 | 고시회 | 30 |
| 최현정 | 동작서 | 178 |
| 최현정 | 마포서 | 180 |
| 최현정 | 중부청 | 216 |
| 최현정 | 평택서 | 257 |
| 최현정 | 대전서 | 324 |
| 최현정 | 관세청 | 483 |
| 최현주 | 기재부 | 74 |
| 최현주 | 안양서 | 250 |
| 최현주 | 서대구서 | 328 |
| 최현주 | 대구청 | 400 |
| 최현준 | 감사원 | 63 |
| 최현준 | 용산서 | 202 |
| 최현준 | 예일세무 | 40 |
| 최현지 | 서초서 | 188 |
| 최현진 | 인천청 | 284 |
| 최현진 | 전주서 | 393 |
| 최현진 | 부산강서 | 448 |
| 최현찬 | 서인천서 | 294 |
| 최현태 | 서인천서 | 457 |
| 최현필 | 금감원 | 91 |
| 최현호 | 고양서 | 295 |
| 최현희 | 동대구서 | 406 |
| 최형균 | 인천공항 | 492 |
| 최형동 | 서광주서 | 373 |
| 최형윤 | 성동서 | 190 |
| 최형준 | 서울청 | 142 |
| 최형준 | 인천서 | 290 |

| 이름 | 소속 | 쪽 |
|---|---|---|
| 최형지 | 춘천서 | 273 |
| 최형경 | 삼정회계 | 18 |
| 최혜교 | 천안서 | 345 |
| 최혜련 | 종로서 | 209 |
| 최혜미 | 역삼서 | 438 |
| 최혜미 | 해운대서 | 459 |
| 최혜선 | 마산서 | 468 |
| 최혜영 | 역삼서 | 199 |
| 최혜옥 | 김천서 | 420 |
| 최혜옥 | 역삼서 | 198 |
| 최혜윤 | 파주서 | 313 |
| 최혜정 | 동래서 | 444 |
| 최혜정 | 동안양서 | 235 |
| 최혜정 | 의정부서 | 310 |
| 최혜지 | 서대전서 | 328 |
| 최혜진 | 중부청 | 141 |
| 최혜진 | 중부청 | 223 |
| 최혜진 | 부평서 | 306 |
| 최혜진 | 남동서 | 445 |
| 최혜진 | 현대회계 | 28 |
| 최호림 | 동안산서 | 248 |
| 최호산 | 남대구서 | 287 |
| 최호성 | 동울산서 | 460 |
| 최호열 | 서대전서 | 328 |
| 최호영 | 남대구서 | 272 |
| 최호영 | 창원서 | 474 |
| 최호영 | 서울청 | 153 |
| 최호일 | 산천서 | 385 |
| 최호준 | 서울청 | 145 |
| 최홍서 | 대전청 | 118 |
| 최홍열 | 대전청 | 320 |
| 최환 | 금감원 | 99 |
| 최환규 | 서대문서 | 186 |
| 최환석 | 보령서 | 334 |
| 최환석 | 광주서 | 361 |
| 최환석 | 남대구서 | 301 |
| 최효범 | 예일세무 | 40 |
| 최효선 | 도봉서 | 174 |
| 최효순 | 김앤장 | 47 |
| 최효순 | 울산서 | 462 |
| 최효영 | 남대구서 | 186 |
| 최효임 | 경기광주 | 245 |
| 최효진 | 서울청 | 157 |
| 최효진 | 강서서 | 162 |
| 최훈 | 광주서 | 363 |
| 최훈 | 충주서 | 356 |
| 최휘철 | 동울산서 | 460 |
| 최흥길 | 파주서 | 312 |
| 최희경 | 제주서 | 479 |
| 최희권 | 전주서 | 339 |
| 최희숙 | 김해서 | 466 |
| 최희원 | 국세청 | 119 |
| 최희재 | 전주서 | 393 |
| 최희정 | 광명서 | 297 |
| 최희주 | 서인천서 | 288 |
| 추교석 | 송파서 | 195 |
| 추교진 | 법무바른 | 1 |
| 추근우 | 중부청 | 120 |
| 추다솔 | 성동서 | 224 |
| 추명양 | 성동서 | 190 |
| 추문갑 | 중기회 | 118 |
| 추민성 | 동대구서 | 103 |
| 추민재 | 부산강서 | 448 |
| 추병욱 | 통영서 | 439 |
| 추상미 | 서울청 | 477 |
| 추세웅 | 서초서 | 141 |
| 추수연 | 중부산서 | 137 |
| 추신수 | 북대구서 | 457 |
| 추아민 | 금정서 | 409 |
| 추여미 | 기재부 | 442 |
| 추연재 | 기재부 | 67 |
| 추원규 | 대전청 | 78 |
| 추원철 | 대전청 | 323 |
| 추원욱 | 고양서 | 323 |
| 추원희 | 양산서 | 295 |
| 추은경 | 남대구서 | 470 |
| 추은정 | 인천청 | 405 |
| 추정현 | 서울청 | 280 |
| 추종완 | 수영서 | 139 |
| 추지선 | 서부산서 | 455 |
| 추지희 | 부산서 | 452 |
| 추현종 | 서울청 | 373 |
| 추현희 | 제주서 | 147 |
| 추혜진 | 대구청 | 478 |
| | | 402 |

**ㅌ**

| 이름 | 소속 | 쪽 |
|---|---|---|
| 탁경석 | 부평서 | 306 |
| 탁봉진 | 동화성서 | 258 |
| 탁서연 | 강남서 | 159 |
| 탁성찬 | 서초서 | 188 |
| 탁용성 | 종로서 | 209 |
| 탁정수 | 삼일회계 | 17 |
| 탁현희 | 서대문서 | 357 |
| 탁희경 | 삼척서 | 186 |
| 탄정민 | 동고양서 | 264 |
| 태대환 | 부평서 | 300 |
| 태민성 | 대전청 | 307 |
| 태상미 | 용인서 | 321 |
| 태석충 | 고양서 | 252 |
| 태영연 | 기재부 | 294 |
| 태원창 | 이천서 | 67 |
| 태혜숙 | | 254 |

**ㅍ**

| 이름 | 소속 | 쪽 |
|---|---|---|
| 팽동준 | 중부청 | 225 |
| 편나래 | 성동서 | 191 |
| 편대수 | 중부청 | 225 |
| 편무창 | 북대전서 | 326 |
| 편지현 | 중부산서 | 456 |
| 편혜란 | 관악서 | 165 |
| 표다은 | 경기광주 | 245 |
| 표민경 | 김해서 | 466 |
| 표삼미 | 서울청 | 137 |
| 표석진 | 춘천서 | 273 |
| 표선일 | 강동서 | 161 |
| 표우중 | 구로서 | 166 |
| 표윤미 | 동대문서 | 176 |
| 표정범 | 강서서 | 163 |
| 표지선 | 서울청 | 145 |
| 풍관섭 | 남대문서 | 171 |
| 피연지 | 동고양서 | 300 |

**ㅎ**

| 이름 | 소속 | 쪽 |
|---|---|---|
| 하경숙 | 서대구서 | 410 |
| 하경아 | 광주청 | 360 |
| 하경종 | 수원서 | 241 |
| 하경혜 | 마산서 | 468 |
| 하광후 | 안산서 | 247 |
| 하광열 | 동안산서 | 248 |
| 하구식 | 국세청 | 117 |
| 하기성 | 용산서 | 202 |
| 하나임 | 시흥서 | 242 |
| 하나정 | 남대구서 | 405 |
| 하남우 | 국세청 | 122 |
| 하다애 | 기재부 | 77 |
| 하도훈 | 금감원 | 93 |
| 하동훈 | 고시회 | 30 |
| 하두영 | EY한영 | 12 |
| 하류광 | 연수서 | 308 |
| 하명균 | 은평서 | 204 |
| 하명림 | 조세심판 | 506 |
| 하명진 | 금천서 | 169 |
| 하미령 | 영월서 | 268 |
| 하미늘 | 기재부 | 67 |
| 하미현 | 인천서 | 290 |
| 하민경 | 대전서 | 324 |
| 하민수 | 부산진서 | 472 |
| 하민영 | 서울청 | 152 |
| 하민소 | 부산청 | 436 |
| 하병우 | 진주서 | 472 |
| 하복수 | 부산청 | 440 |
| 하봄남 | 광주청 | 364 |
| 하상돈 | 동화성서 | 258 |
| 하상우 | 동래서 | 444 |
| 하상욱 | 국세청 | 110 |
| 하상자 | 다솔세무 | 35 |
| 하상진 | 남대구서 | 345 |
| 하상철 | 해남서 | 383 |
| 하상혁 | 송파서 | 194 |
| 하선우 | 부산청 | 434 |
| 하선우 | 부산청 | 441 |

| 이름 | 소속 | 쪽 |
|---|---|---|
| 하선유 | 부산진서 | 447 |
| 하성우 | 서인천서 | 288 |
| 하성준 | 서부산서 | 453 |
| 하성철 | 순천서 | 378 |
| 하성호 | 기재청 | 401 |
| 하성훈 | 삼일회계 | 16 |
| 하세일 | 국세청 | 109 |
| 하세정 | 조세재정 | 509 |
| 하세정 | 조세재정 | 509 |
| 하소영 | 부산청 | 441 |
| 하수민 | 북부산서 | 451 |
| 하수정 | 인천청 | 281 |
| 하수진 | 서대구서 | 410 |
| 하수현 | 남동서 | 140 |
| 하승민 | 국세청 | 128 |
| 하승민 | 부산청 | 440 |
| 하승범 | 수영서 | 454 |
| 하승완 | 대구청 | 402 |
| 하승원 | 기재부 | 79 |
| 하승훈 | 성동서 | 190 |
| 하승훈 | 부산청 | 434 |
| 하승희 | 북부산서 | 451 |
| 하신평 | 한울회계 | 27 |
| 하신호 | 영등포서 | 201 |
| 하에스더 | 조세재정 | 509 |
| 하연주 | 경산서 | 414 |
| 하영미 | 서대구서 | 410 |
| 하영미 | 경주서 | 416 |
| 하영우 | 진주서 | 473 |
| 하영우 | 이천서 | 255 |
| 하예진 | 남대구서 | 404 |
| 하원경 | 양산서 | 471 |
| 하유정 | 국세청 | 110 |
| 하유경 | 중부청 | 220 |
| 하윤정 | 강남서 | 159 |
| 하윤정 | 계양서 | 293 |
| 하윤희 | 경기광주 | 244 |
| 하은석 | 동대구서 | 439 |
| 하은주 | 동대구서 | 406 |
| 하은지 | 연수서 | 308 |
| 하은혜 | 해남서 | 382 |
| 하이리 | 국세청 | 115 |
| 하인선 | 통영서 | 476 |
| 하재현 | 금정서 | 443 |
| 하정권 | 김해서 | 466 |
| 하정란 | 서울청 | 139 |
| 하정민 | 진주서 | 472 |
| 하정민 | 서초서 | 188 |
| 하정영 | 구리서 | 227 |
| 하정영 | 천안서 | 344 |
| 하정욱 | 남동서 | 287 |
| 하정현 | 북부산서 | 451 |
| 하종대 | 기재부 | 77 |
| 하종미 | 법무바른 | 1 |
| 하종목 | 부평서 | 306 |
| 하종욱 | 광주세관 | 505 |
| 하주연 | 중부청 | 223 |
| 하주원 | 광주청 | 369 |
| 하준찬 | 송파서 | 194 |
| 하지경 | 시흥서 | 242 |
| 하지영 | 부산서 | 440 |
| 하진우 | 서광주서 | 372 |
| 하진우 | 부산청 | 438 |
| 하창경 | 국세청 | 128 |
| 하창수 | 세종청 | 111 |
| 하철수 | 대전청 | 320 |
| 하철수 | 북광주서 | 371 |
| 하치석 | 북대구서 | 408 |
| 하치승 | 부산청 | 439 |
| 하태상 | 기재부 | 71 |
| 하태연 | 서울청 | 145 |
| 하태연 | 노원서 | 172 |
| 하태완 | 서인천서 | 462 |
| 하태욱 | 분당서 | 288 |
| 하태욱 | 부포항서 | 236 |
| 하태훈 | 예일회계 | 431 |
| 하태홍 | 김앤장 | 22 |
| 하태홍 | 역삼서 | 47 |
| 하한울 | 분당서 | 199 |
| 하현균 | 잠실서 | 236 |
| 하헌욱 | 광주세관 | 207 |
| 하현정 | 수성서 | 504 |
| 하현욱 | 아산서 | 413 |
| 하현주 | 인천청 | 340 |
| 하현주 | 국세청 | 284 |
| 하형준 | 서대전서 | 109 |
| 하형철 | 기재부 | 476 |
| | | 328 |
| | | 75 |

| 이름 | 소속 | 쪽 |
|---|---|---|
| 하회성 | 금정서 | 443 |
| 하효연 | 용인서 | 252 |
| 하효준 | 남대구서 | 404 |
| 하희완 | 수원서 | 240 |
| 한가영 | 김해서 | 466 |
| 한가희 | 관악서 | 165 |
| 한건수 | 광주세관 | 504 |
| 한건희 | 동울산서 | 460 |
| 한겨레 | 전주서 | 393 |
| 한경란 | 수원서 | 240 |
| 한경석 | 국회정무 | 59 |
| 한경석 | 용산서 | 202 |
| 한경선 | 대구청 | 397 |
| 한경선 | 대구청 | 398 |
| 한경수 | 예산서 | 343 |
| 한경유 | 동울회계 | 27 |
| 한경진 | 조세재정 | 510 |
| 한경태 | 안양서 | 251 |
| 한경태 | 수성서 | 412 |
| 한경화 | 구로서 | 167 |
| 한광인 | 이천서 | 254 |
| 한광일 | 마포서 | 180 |
| 한광희 | 삼성서 | 185 |
| 한구화 | 천안서 | 344 |
| 한국일 | 군산서 | 360 |
| 한권수 | 군산서 | 385 |
| 한규리 | 순천서 | 379 |
| 한규영 | 삼일회계 | 16 |
| 한규종 | 북광주서 | 370 |
| 한규진 | 성남서 | 238 |
| 한규현 | 중부청 | 67 |
| 한그루 | 동대문서 | 220 |
| 한금순 | 산천서 | 177 |
| 한기룡 | 영산서 | 342 |
| 한기수 | 수원서 | 241 |
| 한기준 | 서울청 | 140 |
| 한기청 | 여수서 | 381 |
| 한길완 | 군산서 | 385 |
| 한길택 | 의정부서 | 311 |
| 한나라 | 광주청 | 506 |
| 한누리 | 조세심판 | 164 |
| 한누리 | 관악서 | 164 |
| 한다은 | 대전서 | 324 |
| 한다영 | 중부청 | 221 |
| 한대건 | 북광주서 | 370 |
| 한대섭 | 기재부 | 84 |
| 한대희 | 북부산서 | 451 |
| 한대희 | 기흥서 | 228 |
| 한덕윤 | 고시회 | 30 |
| 한도순 | 김포서 | 298 |
| 한도영 | 서울청 | 156 |
| 한도현 | 대전청 | 320 |
| 한도훈 | 김감원 | 96 |
| 한동一 | 마포서 | 181 |
| 한동석 | 남원서 | 387 |
| 한동석 | 세종서 | 338 |
| 한동훈 | 광산서 | 367 |
| 한동희 | 기흥서 | 228 |
| 한동희 | 부산청 | 434 |
| 한란 | 세종서 | 339 |
| 한만수 | 대전청 | 319 |
| 한만훈 | 김앤장 | 97 |
| 한면기 | 안양서 | 250 |
| 한명균 | 동래서 | 445 |
| 한명민 | 해운대서 | 458 |
| 한명수 | 서초서 | 189 |
| 한명식 | 경기광주 | 244 |
| 한명진 | 은평서 | 204 |
| 한무열 | 통영서 | 476 |
| 한문식 | 김포서 | 299 |
| 한미경 | 의정부서 | 311 |
| 한미숙 | 용산서 | 202 |
| 한미영 | 광주청 | 360 |
| 한미영 | 제천서 | 353 |
| 한미자 | 국세청 | 109 |
| 한미정 | 동안양서 | 234 |
| 한민구 | 중부청 | 216 |
| 한민수 | 서울청 | 154 |
| 한민수 | 이천서 | 254 |
| 한민수 | 인천공항 | 492 |
| 한민우 | 수원서 | 241 |
| 한민우 | 국세청 | 129 |
| 한민지 | 경기광주 | 245 |
| 한민희 | 천안서 | 344 |
| 한민희 | 남부천서 | 303 |
| 한범희 | 서울청 | 139 |
| | 홍성서 | 346 |
| | 중부청 | 347 |
| | | 224 |

| 이름 | 소속 | 쪽 |
|---|---|---|
| 한병연 | 중부청 | 225 |
| 한보경 | 강동서 | 168 |
| 한보금 | 중부청 | 160 |
| 한보름 | 중부청 | 221 |
| 한봉수 | 기흥서 | 226 |
| 한비룡 | 영덕서 | 228 |
| 한상국 | 서광주서 | 426 |
| 한상금 | 기재부 | 372 |
| 한상덕 | 제주서 | 70 |
| 한상명 | 반포서 | 478 |
| 한상민 | 중부서 | 182 |
| 한상민 | 충주서 | 212 |
| 한상배 | 은평서 | 356 |
| 한상범 | 시흥서 | 205 |
| 한상범 | 경기광주 | 242 |
| 한상범 | 시흥서 | 245 |
| 한상수 | 마산서 | 243 |
| 한상수 | 서광주서 | 468 |
| 한상용 | 국세청 | 253 |
| 한상원 | 남양주서 | 372 |
| 한상윤 | 김앤장 | 115 |
| 한상익 | 광명서 | 230 |
| 한상재 | 남대문서 | 47 |
| 한상철 | 북광주서 | 296 |
| 한상순 | 기재부 | 170 |
| 한상학 | 서울청 | 371 |
| 한상현 | 용인서 | 72 |
| 한상화 | 서울청 | 143 |
| 한상훈 | 아산서 | 252 |
| 한상훈 | 익산서 | 145 |
| 한상훈 | 부천서 | 340 |
| 한상희 | 고시회 | 30 |
| 한서연 | 평택서 | 257 |
| 한석복 | 울산서 | 463 |
| 한석영 | 전주서 | 202 |
| 한석원 | 서초서 | 392 |
| 한석윤 | 영등포서 | 188 |
| 한석진 | 서대전서 | 201 |
| 한석희 | 서울세관 | 329 |
| 한선민 | 국세청 | 485 |
| 한선배 | 기재부 | 122 |
| 한설희 | 전주서 | 67 |
| 한성경 | 제천서 | 392 |
| 한성근 | 삼일회계 | 353 |
| 한성남 | 금감원 | 16 |
| 한성미 | 중부청 | 96 |
| 한성민 | 국세청 | 224 |
| 한성삼 | 부산청 | 129 |
| 한성욱 | 남대구서 | 438 |
| 한성일 | 반포서 | 404 |
| 한성준 | 서현회계 | 182 |
| 한성호 | 평택서 | 7 |
| 한성호 | 고양서 | 348 |
| 한세영 | 전주서 | 257 |
| 한세영 | 국세청 | 295 |
| 한세온 | 파주서 | 392 |
| 한세훈 | 서울청 | 111 |
| 한세희 | 연수서 | 313 |
| 한소라 | 중부서 | 152 |
| 한소백 | 국세청 | 309 |
| 한소연 | 조세재정 | 168 |
| 한소영 | 전주서 | 136 |
| 한소은 | 천안서 | 212 |
| 한송이 | 북광주서 | 116 |
| 한송이 | 목포서 | 511 |
| 한송이 | 순천서 | 392 |
| 한송희 | 연수서 | 344 |
| 한송희 | 남부천서 | 370 |
| 한수경 | 서산서 | 377 |
| 한수관 | 아산서 | 378 |
| 한수민 | 동안양서 | 303 |
| 한수연 | 강동서 | 309 |
| 한수영 | 북대전서 | 336 |
| 한수이 | 국세청 | 385 |
| 한수정 | 서대전서 | 341 |
| 한수정 | 성동서 | 234 |
| 한수지 | 화성서 | 160 |
| 한수진 | 인천청 | 226 |
| 한수철 | 안산서 | 349 |
| 한수현 | 동안양서 | 252 |
| 한수현 | 서울청 | 134 |
| 한수현 | 서울청 | 156 |
| 한수현 | 서대문서 | 186 |
| 한수현 | 동수원서 | 232 |
| 한수현 | 분당서 | 237 |
| 한수홍 | 시흥서 | 242 |
| 한숙국 | 목포서 | 377 |
| 한숙향 | 서광주서 | 372 |
| 한숙희 | 대전청 | 319 |
| 한순국 | 영등포서 | 200 |
| 한순기 | 전주서 | 393 |
| 한순근 | 수성서 | 412 |
| 한순근 | 서초서 | 189 |
| 한순기 | 안산서 | 247 |
| 한승구 | 광주세관 | 504 |
| 한승규 | 김포서 | 299 |
| 한승기 | 기재부 | 81 |
| 한승만 | 구리서 | 227 |
| 한승민 | 서울청 | 154 |
| 한승수 | 부천서 | 305 |
| 한승수 | 의정부서 | 310 |
| 한승완 | 삼성서 | 185 |
| 한승욱 | 성동서 | 191 |
| 한승일 | 중부서 | 213 |
| 한승일 | 동대문서 | 176 |
| 한승철 | 예일세무 | 40 |
| 한승협 | 원주서 | 270 |
| 한승화 | 제주서 | 479 |
| 한시윤 | 부산청 | 222 |
| 한아름 | 동고양서 | 300 |
| 한여름 | 현대회계 | 28 |
| 한여름 | 북대전서 | 326 |
| 한연식 | 부산청 | 435 |
| 한연옥 | 국세청 | 116 |
| 한연진 | 안산서 | 246 |
| 한연호 | 안양서 | 250 |
| 한영구 | 광주세관 | 288 |
| 한영섭 | 기재부 | 368 |
| 한영수 | 하나세무 | 75 |
| 한영수 | 잠실서 | 72 |
| 한영준 | 동수원서 | 39 |
| 한예린 | 구리서 | 505 |
| 한예숙 | 기재부 | 211 |
| 한예슬 | 강남서 | 207 |
| 한예환 | 삼성서 | 232 |
| 한완상 | 중부서 | 382 |
| 한용 | 인천청 | 227 |
| 한용균 | 대전청 | 78 |
| 한용철 | 조세재정 | 202 |
| 한용희 | 성현회계 | 158 |
| 한웅희 | 광주서 | 242 |
| 한원식 | 순천서 | 212 |
| 한원식 | 충주서 | 284 |
| 한원주 | 삼정회계 | 322 |
| 한원찬 | 대전청 | 511 |
| 한유경 | 연수서 | 11 |
| 한유미 | 대전청 | 368 |
| 한유빈 | 평택서 | 378 |
| 한유진 | 서울청 | 356 |
| 한유진 | 조세재정 | 18 |
| 한윤구 | 기재부 | 19 |
| 한윤숙 | 역삼서 | 391 |
| 한윤정 | 부천서 | 323 |
| 한윤주 | 중부산서 | 309 |
| 한윤희 | 서울청 | 52 |
| 한은미 | 서울청 | 134 |
| 한은숙 | 조세재정 | 508 |
| 한은주 | 기재부 | 83 |
| 한은정 | 역삼서 | 198 |
| 한은정 | 부천서 | 304 |
| 한은표 | 중부산서 | 456 |
| 한이수 | 서울청 | 152 |
| 한인정 | 서울청 | 137 |
| 한인표 | 양천서 | 140 |
| 한일권 | 구리서 | 196 |
| 한일도 | 삼덕회계 | 15 |
| 한임철 | 거창서 | 360 |
| 한장미 | 성동서 | 465 |
| 한장우 | 서울청 | 190 |
| 한장혁 | 이천서 | 152 |
| 한재상 | 기재부 | 136 |
| 한재수 | 구로서 | 254 |
| 한재영 | 중랑서 | 17 |
| 한재영 | 강남서 | 81 |
| 한재영 | 인천청 | 167 |
| 한재용 | 부산청 | 210 |
| 한재일 | 영등포서 | 159 |
| 한재진 | 대구청 | 278 |
| 한정관 | 용산서 | 441 |
| 한정규 | 광주청 | 66 |
| 한정민 | 국세청 | 201 |
| 한정민 | 북대전서 | 398 |
| 한정숙 | 부산청 | 203 |
| 한정아 | 서초서 | 368 |
| 한정영 | 금천서 | 365 |
| 한정예 | 기재부 | 117 |
| 한정용 | 남원서 | 326 |
| 한정현 | 양천서 | 434 |
| 한정현 | 분당서 | 387 |
| 한정호 | 중랑서 | 131 |
| 한정홍 | 울산서 | 197 |
| 한정화 | 목포서 | 237 |
| 한정환 | 대구서 | 211 |
| 한정희 | 의정부서 | 463 |
| 한정희 | 북대전서 | 376 |
| 한정희 | 금정서 | 398 |
| 한제미 | 서울청 | 311 |
| 한종건 | 조세심판 | 442 |
| 한종문 | 포항서 | 141 |
| 한종범 | 국세청 | 507 |
| 한종창 | 서초서 | 430 |
| 한종태 | 삼일회계 | 106 |
| 한주성 | 대전청 | 189 |
| 한주성 | 기흥서 | 17 |
| 한주연 | 서울청 | 466 |
| 한주연 | 의정부서 | 318 |
| 한주호 | 국세청 | 228 |
| 한주희 | 서현회계 | 152 |
| 한주희 | 기재부 | 311 |
| 한주희 | 구리서 | 7 |
| 한주희 | 파주서 | 79 |
| 한준혁 | 청주서 | 226 |
| 한준희 | 부산청 | 312 |
| 한지민 | 동래서 | 355 |
| 한지영 | 인천청 | 440 |
| 한지영 | 서대문서 | 445 |
| 한지영 | 구미서 | 184 |
| 한지용 | 하나세무 | 280 |
| 한지우 | 동청서 | 187 |
| 한지운 | 고시회 | 418 |
| 한지원 | 서초서 | 39 |
| 한지원 | 종로서 | 16 |
| 한지현 | 인천서 | 348 |
| 한지혜 | 기재부 | 30 |
| 한지혜 | 여수서 | 188 |
| 한지호 | 잠실서 | 147 |
| 한진규 | 순천서 | 209 |
| 한진선 | 김포서 | 290 |
| 한진영 | 동안양서 | 168 |
| 한진옥 | 성북서 | 78 |
| 한진혁 | 서울청 | 380 |
| 한창림 | 광주서 | 206 |
| 한창목 | 서울청 | 449 |
| 한창목 | 서울청 | 378 |
| 한창민 | 국회정무 | 60 |
| 한창용 | 부산청 | 133 |
| 한창우 | 부산청 | 436 |
| 한창우 | 서울청 | 134 |
| 한채윤 | 광주청 | 363 |
| 한철희 | 파주서 | 313 |
| 한청용 | 서울청 | 141 |
| 한청희 | 경주서 | 417 |
| 한초롱 | 광산서 | 366 |
| 한충열 | 서울청 | 134 |
| 한현 | 광주세관 | 504 |
| 한현국 | 마산서 | 469 |
| 한현섭 | 서산서 | 337 |
| 한현숙 | 동작서 | 178 |
| 한현철 | 기재부 | 73 |
| 한현숙 | 안산서 | 246 |
| 한혜경 | 조세재정 | 509 |
| 한혜란 | 송파서 | 195 |
| 한혜민 | 부천서 | 304 |
| 한혜빈 | 중랑서 | 211 |
| 한혜선 | 제주서 | 478 |
| 한혜성 | 동작서 | 179 |
| 한혜영 | 울산서 | 463 |
| 한혜영 | 서울청 | 141 |
| 한혜영 | 원주서 | 270 |
| 한혜원 | 포항서 | 430 |
| 한혜원 | 인천공항 | 491 |
| 한혜원 | 인천서 | 282 |
| 한호성 | 삼일회계 | 17 |
| 한홍석 | 딜로이트 | 13 |
| 한효주 | 중부청 | 220 |
| 한희석 | 도봉서 | 174 |
| 한희선 | 부산청 | 437 |
| 한희윤 | 시흥서 | 242 |
| 한희정 | 포천서 | 315 |
| 함광주 | 남부천서 | 302 |
| 함귀옥 | 구로서 | 167 |
| 함다정 | 속초서 | 267 |
| 함두화 | 성남서 | 184 |
| 함명자 | 동작서 | 179 |
| 함미란 | 동화성서 | 259 |
| 함민규 | 인천청 | 282 |
| 함상봉 | 안산서 | 246 |
| 함석광 | 반포서 | 182 |
| 함수민 | 남동서 | 286 |
| 함수정 | 관악서 | 165 |
| 함수정 | 계양서 | 293 |
| 함영록 | 창원서 | 474 |
| 함영숙 | 부평서 | 306 |
| 함예원 | 노원서 | 172 |
| 함용숙 | 삼척서 | 264 |
| 함용일 | 기재부 | 81 |
| 함윤 | 예일회계 | 22 |
| 함인정 | 현대회계 | 28 |
| 함지영 | 순천서 | 379 |
| 함지훈 | 삼척서 | 264 |
| 함진우 | 삼성서 | 184 |
| 함태진 | 성동서 | 191 |
| 함태희 | 기재부 | 74 |
| 함효재 | 전주서 | 392 |
| 함희원 | 경기광주 | 245 |
| 행정안 | 대구서 | 402 |
| 행정안 | 북대구서 | 409 |
| 행정안 | 감사원 | 62 |
| 행정안 | 감사원 | 62 |
| 허경선 | 감사원 | 62 |
| 허경숙 | 익산서 | 391 |
| 허곤 | 조세재정 | 510 |
| 허광규 | 광주서 | 368 |
| 허광옥 | 계양서 | 130 |
| 허규석 | 이천서 | 292 |
| 허규진 | 조세심판 | 506 |
| 허남규 | 양산서 | 470 |
| 허남승 | 북부산서 | 408 |
| 허남현 | 김포서 | 451 |
| 허남희 | 서울청 | 146 |
| 허두영 | 제천서 | 352 |
| 허명화 | 대전서 | 324 |
| 허문정 | 부산청 | 435 |
| 허미나 | 인천지방 | 33 |
| 허미림 | 홍천서 | 274 |
| 허미영 | 울산서 | 462 |
| 허미혜 | 서울청 | 395 |
| 허민영 | 조세재정 | 511 |
| 허민주 | 동안산서 | 249 |
| 허범 | 금융위 | 85 |
| 허범수 | 현대회계 | 28 |
| 허비은 | 은평서 | 137 |
| 허서영 | 울산서 | 462 |
| 허석구 | 현대회계 | 28 |
| 허선 | 국세청 | 106 |
| 허선덕 | 북광주서 | 371 |
| 허성경 | 의정부서 | 310 |
| 허성근 | 은평서 | 204 |
| 허성문 | 삼척서 | 264 |
| 허성민 | 대전청 | 322 |
| 허성은 | 남대구서 | 405 |
| 허성준 | 창원서 | 475 |
| 허성진 | 부산청 | 434 |
| 허성혁 | 충주서 | 356 |
| 허성훈 | 서대구서 | 410 |
| 허세우 | 이천서 | 254 |
| 허소미 | 남부천서 | 303 |
| 허송이 | 서울청 | 146 |
| 허수범 | 역삼서 | 199 |
| 허수정 | 강서서 | 163 |
| 허수정 | 국세청 | 118 |
| 허승경 | 금감원 | 97 |
| 허승호 | 부산청 | 437 |
| 허신걸 | 기재부 | 173 |
| 허양원 | 현대회계 | 28 |
| 허영락 | 포천서 | 315 |
| 허영렬 | 중부청 | 95 |
| 허영섭 | 중부청 | 220 |
| 허영수 | 부산청 | 438 |
| 허예린 | 기재부 | 66 |
| 허예린 | 안양서 | 251 |
| 허용 | 중부청 | 217 |
| 허원갑 | 제주서 | 479 |
| 허원석 | 부평서 | 306 |
| 허유나 | 북전주서 | 388 |
| 허유마 | 서산서 | 221 |
| 허유빈 | 서산서 | 336 |
| 허유정 | 인천서 | 168 |
| 허윤봉 | 서부산서 | 452 |
| 허유수 | 서인천서 | 288 |
| 허윤제 | 창원서 | 475 |
| 허윤진 | 익산서 | 390 |
| 허윤형 | 제주서 | 478 |
| 허은서 | 조세재정 | 509 |
| 허은정 | 삼일회계 | 16 |
| 허은진 | 서현회계 | 437 |
| 허인기 | 동래서 | 445 |
| 허인범 | 서울청 | 146 |
| 허인영 | 동청서 | 348 |
| 허인욱 | 파주서 | 312 |
| 허장 | 파주서 | 313 |
| 허장범 | 국세청 | 123 |
| 허재 | 국세청 | 114 |
| 허재연 | 국세청 | 130 |
| 허재영 | 송파서 | 195 |
| 허재호 | 기재부 | 71 |
| 허재훈 | 택스홈 | 38 |
| 허정미 | 서울청 | 150 |
| 허정미 | 삼정회계 | 20 |
| 허정순 | 국세청 | 121 |
| 허정윤 | 부산진서 | 447 |
| 허정인 | 남대구서 | 405 |
| 허정태 | 중부청 | 221 |
| 허정필 | 경기광주 | 244 |
| 허정호 | 북대구서 | 408 |
| 허정희 | 익산서 | 391 |
| 허종 | 서울청 | 137 |
| 허종구 | 영등포서 | 201 |
| 허종주 | 기재부 | 71 |
| 허준 | 아산서 | 340 |
| 허준영 | 서울청 | 142 |
| 허준영 | 금천서 | 168 |
| 허준용 | 부산청 | 440 |
| 허준원 | 창원서 | 475 |
| 허지상 | 부산청 | 436 |
| 허지연 | 동안양서 | 234 |
| 허지영 | 잠실서 | 207 |
| 허지영 | 정읍서 | 394 |
| 허지영 | 부산진서 | 446 |
| 허지영 | 인천청 | 284 |
| 허지영 | 성북서 | 192 |
| 허지영 | 부산청 | 440 |
| 허지상 | 서울세관 | 486 |
| 허지연 | 서부산서 | 452 |
| 허지영 | 반포서 | 182 |
| 허지영 | 남부천서 | 303 |
| 허지영 | 진주서 | 472 |

| 이름 | 소속 | 페이지 |
|---|---|---|
| 허지원 | 서울청 | 150 |
| 허지원 | 성남서 | 239 |
| 허지윤 | 부산진서 | 446 |
| 허지은 | 중부청 | 220 |
| 허지현 | 성동서 | 190 |
| 허지혜 | 대전청 | 322 |
| 허지혜 | 김해서 | 466 |
| 허지희 | 강남서 | 159 |
| 허진 | 서울청 | 147 |
| 허진 | 중부청 | 221 |
| 허진성 | 군산서 | 385 |
| 허진수 | 성북서 | 193 |
| 허진웅 | 해운대서 | 458 |
| 허진이 | 수원서 | 240 |
| 허진주 | 경기광주 | 244 |
| 허진혁 | 구리서 | 227 |
| 허진혁 | 고양서 | 295 |
| 허진호 | 통영서 | 477 |
| 허진호 | 금천서 | 169 |
| 허천회 | 역삼서 | 199 |
| 허춘도 | 거창서 | 465 |
| 허충회 | 보령서 | 334 |
| 허치환 | 진주서 | 472 |
| 허태구 | 서부산서 | 453 |
| 허태욱 | 강서서 | 163 |
| 허혁 | 기재부 | 74 |
| 허현 | 북전주서 | 388 |
| 허현 | 제주서 | 478 |
| 허현정 | 조세재정 | 508 |
| 허형철 | 중부서 | 212 |
| 허환 | 남대구서 | 404 |
| 현경 | 광주서 | 368 |
| 현경민 | 창원서 | 474 |
| 현경석 | 김천서 | 420 |
| 현경자 | 국세청 | 130 |
| 현경훈 | 부산청 | 434 |
| 현근수 | 현대회계 | 28 |
| 현기수 | 관악서 | 165 |
| 현기수 | 조세심판 | 506 |
| 현덕진 | 동안양서 | 235 |
| 현명기 | 서현회계 | 7 |
| 현명기 | 서현회계 | 7 |
| 현미선 | 중부청 | 224 |
| 현미정 | 제주서 | 478 |
| 현민섭 | 기재부 | 71 |
| 현민용 | 인천청 | 280 |
| 현병호 | 법무대륜 | 45 |
| 현보람 | 인천서 | 281 |
| 현상아 | 조세재정 | 509 |
| 현상필 | 국세청 | 118 |
| 현선영 | 인천청 | 278 |
| 현선재 | 거창서 | 464 |
| 현소영 | 기재부 | 76 |
| 현승룡 | 국세청 | 130 |
| 현승철 | 강서서 | 162 |
| 현애자 | 강서서 | 130 |
| 현완교 | 감사원 | 61 |
| 현우창 | 경주서 | 416 |
| 현원석 | 기재부 | 68 |
| 현유진 | 서인천서 | 289 |
| 현유영 | 반포서 | 183 |
| 현은식 | 해운대서 | 458 |
| 현은하 | 중부청 | 221 |
| 현재민 | 종로서 | 209 |
| 현정아 | 국세청 | 121 |
| 현정용 | 국세청 | 130 |
| 현종원 | 인천서 | 283 |
| 현종헌 | 서초서 | 188 |
| 현주호 | 국세청 | 108 |
| 현주 | 중기회 | 103 |
| 현주혁 | 삼척서 | 126 |
| 현지용 | 조세재정 | 511 |
| 현지훈 | 해운대서 | 458 |
| 현지희 | 잠실서 | 158 |
| 현진희 | 잠실서 | 207 |
| 현창훈 | 서울청 | 142 |
| 현하영 | 조세재정 | 508 |
| 현하영 | 조세재정 | 509 |
| 현호석 | 마포서 | 180 |
| 현혜석 | 조세재정 | 508 |
| 현희성 | 딜로이트 | 13 |
| 형남대 | 금감원 | 96 |
| 형비오 | 삼척서 | 265 |
| 형서우 | 부산진서 | 446 |
| 형신우 | 서울청 | 157 |
| 형신애 | 광주서 | 368 |
| 형유경 | 관악서 | 77 |
| 홍가람 | 기재부 | 74 |
| 홍강표 | 중부청 | 220 |
| 홍강훈 | 중부서 | 212 |
| 홍경 | 평택서 | 257 |
| 홍경란 | 서대구서 | 411 |
| 홍경숙 | 종로서 | 469 |
| 홍경옥 | 종로서 | 208 |
| 홍경원 | 수성서 | 202 |
| 홍경일 | 동안양서 | 413 |
| 홍경주 | 한울회계 | 234 |
| 홍경표 | 아산서 | 27 |
| 홍경헌 | 역삼서 | 341 |
| 홍고은 | 창원서 | 198 |
| 홍관의 | 청주서 | 474 |
| 홍광식 | 서울청 | 355 |
| 홍국희 | 종로서 | 149 |
| 홍권일 | 양천서 | 209 |
| 홍규선 | 기재부 | 196 |
| 홍근배 | 역삼서 | 74 |
| 홍근화 | 중부서 | 199 |
| 홍기석 | 부천서 | 220 |
| 홍기선 | 국세청 | 304 |
| 홍기성 | 전주서 | 109 |
| 홍기수 | 김해서 | 393 |
| 홍기연 | 다솔세무 | 208 |
| 홍기오 | 서울청 | 467 |
| 홍나경 | 충주서 | 35 |
| 홍다영 | 서울청 | 178 |
| 홍다예 | 동안양서 | 356 |
| 홍다임 | 기재부 | 142 |
| 홍단기 | 강서서 | 200 |
| 홍단비 | 국세청 | 182 |
| 홍덕표 | 창원서 | 234 |
| 홍덕희 | 신한관세 | 79 |
| 홍동균 | 남대구서 | 162 |
| 홍동엽 | 수영서 | 333 |
| 홍동훈 | 서울청 | 116 |
| 홍라겸 | 제주서 | 475 |
| 홍명하 | 북대전서 | 96 |
| 홍명기 | 기흥서 | 44 |
| 홍문선 | 남대구서 | 404 |
| 홍문희 | 수영서 | 455 |
| 홍미라 | 서울청 | 146 |
| 홍미숙 | 제주서 | 479 |
| 홍미영 | 북대전서 | 176 |
| 홍민기 | 기흥서 | 326 |
| 홍민아 | 서울청 | 228 |
| 홍민정 | 성동서 | 138 |
| 홍민정 | 순천서 | 191 |
| 홍민표 | 노원서 | 378 |
| 홍범식 | 성동서 | 173 |
| 홍병진 | 김천서 | 191 |
| 홍보경 | 삼정회계 | 421 |
| 홍보미 | 삼정회계 | 20 |
| 홍보석 | 부산청 | 20 |
| 홍상기 | 반포서 | 440 |
| 홍상범 | 조세재정 | 436 |
| 홍새로미 | 부평서 | 183 |
| 홍서연 | 조세심판 | 508 |
| 홍서진 | 노원서 | 306 |
| 홍석민 | 한울회계 | 252 |
| 홍석원 | 대전청 | 507 |
| 홍석의 | 용인서 | 173 |
| 홍석주 | 경기광주 | 27 |
| 홍석희 | 동안양서 | 319 |
| 홍선호 | 고양서 | 252 |
| 홍선영 | 조세재정 | 244 |
| 홍성걸 | 삼척서 | 235 |
| 홍성관 | 동작주서 | 294 |
| 홍성권 | 서울청 | 511 |
| 홍성권 | 강릉서 | 265 |
| 홍성기 | 인천지방 | 349 |
| 홍성모 | 부산청 | 141 |
| 홍성민 | 인천청 | 262 |
| 홍성민 | 남양주서 | 33 |
| 홍성수 | 인천청 | 440 |
| 홍성숙 | 조세재정 | 281 |
| 홍성애 | 동화성서 | 142 |
| 홍성권 | 광주세관 | 230 |
| 홍성결 | 진주서 | 281 |
| 홍성길 | 인천청 | 502 |
| 홍성겸 | 서울청 | 258 |
| 홍성권 | 부산청 | 504 |
| 홍성기 | 남양주서 | 291 |
| 홍성모 | 인천서 | 472 |
| 홍성민 | 조세재정 | 347 |
| 홍성민 | 국세청 | 62 |
| 홍성수 | 구리서 | 107 |
| 홍성숙 | 동래서 | 227 |
| 홍성민 | 서산서 | 444 |
| 홍성수 | 제주서 | 336 |
| 홍성애 | 감사원 | 478 |
| 홍성옥 | 도봉서 | 174 |
| 홍성옥 | 영등포서 | 200 |
| 홍성완 | 조세심판 | 507 |
| 홍성우 | 광주세관 | 504 |
| 홍성일 | 세종서 | 338 |
| 홍성준 | 강남서 | 159 |
| 홍성준 | 대전청 | 323 |
| 홍성준 | 서울청 | 134 |
| 홍성천 | 인천청 | 278 |
| 홍성한 | 잠실서 | 207 |
| 홍성한 | 금감원 | 92 |
| 홍성호 | 서울청 | 139 |
| 홍성훈 | 성북서 | 193 |
| 홍성희 | 기재부 | 72 |
| 홍성희 | 국세청 | 120 |
| 홍세민 | 신안관세 | 44 |
| 홍세정 | 강동서 | 160 |
| 홍세정 | 조세재정 | 508 |
| 홍세주 | 성북서 | 192 |
| 홍세진 | 중부청 | 217 |
| 홍세희 | 부평서 | 306 |
| 홍소영 | 서인천서 | 289 |
| 홍소영 | 국세청 | 121 |
| 홍솔아 | 구리서 | 226 |
| 홍수경 | 안양서 | 251 |
| 홍수민 | 광산서 | 367 |
| 홍수영 | 동대구서 | 407 |
| 홍수영 | 동울산서 | 460 |
| 홍수용 | 송파서 | 194 |
| 홍수정 | 강서서 | 162 |
| 홍수정 | 태평양 | 52 |
| 홍수지 | 제주서 | 478 |
| 홍수진 | 금융위 | 86 |
| 홍순민 | 중랑서 | 210 |
| 홍순지 | 남부천서 | 302 |
| 홍순영 | 포항서 | 430 |
| 홍순진 | 충주서 | 356 |
| 홍순택 | 조세심판 | 507 |
| 홍순필 | 남동서 | 286 |
| 홍순호 | 관세사회 | 42 |
| 홍승균 | 연수서 | 308 |
| 홍승모 | 기재부 | 77 |
| 홍승범 | 삼정회계 | 18 |
| 홍승영 | 삼정회계 | 20 |
| 홍승영 | 서울청 | 142 |
| 홍승범 | 조세심판 | 506 |
| 홍승표 | 강릉서 | 263 |
| 홍승희 | 구로서 | 166 |
| 홍승환 | 부산서 | 434 |
| 홍승희 | 삼일회계 | 17 |
| 홍승희 | 남대문서 | 171 |
| 홍시우 | 남부천서 | 302 |
| 홍아름 | 기재부 | 78 |
| 홍에스더 | 삼성서 | 184 |
| 홍영균 | 구로서 | 167 |
| 홍영민 | 제주서 | 478 |
| 홍영숙 | 남부천서 | 302 |
| 홍영실 | 성동서 | 191 |
| 홍영애 | 울산서 | 463 |
| 홍영임 | 도봉서 | 174 |
| 홍영준 | 서인천서 | 288 |
| 홍예린 | 마산서 | 468 |
| 홍예령 | 광주청 | 362 |
| 홍예준 | 삼정회계 | 505 |
| 홍오복 | 남부천서 | 20 |
| 홍예준 | 인천청 | 302 |
| 홍영호 | 서인천서 | 360 |
| 홍예윤 | 강동서 | 284 |
| 홍완표 | 남대문서 | 288 |
| 홍요셉 | 강동서 | 160 |
| 홍용길 | 서광주서 | 170 |
| 홍용우 | 속초서 | 394 |
| 홍우빈 | 서광주서 | 266 |
| 홍욱기 | 춘천서 | 372 |
| 홍유나 | 동화성서 | 258 |
| 홍유준 | 반포서 | 272 |
| 홍유진 | 마산서 | 183 |
| 홍유진 | 조세재정 | 469 |
| 홍윤미 | 서대전서 | 508 |
| 홍윤서 | 서울청 | 329 |
| 홍윤종 | 부산세관 | 154 |
| 홍은결 | 관악서 | 495 |
| 홍은경 | 서인천서 | 288 |
| 홍은별 | 평택서 | 256 |
| 홍은송 | 부산청 | 439 |
| 홍은실 | 조세재정 | 511 |
| 홍은아 | 영등포서 | 201 |
| 홍은영 | 서울청 | 152 |
| 홍은주 | 목포서 | 376 |
| 홍은아 | 영등포서 | 201 |
| 홍은영 | 순천서 | 379 |
| 홍은정 | 동청주서 | 348 |
| 홍은지 | 부평서 | 306 |
| 홍은표 | 안동서 | 424 |
| 홍은혜 | 부산청 | 437 |
| 홍이정 | 논산서 | 333 |
| 홍은화 | 조세심판 | 507 |
| 홍장원 | 안산서 | 247 |
| 홍장희 | 금감원 | 100 |
| 홍재옥 | 딜로이트 | 13 |
| 홍정기 | 춘천서 | 272 |
| 홍정미 | 반포서 | 183 |
| 홍정민 | 광주청 | 360 |
| 홍정수 | 부산강서 | 448 |
| 홍정연 | 강동서 | 160 |
| 홍정우 | 중랑서 | 210 |
| 홍정욱 | 김포서 | 298 |
| 홍정연 | 수원서 | 442 |
| 홍정욱 | 동수원서 | 233 |
| 홍정우 | 안동서 | 424 |
| 홍정주 | 남양주서 | 231 |
| 홍정은 | 서울청 | 134 |
| 홍정은 | 서울청 | 140 |
| 홍정의 | 금천서 | 442 |
| 홍정표 | 중기회 | 169 |
| 홍정화 | 서대전서 | 328 |
| 홍정희 | 서부산서 | 453 |
| 홍제용 | 용인서 | 252 |
| 홍종부 | 강서서 | 162 |
| 홍종우 | 다솔세무 | 35 |
| 홍종철 | 현대회계 | 28 |
| 홍주연 | 기재부 | 71 |
| 홍주연 | 중부서 | 222 |
| 홍주현 | 목포서 | 376 |
| 홍주현 | 종로서 | 208 |
| 홍주희 | 중부청 | 224 |
| 홍주희 | 인천청 | 280 |
| 홍준경 | 예일세무 | 40 |
| 홍준만 | 기흥서 | 229 |
| 홍준영 | 국세청 | 116 |
| 홍준영 | 국세청 | 118 |
| 홍지민 | 인천청 | 402 |
| 홍지석 | 화성서 | 261 |
| 홍지아 | 중부서 | 212 |
| 홍지안 | 인천청 | 281 |
| 홍지연 | 김포서 | 299 |
| 홍지영 | 국세청 | 110 |
| 홍지영 | 서울청 | 142 |
| 홍지우 | 기재부 | 70 |
| 홍지은 | 창원서 | 474 |
| 홍지우 | 중부청 | 225 |
| 홍지은 | 용인서 | 253 |
| 홍지혜 | 금천서 | 169 |
| 홍지혜 | 파주서 | 313 |
| 홍지화 | 중랑서 | 210 |
| 홍진국 | 서울청 | 155 |
| 홍진기 | 송파서 | 146 |
| 홍진섭 | 경산서 | 194 |
| 홍진표 | 한울회계 | 94 |
| 홍진표 | 삼성서 | 415 |
| 홍차령 | 삼성서 | 27 |
| 홍창규 | 용산서 | 185 |
| 홍창표 | 서울청 | 202 |
| 홍창표 | 삼일회계 | 155 |
| 홍창환 | 서대전서 | 16 |
| 홍철수 | 천안서 | 328 |
| 홍철환 | 예일세무 | 344 |
| 홍충 | 서울청 | 40 |
| 홍충훈 | 서울청 | 140 |
| 홍태선 | 아산서 | 141 |
| 홍필성 | 부산청 | 340 |
| 홍하진 | 남양주서 | 435 |
| 홍하봉 | 동울산서 | 18 |
| 홍하라 | 순천서 | 231 |
| 홍해성 | 용산서 | 461 |
| 홍헌민 | 안동서 | 379 |
| 홍혁준 | 기재부 | 202 |
| 홍현기 | 안산서 | 424 |
| 홍현승 | 종로서 | 75 |
| 홍현아 | 감사원 | 246 |
| 홍현식 | 기재부 | 208 |
| 홍현주 | 법무세종 | 63 |
| 홍현지 | 정읍서 | 70 |
| 홍형주 | 고양서 | 394 |
| 홍혜령 | 서산서 | 294 |
| 홍혜연 | 포천서 | 337 |
| 홍혜연 | 포천서 | 315 |
| 홍혜인 | 의정부서 | 311 |
| 홍혜진 | 동작서 | 178 |
| 홍후진 | 삼척서 | 264 |
| 홍희경 | 기재부 | 78 |
| 회종원 | 해운대서 | 459 |
| 환혁신 | 금감원 | 90 |
| 황건영 | 부산진서 | 447 |
| 황경이 | 동작서 | 288 |
| 황경숙 | 서인천서 | 362 |
| 황경애 | 대전청 | 321 |
| 황경임 | 기재부 | 74 |
| 황경호 | 역삼서 | 198 |
| 황경희 | 양천서 | 462 |
| 황계순 | 이천서 | 254 |
| 황광 | 서울청 | 136 |
| 황광선 | 남부천서 | 303 |
| 황교인 | 춘천서 | 378 |
| 황규동 | 천안서 | 345 |
| 황규봉 | 국세청 | 112 |
| 황규석 | 해운대서 | 459 |
| 황규용 | 북대전서 | 327 |
| 황규철 | 국세청 | 108 |
| 황규형 | 서울청 | 136 |
| 황기오 | 송파서 | 194 |
| 황기정 | 금감원 | 86 |
| 황기현 | 기흥서 | 228 |
| 황길하 | 기흥서 | 228 |
| 황나래 | 울산서 | 462 |
| 황남욱 | 국세청 | 119 |
| 황다검 | 노원서 | 173 |
| 황다영 | 동청주서 | 348 |
| 황다영 | 남대구서 | 404 |
| 황대근 | 반당서 | 236 |
| 황대림 | 국세청 | 116 |
| 황동수 | 국세청 | 120 |
| 황동욱 | 나주서 | 374 |
| 황동일 | 부산청 | 438 |
| 황동형 | 중부청 | 221 |
| 황득현 | 광주서 | 363 |
| 황명선 | 국회재정 | 56 |
| 황명하 | 부평서 | 306 |
| 황명호 | 기재부 | 66 |
| 황명근 | 서초서 | 189 |
| 황명히 | 서대구서 | 411 |
| 황미경 | 종로서 | 208 |
| 황미경 | 부산청 | 438 |
| 황미연 | 조세재정 | 508 |
| 황미영 | 중부서 | 212 |
| 황미영 | 부천서 | 304 |
| 황미정 | 진주서 | 472 |
| 황미진 | 김해서 | 467 |
| 황미향 | 대구서 | 177 |
| 황미화 | 국세청 | 108 |
| 황민 | 구리서 | 226 |
| 황민영 | 동울산서 | 461 |
| 황민정 | 영등포서 | 201 |
| 황민주 | 부산서 | 437 |
| 황민철 | 대구서 | 177 |
| 황민호 | 국세청 | 122 |
| 황민호 | 부산강서 | 449 |
| 황병광 | 강서서 | 163 |
| 황병권 | 중랑서 | 211 |
| 황병록 | 영덕서 | 426 |
| 황병석 | 안동서 | 424 |
| 황병수 | 군산서 | 385 |
| 황보경 | 조세재정 | 509 |
| 황보람 | 용인서 | 253 |
| 황보승 | 삼척서 | 265 |
| 황보영미 | 서울청 | 152 |
| 황보여 | 대구청 | 402 |
| 황보주연 | 동안양서 | 235 |
| 황보철 | 기재부 | 67 |
| 황보현 | 관악서 | 164 |
| 황보훈 | 중기회 | 102 |
| 황보현 | 반포서 | 183 |
| 황상인 | 영주서 | 428 |
| 황상준 | 수영서 | 455 |
| 황상진 | 중부청 | 217 |
| 황상진 | 북부산서 | 450 |
| 황석우 | 송파서 | 195 |
| 황석현 | 시흥서 | 243 |
| 황석현 | 안동서 | 424 |
| 황선우 | 금감원 | 89 |
| 황선우 | 동작서 | 178 |
| 황선우 | 서광주서 | 373 |

| 이름 | 소속 | 쪽 | 이름 | 소속 | 쪽 | 이름 | 소속 | 쪽 |
|---|---|---|---|---|---|---|---|---|
| 황선유 | 대전서 | 325 | 황윤재 | 연수서 | 309 | 황진구 | 아산서 | 341 |
| 황선웅 | 고시회 | 30 | 황윤정 | 동안양서 | 234 | 황진하 | 국세청 | 119 |
| 황선익 | 중부서 | 213 | 황윤정 | 홍성서 | 346 | 황진하 | 구로서 | 166 |
| 황선정 | 구미서 | 418 | 황은아 | 서대구서 | 410 | 황진희 | 부산진서 | 446 |
| 황선주 | 김해서 | 467 | 황은영 | 서울청 | 145 | 황찬연 | 잠실서 | 206 |
| 황선진 | 고양서 | 295 | 황은영 | 북부산서 | 451 | 황찬연 | 김앤장 | 47 |
| 황선진 | 해남서 | 383 | 황은옥 | 용산서 | 202 | 황찬욱 | 잠실서 | 207 |
| 황선태 | 부천서 | 304 | 황은주 | 기재부 | 66 | 황찬홍 | 금감원 | 96 |
| 황선태 | 여수서 | 381 | 황은주 | 강동서 | 160 | 황창연 | 반포서 | 183 |
| 황선혜 | 용산서 | 202 | 황은지 | 대전청 | 323 | 황창혁 | 인천서 | 291 |
| 황성화 | 강동서 | 161 | 황은진 | 중부서 | 212 | 황창훈 | 서울청 | 150 |
| 황성만 | 상주서 | 422 | 황은희 | 파주서 | 312 | 황철환 | 기재부 | 75 |
| 황성연 | 동안양서 | 235 | 황은희 | 제천서 | 352 | 황치윤 | 대전청 | 320 |
| 황성원 | 국세청 | 129 | 황인범 | 중부청 | 219 | 황태문 | 서울청 | 74 |
| 황성윤 | 안양서 | 251 | 황인산 | 광주세관 | 504 | 황태상 | 법무세종 | 50 |
| 황성일 | 광주세관 | 505 | 황인성 | 고양서 | 294 | 황태연 | 서울청 | 136 |
| 황성택 | 창원서 | 475 | 황인성 | 양산서 | 470 | 황태연 | 용산서 | 203 |
| 황성필 | 서울청 | 143 | 황인아 | 서울청 | 140 | 황태영 | 부천서 | 305 |
| 황성혜 | 조세심판 | 506 | 황인자 | 논산서 | 333 | 황태희 | 남동서 | 146 |
| 황성호 | 기재부 | 81 | 황인제 | 한울회계 | 27 | 황택순 | 남동서 | 287 |
| 황성훈 | 국세청 | 111 | 황인주 | 역삼서 | 199 | 황택순 | 국세청 | 131 |
| 황성희 | 기재부 | 81 | 황인절 | 광주청 | 360 | 황하나 | 서울청 | 155 |
| 황성희 | 홍성서 | 346 | 황인태 | 양천서 | 197 | 황하나 | 서울청 | 136 |
| 황세웅 | 북대구서 | 409 | 황인하 | 홍천서 | 275 | 황한나 | 중부청 | 223 |
| 황세웅 | 중부청 | 222 | 황인협 | 금감원 | 100 | 황한수 | 김포서 | 298 |
| 황세은 | 강서서 | 163 | 황인화 | 서울청 | 157 | 황해식 | 감사원 | 61 |
| 황소원 | 서대전서 | 328 | 황인환 | 기재부 | 75 | 황해식 | 감사원 | 63 |
| 황소정 | 송파서 | 195 | 황인환 | 의정부서 | 311 | 황현 | 기재부 | 74 |
| 황송이 | 서부산서 | 452 | 황일섭 | 홍천서 | 275 | 황현 | 익산서 | 391 |
| 황송이 | 금천서 | 169 | 황일성 | 수성서 | 412 | 황현순 | 서울청 | 154 |
| 황수민 | 서산서 | 337 | 황장순 | 양천서 | 196 | 황현정 | 서대전서 | 329 |
| 황수영 | 마산서 | 468 | 황재민 | 서울청 | 142 | 황현정 | 동래서 | 444 |
| 황수인 | 인천서 | 290 | 황재민 | 부산청 | 440 | 황현주 | 관악서 | 164 |
| 황수지 | 경기광주 | 245 | 황재선 | 계양서 | 292 | 황현주 | 군산서 | 385 |
| 황수진 | 삼성서 | 185 | 황재섭 | 대구청 | 401 | 황현희 | 안양서 | 250 |
| 황숙자 | 순천서 | 378 | 황재승 | 부평서 | 306 | 황혜경 | 마산서 | 468 |
| 황순관 | 기재부 | 79 | 황재연 | 춘천서 | 273 | 황혜미 | 용인서 | 253 |
| 황순관 | 기재부 | 80 | 황재원 | 삼성서 | 185 | 황혜선 | 시흥서 | 243 |
| 황순구 | 기재부 | 65 | 황재중 | 충청주서 | 349 | 황혜영 | 다솔세무 | 35 |
| 황순민 | 부산청 | 441 | 황정록 | 부평서 | 306 | 황혜윤 | 서초서 | 188 |
| 황순영 | 동대문서 | 176 | 황정만 | 국세청 | 111 | 황혜정 | 기재부 | 83 |
| 황순영 | 중부청 | 219 | 황정미 | 서울청 | 153 | 황혜정 | 서울청 | 144 |
| 황순영 | 북대구서 | 409 | 황정미 | 도봉서 | 174 | 황혜조 | 금천서 | 168 |
| 황순진 | 중부청 | 224 | 황정미 | 중부청 | 224 | 황혜주 | 기흥서 | 229 |
| 황순하 | 서울청 | 134 | 황정미 | 동안양서 | 234 | 황혜주 | 영등포서 | 200 |
| 황순호 | 서울청 | 143 | 황정민 | 서대전서 | 328 | 황혜진 | 조세심판 | 506 |
| 황승규 | 경기광주 | 245 | 황정민 | 부산청 | 434 | 황호모 | 강동서 | 161 |
| 황승기 | 국회정무 | 59 | 황정선 | 서대문서 | 186 | 황호혁 | 군산서 | 384 |
| 황승진 | 여수서 | 380 | 황정우 | 대전청 | 320 | 황홍비 | 김해서 | 467 |
| 황승현 | 중부산서 | 457 | 황정욱 | 서울청 | 137 | 황효숙 | 구로서 | 166 |
| 황승화 | 기재부 | 69 | 황정태 | 중부청 | 220 | 황효정 | 속초서 | 267 |
| 황시연 | 동작서 | 178 | 황정하 | 인천청 | 283 | 황후용 | 대전청 | 319 |
| 황시윤 | 구리서 | 226 | 황정현 | 북광주서 | 371 | 황희상 | 서울청 | 157 |
| 황신영 | 속초서 | 266 | 황정화 | 종로서 | 209 | 황희정 | 기재부 | 71 |
| 황신원 | 중랑서 | 211 | 황정훈 | 금감원 | 91 | 황희정 | 순천서 | 379 |
| 황신현 | 기재부 | 70 | 황정훈 | 조세심판 | 506 | 황희태 | 파주서 | 312 |
| 황아름 | 서울청 | 156 | 황제헌 | 성동서 | 191 | | | |
| 황아름 | 성동서 | 191 | 황종욱 | 시흥서 | 243 | | | |
| 황연성 | 파주서 | 313 | 황종하 | 인천서 | 290 | | | |
| 황연실 | 서울청 | 141 | 황종하 | 금정서 | 442 | | | |
| 황연주 | 천안서 | 345 | 황주미 | 구미서 | 418 | | | |
| 황연희 | 용산서 | 203 | 황주성 | 분당서 | 237 | | | |
| 황영 | 양산서 | 470 | 황주연 | 역삼서 | 198 | | | |
| 황영규 | 도봉서 | 175 | 황주영 | 관세사회 | 42 | | | |
| 황영길 | 기재부 | 70 | 황주현 | 중부서 | 212 | | | |
| 황영남 | 서울청 | 137 | 황준석 | 충주서 | 357 | | | |
| 황영삼 | 파주서 | 312 | 황준성 | 강동서 | 160 | | | |
| 황영숙 | 북대전서 | 326 | 황준순 | 서대구서 | 410 | | | |
| 황영숙 | 서대구서 | 410 | 황준웅 | 금감원 | 95 | | | |
| 황영순 | 다솔세무 | 35 | 황지선 | 북광주서 | 370 | | | |
| 황영표 | 군산서 | 384 | 황지성 | 대구청 | 401 | | | |
| 황영희 | 중부청 | 224 | 황지아 | 국세청 | 112 | | | |
| 황예슬 | 기재부 | 68 | 황지언 | 창원서 | 474 | | | |
| 황예진 | 기재부 | 77 | 황지연 | 경기광주 | 244 | | | |
| 황왕규 | 남대구서 | 404 | 황지연 | 서대전서 | 329 | | | |
| 황요섭 | 안양서 | 250 | 황지영 | 남대문서 | 170 | | | |
| 황용연 | 평택서 | 257 | 황지영 | 도봉서 | 174 | | | |
| 황용준 | 국회재정 | 55 | 황지영 | 경산서 | 414 | | | |
| 황용택 | 중부청 | 224 | 황지영 | 부산청 | 440 | | | |
| 황우오 | 평택서 | 256 | 황지영 | 울산서 | 463 | | | |
| 황운정 | 기재부 | 79 | 황지원 | 서울청 | 142 | | | |
| 황원복 | 목포서 | 376 | 황지원 | 구미서 | 419 | | | |
| 황유경 | 시흥서 | 242 | 황지유 | 평택서 | 257 | | | |
| 황유성 | 서울청 | 136 | 황지은 | 기재부 | 72 | | | |
| 황유숙 | 은평서 | 204 | 황지은 | 구로서 | 167 | | | |
| 황유진 | 기흥서 | 228 | 황지현 | 대전청 | 321 | | | |
| 황윤섭 | 남대문서 | 171 | 황지현 | 중부서 | 213 | | | |
| 황윤숙 | 구로서 | 166 | 황지혜 | 전주서 | 392 | | | |
| 황윤숙 | 은평서 | 205 | 황지혜 | 서울청 | 147 | | | |
| 황윤식 | 김천서 | 420 | 황지혜 | 금정서 | 442 | | | |
| 황윤영 | 서인천서 | 288 | 황지환 | 의정부서 | 310 | | | |

| 이름 | 소속 | 쪽 |
|---|---|---|
| Henry An | 삼일회계 | 17 |
| Kahng | 김앤장 | 47 |
| Manning | 김앤장 | 47 |
| Oleson | 딜로이트 | 13 |
| Sung | 김앤장 | 47 |

1등 조세회계 경제신문

# 조세일보

www.joseilbo.com

2024년 8월 23일 현재

# 2024 재무인명부

발　　　행　2024년 8월 23일
발　행　인　황춘섭
발　행　처　조세일보(주)
주　　　소　서울시 서초구 사임당로 32
전　　　화　02-737-7004
팩　　　스　02-737-7037
조 세 일 보　www.joseilbo.com
정　　　가　25,000원
I S S N　2983-2918